nouveau dictionnaire des difficultés du *français* moderne

Joseph HANSE

nouveau dictionnaire des difficultés du *français* moderne

DUCULOT

© Éditions Duculot, Paris-Gembloux (1983)
(*Imprimé en Belgique sur les presses Duculot.*)
D. 1983, 0035.02
Dépôt légal : juillet 1983
ISBN 2-8011-0422-1

PRÉFACE

Ce Nouveau dictionnaire des difficultés du français moderne *n'est ni une réédition ni une mise à jour du* Dictionnaire des difficultés grammaticales et lexicologiques *paru aux éditions Baude en 1949 et qui n'était qu'une étape dans la réalisation d'un vaste projet, conçu et annoncé dès 1933, sous le coup de la déception causée en 1932 par la trop fameuse* Grammaire de l'Académie française. *C'est dire que le présent ouvrage, s'il reste fidèle aux principes et à la méthode du précédent, est le fruit de recherches, d'enquêtes et de réflexions poursuivies sans désemparer depuis cinquante ans.*

Le nombre de points traités est trois fois plus abondant qu'en 1949, malgré quelques suppressions justifiées par la vie même du langage et par la publication d'excellents dictionnaires de langue qui n'existaient pas en 1949 et qui ont rendu inutiles certaines démonstrations.

Quant aux jugements et aux développements qui ont été conservés, ils ont été complètement remaniés, en fonction des nouveaux matériaux sans cesse engrangés.

On peut se demander comment a été faite la sélection des difficultés ici rassemblées. Elle s'est opérée tout naturellement et progressivement, au cours d'un demi-siècle d'expérience. Passionné par les problèmes de langage, sur lesquels j'ai été si souvent consulté, je n'ai cessé de les enregistrer à l'occasion de mes cours, de mes enquêtes, de mes voyages, de mes lectures.

L'oreille toujours attentive et l'esprit toujours aux aguets, je notais soigneusement telle faute, telle hésitation, telle option, tel bonheur d'expression chez mes interlocuteurs, dans les copies que je corrigeais, dans des journaux belges, français, québécois ou suisses et dans les milliers de volumes ou d'articles, d'une extrême variété, que je lisais. J'ajoute avec reconnaissance que je dois aussi beaucoup à mes amis, à mes lecteurs, de toutes conditions et de tous pays, aux observations qu'ils m'ont faites, aux questions qu'ils m'ont posées.

Un livre comme celui-ci ne prétend pas dispenser d'un bon diction-naire, d'une bonne grammaire. Mais il retient des difficultés précises concernant le vocabulaire, l'orthographe, la prononciation, la gram-maire, les problèmes d'accord ou de construction. Déçu par l'insuffi-sance des données des meilleurs dictionnaires, dans bien des cas, sur la construction d'un nom, d'un adjectif, d'un verbe, j'ai tâché de combler ces lacunes.

Jamais je n'ai perdu de vue que celui qui consulte un dictionnaire des difficultés veut y trouver rapidement une solution nette et tran-chante ; cela n'empêche pas de lui montrer, quand il y a lieu, que l'usage est souvent plus variable ou plus instable que ne le prétendent la grammaire scolaire traditionnelle ou les puristes.

En 1949, au temps où triomphaient les Ne dites pas... mais dites, *j'ai régulièrement et nommément dénoncé certains puristes malfaisants. Il est devenu inutile aujourd'hui de les nommer. Mais il ne l'est pas de continuer à réformer certains jugements non fondés et de définir nette-ment le bon usage. Celui-ci peut s'établir scientifiquement si on tient compte non seulement des bons linguistes et des meilleurs diction-naires, mais dans chaque cas du nombre et de la qualité des gens culti-vés et des écrivains qui peuvent offrir leur caution dans la mesure où l'on perçoit, et c'est facile, l'importance qu'ils accordent, les uns et les autres, à la correction du langage en général.*

Je m'en tiens donc à l'attitude que je m'impose depuis cinquante ans : une information scrupuleuse, une réflexion qui me laisse à dis-tance des laxistes comme des puristes, de l'archaïsme comme du laisser-aller ou du laisser-faire. À maintes reprises, je note que tel usage est vieilli ou rare ou littéraire, que tel autre appartient à un français régio-nal ou au registre familier ou populaire. Je prends soin d'ailleurs, très souvent, de nuancer ces dernières épithètes.

Chacun comprendra que le français familier, celui de la conversa-tion, surtout entre intimes, n'est pas fautif parce qu'il est détendu, mais qu'il se distingue du français soigné, surveillé, imposé souvent par les circonstances dans le langage écrit ou même parfois dans le langage oral. Quant au français populaire, il a lui aussi ses degrés, mais il faut savoir que dans l'ensemble il se caractérise par la spontanéité, par l'invention et la liberté, par l'absence de tout souci de norme ou de distinction, sans aller d'ailleurs pour cela jusqu'à la vulgarité.

Sachant que mon ouvrage sera, comme le précédent, largement consulté dans les pays non francophones, j'ai voulu renseigner mon lecteur, quel qu'il soit, sur le français vivant, sur celui de la vie courante.

J'ai pensé aussi à ces nombreux lettrés qui, au-delà d'un renseignement immédiat, sont désireux de lire de plus longs développements sur des questions de syntaxe d'une portée plus générale. Ayant souvent moi-même approfondi celles-ci dans mes cours ou dans mes recherches, j'ai voulu mettre à la portée de l'homme cultivé le fruit d'une longue expérience.

* * *

Je dois avertir le lecteur qu'il trouvera enregistrées systématiquement dans cet ouvrage deux séries de **modifications orthographiques** *désormais admises mais que les dictionnaires n'ont pas encore signalées (en 1982) : l'une a déjà la caution de l'Académie française, l'autre a celle de la commission qui, à l'initiative du Conseil international de la langue française, a réuni des membres de celui-ci et les principaux lexicographes français.*

1. L'Académie française a approuvé en 1975 quelques modifications orthographiques auxquelles on n'a guère fait écho bien que son secrétaire perpétuel, M. Jean Mistler, les ait lui-même présentées dans une revue du CILF, La banque des mots, *en 1976, en déclarant qu'elles étaient « d'ores et déjà appliquées dans les textes préparant la 9ᵉ édition du Dictionnaire de l'Académie française ». Il a bien voulu me donner confirmation de cette décision en 1982, après une nouvelle étude, point par point, de la commission du Dictionnaire. Il va sans dire que les graphies précédentes resteront correctes jusqu'au moment où les nouvelles, autorisées dès maintenant, se seront imposées dans l'usage.*

J'ai noté ces nouvelles graphies au rang alphabétique des mots en cause, en indiquant qu'il s'agit d'une décision prise par l'Académie en

1975. Sur deux points importants, d'une portée plus générale, j'ai dû me contenter d'un exposé, au mot TRÉMA et à l'article VERBE, conjugaison, *à propos des verbes en -eler et en -eter.*

2. *La commission de lexicographes et de linguistes constituée par le CILF en 1981 n'a pas entrepris une réforme de l'orthographe, mais une harmonisation des graphies adoptées par les divers dictionnaires français (Académie, Larousse, Robert, Quillet, Bordas, Flammarion, Hachette, Nathan). Elle a décidé de supprimer les divergences qui apparaissent d'un dictionnaire à l'autre à propos de l'orthographe de centaines de mots. Elle n'a pas créé de nouvelles graphies, mais elle en a privilégié certaines ou écarté d'autres, d'un commun accord. Sans vouloir mentionner tous les cas, dont plusieurs concernent des mots rares, j'ai tenu compte de ces décisions, qui seront publiées par le CILF et auxquelles les lexicographes présents ont promis de se conformer. Certaines graphies ont été maintenues comme encore vivantes à côté de celles qui étaient privilégiées — ou bien il est simplement noté qu'« on écrit aussi... » ou qu'« on a écrit aussi... ».*

Sur un point seulement, pour sortir de l'incohérence révélée par les dictionnaires et suscitée parfois par le recours à une analyse séman-tique, il a fallu adopter une solution radicale modifiant la graphie traditionnelle. On trouvera cette doctrine exposée et justifiée à l'article NOMS COMPOSÉS, B, 5. C'est à cet endroit qu'il faudra éventuelle-ment se reporter pour les noms composés qui ne sont pas repris à leur rang alphabétique et qui sont formés d'un verbe et d'un nom commun sans article ayant la fonction de complément d'objet direct du verbe ; par exemple : abat-jour, essuie-main, ouvre-boîte, porte-bonheur, tire-bouchon [1].

---

1. On s'apercevra vite que je ne fais jamais mention de l'Arrêté ministériel fran-çais du 28 décembre 1976, relatif à des « tolérances grammaticales ou orthogra-phiques ».

C'est qu'il ne peut être pris en considération par celui qui a le souci d'écrire et de parler correctement. Simple mesure scolaire, il est rempli d'erreurs de fait et de jugement. Je les ai dénoncées avec d'autant plus de vigueur que je suis un partisan déclaré de certaines réformes dans l'enseignement et la pratique de la langue. Je me permets de renvoyer à deux de mes exposés :

Modifications orthographiques et tolérances grammaticales, dans le *Bulletin de l'Académie royale de langue et de littérature françaises,* 1977, tome LV, n° 1, pp. 1-32.

Orthographe et grammaire. Politique nouvelle. Paris, Conseil international de la langue française, 1980, 28 p.

ABRÉVIATIONS, SIGNES CONVENTIONNELS ET RENSEIGNEMENTS BIBLIOGRAPHIQUES

Les crochets [ ] n'encadrent pas toutes les expressions condamnées mais certaines d'entre elles qui ont paru mériter cette attention particulière.

absol. : absolument, en construction absolue (cf. VERBE, A).
adj. : adjectif.
adv. : adverbe.
appos. : apposition. Exemple : *adjoint,* dans *le directeur adjoint.*
card. : cardinal (adj. numéral cardinal).
cf. : confer, voir (tel auteur, telle page, telle expression).
comp. : composé.
compl. : complément.
cond. : conditionnel.
conj. : conjonction.
dém. : démonstratif.
dir. : direct.
etc. : et cetera.
f. : féminin.
fam. : familier (cf. Préface).
Folio : collection « Folio ».
ibid. : *ibidem* (dans le même livre ou article).
imparf. : imparfait.
impér. : impératif.
impers. : impersonnel.
ind. : indicatif ou (avec *compl.* ou *trans.*) indirect (cf. VERBE, A).
indéf. : indéfini.
inf. : infinitif.
interj. : interjection.
intr. : intransitif (cf. VERBE, A).
inv. : invariable.
J'ai lu : collection « J'ai lu ».
loc. : locution — loc. adj., adv., conj., prép., v., locution adjective, adverbiale, conjonctive, prépositive, verbale.
m. : masculin.
n. : nom.

numér. : numéral.
O.C. : Œuvres complètes.
Op. cit. : œuvre citée.
p. : page.
part. : participe.
pass. : passif.
p.c. : passé composé.
p.s. : passé simple.
péj. : péjoratif.
pers. : personne ou personnel.
pl. : pluriel.
Poche : collection « Livre de Poche ».
pop. : populaire (cf. Préface).
poss. : possessif.
prép. : préposition.
prés. : présent.
pr. : pronom ou, à côté de *v.*, pronominal.
pron. : prononcer.
qqn : quelqu'un.
qqch. : quelque chose.
t. : tome.
tr. : transitif.
v. : verbe.

Ne sont mentionnés ici que les ouvrages de linguistique qui, souvent cités, le sont d'une manière abrégée.

Ac. : *Dictionnaire de l'Académie française*, 2 vol., 8ᵉ éd., Paris, Hachette, 1932-1935.

Bauche : BAUCHE, Henri, *Le langage populaire*, Paris, Payot, 1946.

Bordas : DAVAU, Maurice, COHEN, Marcel, LALLEMAND, Maurice, *Dictionnaire du français vivant*, Paris, Bordas, 1972.

Brunot : BRUNOT, Ferdinand, *La pensée et la langue*, 3ᵉ éd., Paris, Masson, 1936.

B.U. : cf. GREVISSE, *Le bon usage*.

F.C. : cf. GREVISSE, *Le français correct*.

Damourette
et Pichon : DAMOURETTE, Jacques et PICHON, Edmond, *Des mots à la
(ou D. et P.) pensée. Essai de grammaire de la langue française*, 7 vol., Paris, d'Artrey, 1930-1950.

Dauzat : DAUZAT, Albert, *Grammaire raisonnée de la langue française*, Lyon, IAC, 1947.

DEC : *Dictionnaire encyclopédique Larousse*, 1 vol., 1979.

DFC : *Dictionnaire du français contemporain*, nouvelle éd., Larousse, 1980.

Dict. gén. : HATZFELD, A., DARMESTETER, A. et THOMAS, A., *Dictionnaire général de la langue française*, 2 vol., Paris, Delagrave, 1890-1900.

Dupré : DUPRÉ, P., *Encyclopédie du bon français dans l'usage contemporain*, 3 vol., Paris, Éd. de Trévise, 1972.

Englebert et Thérive : ENGLEBERT, O. et THÉRIVE, A., *Ne dites pas ... dites ...*, Paris, Bruxelles, Éd. Labor, 1939.

F.M. : *Le français moderne* (revue).

F.P. : cf. GOOSSE, *Façons de parler*.

Gilbert : GILBERT, Pierre, *Dictionnaire des mots nouveaux*, Paris, Hachette, 1971.

Girodet : GIRODET, Jean, *Dictionnaire du bon français.*, Paris, Bordas, 1981.

GLE : *Grand Larousse encyclopédique*, 10 vol., 2 suppléments, 1959-1974.

GLLF : *Grand Larousse de la langue française*, 7 vol., 1971-1978.

Goosse : GOOSSE, André, *Façons de parler (F.P.)*, Duculot, 1971.

GR : *Le Grand Robert*, Dictionnaire, 6 vol., et supplément, Paris, 1953-1970.

Grevisse : GREVISSE, Maurice, *Le bon usage (B.U.)*, 11ᵉ éd., Duculot, 1980. *Le français correct (F. C.)*, 2e éd., Duculot, 1979. *Problèmes de langage*, t. I à V, 1961-1970.

Le Bidois (les) : LE BIDOIS, Georges et Robert, *Syntaxe du français moderne*, 2 vol., Paris, Picard, 1935-1938 ; 2ᵉ éd., avec notes complémentaires, 1967.

Le Bidois R. *M.T.* : LE BIDOIS, Robert, *Les mots trompeurs*, Paris, Hachette, 1970.

Lerond : LEROND, Alain, *Dictionnaire de la prononciation*, Paris, Larousse, 1980.

Lexis : *Lexis, Dictionnaire de la langue française*, Paris, Larousse, 1975.

Martinet : MARTINET, André et WALTER, Henriette, *Dictionnaire de la prononciation française dans son usage réel*, Paris, France-Expansion, 1973.

Martinon : MARTINON, Ph., *Comment on parle en français*, Paris, Larousse, 1927.

Nyrop : NYROP, Kr., *Grammaire historique de la langue française*, 6 vol., Paris, Picard, 1899-1930.

PR : *Le Petit Robert*, 1977.

RM : *Le Robert méthodique*, 1982.

Sandfeld : SANDFELD, Kr., *Syntaxe du français contemporain*, 3 vol., Paris, Champion , Droz, 1928-1943.

Thérive,
Querelles   : THÉRIVE, André, *Querelles de langage*, 1re série, 1929,
                   2e série, 1933, 3e série, 1940, Paris, Stock.
TLF   : *Trésor de la langue française*, Dictionnaire de la langue du
                   XIXe et du XXe siècle, Paris, Éditions du CNRS.
Wagner
et Pinchon   : WAGNER, R.-L. et PINCHON, J., *Grammaire du français clas-
                   sique et moderne*, 2e éd., Paris, Hachette, 1967.
Warnant   : WARNANT, Léon. *Dictionnaire de la prononciation française*,
                   3e éd., Gembloux, Duculot, 1968.

A

À, prép. (accent grave). 1. Voir à leur rang alphabétique : ACOMPTE ; ADJEC-
TIFS POSSESSIFS, 1 (*Avoir mal à la tête*) ; AFFAIRE (*Avoir affaire*) ; ALLER, 9
(*à* ou *chez*) ; AUTRE, 2 (*à d'autres qu'à moi*) ; AVANCE ; CAUSE (*à cause
que*) ; CAUSER ; CE, 7 (*c'est gentil à vous*) ; CENT (*pour cent*) ; CHAQUE (*à
chaque fois*) ; COMBIEN (*à deux*) ; COMPARAISON ; COMPARER ; COMPLÉ-
MENT ; CONDITION (*à condition que*) ; CONFRONTER ; CÔTE ; CÔTÉ ; COURT
(*à court*) ; CROIRE ; DATE ; DEMAIN ; DEMI ; ENCONTRE ; ENDROIT ; ÊTRE ;
FEMME ; FIANCER ; FIN ; HEURE, 1 ; HIER ; ICI (*d'ici à*) ; IDENTIFIER ;
JOUER ; JOUR ; JUSQUE ; L'UN (réciprocité) ; MAL ; MARCHÉ ; (*à bon
marché*) ; MARIER ; MÉPRENDRE ; MESSE ; MOINS ; NÉCESSAIRE ; NOU-
VEAU ; PARAÎTRE ; PARLER ; PARTIR ; PEINE ; PIED ; PLAN ; PLUS ; POINT
DE VUE ; PORTE ; PRÉPOSITION ; PRÊT ; PREUVE ; PRONOMS PERSONNELS (*à
lui communiqué*) ; QUE (*à ce que, de ce que*) ; RAISON ; REVOIR (*au revoir*) ;
SERVIR ; SONNER ; SUITE ; SUPPOSER ; SUR ; TANT, 4 ; TERRE (*à terre*) ;
TOURNER ; TRAVERS.

2. Notons quelques **wallonismes** : *aller* [*aux muguets*] pour *aller cueillir
des muguets* ; *mener la vache* [*au taureau*] pour *à la saillie* ; *planter, arracher* [*aux pommes de terre, aux betteraves*] pour *les pommes de terre, les
betteraves* ; *couper* [*aux cerises*] pour *les cerises* ; *cueillir* [*aux groseilles*]
pour *les groseilles* ; *une maison* [*à rue*] pour *donnant sur la rue* ; *son entrée*
[*est à rue*] pour *donne sur la rue* ; *la femme* [*au lait*] pour *la laitière* ;
l'homme [*au mazout*] pour *le livreur de mazout*.

3. *À* **devant un nom de nombre** (ou *quelques-uns, plusieurs*, etc.) ne
s'emploie que s'il s'agit de **personnes** et pour ajouter à la simple idée de
nombre celle d'une communauté d'efforts, de situation : *Ils étaient trois.
Nous étions* **à dix** *pour soulever ce fardeau. Ils dormaient à six dans une
chambre. Louer une maison à trois* (Ac.). *On les avait rassemblés dans la
cour à une dizaine* (J.-J. Bernard, *Le camp de la mort lente*, p. 77). *Nous
sommes venus à trois. Ils y sont allés à dix* (ou *au nombre de dix*). *Nous
avons dîné à dix* (ou *Nous étions dix à ce dîner*). *Se mettre à deux, à trois*

pour faire quelque chose (Ac.). *À trois, nous faisions de longues promenades.* Cf. COMBIEN, 1.

À et **de,** prép. 1. **Un timbre à cinquante centimes.** Le complément de prix indiquant la valeur de la chose indiquée par le nom qui précède immédiatement peut toujours s'introduire par *de.* Il peut l'être aussi par *à. Le livre à trois francs cinquante* a été autrefois le nom d'une collection à bon marché. Cet emploi de *à* n'implique toutefois pas nécessairement une nuance péjorative ni l'idée d'une série. La langue populaire ne craint pas d'employer *à* pour des objets coûteux, mais le français un peu châtié le réserve, sans l'imposer, à l'expression d'un prix peu élevé : *Un timbre à dix sous, un cigare à cent sous. Prendre des places à dix francs. Un cahier à trois sous* (J. Green, *Jeunesse,* p. 278). *Un magazine féminin à un franc cinquante* (J.-L. Curtis, *Un jeune couple,* Poche, p. 34). *Elle s'achète des bagues de deux sous au colporteur* (...) ; *et il a toujours des bagues à deux sous ; mettons qu'il les fasse payer cent francs* (J. Giono, *Noé,* Poche, p. 143).

À distinguer du complément déterminatif : *une pièce de cent sous, un billet de dix francs, un prix de mille francs.*

2. *À* et *de* avec *avocat, conseiller, attaché,* etc. Quand on énonce les **titres,** on dit : *avocat au barreau de Paris, juge au tribunal de, attaché de cabinet, attaché d'ambassade, attaché de consulat, attaché de presse, conseiller d'ambassade, conseiller à la cour d'appel, conseiller maître à... ; conseiller du travail, conseiller culturel de l'ambassade de..., président de chambre à la cour d'appel de ..., premier président de la cour d'appel de...* Mais on dit : *X, attaché à l'ambassade de..., attaché au cabinet du ministre de..., attaché au parquet, directeur du cabinet du ministre. La cause a été défendue par un avocat du barreau de Paris. Expert près la cour d'appel de...* Cf. PRÈS.

3. **C'est à vous à** ou **de.** Emploi indifférent (euphonie à part) *devant un infinitif.* La distinction entre les sens respectifs « votre tour est venu » et « vous devez, c'est à vous qu'il convient de » était déjà déclarée arbitraire par Littré.

4. *La maison de mes parents. Le fils de Jules.* **L'appartenance,** qui s'exprime avec *à* après un verbe (*Cette maison appartient à mes parents. L'avenir est à Dieu*), ne le fait plus entre deux noms, sauf par archaïsme ou dans l'usage très familier et dans des locutions figées : *une bête à bon Dieu, un fils à papa.* Mais *à* s'emploie devant un pronom : *Un oncle à moi. Il a un style, une manière à lui, C'est mon opinion à moi* (insistance). C'est sans doute par archaïsme que Gide écrit : *Quelques anciens vêtements à Sarah et du linge propre remplacèrent les sordides haillons qu'Amélie venait de jeter au feu* (*La symphonie pastorale,* Poche, p. 30).

5. Il est bon de maintenir, quand la clarté de la communication le demande, l'utile et facile distinction entre **un verre de vin** (contenant du

vin) et **un verre à vin** (destiné à contenir du vin), *une boîte de cigares* et *à cigares, un pot d'eau* et *à eau* (*pot à l'eau* est sorti de l'usage), *une boîte de conserve(s)* et *à conserve(s)*, (cf. CONSERVE), *un pot de confiture(s)* et *à confiture(s), un pot de lait* et *un pot au lait* (fréquent, sans doute à cause de la fable bien connue) ou *un pot à lait*, etc.

Mais on dit et on écrit couramment : une *boîte* à clous, à outils, à chapeau, aux lettres (cf. LETTRE), un *pot* ou une *blague* à tabac, un *carton* à chapeau, un *étui* à (ou de) violon, un étui à saxophone, un étui à lunettes, un étui à aiguilles, à cigarettes, une *corbeille* à papier. On remarque la tendance à employer *à* pour ce qui ne s'achète que vide ; on distinguera un sac *à* pommes de terre et un sac *de* pommes de terre.

Il faut noter que, si le contexte est assez clair, de bons écrivains ne craignent pas d'employer *de* au lieu de *à* : *J'ai vu que parmi les vieux seaux et les boîtes de conserves rouillées* (G. Duhamel, *Chronique des saisons amères*, p. 26). *Une bonne parut, balançant comme les gosses une boîte de lait vide* (A. Lanoux, *Le berger des abeilles*, p. 394). *Chiffons, boîtes de conserves crevées, ordures...* (J. Peyré, *Croix du Sud*, Poche, p. 68). *Villers, pour le remercier, lui offrit plusieurs boîtes de conserves vides* (R. Mallet, *Région inhabitée*, p. 60). *Un dépotoir de boîtes de conserves* (J. Giono, *Noé*, Poche, p. 218). *Boîtes de lait vides* (Fr. Mallet-Joris, *Allegra*, p. 27).

6. **Devant un infinitif,** après *aimer, commencer,* etc. Cf. ces verbes à leur rang alphabétique.

7. *J'ai [eu] cinq francs* [à] *mon oncle.* Wallonisme pour : *J'ai reçu cinq francs de mon oncle. Mon oncle m'a donné cinq francs.*

8. *Confiture de fraises. Omelette au jambon.* Le sens justifie ces emplois de *à* (accompagnement) et *de.* C'est donc à tort qu'en Belgique on parle de *confiture* [*aux*] *fraises,* de *compote* [*aux*] *prunes.*

9. Cf. ÉMÉRITE, HABITER, HEURE, NOUVEAU, POINT DE VUE, RESSORTIR, SERVIR, ZÉRO.

À (*au, à la, aux*) et **en.** 1. **À** ou **en vélo.** On a opposé légitimement *à cheval* à *en voiture,* mais on a prétendu que *en* ne pouvait signifier que « dans » : *en auto, en train* (cf. ce mot). On dit pourtant fort bien *en* ou *à bicyclette, vélo, moto, skis.* On dit toujours *en bécane, en tandem, en scooter, en patins.* On notera que, devant un article, un adjectif démonstratif ou possessif ou un nombre, on dit *sur : sur sa bicyclette, sur une bécane,* etc.

Il est clair que c'est une faute de dire [*partir au train, revenir au bus*]. C'est *en* qui s'impose, malgré un usage populaire, fréquent en Belgique et en Suisse. *On voyage **en train*** ou *par le train.* Ne pas dire [*par train*] comme on dit : *par mer.*

2. On dit *avoir la cigarette aux lèvres, **à la bouche,** avoir la pipe à la bouche* (ou *au bec*) plutôt que *en bouche,* plus rare. On préfère garder à

en son sens normal : *une pastille en bouche.* Comparez : *avoir toujours l'injure à la bouche.*

3. **À la Bourse, en Bourse.** Notez la majuscule. *Aller, travailler à la Bourse* se dit plutôt lorsqu'il s'agit du bâtiment (cf. TLF, I, p. 10 et DUPRÉ, p. 7). *Aller en Bourse,* donné par certains comme la construction normale, concerne plutôt les opérations financières que le bâtiment. *Une action est cotée en Bourse* ou *à la Bourse.* L'emploi de *à* dans ce sens est plus rare, mais il devient le plus courant si *Bourse* a un complément déterminatif : *à la Bourse de Paris* est beaucoup plus fréquent que *en Bourse de Paris.* — On dit plutôt : *jouer à la Bourse,* comme *jouer aux cartes, aux courses,* mais on dit aussi *jouer en Bourse, perdre son argent en Bourse.*

4. Au tour traditionnel **en Sorbonne** (*professeur en Sorbonne, faire un cours en Sorbonne*), qui reste correct, les maîtres eux-mêmes de l'illustre maison substituent couramment, aujourd'hui, *à la* : professeur, assistant *à la Sorbonne.* On se rend *à la Sorbonne.* Un colloque se tient *à la Sorbonne.*

5. Devant des **noms de villes, de pays,** etc., l'usage a fini par établir des distinctions assez nettes. Bornons-nous à l'essentiel. Voir Grevisse, *B.U.,* n° 318, Glättli, dans *Mélanges Grevisse,* et Goosse, *F.P.*

On emploie **à** devant les noms de villes : *à Paris, au Havre, à Monaco.* — *En Avignon, en Arles* sont des provincialismes provençaux imités à tort et sans discernement en français et appliqués abusivement à d'autres villes. On dit aussi en dépit de l'hiatus : *à Avignon, à Arles,* et toujours *à Athènes, à Alger.*

Pour les noms de pays, de régions ou de provinces, on dit **en** (sans article) lorsqu'ils sont féminins ou commencent par une voyelle (*en France, en Flandre, en Espagne, en Israël, en Artois ;* on dit cependant *dans la Gironde, en Inde* ou *dans l'Inde*) et généralement **à** (plus l'article) lorsque, masculins, ils commencent par une consonne ou un *h* aspiré (*au Luxembourg, au Canada, au Portugal, au Honduras*). Toutefois, devant les noms masculins de provinces ou de départements commençant par une consonne, on emploie généralement *en* (parfois *dans le*) : *en Limousin, en Berry, en Hainaut* (ou *dans le Limousin, le Berry, le Hainaut*). Si le nom du département est formé d'un nom de rivière ou de montagne, on emploie **dans** : *dans la Marne, dans le Gard, dans les Vosges, dans la Seine* (alors qu'on dit *en Vendée*). On dit **en** devant les noms formés de deux termes unis par *et : en Seine-et-Loire.*

Pour les **noms d'îles,** on emploie **à** devant ceux qui ne s'énoncent jamais avec un article et devant ceux qui s'énoncent toujours avec *la : à Malte, à Jersey, à Guernesey, à Chypre, à Cuba, à Madagascar, à Tahiti, à Haïti, à Terre-Neuve ; à la Martinique, à la Guadeloupe.* — *En Haïti,* quoique fréquent, est plutôt à déconseiller. — Pour l'île d'Elbe et l'île de Ré, on dit *à l'île de* ou *dans l'île de.* De même pour l'île de Rhodes. On dit cependant : *en Irlande, en Corse, en Sardaigne, en Crète.*

On emploie *aux* devant les noms au pluriel : *aux Antilles, aux Baléares.*

6. À et **en** ou **dans.** — On dira couramment : *Il travaille à l'usine, dans une usine, dans cette usine.* Mais on dit aussi, en songeant moins à telle usine déterminée : *Il travaille en usine,* comme on dit *travailler en chambre* (mais *travailler à domicile*). On dit : *Elle est à la cuisine* ou *elle est dans la (dans sa) cuisine.*

Mon mari est à son bureau = dans l'immeuble où il a son occupation. *Il est dans son bureau* = dans le local qui s'appelle son bureau. *À la maison, à l'atelier, au bureau, à l'école, tout le monde grelotte* (Ch. de Gaulle, *Le salut,* Poche, p. 109).

7. Des puristes ont voulu imposer *en la perfection* et condamner **à la perfection.** Seule cette dernière expression est vivante.

8. **À sa place** et **en place.** — Une chose, une réflexion, un mot est *à sa place,* au propre et au figuré. On met ou on remet qqch. *en place* ou *à sa place* (on dit très rarement *en sa place*). C'est à tort que dans une bonne partie de la Wallonie on dit [*à place*]. La *mise en place* de qqch. Au figuré, on remet qqn *à sa place.*

On se met (ou on désigne une personne) *à la place* de qqn. *En son lieu et place* appartient au langage de la procédure.

On ne peut dire, comme en Belgique, [*à la place de faire qqch.*] pour *au lieu de faire qqch.* On dit : *Il parle au lieu d'écouter.*

Au propre et au figuré, *on se tient à sa place, on reste à sa place.* Au propre, *on demeure en place, on ne tient pas en place.*

9. Dans certaines expressions, on dit *au* par suite d'un ancien usage, bien que le sens permette d'attendre *en* ou *dans* : *Mettre au jeu, au monde, aux fers. Tomber au pouvoir de, aux mains de. Aux heures de découragement,* etc.

On notera les **oppositions :** *en mon nom et au vôtre ; aller au ciel, au paradis* ou *en paradis ; aux enfers, en enfer ; à l'église* (parfois *en l'église de...*) ; *en classe, à l'école ; au bagne, en prison* et, dans le sens de « en prison », *à l'ombre,* mais *dans* (ou *à*) *la prison de telle ville ; au bois, en forêt ; en quête de, à la recherche de ; au bar, dans un bar ; en dernière minute, au dernier moment ; mettre à terre* (pour *sur le sol*) et *mettre en terre.*

10. **À bas (de), au bas (de), en bas (de).** Les deux locutions prépositives *au bas de* et *en bas de* ont le même sens, « au pied de, dans la partie inférieure de » : *En bas* ou *au bas de la page* (on dit aussi *en bas de page*), *de la colline, de l'échelle.* Noter : *Il habite dans le bas de la ville.*

Même choix théorique entre *en haut de* et *au haut de,* le premier étant préféré par l'oreille.

On trouve aussi *dans le bas de* pour désigner la partie inférieure d'une surface plane, verticale : *Dans le bas de la porte, du tableau.*

Avec un verbe de mouvement comme *sauter, tomber*, on emploie *à bas de*, un peu plus rarement *en bas de*, mais le plus souvent *de : Il sauta* ou *il tomba (à bas* ou *en bas) de son cheval*. On trouve aussi *au bas de* dans ce sens, mais c'est plutôt à déconseiller : *Il sauta au bas de son lit* (N. Sarraute. *Portrait d'un inconnu*, p. 125. Voir aussi Fr. Nourrissier, *Le maître de maison*, p. 11).

Parfois le verbe ne permet pas de préciser le sens de *de ;* il faut alors *à bas de* (ou *en bas de*) : *Il le mit à bas de son cheval*.

[*Bas de*] ne peut s'employer pour *à bas de, en bas de*. On ne peut dire : [*Sauter, tomber bas de son lit, bas de l'échelle*]. Emploi belge.

Adverbe *en bas : Il dort en bas* (au rez-de-chaussée). *À bas : Mettre à bas, jeter à bas, sauter à bas* (*Et je sautai à bas*, Alain-Fournier, *Le grand Meaulnes*, I, 7).

11. On dit : *au printemps, en été* (mais : *dans l'été de 1940*), *en automne* (parfois *à l'automne*), *en hiver*.

12. On peut dire : *le livre en main* ou *à la main*.

13. Wallonisme : *couper* [*à morceaux*] pour *en morceaux*.

14. Distinguer : *à la tête* (ou *en tête*) *d'un cortège, à la tête* d'une société, d'une fortune, *en tête* d'un écrit, d'un poème, d'une proposition.

15. Cf. ADJECTIFS POSSESSIFS, 1 ; CROIRE ; DANS ; EN, *préposition ;* RUE.

À et ou pour exprimer une évaluation approximative.

1. Si les deux nombres sont consécutifs et se rapportent à des unités indivisibles, le tour logique est *ou* (mais des auteurs emploient *à*, qui est certes à déconseiller) : ***Six ou sept** personnes. Des groupes **de cinq ou six** personnes. Sept ou huit arbres. Quatre ou cinq fois.*

2. Si ces deux conditions ne sont pas réalisées, on emploie soit *ou*, soit *de... à* (on peut omettre *de*) : ***quatre ou cinq heures*** ou ***de quatre à cinq heures***. *Il y avait là dix ou quinze personnes* ou (***de***) ***dix à quinze*** *persones. Cela me donne au moins **cinq à six jours**. Il y a à peine cinq à six maisons* est insolite. Il faut *ou*.

Proprement il y a une différence de sens entre : *il a écrit là-dessus quatre ou cinq pages* (on hésite sur le nombre) et *quatre à cinq pages* ou *de quatre à cinq pages* (entre quatre et cinq).

À et par. 1. On dit : *mangé **aux vers**, aux mites ;* ou aussi ***par les*** ou ***des***.

2. *À* l'emporte sur *par* dans une tournure factitive avec *faire : Cela nous faisait désirer **à tous** de le rencontrer*. Il faut toutefois éviter l'équivoque : *Je l'ai fait dire à tous* ne sera compris avec le sens de *Je l'ai fait dire par tous* que si le contexte dégage ce sens. — *Le danger que cela faisait courir à notre cause.*

Avec *laisser* + infinitif, on emploie aujourd'hui *par : Il se laisse émouvoir par les pleurs de sa fille.*

3. Cf. INFINITIF, 2 : *Je l'ai entendu dire à mon ami* ou *par mon ami.*

4. Cf. TERRE (*à terre, par terre*).

Abaisser, et **baisser,** v.tr.dir., signifient tous deux « faire descendre à un niveau inférieur », mais sont loin de s'employer toujours indifféremment ; *baisser* a d'ailleurs gagné beaucoup de terrain sur *abaisser* transitif ; on *baisse* la tête, les yeux, les bras, le nez, le ton, la voix, la lumière, etc. ; mais on *baisse* ou on *abaisse* les paupières, une vitre. *Abaisser* se dira surtout au sens moral ; c'est ainsi qu'on *abaisse* dédaigneusement les regards sur quelqu'un. En mathématiques, on *abaisse* un chiffre (en faisant une division) ou une perpendiculaire. — On notera qu'à la différence d'*abaisser, baisser* peut être intransitif : *on baisse* (ou *on abaisse*) *les prix, les prix baissent.* Quant à *s'abaisser*, il faut surtout observer que, lorsque le sujet est une personne, le verbe a un sens figuré, moral (s'humilier ou perdre de sa dignité, s'avilir) : on s'abaisse par humilité, on s'abaisse pour réussir, on s'abaisse *à* (ou *jusqu'à*) un marchandage, à (ou *jusqu'à*) faire une chose. Au sens physique, on dit **se baisser.**

Abajoue, n.f., poche entre la joue et la mâchoire chez certains animaux.

Abasourdir, v.tr.dir. On prononce normalement « z » parce que le mot ne vient pas de *sourd* mais du vieux mot d'argot *basourdir* (tuer). Sous l'influence d'*assourdir*, le sens est cependant « étourdir par un grand bruit » ou, par extension, « sous l'effet de la surprise ».

Abat, dans les **noms composés :** *un abat-jour, un abat-son, des abat-jour(s), des abat-son(s).* Cf. NOMS COMPOSÉS, B, 5, p. 626.

Abâtardir s'écrit avec un accent circonflexe, comme *bâtard.*

Abats, n.m.pl., désigne en termes de boucherie certaines parties accessoires, mais comestibles, d'animaux. **Abattis,** également masc.pl., est réservé à la volaille ; dans le langage populaire, il désigne les bras et les jambes de qqn (*numéroter ses abattis*). *Un abattis*, un amas de bois abattu.

Abattage, n.m., a deux *t* comme *abattre* et ses dérivés. On parle de l'*abattage* des arbres, des animaux, du charbon et de l'**abattement** d'un malade, des salaires, de la matière imposable. — *Un animateur a de l'abattage*, il tient son public en haleine.

Abhorrer, v.tr.dir., a l'*h* et les deux *r* de *horreur.*

Abîmer (accent circonflexe), v.tr.dir., vieilli dans son sens propre (précipiter dans un abîme) et dans ceux de « ruiner » et même « critiquer », signifie « endommager, mettre en mauvais état » : *Mon chapeau est abîmé.*

Abject, adj. On prononce les *deux* consonnes finales.

Aboiement, n.m. Noter *ie*.

Abonder, v.intr., a pour sujet ce qui est en grande quantité ou bien le lieu où il y a cette abondance : *Les fautes abondent dans ce texte. Ce texte abonde en fautes.* Autre sens : *on abonde dans le sens de qqn,* on est tout à fait de son avis.

Abord (d'), adv. *D'abord* signifie « en premier lieu, pour commencer, à première vue » et non plus « aussitôt, autrefois ». Emploi fautif wallon, dans le sens de « donc, alors, dans ce cas ». *Vous reconnaissez vos torts,* [*d'abord*] *je n'insiste plus.*

    D'abord que, classique (*aussitôt que*), est vieilli. Il s'entend encore en Wallonie dans ce sens : (*Je l'ai reconnu* [*d'abord que*] *je l'ai vu*) et dans celui de « pourvu que, du moment que » (*Je le recevrai* [*d'abord qu'*] *il en fait la demande*).

    On dit : *dès l'abord, de prime abord, au premier abord* et non [*à prime abord*].

Aborder, v.intr., s'emploie couramment avec l'auxiliaire *avoir. Nous **avons** abordé au rivage depuis une heure.* Synonyme dans ce sens : *accoster.*

    V.tr.dir., a parfois le même sens qu'*accoster.* On aborde ou on accoste qqn, mais on *aborde* un virage, un village, la vie, une question, une profession, le théâtre. Cf. ACCOSTER.

Aboucher, v.tr.dir. On *abouche* deux tuyaux, deux personnes ; on abouche une personne *avec* une autre ; on s'abouche ***avec** qqn.*

Abouler, v.intr., et *s'abouler* sont vulgaires. On dit : *arriver, venir.*

Aboutir, v.intr. On aboutit *dans* une chambre, *à* qqch. *Vous aboutirez à ce qu'on ne vous consultera plus.*

[**Aboutonner**], v.tr.dir., est une forme dialectale qui s'entend en Belgique et dans plusieurs régions de France pour *boutonner* (un vêtement).

Aboyer, v.intr. ; *i* devant *e* muet. **Complément :** *Ce chien aboie aux voleurs, après les passants* (*contre les passants*).

Abracadabrant, adj., se dit de ce qui (discours, projet, jugement, etc.) est aussi incompréhensible ou déconcertant qu'une formule magique (*abracadabra*), de ce qui surprend par son incohérence, son illogisme.

Abraser, v.tr.dir., et **abrasion,** n.f., se disent d'une usure par frottement (*usure abrasive*) ; aucun rapport avec *braise, brasier, embraser.*

Abréviations et **symboles.** — Avant de noter quelques abréviations usuelles telles qu'on les emploie aujourd'hui (car il y a eu et il peut y avoir encore une évolution dans l'usage), faisons une remarque générale et importante à propos du **point** intervenant dans les abréviations (en dehors des symboles) : il se place après la dernière lettre d'une abréviation quand cette dernière lettre n'est pas la dernière du mot et quand l'abréviation ne forme pas elle-même un mot tronqué (comme *auto, métro*) qui peut d'ailleurs prendre la marque du pluriel. On fera attention, dans la liste ci-dessous, à la situation des lettres sur une même ligne ou non.

On écrit, quand on abrège *Monsieur, M.* et non [*Mr*] ou [*M'*] ; *MM.* (Messieurs). *Mme* ou *Mme* (Madame), *Mmes* ou *Mmes, Mlle* ou *Mlle, Mlles* ou *Mlles, M^e* (Maître, quand il s'agit d'un homme de loi, avocat, notaire, avoué, huissier), *D^r* pour Docteur, *Mgr* (ou *Mgr*) pour Monseigneur, *Mgrs* (Messeigneurs), *NN.SS.* (Nosseigneurs), *St, Ste* (Saint, Sainte ; saint, sainte), *S.M.* (Sa Majesté), *LL.MM.* (Leurs Majestés), *S.A.* (Son Altesse), *LL.AA.* (Leurs Altesses), *S.Exc.* (Son Excellence), *Cie* (Compagnie), *Vve* (veuve), *E.V.* (en ville), *n^o* (numéro), *p. ex.* (par exemple), *p.* (page), *pp.* (pages), *c.-à-d.* (c'est-à-dire), *cf.* (latin *confer*, reportez-vous à), *ch.* ou *chap.* (chapitre), *P.P.* (port payé), *P.-S.* (post-scriptum).

On écrit généralement *1er, 1ers, 1re, 1res, 2e* ou *2e, 1°, 2°*, etc. On ne trace pas de trait horizontal sous la ou les lettres mises à droite du chiffre.

Les **symboles** des unités de mesure et des unités monétaires ne sont suivis ni d'un point ni d'un *s : a* (are), *A* (ampère), *cm* (centimètre), *mm* (millimètre), *km* (kilomètre), *m* (mètre), *m^2* (mètre carré), *km^2* (kilomètre carré), *m^3* (mètre cube), *t* (tonne), *kg* (kilogramme), *g* (gramme), *h* (heure), *min* (minute), *s* (seconde), *l* (litre), *cl* (centilitre), *ha* (hectare), *F* (franc ; s'il faut préciser, *FB, FF, FS*, franc belge, français, suisse), *100 km/h* (barre oblique) ou *100 kmh* (100 kilomètres par heure), *kW* (kilowatt), *kWh* (kilowattheure), *0,3* (trois dixièmes).

On écrit : *10 F, 5 km, 3 h 15 min 10 s* (3 heures 15 minutes 10 secondes), *20,5 km* (20 km 500 mètres) ; la virgule sépare les unités des chiffres décimaux ; ailleurs on laisse un intervalle : *17 255 310 F.* De même, en plaçant le symbole après le nombre : *1 350 F, 3,50 F, 3,50 m, 37,5°* (37 degrés et demi).

On notera que *20'* ou *40''* sont en principe réservés à la mesure des angles, non de l'heure.

Abscons, adj. (signifie : presque impossible à comprendre) ; *b* se prononce « p » : *Un écrivain abscons.*

Absent, adj., et **s'absenter** ne s'accommodent pas de la préposition *à* pour indiquer le lieu, la situation d'où l'on est absent : *Il est **absent de** son bureau. Il s'est absenté de mon cours.* On peut employer *absent* de façon absolue, le verbe étant déterminé par un complément circonstanciel indiquant le moment : *Il était absent à l'appel* ou *lors de cette séance.*

Absentéisme, n.m., se dit de l'habitude de s'absenter.

Absolu, adj. En *grammaire*, on parle d'un sens absolu, d'un emploi absolu, d'une construction absolue quand un verbe transitif est employé sans complément d'objet : *il cherche, il mange.*

Absolu écarte, par définition, toute restriction, toute variation de degré : *un pouvoir absolu, une discrétion absolue.* Il est donc anormal de mettre cet adjectif au comparatif ou au superlatif (*plus, le plus*), comme le font cependant de bons auteurs. Mais on peut employer *trop*, pour marquer l'excès. — Adverbe : *absolument.*

Absoudre, v.tr.dir. *J'absous, il absout, nous absolvons, ils absolvent. J'absolvais. J'absoudrai. Que j'absolve. Absolvant. J'ai absous. Elle a été absoute.* Passé simple inusité.

Absoute, n.f., est mis fautivement au pluriel en Belgique, même lorsqu'il n'y a qu'*une absoute.*

Acabit, n.m., est péjoratif. *Un filou de cet acabit* (de cette sorte).

Académicien, n.m., **académie,** n.f., **académique,** adj. Dans l'usage français, *académique* reste en rapport avec *Académie* pris dans le sens de « société, compagnie de savants, d'écrivains ou d'artistes » et dans celui, noté plus bas, de circonscription universitaire. Il se dit donc de prix, de discours, de réceptions ou de séances quand il s'agit d'une compagnie appelée *Académie.* Dans un sens péjoratif, il qualifie ce qui est conventionnel, compassé, en art et en littérature.

En Belgique, on parle couramment et abusivement de *séance académique* (comme en flamand) pour une *séance solennelle* avec discours, séance d'hommage, de commémoration, de clôture d'un congrès, et l'on appelle *salle académique* la salle destinée aux séances solennelles.

Une autre extension d'emploi (qu'on trouve aussi partiellement en Suisse et au Canada) substitue en Belgique *académique* à **universitaire.** On parle en Belgique d'*année académique* (au lieu d'*année universitaire*), de la *rentrée académique,* du *calendrier académique,* des *autorités académiques,* des *grades académiques,* du *corps académique,* de la *liberté académique.* Tandis qu'au Canada *académique* prend la place tantôt d'*universitaire,* tantôt de *scolaire.*

Ce qu'on appelle en Belgique le *quart d'heure académique* (retard théoriquement toléré) s'appelle en français le *quart d'heure de grâce.*

L'usage belge a été influencé par l'allemand. Cette influence est plus sensible encore au Grand-Duché de Luxembourg où *académicien* se dit de tout diplômé de l'université et même de tout étudiant inscrit à l'université.

Notons qu'on ne s'adresse pas à un académicien, à un membre d'une Académie en lui disant « Monsieur l'Académicien ».

Il n'est pas inutile de faire observer qu'en France l'*Université* comprend tout l'enseignement public et qu'il est réparti en *académies* ayant à leur tête un recteur et des *inspecteurs d'académie*. L'adjectif *académique* s'y applique non seulement aux sociétés appelées académies, mais à ce qui a rapport aux circonscriptions de l'Université : *l'inspection académique*. *Les palmes académiques* sont une décoration récompensant les mérites de ceux qui ont servi l'Université, ses académies, son enseignement.

Acagnarder (s'), v.pr. *S'acagnarder,* c'est s'installer paresseusement dans une vie oisive. *Cagne,* ancien mot signifiant « paresse », se dit, par ironie et antiphrase, de la classe préparant à l'École normale supérieure ; on écrit plutôt *khâgne.*

Acanthe, n.f., s'écrit avec *th.*

À cause que. Cf. Cause.

Accalmie, n.f. Deux *c* (préfixe *ad* devenu *ac*).

Accaparer, v.tr.dir. On *accapare qqn* ou *qqch.* On *s'empare de* qqch. Ne pas dire : [*s'accaparer qqch.*], [*s'accaparer de qqch.*]. La deuxième expression, favorisée par le tour *s'emparer de,* s'entend en France, mais beaucoup moins qu'en Belgique.

Accent, n.m. *Mettre l'accent sur qqch.* (expression dont on abuse), c'est insister sur qqch.

Accentuer, v.tr.dir., peut signifier : donner plus de relief, un caractère plus marqué. **S'accentuer :** *La résistance s'est accentuée.*

Acceptation, n.f. ; ne pas l'employer pour *acception.* Voir ce mot.

Accepter, v.tr.dir. *J'accepte de le faire moi-même* ou *qu'il le fasse* (subjonctif). *J'ai accepté de dîner chez Untel* (*Accepter à dîner* est plutôt un tour théorique : se laisser offrir de quoi dîner).

Acception, n.f., veut dire : sens, nuance de sens d'un mot (ne pas employer dans ce sens *acceptation*) ou, dans les expressions **sans acception de, sans faire acception de,** préférence, prise en considération : *On ne fera pas acception de la nationalité des candidats. Sans acception d'âge ni de sexe.*

Accessoire, n.m. *Un accessoire.* Dérivé : **accessoiriste,** n.m., marchand d'accessoires ou, au théâtre, dans un studio, le responsable des accessoires du décor, des éléments mobiles.

Accident, n.m. On peut parler au figuré d'un *accident de parcours* pour un imprévu qui a troublé le cours normal des choses.

Accidenté, adj., ne se dit pas seulement d'un relief, d'un terrain ou, au figuré, d'une vie, d'une carrière, mais, dans l'usage général et malgré l'Académie, d'une voiture, d'une personne. D'où le nom : *un accidenté du* *travail.* Les dictionnaires enregistrent cet emploi, mais refusent le verbe *accidenter. Il a accidenté deux personnes* est considéré comme inutile ; on dira : *blessé, renversé,* etc.

Accises, n.f.pl., **accisien,** n.m. On donne en Belgique le nom d'*accises* (au pluriel) à l'ensemble des impôts indirects sur le commerce de certaines boissons : *Service des douanes et accises.* Le nom **accise** (au singulier) n'est pas inconnu en France ; il y désigne depuis longtemps, lorsqu'on parle de l'Angleterre et de la Belgique, un impôt indirect sur certains biens de consommation, notamment sur l'alcool et les boissons alcooliques. L'administration française parle d'*impôts indirects.*

En Belgique, il est donc normal qu'un « agent des accises » soit appelé un *accisien.*

Il est bon de savoir que ces appellations *accises* et *accisien,* officielles et courantes en Belgique, sont régionales.

Acclamation, n.f., reste au singulier dans *élire par acclamation* (sans recours au scrutin ; cela suppose l'unanimité ou une très large majorité).

Acclimatation, n.f., se dit des animaux et des plantes ; **acclimatement** des organismes ou des personnes.

Accommoder, v.tr.dir. Deux *c,* deux *m. On accommode les restes, on accommode du poisson à telle sauce* (ou *avec telle sauce*) ; on accommode *une chose à une autre,* **on s'accommode à qqch.** (on s'y adapte) ou *de qqch.* (on s'en contente). — Ne pas confondre **accommodation** (d'un organe, d'une conduite) et **accommodement** (accord, compromis, expédient) qui lui-même ne peut être confondu avec *aménagement, commodité.*

Accompagner (la remarque s'adresse aux Belges), v.tr.dir., exige un complément, sauf s'il s'agit d'un accompagnement musical. *Il m'a accompagné. Il a accompagné son cadeau d'une lettre très aimable. Je me suis fait accompagner. Il était accompagné de sa tante* (ou *par sa tante ;* Littré conseille *par* si la personne qui accompagne est d'un rang supérieur ; cela ne s'impose pas). *Il m'a accompagné au piano* (le complément est nécessaire au sens). *Il accompagne à la perfection* (accompagnement musical).

J'ai lu en France, dans des églises, une invitation à *accompagner la porte* (à la maintenir pendant qu'elle se ferme, à ne pas la laisser se fermer bruyamment).

[**Acconduire**]. Ancien verbe, resté vivant dans le Hainaut picard dans le sens de « amener, conduire » qqn ou qqch.

Accord, n.m., **être d'accord, s'accorder.** 1. On doit dire : *d'un commun accord.* Faute courante en Belgique : [*de commun accord*].

2. L'accord consiste en une entente. Proprement, donc, on ne *donne* pas son accord, mais *on est d'accord avec qqn sur une question, on se*

déclare d'accord, on marque son accord, on en tombe (ou *on en demeure*) *d'accord, on est* ou *on tombe d'accord pour faire qqch., on tombe d'accord que ce n'est pas grave.*

Cependant, *on demande, on sollicite l'accord de qqn, on obtient l'accord de qqn ;* il est dès lors naturel qu'on en vienne ainsi à l'expression **donner son accord,** qui prend le sens de « accepter, autoriser, permettre » (PR).

3. Ne pas abuser de *d'accord* et surtout de *d'ac* ou *d'acc* (très familiers) au lieu de *oui.*

4. Deux personnes *s'accordent à dire qqch.,* elles *s'accordent pour faire qqch.* (= elles se mettent d'accord pour...).

Accord de l'**adjectif,** de l'**attribut** (substantif), du **verbe,** du **participe passé,** etc., cf. ces mots.

Accoster, v., quand il ne s'emploie pas de façon absolue (*Le navire accoste le long des quais*), est transitif direct : *Le navire accoste le quai.*

Accoster qqn (= l'aborder) n'implique pas nécessairement une façon cavalière, une manière de sans-gêne. Cf. Aborder.

Accotoir, n.m., vieillit dans le sens d'*appui* pour le bras, d'*accoudoir.*

Accoucher, v.intr. On dira : *Le chirurgien l'assistait quand elle a accouché* et non pas *quand elle [s'est accouchée]* ; la faute s'entend en France comme en Belgique. Une femme accouche *d'un garçon, de deux jumeaux* (Ac.). On emploie parfois l'auxiliaire *être,* uniquement pour indiquer l'état résultant de l'action accomplie : *Elle est accouchée depuis hier.* Mais : *elle a accouché hier. Il y a trois mois qu'elle a accouché.*

V.tr. *Le médecin l'a accouchée,* l'a aidée à mettre un enfant au monde. Au passif, sans complément d'agent : *Sa mère lui ferma les yeux après qu'elle eut été accouchée d'une fille* (R. Pernoud, *La femme au temps des cathédrales,* p. 166). Au figuré, on *accouche* aussi *d'une idée. On fait accoucher les esprits* (Ac.) ou *On accouche les esprits.*

Accoucher s'emploie absolument dans la langue très familière pour « parler, dire quelque chose », surtout à l'impératif : *Allons, accouche ; dis-moi ce qui ne va pas.*

Accourcir, v.tr.dir., est vieux. On dit : **raccourcir.** *Raccourcir une robe.*

Accourir, v.intr., s'est davantage employé autrefois avec l'auxiliaire *avoir : D'autres gens qui avaient accouru* (J. Romains, *Mort de quelqu'un,* p. 160). Aujourd'hui on emploie couramment *être : Quelques hommes étaient accourus dès le début de l'incendie* (M. Arland, *Antarès,* Poche, p. 26).

Accoutumée, n.f., ne s'emploie que dans l'expression vieillie *à l'accoutumée,* généralement introduite par *comme.* On dit : *d'ordinaire, d'habitude, comme à l'ordinaire, à son habitude, comme d'habitude,* mais non [*comme à l'habitude*].

Accoutumer, v.tr.dir., **s'accoutumer.** — On *accoutume qqn à qqch.,* on *s'accoutume à qqn, à qqch., à faire qqch.* On est *accoutumé à qqch., à faire qqch.,* on est habitué à, on a pris l'habitude de. *Avoir acoutumé de faire qqch.* vieillit, mais reste correct. *Ceux qu'il avait accoutumé de pourchasser* (M. Tournier, *Vendredi,* Folio, p. 86). *Ils s'y sont accoutumés.*

Accroche-cœur, n.m. Pluriel : *des accroche-cœurs.*

[Accroche-pied], n.m. Belgicisme pour *croche-pied* ou *croc-en-jambe.*

Accroche-plat, n.m. *Des accroche-plats.* Cf. Noms composés, B. 5, p. 626.

Accrocher, v.tr.dir., connaît beaucoup d'emplois nouveaux. Retenons : *Une chanson, une publicité, un orateur accroche* ou *accroche le public* (retient l'attention). *On s'accroche* (avec ténacité, avec énergie), *on s'accroche à qqch.* D'où la qualité *d'accrocheur.* Cf. Après, 6.

Accroire, v.tr.dir., ne s'emploie qu'à l'infinitif avec *faire* (ou laisser) : *Faire accroire qqch. à qqn, en faire accroire à qqn* (le tromper). *Ne t'en laisse pas accroire* (ou, plus souvent, *conter*).

Accroître, v.tr.dir., se conjugue comme *croître,* sauf en ce qui concerne l'accent circonflexe. Cf. Croître. On dit : *Il a accru ses revenus. Ses revenus sont accrus* ou *se sont accrus.*

Accueil, n.m. Cf. Réserver. Attention à l'orthographe.

Accueillir, v.tr.dir., se conjugue comme *cueillir.* Il signifie : recevoir, bien ou mal. Si la manière n'est pas exprimée par le contexte ou par un complément, elle est généralement favorable.

Acculturation, n.f. Ce néologisme, emprunté à l'anglo-américain, désigne l'adoption et l'assimilation d'une autre culture.

Accuser, v.tr.dir. *On accuse qqn de qqch.,* d'un méfait, d'avoir commis un crime. *On accuse* (ou *on confesse*) *ses péchés. On s'accuse de qqch.* On disait couramment autrefois : *accuser la réception d'une lettre ;* le tour reste correct, mais on dit de préférence aujourd'hui : **accuser réception** *d'une lettre.* On peut dire : *Veuillez m'accuser réception de cette lettre* ou, d'une manière absolue : *Veuillez m'accuser réception.*

Accuser peut signifier « rendre manifeste, faire ressortir » : *Son visage accuse une fatigue, de la fatigue. Il accuse la soixantaine. Ses traits sont trop accusés. Sa robe accuse sa grosseur. Cela accuse la ressemblance, la différence.* On peut dire : *Ces comptes accusent un bénéfice important* (Dict. Bordas).

À ce que. Cf. Que, conj., 6, p. 784.

Achalandé, adj., d'après son étymologie (*chaland* = client, de *chaloir,* s'intéresser ; *peu me chaut*) veut dire : qui a beaucoup de clients. Par un passage de l'effet à la cause, le mot en est venu à signifier couramment : bien approvisionné (en marchandises). Les dictionnaires enregistrent ce nouveau sens et déclarent l'autre vieilli en prétendant que *chaland* est vieux dans le sens « d'acheteur » et désigne surtout un bateau plat. L'Académie a cependant encore condamné, en 1965, le nouveau sens d'*achalandé*. Elle aurait pu mieux justifier son avis.

L'ancienne signification avait l'avantage de pouvoir s'appliquer à autre chose qu'à des magasins. On pouvait parler d'un cinéma, d'un bureau de placement, d'un café, d'un restaurant, d'un hôtel (cf. M. Yourcenar, *Souvenirs pieux*, 1973, p. 323) *bien, mal* ou *peu achalandés* (ayant beaucoup ou peu de clients) : *À chaque extrémité, un cinéma public, en plein air, chargé d'achalander les cafés* (A. Gide, *Journal*, 19 août 1930).

D'autre part *achalander* et *achalandage*, moins usuels, il est vrai, continuent à se rapporter à la clientèle qu'on attire, plutôt qu'à la marchandise ; ceci montre que *chaland* garde une certaine vitalité dans le sens de « client » : *Fred décourageait les chalands* (H. Bazin, *La mort du petit cheval*, Poche, p. 248). *Des aboyeurs qui s'engueulent et se coupent la parole par-dessus la tête des chalands* (Giono, *Les grands chemins*, Folio, p. 50).

On voit qu'on ne manquerait pas de raisons pour continuer à essayer de garder à *achalandé* son sens étymologique : qui a beaucoup de clients. Mais on peut craindre qu'on ne puisse triompher d'un usage aussi solidement établi et admis par les dictionnaires.

Acharner (s'). *On s'acharne au jeu, à jouer ; on s'acharne contre qqn. Ils se sont acharnés contre nous. Le vautour s'acharne sur sa proie. Le vent s'était acharné après nous* (familier).

Acheminer, v.tr.dir. On achemine les bagages *à* l'aéroport ou *vers* l'aéroport. *Ils se sont acheminés vers la ville.*

Acheter qqch., c'est se le procurer contre paiement. Cela doit donc pouvoir se dire, en théorie, non seulement d'un livre, d'une maison, d'une terre, d'un droit, etc., mais d'un permis de pêche, d'un billet de cinéma, d'un billet de chemin de fer, d'autant plus qu'on achète un billet de loterie. Il faut reconnaître cependant que l'expression usuelle est : *prendre un billet de cinéma, de chemin de fer.*

Acheter français est calqué sur *parler français*.

On achète qqch. à qqn. J'ai acheté ce meuble à tel antiquaire. On ne dit plus : [*acheter qqch. de qqn.*]. S'il n'y a pas d'équivoque, *à* peut introduire le complément désignant la personne pour qui on fait l'achat : *J'ai acheté cette poupée à ma fille.* Mais il y a lieu de distinguer : *J'ai acheté ce livre à un ami* (c'est lui qui me l'a vendu) et *J'ai acheté ce livre pour mon ami* (pour le lui remettre). On dit : *J'ai acheté ce livre cinquante francs* ou *pour cinquante francs.*

Acheter, employé absolument pour *acheter un bébé*, d'où *être enceinte*, s'est dit plus couramment autrefois qu'aujourd'hui en Wallonie et au Québec.

Achevé d'imprimer est une expression figée d'après un ancien usage et devenue légale. Substantivement : *l'achevé d'imprimer.*

En dehors de cette expression, on n'emploie plus *achevé de*, soit devant un verbe actif pris dans un sens passif, soit devant un verbe passif : *Un château achevé de bâtir* ou *d'être bâti*, etc. On dit : *Un château qu'on vient d'achever de construire, où l'on achève de s'installer, une lettre qu'on a fini de lire*, etc.

Achèvement, n.m., action d'achever, de mener à bien, ou état final. On ne peut employer ce mot au pluriel dans le sens de « perfectionnements ».

Achever, v.tr.dir. *Il achève de s'habiller. Vos propos achèvent de me convaincre.* Cf. ACHEVÉ.

Achopper (deux *p*), v.intr. *On achoppe à* (on heurte du pied contre) un obstacle ; *on s'y achoppe. Une pierre d'*achoppement** (au figuré).

Acné, n.f. *Une acné.*

Acolyte, n.m., ne se dit pas seulement de celui qui sert à l'autel (l'*enfant de chœur* ou le *servant*, appelé parfois en Belgique le « choral » ou le « serveur »), mais, familièrement et de façon souvent péjorative, de celui qui accompagne habituellement un autre pour l'assister dans ses mauvaises actions. Le sens péjoratif n'est pas constant. Hervé Bazin donne encore le nom d'acolyte au greffier d'un juge (*Madame Ex*, ch. I). Le sens de « complices » apparaît le plus souvent au pluriel. Pas toujours. Jean Giono donne le nom d'*acolytes* aux personnages secondaires qui, dans son imagination, accompagnent les principaux héros de ses romans (*Noé*, Poche, pp. 31, 40).

Acompte (un *c*) n.m., paiement partiel à déduire du paiement total ultérieur. L'origine du mot est *à compte* (à valoir) : *Prenez cette somme à compte.* D'où un seul *c* dans *acompte*. Au figuré, un acompte est un petit plaisir ou avantage qu'on prend ou qu'on reçoit en attendant.

Ne pas confondre avec **les arrhes** (n.f.pl.) : somme versée au moment de la conclusion d'un contrat, et qui est perdue si le marché est rompu.

À condition que. Cf. CONDITION.

À côté, loc.adv., **à-côté**, n.m. La loc.adv. *à côté* et la loc.prép. *à côté de* ne prennent pas de trait d'union. On écrit : *La maison d'à côté. Il habite à côté, à côté de chez moi.* On ne dira pas : [*La maison à côté*] pour *la maison voisine.*

Après avoir hésité, l'usage a opté pour le trait d'union dans le nom : *un à-côté, des à-côtés.*

À-coup, n.m. *Des à-coups. Travailler par à-coups.* Mais : *à coups de poings.*

Acoustique, n.f. et adj. *Cornet acoustique. Une bonne acoustique.*

Acquéreur, n.m., n'a pas de féminin. *Elle est acquéreur de...*

Acquérir, v.tr.dir. *J'acquiers, il acquiert, nous acquérons, ils acquièrent. J'acquérais. J'acquis. J'acquerrai. J'acquerrais. Que j'acquière, qu'il acquière, que nous acquérions, qu'ils acquièrent. Qu'il acquît. Acquérant. Acquis, acquise. Un droit acquis à qqn, une personne acquise à une autre, à une idée. Un point acquis.* Cf. ACQUIS.

Acquiescer, v.tr.ind. *J'acquiesce. Nous acquiesçons. Nous acquiescions. En acquiesçant à son désir.*

Acquis, acquit, n.m. Attention à la lettre finale. **L'acquis,** c'est ce qu'on a acquis (verbe *acquérir*) en fait de connaissances ou par l'expérience (opposé à ce qui est naturel à l'individu ou à ce qui lui a été transmis) : *Avoir de l'acquis.* — **Acquisition** désigne l'action d'acquérir ou un bien acquis. — **Acquit** est en rapport avec l'idée de paiement, avec *quittance,* avec *acquitter. Signer un acquit,* la mention *pour acquit.* — *Par acquit de conscience :* comme pour libérer sa conscience et n'avoir rien à se reprocher. *Par manière d'acquit* a un sens voisin, mais exprime plutôt une négligence, une nécessité à laquelle on ne peut se soustraire.

Ne pas confondre *acquit* avec le terme de droit **acquêt,** n.m., désignant, dans la communauté conjugale, ce qui fait partie de la masse commune : *communauté réduite aux acquêts.*

Acrostiche, n.m. *Un acrostiche.*

Acte, n.m., **acter,** v.tr.dir. Cf. POSER, On dit : *prendre acte d'une déclaration, donner acte à qqn de ce qu'il est d'un autre avis, prendre acte de ce qu'il s'abstient.* Le verbe *acter,* dans le sens de « prendre acte de », a été autrefois enregistré dans des dictionnaires français et l'est encore dans le *Lexis,* mais semble être né en Belgique (où il est assez vivant) sans pouvoir vraiment s'imposer en France. À déconseiller.

Acte (*au théâtre*), n.m. On dit, en parlant d'une pièce de théâtre : *au troisième acte* ou *dans (pendant) le troisième acte. À la première scène du troisième acte.*

Activer, v.tr.dir., **s'activer.** On *active* une personne, le feu, la circulation du sang, le travail, les préparatifs, etc. Le pronominal *s'activer* est incontestablement correct, avec une valeur passive, pour les choses qu'on peut activer. Mais on en critique l'emploi lorsqu'il s'agit de personnes ; on exige *s'affairer.* Il est pourtant assez courant et n'est pas récent. Je l'ai noté chez A. Daudet (*Port-Tarascon,* Avant-propos), M. Prévost (*L'homme vierge*), Claudel : *Tout un peuple industrieux s'active dans les* *demi-ténèbres* (*Le soulier de satin*, éd. pour la scène, 1944, p. 12), etc. Le GLLF enregistre cet emploi et le PR l'admet : « déployer une grande activité, s'affairer ».

Actuellement, adv. Pléonasme à éviter : *actuellement en cours.*

Acuponcture, n.f., **acuponcteur,** n.m. Puisque l'usage et les dictionnaires connaissent les deux formes **acupuncture** (reproduisant plus fidèlement le latin) et **acuponcture** (reproduisant la prononciation), il convient de préférer la seconde et de rappeler que nous avons d'autres mots, comme *ponction, ponctuel, ponctuer,* où la graphie *on* correspond au latin *un.*

Adagio, n.m., s'écrit au pluriel *des adagios.*

Adaptabilité (faculté de s'adapter), n.f. Le mot peut être utile.

Addenda (pron. « ad-din-da » ou « a-din-da »), n.m. invar. *Un addenda, des addenda.* Le mot désigne les notes additionnelles à la fin d'un ouvrage (parfois un ouvrage complémentaire). **Addendum** s'impose parfois lorsqu'il n'y a qu'une addition.

Additif, adj. (*Un paragraphe additif*) ou n.m. (*Voter un additif à la loi*).

Adduire, parfois **aduire,** v.tr.dir., s'emploie en Wallonie et en France dans le langage des colombophiles pour « habituer (un pigeon au pigeonnier) » : *Le bon pigeon s'adduit facilement.*

Adéquat, adj., suppose une conformité rigoureuse, une appropriation exacte. Il dit donc plus que *convenable.* Strictement il ne comporte pas de terme de comparaison. Le TLF cite cependant *la plus adéquate* (Flaubert), à côté de : *merveilleusement adéquat à* (J. Rivière), *tout à fait adéquat* (H. Bazin).

Adhérent, adj. et n., **adhérer,** v.tr.ind. Dans l'adj. et le nom *adhérent,* on écrit *en* comme dans *adhérence.* — **Adhérant** est le participe présent d'*adhérer.* On adhère *à qqch.* (parfois, en politique, *à qqn*).

Adieu, interj., s'oppose en principe à *au revoir* et n'est pas normalement, comme dans le Midi, une formule de politesse employée pour aborder ou quitter qqn. On dit : *faire ses adieux à qqn. Lui dire adieu.* On écrit : *un dîner d'adieu* ou *d'adieux.*

Adieu vat. — Cf. ALLER, 1.

Adjectif. — On trouvera ci-dessous dans l'ordre : ADJECTIFS COMPOSÉS (Accord), ADJECTIFS DÉMONSTRATIFS, ADJECTIFS POSSESSIFS, ADJECTIFS QUALIFICATIFS (Accord). Pour l'adjectif verbal, cf. PARTICIPE PRÉSENT.

Adjectifs composés (Accord).

1. Les deux adjectifs varient quand ils qualifient tous deux le même nom : *Des filles* **sourdes-muettes** *; des paroles aigres-douces ; les listes sociales-chrétiennes.*

Substantivement : *Les sociaux-démocrates.*

N.B. : a) *Mort* est invariable dans **mort-né** (traité comme *nouveau-né*) : *Des enfants mort-nés.*

b) Si l'adjectif composé est tiré d'un nom composé, le premier élément reste invariable : *La cour* **grand-ducale** *; les théories saint-simoniennes ; les langues bas allemandes* (pas de trait d'union) *; les populations bas bretonnes ; les officiers long-courriers.* Cf. Bas.

Franc, dans **franc-comtois** et **franc-maçon** (ou *franc-maçonnique*), ne varie qu'au masculin pluriel : *Des notables francs-comtois, des horloges franc-comtoises ; les journaux francs-maçons, les loges franc-maçonnes.*

c) Si le premier élément présente, par abréviation, la finale *o* ou *i*, il reste invariable : *les guerres* **franco-allemandes,** *des poèmes* **héroï-comiques.**

2. Le premier élément reste invariable si c'est un mot invariable ou un adjectif à valeur adverbiale : *des attaques sous-marines ; une fillette* **court-vêtue** *; nous sommes* **fin prêts** *; des enfants* **nouveau-nés.** Cf. Nouveau.

Toutefois, suivant un ancien usage, il varie dans certains cas : *des fleurs* **fraîches écloses,** *fraîches cueillies ; des fenêtres* **larges ouvertes, grandes ouvertes** *; ils sont arrivés* **bons premiers** *; les enfants* **premiers-nés,** *derniers-nés.*

Il arrive que *grand, large* et même *frais* restent invariables dans ce cas. Cf. ces mots. Pour *tout-puissant,* cf. Tout, D, Remarque 12, p. 939.

3. Cf. Adjectifs qualificatifs (4, Couleur), Demi, Fin, Haut, Ivre, Numéraux, Raide.

Adjectifs démonstratifs. Répétition de *cet, cette, ces :* on applique les règles valables pour la répétition de l'article. Cf. Article, 4, p. 100, et Ce.

Adjectifs possessifs. Cf. En.

1. **Choix entre l'adjectif possessif et l'article défini** (joint éventuellement à un pronom personnel).

Il faut appliquer avec souplesse le principe selon lequel on remplace l'adjectif possessif par l'article défini quand le rapport de possession ressort du contexte ; c'est le cas devant un nom désignant une *partie du corps* (ou une faculté de l'esprit) : *Il perd* **la tête,** *la mémoire.*

Il sera toujours ridicule de dire, avec *avoir :* [*J'ai mal à ma tête*]. On dit : **J'ai mal à la tête** (voir toutefois la remarque faite plus loin, concernant le caractère habituel d'un acte ou d'un état : *J'ai mal à ma jambe*). Cf. Avoir, 8. Même avec *avoir* on trouve cependant : *Elle avait de grosses larmes sur ses joues* (M. Clavel, *L'espion aux yeux verts,* J'ai lu, p. 40).

Avec d'autres verbes, dans un contexte qui implique pourtant un rapport évident de possession, l'usage est loin d'être constant. On écrit

couramment : *Il allongea les jambes. Il croisa les mains derrière le dos.*
Mais le possessif est employé par beaucoup d'écrivains dans des phrases
analogues : *Marguerite apparut en tablier bleu de cuisine,* **un foulard noué
sur sa tête** *comme une Antillaise* (R. Sabatier, *Trois sucettes à la menthe,*
p. 28). *Il croisa ses mains derrière son dos* (H. Bosco, *Le sanglier,* p. 13).
*Sans motif, il se secoua soudain, appuya ses mains sur le bord de son
bureau et se leva* (Boris Vian, *L'herbe rouge,* début). *L'abbé Varèmes mit
les mains derrière son dos* (J.-L. Bory, *Mon village à l'heure allemande,* J'ai
lu, p. 64). *Il dresse et balance sa tête* (M. Genevoix, *Rroû,* Poche, p. 16). *Il
s'y assit, se carra sur le siège avec volupté, allongea ses jambes* (Vercors, *La
puissance du jour,* p. 79). *Alors le loup s'arrêta devant la cuisine, posa ses
pattes sur le rebord de la fenêtre* (M. Aymé, *Contes du chat perché,* p. 9).
*Les coudes sur la table, il serre ses narines avec ses mains jointes en mas-
quant sa bouche* (M. Butor, *Passage de Milan,* coll. 10/18, p. 30). *Se
retenant de mettre ses mains dans ses poches* (*Ibidem,* p. 91). *Croisant les
bras sur sa poitrine, il se recroquevillait (...). Mathieu porta machinalement
la main à sa poitrine* (B. Clavel, *La saison des loups,* p. 84, 133). *Ce petit
garçon qui marchait en traînant ses pieds* (G. Cesbron, *Les innocents de
Paris,* Poche, p. 41). *Le coude sur l'oreiller, le front dans sa main, il avait
vieilli tout à coup* (Fr. Mauriac, *Destins,* Poche, p. 38). *Elle avait sa tête
sur mes genoux* (J. d'Ormesson, *L'amour est un plaisir,* Poche, p. 170).

Lorsque le contexte ne marque pas suffisamment le possesseur, on
l'exprime par un pronom personnel ou réfléchi, complément indirect,
placé devant le verbe — mais ce n'est pas toujours possible — ou par
l'adjectif possessif. C'est ainsi qu'on dit : **Je me coupe les ongles.** *Je me
lave les mains. Il se mord les doigts. Il se couvre la tête. Elle se teint les
cheveux. On lui a coupé les cheveux* ou avec l'adjectif possessif : *Il tenait
toujours sa tête dans ses mains* (B. Clavel, *L'Espagnol,* J'ai lu, p. 23). *Il se
laissa tomber dans son fauteuil et prit sa tête dans ses mains* (B. Clavel,
L'espion aux yeux verts, J'ai lu, p. 26). (Mais, p. 28 : *Il se secoua les
pattes*). *Elle polit ses ongles* (Colette, *O.C.,* VI, p. 116). *Elle resta d'abord
interdite, frottant son nez* (M. Aymé, *Op. cit.,* p. 135). *Elle teignait ses
cheveux* (M. de Saint-Pierre, *Les aristocrates,* p. 16).

Beaucoup de verbes ne se prêtent pas à un tel emploi pronominal. Il
faut alors employer l'adjectif possessif si c'est nécessaire au sens. Ce qui
est anormal et fautif, c'est d'exprimer deux fois le même possesseur, par
le pronom personnel et par l'adjectif possessif : *Elle se collait à l'aviateur
et lui passait les mains, aux ongles rouges, dans ses cheveux* (P. Fisson,
Voyage aux horizons, p. 24).

On emploie souvent le possessif (plutôt que le pronom personnel objet
indirect, qui est permis) quand le sujet est le nom de la partie du corps :
Sa tête tournait, *son cœur battait* (ou *La tête lui tournait, le cœur lui
battait*). *Sa tête entrait dans son cou gonflé* (B. Clavel, *L'espion aux yeux
verts,* J'ai lu, p. 8). *Son front brûlait, ses tempes battaient, du sang séchait
sous son nez* (R. Sabatier, *Trois sucettes à la menthe,* p. 285). Avec un

verbe pronominal, il est impossible d'employer un second pronom personnel. On doit dire : *Son regard s'assombrit.* L'usage actuel emploie l'adjectif possessif dans des phrases comme : *Sa fièvre redoublait. Ses gencives étaient enflées,* bien qu'on ait dit autrefois : *Les gencives lui étaient enflées. La fièvre lui avait redoublé.*

On notera surtout l'emploi du possessif :

a) pour préciser obligatoirement le sens (*Ils ont gâché leur vie. J'ai vu mon bras s'enfler*) et pour éviter une équivoque, en montrant ainsi qu'il ne s'agit pas d'une autre expression au sens bien précis : *Il montra ses dents* (l'expression *montrer les dents* signifie : prendre un air menaçant). Le médecin dira : *Donnez-moi votre bras ;*

b) quand le nom de la partie du corps est qualifié par une épithète, mais non avec *avoir*, même sous-entendu : *Elle leva ses bras chargés de bracelets.* (Mais : *Elle avait les bras chargés de bracelets. Les bras chargés de bracelets, elle...*). *Planté sur ses pieds écartés. — Le marquis releva les paupières et tourna ses prunelles blanchâtres (...) dans la direction de l'officier* (M. Druon, *La chute des corps,* Poche, p. 12). Mais si l'adjectif est plus qu'une simple épithète, s'il est nécessaire, on emploie l'article : *Elle gardait les yeux ouverts. Il a les yeux bleus. J'ai reçu un coup sur l'œil gauche. Pliez le bras droit.* Même usage si la qualification se fait par une proposition relative : *Pliez le bras qui vous fait mal.*

C'est l'article défini, non l'indéfini, qui est remplacé par l'adjectif possessif lorsque l'épithète n'est pas nécessaire. Comparez : *Il levait les yeux. Il levait des (ou ses) yeux tristes. Il tendait la main. Il tendait une (ou sa) main secourable. Sa main nous montrait le chemin. Sa main gantée nous montrait le chemin.* Le possesseur ne serait pas indiqué si l'on employait *la* ou *une* dans ces deux dernières phrases ;

c) pour souligner le caractère habituel d'un acte ou d'un état : *J'ai ma migraine. J'ai encore mal à ma jambe* (celle qui me fait souffrir habituellement). *Il me répondit de son air doux. Déjà elle avançait vers lui, le front haut, avec son regard doré, presque impérieux* (Bernanos, *La joie,* p. 220) ;

d) dans certaines expressions comme : *Essuyez vos pieds* ou *Essuyez-vous les pieds. J'y perdrai mes cheveux. N'en faire qu'à sa tête. Accorder sa main à un prétendant. Porter un enfant dans ses bras, le serrer dans ses bras.*

N.B. Les parties du vêtement ne sont pas nécessairement assimilées aux parties du corps. Elles sont généralement précédées de l'adjectif possessif ; c'est que celui-ci paraît souvent nécessaire pour préciser le possesseur : *Elle se lève, secoue sa robe* (Fr. Mauriac, *Le sagouin,* p. 31). On dirait : *secoue la tête. — En s'essuyant les mains à son tablier* (G. Duhamel, *La pierre d'Horeb,* p. 12). En dehors de cette nécessité, il y a souvent analogie avec les parties du corps : *Elle a déchiré sa jupe* ou *Elle s'est déchiré la jupe.* L'attraction peut faire employer l'adjectif possessif devant une partie du corps quand il est normalement employé devant une partie du vêtement. Comparer *Il a (ou met) les mains dans ses poches* ou *dans les poches. Il a ses mains dans ses poches. — Il n'a pas sa langue dans sa poche.* Cf. POCHE.

2. **Mon cher Monsieur** et surtout *Ma chère Madame, Ma chère demoiselle* passent facilement pour trop familiers.

3. **Parenté.** *Père, mère, oncle, tante* sont précédés ou non de l'adjectif possessif quand on s'adresse aux intéressés. On dit généralement *mon frère, ma sœur* et surtout *mon neveu, ma nièce.*

Certains omettent le possessif pour être plus naturels, plus affectueux. L'usage peut varier d'une région à l'autre.

4. **Armée.** Dans l'armée de terre ou de l'air (pas dans la marine), un militaire s'adressant à un gradé qui lui est supérieur dans la hiérarchie emploie *mon* pour un officier et même, en France, pour un adjudant. Mais on dit : *Monsieur le Maréchal.*

Si un civil parle à un officier, il dit *Monsieur ;* il peut employer *mon* s'il veut être aimable ou respectueux, surtout s'il a été militaire. Une femme ne le fait jamais ; elle dit : *Colonel* ou *Monsieur.*

5. On dit : *Sa Sainteté, Sa Majesté (Leurs Majestés), Son Altesse, Son Excellence, Monseigneur.* En parlant à la personne : *Très Saint-Père, Sire, Excellence, Monseigneur, Monsieur.* À une femme de haut rang, fût-elle reine, mariée ou non, on dit : *Madame.*

6. On n'emploie guère que comme attributs les **formes toniques du possessif :** *mien, tien, sien, nôtre, vôtre : Je le regarde comme mien. Je fais mienne cette réponse.* Mais plutôt qu'*un mien ami, elle est mienne* ou *vôtre,* on dit : *un de mes amis, elle est à moi* ou *à vous.* On peut écrire à la fin d'une lettre, avant la signature : *Je suis vôtre* ou *Bien vôtre* (ou *Bien à vous*).

7. Attention à l'accord en nombre de l'adjectif **leur** (*leur malle, leurs chevaux*) et à l'invariabilité du pronom *leur* (*Je leur ai dit*).

8. *Répétition de l'adjectif possessif.* Mêmes règles que pour l'article. Cf. ARTICLE, 4, p. 100.

9. **Singulier ou pluriel de l'adjectif possessif et du nom concret.** Il n'y a d'hésitation et de flottement permis dans l'usage que dans une phrase du type : *Ils ont ouvert **leur parapluie** ou **leurs parapluies**.* Quelle que soit la graphie, on entend que chacun a un seul parapluie, mais comme il y a plusieurs possesseurs et plusieurs parapluies, on est tenté de mettre le pluriel.

Parfois le sens exclut la possibilité d'hésiter : *À de longues tables, des maçons (...) mangeaient lentement leurs portions congrues et buvaient leur litre sans presque causer* (Fr. Mauriac, *Les anges noirs, O.C.,* III, p. 490). Chacun a plusieurs petites portions et un seul litre de vin ; on veut l'indiquer. À la première personne, on dirait : *Je mangeais mes portions et je buvais mon litre. Nous mangions nos portions et nous buvions notre litre.*

THE UNIVERSITY OF WESTERN ONTARIO
FACULTY OF PART-TIME AND CONTINUING EDUCATION
Stevenson-Lawson Building
London, Canada
N6A 5B8

37

ADJECTIFS POSSESSIFS

L'écriture peut être appelée à tâcher de dissiper l'équivoque : *Ces enfants sont sortis avec leur tante* fera voir qu'il n'y a qu'une seule tante, comme *avec leurs tantes* montrera qu'il y a plusieurs tantes communes... ou (nous retrouvons la difficulté) des tantes respectives.

Le pluriel s'impose s'il y a réciprocité (*Ils ont échangé leurs cartes*) ou comparaison (*Elles ont comparé leurs écritures*). On dirait : *Nous avons échangé nos cartes, comparé nos écritures.*

Mais dans les phrases *Nous avons ouvert nos parapluies* ou *notre parapluie. Ils ont ouvert leur(s) parapluie(s). Ils sont sortis avec leur(s) fiancée(s). Tous deux regardent leur(s) montre(s). Regardons notre montre* ou *nos montres,* bien que le sens soit évident et que chacun ne possède qu'un parapluie, qu'une fiancée, qu'une montre, il y a en cause plusieurs parapluies, etc. La logique pure est incapable de trancher. Contre l'emploi du singulier on pourra dire : N'ont-ils pour eux tous qu'un parapluie, qu'une fiancée, qu'une montre ? Mais contre l'emploi du pluriel : Ont-ils chacun plusieurs parapluies, etc. ?

C'est pourquoi, depuis des siècles, l'usage hésite et laisse généralement le choix. On peut tourner la difficulté en employant *chacun : Ils sont sortis **chacun avec sa** fiancée.* Mais, quoique permis, *chacun* paraîtrait un peu insolite dans la phrase : *Ils ont ouvert chacun son parapluie.* La difficulté réapparaît d'ailleurs à la 3e personne, où l'on peut dire : *chacun leur parapluie,* la seule différence étant que le nom doit être au singulier. Cf. CHACUN, 2, p. 215.

Les grammairiens qui tranchent s'opposent les uns aux autres pour justifier ou exiger *Ils ont ouvert leurs parapluies* ou *leur parapluie.* Les écrivains sont hésitants, mais semblent marquer, sans exclusive, une préférence pour le pluriel : *Presque tous avaient ôté leurs vestons et roulé leurs manches* (J. Green, *Moïra,* Poche, p. 53). *Certains de ces tribuns relevaient soigneusement en se rasseyant les pans de leurs manteaux* (M. Druon, *Les grandes familles,* Poche, p. 86). *Ils enfourchèrent leurs bicyclettes* (E. Triolet, *Le premier accroc coûte deux cents francs,* Poche, p. 288). *Ils allumèrent leurs pipes* (Giono, *Que ma joie demeure,* Poche, p. 295).

Parfois cependant le contexte facilite le choix. Il peut être clair que l'attention se porte sur la pluralité, comme dans ce vers de Leconte de Lisle : *L'écume de la mer collait sur leurs échines* (on dirait : sur les échines). De même : *Les peintres, dans les galeries, sifflaient sur leurs échelles* (M. Druon, *Rendez-vous aux enfers,* Poche, p. 341). On écrira : *Nous inviterons nos membres et leurs familles* (et les familles de nos membres) ou *et leurs épouses.*

Dans d'autres cas, c'est le sens distributif, et donc le singulier, qui est suggéré : *Ils étaient assis sur leur derrière ;* on dirait : *sur le derrière.* Encore faut-il observer qu'il est souvent plus facile d'interpréter de la sorte des phrases d'écrivains que de décider, quand on doit soi-même en écrire d'analogues, s'il y a lieu d'envisager la pluralité ou le sens distributif. On s'en remettra donc au bon usage qui laisse en fait une très grande latitude.

Avec des *noms abstraits*, le singulier est normal : *Ils manifestent leur haine de l'hypocrisie.* Le pluriel ne s'impose que s'il s'emploie même avec un seul possesseur : *Ils manifestent leurs haines et leurs amours.* Comparez : *Il manifestera ses haines et ses amours.*

Si le possesseur est un *collectif*, on applique les mêmes règles que pour l'accord du verbe : *La foule des révoltés redoubla ses clameurs. Une multitude de révoltés redoublèrent leurs clameurs.* Cf. VERBE, C, A, II, p. 965.

N.B. On dira : *Vous n'en faites tous qu'à votre tête* (locution toute faite). *Aimons notre prochain* (le mot n'a pas de pluriel dans cet emploi). *Ils l'expérimenteront à leurs dépens* (le nom n'a pas de singulier).

10. **Renforcement du possessif** par à suivi du nom du possesseur ou du pronom qui le représente, pour préciser ou accentuer : *Elle se promenait avec **sa mère à lui**. Mon ami à moi. Notre opinion, à nous autres Français.*

11. Quand le contexte n'indique pas le possesseur, notamment après des tours impersonnels, on emploie le possessif de la première ou de la troisième personne : *Il faut aimer son prochain* ou *notre prochain.* Mais il est anormal d'écrire : *Laisser à ses petits-enfants le soin de découvrir le sens de l'époque qui a été la nôtre...* (Fr. Chalais, *Les chocolats de l'entracte*, Poche, p. 15). À défaut de pouvoir dire *la sienne* en gardant la même personne qu'à *ses*, il fallait écrire : *Laisser à nos petits-enfants... la nôtre.*

12. L'adjectif possessif en rapport avec *on*. Cf. ON, 3.

13. Le possessif après *chacun*. Cf. CHACUN, 2, p. 215.

Adjectifs qualificatifs et épithètes, attributs, adjectifs détachés. **Accord.**

N.B. Si, comme il se doit, on range dans la catégorie du *déterminant* l'article et l'adjectif démonstratif, possessif, numéral, indéfini, interrogatif ou exclamatif, il peut paraître superflu de garder l'appellation d'adjectif qualificatif, opposée à celle de déterminant ; il peut suffire de parler d'adjectif. Mais, comme on continue à parler d'adjectif démonstratif, possessif, etc., je crois utile de garder l'appellation d'adjectif qualificatif.

Règle générale : l'adjectif qualificatif et l'épithète ou l'attribut s'accordent en genre et en nombre avec le nom ou le pronom auquel ils se rapportent : *Elles sont saines et sauves.* L'adjectif peut ne se rapporter qu'au dernier des noms coordonnés : *Il sort avec son frère et sa sœur cadette.* Cf. VERBE, *Accord.* S'il y a apocope, l'adjectif ainsi formé (*sympa, porno, maxi,* etc.) est généralement invariable.

Cas particuliers.

1. Cf. ADJECTIFS COMPOSÉS, ON et IMPERSONNEL (*Construction impersonnelle*).

2. **Nous, vous** peuvent ne désigner visiblement qu'une personne : *nous* de modestie ou de majesté ou *vous* de politesse ; l'adjectif (ou le parti-

cipe) qui s'y rapporte reste au singulier : *Dans le désir de leur être agréable, nous avons décidé... Nous avons été consulté... Soyons modeste, se dit-il. Vous êtes fâchée.*

L'employé agissant au nom de la société, de ses dirigeants, écrira : *Dans le désir de vous être agréables, nous...* Il n'exprime pas son propre désir d'être agréable.

3. Les adjectifs qui se rapportent chacun à un seul des êtres ou à une seule des choses qu'on n'exprime qu'une fois *au pluriel* restent au singulier : *Dans plusieurs secteurs des fronts méridional et occidental.* Cela se présente souvent avec *siècle : Les douzième et treizième siècles.* Mais on écrit : *Le seizième et le dix-septième siècle. Du douzième au quatorzième siècle. L'ancien et le nouveau maire étaient là.*

Il est logique de mettre au pluriel le troisième adjectif dans une phrase comme celle-ci où le nom reste au singulier : *La première et la troisième déclinaison latines.* Les deux déclinaisons sont latines.

On a le choix entre *Les codes civil et pénal. Les histoires ancienne et moderne* et *Le code civil et le code pénal. L'histoire ancienne et l'histoire moderne.* Cf. Article, 4, Répétition, p. 100.

4. **La couleur** peut être indiquée par :

a) **un adjectif simple ;** il s'accorde toujours : *Une robe verte, une toile bise.* Seuls *kaki* et *auburn* restent invariables ; on notera que *kaki* n'est pas le nom du fruit, mais un adjectif emprunté à l'anglais qui l'a lui-même emprunté à un mot persan signifiant « couleur de poussière » : *Des uniformes kaki, des tenues kaki.* Cf. Auburn.

N.B. 1. **Écarlate, mauve, pourpre** et **rose,** qui sont originairement des noms, sont reconnus comme adjectifs et variables : *Des étoffes pourpres.*

2. **Châtain** a fini par prendre une forme féminine. On a dit longtemps et l'on dit encore : *Une femme châtain,* mais le féminin *châtaine* est devenu assez courant.

b) **un nom,** employé seul, ou deux noms coordonnés ; l'invariabilité s'impose en dépit de quelques hésitations pour certains noms : *Des gants paille* (= de la couleur de la paille ; il y a ellipse) ; *des yeux marron, des gants crème, des rubans orange, des chevaux pie* (cf. ce mot) ; *des cheveux poivre et sel.* Mais on écrit : *des rouges, des émeraudes.*

N.B. 1. *Couleur,* sans article, déterminé par un autre *nom,* forme des expressions invariables : *des bas couleur de chair* ou *couleur chair.* Mais *des écharpes de couleur brune, de couleur bleu foncé* (cf. c).

2. Si le nom désignant la couleur est qualifié par un adjectif, celui-ci s'accorde avec lui : *des robes topaze brûlée* (de la couleur de la topaze brûlée, ayant pris une teinte rose).

3. Si le nom de la couleur est qualifié par un adjectif, celui-ci varie en nombre ; s'il l'est par un nom, celui-ci reste invariable : *un brun foncé, des jaunes pâles, des jaunes paille.* On ne peut justifier l'invariabilité de *galonné* dans cette phrase, où il ne se rapporte pas à *orange* mais à *culotte : Ça,*

c'était le secret du mystérieux petit lieutenant à la culotte orange galonné d'or, à la tunique vert pomme (Bernanos, *Monsieur Ouine*, p. 36).

4. Ne pas confondre le nom *orange* et l'adjectif *orangé*.

c) **un adjectif joint à un autre adjectif qui nuance la couleur ou à un nom** apposé ou introduit par *de*. Adjectifs et nom restent invariables à cause de l'ellipse : *des cheveux* (d'un) **châtain clair,** *des étoffes jaune paille* (d'un jaune de paille), *des yeux bleu clair, des yeux gris bleu, une robe de couleur bleu foncé, des yeux brun café, une tenue bleu horizon, des foulards vert bouteille, vert aiguille de pin, des cheveux noir de jais.* Pas de trait d'union, normalement, même quand les deux adjectifs désignent une couleur composée : *gris bleu, gris brun, gris bleuâtre, gris bleuté,* etc. : *Une robe gris bleu.*

Les couturiers emploient, en présentant leurs collections, toutes sortes d'appellations du même type : *des robes noir bronze, vert pomme, gris bois mort, rouge colère, bleu pétrole, rose bonheur, gris ardoise mouillée,* etc.

d) **plusieurs mots unis par « et »,** désignant des couleurs juxtaposées dans un ou plusieurs objets. Le *nom* désignant une couleur est toujours invariable (nous avons vu plus haut *poivre et sel*) ; pour l'*adjectif* il y a hésitation : les uns l'accordent, les autres le laissent invariable et les deux tendances se justifient ; je conseille, par souci de simplification et d'unification, l'invariabilité de l'adjectif. Celle-ci est déjà la règle, nous venons de le voir, lorsqu'un adjectif qualifie un autre adjectif de couleur auquel il est apposé (il n'y a donc pas de *et*) ; *châtain clair, bleu gris* sont traités comme *d'un châtain clair, d'un bleu nuancé de gris.*

Lorsqu'il y a coordination, on peut interpréter de deux façons différentes. *Une écharpe bleue et grise* est une écharpe qui est à la fois bleue et grise. *De grands yeux verts et bleus* (M. Arland, *Antarès*, Poche, p. 44). *Deux rayons de faïence blanche et bleue* (M. Butor, *Passage de Milan*, coll. 10/18, p. 13). D'autre part, *une écharpe bleu et gris* est une écharpe où il y a du bleu et du gris, dont les couleurs sont le bleu et le gris. *Un peu partout sur les maisons se déployaient les drapeaux blanc et jaune* (Aragon, *La mise à mort*, p. 240). D'où l'invariabilité dans une phrase comme celle-ci : *Il aperçut la voiturette d'un marchand de glaces,* **jaune et vert,** *avec ses couvercles en forme de dômes byzantins* (R. Sabatier, *Trois sucettes à la menthe*, p. 249). *La fillette mangeait une glace vert et rose* (P. Modiano, *Rue des boutiques obscures*, p. 129. Du même : *Une vieille petite gare, jaune et gris*, p. 69).

Cependant on trouve souvent l'accord de l'adjectif ou des adjectifs : *Une écharpe* **rouge et blanche** (A. Thérive, *Fils du jour*, p. 221). *Trois cache-nez pareils de grosse laine bleue et blanche* (Id., *Sans âme*, p. 50). *Ces chiens noirs et feu* (M. de Saint-Pierre, *Les aristocrates*, Poche, p. 110). Le même auteur écrit cependant : *Les murs blanc et or* (*Les écrivains*, Poche, p. 132).

Robert Sabatier, qui écrit : *la voiturette jaune et vert*, fait ailleurs (p. 19) l'accord au pluriel : *Sur des claies reposaient des pommes* **rouges et** *vertes, bien espacées, pour éviter les tachures.* Il ne semble pas qu'il veuille, par l'accord des adjectifs, laisser entendre qu'il y a des pommes rouges et des pommes vertes. Il aurait pu écrire : *des pommes rouges et des vertes.* Il s'agit plutôt de pommes dont chacune est rouge et verte. Il pouvait dire, comme pour la voiturette, *des pommes **rouge et vert**.* Redisons que l'accord de l'adjectif n'est pas rare et qu'il n'étonne pas si toute équivoque est exclue : *Une blouse à petites rayures blanches et bleu ciel* (M. Bataille, *Les jours meilleurs,* p. 54). Mais Brunot écrit (p. 681) : *des étoffes rayées blanc et noir.* Elsa Triolet : *Malgré les rideaux de toile rayée blanc et rouge* (*Le premier accroc,* Folio, p. 120). M. Druon : *Une soie à bandes or et noir* (*Rendez-vous aux enfers,* Poche, p. 310). R. Sabatier : *Les murs sont recouverts de tapisseries aux tons **vert et or*** (*La mort du figuier,* Poche, p. 380). M. Déon : *Ses maisons rouge et blanc* et *Les maisons rose et gris du village ;* mais, non sans raison : *La grande affiche bleue et blanche — la mer et le village chaulé — du syndicat d'initiative* (*Un parfum de jasmin,* Folio, pp. 54, 139, 13.). On comprend que Paul Morand écrive : *Le pavillon à trois bandes, orangée, blanche et bleue* (*Montociel,* Poche, p. 47) ; le masculin aurait l'air de rapporter les adjectifs à *pavillon.* Mais ailleurs il écrit : *Son salon, jolie pièce carrelée de faïences jaunes et aubergine* (p. 61). *Un de ces grands papillons bleu et noir qu'on met sous verre.* (J. Green, *Journal,* 29.11.1932) ; l'accord des adjectifs pourrait créer une équivoque. Cet accord ne me paraît s'imposer que dans une phrase comme celle-ci, à cause de l'adverbe : *Un gilet de velours à raies alternativement jaunes et puce* (Balzac).

Ce qui est illogique et indéfendable, c'est de traiter différemment deux adjectifs coordonnés : *une marinière rayée blanc et bleue* (J.-L. Curtis, *Un jeune couple,* p. 77). Il fallait : *blanche et bleue* ou *blanc et bleu.*

En conclusion, je proposerais volontiers, avec Brunot, **l'invariabilité** de l'adjectif comme du nom dans les expressions composées désignant la couleur, quitte à écrire : **des drapeaux blancs et des bleus** pour indiquer qu'il y a des drapeaux blancs et des drapeaux bleus.

5. **Adjectifs pris adverbialement :** ils sont invariables. Cf. BON, CHER, CLAIR, COURT, DOUX, DROIT, DRU, DUR, FAUX, FRANC, HAUT, JUSTE, NET, etc. et ADJECTIFS COMPOSÉS. On remarque que ces adjectifs employés adverbialement sont généralement courts et apparaissent dans des expressions usuelles (*sentir bon, voir clair,* etc.) La langue littéraire ne craint pas d'élargir ces emplois avec une audace cherchant l'effet (*flamber rouge, penser universel, sourire vilain,* etc.). Cf. *B.U.,* n° 794.

6. Cf. AIR : *avoir l'air.*

7. ***De*** **entre deux noms ou après un adverbe de quantité :**

a) Le sens règle l'accord soit avec le premier nom, soit avec son complément déterminatif : ***Des bas de soie tachés. Des bas de soie artificielle.*** *Un groupe de soldats blessés. Une collection de tableaux tout à fait com-*

plète. Une multitude de plantes aquatiques. Un peu de laine grise. On écrira plutôt : *Une partie du linge est usée.* On s'inspirera de ce qui est dit de l'accord du verbe (Cf. VERBE, Accord, A, 2 et suiv.) : *La moitié du village était plongée dans l'obscurité. Trop d'hésitation devenait dangereux.*

b) Tout différent est le cas de deux noms unis par *de* et entre lesquels il y a un rapport d'apposition. On écrit : *Cette canaille de Pierre. Quel monstre de femme !* Mais : *Cette canaille de Pierre est **heureuse** — ou est **heureux** — de notre échec.*

c) Après *une espèce de, une sorte de, une façon de, une manière de*, l'accord se fait avec le nom qui suit ces expressions : ***Une espèce de balcon branlant**, une sorte de gardien mal embouché.*

8. Substantifs attributs ou pris adjectivement. Cf. BON ENFANT, CANAILLE, PORTEUR, etc., à leur rang alphabétique.

9. Des plus, des moins, des mieux réussie ou **réussies ?** L'adjectif s'accorde toujours en genre et presque toujours en nombre avec le nom pluriel impliqué par *des : Cette femme est **des plus loyales**. Cette toile est des mieux réussies.* Il se met toutefois au singulier – c'est l'usage général et logique – s'il se rapporte à un pronom neutre ou à un verbe : *Il lui était des plus difficile de s'abstenir.*

On rencontre beaucoup moins souvent le singulier en rapport avec un nom au singulier. Il est pourtant logique dans la mesure où *des plus* a couramment le sens de *très ;* la tendance à l'employer dans ce sens, sans référence véritable à un pluriel, est si nette qu'on le trouve – et c'est correct – devant un adverbe : *Cela s'est terminé **des plus tragiquement**. Il chante des plus juste* (ou *des moins juste*). *Il n'était pas des moins mal. Il n'y voit pas des plus clair. On l'a traité des plus rudement. Il était des moins bien. — Des plus paisiblement il s'étire* (Verlaine, *Épigrammes*, XVI, IV). L'adjectif peut donc rester au singulier comme le nom : *La situation était **des plus embarrassante*** (Duhamel, *Les maîtres*, ch. XVIII, p. 160). *Au collège il était des plus médiocre* (R.Guiette, *La vie de Max Jacob*, Paris, Nizet, 1976, p. 35). *C'est un homme des plus loyal.* Mais si l'on peut dire que le singulier n'est certainement pas une faute dans ce cas, il faut reconnaître que le pluriel l'emporte très nettement et qu'il est vain de vouloir établir une nuance de sens entre les deux emplois.

On fait l'accord de *des meilleurs, des moindres, des pires* et de l'adjectif après *des plus mal : La réponse n'est pas des meilleures. Ce couple était des plus mal assortis.*

On notera la différence entre cet emploi de *des plus* et l'emploi du superlatif après un nom précédé de **un des.** Il est normal d'écrire : *Un des hommes les plus sots que la terre ait encore vus* (J. Green, *Les années faciles*, Poche, p. 65). *Une des conséquences les plus inattendues.* Il est évident que le superlatif se rapporte au nom pluriel et qu'il est abusif d'écrire *la plus inattendue* comme on le ferait logiquement si l'on disait : *La conséquence la plus inattendue.* Cet accord n'est pas rare, cependant.

10. L'adjectif se rapporte à **plusieurs noms qui suivent** :

a) Attribut, il se met au masculin pluriel si un des sujets est masculin : *Nombreux sont les garçons et les filles.*

b) Épithète, il se répète généralement devant chaque nom : *Un bon dîner et une bonne bouteille. Cher oncle et chère tante* (ou *Chers oncle et tante*).

c) Si les noms sont *synonymes* ou placés *en gradation*, sans être coordonnés, l'accord se fait par voisinage avec le nom le plus rapproché : *Il conserve tout entière l'habileté, le talent qu'il avait* (Grevisse, *B.U.*, n° 788). *Nous trouvons singulier son étonnement, sa mauvaise foi.* On notera cependant que si, dans la subordonnée, un participe devait s'accorder, il ne pourrait s'accorder avec le premier nom ; il faudrait donc unifier les accords : *Il conserve tout entiers le talent, l'habileté qu'il a montrés deux ans plus tôt.* Unification au masc. sing. : *J'en étais arrivé au point (...) de considérer comme nul et radicalement disqualifié tout auteur, tout personnage historique, toute œuvre, toute matière d'enseignement quelconque, dès l'instant que les autres paraissaient se l'être approprié* (M. Tournier, *Le roi des aulnes*, Folio, p. 24).

d) Locutions figées : *Un certificat de bonne vie et mœurs. En pleine liberté et indépendance.*

e) On dit : *Mon cher collègue et ami* (une seule personne est représentée par les deux noms).

11. **Les noms précèdent l'adjectif** : celui-ci se met au masculin pluriel si un des noms est masculin : *Avec un élan, une verve naturels* (M. de Saint-Pierre, *Les aristocrates*, Poche, p. 127). *Son oncle et sa tante sont trop indulgents.* L'oreille – non la syntaxe – demande plutôt que, si les noms sont de genres différents, le masculin soit en deuxième position si elle perçoit une différence entre le masculin et le féminin de l'adjectif ; elle est plus accommodante si un mot (le verbe dans le cas d'un adjectif attribut ; un adverbe dans le cas d'épithètes) sépare le nom féminin mis en deuxième position et l'adjectif mis au masculin pluriel. Il n'est pas interdit de dire : *Un caractère et une énergie particuliers. Dans les costumes et les poses les plus divers* (P. Léautaud, *Journal littéraire*, I, p. 227). On dit plus souvent : *Une énergie et un caractère particuliers. Une facilité et un charme délicieux. Un charme et une facilité vraiment délicieux.*

On peut aussi accorder l'adjectif avec le dernier nom seulement, à condition qu'il n'y ait pas d'équivoque. Cela se fait surtout avec des noms abstraits ou presque synonymes : *Il a soulevé l'indignation et la colère générale(s).* Cette latitude sera mise à profit particulièrement pour éviter le heurt d'un adjectif en – *aux* et d'un nom au singulier ou le rapprochement discordant d'un masculin et d'un féminin : *L'esprit et le caractère national. Le drame et la comédie humaine* (plutôt que *nationaux* et *humains*).

J'ai dit qu'il faut éviter l'équivoque. On ne peut, pour éviter la discordance de *Des bas et une toque gris*, dire *Une toque et des bas gris ;* rien ne montre que *gris* se rapporte aux deux noms. On dira donc de préférence : *Une toque grise et des bas gris.*

Académie royale de langue et de littérature françaises est l'orthographe officielle et logique ; en écrivant *française,* on ne crée pas vraiment une équivoque, mais on néglige de montrer que l'adjectif se rapporte aux deux noms.

Si les noms sont **synonymes** et non coordonnés ou s'ils sont **en grada-tion,** l'adjectif s'accorde avec le plus rapproché : *Il a montré un sang-froid, une présence d'esprit étonnante. Une complaisance, une générosité excep-tionnelle. L'imprudence, la bêtise humaine.*

Lorsque les noms sont unis par **avec, comme, ainsi que,** etc., marquant l'accompagnement ou la comparaison, l'adjectif (comme le verbe) s'accorde avec le premier nom ; on le met au pluriel si ces mots ont vraiment le sens de *et : L'autruche a la tête, ainsi que le cou, garnie de duvet. Le général, avec ses officiers, immobile et anxieux, attendait le passage de l'Empereur. Il a remis une rédaction ainsi qu'une dictée remplies de fautes.*

Si les noms sont unis par **ou,** il faut surtout veiller à éviter toute équi-voque. L'adjectif se rapportant aux deux noms peut toujours se mettre logiquement au pluriel ; il le doit quand il faut dissiper une équivoque : *Il en sortira avec une côte ou un bras cassés. On demande un homme ou une femme âgés. De la viande ou du poisson grillés.* S'il n'y a pas d'équi-voque possible, on fait souvent l'accord avec le nom le plus proche ; cet accord est imposé parfois par le sens : *Il voulait donner à son fils un métier ou une situation lucrative. Une statuette en pierre ou en bois très dur.*

Si les noms ne sont pas du même genre et qu'il y ait exclusion d'un des sujets, l'adjectif *attribut* (ou le participe employé avec *être*) reste au masculin : *Est-ce le père ou la mère qui est le plus âgé ?*

12. Avec **il n'y a de... que,** l'adjectif reste généralement invariable : *Dans cet essai, il n'y a de bon que l'introduction* (rien n'est bon, sauf l'introduction). *Il n'y a d'obscur ici que ses intentions* (ce qui est obscur, ce sont seulement ses intentions). L'accord se rencontre quelquefois ; sans s'imposer, il se justifie lorsqu'on ne peut logiquement penser à un nom comme « rien » que l'adjectif qualifierait. J'écrirais : *Dans cette classe il n'y a de travailleurs que ces deux frères* (on pense : seuls, ces deux frères sont travailleurs). Cf. p. 301, 3, c.

La différence de traitement peut exprimer des vues différentes. Lorsque Flaubert écrit : *Ils s'en revenaient à la nuit close, quand il n'y avait plus d'éclairé sur la place que la lucarne de Binet,* nous comprenons plutôt : rien n'était éclairé, sauf... *Éclairée* suggérerait l'idée : de toutes les lucarnes de la place, seule était éclairée...

On pourrait de même opposer : *Il n'y a d'important que les qualités morales* (rien n'est important, sauf les qualités morales) et *Il n'y a d'importantes que les qualités morales* (de toutes les qualités, physiques, intellectuelles ou morales, seules les qualités morales sont importantes). Mais il faut redire que l'adjectif est généralement laissé invariable. Même usage (invariabilité habituelle de l'adjectif) si, au lieu d'être impersonnel, le verbe a pour sujet un être ou une chose : *Ce livre n'a d'intéressant que ses illustrations* (n'a rien d'intéressant, sauf ses illustrations).

Pour *n'avoir d'égal que*, cf. ÉGAL, 3.

13. Avec **tout ce qu'il y a de**, l'invariabilité de l'adjectif est courante : *Ces pêches sont tout ce qu'il y a de plus mûr.* Même en parlant d'une personne, on dira : *C'est une jeune fille tout ce qu'il y a de plus sérieux ;* mais on pourra dire *sérieuse* en rapportant l'adjectif à *jeune fille.*

14. Après **il n'y a pas plus... que**, l'invariabilité est la norme : *Il n'y a pas plus grand que cette salle. Il n'y a pas plus bruyant que ces petites filles.*

15. Avec **ce qu'a de**, l'adjectif reste invariable : *On voit ce qu'a d'intéressant cette théorie.*

16. **Accord avec un titre de livre :** cf. VERBE, *Accord,* A, IV, p. 975.

17. **Accord avec un titre honorifique.** On dit : *Sa Majesté est-elle présente ?* (Accord avec le titre quand il est seul). *Sa Majesté le roi est-il présent ?* (Accord avec le nom commun auquel le titre est apposé). – *Sa Sainteté le Pape est content. Il a reçu de bonnes nouvelles.*

18. Cf. BON, CHER, COURT, DEMI, DROIT, DRU, ÉGAL, FEU (adjectif), FORT, FRAIS, FRANC DE PORT, GENS, GRAND, GUERRE, HAUT, LÀ, LARGE, MARCHE, MÊME, MORT-NÉ, NOUVEAU, NU, QUEL, QUELQUE, PASSÉ, PLEIN, POSSIBLE, PROCHE, SAUF, SEUL, TEL, TOUT, etc.

Adjoint, ointe, adj. et n., ne se lie pas par un trait d'union au nom qui le précède : *Les sous-directeurs adjoints. Le chef de cabinet adjoint.*

Adjudicataire, et **adjudicateur, trice,** renvoient respectivement (voir *donataire* et *donateur*) à celui ou celle qui bénéficie de l'adjudication et à celui ou celle qui met qqch. en adjudication.

Adjuger, v.tr.dir., **s'adjuger.** *Adjuger,* c'est attribuer par un jugement ou une décision, ou décerner une récompense. Celui à qui on adjuge une chose est considéré comme y ayant droit, comme pouvant y prétendre.

Bien que l'Académie semble reconnaître le même droit à celui qui *s'adjuge* qqch. (*Il s'est adjugé la meilleure part*), il ne fait aucun doute que *s'adjuger* implique un certain abus, une certaine désinvolture, une appropriation arbitraire et se rapproche de *s'emparer, s'approprier.* On ne dira donc pas : [*Il s'est adjugé le premier prix*] au lieu de : *Il a obtenu, remporté le premier prix. On lui a adjugé le premier prix.*

Adjurer, v.tr.dir. *Il les a adjurés de réagir.*

Admettre que, est suivi du subjonctif ou de l'indicatif selon sa signification : *Admettons* (= supposons, tenons pour possible) *que cela* **soit** *vrai.* – *J'admets que vous ayez raison dans ce que vous pensez* (A. Camus, *Les justes,* p. 131), dit le directeur de la police à un accusé ; il se garde bien de reprendre à son compte l'affirmation de celui-ci). *Nous admettons* (= nous tolérons, nous permettons) *qu'il le fasse. Je n'admets pas qu'il parte aussitôt. En fait, pour Alan, c'était : « Tu admets* (= tu acceptes, tu tolères) *que je doive partager toute ta vie », et pour Josée : « Tu admets* (= tu reconnais comme vrai) *que tu n'es pas toute la vie »* (Fr. Sagan, *Les merveilleux nuages,* Poche, p. 113). *J'admets que c'est un cas difficile.* Ce dernier sens, « reconnaître pour vrai, pour bon, considérer comme acceptable au nom de l'évidence ou de la conciliation », est très large : *Il admet nos raisons, nos excuses, notre compétence.* Mais on va trop loin lorsqu'on substitue purement et simplement *admettre* à « reconnaître, avouer ». S'il est normal de dire : *Il admet qu'il a tort* (ou *Il reconnaît, il avoue qu'il a tort*), il convient de dire (avec *faute*) : *Il reconnaît* (ou *il avoue*) *ses fautes.*

Admettre que, quand le sens exige l'indicatif, est suivi du subjonctif lorsqu'il est accompagné d'une négation ou employé à la forme interrogative ou introduit par *si* (cf. CROIRE) : *Admettez-vous qu'il* **ait** *cru cela ? Si vous admettez qu'il* **ait** *cru cela.* Si l'idée exprimée dans la subordonnée est une évidence, *admettre que* est suivi de l'indicatif : *Admettez-vous que chacun peut se tromper ? Admettez-vous, oui ou non, que deux et deux* **font** *quatre ? Il n'admet pas que chacun* **doit** *faire son possible.*

Administration, n.f., s'écrit avec une minuscule quand il y a une détermination : *L'administration publique, l'administration des finances.* Sans détermination, il prend une majuscule pour désigner l'ensemble indifférencié des services publics. C'est une erreur (et un anglicisme) de parler de *l'administration des États-Unis,* alors qu'il s'agit de leur gouvernement.

Admirer que est suivi du subjonctif.

Admonestation, admonition, n.f. Tous deux signifient « avertissement sévère, réprimande », sens qu'on retrouve dans *admonester.* Il n'est pas étonnant qu'*admonestation* évince de plus en plus *admonition.*

Adonner (s'). On s'adonne *à qqch., à une activité, au jeu, aux plaisirs, à l'étude, à un travail, à la recherche,* on s'y applique avec constance, on s'y livre. Sens généralement moins fort, avec ces compléments, que celui de *se donner à. Ils se sont adonnés à l'étude.*

Adorer, v.tr.dir. 1. *Adoré de* ou *par.* Cf. DE, 7, p. 302.

2. On abuse d'*adorer* dans le sens d'« avoir un goût très vif pour qqch. ». Devant un infinitif, il se construit aujourd'hui sans préposition (*de* est très rare) : *Ils adoraient boire* (G. Perec, *Les choses,* J'ai lu, p. 40). *Il adore plaisanter.*

Adosser, v.tr.dir. *On adosse qqch.* (ou *on s'adosse*) *à un mur,* **contre** *un mur.*

Advenir, v.intr., ne se conjugue qu'à la 3ᵉ pers. du sing. : *Qu'adviendra-t-il ? Qu'est-il advenu des prisonniers ? Quoi qu'il advienne.* Auxiliaire *être : Il est advenu que nous soyons en retard.* Après *il advient que,* on emploie généralement le subjonctif ; l'indicatif peut souligner la constatation d'une réalité : *Il advenait qu'il se trompait.*

Le très ancien verbe *avenir,* qui se conjuguait à toutes les personnes, ne s'emploie plus.

Adverbe. 1. **Orthographe** des adverbes en – *ment.* On sait qu'ils sont formés de la combinaison de l'adjectif féminin avec l'ablatif du nom latin (féminin) *mens,* esprit, manière. D'où : *vivement, bellement, follement.* Exceptions : *gentiment, impunément, traîtreusement.*

Certains adjectifs avaient, comme en latin, une seule forme pour le masculin et pour le féminin : D'où *éloquemment, puissamment ;* on notera qu'on y retrouve respectivement, devant deux *m,* la voyelle, *e* ou *a,* de l'adjectif *éloquent* ou *puissant.* D'autres ont été formés par analogie avec la série la plus riche : *présent, présentement.*

Tout cela ne devrait présenter aucune difficulté dans l'usage. Mais on hésite à bon droit sur l'orthographe des adverbes issus d'adjectifs terminés par une voyelle : l'*e* qui suivait celle-ci ne s'est plus prononcé et ou bien a disparu de l'orthographe ou bien a été gardé ou bien a été remplacé par un accent circonflexe que l'Académie, arbitrairement, maintient dans certains cas et supprime dans d'autres : *aisément, gaiement, assidûment, absolument.*

Je n'insiste pas sur les cas où, par analogie avec les adverbes formés sur un adjectif en *é* (*assurément*), on a changé en *é* l'*e* final de l'adjectif : *conformément, intensément, profondément, expressément.* Mais : *inversement.* L'orthographe y est conforme à la prononciation. Une hésitation subsiste, à tort, pour deux graphies de l'Académie, *exquisément* et *opiniâtrement.*

Mais il est anormal de ne pas mettre de l'ordre dans le chaos des adverbes formés sur des adjectifs terminés par *i* ou par *u.* L'Académie écrit *gaiement,* d'autres dictionnaires donnent *gaiement* et *gaîment.* Pourquoi ne pas écrire *gaiment* comme *vraiment ?* L'Académie écrit *résolument, absolument, éperdumènt,* etc., mais conserve l'accent circonflexe dans *assidûment, congrûment, continûment, crûment, dûment, goulûment, incongrûment, indûment, nûment.* Elle devrait renoncer à cet accent circonflexe, même dans *dûment* et *indûment.* L'accent circonflexe que prend *dû* au masculin singulier ne se justifie que par le souci d'établir une distinction dans la graphie avec l'article contracté *du.* Aucune confusion de ce genre n'est à craindre dans *dûment ;* ni non plus dans *indûment ;* l'adjectif *indu* s'écrit d'ailleurs sans accent circonflexe. On doit écrire : *gentiment.* Cela dit, dans l'usage actuel, il convient d'écrire : *gaiement* et de se conformer aux décisions de l'Académie pour l'accent circonflexe.

2. **Invariabilité** au pluriel des adverbes employés substantivement : *Des oui et des non. Des pourquoi inquiétants.*

3. **Place de l'adverbe.** A moins d'entrer dans un très grand nombre de cas particuliers, il faut se borner à quelques indications sur la place de l'adverbe par rapport au mot (adjectif, adverbe, participe, verbe) qu'il détermine. Cette place est d'ailleurs souvent susceptible d'être modifiée intentionnellement, pour des raisons de style (équilibre, mise en relief, rythme).

Sous ces réserves, et en excluant les adverbes interrogatifs, on notera que l'adverbe précède l'adjectif ou un autre adverbe (cf. toutefois N.B.), précède (mais peut suivre souvent) le participe passé employé seul (à moins qu'il ne s'agisse d'adverbes monosyllabiques comme *bien, mal, fort, mieux, peu, plus, moins, tard, très, trop,* qui précèdent), suit généralement l'infinitif (cf. cependant INFINITIF, 4 et 5), suit le verbe à un temps simple (cf. cependant N.B.), suit souvent l'auxiliaire dans les temps composés (sauf les adverbes de temps et de lieu : *Il est parti hier*).

N.B. A. *Encore* peut précéder ou suivre un comparatif ou un autre adverbe : *Encore aujourd'hui* ou *aujourd'hui encore. Encore plus beau* ou *Plus beau encore.* Cf. ENCORE, 7. On dit aussi : *Aujourd'hui seulement* ou *Seulement aujourd'hui.*

B. L'adverbe précède le verbe ou l'auxiliaire dans les tours impersonnels sans *il : mieux vaut, peu importe, peu s'en est fallu, bien lui prend,* etc.

4. Cf. AINSI, ASSEZ, AUSSI, BEAUCOUP, BIEN, COMME, EN, INVERSION, MOINS, NE, NE PAS, OÙ, PAS MAL, PEUT-ÊTRE, PLUS, QUAND, QUE, TOUT, TRÈS, VOULOIR, Y, etc.

Adverse, adj., ne s'emploie que dans quelques expressions, notamment : *deux partis* ou *blocs adverses, la partie adverse, l'opinion adverse, le camp adverse.*

Aéro-. Ne pas déplacer *r* dans *une aérogare, un aéroport,* etc. Mais **aréopage** n'a aucun rapport avec *air* et *aéro :* il désigne proprement le tribunal qui siégeait à Athènes sur la colline d'*Arès* et, par extension, une assemblée de gens très compétents. Cf. AÉROMÈTRE.

Aérodynamique, adj., peut s'appliquer à des objets ou surfaces (train, voiture, phare, profil, etc.) dont la forme est calculée (en fonction des principes de l'aérodynamique) pour offrir moins de résistance à l'air.

Aérogare, n.f. *Une aérogare.*

Aéroglisseur, n.m., doit remplacer *hovercraft.*

Aérolithe, n.m., s'écrit avec *th. Un aérolithe.*

Aéromètre, aréomètre, n.m., désignent des instruments de mesure de la densité, soit de l'air (*aéromètre*), soit des liquides (*aréomètre*).

Aéronef, n.m. *Un aéronef.* Autrefois féminin.

Affable, adj. On est affable *avec* (ou *envers*) qqn.

Affabulation, fabulation, n.f. **Affabulation** est rare et vieilli dans le sens de *morale, moralité* d'une fable, d'un apologue. Il désigne au contraire couramment, plus encore que l'organisation d'un sujet en intrigue, l'intrigue elle-même d'une pièce de théâtre, la trame d'un roman ; c'est à tort qu'on lui fait désigner un récit infidèle ou la manière infidèle de rapporter les faits.

Fabulation désigne, en psychologie, l'action de *fabuler,* c'est-à-dire d'imaginer des histoires fictives, plus ou moins cohérentes, et de les présenter comme réelles, sans nécessairement l'intention de tromper (par exemple chez les mythomanes, chez les enfants) : *Une nature vouée à la sincérité comme d'autres à la fabulation* (L. Faure, *Mardi à l'aube,* J'ai lu, p. 70).

Affaire, n.f., **affaires.** 1. **Avoir affaire** ou **à faire.**

La logique peut justifier souvent les deux façons d'écrire. Elles sont alors correctes l'une et l'autre et ont pratiquement le même sens. Mais il est certain que, dans l'usage, *affaire* l'emporte nettement et est à conseiller, sauf si le sens « faire qqch. » apparaît clairement. *À faire* s'impose en effet lorsque le contexte établit qu'il s'agit du verbe ; ce que peut montrer un complément d'objet direct ou un adverbe de quantité (*assez, beaucoup, fort, peu, tant, trop*) : On a *affaire* (beaucoup plus rarement *à faire*) *à qqn, à qqch.* (à une plaisanterie, à de la mauvaise foi, à un complot, etc.). *J'ai affaire à lui. Nous avons affaire à un imprévu. J'ai affaire ici* aussi bien que *J'ai à faire ici* (qqch.). Mais : *Qu'ai-je à faire ici ?* (complément d'objet direct). *J'ai une démarche à faire. Elle a fort à faire.*

2. **Avoir affaire** (beaucoup plus rarement **à faire**) **à** ou **avec.**

Avec s'emploie surtout lorsqu'il s'agit de rapports prolongés (d'intérêts professionnels ou commerciaux, de transactions, etc.) *J'ai eu affaire avec lui tous les jours. J'ai affaire avec mon associé. C'était avec ce Dieu-là qu'elle voulait avoir affaire* (H. Troyat, *Les Eygletière,* J'ai lu, p. 283). Mais, même dans le cas de rapports prolongés, *à* est plus courant qu'*avec : Au reste, l'organisation à laquelle ils avaient affaire dans leurs contacts avec nous facilitait la cohésion* (Ch. de Gaulle, *L'unité,* Poche, p. 321). *J'ai eu souvent affaire à M. Eden* (Id., *L'appel,* Poche, p. 249).

Avoir affaire à s'impose lorsqu'il s'agit d'une menace, d'un rapport de fort à faible ou de quelque chose de passager : *Vous aurez affaire à moi. J'ai eu affaire à forte partie. Nous avons affaire à une difficulté inattendue.*

3. **Avoir affaire** (plus rarement *à faire*) **de qqn** ou **de qqch.** L'expression est devenue très rare : *Qu'ai-je à faire maintenant de cette longue confession ?* (Fr. Mauriac, *Le nœud de vipères,* ch. XII). *Qu'ai-je affaire de toutes ces querelles ?* (Ac.). On dit généralement : *avoir besoin de, avoir à s'occuper de.*

4. Quelques expressions : *C'est mon affaire. Être à son affaire. Prendre l'affaire en main. C'est l'affaire d'une seconde. Cela ne fait rien à l'affaire. Faire son affaire à qqn* (le punir).

5. [*Être en affaire*] se dit couramment en Belgique dans un sens qu'on ne pourrait pas traduire exactement dans tous les cas par *s'affairer, être affairé*, parce qu'à l'idée d'agitation s'ajoute celle d'émotion. *Une dame est fort* [*en affaire*] *en attendant ses invités. Les enfants sont* [*en affaire*] *dans les jours qui précèdent la Saint-Nicolas.*

6. **Affaires,** n.f.pl., peut s'employer pour « effets, vêtements, objets personnels ». On a parlé à tort de belgicisme : *Tandis qu'il remet ses affaires à l'ouvreuse* (Proust, *À la recherche...,* t. V, 1ʳᵉ partie, p. 46). *Je ne sais plus où mettre mes affaires* (Fr. Mauriac, *Les mal-aimés,* p. 146). La faute, qu'on entend parfois dans la région liégeoise, est d'employer *affaire* dans ce sens au masculin, singulier ou pluriel.

Quelques expressions : *Être dans les affaires. Se retirer des affaires. Un homme d'affaires. Un chargé d'affaires. Expédier les affaires courantes. S'occuper des affaires d'un tel. Mettre de l'ordre dans ses affaires. Une lettre d'affaires. Toutes affaires cessantes.*

Si l'on dit en bon français *faire des affaires avec qqn* (avoir avec lui des relations commerciales), c'est un wallonisme d'employer *faire des affaires* (sans complément) dans le sens de « compliquer et exagérer les choses » : [*Il fait des affaires pour un rien*].

Affairé, adj., **s'affairer.** *Être affairé*, c'est s'agiter parce qu'on est surchargé d'occupations ou comme si on l'était. *S'affairer*, c'est se montrer empressé ou s'occuper avec agitation : *Il s'affairait autour des clients. Elle s'affairait à habiller les enfants pour la messe.* Cf. AFFAIRE, 5.

Affairiste, n.m., est un néologisme péjoratif désignant un homme d'affaires sans scrupules, un spéculateur à l'affût de tractations malhonnêtes.

Affectataire, adj., est employé par Maurice Genevoix dans le sens de « qui a une affectation précise, une destination bien déterminée » : *Ces fondations, très rarement libres, sont presque toutes affectataires* (*La perpétuité,* p. 76).

Affecter, v.tr.dir. Distinguons quatre sens : 1) feindre avec une certaine ostentation : *On affecte l'insouciance ; on affecte d'être indifférent ;*

2) avoir un effet fâcheux, une influence néfaste : *Le remède affecte le poumon* (Ac.). Bien que les dictionnaires n'enregistrent pas le sens d'« altérer », il paraît légitime de dire : *Cette querelle a affecté notre amitié ;*

3) toucher, en produisant une impression pénible, en faisant souffrir : *Son échec l'a beaucoup affecté. Elle s'est affectée de nos malheurs ;*

4) destiner, réserver à : *Affecter qqch. à qqn. Affecter qqn à une fonction. Affecter une part de ses revenus à l'achat d'un terrain. Affecter une résidence à un fonctionnaire. Affecter un fonctionnaire à un poste.*

Affectionné, adj., dans les formules de fin de lettre, est souvent précédé de *votre* et signifie : qui éprouve de l'affection, attaché, dévoué. L'expression paraît un peu recherchée. Quant au verbe *affectionner,* employé avec un nom de chose comme complément, il ne semble utile que pour exprimer l'idée « avoir une prédilection pour » : *Le genre de robe qu'elle affectionne* (PR).

Afférent, adj., et *afférente* s'écrivent avec *en*. [*Afférant*] n'existe pas.

Affèterie, n.f., peut s'écrire depuis 1975 avec un accent grave. L'**affectation** implique un manque de naturel, l'*affèterie* exagère l'affectation et tombe dans un excès de recherche superficielle, dans une fausse grâce, en vue de plaire.

Afficher, v.tr.dir., au sens figuré, c'est montrer publiquement et avec ostentation. *S'afficher,* c'est se montrer avec ostentation dans un lieu public. Le mot est pris généralement en mauvaise part.

Affidé, adj. et n., qui signifie proprement « à qui on peut se fier, en qui on a confiance », ne s'emploie plus guère que dans un sens péjoratif : qui est attaché à un grand personnage et se prête à ses actions répréhensibles.

Affiler, v.tr.dir., ne se dit pas, comme au Canada, pour tailler un crayon, tailler un piquet en pointe. On *affile* un instrument tranchant émoussé, ébréché, une lame, une faux, on lui rend son tranchant. Au figuré, la langue peut être bien affilée, très médisante. Ne pas confondre avec *effiler : Effiler une toile, de la charpie. Un visage effilé* (mince et allongé).

Affirmer, v.tr.dir., peut avoir le sens de « manifester nettement ». D'où l'emploi correct de *s'affirmer* dans cette acception, à ne pas confondre avec celle de *s'affermir : Sa puissance s'affirme tous les jours. Sa personnalité s'affirme. Il s'affirme comme romancier. Ils se sont affirmés plus travailleurs qu'intelligents.*

    Mode après *affirmer :* cf. Croire.

Affleurer, v.tr.dir. et intr. *La rivière affleure ses bords. Le roc affleure. Il affleure à la surface. Ses instincts affleurent.* Ne pas confondre avec *effleurer,* toucher légèrement.

Affliger, v.tr.dir. On dit : *Je suis affligé* (profondément attristé) ou *Je m'afflige de lui avoir fait du tort* ou *qu'il s'en aille* (subjonctif). On peut employer *de ce que,* généralement avec l'indicatif, parfois avec le subjonctif, sans nuance particulière.

Affluant, part.prés. *d'affluer.* On écrit *en* dans les noms **affluent** (*les affluents de la Seine*) et **affluence.**

Affolement, n.m., *affoler, raffoler :* deux *f*, un *l.*

Affranchir (rendre libre, délivrer de ce qui gêne, d'une règle, d'une servitude), v.tr.dir. En français régional de Belgique, sous l'influence du wallon, *affranchir* prend le sens de « donner de l'assurance, enhardir, mettre à l'aise » et *s'affranchir* celui de « prendre de l'assurance ».

Affréter, v.tr.dir., *prendre* en location un navire, un avion. Il convient donc de ne pas donner cette acception à **fréter,** mais de lui réserver le sens de « *donner* en location » un bateau, etc.

Affronter qqn est vieilli, mais reste vivant dans des français régionaux dans le sens de « lui faire un affront ». Mais *on affronte un adversaire* (on le brave), *un danger.* On est *affronté à qqch.*, à un problème. *On s'affronte à qqch. Deux partis, deux thèses s'affrontent. Ils se sont affrontés.*

Aficionado, n.m. Un seul *f. Des aficionados.*

[À-fond]. Si la locution adverbiale *à fond* est française (*Étudier à fond une question, serrer à fond un écrou, vider son verre à fond*), l'emploi d'*à-fond* comme nom est un belgicisme qui est surtout courant chez les jeunes : [*Faire un à-fond*], c'est vider son verre d'un trait, faire cul sec en buvant.

After shave, n.m. Dire : *après-rasage,* n.m.

Agape, n.f., s'emploie le plus souvent au pluriel (repas entre amis) : *nos fameuses agapes.*

Agave, n.m. *Un agave.* On écrit aussi *agavé.*

Âge, n.m. On dit : *Il est **en âge de** comprendre. Il est **d'âge à** comprendre.* On emploie **à notre âge** (plutôt qu'*à nos âges,* qui se rencontre) si la personne qui parle s'adresse à une personne qui a sensiblement le même âge qu'elle. — On dit : *un homme d'âge* (âgé), *un homme* (ou *une femme*) *sur l'âge* (près de la vieillesse), *un homme d'un certain âge* (qui n'est plus jeune), *un enfant en bas âge.* Cf. NOMBRES. Tour elliptique après un comparatif : *Elle est plus grande* (ou *Il fait plus jeune*) **que son âge.**

Agenda, n.m. Pron. « jin ». Pluriel : *des agendas.*

Agent, n.m., reste masculin quand il s'agit d'une femme : *Cette femme est un bon agent.* L'Académie admet encore l'usage (vieilli) qui employait *agente* en mauvaise part.

Agent de police (ou *agent*), courant et officiel en Belgique pour désigner celui qu'en France on appelle habituellement *un gardien de la paix,* n'est pas inconnu en France et est donné par le GLLF.

Agent de change se dit en Belgique de certains petits bonbons pour la gorge.

Agglomérat, n.m., **agglomération,** n.f., *agglomérer,* v. Deux *g.*

Aggravation, n.f., **aggraver,** v.tr.dir. Deux *g.* On aggrave (on rend plus grave, plus lourde à supporter) une défaite, une maladie, une situation déjà fâcheuse, mais non une victoire.

Agir, v.intr. 1. *On agit bien ou mal* **envers** *qqn, on agit* **sur** *qqn,* **sur** *les évènements.* On rencontre cependant depuis le XVIIe siècle, mais cet emploi reste rare, *être agi* au passif, être mis en mouvement.

2. **En agir.** On dit : *Il agit mal avec moi* ou *Il en use mal avec moi.* Parce qu'on dit *user de,* user de bons ou de mauvais procédés, on peut dire *en user* ; mais on s'est mis à dire *en agir* ; ce tour illogique et inutile est condamné avec raison depuis des siècles mais a survécu jusqu'à nos jours et se trouve parfois chez de bons écrivains.

3. **S'agir :** *De quoi s'agit-il ? Il ne peut s'agir que de lui. Il s'agissait de faire attention. Une réunion est prévue, il s'y agira surtout de...* Aux temps composés, on ne peut dire [*il a s'agi de*] au lieu de *il s'est agi.* — Le participe *s'agissant* s'emploie absolument dans le sens de « puisqu'il s'agit » : *S'agissant de vous, nous n'insisterons pas.* — *S'agir que* (falloir que) est suivi du subjonctif : *Il s'agit qu'il le fasse.*

Agissements, n.m.pl., a un sens péjoratif.

Agnostique, adj. Prononcer *g + n.*

Agonir, v.tr.dir., accabler (*agonir qqn de sottises, d'injures, de reproches*). Il se conjugue comme *finir* (*il l'agonit, l'agonissait, l'a agoni d'injures*). Ne pas conjuguer *agonir* comme **agoniser** (être à l'agonie : *il agonise, agonisait, a agonisé*).

Agora, n.f. *Une agora.* Chez les anciens Grecs, c'était une grande place où siégeaient les assemblées politiques. Le mot s'emploie parfois aujourd'hui pour désigner une grande place où l'on a rassemblé le maximum de services publics.

Agrafe, n.f., **agrafer,** v.tr.dir. Un seul *g,* un seul *f.* On ne dira pas [*désagrafer*] au lieu de *dégrafer.*

Agrandir, v.tr.dir. Un seul *g.*

Agréation, n.f., **agréer,** v.tr.dir., **agrégation,** n.f., **agrément,** n.m.
      Agréation est resté beaucoup plus vivant en Belgique qu'en France, où Littré lui donnait le sens général d'« action d'agréer » (accueillir avec faveur, donner son approbation) mais avec une citation d'un ministre belge, tandis que Capitant lui donne un sens limité et précis en droit international : procédure par laquelle un gouvernement s'assure que le diplomate qu'il veut accréditer auprès d'un autre gouvernement sera agréé par celui-ci. Les dictionnaires français n'accueillent plus ce mot.

En Belgique, *agréation* est employé couramment par l'administration, les juristes et les hommes politiques pour l'homologation de certificats d'études, la reconnaissance officielle de certains actes administratifs, d'écoles, de cliniques, de manuels scolaires, de certains titres, du droit d'exercer certaines professions, de documents, d'une denrée soumise à examen, etc.

Le terme français traduisant une approbation de ce genre est **agrément**. On parle en effet de l'agrément donné par un ministre, de l'agrément obtenu par des cliniques, des villages de vacances, etc. Au Québec, on ne craint pas de parler de l'agrément d'un manuel scolaire, non pour dire qu'il est agréable mais pour faire état de l'approbation officielle qu'il a reçue.

Il n'y a pas lieu de condamner en Belgique un usage bien établi, mais il faut savoir qu'il est archaïque et se garder surtout de condamner *agrément*. On peut d'ailleurs employer dans certains cas *approbation, autorisation, reconnaissance officielle*, etc.

Quant à **agrégation**, il a aussi, dans le domaine de l'enseignement, un emploi beaucoup plus étendu en Belgique qu'en France, où le titre d'*agrégé* n'est accordé qu'à la suite d'un concours (auquel se présentent les *agrégatifs*) pour le recrutement de professeurs de l'enseignement secondaire et dans certaines Facultés. Les trois titres d'agrégé de l'enseignement secondaire inférieur, de l'enseignement secondaire supérieur, et de l'enseignement supérieur sont décernés en Belgique à tous ceux qui réussissent un examen déterminé, suivant un programme fixé, sans qu'il y ait concours.

Agresser, v.tr.dir., **agressif**, adj., **agression**, n.f. Le verbe **agresser**, encore courant au XVIe siècle, a ensuite disparu du français commun mais a été reformé à l'époque contemporaine sur les mots *agression* et *agresseur*. Il se répand surtout à l'infinitif et aux temps composés, malgré des condamnations injustifiées : *Certaines de ces peintures particulièrement provocantes m'avaient agressé* (M. Genevoix, *La perpétuité*, p. 11). On voit que, dans une telle phrase, *attaquer* ne conviendrait pas. Il faut adopter *agresser* en lui laissant le sens qu'implique **agression**, qui dit plus qu'*attaque* : il s'agit d'une attaque imprévue, non justifiée, brutale. Ce sens d'*agression* se retrouve évidemment dans **agressif** qu'on ne peut, malgré l'exemple anglais, séparer de l'idée d'attaque brutale, injustifiée. Il est donc ridicule d'employer cet adjectif, sous une influence américaine ou anglaise, dans le sens de « dynamique, actif, persuasif, entreprenant » : [*On demande un vendeur agressif*].

Notons que le langage médical abuse des mots *agression* et *agresser*.

Agrumes, nom générique (m.pl.) des fruits du genre citrus (citrons, oranges, etc.).

Ah ! et **ha !,** onomatopées (invariables), ne traduisent pas toujours des émotions différentes dans l'usage courant. Tout au plus peut-on dire que *ha !*

marque et surtout marquait mieux la surprise, la douleur, le soulagement et, dans la suite *Ha, ha, ha !*, traduit le rire. On écrira *Ah !* pour exprimer un sentiment de joie, d'admiration, d'impatience, etc. ou pour insister : *Ah ! j'y pense. Ah bon ! Ah ça ! Ah mais ça ! Ah ! ah ! vous arrivez enfin !*

[**Aheuré**], adj., Wallonisme étendu au français du Nord dans le sens de « qui mange à des heures régulières, fixes ». Autre régionalisme français : *désheuré.*

Ahi !, interj., qu'on trouve dans la comédie classique pour exprimer la douleur, est aujourd'hui remplacé par **aïe !**.

Aidant, (*aidante*) adj., s'emploie abusivement en Belgique comme nom au lieu d'*un* (ou *une*) *aide* (personne qui aide).

Aide, n. Distinguer *une aide*, un secours, une assistance, une femme qui aide et *un aide*, celui qui aide.
Dans les **noms composés,** *aide* varie s'il s'agit de personnes (*des aides-maçons*) et reste invariable s'il s'agit de choses (*des aide-mémoires*).
Aide de camp s'écrit sans traits d'union.

Aider, v. *Aider à qqn* est vieilli. **Aider à qqch.,** c'est contribuer à sa réalisation (*aider au succès d'une entreprise*). Devant un infinitif, on emploie *à : Je l'ai aidé à mettre son pardessus.*
Aider à ce que est à déconseiller.

Aïeul, n., ne se dit guère pour *grand-père, grand-mère* (*aïeule*) ; le pluriel est alors **aïeuls ;** *bisaïeul* = père ou mère des aïeuls ; *trisaïeul* = père, mère des bisaïeuls.
Aïeux = ancêtres. L'exclamation *Mes aïeux !* (comme si l'on prenait ses ancêtres à témoin) est très familière.

Aigle est **masculin** quand il désigne l'oiseau en général ou l'oiseau mâle ou quand il est pris au sens figuré pour un talent supérieur, quand il est le nom d'une décoration (*l'aigle blanc de Pologne*) ou d'un certain pupitre d'église ou d'un format de papier.
Il est **féminin** quand il désigne expressément l'oiseau femelle ou quand il s'agit de blasons, d'armoiries, d'étendards : *L'aigle napoléonienne, l'aigle impériale.* Proprement, il faudrait, à propos de l'aigle du monument de Plancenoit, près de Waterloo, écrire *l'Aigle blessée.* Mais on écrit toujours *l'Aigle blessé.* On peut, semble-t-il, conserver le masculin en admettant que, dans cet emploi, vieux de près de trois quarts de siècle, la référence précise à l'aigle impériale, à l'étendard, n'est plus perçue. On pense plutôt à un emploi métaphorique. — **Un aiglon, une aiglonne.**

Aigu, adj. Féminin (nouvelle orthographe depuis 1975) : *aigüe.* Cf. TRÉMA.

Aiguillage, n.m. L'expression **une erreur d'aiguillage** désigne fort bien, au figuré, une erreur d'orientation ; on est victime d'une erreur d'aiguillage quand on a été mal dirigé. C'est abusivement que cela se dit d'une erreur de jugement, d'appréciation, etc.

Aiguille, n.f., **aiguiller,** v.tr.dir., et leurs dérivés *aiguillage, aiguillée, aiguillier* (étui à aiguilles), *aiguillon*, etc. se prononcent avec *w* correspondant à *u*, comme dans *lui*.

Aiguiser, v.tr.dir., et ses dérivés. On prononce soit *g + w* soit, plus souvent (Martinet, Warnant), *g + i* comme dans *guitare*.

Ail, n.m. Le pluriel *aulx* est vieilli. *Des ails, des gousses d'ail.*

Ailleurs, adv., (prononcer « ayeur »). L'opposition entre *d'ailleurs* et *par ailleurs* est nette quand *ailleurs* garde son sens premier : *Vous lui attribuez mal à propos votre disgrâce, elle vient* **d'ailleurs** (Ac.), d'un autre endroit, d'une autre cause. *Des gens venus* **d'ailleurs,** d'un autre endroit. *— Nous nous y rendrons* **par ailleurs,** par un autre chemin.

Mais, partant de là, les deux locutions ont des sens et des emplois qu'il faut tâcher de préciser, d'autant plus que *par ailleurs*, que Littré n'admettait qu'au sens propre (= par une autre voie), est surtout employé au sens figuré, où il fait souvent concurrence à *d'ailleurs*.

D'ailleurs montre qu'on ajoute une nouvelle considération, toujours en rapport avec un autre énoncé, soit pour le renforcer ou le confirmer, soit pour le corriger, soit pour concéder qqch. ou simplement compléter la pensée. *Malicroix*, d'Henri Bosco, commence ainsi : *De mon grand-oncle Malicroix je n'attendais rien. D'ailleurs, jamais personne n'avait rien attendu de lui.* La seconde phrase n'introduit pas une cause, comme le ferait *parce que*, ni même une justification, mais ajoute une nouvelle considération à ce qui précède, en le renforçant. De même : *Je ne le lui ai pas demandé ; d'ailleurs il ne m'aurait pas répondu. Ne prenez pas cette route, qui est plus longue ; elle est d'ailleurs en mauvais état. — Cet attachement, réel d'ailleurs, ne répond pas à son amour* (GLLF). *Ce roman, d'ailleurs bien écrit, m'a déplu* (concession nuançant l'énoncé et expliquant que la cause est ailleurs). *Il ne s'en portait pas plus mal, ni mieux d'ailleurs.*

Par ailleurs signifie « en outre » ou « pour le reste », mais avec la nuance : « d'un autre côté, d'autre part, d'un autre point de vue, à d'autres égards ». Il ajoute un complément d'information qui, partant d'un autre point de vue que l'énoncé qu'il complète, peut s'y opposer ou être sans rapport avec lui : *Elle souhaitait qu'il cultivât des relations si utiles, mais elle était par ailleurs portée à les croire peu chic* (M. Proust, cité par TLF). À propos de Madeleine Béjart, René Doumic a écrit : *Nous lui savons surtout gré d'avoir été la « soubrette » du théâtre de Molière (...). C'était par ailleurs une femme de tête très entendue aux questions*

d'argent (*Le Misanthrope de Molière*, p. 22). *Cette méthode, qui peut être par ailleurs si féconde, est ici inopérante.*
Par ailleurs est devenu dans l'usage actuel un concurrent sérieux de *d'ailleurs.* Rien n'empêcherait de l'employer dans l'exemple cité plus haut : *Ce roman, d'ailleurs* (ou *par ailleurs*, puisqu'il s'agit d'une tout autre considération) *bien écrit, m'a déplu.* M. Grevisse (*B.U.*, n° *2524*) cite Maurois : *Des scènes de sang qui lui rendaient pénible à lire le récit, par ailleurs si beau, de la Révolution française.* Mais on respectera la distinction qui vient d'être faite. Jamais, par exemple, on ne pourrait employer *par ailleurs* dans la phrase de Bosco ni dans celle-ci : *J'ignorais cet accident ; j'étais d'ailleurs absent depuis plusieurs semaines.* Ni *d'ailleurs* dans celles de Proust et de Doumic où domine l'idée « d'un autre côté, d'autre part, en d'autres circonstances ».

Aimer, v.tr.dir. 1. **Devant un infinitif,** trois constructions sont possibles : la plus courante en France est **aimer** sans préposition ; **aimer à,** s'il est moins fréquent, n'est pas rare, surtout en littérature, et est le tour habituel dans l'expression *j'aime à croire ;* quant à **aimer de,** que Dauzat déclarait vulgaire et que certains considèrent comme archaïque, il continue à s'employer.

2. **Aimer que, aimer à ce que** sont suivis du subjonctif. *Aimer à ce que*, favorisé par *aimer à faire qqch.*, est plus lourd. *J'aime qu'on soit sincère.*

3. **Aimer quand.** Dupré prend la défense de *J'aime quand il fait beau :* « *J'aime* est pris absolument dans le sens de : je suis satisfait, j'éprouve du plaisir, chaque fois qu'il fait beau. C'est une nouvelle extension du verbe *aimer* » (I, p. 82).

4. **Aimer autant :** cf. AUTANT, 10, p. 128.
Aimer mieux est le comparatif d'*aimer bien : Il aime mieux ceci que cela.*
a) L'*infinitif* qui suit immédiatement se construit régulièrement sans préposition : *J'aime mieux ne pas y penser.* Celui qui exprime le second terme de la comparaison est facultativement précédé de *de : J'aime mieux lire que (de) jouer.*
On peut aussi employer *plutôt que :* mis en tête de phrase, il est suivi de *de ;* souvent aussi (pas nécessairement) dans le corps de la phrase ; l'infinitif, si c'est le même que celui qui vient d'être employé, n'est généralement pas répété : *Plutôt que de jouer, j'aime mieux lire. J'aime mieux lire plutôt que de jouer (plutôt que jouer). J'aime mieux le demander à mon père qu'à ma mère.*
b) Si les deux termes de la comparaison sont introduits par *que* suivi du *subjonctif*, on ne peut pas (ou plus) dire [*J'aime mieux qu'il parte que qu'il s'ennuie*]. On tourne donc la phrase autrement. Divers tours classiques sont pour ainsi dire abandonnés, y compris celui qui recourait à

que si : J'aime mieux qu'il parte que s'il reste. Cela est aujourd'hui peu vivant et uniquement littéraire.

Nous recourons en un tel cas à un ou deux infinitifs ; parfois le sens demande l'intervention de *voir* ou *savoir : Il aime mieux nous voir partir que rester.* L'opposition marque bien que *rester* a le même sujet que *partir* et que tous deux dépendent de *voir.* — *J'aime mieux qu'il parte que de rester* ou *J'aime mieux qu'il parte plutôt que de rester.* On doit mettre *de* quand le premier terme de la comparaison n'est pas un infinitif. *Mon oncle aime mieux que nous partions que de nous voir nous ennuyer (que de nous ennuyer* aurait un autre sens : mon oncle ne veut pas risquer de nous ennuyer, de nous agacer).

5. **Ne pas aimer** s'emploie souvent par litote, au sens de « je réprouve, je blâme, je déteste » : *Je n'aime pas ses manières. Je n'aime pas sa façon de me saluer.*

6. *Aimé* **de** ou **par.** Cf. DE.

Bien-aimé, mal-aimé, adj. ou n. Trait d'union.

Ainsi, adv. 1. *Ainsi,* signifiant « de cette manière », détermine un verbe, qui généralement le précède, ou un participe passé, qui généralement le suit : *Pourquoi agir ainsi ? Il commença ainsi : ... Un compliment ainsi tourné.* On trouve *ainsi* en tête de phrase devant un verbe dans le sens de « c'est ainsi que » : *Ainsi dit le renard. Ainsi parlait-il. Ainsi la fête se poursuivait-elle dans la joie.*

Plus rare, dans la langue châtiée, est l'emploi d'*ainsi* comme attribut : *Comment suis-je resté ainsi ?* (TLF). *Pierre* **est ainsi ;** *il faut le prendre comme il est* (DFC). *Ainsi* se substitue ici à l'emploi familier de « comme ça ». On ne s'autorisera pas de cet emploi, où *ainsi* accompagne un verbe, pour l'employer dans le même sens comme épithète, ce qui n'est pas rare en Wallonie : [*Je n'ai jamais vu un homme ainsi, des choses ainsi*]. On dira : *un tel homme, un homme semblable, de telles choses, pareilles choses.*

Ne pas confondre avec **il en est ainsi,** se disant d'une situation : *Puisqu'il en est ainsi, je n'insiste pas. S'il en est ainsi, acceptez.*

2. *Ainsi,* introduisant une conclusion, doit se placer en tête de la proposition : *Ainsi vous refusez ?* Il a le sens de « donc », mais il ne peut, comme celui-ci, se placer après le verbe. On peut dire : *Vous refusez donc ?* mais non [*Vous refusez, ainsi*].

Ainsi donc est dénoncé comme pléonastique. Le redoublement peut cependant se justifier s'il renforce l'expression de la surprise, de l'émotion : *Ainsi donc vous refusez ? — Ainsi donc, sans cet avis fidèle, Deux traîtres dans son lit assassinaient le roi* (Racine, *Esther,* II, 2). Mais on abuse d'*ainsi donc* en l'employant sans la moindre raison affective au lieu de *ainsi* ou de *donc.*

Plus flagrant est le pléonasme dans [*Ainsi, par conséquent*]. Inutile aussi semble ***ainsi par exemple*** ; une des deux expressions suffit ; *ainsi* ne signifie toutefois pas strictement « par exemple » ; il marque seulement (mais est-ce utile ?) le rapport avec ce qui précède. On dira : *Par exemple, je citerai...*

3. **Par ainsi** au lieu de *ainsi* est un archaïsme qui se trouve encore chez des écrivains modernes.

4. *Ainsi que* et non [*ainsi comme*] : problèmes d'accord, cf. ADJECTIFS QUALIFICATIFS, 11, p. 44 et VERBE, *accord*, B, VI, p. 981.

Aïoli, n.m. Bien que plusieurs dictionnaires donnent comme la forme usuelle *ailloli*, qui n'est qu'une graphie francisée, il ne faut pas hésiter à écrire encore *aïoli* (mayonnaise à l'ail).

Air, n.m. 1. *Se donner des airs, prendre de grands airs* (= un air de supériorité) est français ; mais non [*faire de ses airs*].

2. *Air-hostess* se dit en français *hôtesse de l'air.*

3. Une *idée en l'air,* comme une promesse en l'air, ne mérite pas d'être prise au sérieux ; une idée qui est *dans l'air* appartient aux tendances d'une époque, d'un milieu.

4. *Air ferry* se dit en français *bac aérien.*

5. **Avoir l'air** peut signifier « sembler, paraître, avoir l'air d'être », et l'accord de l'adjectif se fait avec le sujet ; ou « avoir un air, une mine, une physionomie, une allure, etc. », et l'accord se fait avec *air.* Dans certains cas, on a le choix entre les deux interprétations ; dans d'autres, non.

Quand il s'agit de choses, c'est normalement le premier sens : *Cette maison a l'air caduque. Ces propositions ont l'air sérieuses. Cette poire a l'air bonne.* Il arrive qu'on puisse les traiter comme des personnes ou comme si l'on disait « un air » : *Ces arbres n'ont pas l'air réel.* Mais on écrira fort bien : *n'ont pas l'air réels* (ils n'ont pas l'air d'être réels).Toutefois, même si *avoir l'air* se rapporte à une chose, on doit faire l'accord avec *air* quand il est suivi d'un complément : *La ville a l'air tout à la fois animé et désœuvré d'un dimanche* (J. et J. Tharaud). *Aucune rose n'a l'air suspect de l'orchidée* (exemples cités dans *B.U.,* n° 816).

S'il s'agit de personnes, les deux sens sont plus souvent possibles. On accorde couramment l'adjectif avec le sujet : *Cette femme a l'air douce* (bien qu'on puisse dire : *a l'air doux*). Mais on dira toujours qu'*une femme a l'air enceinte.*

Impossible, notons-le, d'accorder avec le sujet si l'expression est *trouver à qqn l'air...* : *Je ne lui avais pas trouvé l'air triste, mais fatigué. Elle était repartie pour Paris* (H. Bazin, *Le matrimoine,* Poche, p. 104). Il est normal qu'une femme, évoquant l'embarras où elle s'est trouvée, dise : *Inventer que c'était mon anniversaire... Je devais avoir l'air fin* (J.-L. Curtis, *La parade,* J'ai lu, p. 83).

Que l'expression se rapporte à une personne ou à une chose, on ne peut, d'autre part, accorder avec *air* si celui-ci est déterminé par un complément : *Elle est à demi allongée sur un canapé (...) elle a l'air fort et tranquille d'un menhir* (J. Green, *Journal*, 28-1-1932). *Les gens avaient l'air stupide que donne la surprise* (*Ibid.*, 7-5-1932).

La distinction, même quand elle ne s'impose pas, reste utile pour exprimer des nuances : *Elle a l'air faux, mais elle est loyale.* Colette a écrit (*O.C.*, XIV, p. 111) : *Si je n'ai pas l'air fatigué, c'est que je ne suis pas très fatiguée.*

Airelle, n.f. Cf. Myrtille.

Aise, n.f., exprime l'absence totale de gêne : *Mettre qqn à l'aise, à son aise. Se mettre à l'aise. En parler à son aise. En prendre à son aise. Combler d'aise qqn.* — *Etre à l'aise, à son aise* peut se rapporter à une situation financière. Au pluriel : *aimer ses aises, prendre ses aises.*

L'**adjectif** s'emploie presque toujours avec *bien* (ou *fort* ou *tout*) : *Ils ont été bien aises* (bien contents) *que nous les ayons invités* (subjonctif).

Aisé, adj., peut se dire d'une personne qui dispose de moyens de vivre largement suffisants : *Une famille aisée. Les classes aisées.*

Dans le sens de « facile », on dit qu'une chose *est aisée à faire*, qu'*elle se fait aisément*, qu'*il est aisé de la faire*.

Ajourner, v.tr.dir. On ajourne un candidat, un conscrit et, dans un autre sens (remettre à plus tard), un voyage, une démarche. On se gardera du pléonasme [*ajourner à plus tard*].

Ajout, n.m., **ajoutage,** n.m., **ajoute,** n.f., **ajouté,** n.m., **ajoutis,** n.m., **ajouture,** n.f., **rajout,** n.m., **rajouture,** n.f. Cette liste, incomplète, montre que le français cherche un mot pour désigner (en dehors d'*addition*, etc.) une chose ajoutée à une autre. Les dictionnaires n'accueillent pas tous ces termes.

Un ajouté se dit dans plusieurs sens mais est courant, dans le vocabulaire de l'imprimerie, pour une addition faite à un manuscrit, à des épreuves. Léon Treich l'employait pour une scène ajoutée à une pièce de théâtre.

Un ajout peut avoir le même sens, mais aussi un sens plus large, notamment en art et en architecture : *La couleur* (était pour Fra Angelico) *un ajout, un remplissage de formes* (A. Gide, *Journal*, 16 décembre 1895).

Marcel Cohen emploie *rajout* pour une addition, un complément à la fin d'un article. *Rajout* peut être synonyme d'*ajout*, comme *allonge* de *rallonge*.

Le mot *une ajoute* n'est pas un belgicisme ; on le trouve en France, parfois dans le sens d'*addition*, parfois dans un sens technique (GLE). Mais il n'y est pas courant et ces emplois ne justifient pas l'usage belge d'*ajoute* pour *ajout, ajouté, allonge* ou *rallonge, annexe.* Il faut parler d'une *allonge* ou d'une *rallonge* à propos d'une table, d'un vêtement.

Pour un texte imprimé ou manuscrit, on peut dire non seulement *ajout* ou *ajouté* mais, selon les cas, *addition, annexe, complément, supplément, surcharge,* etc. Cf. BÉQUET.

Alacrité, n.f., signifie « enjouement, entrain » et non « rapidité » ni « âcreté », « âpreté ».

Alarmant, alarmiste, adj., ne peuvent être confondus. *Une nouvelle alarmante, une situation alarmante,* qui provoque un état d'inquiétude ; tandis qu'*alarmiste* = qui répand intentionnellement des bruits alarmants, de nature à inquiéter l'opinion.

Albinos (pron. *eau* et *s*) est nom et adjectif et se dit d'un homme ou d'une femme. *Un* (ou *une*) *albinos.*

Alcool, n.m., et ses dérivés se prononcent avec le même *o* que *col.* — Distinguer une *boisson alcoolique,* à base d'alcool, et une *boisson alcoolisée,* où l'on a ajouté de l'alcool.

Alcootest, n.m., est devenu la forme usuelle du nom désignant l'appareil qui permet d'estimer immédiatement l'**alcoolémie,** la présence d'alcool dans le sang. — À ne pas confondre avec l'**alcoomètre,** servant à mesurer le degré d'alcool des vins et liqueurs.

Aléa, n.m. Ce mot latin, signifiant « coup de dé, chance bonne ou mauvaise », désigne proprement le hasard, favorable ou non : *Il faut compter avec les aléas de l'examen.* Mais l'usage courant (toujours suspect, quoique admis par le GLLF) est d'employer *aléa* dans un sens péjoratif et de l'assimiler, surtout au pluriel (*des aléas*), à « risques, inconvénients, ennuis ».

Alémanique, adj. *La Suisse alémanique* est la Suisse de langue allemande.

Alêne (poinçon), n.f. *Une alêne.* Accent circonflexe.

Alèse, n.f., est parfois écrit *alaise.*

Alentour, adv. = dans l'espace environnant : *Il regardait **tout alentour**. Je voyais **alentour** quelques curieux. Ils volent alentour. Ils rôdent alentour.* On écrit moins : *à l'entour.* — *Les bois d'alentour* (des environs).

Alentour de et *à l'entour de* sont vieillis et littéraires. On dit plutôt : *autour de.*

Le mot comme nom ne s'emploie plus qu'au pluriel et surtout au sens propre (*Les **alentours** de la ville*) ou en parlant d'une date, d'une heure, d'une indication d'âge : *aux alentours de 1900, de minuit ; il a aux alentours de 40 ans.*

Alezan, adj. et n.m., s'écrit avec *z.*

Algèbre, n.f. *Une algèbre nouvelle.*

Alibi, n.m., signifie étymologiquement « ailleurs », mais on a retenu surtout l'idée qu'en justice, grâce à l'alibi, on se disculpe et *alibi* s'emploie pour « prétexte, excuse » : *Ses contacts avec ce parti ne sont qu'un alibi* (PR). *Des alibis.*

Aligner une chose *sur* une autre, c'est la mettre en conformité avec celle-ci ; on aligne les horaires ou les salaires de certaines personnes sur ceux d'autres personnes ; on *s'aligne* sur qqn. *Ils se sont alignés sur nous.*

Aligoté (un seul *l*), adj., se dit d'un certain cépage blanc.

Alizé, adj., s'écrit avec *z*.

Allégation, n.f., prend généralement un sens péjoratif.

Allègement, n.m., **allègrement,** adv. Depuis longtemps, bien que l'Académie française écrivît ces mots avec un accent aigu, on y prononçait toujours et on y écrivait souvent *è*. L'Académie a enfin décidé en 1975 d'écrire *allègement* et *allègrement.*

Allégro, n.m. Le nom (pluriel : *des allégros*) s'écrit généralement avec un accent, comme le fait l'Académie ; de même *un allégretto.* Mais l'indication du mouvement garde la forme italienne : *allegro ma non troppo, allegro moderato, allegretto.*

Alléluia, n.m. Accent aigu. *Des alléluias.*

Aller, v.intr., **s'en aller.** 1. *Je vais* (et non « je vas »), *tu vas, il va, nous allons, ils vont. J'allais. J'allai. J'irai. Que j'aille, que nous allions, qu'ils aillent.* Attention à l'impératif : *Va, allons, allez.* On écrit : *Vas-y, va-t'en, allons-nous-en* (impératifs de *s'en aller*). Sans trait d'union : *Va en classe* (*en* est préposition), *va en chercher* (*en* est complément de l'infinitif), *va y voir* (familièrement : *vas-y voir*).

On écrit généralement **à Dieu vat !** (expression d'origine obscure ; mais on peut se demander si le *t* final n'est pas analogue à celui qui apparaît, dans la langue populaire, devant une voyelle, en dehors de l'impératif de *s'en aller : s'en va-t-en guerre*), mais on trouve aussi *adieu-va* et *à Dieu-va* ou *à Dieu va ;* empruntée à la langue des marins, l'expression s'est figée dans un sens voisin de : à la grâce de Dieu ! On prononce *t* dans *à Dieu vat.*

2. *Aller,* marquant un mouvement avec ou sans retour, peut être remplacé par *être* aux **temps composés** (parfois au **passé simple** et au **subjonctif imparfait),** surtout devant un infinitif : *Je n'y suis jamais allé* ou *je n'y ai jamais été ; j'allai le voir* ou *je fus le voir.*

Dans *s'en aller,* aller ne peut être remplacé par *être* qu'au passé simple et au subjonctif imparfait, particulièrement devant un infinitif : *Il s'en*

alla (le trouver) ou *Il s'en fut (le trouver). Nous laissâmes Giraud dans sa villa et nous en fûmes dans la nôtre* (Ch. de Gaulle, *L'unité*, Poche, p. 91).
Si *aller* est employé au **sens figuré** en parlant de la santé, d'un vêtement, d'une horloge, de qqch. qui « va bien », on doit, aux temps composés, employer *être (avoir été)* : *Il **a été** plus mal hier, il va mieux aujourd'hui. Ce commerce va bien, a bien été. Ce chapeau lui va bien. Cette robe ne lui va pas bien et d'ailleurs ne lui a jamais bien été.*

3. *Je m'en suis allé, elle s'en était allée :* formes normales, puisque *en*, dans *s'en aller*, n'est pas soudé à *aller* (tandis qu'il l'est dans *s'enfuir : il s'est enfui*). Cependant on dit depuis longtemps, et c'est devenu correct : **Je me suis en allé,** etc. On dit : *la chose* (ou *la personne*) *en allée.*

4. *Comment va ?* est une réduction très familière de *Comment ça va ?* Ne pas dire [*Comment que ça va ?*] ni, tour populaire en Flandre et à Bruxelles : [*Comment ça va-t-il avec vous ?*]. Mais on peut très bien dire : *Comment ça va-t-il chez vous ?*
Wallonisme populaire : [*Comment vous va-t-il ? Comment va-t-il ?*] Ne pas répondre [*Ça va encore*] pour *Ça va passablement.* On notera qu'*Il me va bien* ne peut se dire pour la santé, mais se dit d'un vêtement.

5. On peut dire : *Il va* (ou *il marche*) **sur** *ses trente ans. Cette tache ne s'en va pas.*

6. **Aller pour,** *suivi d'un infinitif*, s'emploie à l'indicatif présent (parfois à l'imparfait, rarement au passé simple et au participe présent) pour marquer qu'on se dispose à faire aussitôt une action, mais qu'elle n'a pas lieu, qu'elle est interrompue. Ce tour est courant dans les indications scéniques : *Il va pour l'embrasser, mais elle le repousse. Il va pour lui répondre, puis il y renonce.*

7. *Aller,* **suivi directement d'un infinitif,** peut avoir deux sens :
a) Il marque à tous les temps **un déplacement** en vue de ce qui est exprimé par l'infinitif : *Où vont-ils ? Ils vont faire leur promenade quotidienne. — Allez me chercher cela. Ils vont retirer leur valise à la consigne* (Comparer avec *venir : Ils viennent retirer...*). *Je suis allé me renseigner. Allez le trouver de ma part. Nous irons nous baigner.*
Le mouvement ainsi marqué par *aller* peut être fictif, figuré ; on veut exprimer d'une manière affective une éventualité qu'on imagine se produisant : *Pourvu qu'il n'aille pas se fâcher ! N'allez pas vous imaginer que je suis content. Que n'ira-t-il pas supposer ? Vous iriez lui dire cela ?* On peut fort bien dire : *S'il allait ne pas venir !* — Expression très familière en parlant de qqch. : *Ça ira chercher dans les deux mille,* cela pourra coûter dans les deux mille francs.
S'en aller suivi d'un infinitif marque souvent de nos jours un déplacement : *Je m'en vais dîner. Je m'en vais voir ce qui se passe.* On ne le trouve plus guère qu'à l'indicatif présent, et surtout à la 1re pers. du singulier. Il peut aussi indiquer un futur proche (cf. b).

b) À l'indicatif présent ou imparfait, *aller* peut devenir un auxiliaire de temps et exprimer **un fait très proche,** vu à partir du présent ou du passé : *Il va mourir. Je vais dîner. Il allait partir quand nous sommes arrivés. Il allait bientôt le regretter.* Il faut noter qu'il n'y a pas là un équivalent du futur ou du futur du passé, mais un véritable temps supplémentaire.

Même emploi de *s'en aller,* mais seulement à la 1re pers. du sing. de l'indicatif présent : *Je m'en vais vous le dire.*

N.B. a) Quand il n'est pas possible, à un autre temps que ceux qui ont été notés, d'employer *aller* comme auxiliaire, on tourne la phrase autrement. On recourt à *être sur le point de* (ou à une autre expression) ou à *devoir* (cf. DEVOIR, 5), mais non à *vouloir* (cf. VOULOIR) : *Quand vous serez sur le point de venir* (ou *prêt à venir*)...

b) *Aller,* conjugué au présent de l'indicatif, peut être suivi de l'infinitif du même verbe : *Je vais aller le voir. Ils vont aller chez le coiffeur.* On hésite (sauf en Belgique) à employer immédiatement devant *aller* une forme verbale ayant le même radical. Simple affaire d'oreille. *Nous allons aller le voir* ne me choque pas : *Nous allons aller aux sources de la Hure* (Fr. Mauriac, *Journal 1932-1939*, p. 333). Personne en tout cas ne serait choqué si un mot était intercalé entre les deux verbes : *Nous allons y aller.*

c) Noter l'emploi de l'adverbe *y* pour remplacer l'infinitif qui vient d'être employé comme complément d'un premier emploi d'*aller : On m'a dit que je n'oserais pas aller le lui dire ; eh bien, j'y vais. Allons prendre un bain ; moi, en tout cas, j'y vais.* Mais on omet toujours *y* devant le futur et le conditionnel présent d'*aller : On m'écrit de Paris ; j'y vais la semaine prochaine,* mais : *j'irai la semaine prochaine.*

d) Notons qu'on doit dire : *Va te promener, Allons nous promener.* Cf. PROMENER.

8. *Aller* et *s'en aller* **suivis d'un participe présent** ou d'un **gérondif** avec *en,* qui restent invariables.

a) Suivis d'un participe présent, ils ont pu marquer la progression, la continuité : *Cet homme s'en va mourant* (Ac.). *Ceux qui allaient conseillant la course matinale* (M. Bedel, *Traité du plaisir,* p. 18). Cet usage subsiste en littérature. Aujourd'hui le participe présent qui suit *aller* est celui d'un verbe qui marque lui-même un mouvement réel ou figuré, une progression : *Le mal va croissant* (Ac.). On peut dans ce cas, surtout aux temps composés (cf. plus haut, 2), remplacer *aller* par *être : La plupart de ces difficultés ont été s'aggravant* (G. Duhamel, *Paroles de médecin,* p. 130).

b) Si l'on a le gérondif avec *en,* celui-ci marque plutôt la manière : *Un mal qui va en augmentant* (Ac.). *Le mal ira en empirant.* Même remarque que celle qui vient d'être faite pour *être* substitué à *aller.*

9. **Aller à, chez** ou **dans, en.** Sans entrer dans trop de subtilités, bornons-nous à quelques remarques.

Le complément de lieu, sauf les noms de pays ou de régions (cf. À et *en,* 5, p. 18), s'introduit par **à** : *aller au bois, à la mer, à la campagne, à son bureau, à l'église, au café, au cinéma, à l'épicerie.*

À peut aussi introduire un *nom de chose* désignant le but du déplacement : *aller aux urnes, à la messe, aux vêpres, au feu (à la bataille), à la pêche, à sa toilette, à la mort, aux provisions, aux champignons.* Cf. plus loin, 10.

Aller à l'eau, au bois, aux vivres, etc. peut signifier : aller faire provision d'eau, de bois, etc.

Si le complément est un *nom propre de personne,* on dit : *Aller chez Pierre,* etc.

Aller à, en dehors des cas où il concurrence *aller chez,* signifie : a) se diriger vers (*J'irai à lui, aller à la mer*) ; b) s'adresser à un supérieur ou à ses services (*Aller à Dieu, à l'évêque, au ministre. J'irai à toi, Seigneur*).

Quand il s'agit de se rendre *chez* qqn., c'est *chez* qui est courant et qui souvent même est seul possible : *Je vais chez ma voisine, chez le curé.* Le remplacement de *chez* par *à* après *aller, venir, se rendre* n'est certes pas nouveau ; il ne se rencontre toutefois qu'avec quelques noms communs comme *coiffeur, boucher, boulanger, épicier, docteur, médecin, garagiste.* Encore faut-il noter qu'il est sévèrement condamné non seulement par l'Académie mais par la plupart des lexicographes. On prétend le réserver à la langue populaire (je dirais plutôt : familière) : *Il vaut mieux aller au boulanger qu'au médecin.* Je ne parviens pas à considérer cela comme grave, mais il est bon de savoir que, pour certains, c'est grave.

L'emploi d'aller sans complément est normal dans *aller et venir* ou dans le sens de « marcher ». Mais tel n'est pas le cas dans *Est-ce que nous allons ?* et *Nous allons,* où « aller » signifie « partir ». Ces tours appartiennent plutôt au langage populaire.

10. **Aller à la messe, à confesse.** La langue a gardé quelques expressions dans la forme figée qui rappelle le temps où l'article n'était pas généralisé. C'est ainsi qu'on dit *aller à confesse.* Mais c'est à tort que le français régional de Belgique, influencé d'ailleurs par les dialectes, omet l'article dans *aller à la messe, aux vêpres.*

11. *Aller doucement.* Cf. DOUCEMENT.

12. *Aller avec.* Cf. AVEC, 1.

13. **Faire aller qqn** se dit en France, moins d'ailleurs qu'autrefois, pour « lui faire croire des choses fausses, le tromper par de vaines promesses ». Mais en Wallonie il a couramment le sens de : *taquiner, faire marcher* ; à éviter.

14. Dans *faire s'en aller qqn* ou *qqch.,* le pronom réfléchi peut être omis : *Faire en aller la fièvre* (Ac.). *Un acide pour faire en aller les taches* (Ac.).

15. *Y aller* signifie « se décider à parler, à agir ». *Vas-y !* En termes de jeu, on dit *j'y vais* et non *je vais* (courant en Wallonie).

16. **Interjections.** Les formes de l'impératif, *va, allons, allez* sont employées, surtout familièrement, comme interjections pour exprimer ou accentuer un jugement, un encouragement, une menace, un agacement, etc. : *Crétin, va ! Ne t'inquiète pas, va ! Allons, ne t'inquiète pas. Allez* ou *allons, viens* ou *décidez-vous* ou *venez ici. Allons, ça recommence. Allons donc* ou *allez donc, c'est impossible.*

17. Cf. AUTOUR, AVOIR, 18, p. 147 (*Il a loin à aller*), VENIR, 5.

Aller, n.m. *Prendre un aller pour Paris, trois allers et retours.*

Allier, v.tr.dir. Sauf quand il s'agit de l'union par le mariage (*Une famille alliée à une autre* ou *qui s'allie à une autre*), *allier* et *s'allier* sont suivis de *à* ou *avec : La jalousie alliée à la haine, avec la haine. Il faut que nous **alliions** la patience au courage. Ils se sont alliés avec nous.*

Allonger, v.tr.dir. ou intr., peut remplacer *s'allonger* en parlant du temps : *Les jours allongent* ou *s'allongent. — Comme les jours avaient allongé* (Fr. Mauriac, *La robe prétexte*, p. 21). *Je vois les jours allonger* (Colette, *O.C.*, I, p. 119). Certains auteurs, telle Colette (*ibid.*, p. 290), substituent même *allonger* à *croître* en parlant d'autre chose que du temps : *J'ai beau brosser mes cheveux, ils n'allongent pas si vite.* De même : *Ses cheveux allongèrent* (Fr. Mallet-Joris, *La maison de papier*, p. 93). Ce n'est pas courant. Ni non plus l'emploi de *rallonger* dans le même sens : *Les jours rallongent.* Au contraire on dit couramment (emploi transitif) : *allonger* ou *rallonger une robe, une sauce.*

Allumer, v.tr.dir. On allume *le gaz, le feu, ses phares, l'électricité, une radio, un pick-up, un cigare, une lampe,* etc. *Une voiture allume ses phares.*

On a voulu interdire **allumer la lumière** ou *les lumières* et imposer *donner de la lumière.* On trouve cependant l'expression (admise par PR) chez d'excellents auteurs : *Je rallumai les lumières* (J. Gracq, *Le rivage des Syrtes*, p. 144). *Ils allument la lumière* (J. Anouilh, *Pièces noires*, p. 50). *La lumière se rallume* (M. Druon, *Les grandes familles*, Poche, p. 68). *Puis j'ai rallumé la lumière (...). Je n'ai pas allumé la lumière* (P. Modiano, *Rue des boutiques obscures*, pp. 140, 179). De même chez Hugo, Boylesve, Duhamel, Malraux, etc.

Allumer s'emploie aussi dans le même sens **sans complément** : *Voulez-vous que j'allume ?* (Vercors, *Les armes de la nuit*, p. 88). *Attends que j'allume, on n'y voit plus* (Colette, *O.C.*, III, p. 187). Mais c'est une faute de dire *il allume* (impersonnel) pour *il fait des éclairs,* en parlant d'un orage.

Le complément d'*allumer* **peut être le lieu,** le local qu'on éclaire : *Allumer le salon, allumer une chambre.* Cela se dit, comme : *Eteins le salon, je te prie* (M. Butor, *Passage de Milan*, 10/18, p. 45). *La cuisine est éteinte* (Aragon, *La mise à mort*, p. 412). *Au carrefour (...), un café est encore allumé* (P. Modiano, *Rue des boutiques obscures*, p. 142).

Allure, n.f. 1. **À toute allure** est parfois condamné. À tort, me semble-t-il. Sans doute on dit fort bien : *à vive allure, à grande allure.* Mais *allure* signifiant ici « vitesse de déplacement », *à toute allure,* qui est courant, n'est pas plus anormal que *à toute vitesse ; tout* marque le maximum, comme dans *en toute sûreté.*

2. **Avoir de l'allure,** appliqué aux personnes, c'est « avoir de la distinction, de l'élégance » : *Cette femme* (ou *cet officier*) *a de l'allure.* Appliqué aux choses, « sortir du commun » : *Cette manière de refuser les faveurs avait de l'allure* (Lexis). *Cette demeure a fière allure* ou *a de l'allure.*

En Wallonie, on dévie de ce sens en parlant de personnes. *Avoir de l'allure* y signifie « avoir du savoir-faire, de l'ordre, dans son activité ménagère ou manuelle. [*Cette mère de famille n'a pas d'allure*]. [*Ce jeune apprenti a déjà de l'allure*]. D'où l'emploi de *sans allure,* dans le sens de « négligent » « mal organisé » ou « peu soigné » : [*C'est une femme sans allure*]. Substantivement : [*Un sans-allure*]. [*Une sans-allure*].

Alluré, adj. Néologisme admis par les dictionnaires : *Une grande fille blonde et bien allurée* (M. Aymé, *Le confort intellectuel,* Poche, p. 82). Dans le vocabulaire de la mode, on parle même d'une *robe allurée* (qui a bonne allure).

Alors (*s* ne se prononce pas), adv., dans son sens temporel signifie « à ce moment-là, à cette époque-là, dans le passé ou dans l'avenir » : *Alors il s'endormait. Alors ils le reconnurent. Alors comme aujourd'hui. Jusqu'alors.* Il ne s'emploie pas dans ce cas avec un présent, sauf si c'est un présent historique : *Alors il commence à le regarder.*

Puis alors, fort répandu, ne peut être recommandé, car c'est un pléonasme inutile : *Il comptait seulement jusqu'à vingt, puis il levait un doigt de la main et ainsi de suite. Puis alors il fallait encore marquer un avec quelque chose pour savoir que ça faisait un cent* (J. Giono, *L'oiseau bagué,* Folio, p. 17). *Alors* suffisait.

En dehors de ce sens temporel, *alors* s'emploie fort bien avec un présent et signifie « dans ce cas, s'il en est ainsi » : *Alors n'en parlons plus.* Avec un conditionnel, *même alors* = même s'il en était ainsi : *Même alors je ne le dirais pas.* Remarquer que *ou alors* ne signifie pas « ou s'il en est ainsi », mais « ou s'il n'en est pas ainsi, ou sinon » : *Allez le voir ou alors écrivez-lui.*

Alors peut aussi s'employer avec affectivité pour marquer, notamment dans une question, une certaine curiosité ou simplement pour appuyer. Cet emploi devient facilement très familier : *Alors, ça va ? Chic, alors ! Alors quoi ? Et alors, vous avez bientôt fini ?*

Alors que, loc.conj., s'emploie beaucoup moins qu'autrefois dans le sens uniquement temporel de « lorsque, au moment où ». Dans l'usage courant, aujourd'hui l'expression marque surtout une opposition (= à un moment où au contraire) et est suivie de l'indicatif ou du conditionnel selon le sens : *Il flâne alors que les autres sont occupés. Il parle, parle, alors qu'il faudrait agir.* On peut renforcer l'expression en disant **alors même que.** Suivi d'un conditionnel, *alors même que* = quand même. *Alors même qu'on m'en prierait, je ne le ferais pas.* Cf. Lors.

Alpaga, n.m., a remplacé la forme originelle *alpaca,* surtout pour désigner le tissu.

Alpin, adj., **alpinisme,** n.m., **alpiniste,** n.m., peuvent assurément se rapporter aux Alpes, mais par extension s'appliquent à la haute montagne en général. **Alpestre** se réfère davantage aux Alpes.

Alternatif, adj., comporte soit l'idée d'alternance (*une présidence alernative, un échange alternatif de rôles, un mouvement alternatif, un courant alternatif*), soit l'idée de choix (*une obligation alternative*) ou, ce qui est plus récent et encore contesté, une idée de rechange : *une médecine alternative, une solution alternative.*

On parle couramment en Belgique de *stationnement alternatif;* l'expression est certainement correcte, mais en France on dit, non moins correctement : *stationnement* **alterné.** On doit parler de *voix alternées, de rimes alternées,* d'une *série alternée.*

Alternative, n.f. 1. Le mot s'emploie au pluriel lorsqu'il signifie « alternance, succession répétée de choses opposées » : *Des alternatives de succès et de revers.* On est alors *dans* ces alternatives.

2. Au singulier, « situation dans laquelle on n'a le choix qu'entre deux partis à prendre » : *Il se trouvait dans* (ou *devant*) *l'alternative de se soumettre ou de se démettre.* Mais un emploi très répandu, non seulement dans le peuple mais chez les gens cultivés, chez d'excellents écrivains et même chez des lexicographes qui le condamnent (Littré, Hatzfeld), applique *alternative* à chacun des termes du choix. Le mot prend ainsi le sens de *possibilité, option, parti, éventualité, hypothèse, solution,* et l'on parle de deux alternatives (ce qui proprement supposerait quatre solutions) ou de trois ou de quatre !

Robert Le Bidois (*M.T.,* pp. 78-80) a montré quelque indulgence, « sans l'excuser tout à fait », pour ce fâcheux glissement de sens. On fera mieux d'éviter cet emploi, condamné ou suspecté par ceux qui ont le souci de maintenir utilement le sens étymologique, dont l'abandon favorise un glissement de sens de *dilemme.* Cf. ce mot.

3. Un autre emploi, venu de l'anglais, est plus récent ; c'est celui d'[*alternative à qqch.*], dans le sens de *solution de remplacement.* À éviter. Cf. ALTERNATIF.

Altesse, n.f., désigne en Belgique une sorte de prune appelée en France *prune de Monsieur.*

Alunir, v.intr., **alunissage,** n.m., s'écrivent avec un seul *l*, comme *aligner, alourdir,* tandis qu'on écrit deux *t* dans *atterrir,* que l'Académie voudrait généraliser (avec un éventuel complément) : *atterrir sur la Lune.* Faut-il vraiment condamner *alunir* par crainte de voir se former un jour d'autres composés quand on mettra le pied sur d'autres astres, Vénus ou Mars ? La querelle et la crainte sont vaines. L'usage a certainement admis *alunir* et *alunissage.*

Alvéole, n.m., d'après l'Académie ; mais les meilleurs dictionnaires enregistrent la tendance très nette, et qui n'est pas récente, à le faire féminin. Le PR dit même : « n.m. (vieux) ou f. ».

Amalgame, n.m. *Un amalgame.* — **Amalgamer,** c'est réunir des personnes ou des choses ayant des natures, des caractères différents, tandis que **fusionner** veut dire : unir en un nouveau groupement des choses ou collectivités distinctes : *A fusionne avec B.*

Amande, n.f., *pâte d'amandes, huile d'amandes.*

Amarrer, v.tr.dir., a élargi son sens ; il ne s'agit plus seulement de retenir (avec des *amarres*) un navire, une embarcation ou un ballon, mais de maintenir en place un objet assez lourd au moyen de cordages, de chaînes : *Amarrer solidement une malle sur le toit d'une voiture* (GLLF). On va plus loin et *amarrer* remplace *attacher.* Gilbert Cesbron écrit : *Ployant sous les linges fumants, des fils se croisaient au-dessus du poêle ; ils étaient amarrés à des tuyauteries rouillées* (Je suis mal dans ta peau, p. 12). Mais il faut aller jusqu'à l'île Maurice pour entendre : [*J'ai amarré le cadeau avec un ruban rose*] ou jusqu'en Acadie pour entendre : [*amarrer son pantalon*].

Amateur, n.m., s'emploie pour une femme comme pour un homme : *Une musicienne amateur* (GLLF). *Cette femme est un amateur d'art. Elle est amateur de nouveautés.* — [*Amatrice*] n'a pu s'imposer.

Ambages (= détours), n.f.plur. *Parler sans ambages.*

Ambassadeur a pour féminin *ambassadrice,* dans tous les sens.

Ambiance, n.f., milieu matériel, intellectuel ou moral. C'est le même sens figuré qu'on donne à *atmosphère, milieu* et *climat.* Ce qui est vivement contesté, c'est *ambiance* dans le sens (répandu et familier) d'« ambiance agréable, jeune, gaie », d'« enthousiasme collectif », d'« entrain », de « gaieté ». Par exemple, on dit qu'*il y a de l'ambiance* ou qu'*il y a beaucoup d'ambiance* dans tel appartement, tel restaurant, telle réunion ; on parle d'*un éclairage d'ambiance,* fournissant une lumière favorable à la détente.

Maurice Piron, qui a écrit d'excellentes pages *Sur l'évolution d'« ambiance »* dans les Mélanges offerts à Maurice Grevisse, a noté finement qu'*ambiance*, passant du sens général à un sens restreint, impliquant la joie, l'entrain, a subi la même évolution que *succès*, qui a signifié d'abord « issue heureuse ou malheureuse ». Ce qui reste gênant, c'est qu'*ambiance* a en même temps le sens large et le sens restreint. Mais le contexte et les circonstances sont là pour préciser le sens. On peut refuser d'employer les expressions *il y a de l'ambiance* ou *créer une ambiance*, on peut estimer qu'elles doivent être réservées à la langue familière, mais on n'a pas le droit d'affirmer qu'elles ne veulent rien dire et qu'elles sont linguistiquement inexplicables.

On doit être plus sévère pour **milieu ambiant,** qui n'est pourtant pas nouveau ni rare. Il est normal de parler de l'*air ambiant,* de l'*atmosphère ambiante,* de la *vie ambiante,* de *colorations ambiantes,* de la *température ambiante ;* dans toutes ces expressions *ambiant* a son sens : « qui entoure, qui circule autour ». Mais un « milieu », dans ce sens, est ambiant, par définition et l'on devrait parler de l'*influence ambiante* ou de l'*influence du milieu* et non de l'influence « du milieu ambiant ».

Ambigu, adj. ; tréma sur *u* depuis 1975 dans *ambigüe, ambigüité.* Cf. Tréma.

Âme qui vive est généralement figé au présent : *Nous n'avons rencontré âme qui vive.* Mais parfois on trouve l'imparfait : *Pas plus qu'à l'aller ils ne rencontrèrent âme qui vivait* (M. Déon, *Un parfum de jasmin,* Folio, p. 6).

Améliorer, v.tr.dir. *Il a amélioré sa situation. Son état s'est amélioré. La situation est maintenant améliorée.*

Amen, n.m., est invariable : *Des amen.*

Amendable, adj., ne se dit pas seulement du sol mais de ce qui, tel un projet de loi par exemple, peut être amélioré. (Au Canada, *amender* s'emploie pour « modifier ».)

Amener et **ramener,** v.tr.dir., ne peuvent être substitués à *apporter* et *rapporter* ni se dire quand le complément est, au sens propre, un objet que l'on conduit ou que l'on porte. *Apportez-moi cette lettre. Le pétrole est amené par un tuyau. On conduit sa voiture au garage, on apporte ses livres, on rapporte un cadeau. Le plombier apporte ses outils. Je me propose d'emmener* (ou d'**amener**) *cet ami à cette réunion.*

Le pronominal **s'amener** (= venir, arriver) est considéré comme populaire.

Aménités, n.f., ne peut s'employer pour traduire l'anglais *amenities* désignant les *attraits,* les *agréments* qui rendent agréable l'habitation ou le cadre de vie : matières, couleurs, ensoleillement, verdure, etc.

Au singulier, **aménité** = amabilité ; au pluriel il ne se prend que par antiphrase, ou ironiquement, pour des paroles blessantes, injurieuses.

Amerrir (se poser sur l'eau), v.intr. Les deux *r* (aussi dans *amerrissage*) sont dus à l'influence d'*atterrir* et à la prononciation de *mer*. *Amérir* n'a pu s'imposer.

Amertume, n.f., peut s'appliquer à une saveur, à un mets, à une odeur ou à un sentiment.
    Amertumé, adj. ou n., reste insolite : *Jacques n'était plus qu'un amertumé* (J. Peyré, *Croix du Sud,* Poche, p. 15).

-Âmes et **-âtes,** finales des 1es et 2es personnes du pluriel du passé simple des verbes en *-er,* se prononcent avec un *a* bref.

Améthyste, n.f. *Une améthyste.* Invariable comme adj. de couleur.

Ameublissement, n.m., est un terme de droit désignant la convention par laquelle les époux font entrer dans la communauté, comme des meubles, des immeubles propres à l'un d'eux. En agriculture, le fait d'*ameublir* le sol, de le rendre meuble, plus aéré.

Ami, n.m. Préférer *être ami de* à *être ami avec*. **Bonne amie** est un provincialisme dans le sens de « fille avec laquelle on est très lié, qu'on courtise ».

Amiante, n.m. *De l'amiante très blanc.*

Amict, n.m., doit se prononcer comme *ami*.

Amidonné et **empesé**. L'usage, celui des écrivains comme celui du grand public, ne se soucie pas de la différence des techniques : il fait d'*empesé* et *amidonné* deux synonymes. On parle d'une blouse amidonnée, d'un col (assez raide) amidonné ou empesé : *Vêtu d'un blanc impeccable, amidonné et bien repassé, taillé dans le meilleur tissu anglais* (Début de la traduction par Blaise Cendrars de *Forêt vierge* de Ferreira de Castro). *Tout près, les cols bien amidonnés chevauchaient la jeannette* (R. Sabatier, *Trois sucettes à la menthe,* p. 37). Au sens figuré (raide, compassé), on emploie *empesé*.

Amigo, n.m., n'est pas français. Ce terme bruxellois, qui désigne familièrement, ainsi qu'en Wallonie, le cachot de police (le violon), est dû à un jeu de mots plaisant qui a rapproché de l'espagnol *amigo* (ami), au XVIe siècle, sous le régime espagnol, les deux mots quasi homonymes qui, dans le parler bruxellois, désignaient la prison et l'ami.

Ammoniac, s'emploie plus souvent comme adjectif que comme nom masculin : *le gaz ammoniac*. Quant à la solution de *gaz ammoniac* dans de l'eau, on l'appelle de **l'ammoniaque** (féminin). Ce dernier nom est parfois donné aussi au *gaz ammoniac*.

Amnistie, n.f. *Une amnistie.* Ne pas confondre avec **armistice**.

Amodier, v.tr.dir., ne signifie pas « modifier légèrement, aménager, amender », observe l'Académie, mais « donner à ferme un domaine, une terre ». En économie pétrolière, une **amodiation** est une cession d'intérêts, un « contrat par lequel le détenteur d'un titre minier (bail ou concession) remet l'exploitation à un tiers moyennant redevance ».

À moins que, à moins de. Cf. Moins, 3, p. 592.

Amollir, v.tr.dir., et ses dérivés : deux *l*.

Amorcer, v.tr.dir., est devenu d'un emploi très fréquent dans le sens de « commencer, entreprendre qqch. ». On amorce une conversation, un travail, un virage, une détente ; on dit même qu'un fleuve amorce une lente décrue ; d'où avec *s'amorcer : La décrue s'est amorcée.*

Amour, n.m. *L'amour filial. Un trop grand amour des richesses. Peindre de petits amours.*
   On le trouve au féminin, mais au pluriel seulement, surtout en littérature : *Toutes les amours sont **pures** (...). Les amours **inconnues** de l'être à qui elles s'adressent* (J. d'Ormesson, *L'amour est un plaisir.* Poche, pp. 184, 187). Cet emploi devient facilement emphatique (aventures amoureuses), pour désigner la passion ou l'inclination d'un sexe pour l'autre. Le masculin est toujours permis : *Il y a des combats secrets et des **amours cachés*** (B. Clavel, *Le seigneur du fleuve,* Poche, p. 88).
   Amour-propre, n.m. (trait d'union). *Des amours-propres.*

Amphitryon, n.m., ne s'emploie plus guère pour désigner l'hôte qui reçoit.

Amuïr (s') se dit en phonétique d'un son qui cesse de se prononcer. Tréma sur *i.*

Amuse-gueule, n.m., est légèrement familier mais courant pour désigner les canapés, gâteaux secs, amandes salées, etc. servis avec l'apéritif ou au cours d'une réception. Pluriel : *des amuse-gueules.* Cf. Noms composés, B, 5.

Amuser, v.tr.dir., **s'amuser.** Quoi que dise Dupré (I, p. 122), ce n'est pas un « emploi un peu abusif » de donner à *amuser* le sens de « égayer, faire rire » : *Il nous a bien amusés.*
   Le sens d'« occuper en faisant perdre le temps », vieilli en France, est resté vivant en Belgique. *Il est encore venu m'amuser* (me faire perdre mon temps, me retarder dans mon travail).
   S'amuser n'est pas un belgicisme dans le sens de « perdre son temps à des riens » : *L'étape est longue, il ne faudra pas s'amuser en route* (PR). Ni dans celui de : faire la noce, mener une vie dissipée (PR).
   Mais il faut éviter le belgicisme donnant à *s'amuser* et surtout à *s'amuser bien* le sens de *se plaire :* [*Est-ce que tu t'amuses à l'école ?*] et à [*s'amuser mal*] celui de *s'ennuyer :* [*Je m'amuse mal*].

Amusette, n.f., est français dans le sens de « petit amusement sans importance, distraction qu'on ne prend pas au sérieux ». En français régional de Wallonie et de Bruxelles, comme d'ailleurs dans le nord de la France, il désigne abusivement une personne qui est dissipée ou qui s'amuse à des bagatelles, qui se laisse retarder par un rien : [*Comment voudriez-vous que cet enfant réussisse? C'est une amusette. — Il rentre toujours très tard ; c'est une amusette*].

An, n.m., et **année,** n.f., ont des emplois diversifiés à cause de la différence de leur consistance phonique (*an* se réduit à une voyelle) et surtout à cause du suffixe *-ée* qui, comme dans *journée, matinée, cuillerée,* fait penser à ce qui emplit, donc ici à la durée. On dit *an* pour une date ou avec un numéral cardinal pour indiquer l'âge ou une période de douze mois commençant à n'importe quel moment de l'année : *L'an 1970. Il est mort à 50 ans. Il y a dix ans. Dans deux ans. Il s'est engagé pour trois ans.* La répartition est subtile ; on ne dit *pas :* [*Tout l'an, il y a quelques ans, tant d'ans se sont écoulés, l'an suivant*]. Tandis qu'on dit : *L'année civile. L'année scolaire. L'année théâtrale. L'année compte 365 jours.* Bien qu'on dise *il y a dix ans* (avec un numéral), on dit toujours *il y a quelques années, il y a une dizaine d'années, il y a tant d'années, dans les années quarante.* Avec un numéral ordinal : *La première année. Il est dans* sa *dixième année* (il a donc *neuf ans*). Mais on emploie *an* ou *année* quand on dit : *Il a passé dix ans* (ou *dix années*) *en Afrique. Il est parti l'an dernier* ou *l'année dernière. L'an précédent* ou *l'année précédente. Il reviendra l'an prochain* ou *l'année prochaine. Le nouvel an* ou *la nouvelle année.*

On dit toujours : *Bon an mal an. Le jour de l'an. Le premier de l'an. Verser tant par an. — La fin de l'année. Souhaiter la bonne année. L'année sainte.* **Une année-lumière,** *des années-lumière.* Cf. ANNÉE.

S'il est normal de *souhaiter une bonne année* ou de dire qu'*un vin est d'une bonne année,* on se gardera de l'expression belge *[être de la bonne année]* ayant le sens de « être naïf ».

Ana (recueil d'anecdotes, de pensées, de bons mots concernant un auteur), n.m., est invariable (Ac.). Il est formé d'après la terminaison du titre latin de recueils de ce genre (*Menagiana,* etc.). On se gardera donc de mettre un *s* au pluriel par analogie avec *opéra, agenda.*

Anacoluthe (écart de construction), n.f. *Une anacoluthe.*

Anagramme, n.f. *Une anagramme. Lace* est l'anagramme de *cela.*

Analogie, analogue. Une chose est *analogue à* une autre. Elle a *de l'analogie avec* une autre. Il y a *entre* elles *de l'analogie* ou *une analogie.*

Ananas, n.m. L'*s* final se prononce parfois.

Ancien, adj., s'appliquant à ce qui existe depuis longtemps ou depuis plus longtemps, en est arrivé à se dire de ce qui a existé ou a rempli telle fonction (ou a servi à tel usage) autrefois mais ne le fait plus : *L'Ancien et le Nouveau Testament. Un ancien acteur, un ancien combattant, un ancien élève, un ancien hôtel. Un ancien ami* n'est donc pas *un vieil ami.*

Ancre, n.f. *Une ancre.* On dit fort bien : *jeter l'ancre* (mouiller).

Andante, n.m. Pluriel : *Des andantes.*

Androgyne, n.m. et adj., n'est pas le correspondant de *misogyne* (qui méprise les femmes ; comparer à *misanthrope*), mais signifie : qui tient des deux sexes.

Anévrisme, n.m., est écrit avec *i* par l'Académie française et dans l'usage courant, bien qu'il vienne d'un mot grec, *anevrusma,* qui signifie « dilatation ». L'Académie de médecine accepte *anévrysme* et *anévrisme.*

Ange, n.m., est toujours masculin, même s'il se dit figurément d'une femme : *Il faudra que je la voie demain,* **cet ange** (J. Dutourd, *Pluche,* Poche, p. 104).

Angelot, n.m., a remplacé couramment *angelet.*

Angélus, n.m., peut s'écrire avec une minuscule. Noter *é.*

Angora, n.m., prend aujourd'hui *s* au pluriel, généralement.

Anhidrose, n.f. (absence ou forte diminution de la transpiration), s'écrit avec *i ;* on y retrouve le grec *hidros,* signifiant « sueur » et non *hydre* [eau].

Anicroche (petite difficulté, petit obstacle), n.f. *Une anicroche.*

Animateur, animatrice. À distinguer d'*annonceur* (Cf. ce mot).

Anis, n.m. L'*s* final se prononce plus souvent dans le Midi qu'ailleurs.

Année, n.f. Cf. A**N**. 1. **Une année-lumière.** *Des années-lumière.* Des scientifiques refusent *année de lumière,* courant et admis par les dictionnaires, « unité de mesure, correspondant à la distance parcourue par la lumière en une année dans le vide ».
2. [*Être de la bonne année*]. Cf. A**N**.

Annexe, n.f., peut être employé adjectivement (et varier) pour « annexé, en annexe » : *Une école annexe. Des documents annexes (des annexes).*

Annexionnisme, adj. et n. et **annexionniste,** n.m. Deux fois deux *n.*

Anniversaire, n.m., est lié pour le sens au mot *année* et ne se dit que pour ce qui a eu lieu une ou plusieurs années auparavant.

Annonceur, annoncier, présentateur, meneur de jeu.
Annonceur est vieilli pour désigner le comédien qui venait annoncer le prochain spectacle. Aujourd'hui ce nom s'applique à celui qui paie une

annonce, une publicité (d'où *annonceur publicitaire*) dans un journal, à la radio.

On appelle aussi *annonceur* en France celui qui, à la radio, distinct du *journaliste*, annonce les émissions, lit les sommaires, les bulletins, les communiqués. Mieux vaut, pour éviter toute confusion, l'appeler **présentateur** ou *présentatrice* : celui ou celle qui présente les programmes (anglais *speaker, speakerine*). **L'animateur** fait davantage : il présente un programme varié de musique ou de variétés en intervenant personnellement au cours de l'émission (anglais *disk-jockey*). Le **meneur de jeu** (anglais *disk-jockey*) fait plus et autre chose que l'animateur : c'est un animateur responsable de l'animation d'une soirée, d'une fête, d'un bal, où il se charge d'un programme varié de musique enregistrée et où il intervient personnellement, par des commentaires, des imitations, etc., pour animer la salle.

Annoncier, employé par Claudel dans *Le soulier de satin* pour désigner celui qui vient annoncer ou commenter les évènements, s'applique aujourd'hui à celui qui, dans un journal, est chargé de la composition et de l'insertion des annonces. *Une annoncière.*

Annoter, v.tr.dir., c'est ajouter une note ou des notes à un texte, une édition, un rapport, etc. : *J'ai annoté mon exemplaire. Une édition annotée.* C'est abusivement qu'on dit *annoter les marges* au lieu de *annoter un texte dans les marges.* Plus grave est l'emploi, courant en Belgique, au sens de *noter, prendre en note* (un renseignement, une adresse).

Anoblir, v.tr.dir., **anoblissement,** n.m. Sens propre : *Le roi a anobli cet écrivain ;* on prononce *a.* Au sens figuré, « élever moralement », **ennoblir, ennoblissement,** où l'on prononce « an ».

Anomal, adj., **anormal,** adj., **anomalie,** n.f. **Anomal** est un mot savant (sans rapport avec *normal*) où l'on retrouve le grec *omalos*, « pareil ». Il se dit de ce qui, sans être une incorrection, est une exception par rapport à la règle générale, par exemple d'une certaine vision ou surtout, en grammaire, d'un pluriel comme *yeux* ou d'une conjugaison irrégulière ; on parle d'ailleurs plutôt de *verbes irréguliers.* Substantif : **anomalie.**

Anormal se dit de ce qui n'est pas normal, de ce qui est contraire aux règles établies, qu'il s'agisse d'une personne, d'un sentiment, d'une démarche, etc.

Anomal étant d'un emploi limité et *anormal* n'ayant pas de substantif correspondant dans le langage courant, qui ignore *anormalité,* l'usage a étendu le sens d'*anomalie,* qui peut se dire pour une irrégularité, une exception, et celui d'*anormal,* qui peut se dire de ce qui n'est pas conforme à l'ordre habituel des choses, de ce qui est exceptionnel ou insolite. On notera qu'en psychologie on préfère parler aujourd'hui d'*enfants inadaptés* que d'enfants anormaux.

Antan. D'antan, loc.adv., aurait dû garder son sens propre : de l'année dernière (latin *anteannum*). Il a pris, même dans les milieux cultivés, un sens plus large : d'anciennement, de jadis. De Gaulle, après la guerre de 1939-1945, pense au régime de l'entre-deux-guerres : *Tout m'annonce que le régime d'antan va reparaître* (...). *Les partis reprennent leurs jeux d'antan* (*Le salut*, Poche, pp. 317, 325).

Antenne, n.f., s'emploie au figuré : *ne pas avoir d'antennes* (pluriel), c'est ne pas avoir d'intuition, ne pas se rendre compte de ce qui peut arriver. En langage technique, *donner l'antenne à un poste émetteur*, c'est lui donner l'autorisation d'émettre ou de retransmettre.

Antérieur, adj. Une chose est antérieure à une autre, elle s'est passée avant ; on ne met pas *antérieur* au comparatif, mais, comme on peut préciser le temps de l'antériorité par un complément (antérieur de plusieurs mois ou de plusieurs siècles à), on peut dire : *très antérieur à tel fait.*

Anthracite, n.m. *Du gros anthracite.*

Anti intervient comme préfixe, avec une valeur très nette d'opposition, dans un grand nombre de mots que les dictionnaires n'accueillent pas toujours : *antiatomique, antiacide, l'antiroman*, etc.

Généralement on ne met le trait d'union que dans des formations rares ou occasionnelles ou devant *i (anti-intellectuel, anti-infectieux, anti-inflation*, mais *antihygiénique)*, ou dans les composés de trois éléments(*anti-sous-marin*) et devant un nom propre (*il est anti-Dupont*).

Il est normal de ne mettre un *s* qu'au pluriel : *Un produit antimite, des produits antimites, un antimite, des antimites. La loi anticasseur. Un phare antibrouillard, des phares antibrouillards. Un canon antichar, des canons antichars. Un antibrouillard, des antibrouillards.* On écrit aussi : *Les produits antibrouillard, antirouille.*

Antichambre, n.f. *Une antichambre.*

Anticipatif, adj., **anticipativement,** adv. Sans être des belgicismes, ces deux mots sont peu usités en France. Le TLF les accueille avec réserve. On peut les éviter, surtout *anticipativement*, en parlant d'un *remboursement anticipé*, en présentant ses *remerciements anticipés*, en remerciant *à l'avance, par avance*, en disant qu'*on règle une dette par anticipation*. Notons que le français connaît l'adjectif *anticipateur : une vision anticipatrice.*

Anticiper. 1. V.tr.dir. : *On anticipe une chose*, on l'exécute avant le moment prévu (on anticipe un retour, un paiement, on l'anticipe de huit jours) ; (plus rare) on imagine, on connaît à l'avance (on anticipe une douleur, l'avenir, un destin).

2. **V.tr.ind.** (emploi beaucoup plus courant) : *anticiper sur* (entamer à l'avance) *un récit* (qu'on doit faire plus tard), sur les faits (qui doivent venir plus tard), sur ce qu'on doit dire, sur des conclusions, sur ce qui n'apparaîtra que plus tard. On parle même parfois d'anticiper sur ses revenus (les dépenser avant de les avoir touchés). On dit aussi *anticiper sur l'avenir* (le prévoir), plutôt qu'*anticiper l'avenir*, qui est le tour classique (cf. 1).

3. **Emploi absolu.** *N'anticipons pas* (ne devançons pas l'évènement, ne disons pas cela dès maintenant). *Il faut savoir anticiper. Je ne veux pas anticiper.*

Antidater (une lettre, un document), v.tr.dir., mettre **une antidate,** une date antérieure à la date véritable. Contraire : *postdater.*

Antidote, n.m. *Un antidote.*

Antipathie, n.f. Pas d'*y.* Opposé à *sympathie.*

Antipode, n.m. *Un antipode.*

Antisepsie, asepsie, n.f., mots savants où l'on retrouve avec le préfixe *anti* (marquant l'opposition à qqch.) et *a* privatif (indiquant l'absence), le grec *sêpsis,* infection. — Adjectifs : **antiseptique** et **aseptique,** avec *t* comme dans les verbes *antiseptiser* (on dit plutôt *désinfecter*) et *aseptiser.*

Antre, n.m. *Un antre.*

Anvers, ville belge. Prononcer l'*s* final.

Août, aoûtien, n.m., etc. *Août* se prononce *ou ;* certains prononcent le *t* final. La prononciation de *a* est fautive dans *août* mais est courante dans les dérivés *aoûtat, aoûté, aoûtement* et dans le néologisme *aoûtien, aoûtienne* (où l'on prononce *s*) : personne qui prend ses vacances en août comme estivant.

Apaisements, n.m.pl., peut s'employer dans les expressions *donner des apaisements, donner à qqn tous (ses) apaisements* (rassurer). *Avoir ses apaisements* et *avoir tous ses apaisements* ne sont pas incorrects mais s'entendent beaucoup moins en France (où l'on dit plutôt : *recevoir des apaisements*) qu'en Belgique.

Apanage, n.m. *Un apanage.* Comme le mot désigne ce qui est le propre de qqn ou de qqch., il est tout à fait inutile d'ajouter *exclusif* comme renforcement ; mais cet emploi, à déconseiller, n'est pas rare.

Aparté, n.m. *Un aparté,* ce qui est prononcé à part soi ou entretien particulier dans une réunion.

Apartheid (n.m. ; prononcer « èd »). Traduire par *ségrégation* ou *politique de ségrégation*.

Apercevoir, v.tr.dir. Attention à l'orthographe : un seul *p ;* cédille devant *o, u*. On ne dit plus guère, comme on le faisait au XVIIe siècle : *J'aperçois que j'ai tort*. On dit : **Je m'aperçois que** *j'ai tort* (je m'en rends compte, j'en prends conscience). *Ils se sont aperçus de leur erreur.*

À peu près, loc.adv. *Mon travail est à peu près terminé*. Mais : **un** ou **des à-peu-près.**

Aphérèse, apocope, n.f., désignent l'abrègement d'un mot, soit (*aphérèse*) par la suppression du début (*scopie* pour *radioscopie*), soit (*apocope*) par celle de la fin (*radio* pour *radioscopie*).

Aphte, n.m. *Un aphte.*

À-pic, n.m. *Un* ou *des à-pic.* Mais *Un rocher à pic.*

Aplanir : un seul *p,* comme dans **aplatir.** *Aplanir une route, les difficultés. Aplatir à coups de marteau. Aplatir ses cheveux, un pli.*

Aplomb (d'), loc.adv. *D'aplomb* s'emploie fort bien au figuré : *avoir l'air d'aplomb, remettre d'aplomb,* en bon état, physique ou moral.

Apocryphe, adj., se dit des écrits, des livres d'une authenticité douteuse.

Apologie (défense, justification), n.f., n'est pas synonyme de *panégyrique,* n.m. (discours à la louange de qqn).

Apologue, n.m. *Un apologue,* petite fable morale.

Apophtegme, n.m., parole sentencieuse.

Aposter, v.tr.dir., un seul *p ;* poster (qqn) en un endroit.

A posteriori, loc.adv. ou adj., s'écrit sans accents : *a posteriori.* Cf. A PRIORI.

Apostrophe, n.f. *Une apostrophe.*

Apothicaire, n.m. Expression courante en Wallonie et à Bruxelles : [*Un drôle d'apothicaire*] pour : *un drôle d'individu, un original*. Mais on parle fort bien, en français normal, *d'un compte d'apothicaire* pour un compte obscur, très compliqué ou fortement majoré.

Apparaître, v.intr. **Auxiliaire.** Si *apparaître* peut encore s'employer avec *avoir* quand on marque l'action en train de s'accomplir (*La difficulté qui nous avait apparu*), **être** est vingt fois plus fréquent, qu'il s'agisse de l'action ou de son résultat : *La difficulté qui nous est apparue. Les bruits de la rue sont devenus de plus en plus distincts (...), les premières étoiles sont apparues* (M. Butor, *La modification,* 10-18, p. 133).

Il apparaît que signifie « il est évident que, on voit que » et est suivi de l'indicatif. Ne pas confondre avec *il paraît que,* on dit que.

Une chose **apparaît évidente** ou **comme évidente** ou (avec un nom) *comme une évidence.* **Apparaître comme,** se présenter à l'esprit sous tel ou tel aspect.

Apparat, n.m., **appareil critique.** On parle indifféremment de l'*apparat critique* ou de l'*appareil critique* d'une édition.

Apparemment que peut se dire en tête de phrase : *Apparemment qu'il viendra* (Ac.).

Apparence, n.f., désigne l'aspect sous lequel une réalité se manifeste ou l'aspect trompeur d'une chose, mais peut aussi désigner la trace de qqch. On peut donc dire : *Il n'y a plus apparence de maladie* aussi bien pour dire « il n'y a plus de signe, de marque extérieure » que pour dire « il n'y a plus de trace, il ne subsiste plus aucun signe de ».

Il y a toute apparence qu'il s'est trompé, qu'il ne l'aurait pas affirmé si on ne le lui avait pas dit.

Apparenté, adj., au propre et au figuré, se construit *sans complément* ou avec **à.** Il convient d'éviter *avec.*

Apparoir, v.intr., n'est plus usité que dans le langage juridique, à l'infinitif et à la 3e pers. du sing. de l'ind.prés. : *il appert* (il est évident), *il appert que* (+ indicatif), *il appert de* (il ressort manifestement de qqch.).

Appât (*ât* comme dans *appâter*), n.m. Pluriel : *appâts.* L'Académie a décidé en 1975 de remplacer *appas,* doublet orthographique au sens figuré (charmes extérieurs), par *appâts.*

Appel, n.f. On *lance,* on *adresse un appel* à qqn. On *fait appel* à qqn, à ses sentiments.

Appeler, v.tr.dir. ou indir. *Appeler qqn à l'aide. Appeler aux armes. En appeler d'une décision. Appeler d'un jugement à un tribunal supérieur.*

Appendice (pron. « in »), n.m. *Un appendice.* Mais **une appendicite.**

Appétit, n.m. On demeure (on reste) *sur son appétit,* on a encore faim (au propre et au figuré).

Applaudir, v.tr.dir. ou ind. ou intr. Voici les constructions actuelles, qui ne correspondent pas toujours à l'usage classique :

1. Si le complément est un **nom de personne,** on l'emploie sans préposition, au sens propre (battre des mains en signe d'approbation ou d'admiration) ou au sens figuré (louer, approuver chaleureusement) : *Applaudir un acteur. J'applaudis ces jeunes gens. — Applaudir à qqn* est vieilli.

2. Si le complément est un **nom de chose**, il s'emploie sans préposition au sens propre (*applaudir un discours, une réplique*) et avec *à* au sens figuré, très fort, de « approuver avec force, se réjouir de, être content de et le manifester » (*j'applaudis à son initiative, à ses efforts*).

3. **Applaudir des deux mains** est un pléonasme évident, mais courant au sens figuré de « louer, approuver pleinement ».

4. On dit aussi, **sans complément**, *applaudir* (battre des mains, louer, approuver).

5. **S'applaudir de qqch.**, c'est, au figuré, s'en réjouir : *Ils se sont applaudis de votre succès.*

Appointements, n.m., ne s'emploie plus qu'au pluriel et se dit spécialement de la rémunération fixe et périodique d'un employé.

Apporter, v.tr.dir. Cf. AMENER.

Appréhender, v.tr.dir., dans le sens de *craindre* (terme général) exprime proprement une nuance. On craint un danger probable, on appréhende un danger, un désagrément possible, on se met dans l'esprit (conformément à l'étymologie *prehendere*, prendre), par anticipation, qqch., on s'en inquiète. *Appréhender* se construit comme *craindre : de* devant un infinitif, *que* et le subjonctif accompagné généralement de *ne* (plus souvent qu'après *craindre*).

Appréhension, n.f., en dehors du langage philosophique, ne s'emploie qu'avec le sens de *crainte*, nuancé comme il vient d'être dit, et ne correspond plus à un autre sens d'*appréhender*, « arrêter » (*appréhender un malfaiteur*).

Apprendre, v.tr.dir. 1. *On apprend un métier, la reliure, une science, une technique. Ce jeune homme apprend la natation, le russe, la géographie, le droit, le dessin. Quelqu'un lui apprend la reliure, le russe, etc. Cet enfant apprend à lire. J'apprends à me servir de cet appareil. Cela lui apprend à vivre.* Absolument : *Cet enfant apprend bien.*

Dans certaines régions de Wallonie, on commet la faute d'employer *apprendre*, et parfois *apprendre pour*, sans article, avec pour complément le nom de celui qui exerce un métier, une profession ; [*apprendre le relieur, apprendre pour médecin*].

On trouve, dans des français régionaux de France, [*apprendre pasteur*] pour *faire des études de pasteur*.

2. Le proverbe **Il faut être pris pour être appris,** resté vivant en Belgique, l'est infiniment moins en France. Il reflète un ancien usage selon lequel on pouvait apprendre qqn et qui autorisait donc à dire que qqn pouvait être appris et être rendu prudent par l'expérience ou une mésaventure. Le français connaît d'ailleurs encore deux expressions s'appliquant à une personne bien ou mal élevée : **bien appris** et surtout **malappris** (aujourd'hui écrit en un mot).

Apprêter, v.tr.dir. L'expression classique **apprêter à,** suivie d'un nom ou d'un infinitif dans le sens de *prêter à,* est vieillie : *S'il n'apprête pas à la familiarité, il n'affiche aucune morgue.* (L. Estang, *Les stigmates,* Poche, p. 33). *Apprêter à rire* (Ac.) est couramment remplacé par **prêter à** *rire.* Ne pas confondre avec un autre emploi : *apprêter à dîner,* préparer le dîner.

S'apprêter, avec un sujet désignant une chose, signifie « être en préparation » : *La noce s'apprête.*

Avec un sujet désignant une personne, *s'apprêter* signifie, avec **à,** « se préparer à » (*s'apprêter à la résistance, à résister, à partir*), avec **pour,** « s'équiper » (*il s'apprête pour le combat*). « s'habiller, faire sa toilette » (*elle s'apprête pour le bal, il s'apprête pour la cérémonie ;* dans ce sens on peut parfois trouver *pour* devant un infinitif : *elle s'apprête pour descendre ;* ici *s'apprêter* est employé absolument dans le sens de « se préparer »).

Approche, n.f., désigne non seulement le fait de s'approcher de qqn (*il s'enfuit à mon approche*), mais la façon d'aborder une question quant au point de vue et à la méthode : *Ces deux approches sont complémentaires.*

Approcher, v.tr.dir., **s'approcher.** 1. Si le complément est un **nom de personne,** on dit dans le sens d'« aller près de qqn, s'avancer vers lui » : *approcher qqn* (*Il est furieux, ne l'approchez pas*) et surtout *s'approcher de qqn.* — *Approcher de qqn* est vieilli. — *Approcher qqn* peut en outre signifier : avoir facilement accès auprès de.

On se gardera du pléonasme [*s'approcher près de qqn*]. On entend : *s'approcher plus près de ;* mieux vaut dire : *S'approcher davantage de qqn* ou *de qqch. Approchez-vous davantage. Elle s'est davantage approchée.*

2. Si le complément est un **nom de chose,** on dit *approcher de, s'approcher de. Approcher qqch.* ne se dit plus guère (emploi classique) dans le sens de « venir près de, s'avancer vers ». Il est courant dans le sens de « mettre plus près » : *Approchez cette chaise. Approchez la glace de votre visage.* Dans le sens de « faire paraître plus proche », on emploie plutôt *rapprocher ;* bien qu'on parle encore d'une *lunette d'approche,* on dit : *Cette lunette rapproche les objets.*

Approprier (s'). *Elle s'est approprié nos idées.*

Approuvé, part.passé : *Approuvé les déclarations ci-dessus.* Cf. Participe passé, A, 1, p. 673.

Appui, n.m., **appuie,** v., sont corrects l'un et l'autre dans les **composés** mais au pluriel le second élément reste invariable après *appui* qui varie et dont il est le complément, tandis qu'il varie après *appuie,* qui reste invariable : *Un appui-tête, main, bras, nuque, coude ;* des *appuis-tête,* etc. *Un appuie-*

tête, etc., *des appuie-têtes.* Cf. Noms composés, B, 5. *Un appui-livre(s), des appuis-livres* ou *un appuie-livre, des appuie-livres.*

Appuyer, v.tr.dir., **appuyé.** Attention aux formes *y, i, yi.* (Cf. Verbe, B, 4) : *Il appuie, il faut que nous appuyions.* Au jeu de cartes, en Wallonie, on dit parfois [*un as appuyé*] pour *un as gardé.*
S'appuyer : *Ils se sont appuyés sur nous.*

Après, prép. ou adv., **après que,** loc.conj.
Après marque : a) un rapport de postériorité dans le temps (*Un an après ; après son départ*) ou dans l'espace (*Après la maison, il y a un sentier*) ou une subordination dans une hiérarchie (*Après le lieutenant, vient le sous-lieutenant*). On écrit : *ci-après.*
Au lieu de l'infinitif passé (*après avoir bu*), dans quelques expressions on emploie l'infinitif présent devenu nom, mais sans l'article : *Après boire, déjeuner, goûter, dîner, souper.*
Insolite cet emploi devant un participe passé : *Certaines somnolences d'après bien mangé et bien bu* (M. Aymé, *Le vin de Paris,* p. 93).
L'emploi d'*après* pour marquer la postériorité dans l'espace suppose plutôt un mouvement : *Après le pont, vous trouverez deux chemins.* Mais on le trouve dans le sens de « derrière » : *Après la maison est un beau jardin. Après ce vestibule est un magnifique salon* (Ac.) ;
b) un sentiment d'hostilité ou d'attachement, la recherche d'un contact avec qqn ou qqch. : *Le chien aboie après les passants, il saute après les visiteurs. Courir après qqn* ou *qqch.,* chercher à rejoindre ; *courir après une femme,* la poursuivre de ses assiduités. Comparer : *courir derrière qqn,* qui marque seulement la position. *Ils l'entendaient encore grogner après les loups* (B. Clavel, *La saison des loups,* p. 86). *Soupirer, languir, pleurer après sa mère.*
Quelques cas particuliers (cf. Tirer) :
1. **Attendre après qqn** ou **qqch.** doit marquer le besoin ou l'impatience : *J'attends après le médecin, après des nouvelles* (Littré). *Il y a longtemps qu'on attend après vous* (Ac.). *Je n'attends pas après lui pour me tirer d'affaire.* Avec l'adverbe : *Cette somme est une bagatelle et je n'attends pas après* (Ac.).
Sans cette nuance, *attendre après* est considéré comme populaire ; on dit : *attendre qqn* ou *qqch. Je vous attendrai jusqu'à trois heures. J'attends l'autobus.* Mais on dira : *Soyez exact. Ne faites pas attendre après vous,* pour traduire l'impatience de celui qui attendra.
2. **Chercher après qqn** ou **qqch.** Cette expression, fort répandue en Belgique, en Wallonie comme en Flandre, n'est pas un belgicisme. Elle est très vivante en français populaire et même en français familier. Cf. Bauche, *Le langage populaire,* p. 123, et Brunot, qui la déclare très usuelle (p. 414, note). En français soigné, on dira : *Je le cherche. Je suis à sa recherche.*

3. Courir après qqn ou **qqch.** est correct avec la nuance notée plus haut (b) : *Courir après qqn, après un voleur, après ses souvenirs, après les honneurs, après un emploi, après son maître. — Il écrivait très vite. On aurait dit qu'il courait toujours après une pensée qui le devançait !* (R. Mallet, *Une mort ambiguë*, p. 104). On rencontre aussi **sauter après, envoyer après,** etc. *Envoyez un chasseur après elle* (Anouilh, *Pièces roses,* p. 17) Cf. COURIR, 3. *Ils couraient après les chèvres* (R. Sabatier, *La mort du figuier,* Poche, p. 379).

Avec l'**adverbe** : *Les uns attendent les emplois, les autres courent après* (Ac.). Plutôt que *Il m'a couru après,* que certains considèrent comme familier, sinon comme populaire (*Ses parents ne lui avaient pas couru après,* E. Triolet, *Le premier accroc...,* Folio, p. 120), le français soigné dit : *Il a couru après moi.*

4. Crier après qqn ou **qqch.** est plutôt familier et implique (cf. b) un sentiment de mécontentement ou d'impatience. Le sens n'est donc pas simplement « appeler en criant » : *Un gardien criait après les enfants qui couraient sur les pelouses. — Amélie n'obtiendrait-elle point davantage en criant un peu moins fort et moins constamment après eux ?* (A. Gide, *La symphonie pastorale,* Poche, p. 120).

Familiers : *s'emporter, être furieux, être en colère,* etc. **après qqn.** À l'emploi suspect avec l'adverbe (*je ne vais pas crier après, il m'a crié après*), on préfère celui avec la préposition : *Il a crié après moi* (cf. 3).

5. Demander après qqn est familier. Il signifie « demander où il est, demander à le voir » : *On a demandé après vous.* En français soigné : *On vous a demandé.*

6. Être après qqn, c'est le suivre sans cesse, s'en occuper constamment, le harceler : *Cette mère est toujours après ses enfants* (Ac.).

Se mettre après qqn, c'est le chagriner, le maltraiter (Ac.) : *Ils se mirent tous après lui.*

Être après qqch. (ou **en être après qqch.**) est admis par l'Académie et par le GLLF : « S'en occuper activement, ou être justement en train d'y travailler ». *Copeau s'étonnait que j'en sois encore après le Journal de Stendhal* (Gide, *Journal,* 1889-1939, p. 273). *J'ai trouvé que mon avocat était après mon affaire* (Ac.). L'expression a vieilli.

7. On laissera à la langue très familière ou, mieux, on évitera l'emploi de *après qqch.,* au lieu de *à, autour de, contre, sur* après *être, accrocher, grimper, se pendre, enrouler, être furieux,* etc. On dira plutôt : *La clef est sur* (ou *à*) *la porte* (dans la serrure). *J'ai une tache à* (ou *sur*) *mon veston. Accrocher un vêtement au portemanteau. Grimper à* (ou *sur*) *un arbre. Se retenir à qqch. Enrouler la corde autour du poteau. Je suis furieux contre lui,* etc.

8. Être après à faire qqch. (être occupé à) est admis par l'Académie mais a vieilli : *Je suis après à écrire* (Ac.).

Quant à **être après faire qqch.** (ellipse de *à*) on s'étonne que Damourette et Pichon (III, p. 655) considèrent que c'est « le seul tour aujourd'hui vivant » dans le même sens. Ce tour est surtout régional, mais il se répand : *Vous êtes toujours après laver et peigner* (G. Sand).

Les tours vivants sont **être à, être en train de,** ou le recours à un autre verbe ou à un adverbe : *Vous êtes toujours à vous plaindre. Vous ne cessez de vous plaindre. Vous vous plaignez toujours,* etc.

9. [*Il ne faut pas regarder après moi*] est un belgicisme pour : *Il ne faut pas vous soucier de moi, faire attention à moi.*

10. La locution adverbiale **par après,** employée au lieu de *après, ensuite,* a été française mais a vieilli et est devenue régionale ; elle est restée très vivante en Belgique et au Canada ; elle a repris une certaine vitalité en France dans des écrits.

11. On évitera *puis après, et puis après,* inutilement redondants.

12. **D'après** est une loc.prép. (*d'après vous, d'après ce qu'on m'a dit*) mais ne peut se combiner avec *que* pour former une loc.conjonctive remplaçant *selon que.* Adv. : *la semaine d'après.*

13. **Après que** réclame **l'indicatif** dans tous les cas. C'est à notre époque seulement que l'emploi du subjonctif est devenu en assez peu de temps une habitude, dans la presse, à la radio, dans l'usage courant et même chez des écrivains. Au point que des grammairiens, ne tenant pas compte des exemples infiniment plus nombreux de l'emploi de l'indicatif dans les milieux cultivés et dans la langue littéraire, tolèrent le subjonctif au nom de l'usage et tentent même de le justifier au nom de la logique et de l'histoire de la langue. Or cette histoire montre que les emplois certains du subjonctif sont exceptionnels, rarissimes pendant huit siècles. Les exemples de formes comme *eust souffert* et *fust ressuscité* dans l'ancienne langue n'ont aucune valeur probante, car elles pouvaient parfois, jusque dans la première moitié du XVIIᵉ siècle, représenter un indicatif passé antérieur aussi bien qu'un subjonctif plus-que-parfait.

C'est à partir de ces formes du passé que s'est faite la substitution du subjonctif à tous les temps, à cause de l'analogie avec *avant que* et sans doute de la possibilité de construire *après* comme *avant de* avec un infinitif passé. Mais cela s'est fait au mépris de l'opposition fondamentale entre les deux conjonctions et entre les deux modes.

Avant que a toujours requis *le subjonctif.* Pour mieux justifier celui-ci, faisons une distinction.

Si le fait introduit par *avant que* n'est pas encore accompli au moment de l'énoncé, on peut le craindre, vouloir l'empêcher ou le retarder ou le modifier : *Écrivez-lui vite* (A) *avant qu'il prenne une décision* (B). *J'aurai soin de le voir* (A) *avant qu'il parte* (B). Il n'est même pas exclu, dans certains cas, que, A étant accompli, B (la décision ou le départ) n'ait pas lieu. Lorsqu'il doit encore se produire, B n'est donc pas placé sur le plan de la réalité. Simple limite dans le temps, avant laquelle se fait ou se fera A, B n'est pas saisi dans sa réalité, mais simplement dans une visée, comme un point de repère. Jamais sa réalisation effective n'est nécessaire à celle de A, qui le précède.

Mais B peut être réalisé dans le passé, aussi bien que A. *J'ai pu lui parler* (A) *avant qu'il lût votre lettre* (B). *Avant qu'il fût malade* (B), *on le voyait chaque jour sur le chantier* (A).

On peut se demander s'il y a eu ici extension de l'emploi du subjonctif, normal quand il s'agit de l'avenir. Mais à y regarder de près on constate que, même passé, même réalisé, B n'est présenté que comme devant encore se produire, donc dans l'avenir par rapport à A et que celui-ci se serait réalisé même dans le cas où B ne l'aurait pas été. On voit qu'il y a similitude non seulement de présentation, mais de conception des rapports, qu'il s'agisse de l'avenir ou du passé.

Au contraire, **après que** présente comme *lorsque*, mais dans un rapport de postériorité, deux faits que la pensée considère avec autant de réalité l'un que l'autre, qu'ils soient passés ou futurs : *Il nous a reçus après que notre ami l'en a prié. Il ne partira qu'après que vous serez arrivé.* Comme d'habitude, le conditionnel doit remplacer l'indicatif quand le sens le demande : *S'il consentait à nous promettre de venir, nous ne partirions qu'après qu'il serait arrivé.* Les deux faits sont liés chronologiquement et conceptuellement dans l'éventualité peu probable qui est envisagée ; celui qui est introduit par *après que* ne se met pas au subjonctif ; du même type que l'autre, qui est appelé à lui succéder, il s'énonce comme lui au conditionnel. Tous deux resteraient à l'indicatif si l'éventualité n'était pas présentée comme peu probable : *Si vous venez me voir après que j'aurai terminé ce travail, nous aurons le temps de bavarder.*

On a tenté de justifier par une idée d'éventualité, de valeur conditionnante, l'emploi du subjonctif dans cet article de la Constitution de la IVe République française (1946) : *Le Président du Conseil et les ministres ne peuvent être nommés qu'après que le Président du Conseil ait été investi de la confiance de l'Assemblée.*

Mais jamais le subjonctif n'est substitué à l'indicatif dans d'autres cas, par exemple avec *lorsque* ou *dès que*, pour faire apparaître cette valeur conditionnante d'une proposition temporelle. Cette valeur renforce d'ailleurs le lien entre les deux faits et la nécessité de la réalisation de l'un d'eux pour que l'autre se réalise. Il n'y a aucune raison de renoncer à l'indicatif.

On ne peut donc prétendre justifier le subjonctif par une idée de condition ou d'éventualité. On peut moins encore imaginer qu'il s'est employé d'abord ou surtout dans de tels cas : très souvent les faits appartiennent au passé, ils sont donc bien réels. Le subjonctif est dû à une mécanisation qui ne tient compte ni de la différence d'optique entre *avant que* et *après que* ni de l'opposition fondamentale entre l'indicatif et le subjonctif ; celui-ci devrait toujours être évité après *après que*, en dépit de sa fréquence croissante dans la langue parlée et même écrite. Je continue à recommander l'indicatif, mais je n'accuserai pas d'ignorance ceux qui, influencés par un usage croissant, emploient le subjonctif.

Après-demain, n.m., s'écrit *toujours* avec un trait d'union.

Après-dîner, n.m. En dehors de l'emploi d'*après dîner*, sans article, pour *après le dîner* (cf. APRÈS, a), on met toujours un trait d'union : *Un après-dîner, des après-dîners.* Même remarque pour **après-souper.**

Après-guerre, n.m ou f. *Un* ou *une après-guerre. Des après-guerres.*

Après-midi, n., est masculin (couramment) ou féminin et *invariable.* Trait d'union obligatoire après un article ou un démonstratif : **dans l'après-midi, ces après-midi.** Pas de trait d'union si l'expression est employée seule sans article comme complément circonstanciel (*Je viendrai* **après midi**) ou vient après *heures* ou *peu :* (**À trois heures après midi. Peu après midi**). Il y a une certaine hésitation (mais on met beaucoup plus souvent le trait d'union) si un nom de jour ou *hier, demain, le lendemain* précède : **Dimanche après-midi,** *il y avait du soleil* (*Le Figaro littéraire,* Aux quatre vents, 17.2.1951). *Le samedi après-midi* (Giraudoux, *Bella,* fin du ch.I). *Les dimanches après-midi d'hiver* (N. Sarraute, *Portrait d'un inconnu,* Le monde en 10/18, p. 92). *Dès le lendemain après-midi* (G. Cesbron, *Notre prison est un royaume,* p. 170). *Hier après-midi* (J. Green, *Journal,* 19 mars 1932).

Après-rasage, n.m. invariable, à préférer à *after shave : Un après-rasage. Des lotions après-rasage.*

Après-ski, n.m., désigne aujourd'hui une sorte de chaussures. Normalement invariable : *Des après-ski.*

Après-vente, loc.adj.inv. *Les services après-vente.* Trait d'union courant.

A priori, loc.adv. ou adj., **a fortiori, a posteriori.** L'Académie met un accent sur *a ;* l'usage et les dictionnaires s'en dispensent, non sans raison ; il est inutile aussi d'écrire *a priori,* etc. entre guillemets. *Un a priori, des a priori. Un raisonnement a priori. Il lui donne raison a priori* (au premier abord, avant tout examen, toute expérience).

Le nom **apriorisme** désigne une attitude intellectuelle et l'adjectif **aprioriste** qualifie une méthode ou une attitude fondée sur des idées a priori.

À-propos, n.m. *Agir avec à-propos, un esprit d'à-propos, un à-propos.* Mais pas de trait d'union dans la loc.prép. *à propos de* ni dans *arriver à propos.*

Apte, adj., **aptitude,** nf. *On est* **apte à qqch.,** à faire qqch. *On a de l'***aptitude aux** *mathématiques* ou **pour** *les mathématiques,* à **faire** qqch. ou **pour faire** *qqch.*

Apurer, épurer, v.tr.dir. On **épure** (rendre plus pur) de l'huile, un minerai, les mœurs. — **Apurer** appartient au langage de la comptabilité ; *apurer un compte,* c'est proprement « vérifier un compte pour s'assurer par un examen définitif que toutes ses parties sont en règle, qu'il n'y a plus d'articles en souffrance et que le comptable doit être déclaré quitte » (Ac.). Bien que les dictionnaires s'en tiennent pour *apurer* à ce sens de « vérifier » et refusent celui de « régler, liquider », **apurement** a un sens plus large : « opérations par lesquelles on vérifie un compte ou on en règle le solde » (GLLF) ; « règlement définitif d'un compte. L'apurement permet à un comptable public d'obtenir décharge, puis *quitus* » (*Vocabulaire de l'administration,* CILF). Il est donc normal que l'administration des contributions prévoie l'éventuel « apurement total ou partiel d'impositions fiscales par des dégrèvements ».

Mais on n'*apure* pas une dette, on la *paie,* on la *règle,* on l'*acquitte,* on l'*éteint.* On n'*apure* pas une situation, on l'*assainit.*

Aquaplaning se dit en français *hydroglissage,* n.m.

À quia, loc.adv., s'écrit avec un accent sur la préposition : *Mettre qqn à quia* (à court d'arguments).

Aquilin (prononcer « ki »), adj., n'a pas de féminin, d'après l'Académie. On ne peut citer que de très rares exemples d'*aquiline.*

Araignée, n.f. On écrit : *Des toiles d'araignée* ou *des toiles d'araignées* selon qu'on pense à une ou plusieurs araignées ; mais *des pattes d'araignées.*

En Belgique plus qu'en France, dans le langage de l'automobilisme et du camping, *araignée* se dit souvent pour ce qu'on appelle aussi, en France et parfois en Belgique, *une pieuvre,* « câble à bagages ».

Arboré, adj. **Arborer** *un drapeau,* c'est le dresser comme un arbre. Au figuré, *on arbore* un *insigne,* des *décorations,* des *opinions,* un *sourire,* on les montre avec une certaine ostentation.

Le français normal s'en tient à ces sens pour l'adj. **arboré.** Mais ce mot est vivant en Wallonie depuis longtemps dans le sens de « planté d'arbres par la main de l'homme » ; il semble avoir été formé directement sur le latin *arbor.*

Est-ce à partir de cet emploi qui a franchi la frontière franco-belge ou plutôt par une nouvelle création savante que géographes et journalistes français utilisent le mot dans **savane arborée** (où il y a quelques arbres, assurément non plantés) ? D'autre part, pour un quartier, un parc où l'on plante ou laisse subsister quelques arbres, *boisé* peut aussi paraître trop fort, car il suppose des arbres plus nombreux et plus rapprochés. C'est sans doute pourquoi, en Belgique et même en France et en Suisse (cf. Gilbert) on lit dans des annonces : *belle **propriété arborée,** parc arboré, quartier arboré.* Cela ne me choque pas, car quel autre terme employer ? Sans doute le TLF note-t-il le néologisme **arboriser** *une région,* y planter des arbres. Mais *quartier arborisé* n'est guère vivant et applique à un espace un adjectif qui s'est appliqué aux pierres sur la coupe desquelles se trouvent des dessins ressemblant à des végétations. Personnellement, là où *boisé* ne convient pas, je crois qu'il faut adopter *savane arborée, maquis arboré* et qu'il n'y a pas lieu de condamner *propriété arborée, quartier arboré.*

Arc, n.m.pl. Trait d'union dans les composés *un* **arc-boutant** (*des arcs-boutants*), *arc-bouter* (un mur, une voûte), **arc-en-ciel** (*des arcs-en-ciel*).

Arcanes, n.m.pl., (*des arcanes déroutants*), se dit pour « secrets, mystères ».

Arc-en-ciel, n.m. On ne prononce pas *s* dans le pluriel *arcs-en-ciel.*

Archelle, n.f. Parce que le mot et le meuble qu'il désigne sont très connus en Belgique et infiniment moins en France, on a parlé à tort de belgicisme. *Une archelle* est une étagère fixée sur un mur et formée de deux planches à angle droit, l'une horizontale, supérieure, sur laquelle on dresse de la vaisselle plate ou creuse, des objets d'ornementation, l'autre verticale, dans laquelle sont fixés des crochets auxquels on suspend des ustensiles à anse, parfois des vêtements.

Le mot, ignoré des dictionnaires français, anciens ou modernes (sauf comme régionalisme belge par le PR), est connu en France dans le monde des antiquaires, surtout dans le Nord et jusqu'en Bretagne. Voir notamment *Vie à la campagne,* 1920, 1921, 1926, 1929, 1930, 1947. J'ai même vu, exposées et ainsi nommées à Paris dans un grand magasin, vers 1950, des archelles en tous points semblables à celles de Belgique. En Artois et en Picardie on trouve comme équivalents *potière, barre à pots,* etc.

Archelle semble une déformation de la forme picarde *achelle* de l'ancien français *aisselle,* assez répandu, diminutif de *ais* (planche ; latin *assis*) ; *aisselle* désignait une petite planche et spécialement, dans plusieurs provinces, une planche de cuisine.

La forme picarde *achelle,* attestée aussi en Champagne et en Flandre, s'est déformée en Belgique et dans le Nord, où le meuble a connu une fortune particulière et pris son aspect décoratif, qui a étendu l'aire de diffusion du meuble.

L'*r* ajouté à *achelle* en Belgique et dans le Nord est déconcertant. On voudrait l'expliquer par *arche,* mais il ne s'agit pas d'un coffre, premier sens d'*arche.* Il y a peut-être eu influence d'*arc,* à cause des festons, des arcs qui parfois ornent la planche verticale du meuble.

Archétype, n.m. (prononcer *k*), modèle primitif ou idéal.

Archi. Pas de trait d'union dans les composés savants. On en forme aujourd'hui très librement avec des adjectifs en mettant ou non le trait d'union ; mieux vaut écrire : **archifaux,** archicompétent, archivieux, archiplein, etc., mais *archi-intéressant.*

Archidiocèse tend à désigner le diocèse qui a à sa tête un archevêque. On prononce *k* dans **archiatre** (premier médecin du pape). **Archiépiscopal** hésite entre *k* et *ch* (à conseiller à cause de *archevêque* et *archidiocèse*).

Archiver, v.tr.dir., classer (un document) dans des archives. D'où **archivage,** qui désigne l'action de classer et d'enregistrer, dans un service de documentation.

Ardoisier, n.m., désigne celui qui exploite une *ardoisière* ou qui y travaille. On ne peut parler d'un *ardoisier* pour un *couvreur,* qui place les ardoises ou les tuiles. Faute courante en Belgique.

Ardillon, n.m., pointe métallique qui, faisant partie d'une boucle, s'engage dans un trou de ceinture, etc.

Aréopage, n.m. *Un aréopage.* Cf. AÉRO.

Arête, n.f. Un seul *r*, accent circonflexe.

Argenté, adj., dans le sens de « qui a de l'argent à sa disposition », est familier et s'emploie surtout dans des phrases négatives : *Il n'est pas très argenté en ce moment* (PR). *Je ne suis plus très argenté* (Bordas). Mais on parle couramment de *papier argenté,* de *glace argentée,* de *métal argenté.*

Argile, n.f. *Une argile lourde.*

Argüer peut s'écrire depuis 1975 (cf. TRÉMA) avec un tréma sur *u,* qui se prononce, dans toute la conjugaison : *J'argüe, nous argüons. J'argüais, nous argüions.*
    On argüe **de** *qqch.,* on tire argument de.

Argutie, n.f. *Une argutie ; t* se prononce *s.*

Aria, vieux mot français masculin, peut s'employer familièrement pour « embarras, ennui, difficulté, tracas » : *J'ai grand-peur, mes bonnes, que nous n'ayons bien des arias* (M. Genevoix, *Rroû,* I, IX). Au féminin : *une aria de Bach.*

Armistice, n.m. *Un armistice.*

Arôme, n.m. L'accent circonflexe, correspond à la prononciation ; mais *o* étant bref dans **aromate,** *aromatique, aromatiser,* ces mots n'ont pas d'accent circonflexe.

Arrache. On écrit **d'arrache-pied** (avec acharnement, sans désemparer). *Arrache* reste invariable dans les noms composés : **un arrache-clou,** *des arrache-clous.*

Arraché (à l'), loc.adv. *A l'arraché* signifie en langage familier : « grâce à un effort violent, avec de grandes difficultés ».

Arracher, v.tr.dir. *On arrache des pommes de terre, des betteraves.* Wallonisme : [*arracher aux pommes de terre, aux betteraves*].

Arranger, ranger, v.tr.dir. En dépit de certaines confusions entre les deux verbes, il convient aujourd'hui de dire *ranger une chambre* pour « la remettre en ordre ». On dit de même : *ranger des livres, des papiers, ses affaires,* etc. *Ranger,* à la différence d'*arranger,* s'emploie sans complément : *Je vais ranger.*

Mais une femme *arrange sa coiffure, un bouquet, sa toilette, un plat, la table* pour un dîner, *une mansarde* pour en faire une chambre. On *arrange une affaire, un différend* (régler par un accord à l'amiable).

D'une personne mal accoutrée ou mise en piètre état, on dit qu'elle est *bien* (par antiphrase) ou *mal arrangée.*

Cela m'arrangerait, ce serait préférable pour moi.

En français populaire, **arranger qqn,** c'est le tromper dans une transaction (GLLF).

On s'arrange pour faire qqch.

Arrêt, n.m., signifie proprement « interruption », mais peut être accompagné d'un adjectif comme *temporaire, prolongé, complet, total :* attendre **l'arrêt complet** du train, **un arrêt total** du travail.

Arrêter, v.tr.dir., et **s'arrêter** peuvent signifier, en emploi absolu, « cesser d'avancer » ou « cesser d'agir » : *Il m'a crié d'arrêter. Arrête* ou *Arrête-toi.*

Devant *de* et un infinitif, *arrêter* et *s'arrêter* peuvent fort bien signifier aussi *cesser,* surtout dans une phrase négative : *Il n'arrête pas de fumer. Il s'arrête de parler.* Sur cet emploi, cf. *B.U.,* n° 1840, Remarque 1. Grevisse cite Gide, Camus, Mauriac, Henriot, Green, etc. On ne cite pas d'exemple de l'emploi impersonnel : *Il n'arrête pas de pleuvoir.* Il me semble aussi correct que celui de *il cesse de.*

Arrêter qqn de faire qqch. (l'en empêcher) est vieilli.

Arrêter pile, s'arrêter pile (= brusquement) ; *pile* est invariable.

Arrêter que, dans le sens de « décider que », est suivi de l'indicatif : *Le maire arrête que ce chemin* **sera** *interdit aux voitures.*

Arrhes, n.f.pl. Cf. Aсомpte.

Arrière, adv., reste invariable dans les composés : *des arrière-cuisines, des arrière-goûts, des arrière-grands-mères.* Et aussi comme adj. : *Les roues arrière. Ses pattes arrière.* Mais : *Protéger ses arrières. Les arrières de l'équipe,* etc.

Arriver, v.intr. Auxiliaire *être.*

1. **Il arrive que** s'est construit autrefois, et même naguère, avec l'indicatif aussi bien qu'avec le subjonctif. Mais il est aujourd'hui couramment suivi du subjonctif, sauf après **il arriva que** en quelque sorte explétif et signifiant : « il se fit que », sans idée de répétition ; on le traduirait facile-

ment par « un jour » : *Il arriva que je le rencontrai.* — *Il arriva que les vues américaines l'emportèrent* (Ch. de Gaulle, *L'unité*, Poche, p. 316). *Il arriva que le ménage se trouva dans une gêne extrême* (M. Aymé, *Le passemuraille*, p. 55).

Aux autres temps, c'est à tort que des grammairiens règlent l'emploi du mode sur l'emploi affirmatif ou négatif d'*arriver* ou sur la façon dont le fait qui arrive est envisagé dans sa réalité ou dans la pensée.

Il arrive (arrivait, etc.) *que* évoque généralement une réalité occasionnelle et répétée ; l'usage actuel est de le construire avec le subjonctif, que la chose soit réelle, possible ou éventuelle. On peut préciser par *souvent, assez souvent,* etc. la fréquence de la répétition. On trouve aussi *parfois : Il arrivait parfois que l'un ou l'autre d'entre eux (...)* **semât** *la discorde au sein du groupe* (G. Perec, *Les choses*, J'ai lu, p. 39).

Dans certains cas, notamment avec il *peut (il pourra*, etc.) *arriver*, toute idée de répétition peut être exclue.

En généralisant le subjonctif, l'usage actuel fait disparaître des contradictions qui apparaissent, par exemple, dans cette traduction par Blaise Cendrars de deux phrases d'un roman de Ferreira de Castro, *Forêt vierge : Il arrivait ainsi qu'Alberte apercevait quatre ou cinq croix rustiques* (ch.2). *Il arrivait que le navire débouchât dans une nappe d'eau* (ch.3). Dans les deux cas, le sens d'il *arrivait que* est le même : *parfois.*

C'est évidemment par extension et par analogie que le subjonctif est devenu le mode habituel dans tous les cas (sauf après *il arriva que*), encore que l'indicatif subsiste : *Il arrive qu'on ne la comprend pas : il faut la deviner* (M. Jouhandeau, *Chaminadour*, Poche, p. 216). — *Il arrive qu'elle vienne à ma rencontre. Il arrive assez souvent qu'elle soit en retard.* — *Il arrivait qu'elle apportât une solution mûrie* (Ch. Plisnier, *Mariages*, Poche, I, p. 95). *Il arrivait, de loin en loin, qu'un pas lourd fît trembler les lames du plancher* (M. Genevoix, *Rroû*, Poche, p. 10). *Il arrivait fréquemment qu'un équipage perdît la moitié de ses bêtes en quelques semaines* (B. Clavel, *Le seigneur du fleuve*, Poche, p. 120). *Il peut même arriver que l'affaire* **prenne** *un aspect absolument inattendu* (R. Floriot, *Les erreurs judiciaires*, p. 292).

2. Avec un complément indirect et un infinitif (dont le sujet est exprimé par ce complément) : **Il lui arrive de se tromper.** *Il arrive à chacun de se tromper. Il m'arrive de me fâcher.* Mais après *Il arrive* sans complément, il faut *que : Il arrive qu'on s'en souvienne.*

J'arriverai bien à faire cé travail. Parallèlement, *arriver* **à ce que** et le subjonctif suivi d'un autre sujet : *Nous arriverons à ce que chacun fasse son travail.*

3. Il n'est pas logique de dire d'une personne ou d'une chose, comme un train, un car : **il n'arrive pas vite ;** l'action d'*arriver* ne peut être lente ni rapide, sauf dans le sens d'« approcher » : *il arrive à grands pas.* L'expression est courante, mais familière (GLLF) ; elle exprime l'idée : *il est en retard, il tarde à venir.*

On entend, en quelques endroits de France et de Belgique : *Il n'arrive pas souvent*, dans le même sens. C'est, semble-t-il, une survivance d'une extension d'un ancien sens de *souvent*, qui a pu marquer autrefois une succession rapide en peu de temps. L'emploi est fautif.

4. **Arriver comme mars** (ou *marée*) **en carême.** Maurice Rat (*Parlez français*, p. 43) prétend qu'*arriver comme mars en carême* n'a « aucun sens » et qu'il faut dire : *comme marée.*

Les Dictionnaires Robert et GLLF donnent cependant *arriver comme mars en carême*. Cela veut dire : immanquablement, mars tombant toujours en carême. L'autre expression, que Littré considérait comme populaire et que l'Académie donne comme familière, a un autre sens ; arriver à propos, comme la marée (c'est-à-dire le poisson de mer) en carême. On se gardera d'intervertir les sens, de donner à *comme mars en carême* le sens d'« à propos » (mars n'arrive pas à propos en carême !) et à *comme marée* le sens d'« inévitablement » (une marée n'arrive pas plus inévitablement en carême qu'à un autre moment).

5. **Ce qu'il** *arrive* ou **ce qui** *arrive*. Cf. CE QUI, 3.

Arroger (s') a un complément d'objet direct : *Elle s'est arrogé des droits. Les droits qu'elle s'est arrogés.*

Arsouille, adj. ou n.f., appartient au français populaire.

Artériosclérose, n.f. On notera l'orthographe, où l'on retrouve *artère, io* qui apparaît aussi dans d'autres composés (une *artériole*, petite artère ; *artériologie, artériotomie*, incision chirurgicale d'une artère) et *sclérose*, signifiant « durcissement ». Un autre mot se répand, dans le langage médical, désignant un phénomène localisé, l'**athérosclérose** ; il a pour base l'*athérome* (latin *atheroma*, d'un mot grec signifiant « bouillie »), dépôt gras (cholestérol, calcium) à la surface interne d'une artère, lésion pouvant provoquer la formation d'un caillot et l'infarctus.

Artichaut, n.m. *Des cœurs* (ou *des têtes*) *d'artichauts* ou *d'artichaut.*

Article. 1. Je ne puis entrer ici dans le détail des distinctions que fait l'usage dans l'emploi ou l'omission de l'article. On consultera Grevisse, *B.U.* Pour les noms propres, cf. DANTE ; À et *en*, 5. Notons qu'on fait la contraction de *à* et *de* avec un nom de lieu commençant par *Le* : *Je vais au Havre*. Cf. NOMS PROPRES, A. Pour la contraction avec un titre, cf. TITRES.

Il est curieux d'observer que, si un lycée porte le nom de Marivaux, *on va à Marivaux*, tandis que s'il s'agit d'un cinéma *on va au Marivaux.*

Pour le choix entre l'article défini et l'adjectif possessif, cf. ADJECTIFS POSSESSIFS, 1, p. 33.

On distingue : *Êtes-vous médecin ?* (Avez-vous le titre, la qualité de médecin ?) et *Êtes-vous le médecin ?* (tel médecin auquel on pense) ; *rendre justice à qqn* et *rendre la justice.*

L'article est omis dans beaucoup d'expressions : *mettre sous enveloppe, avoir faim, prendre patience, affirmer sous serment, passer sous silence,* etc., qu'on trouve dans les dictionnaires usuels.

2. L'article devant *plus, moins, mieux,* suivis d'un adjectif (ou d'un participe) en fonction d'attribut ou d'épithète : **le plus travailleuse** ou **la plus travailleuse** ?

Insistons tout de suite sur le fait qu'il n'y a de problème que si l'expression *le plus, le moins, le mieux* détermine un adjectif ou un participe employé adjectivement.

Le reste invariable si l'expression détermine uniquement un adverbe : *Ceux qui ont crié le plus fort.* Et aussi quand elle détermine un verbe : *Les compliments qu'il tourne le mieux* ou *qu'il a le mieux tournés. Ceux qui se sont le mieux amusés.* Dans ces cas, l'auxiliaire *avoir,* au passé, et la forme pronominale montrent qu'il s'agit d'un verbe. Avec *être,* on pourrait parfois hésiter. *Ceux qui sont arrivés le plus tôt ;* on a un verbe : *le plus* détermine d'ailleurs un adverbe. Mais dans *Les compliments les mieux tournés* ou *qui sont les mieux tournés,* le participe est pris adjectivement et l'on peut hésiter entre *le* ou *les.* Ce qu'on ne pourrait faire, notons-le, s'il y avait un complément d'agent : *Les compliments qui sont le mieux tournés par cet enfant.* La « règle » est apparemment très simple : accord de *le* (devant un adjectif ou un participe employé adjectivement) s'il y a comparaison entre des êtres ou des objets différents ; invariablité de *le* (formant avec *plus, moins, mieux* une locution adverbiale) s'il y a comparaison entre divers états (à divers moments) d'un même être ou objet. *Cette gamine est la plus travailleuse de sa classe. C'est au moment des compositions qu'elle est le plus travailleuse.*

Procédé commode, semble-t-il : dans le premier cas on peut ajouter *de tous, de toutes ;* dans le second, l'idée est : *particulièrement travailleuse. C'est avec son personnel qu'elle est le moins aimable.* On pourrait, en prenant le contraire d'*aimable,* dire : *qu'elle est particulièrement désagréable.*

L'Académie écrit (à *Plus*), sans un mot de justification : *De ces deux sœurs, la cadette est celle qui est le plus aimée, la plus aimée.* On ne s'étonne pas de l'accord, puisqu'il y a comparaison entre deux êtres ; l'invariabilité peut à la rigueur s'expliquer par l'idée de « particulièrement ». Ceci n'est qu'un exemple des hésitations que peut faire naître la règle. C'est surtout fréquent lorsque le nom est au pluriel.

Littré écrit : *Les Égyptiens et les Chaldéens sont les nations les plus anciennement policées* ou *le plus anciennement policées.*

On remarquera qu'ici l'adverbe est suivi d'un adjectif (ou participe pris adjectivement) et que, si *le plus* détermine *anciennement,* l'ensemble *le plus anciennement* détermine l'adjectif. Dans cette phrase, l'accord peut paraître normal, parce qu'il y a comparaison avec d'autres nations ; l'invariabilité se justifie par le fait que *le plus* porte sur *anciennement* et que la comparaison porte sur le degré de la qualité dans un même ensemble de nations.

On prétend que Giono aurait dû écrire : *L'hiver, c'est la saison où les nuits sont le plus longues.* Certes on pourrait dire : *particulièrement longues.* N'y a-t-il pas cependant comparaison entre les nuits d'hiver et d'autres nuits ? Giono a bien fait d'écrire : *sont **les plus longues.***

André Goosse, dans une de ses chroniques de *La Libre Belgique* (2 avril 1973), a répondu à « un essayiste réputé » qui blâmait le premier accord dans cette phrase : *À la R.T.B., l'information générale doit être **la plus libre** possible et **la plus objective** qui soit.* Il a fait observer avec raison que, dans le premier cas, on ne peut vouloir dire « la plus libre de toutes les informations ». Selon la règle — et c'est toujours le cas lorsque *possible* suit — il fallait donc : *le plus libre possible.* Mais dans le second, *qui soit* paraît situer l'information de la R.T.B. dans l'ensemble des informations : *la plus objective qui soit* se justifie donc.

Et l'excellent grammairien, après avoir observé que « la langue parlée entre difficilement dans ces délicatesses » et qu'« il arrive même à des auteurs renommés, voire à des académiciens, de ne pas les respecter », conclut : « Je ne suis pas loin de penser, avec Joseph Hanse, « qu'on exagère le bénéfice que la langue peut tirer du respect rigoureux de cette règle » et que les écrivains y manquent beaucoup plus souvent qu'on ne le dit ».

J'ai en effet été frappé par quatre points :

a) Cette règle, défendue avec passion par des grammairiens modernes, les écrivains classiques l'ignoraient sans inconvénient ; ils faisaient généralement l'accord : *Dans le temps que nous la croyions la plus saine, dans le temps qu'elle se trouvait la plus heureuse* (Bossuet, *Oraison funèbre de Marie-Thérèse d'Autriche*).

b) On la déclare « utile », apte à exprimer de précieuses nuances. Il suffit pourtant que l'expression se rapporte à un nom ou un pronom masculin singulier pour qu'il n'y ait plus moyen d'exprimer cette nuance par l'accord ou l'invariabilité. *Il est le plus travailleur de sa classe. C'est au moment des compositions qu'il est le plus travailleur.* Cette nuance déclarée si utile, nous nous en passons facilement.

c) L'application de cette règle prétendue simple est souvent délicate et prête à des hésitations et à des discussions byzantines. On l'a vu par ce qui précède.

d) La langue parlée se soucie peu de cette règle et s'ils la respectent encore souvent parce que l'école en a fait grand cas et parce que des grammairiens la brandissent, les écrivains la transgressent soit en faveur de l'invariabilité, soit plus fréquemment en faveur de l'accord. Je ne citerai que peu d'exemples ; il serait facile de montrer que d'excellents écrivains se soucient peu de cette règle, même quand l'application en est facile : *Les images qui lui étaient le plus difficiles à porter alors (...) étaient celles de Paris* (A. Camus, *La peste*, Ed. Le meilleur livre, p. 94). Il y a évidemment comparaison avec d'autres images. — *Les points où la citadelle est la plus battue en brèche* (A. Thérive, *Clinique du langage*, p. 9). Il n'est question que d'une seule citadelle, attaquée en plusieurs endroits. *C'est le moment de l'année où l'herbe est la plus misérable* (J. Romains, *Les humbles*, Poche, p. 285).

Que conclure ? Il serait excessif d'affirmer que la règle est devenue caduque. Mais, comme l'usage courant fait souvent varier l'article dans tous les cas et que de bons écrivains en font parfois autant, on peut laisser suivre la règle par ceux qui y tiennent mais faire l'accord sans scrupule dans tous les cas devant un adjectif ou un participe pris adjectivement. On n'est pas choqué de lire dans Grevisse (*B.U.*, n° 638) : *C'est en hiver que ces jardins sont les plus beaux* (E. Henriot). *C'est de loin que les bêtes sont les plus jolies* (Kessel). L'Académie écrit d'ailleurs, au mot *Général : En France, c'est en général au mois de juillet que la température est la plus chaude.*

Souhaitons en tout cas que les grammairiens et les maîtres de français cessent de proclamer la nécessité ou l'utilité de cette règle et que les écrivains s'en affranchissent.

3. **Article partitif** (ou « *massif* ») *du, de la, des* **et indéfini pluriel** *des.*

Il s'agit au singulier d'une quantité indéterminée ou d'un degré indéterminé de substances abstraites ou concrètes prises dans leur aspect massif, toute idée de mesure numérique étant exclue dans ce cas : *manger du pain, du raisin, avoir de la fièvre, du courage.* L'emploi partitif ou massif s'étend facilement : *Faire du cent à l'heure. Il y a de la truite dans cette rivière. Il y a du révolutionnaire en lui. Faire du cheval.*

Au pluriel, l'article indéfini **des** exprime un nombre indéterminé et est généralement le pluriel de *un : des enfants, des glands, des raisins.* Il peut aussi exprimer avant tout la substance, mais toujours, quand il s'agit de choses qui se comptent, qui se prennent normalememnt en une ou plusieurs unités, en l'associant à une idée numérique : *Pour être en bonne santé, mangez des fruits, des pommes, des raisins. Manger des épinards. Avoir de l'esprit* et *des lettres.*

Ceci fait comprendre que *des* soit traité comme *du, de la* quand il n'est pas perçu comme une combinaison de la préposition *de* avec l'article défini (cf. ci-dessous, A).

Bornons-nous à quelques remarques essentielles :

A. On n'exprime pas après *de* l'article partitif *du, de la* ni l'article indéfini pluriel devant un complément déterminatif, un complément circonstanciel, un complément indirect ou le complément d'un adverbe de quantité autre que *bien* (cf. BIEN, 3) : *Une bouteille de vin. Vivre de pain. Je me souviens de reproches qu'on m'a faits. Il a montré beaucoup de courage, lu beaucoup de livres. Il a infiniment d'esprit.* Comparer *Il fait du bruit* et *Il fait **tant de bruit**. Il fallait crier pour s'entendre, tant la trompette faisait **de bruit*** (J. d'Ormesson, *L'amour est un plaisir*, Poche, p. 93).

Mais *de* se combine avec l'article défini dans les mêmes cas pour former *du, de la, des* lorsqu'il y a détermination du nom et qu'on envisage une certaine quantité d'un tout déterminé : *Une bouteille du vin que vous m'avez offert. Vivre du pain qu'on reçoit. Des renseignements que j'ai reçus, on peut déduire...* (= de tous les renseignements que j'ai reçus...). *Je me souviens des reproches que vous m'avez faits* (= de tous les reproches). *Un grand nombre des trésors conservés dans cette bibliothèque. — Un grand nombre des industries françaises ont été pillées* (Ch. de Gaulle, *Le salut*, Poche, p. 362).

C'est ainsi que *beaucoup des* n'a pas le même sens que *beaucoup de*. Celui-ci veut dire : « un grand nombre de », sans plus, que les êtres ou les choses soient ou non déterminés ; *beaucoup des* (comme *un grand nombre des*) marque qu'on pense en outre à l'ensemble de ces êtres ou de ces choses : *Le sommeil qui protège beaucoup des trésors de la Bibliothèque nationale...* (A. Rousseaux, *Le Figaro littéraire*, 20 février 1954). *Pour beaucoup des hommes qui étaient en charge des relations extérieures* (Ch. de Gaulle, *Le salut*, Poche, p. 229). Dans ces deux phrases, *beaucoup de* n'évoquerait pas une grande partie d'une totalité, mais simplement un grand nombre.

B. Du bon vin (en phrase affirmative). L'usage courant, même littéraire, a pratiquement renoncé à suivre la règle formulée avec trop de rigueur et qui prétendait imposer la réduction de *du, de la* à *de* devant un adjectif suivi d'un nom. On dit toujours : *Est-ce du bon vin ? Il est bon comme du bon pain.* Mais même quand le nom est un complément direct, ou avec *c'est* ou *il y a*, on ne dit pour ainsi dire jamais et l'on n'écrit plus guère : *Avoir de bon tabac* (Ac.). *Manger de bonne viande* (Ac.). On dit : *Avoir du bon tabac, de l'agréable tabac. Manger de la bonne viande. Boire de la bonne bière. Il y a du bon feu. Faire de la bonne peinture.*

De seul est devenu une fausse élégance. Noter que dans *vivre de bonne soupe, faire preuve de bonne humeur*, l'article partitif est supprimé en vertu de la remarque précédente (A). On dirait : *vivre de soupe*, comme *vivre d'amour et d'eau fraîche*.

Il faut dire : *de la bonne volonté, de la bonne humeur, du bon sens*, parce que l'adjectif fait corps avec le nom : *Il montre de la bonne volonté.* Mais on dira (cf. A) : *Faire preuve de bonne volonté.* Et, parce qu'il s'agit d'une totalité déterminée : *Il fait preuve de la bonne volonté qu'on attendait de lui.*

Avec *en* : *De la bière, j'en ai de la bonne* (*j'en ai de bonne* est affecté).

C. De grands enfants ou *des grands enfants* (en phrase affirmative). Devant un adjectif suivi d'un nom, on emploie *de* au lieu de *des* généralement : *Certains s'en feront même de simples griefs pour plus tard* (Ch. de Gaulle, *Le salut*, Poche, p. 116). On pourrait multiplier les exemples.

Mais on entend très souvent *des* dans la langue parlée et on le lit sous la plume de bons écrivains (voir plus loin).

On emploie toujours *d'* devant un adjectif commençant par une voyelle ou un *h* muet : *D'utiles distinctions, d'autres difficultés, d'honnêtes gens.*

On oppose *J'ai mangé de bonnes cerises* à *J'ai mangé des bonnes cerises que vous m'aviez offertes* (cf. A). Dans *J'ai mangé de bonnes cerises, qui m'ont été offertes par mon voisin,* noter la pause.

Devant l'adjectif seul, on emploie *des : La nuit, on voyait des lanternes, des vertes et des rouges* (H. Bosco, *Antonin,* p. 39). *C'était un bon cottage de trois pièces, aux cloisons encollées de pages d'illustrés, des noirs et des en couleur* (H. Bazin, *Les bienheureux de la désolation,* p. 60). *Ces garçons-là étaient des hommes du Rhône, des vrais* (B. Clavel, *Le seigneur du fleuve,* Poche, p. 78).

Avec **en,** on emploie *de* devant l'adjectif seul : *Des livres, j'en ai de précieux.* Mais avec *il y en a,* on trouve *de* ou *des ;* celui-ci est même plus fréquent : *Il y en a de toute sorte : des ronds* et *des bouclés, des noirs* et *des tressés* (Pesquidoux, *Chez nous,* II, p. 126). *On dressa des pavillons dans les prairies ; il y en avait des jaunes, des blancs des rouges, plus de cinq cents* (Ch.-V. Langlois, *La vie en France au moyen âge,* t. I, p. 133). *Il y en avait des grands, des gros* (E. Charles-Roux, *Oublier Palerme,* Poche, p. 296). Mais on dirait : *de très grands, de très gros.*

Le maintien de *des* devant l'adjectif suivi du nom n'est pas rare en littérature, mais il reste moins fréquent que l'emploi de *de* et est parfois considéré comme une négligence, ce qui est excessif : *Des mauvais magiciens sont brûlés sur un bûcher* (A. Malraux, *La tentation de l'Occident,* Genève, p. 15). *Des petits talons furieux ont fouillé les allées* (Colette, *O.C.,* VII, p. 25). *Il leur combinerait des petits menus soignés (...). Vous nous ferez des petites visites (...). Avec des petites valises* (Anouilh, *Pièces brillantes,* p. 135, 144, 149). *La veuve d'un agent voyer, ayant des petites rentes (...). Alexis et Henriette faisaient des petites promenades (...). Je pensais aller trouver des vieux amis de mes parents* (E. Triolet, *Le premier accroc coûte deux cents francs,* Folio, pp. 233, 249, 333). *Des petits carrés semblables à des notes grégoriennes* (M. Butor, *Passage de Milan,* 10/18, p. 101). *Des petites cuillers d'argent* (G. Perec, *Les choses,* J'ai lu, p. 41. Et ailleurs, notamment p. 108). *En poussant des petits cris (...). Des petits nuages roses* (G. Cesbron, *Les innocents de Paris,* Poche, pp. 11, 72). *Un sommeil fiévreux haché par de brusques réveils et des brèves, mais arides insomnies* (M. Tournier, *Vendredi,* Folio, p. 248).

Il est normal d'écrire *des* quand l'adjectif forme avec le nom un véritable nom composé ou une sorte de nom composé : *Des grands-parents. Des jeunes gens. Des petits pois. Des bons mots. Des petites filles.*

Il y a parfois de l'hésitation dans ce cas, mais *des* l'emporte : *De petits enfants voient cela* (A. Gide, *Journal 1889-1939,* p. 71). *Nous sommes restés des petits garçons* (Anouilh, *La valse des toréadors,* p. 74). *Des grandes personnes s'occupaient de lui* (Fr. Mauriac, *Le sagouin*, p. 86). *Des grandes personnes* (J. Green, *Devant la porte sombre*, p. 182).

On écrit *de bons jeunes gens, de tout petits enfants*, parce qu'un autre adjectif intervient. On dira aussi : *Mon Dieu ! que cette femme a de petits enfants !* dans le sens de : des enfants qui sont petits. L'adjectif ne forme pas ici un composé avec le nom.

D. Avec la **négation composée** (*ne pas, ne jamais*, etc.) ou avec *nulle part, aucun, personne, nul, rien, sans, ni... ni*, etc., mais uniquement devant le sujet réel d'un verbe impersonnel ou devant un complément direct, la tendance très nette de la langue soignée est d'employer *de* au lieu de *du, de la des*, bien que le français parlé incline parfois à employer *du, de la, des : Il n'a pas d'excuses. Je n'ai pas de pain. Il n'y a plus de feu. Personne n'a de cigarettes ? Ni l'un ni l'autre n'ont montré de zèle. Rien de tout cela n'a d'importance. — Et l'homme qui n'était pas méchant, qui ne souhaitait du mal à personne* (J. Romains, *Mort de quelqu'un*, p. 71). *Je ne lis pas des livres, moi* (B. Clavel, *Le voyage du père*, J'ai lu, p. 38) ; l'emploi de *des* marque mieux l'opposition (cf. plus loin, *exception importante*) à *Tu lis des livres, toi ;* c'est moins l'idée de pluriel qu'on veut exprimer que la négation d'un tel genre de lectures. De même : *Je n'ai pas des cauchemars pour si peu.* On comprend qu'il soit nécessaire d'employer *des*, opposé à *la*, dans cette phrase : *Il n'y a pas des routes, il y a la route* (B. Clavel, *Pirates du Rhône*, J'ai lu, p. 146).

Devant un adjectif suivi d'un nom **au singulier,** la généralisation de l'emploi de *du, de la* dans une phrase affirmative (cf. B) peut favoriser une certaine tendance au même emploi dans des phrases négatives : *Il ne vend pas de la bonne viande. Je n'ai pas du bon pain* (à côté de *de bon pain*). L'hésitation qui a été notée devant un adjectif suivi d'un nom au pluriel (cf. C), avec une préférence du langage soigné pour *de*, se retrouve en phrase négative : *Il n'a pas fait de grosses fautes* (plutôt que *des grosses fautes*).

Il est important de noter que, dans de telles phrases négatives, **un**, lui aussi, souvent remplacé par *de* si le nom n'est pas précédé d'un adjectif : *J'ai une maison de campagne. Je n'ai **pas de maison** de campagne. Il a une belle maison de campagne. Il n'a **pas une belle maison** de campagne.* En dehors de ce dernier cas (adjectif + substantif), il y a beaucoup d'hésitation. *De* est courant dans des phrases négatives comme : *Il n'a pas de livre, il ne court pas de risque, de danger, il ne fait pas d'efforts, cela ne pose pas de problème, cela ne permet pas de conclusion, je ne lui ai pas donné d'autorisation, je n'attends pas de réponse, je ne trouve pas de solution*, etc. Mais il suffit que *un* ait davantage une valeur numérale et corresponde à *un seul* pour qu'il se maintienne : *Il ne fait pas un effort. Il n'a jamais vu un médecin. Je n'ai jamais vu une femme aussi belle. Je n'attends pas une réponse, mais deux.* Il se maintient aussi lorsqu'une opposition réduit la portée de la négation : *Elle ne portait pas une robe*

bleue mais une noire (cf. ci-dessous). *Il n'a pas un gilet mais un pull-over.*
On dira : *J'ai dû renoncer, sans avoir trouvé une solution* ou *de solution.*
   Avec *ni* ... *ni* devant le complément, on supprime généralement *du, de
la, des* sans les remplacer par *de* : *Je n'ai ni pain ni beurre, ni bon pain ni
bon beurre. Il n'a ni ennemis ni rivaux* (cf. Nɪ, A, 1,b). On peut voir
reparaître *de* remplaçant *des* devant un adjectif (cf. C) : *Il n'a ni de
bonnes dispositions ni de bonnes habitudes.*
   La règle générale du remplacement de *du, de la, des* par *de* après une
négation devant le complément direct ou le sujet réel d'un verbe impersonnel comporte une **exception importante.** La langue soignée fait une
distinction qu'elle a certes raison de maintenir, mais qui est souvent trop
subtile pour que la langue courante s'en préoccupe. Tandis que dans les
phrases citées plus haut il y a une négation pure et simple de la présence
d'excuses, de pain, de feu, etc., parfois le contexte, une opposition de
termes, un adjectif ou un complément peuvent réduire la portée de la
négation ; une affirmation est implicite et dès lors cette idée positive
entraîne le maintien de *du, de la, des* après *ne pas : Je n'ai pas des
remords, mais des regrets. Il ne demande pas du pain, mais du gâteau. —
De l'autre côté, il n'y avait pas des libertins (...). Il y avait ceux qui
aimaient la vertu et leur religion* (D. Mornet, *Molière*, p. 84) : on ne nie
pas l'existence de libertins, on affirme que ce n'étaient pas des libertins
qui étaient de l'autre côté. *Cela n'a pas empêché des réponses satisfaisantes :* ce qu'on veut dire, c'est qu'il y a eu des réponses satisfaisantes. *Il
regrettait de ne pas rapporter de son expédition des nouvelles plus encourageantes* (R. Gary, *Les racines du ciel*, Folio, p. 505) : il rapportait des
nouvelles, mais pas assez encourageantes. *Je ne vous ferai pas des
reproches inutiles :* je vous ferai des reproches, mais non des reproches
inutiles. De même, en gardant *une : Il n'a pas adopté une attitude loyale ;*
il a adopté une attitude, mais qui n'était pas loyale. Cf. d'autres exemples
plus haut. *Il n'a pas obtenu des résultats brillants. On ne sert pas du
whisky dans une coupe.* Comparer : *Il n'a pas servi de whisky. — Après
tout, il n'y a rien entre nous. Je ne lui demande pas des confidences* (Aragon, *La mise à mort*, p. 257). Je lui demande une réponse à ma question,
mais non des confidences. *Du reste elle ne me fit point précisément des
reproches ; mais son silence même était accusateur* (A. Gide, *La symphonie
pastorale*, Poche, p. 60) ; le silence était lui-même un reproche.
   L'hésitation de l'usage courant à tenir compte de cette exception,
encore respectée par le français très soigné, apparaît dans cette phrase
anormale : *Je ne porterai pas des manches courtes cet hiver, ni de cols
hauts en été* (Colette, *O.C.*, III, p. 381). On attendrait la même forme
dans les deux cas, soit *de* selon la règle générale, soit plutôt *des* en vertu
de l'exception : la personne portera en effet des manches, mais non des
manches courtes, et des cols, mais non des cols hauts.
   Cet emploi de *de* au lieu de *du, de la, des, un* est très net dans certains
cas, très flottant dans d'autres. On pourra consulter David Gaatone,

Etude descriptive du système de la négation en français contemporain,
Genève, Droz, 1971, pp. 101-124 ; on verra que l'usage est souvent très
hésitant.

Il faut noter que ce qui importe, c'est **le sens** de la phrase. La négation
peut être exprimée non seulement par *ne pas*, mais par *sans* portant sur le
verbe : *Un jour et une nuit sans prendre de repos.* D'autre part la négation
peut n'être qu'une figure de style ; on emploie alors *du, de la, des : N'a-t-il
pas du souci, des inquiétudes ? N'y a-t-il pas toujours des gens qui se plaignent ?* Ou le tour négatif est là pour affirmer en marquant une opposition : *La conscience des jurés était pure et tranquille. On n'en éprouvait pas
moins du tourment, de l'inquiétude* (Pierre Mazars, *Le Figaro littéraire,*
29 mai 1954). *On ne saurait faire une omelette sans casser des œufs* (Ac.).

Avec *ne... que,* il faut distinguer :

Si le nom suit *que,* on traite toujours la phrase comme positive ; *ne...
que* est compris comme signifiant *seulement, uniquement : Il n'a que des
amis,* il a uniquement des amis. *Il ne boit que du lait. Il ne prend que des
biscuits salés.* Si l'adjectif précède le nom pluriel, on emploie *de : Il ne
prend que de légers biscuits.*

Si le nom précède *que,* on peut comprendre et traiter la phrase de la
même façon : *Il ne boit du lait qu'au petit déjeuner. Il ne fait des photos
qu'en voyage.* Plus fréquemment, on traite la phrase en y percevant plutôt
une négation complète accompagnée d'une restriction (*sauf, excepté*) et
l'on emploie simplement *de : Je n'ai d'espoir qu'en vous. Il n'a de pouvoir
qu'à cause de votre faiblesse. Je n'accepterai de responsabilité qu'à partir du
mois prochain. — En Union soviétique, le citoyen n'a de droits que dans la
mesure où ceux-ci ne viennent pas contrarier la toute-puissance de l'État*
(G. Palewski, *Revue des deux mondes,* septembre 1977, p. 627).

Après *ce n'est pas, ce ne sont pas,* on emploie toujours *du, de la, des.*
C'est qu'il s'agit uniquement de la nature de la substance ou de l'être,
considérée dans sa qualité (il n'y a aucune idée de quantité) : *Ce n'est pas
du café. Ce ne sont pas des enfants. Cela n'est pas de la mauvaise fabrication* (A. Rousseaux, *Le Figaro littéraire,* 26 février 1955).

4. **Répétition de l'article.**

a) **Devant des noms.** L'article **se répète** normalement devant les noms
d'une série : *Le cheval, l'âne et le marchand. De la bière et du vin.* À
moins qu'on ne le supprime devant le premier et les suivants pour donner au style plus de vivacité : *Femmes, moine, vieillards, tout était descendu* (La Fontaine).

Il ne se répète pas si le second nom est l'explication du premier (*La
fièvre aphteuse ou cocotte. Le crotale ou serpent à sonnettes*) ou s'il désigne
le même être ou objet (*L'empereur et roi. Un collègue et ami ;* dans ces
deux cas, où l'article est au singulier, il faut que les noms soient du même
genre) ou si la suite des noms forme un tout, un ensemble dont les éléments sont unis dans la pensée (*Les frères et sœurs. Les arts et métiers.*

Les eaux et forêts. Les us et coutumes. Les parents et amis sont invités. Aux officiers, sous-officiers et soldats. Les nom, prénoms, âge et profession du candidat).

b) **Dates et jours de la semaine.** À côté de : *le 15 et le 16 janvier,* on trouve *les 15 et 16 janvier ;* ce dernier tour marque mieux l'ensemble.

On dit au choix : *le mardi et le vendredi de chaque semaine, les mardi et vendredi de chaque semaine* (Brunot, p. 186), *les mardis et les vendredis.* On trouve même *les mardis et vendredis de chaque semaine* (Le Bidois, I, p. 50), mais ce n'est pas à conseiller. *On change de linge les premiers et troisièmes dimanches du mois* (R. Martin du Gard, *Les Thibault,* 2° partie, p. 66). J'écrivais plutôt : *le premier et le troisième dimanche du mois* ou *les premier et troisième dimanches du mois* (cf. plus loin, d).

Avec *ou : Le 15 ou le 16 janvier, le 15 ou 16 janvier. On le transportera le 4 ou 5 mai à Baden* (R. Rolland, *Beethoven. Les derniers quatuors,* p. 111).

c) **devant des adjectifs non coordonnés,** l'article se répète : *La bonne, la charmante femme.*

d) **devant des adjectifs coordonnés placés devant un nom au singulier,** on ne répète pas l'article s'il n'y a qu'un seul être ou objet (on ne dirait plus : *La douce et l'innocente proie,* mais : *La douce et innocente proie*) : *La prudente et louable habitude.* Mais on le répète si le nom employé une seule fois forme avec chacun des deux adjectifs une entité bien distincte de l'autre : *Le grand et le petit commerce. Il y a un bon et un mauvais goût.*

Il est logique de laisser le nom au singulier. Cependant l'usage s'est introduit de le mettre parfois au pluriel après des adjectifs *numéraux ordinaux* (ajoutons-y *le dernier*) : *Le pivot de l'œuvre, c'est donc, dès l'origine, le premier et le dernier morceaux* (R. Rolland, *Op.cit.,* p. 105). *Quant à la seconde et à la troisième lettres* (H. Mondor, *Vie de Mallarmé,* p. 59). Avec l'article au pluriel : *Les premier et deuxième violons* (J. Anouilh, *Pièces noires,* p. 105).

À côté de *Le premier et le deuxième acte* (tour habituel) ou *Les premier et deuxième actes,* on peut donc écrire *Le premier et le deuxième actes.* Le nombre et la qualité des exemples garantissent la correction de ce dernier tour. Observons cependant qu'on ne trouve aucun exemple de deux articles et adjectifs au singulier suivis d'un pluriel distinct, pour l'oreille, du singulier. Dirait-on *Le premier et le deuxième chevaux ?* Mais l'Académie elle-même écrit : *Au XVIIe et au XVIIIe siècles.*

À propos de cette dernière expression, voici donc les trois tours réguliers : *Au XVIIe et au XVIIIe siècle. Au XVIIe et au XVIIIe siècles. Aux XVIIe et XVIIIe siècles.* Un quatrième tour est beaucoup plus rare et à déconseiller : *Au XVIIe et XVIIIe siècle* (singulier sans répétition de l'article).

Si les deux noms sont au **pluriel** et introduits par un article mis au pluriel, celui-ci se répète toujours quand les entités sont distinctes : *Les bons et les mauvais jours. Les premiers et les derniers jours de l'année.*

e) **Lorsque les adjectifs coordonnés suivent le nom au singulier,** quatre tours se rencontrent ; il n'est pas nécessaire, pour qu'on mette le nom au pluriel, que les choses soient considérées comme un tout : 1) *L'histoire ancienne et l'histoire moderne* (tour à recommander) ; 2) *l'histoire ancienne et moderne* (tour moins net) ; 3) *l'histoire ancienne et la moderne* (tour moins vivant) ; 4) *les histoires ancienne et moderne* (tour blâmé par certains grammairiens quand les choses ne forment pas un bloc, mais certainement usuel sans souci de cette nuance).

Le deuxième tour peut être moins net, ai-je dit ; il peut en effet se prêter à une équivoque dans certains cas : *le roman policier et grivois* peut être compris comme *le roman qui est à la fois policier et grivois* ou comme *le roman policier et le roman grivois*. Mais on apprécie au contraire ce tour dans le vers de Baudelaire (*Une gravure fantastique*) : *Les peuples de l'histoire ancienne et moderne*. Loin d'opposer l'histoire ancienne et l'histoire moderne, le poète les fusionne dans « le cimetière immense et froid, sans horizon », du monde.

Si les noms sont au pluriel, trois tours seulement sont possibles, puisqu'on met toujours l'article et les adjectifs au pluriel : 1) *Les historiens anciens et les historiens modernes ;* 2) *Les historiens anciens et modernes ;* 3) *Les historiens anciens et les modernes.*

5. **Articles dans les titres d'ouvrages,** cf. Titres *d'œuvres,* 1.

Articulet (petit article de journal ou de revue), n.m., a été parfois, à tort, considéré comme un belgicisme à cause de sa fréquence en Belgique et de son absence dans la plupart des dictionnaires français. Ceux-ci commencent à l'accueillir et on peut citer notamment des emplois par G. Duhamel, Blaise Cendrars, Ch. Bruneau, S. de Beauvoir.

Artifice, n.m., est un terme générique quand il désigne une composition pyrotechnique. On écrit donc : *un feu d'artifice, des feux d'artifice* (ensemble de pièces d'artifice). Mais : *un artifice oratoire, user d'artifice(s).*

Artificiel, artificieux, adj. **Artificiel,** opposé à *naturel,* se dit d'un lac, d'une fleur, d'un langage, d'un besoin, d'un classement, etc. **Artificieux** implique l'idée d'ingénieux, habile au point d'être rusé, fourbe ; il se dit d'une personne, de paroles.

Artillerie, n.f. Prononcer *ille* comme dans *fille* et *artilleur.*

Artisan, n.m. Le féminin *artisane* est rare.

Artiste, n., et **artistement,** adv., sont plus anciens qu'**artistique** et **artistiquement.** Renvoyant tous à la notion d'art, ces quatre mots répartissent leurs emplois plutôt que de se superposer. L'adjectif *artiste* s'applique aux personnes, à un peuple, à un tempérament, au goût, à l'écriture (*l'écriture artiste des Goncourt*), à une façon de se coiffer ou de s'habiller qui fait penser à celle d'un artiste. *Artistique* se dit d'une œuvre d'art, d'une société, d'une soirée, d'une vocation, d'une activité, d'un sens du beau, de ce qui est fait avec art, de la valeur d'une œuvre d'art, de sa propriété, d'une présentation.

On s'exprime, on se coiffe, on s'habille *artistement* (avec art, avec goût), on arrange une salle, une vitrine *artistiquement* (d'une manière artistique). Mais les deux adverbes se rejoignent plus souvent que les adjectifs dans leurs emplois.

Arum, n.m. *Un arum, des arums.* Pron. « ro ».

Aruspice (nom du devin qui examinait les entrailles des victimes), n.m., s'écrit aussi *haruspice*.

Ascensionnel, adj. Deux *n*. — *Ascensionner* est inutile.

Asepsie, n.f. Cf. ANTISEPSIE.

Asile, n.m., a vieilli dans le sens d'« établissement qui recueille les vieillards » (hospice, maison de retraite) ; il s'emploie encore pour « établissement où l'on soigne les aliénés » (*asile d'aliénés*), mais beaucoup moins qu'en Belgique et au Canada ; on dit plutôt *maison de santé* ou *hôpital psychiatrique*.

Asphalte, n.m. *Un asphalte.*

Aspirer, v.tr.dir. *Aspirer l'air.* Tr.ind. *Aspirer à qqch., à faire qqch.*

Assaillir, v.tr.dir. *J'assaille, nous assaillons. J'assaillais, nous assaillions. J'assaillirai* (futur formé sur l'infinitif). *On assaille qqn de questions* (sens analogique : harceler, accabler).

Asséner, v.tr.dir. L'Académie française a recommandé en 1975 d'écrire *asséner* (comme on le prononce) au lieu d'*assener. On assène* un coup, un argument, une preuve. Futur : *il assénera.*

Assentiment, n.m. On fait qqch. *avec* l'assentiment de qqn, *avec* son assentiment préalable, et non [après son assentiment préalable].

Maurice Genevoix emploie **assentir** dans le sens de « donner son assentiment » : *Je n'en appelle ici à quelques répondants de choix (...) que pour* **assentir** *totalement à cette affirmation de l'un d'eux* (*La perpétuité*, p. 89).

Asseoir, v.tr.dir. *J'assieds, il assied, nous asseyons. J'asseyais, nous asseyions. J'assis. J'assiérai. Assieds, asseyons. Que j'asseye, que nous asseyions. Asseyant. Assis.*

Il existe aussi une conjugaison en *oi* (sauf au passé simple et au participe passé), moins vivante que l'autre : *J'assois, nous assoyons, ils assoient. J'assoyais. J'assoirai. Que j'assoie, que nous assoyions,* etc. Il est excessif de déclarer qu'elle est vulgaire. On se gardera, malgré l'exemple de certains écrivains, d'écrire *eoi* ailleurs qu'à l'infinitif.

Assermenté, adj., se dit des personnes : *Un expert assermenté.* Mais : *Une déclaration faite sous serment.*

Assez, adv., ne signifie plus, comme autrefois, « beaucoup », mais exprime proprement une quantité suffisante : *C'est assez. J'ai assez de deux jours. Cet enfant n'est pas assez couvert.* Il peut, selon le contexte, introduire un certain degré de relativité (*J'y suis resté assez peu, assez longtemps. Je le vois assez souvent*), renforcer la qualité exprimée par le mot qu'il accompagne (*C'est assez surprenant. Une enquête assez difficile*) ou l'atténuer (*Assez bien. C'est assez l'usage. Voilà un assez bon exemple. Elle est assez jolie*).

C'est assez peut n'exprimer que l'idée « C'est suffisant », mais peut aussi, dans une exclamation, signifier que le maximum tolérable est atteint et qu'il faut en rester là.

Remarques. 1. **Place de** *assez* **dans la phrase.** *Assez* précède l'adjectif, l'adverbe ou le nom qu'il modifie ; il suit le verbe (ou l'auxiliaire) : *Il est assez facile de s'entendre. Vous êtes resté assez longtemps. Il va assez vite. J'ai assez d'argent. Je le connais assez. Je l'ai assez vu.*

Sa position après l'adjectif, l'adverbe ou le nom pour marquer la suffisance est courante en Belgique alors qu'en France elle appartient à la langue populaire : *Laissez-le faire, il est grand assez. Il a de l'argent assez. Il court vite assez.* On trouve encore *grand assez* chez des écrivains français. Mais on dit normalement : *Il est assez grand. Il a assez d'argent. Il court assez vite.*

2. À côté de **avoir assez de** *qqch.* (en avoir suffisamment), notons *avoir* (ou plus souvent *en avoir*) *assez de qqn, de qqch.*, en être excédé, ne plus en vouloir : **J'en ai assez de** *ce parasite, de ses négligences.*

3. **Assez pour** et l'infinitif, **assez pour que** et le subjonctif marquent la conséquence : *Il est assez grand pour se tirer d'affaire ; pour que nous lui fassions confiance.* Belgicisme à éviter : [*assez grand que pour se tirer d'affaire*]. Notons que la langue classique employait, devant un infinitif, *assez... de* ou *assez... que de* là où nous disons *assez... pour.*

4. Le démonstratif *ce* de **c'est assez** peut être précisé par *de* et un infinitif ou par *que* et un subjonctif : **C'est assez de** *le demander.* **C'est assez qu'**on le sache.

La conséquence s'exprime par *pour* et l'infinitif ou par *pour que* et le subjonctif : **C'est assez pour** *être reçu. C'est assez pour qu'on nous reçoive.*

5. Ne pas dire : [*suffisamment assez*].

6. À Liège, on emploie *c'est assez dire que* pour *c'est-à-dire que* dans un dialogue comme ceci : *Vous viendrez demain ? — C'est assez dire que, si j'ai le temps, je viendrai.*

7. Cf. Pour, 7.

Assez bien marque la qualité, la manière satisfaisante, suffisante (*Il réussit assez bien. Il gagne assez bien sa vie*) et non la quantité, comme le fait un usage courant en Belgique (et dans le nord de la France) en l'employant pour *beaucoup, pas mal.* Au lieu de [*Il y avait assez bien de monde*], on dira, selon le sens : *Il y avait assez de monde* (*assez* nuance *Il y avait du monde*) ou *Il y avait beaucoup de monde* ou *Il y avait pas mal de monde.* On corrigera [*Il a fait assez bien de fautes. Il a plu assez bien. Il y a assez bien de brouillard*] en : *Il a fait beaucoup de fautes. Il a beaucoup plu. Il y a beaucoup de brouillard* ou *un fort brouillard.* À la question *Y avait-il beaucoup de manifestants ?* on répondra *Assez* ou *pas mal.*

Le sens de la phrase *On parle assez bien de lui* est donc : « On parle de lui en termes assez élogieux » et non « On parle beaucoup (ou assez souvent) de lui ».

De même *J'ai assez bien mangé* n'évoque pas la quantité, mais la qualité : *J'ai fait un assez bon repas.* Tandis que *j'ai bien mangé* pourrait exprimer la quantité (beaucoup) ou la qualité (un bon repas).

Assidûment, adv. Accent circonflexe.

Assiette, n.f. [*Assiette profonde*] se dit en Belgique, en Suisse et dans certaines régions françaises pour *assiette creuse.* — *Assiette* peut remplacer *assiettée* (contenu d'une assiette).

Assimiler, v.tr.dir. On assimile *des aliments, des connaissances. Ces étrangers se sont parfaitement assimilés.* Comme *semblable, assimiler* se construit avec *à : assimiler un caporal à un sergent, l'apparence à la réalité.* Ne pas dire : [*assimiler avec*].

C'est à tort qu'on dit en Belgique : *Ces caporaux ont été* [*assimilés sergents*] au lieu de : *assimilés à des sergents.* On dit très bien : *Les fonctionnaires et assimilés,* comme : *les farines et produits assimilés.*

Assistanat, n.m. Néologisme admis pour désigner la fonction d'*assistant* dans l'enseignement universitaire. Sans tenir compte du *t* final, on a formé le mot par analogie avec *artisan, artisanat.* — **Assistant** a un féminin, *assistante. Un maître-assistant, une maître-assistante.*

Assister, v.tr.dir., dans le sens d'*aider,* a eu des emplois plus larges qui expliquent sa fréquence, par archaïsme, dans certaines régions comme le Hainaut. Il se dit surtout aujourd'hui de l'aide qu'on apporte à qqn dans sa tâche, dans ses fonctions. — *On se fait assister par qqn.* On dit aussi qu'*un avocat assiste son client.* Mais d'autres emplois sont vieillis : *assister un indigent, un malade.*

Intransitif : *assister à un cours, à un spectacle, à un match.*

Associer, v.tr.dir. On associe *des personnes* ou *des choses.* On associe *qqn à qqch.,* une *chose à une autre* (ou *avec une autre* ou *et une autre*), on s'associe *qqn, on s'associe à qqn* ou *avec qqn* pour faire qqch. *On s'associe à qqch., à un deuil. Une chose s'associe à une autre.*

Assonance, n.f., et **composés de « sonner ».** *Assonance* s'écrit avec un seul *n* comme *assonancer, assonancé, assoner* et *assonant, dissonance* et *dissoner, dissonant, consonance, consonant, consonantique, consonantisme.*

Le verbe *résonner* ayant deux *n* comme *sonner*, il y a quelque hésitation entre *résonance* (Ac.) et *résonnance* (vieilli), *résonant* et *résonnant ;* on écrit *résonateur* mais *résonnement* (remplacé généralement par *résonance*).

Assortir, s'assortir (conjugaison comme *finir*) **à** ou **de :** *Assortir une personne* **à** *une autre, une couleur assortie à une autre. Les unes et les autres sont (bien) assorties.*

On dira qu'une *règle* est *assortie* (accompagnée) **de** plusieurs exceptions, qu'un *magasin* est *assorti* (fourni) *d'*un grand choix ; d'où *une boutique bien assortie :* elle présente des *articles assortis* (variés). Si l'on peut dire qu'une règle est assortie d'exceptions, il semble qu'on puisse dire que *les salaires seront assortis d'une majoration de dix pour cent.*

S'assortir : Des couleurs *s'assortissent* bien ; les gants de cette dame *s'assortissent à* ses chaussures ; un discours *s'assortit d'*allusions à l'actualité ; le Petit Robert note avec raison comme rare le sens de « se fournir, se pourvoir » : *Ce libraire s'assortit de tous les livres qui paraissent.* Moins rare : *La mercière vient de s'assortir en laines* (Bordas).

Asthme, n.m., **asthmatique,** adj. On ne prononce pas *th.*

Assumer, v.tr.dir., c'est prendre à son compte, se charger de : *on assume une fonction, une tâche, un rôle, une responsabilité.* Par extension, *on assume un état, sa condition,* etc., on l'accepte consciemment avec toutes ses conséquences. Cf. Assurer.

Assurance, n.f. 1. L'anglais *comprehensive insurance* se traduit par *assurance multirisque,* couvrant plusieurs risques par un même contrat. *Des assurances multirisques.*

2. Seul *assurance* varie dans les composés *assurance-auto, maladie, vie, vieillesse, vol. Des assurances-vie.* Pas de trait d'union dans *assurance tous risques.*

3. Dans les formules de politesse qui terminent une lettre : *Veuillez agréer l'assurance de ma considération distinguée,* mais non [*croire à l'assurance...*]. On peut dire aussi : *agréer l'expression* mais non [*croire à l'expression*]. Le pluriel *les assurances* est permis, mais il est beaucoup moins courant et paraît recherché.

Assurer, v.tr.dir., peut parfois se rapprocher d'*assumer* (*assurer un service, une direction*) mais on n'envisage alors que le fait, le fonctionnement et non la responsabilité personnelle.

Divers sens d'*assurer* et de *s'assurer* entraînent des accords différents du participe passé : cf. ci-dessous et Participe passé, verbes pronominaux, p. 687.

1. **Assurer qqch. à qqn** a deux sens : 1) certifier (avec *que,* ou bien avec ou sans *l'*) : *Je leur ai assuré qu'ils se trompaient. Je t'assure. Je te l'assure ;* 2) garantir l'obtention ou l'usage ; à la forme pronominale, se donner la garantie de, se pourvoir de façon à ne pas manquer : *Il leur avait assuré sa protection* (ou *un salaire élevé*). *La protection qu'il leur avait assurée. On leur a assuré des vivres pour six mois. Elle s'est assuré notre protection. La protection qu'il s'est assurée. La garnison s'est assuré des vivres pour six mois.*

2. **Assurer qqn de qqch.,** c'est le rendre certain de cette chose : *Je les ai assurés de ma bonne foi.* Avec *que : Je les ai assurés qu'ils pouvaient compter sur moi.* Comparer avec *je leur ai assuré que* (n° 1).

3. À la forme pronominale : *Elle s'est assuré une retraite. Ils se sont assurés de notre bonne foi* (ils se sont rendus certains de). *Ils se sont assurés que rien ne manquait,* le participe peut, théoriquement, varier ou non, selon qu'on se réfère, comme je le ferais, à *assurer qqn de qqch.,* lui en donner l'assurance (*Ils se sont assurés que...*) ou à *assurer qqch. à qqn* (*Ils se sont assuré que...*).

S'assurer de qqn a vieilli ; c'est se ménager son appui ou garder sur lui un contrôle, ou l'arrêter.

4. Quand il s'agit d'un contrat d'assurance : *J'ai assuré ma maison à telle compagnie. La maison que j'ai assurée. Ils se sont assurés contre l'incendie.*

5. *Assurer que* est suivi des mêmes modes que *croire.*

Astérisque, n.m. *Un astérisque.* Prononcé à tort, souvent, avec la finale d'Astérix.

Asticoter, v.tr.dir., est correct mais familier dans le sens de « contrarier, tracasser qqn sur de petites choses » (Ac.).

Astrakan, n.m., s'écrit avec *k.*

Astral, adj. Pluriel *astraux.*

Astuce, n.f., **astucieux,** adj. S'il est vrai qu'*astuce* avait autrefois un sens défavorable (manière d'agir pour tromper), ce nom et *astucieux* n'évoquent plus aujourd'hui, couramment, que l'idée d'une trouvaille ingénieuse : *Une astuce malicieuse.*

Asymétrie, n.f. Un seul *s.*

Atermoiement, n.m., s'écrit avec *ie : action d'atermoyer,* de remettre à plus tard, par des faux-fuyants, ce qu'il faudrait faire tout de suite.

Athénée, n.m., a désigné en France autrefois certains établissements où l'on faisait des cours ou des lectures. *L'Athénée louisianais,* fondé en 1876, est une sorte d'Académie. En Belgique, *un athénée* est un établissement officiel d'enseignement secondaire, dépendant de l'État, d'une province ou d'une ville et réservé aux garçons ou mixte ; *lycée* y est réservé à certains athénées pour jeunes filles. Contrairement à *lycée*, le mot n'a aucun dérivé courant, comme *lycéen*, pour désigner les élèves qui fréquentent un athénée. — Prononcer « é » après *th*.

Athérosclérose. Cf. ARTÉRIOSCLÉROSE.

Atlantique, adj., prend une majuscule dans *l'océan Atlantique*, mais non comme adjectif (*pacte atlantique, stratégie atlantique*) signifiant : qui se rapporte au « Pacte de l'Atlantique Nord ».

Atmosphère, n.f. *Une atmosphère.*

Atome, n.m., et ses dérivés : pas d'accent circonflexe.

Atout, n.m. C'est un wallonisme de le remplacer, au jeu de cartes, par *triomphe*.

Attache, n.f. Voir TROMBONE et LICHETTE.

Attaché, n.m. Cf. À et *de*, 2, p. 16.

Attaché-case, n.m. *Un attaché-case* (anglicisme) désigne une mallette peu profonde et rigide, à poignée. *Des attachés-cases.* On trouve que *mallette* est trop général et *porte-documents* trop précis. Le nom peut se prononcer à la française.

Attachement, n.m. L'attachement de cet enfant à *ses parents* ou **pour** *ses parents.*

Attacher, v.intr. *La compote a attaché* (au fond du récipient).

Attaque, atteinte, n.f. On parle des atteintes, en général, d'un mal : *À la première atteinte de la goutte* (Littré). Mais c'est *attaque* qui est courant pour les manifestations brusques d'un mal : *une attaque de goutte, de nerfs, d'épilepsie, d'apoplexie* (un *accès* de goutte, une *crise* d'appendicite, d'asthme, d'épilepsie, de nerfs). Sans complément, *une attaque* désigne *une attaque d'apoplexie, une congestion cérébrale ; atteinte,* dans cet emploi, est régional (Wallonie et Bruxelles).
  Être d'attaque est familier : *Me voici, je suis d'attaque,* je suis en pleine forme, je suis prêt à affronter les fatigues, etc.

Attarder (s'). Pourquoi condamner *s'attarder trop ?* On s'attarde un peu, assez, beaucoup, trop ou trop longtemps.

Atteindre, v.tr.dir. ou ind. *Atteindre un but, un niveau, un degré, une limite, un objectif, le paroxysme.* **Atteindre à** ne peut s'employer que pour marquer l'effort, la difficulté, pour souligner la distance : *Atteindre à la vérité, à la perfection, au dernier rayon. Le courage des sauveteurs atteignit à* *l'héroïsme* (Bordas). *Rien ne peut atteindre à l'immobilité des amours tues* (Aragon, *La mise à mort*, p. 190). *Ce jour-là d'ailleurs le trafic atteignit à des proportions invraisemblables* (Fr. Ambrière, *Les grandes vacances*, Poche, p. 372) ; on pourrait supprimer *à*.

Avec un infinitif, même sens d'*atteindre à* : *Si j'atteignais* **à me plaire** *à moi-même*, dit le sombre héros du *Nœud de vipères* de Fr. Mauriac, ch. XI (si je parvenais à...).

On est *atteint* **d'un mal** ou **par** *un mal*, mais *par une décision, par un poursuivant*. Ces compléments indiquent ce qui vient frapper ou rejoindre.

On atteint la soixantaine, la limite d'âge (Ac.). Mais il est illogique de parler d'*un fonctionnaire [atteint par la limite d'âge]*. C'est lui qui l'atteint. L'expression est à éviter malgré sa fréquence.

On a vu à tort un germanisme dans **atteindre qqn** au sens de « parvenir à entrer en contact avec lui ».

Atteinte, n.f. Cf. ATTAQUE. **Porter atteinte à** signifie « porter préjudice à » : *Sa conduite porte atteinte à son prestige.*

Attenant, adj., est le participe présent de l'ancien verbe *attenir*, toucher à. Il signifie « contigu, qui touche à » et s'emploie sans complément ou avec *à* : *la maison attenante* ou *attenante à la ferme*. L'emploi comme participe présent est vieilli et semble affecté : *Elle avait ouvert une petite remise attenant le pavillon* (Pieyre de Mandiargues, *La motocyclette*, Folio, p. 16). On ne dit plus *attenant de*.

Attendre, v.tr.dir. 1. **Attendre qqn ou qqch.** signifie : a) rester dans un lieu où qqn doit venir, rester dans une situation (ou suspendre sa décision) avant de faire qqch. ou jusqu'à ce que qqch. arrive : *Attendez-moi. Je l'attends au tournant* (expression familière : c'est à ce moment difficile que je le jugerai ou qu'il montrera sa faiblesse ou que je pourrai agir contre lui). *Se faire attendre. Attendre un bébé, attendre un heureux évènement.* Notons à ce propos qu'[*attendre famille*] est un provincialisme qu'on trouve notamment en Belgique et en Lorraine (Il faut éviter dans le même sens l'emploi absolu : *Elle attend*). — *Le dîner vous attend. Qu'attendez-vous pour le dire ? J'attendrai demain* (ou *jusqu'à demain*). On ne dit plus : *J'attendrai à demain.*

b) compter (sur), espérer (c'est le contexte qui fait apparaître ce sens) : *Vous êtes en retard, on ne vous attendait plus.* **Attendre qqch. de qqn.** *Voici ce que j'attends de vous. Quelle aide attendez-vous (de moi)* ? *Qu'attendez-vous de moi* ? **Attendre de qqn qu'il fasse qqch.** n'est pas rare. En dehors de cette construction, cet emploi est surtout fréquent dans des phrases négatives ; cf. 5.

2. **Attendre après qqn ou qqch. :** cf. APRÈS, 1.

3. Employé **absolument :** *Perdre son temps à attendre. Ne rien perdre pour attendre. Attendre longtemps, un moment. J'attendrai jusqu'à ce qu'il s'en aille.*

4. **Attendre à** ne se dit plus guère : *La seule idée d'attendre au lendemain pour voir Florence* (M. Duras, *La maison de Gibraltar*, Début). Au lieu de : *Il attend à la belle saison, au printemps* (Littré), on dit : *Il attend la belle saison.* Devant un infinitif, *attendre à* signifiait, dans la langue classique, « différer de » : *J'attendais à me plaindre que l'occasion s'en présentât.* Nous disons *J'attendais **pour me plaindre**... J'attends, **pour le juger, de** savoir exactement ce qu'il a fait.* On voit que *de* introduit ici l'action qui doit permettre de faire qqch. Ailleurs *de* introduit simplement l'action qu'on attend : *J'attendais de pouvoir le rencontrer.*

Damourette et Pichon (III, p. 613, 614) citent quelques phrases contemporaines où *attendre à* leur paraît normal parce que le complément direct d'*attendre* fait l'action de l'infinitif : *La dame qu'on attendait depuis des années à mourir.* Tour insolite ; on dit : *La vieille dame dont on attendait la mort* ou *qu'on s'attendait à voir mourir* (cf. 6).

5. **Attendre que,** au premier sens (1, a), est suivi du subjonctif : *J'attendrai qu'il s'en aille.* On dit aussi : *J'attendrai **jusqu'à ce qu'il s'en aille.** Au second sens (1,b), on emploie aussi le subjonctif : *N'attendez pas qu'il vous réponde ;* mais on recourt fréquemment à **s'attendre que,** suivi aujourd'hui du subjonctif plus souvent que de l'indicatif : *Je m'attends que vous viendrez demain* (Ac.). *Je m'attendais que M. Lancelot jetât de hauts cris* (A. Hermant, *Xavier*, p. 95). *On s'attendait que les autocars du matin amenassent journellement de Paris une cinquantaine ou une centaine d'auditeurs* (A. Billy, *Le narthex*, p. 278). On dit aussi, couramment : **s'attendre à ce que** (cf. 6).

On peut s'étonner de l'emploi du subjonctif après *attendre que* et *s'attendre que* signifiant « compter sur qqch., espérer qqch. ». On l'expliquera par l'analogie avec les autres emplois d'*attendre* (voir 1,a), qui peut même aller parfois jusqu'à signifier presque « exiger » : *on attend de qqn qu'il fasse qqch.* (cf. 1,b).

Ne pas attendre que est plus courant qu'*attendre que* dans le sens d'*espérer.* Il est suivi du subjonctif : *N'attendez pas que ces ingrats vous soient reconnaissants de ce que vous avez fait pour eux.*

6. **S'attendre** se construit avec **à** devant un nom de chose ou un infinitif et signifie « compter sur, se préparer à » : *Attendez-vous à des reproches. Il ne s'attendait pas à me trouver là.* **Attendez-vous-y** et non [*Attendez-y-vous*]. *Attends-t'y.*

S'attendre que est généralement suivi du subjonctif (voir 5) : *S'attend-il que nous partions ?* La langue courante emploie plus souvent **s'attendre à ce que,** suivi du subjonctif : *Il s'attend à ce que je revienne* (Ac., au mot *Ce*). *Surtout ne t'attends pas à ce que je puisse te parler* (A. Gide, *La porte* *étroite*, fin du ch. V). *Il s'attendait à ce que les souvenirs lui sautassent à la gorge* (M. Déon, *Un parfum de jasmin*, Folio, p. 57).

7. **En attendant :** cf. ATTENTE.

Attendrir (s'). On s'attendrit *sur* qqn ou qqch.

Attendu, part.passé. Cf. PARTICIPE PASSÉ, A. p. 673. **Attendu que** est suivi de l'indicatif.

Attentat, n.m., se construit tantôt avec *à* (attentat *à* la pudeur), tantôt avec *contre* (attentat *contre* le chef de l'État, *contre* la sûreté de l'État).

Attente, n.f. Il est incorrect d'écrire : [*Dans l'attente d'une réponse favorable* (ou *en attendant une réponse favorable*), *veuillez agréer...*]. Les expressions *dans l'attente de, en attendant, espérant...* demandent que le sujet du verbe conjugué soit celui qui attend, qui espère : *Dans l'attente d'une réponse favorable,* **je** *vous prie...*

Attentif, adj. On est attentif *à* qqch., *à faire* qqch. *Rendre qqn attentif à qqch.*

Attention, n.f. 1. On dit : **Faites attention** (ou *prêtez attention*) *à ses paroles. Faites attention à la marche. Faites attention à la vaisselle.* Elliptiquement on dit fort bien, malgré le silence des dictionnaires : **Attention à** *la marche. Attention à la couleur* (prenez garde à la peinture). On peut dire : *faire très attention à.*

2. **Prendre attention** (par analogie avec *prendre garde*) n'est pas un belgicisme : *Je ne prenais guère attention aux allées et venues de Didier* (G. Duhamel, *Cri des profondeurs,* p. 81). Mais l'expression courante est *faire attention.*

3. **Avec un infinitif,** on emploie *à* mais aussi, très souvent, *de : Faites attention* (ou *Attention*) *à* ou *de* **ne pas vous tromper.** *Attention de ne pas le réveiller.* On remarquera que le verbe qui suit est employé négative-ment (on veille *à ne pas*). Dupré (CONTRE, VI, 4) écrit cependant : *Atten-tion à bien distinguer « contre-chant » (...) et « contrechamp »;* le sens est clair.

4. **Avec que,** le mode change selon le sens : *Faites attention* **que** *cela est fautif* (= ne perdez pas de vue, notez). — *Faites attention* **que** *per-sonne ne vous* **surprenne** (= veillez à ce que). Dans ce dernier sens, où le subjonctif s'impose, on trouve, avec le même mode, *faire attention* **à ce que.**

5. On dit souvent **une faute d'attention** au lieu de **une faute d'inatten-tion** dans le sens d'« étourderie ». On s'accorde pourtant à condamner la première expression, à imposer la seconde et à ne permettre l'emploi de *faute d'attention* que sans article ou déterminatif, avec le sens de « par manque de » : *Il s'est encore trompé, faute d'attention.*

Nombreuses et répétées, les condamnations d'*une faute d'attention* sont-elles pleinement justifiées ? A-t-on hésité à donner pour complément à *une faute* un nom indiquant la matière, le domaine où se produit le manquement et non sa cause ? On parle d'*une faute de goût* (et non d'une faute de mauvais goût), d'*une faute d'harmonie* dans une composition musicale, d'*une faute de grammaire, de français, d'orthographe, de langage.* Et nul n'est gêné parce qu'on dit *une faute de goût* (manquement au bon goût) et *faute de goût* (par manque de goût).

Quoi qu'il en soit, puisque la langue connaît l'expression *une faute d'inattention* (ou *une faute de distraction*), il faut se garder d'employer dans le même sens [*une faute d'attention*].

6. On peut écrire, en laissant *attention* au singulier : **Être plein d'attention pour qqn** (= de sollicitude, de gentillesse) ou, en donnant à *attentions* au pluriel le sens de « marques de prévenance, de délicatesse » : **Être plein d'attentions pour qqn,** être plein d'égards pour qqn, lui prodiguer mille attentions. Cf. FAIRE, 18.

7. Ne pas confondre *A l'attention de* et *à l'intention de.*

Attentionné, adj., ne se dit plus dans le sens général de « qui fait attention à », mais signifie : « plein d'attentions, de prévenances pour qqn » : *Un mari attentionné.*

Atténuer, v.tr.dir., porte sur la qualité de qqch., plutôt que sur la quantité de ce qui est réduit. On *atténue* une impression, une douleur, les termes d'une appréciation ; on *réduit* ses frais, sa vitesse, la longueur d'un article, un délai.

Atterrir, v.intr. Cf. ALUNIR, — *Ils ont atterri hier. Ils sont atterris depuis hier.*

Attester, v.tr.dir. On *atteste qqch.* (on garantit la sincérité de ses sentiments, la réalité d'un fait). On dit donc qu'*un fait est attesté* par plusieurs témoins. *On atteste qu'un homme est innocent.*

Attester qqn (le prendre à témoin) ne se dit plus guère : *J'atteste les dieux que toujours Bérénice est présente à mes yeux* (Racine). *J'en atteste les dieux* (Racine).

Attifer, v.tr.dir., et **s'attifer** (un seul *f*) sont aujourd'hui péjoratifs.

Attitude, n.f. On parle de l'*attitude adoptée ou prise envers, devant, en face de, vis-à-vis de, à l'égard de qqn ou qqch.*

Péjorativement : *prendre des attitudes* implique une idée d'affectation.

On rencontre en Belgique l'expression [*prendre attitude*] substituée à *prendre position.* On notera qu'*attitude* demande un article : *avoir (prendre) une attitude déplaisante* ou *bienveillante.*

Attraire, v.tr.dir., dont l'ancien sens d'«attirer» se retrouve dans *attrayant,* aujourd'hui adjectif, et dans *attrait,* qui est le participe passé substantivé, n'est plus vivant que dans l'expression **attraire en justice,** dénoncée comme un belgicisme mais admise par l'Académie française en 1947 dans le sens de «citer, traduire en justice». Cf. *Larousse mensuel illustré,* t. XII, p. 3. L'expression est archaïque.

Attrape, n.f. Deux *t,* un seul *p.* **Une attrape** n'est pas un piège, mais une tromperie, une plaisanterie. **Composés.** Malgré les contradictions ou les hésitations des dictionnaires, on écrira : *un attrape-nigaud, des attrape-nigauds, un attrape-mouche, des attrape-mouches.* Cf. NOMS COMPOSÉS, B, 5.

Attraper, v.tr.dir. On dit fort bien : *J'ai attrapé* (reçu) *un coup de soleil, une contravention. J'ai attrapé* (contracté) *un rhume, la rougeole. Il a attrapé froid. On attrape une mouche, un poisson, le train,* etc. *Il m'a bien attrapé* (trompé). *Il va encore m'attraper* (me faire des reproches).

Attribuer, v.tr.dir., suppose une volonté, une réflexion, un choix délibéré : *On attribue à qqn un avantage, des qualités, une responsabilité.* On ne dira donc pas qu'un lot a été attribué par tirage au sort ; il est *échu.*
    S'attribuer. *Elle s'est attribué des titres. Les titres qu'elle s'est attribués.*

Attribut. Accord. Cf. ADJECTIFS QUALIFICATIFS et LE (Pronom attribut).
    Pour **le nom** en fonction d'attribut, on s'inspirera des exemples suivants : *L'oisiveté est la mère de tous les vices. Ces vertus sont sœurs. Paul et Pierre sont mes voisins. Emile et Denise sont nos cousins. La jalousie et l'amour-propre sont de mauvais conseillers.*
    Plutôt que de dire *Sa nourriture sont des fruits* (Buffon), on dira aujourd'hui : *Sa nourriture se compose de fruits* ou *Sa nourriture, ce sont des fruits.* Mais Grevisse (*B.U.,* n° 1990) cite plusieurs exemples analogues avec *est : Tout le reste était des bêtises. Sa dernière joie fut les fêtes de Noël.* Avouons qu'ils ne choquent pas, mais faisons deux remarques :
    1. Le nom attribut **reste au masculin singulier** s'il prend une valeur générale : *Cette femme est un de ceux qui ont préparé la révolution de 1848. Mme X est le philosophe le plus réputé du groupe. Elles en sont le témoignage vivant. L'homme est un apprenti, la douleur est son maître* (Musset). *Il possède en elle un conseiller sûr. Votre Majesté n'a cessé de se montrer le protecteur des Arts.*
    2. Décrets et arrêtés de **nominations** et de **promotions.** J'ai consulté à ce propos le *Journal officiel de la République française,* le *Moniteur belge* et la presse des deux pays. D'incontestables divergences apparaissent, même d'un ministère français à un autre ou d'un décret à l'autre signés tous deux le même jour par le même ministre ! Il n'est toutefois pas difficile de dégager l'usage le plus fréquent et le meilleur.

a) Aucun problème si l'on écrit : *Sont nommés : M.X,* **notaire** *à la résidence de (...). M.Y,* **notaire** *à la résidence de (...).* Ou bien : *sont nommés : Conseiller à la Cour d'appel de Paris, M.X. Juge d'instruction à (...), M.Y.*

b) Mais quand plusieurs personnes reçoivent le même titre, l'usage est de mettre l'attribut au pluriel : *Sont nommés* **juges de paix** *: Nogent, M.X, Saint-Maur, M.Y. — Ont été nommés* **secrétaires administratifs stagiaires** *de préfecture : À la préfecture de l'Ain, M.X. À la préfecture des Basses-Alpes, M.Y. — L'Assemblée nationale a élu* **conseillers** *de l'Union française : MM. X, Y, Z.*

L'invariabilité du titre apparaît aussi dans de tels cas, en France beaucoup plus rarement qu'en Belgique ; mais, malgré l'idée distributive, ce n'est pas à conseiller.

c) Dans les décrets portant promotions et nominations dans les *ordres nationaux,* l'usage français le plus général est de recourir à l'expression **au grade de,** suivie du titre, évidemment au singulier : *Ont été promus ou nommés... :* **Au grade d'officier,** *MM. X, Y et Z. Au grade de chevalier : MM. A. et B.*

Cela peut donner : *Sont promu* (singulier ; une seule personne est promue) *ou nommés dans l'ordre national de la Légion d'honneur : Au grade d'officier, M.X. Au grade de chevalier, MM. A, B,* etc. Ou bien (avec *élevé à la dignité* pour *grand-croix*) : *Sont élevé ou promus dans l'ordre national de (...) : À la dignité de grand-croix, M.X. Au grade de commandeur, M.Y. Au grade d'officier, MM. A, B, C.*

Autre formule, également courante et normale : *Sont* **promus officiers,** *nommés chevaliers...* Mais il arrive que les journaux français emploient le singulier. Ainsi *La Voix du Nord* du 3 avril 1975 (p. 2), avant de recourir à la formule habituelle : *Sont nommés au grade de chevalier,* imprime : *sont nommés chevalier : M.X, M.Y.* Sans doute on s'est efforcé de justifier le singulier par l'idée distributive ; mais cette argumentation est spécieuse. Du moment qu'il y a plusieurs sujets, plusieurs personnes nommées ou promues à un même grade, il convient de mettre au pluriel le nom de celui-ci, à moins qu'on ne dise *au grade de.* Il est souhaitable qu'on introduise plus de logique et d'uniformité en cette matière.

d) Pour les nominations à des **fonctions,** nous avons vu (b) qu'on emploie *nommé : Sont* **nommés juges, directeurs,** etc. Mais souvent les décrets français recourent à des expressions comme *au grade de* (usage constant à l'armée, mais qu'on trouve aussi dans d'autres administrations : *au grade d'ingénieur en chef), en qualité de,* ou même *à l'emploi de.* Le nom de la fonction reste alors invariable. *Sont désignés* ou *titularisés* ou *promus* ou *nommés,* etc.

Aubaine, n.f., dans son sens moderne, désigne un avantage ou un profit inattendu, inespéré, une occasion exceptionnelle. Malgré l'autorité du PR, qui donne l'exemple *Quelle bonne aubaine !*, l'adjectif *bonne* est superflu. Mais on pourra parler d'une *fameuse aubaine*. Au Québec, *aubaine* se dit pour *solde*.

Aubette, n.f. Le mot est ancien et, dans plusieurs de ses emplois, incontestablement français. N'insistons pas sur l'emploi comme nom de lieu en France, du Nord à Strasbourg, ni sur certains sens anciens ou trop localisés (débit de boissons, buvette, bureau de douane ou de l'ancien octroi, guichet de renseignements, poste de garde).

Né dans le nord du domaine français (sous la forme *hobette*, dérivée de *hobe*, d'origine germanique, qui a pu signifier bâche, abri, maisonnette), le mot a été répandu dans le vocabulaire militaire mais aussi dans les français régionaux comme dans les patois wallons, picards, lorrains. Il est très vivant dans le français de Belgique, mais il a été conservé aussi en Bretagne et dans le nord et l'est de la France. Ce n'est donc pas proprement un belgicisme.

Aubette, attesté à Valenciennes dès 1475 dans sa forme française pour désigner une sorte de loggia dans une maison bourgeoise, a aujourd'hui en Belgique deux sens courants : 1) kiosque à journaux ; 2) abri pour piétons, où l'on attend un tram, un autobus. Ce double sens ne gêne pas les Belges ; il pourrait gêner l'extension souhaitable et souhaitée du mot à la France et à toute la francophonie.

Le français n'a pas besoin d'un mot nouveau pour désigner le kiosque à journaux ; *kiosque* est si vivant qu'on a même formé un dérivé *kiosquier*, pour les marchands de journaux établis dans des kiosques.

Le mot *aubette*, s'il est en droit de garder ses deux sens en Belgique et là où ils sont bien connus, ne mérite d'être recommandé et généralisé à travers toute la francophonie que dans son deuxième sens, pour éliminer le néologisme *abribus*.

Il le mérite d'autant plus qu'il est employé avec cette acception non seulement en Belgique mais dans le nord, l'ouest et l'est de la France, particulièrement en Bretagne, à Saint-Malo, à Brest, à Rochefort, à Nantes. Julien Gracq l'emploie dans plusieurs de ses livres, en évoquant Nantes ou la campagne : *Le cœur de Nantes battra toujours pour moi avec les coups de timbre métalliques des vieux tramways jaunes virant devant l'aubette de la place du Commerce...* (*Lettrines*, 1967, p. 213, cité par M. Piron).

André Goosse a signalé (*Libre Belgique*, 10 mai 1976) la fabrication par une usine française, dans l'Indre, d'*aubettes* monoblocs à divers usages : toilettes pour terrains de campement, pour places publiques, pour usines, abris pour attendre le car, cabines téléphoniques, postes de gardiens, cabanes de jardins, etc.

Auburn (*u* se prononce comme *eu* dans *peur*). adj. invariable (mot anglais), se dit d'une couleur de cheveux châtain roux aux reflets cuivrés.

Aucun, adj. et pronom. 1. **Pronom.** *Sens :* Le pronom *aucun* n'a plus guère son sens positif que dans *d'aucuns* (**D'aucuns** *le croiront*) employé comme sujet (mais on dit plus souvent : *Certains, quelques-uns*) et dans certains tours : *Je doute qu'**aucun** le veuille. Aucun d'eux l'a-t-il vraiment voulu ? Il est parti sans aucun de ses compagnons.*

S'il renvoie à deux noms de genres différents, *aucun* se met au masculin : *J'ai consulté un livre d'histoire et une encyclopédie ; aucun ne donne la date.*

Pour des personnes, *aucun,* au singulier, ne s'emploie guère qu'avec un complément partitif (voir les exemples ci-dessus) ; en dehors de cela, on emploie généralement *personne* ou *quelqu'un* selon le sens. Le complément partitif peut être sous-entendu quand on vient de désigner les personnes en question : *Il avait plusieurs collaborateurs, mais il n'accordait à aucun une pleine confiance* (remarquer l'emploi de *ne* seul au lieu de *ne pas,* cf. 3). *Lui connaissez-vous des ennemis ? Aucun* (Ac.).

Aucun est d'un emploi plus fréquent pour des choses ou des animaux : *Parmi tant de livres, je n'en ai aucun de relié* (Ac.). Noter l'emploi courant, mais non obligatoire, après *en,* de la préposition *de* devant l'adjectif ou le participe qualifiant *aucun.*

2. **Adjectif.** Il ne s'emploie au pluriel — et rarement — que devant des noms qui n'ont pas de singulier ou qui changent de sens au pluriel : *Sans **aucuns** frais. Sans aucuns ciseaux.* Il garde rarement son sens premier, positif : *Croyez-vous que le pouvoir a aucun* (= quelque) *charme pour moi ?* (Ac.). Mais on dit : *Sans faire **aucun** bruit. Il ne fait aucun bruit.*

3. **Négation.** *Aucun,* adjectif ou pronom, exclut *pas* ou *point* (mais non *plus, ni, jamais*) de la phrase où il se trouve : *Aucun d'eux ne le dira. Je n'y vois aucun inconvénient.* Mais : *Aucun d'eux ne le dira jamais. Je n'y vois plus aucun invonvénient. Aucun ordre ni aucune prière ne purent le faire changer d'avis.* Noter la répétition de *aucun* devant le second sujet. Cf. VERBE, *accord,* B, IX, p. 982. Ne pas écrire : *Aucune des personnes qui l'ont interrogé ne lui* [*ont*] *demandé...* Le sujet d'*interroger* est *qui* (= les personnes), mais celui de *demander* est *aucune.* Il faut donc : *ne lui a demandé.*

Aucunement, adv., n'est plus vivant dans son sens positif (en quelque façon : *s'il en est aucunement question*) ; il s'emploie avec *ne* ou *sans* ou dans une réponse négative (= pas du tout) : *Il n'en a aucunement été question. Sans prétendre l'expliquer aucunement. Vous l'avez déjà dit. — Aucunement.*

Il arrive qu'on l'emploie sans que la phrase contienne un mot négatif, mais le sens négatif est rendu évident par le contraste de l'opposition : *Il s'agit là de documents officiels, mais aucunement de papiers intimes.* On laissera à l'emploi familier : *Aucunement troublé par cette nouvelle, il continua.* On dira plutôt : *Nullement troublé...*

Au-delà, adv. Cf. DELÀ.

Au-devant de, loc.prép., fait référence au devant, à la face. *On va au-devant de qqn, au-devant du danger,* on se dirige vers eux, à leur rencontre. À ne pas confondre avec **en avant de :** *L'éclaireur marche en avant de la troupe et au-devant de l'ennemi.* Absurde est donc cette phrase de René Barjavel (*Ravage,* p. 237) : « Quand, parti au devant de tous, il restait trop longtemps sans revenir... ». Il oublie et le sens et le trait d'union ; il fallait : *en avant de tous.*

Audiovisuel, adj., s'écrit avec ou sans trait d'union. Des dictionnaires semblent donner la préférence à **audio-visuel :** *Les méthodes audio-visuelles.* Cependant l'usage courant supprime volontiers le trait d'union ; il est normal qu'*audiovisuel* s'aligne sur *audiogramme, audiomètre, audiophone,* qui s'écrivent sans trait d'union.

Audit s'écrit généralement en un mot, comme *ledit, susdit : ladite maison, audit lieu.*

Auditionner, v.intr. ou tr.dir., se dit soit de l'artiste qui se fait entendre en vue d'obtenir un engagement, soit de celui qui dans ce cas procède à l'audition. Mais ce verbe ne peut s'employer dans le sens général d'« écouter (par exemple un disque) pour juger ».

Auditoire, n.m., a d'abord désigné le lieu où l'on se réunissait pour écouter des orateurs. Ce sens n'est plus conservé que dans une spécialisation limitée : endroit où se tiennent les audiences d'un tribunal. Cette acception très particulière n'est même plus mentionnée par les dictionnaires courants. On dit : *le prétoire.*

Le seul sens actuel d'*auditoire,* en français, c'est « l'ensemble des personnes qui écoutent ». C'est donc un archaïsme d'employer encore le mot, en Belgique, pour une *salle (de cours* ou *de conférences).* Le mot courant dans les universités françaises est *amphithéâtre* ou *amphi,* quelle que soit la forme de la salle. En Belgique, on pense alors davantage à la forme spéciale d'un amphithéâtre. *Auditoire* peut se justifier à côté de *salle de cours,* en Belgique.

Auditorium, n.m., se dit d'une salle spécialement aménagée pour les émissions de radio ou de télévision ou pour les enregistrements sonores ou pour l'exécution d'un concert. *Des auditoriums.*

Augmenter, v., quand il est intransitif, se conjugue le plus souvent avec *avoir : La vie* **a** *augmenté.* — *Être* exprime le passif ou est copule : *Son salaire* **est** *augmenté. Cet ouvrier* **est** *augmenté.* On peut dire en effet : *augmenter qqn* pour *augmenter son salaire* ou *son traitement.* On dit couramment et familièrement : *Le pain augmente. La vie augmente.* Et même : *Le boulanger a augmenté son pain,* tour qui est critiqué davantage.

Augure, n.m. *Un heureux augure.*

Augurer, v.tr.dir. *Son attitude augure une collaboration fructueuse.* Tour vieilli. On dit plutôt : *laisse augurer. Que faut-il augurer de sa conduite ?* Avec pour sujet un nom de personne : *J'augure bien des premiers résultats atteints jusqu'ici.* Et avec pour complément ce qui doit arriver : *J'augure bien du résultat définitif.*

Aujourd'hui, adv. 1. **Le jour d'aujourd'hui,** *au jour d'aujourd'hui,* pléonastiques pour insister sur l'opposition avec le temps passé, appartiennent à la langue familière. On rencontre : *à l'heure d'aujourd'hui.*

2. On dit : **jusqu'aujourd'hui** ou **jusqu'à aujourd'hui.**

3. **D'aujourd'hui en huit** ou familièrement : *Aujourd'hui en huit.*

4. *Ce n'est pas d'aujourd'hui que je le connais.*

5. *On a remis l'affaire à aujourd'hui* (Ac.).

6. Il semble que l'usage français, qui admet *hier matin* et *hier au matin, hier soir* et *hier au soir,* et même *aujourd'hui à midi* (Ac.), *aujourd'hui après-midi* (PR), se contente, pour le jour où l'on est, de *ce matin, ce soir.*

Aulne ou **aune,** n.m. Les deux graphies, pour le nom de l'arbre, sont admises ; *l* ne se prononce pas.

Aumaille, n.f., désignant une tête de gros bétail, ou de bétail qu'on engraisse, n'est plus vivant aujourd'hui que dans des français régionaux.

Aunage, n.m., désigne le mesurage à l'aune. On trouve encore ce mot en Belgique, dans des enseignes, pour annoncer qu'on vend des tissus.

Auparavant, adv., s'est employé autrefois comme préposition. Il est toujours adverbe aujourd'hui : *Un mois auparavant.* — On dit : *Avant de partir. Avant que vous partiez* et non [*auparavant de* ou *que*].

[**Au plus... au plus**]. Cf. PLUS, 1.

Auprès, au prix. 1. Dans le sens de « en comparaison de », **auprès de,** loc.prép., est de moins en moins concurrencé par **au prix de.** Cette dernière locution ne survit guère qu'en littérature ; *Trois camarades qui n'étaient pas muets, mais au prix de lui semblaient l'être* (A. Hermant, *Xavier...*, 1923, pp. 54-55). Littré demandait, vu son sens, qu'elle introduisît seulement des choses ou des personnes appréciées favorablement ; les écrivains n'ont pas toujours ce souci.

Au prix de s'emploie surtout, aujourd'hui, pour marquer non la comparaison, mais le prix payé ; au figuré : *Il y est parvenu au prix d'efforts considérables.*

En dehors de la proximité ou de la comparaison, **auprès de,** au figuré, veut dire « en s'adressant à » (*faire une démarche auprès de qqn*) ou « dans l'opinion de » (*jouir d'un grand crédit auprès de ses collègues*).

Si l'on peut employer *auprès de* dans le sens de « en s'adressant à » (*Il a trouvé auprès de lui du réconfort*), il est anormal de parler des *dépôts faits auprès de la Caisse d'épargne.* Il faut dire : *à la Caisse d'épargne.*

2. **Auprès** peut s'employer comme **adverbe** : *Un ruisseau coule auprès et forme un doux murmure* (La Fontaine). Mais c'est un flandricisme, assez fréquent à Bruxelles, de l'employer avec *mettre* dans le sens d'« ajouter » : [*Mettez encore quelques francs auprès*] au lieu de : *Ajoutez encore quelques francs.* On entend aussi [*Mettez quelques francs tout près*].

Auréole, n.f. Ne pas employer *une auréole* pour *une* **aréole** en parlant du sein.

Au revoir. La formule utilisée pour prendre congé est *au revoir.* L'Académie signale encore *à revoir,* forme vieillie dont les dialectes ont l'équivalent.

À cause de l'absence de trait d'union, les dictionnaires, qui placent à leur rang alphabétique des noms comme *après-midi,* ne signalent le nom *au revoir* qu'exceptionnellement et n'en donnent pas le pluriel. On écrit : *un au revoir, des au revoir.*

Aurochs, n.m., a un *s* final.

Auspices, n.m.pl. *Sous d'heureux auspices.*

Aussi, adv. A. Marquant la **comparaison d'égalité,** cet adverbe est généralement suivi de *que* (jamais de *comme*) ; mais *que* et le second terme de la comparaison peuvent être sous-entendus. *Aussi* s'emploie devant un adjectif (ou un participe pris adjectivement ou un complément ayant valeur d'adjectif) ou un adverbe : *Il est aussi attentif que vous êtes distrait. Il est aussi prudent que nous. Il est toujours aussi prudent* (sous-entendu : que d'habitude). *Je suis presque aussi en peine que lui* (Ac.). *J'ai aussi faim (froid, etc.) que vous. Il travaille toujours aussi bien* (qu'autrefois). *Est-on aussi expérimenté à vingt ans qu'à trente ?* — Avec *possible : Je le ferai aussi soigneusement que possible.* — Dans une interrogation positive : *Est-il aussi travailleur que vous le dites ? Est-il toujours aussi attentif ?*

On remarquera que son sens comparatif, dans les emplois où *que* et le second terme de comparaison sont sous-entendus, peut glisser vers l'idée d'intensité, sans vraiment exprimer celle-ci comme le ferait *si.*

Dans les phrases négatives (ou de sens négatif), *aussi,* qui peut toujours s'employer, est souvent remplacé par **si** devant un adjectif ou devant un adverbe : *Il n'est pas aussi* (ou *si*) *habile que vous le dites. Avez-vous jamais rien vu d'aussi beau (de si beau) ? Il n'ira pas aussi loin* (plus courant que *si loin*) *que nous. Il ne travaille pas aussi soigneusement que je le voudrais. Il ne se porte pas si bien que cela* (Ac.). *Ne courez pas si vite. Ne criez pas si fort.*

Devant **peu,** on emploie *aussi* dans les phrases affirmatives (*Ils sont aussi peu attentifs que vous*), mais on trouve *si peu que vous voudrez* à côté d'*aussi peu que vous voudrez* et l'on dit *si peu que rien* (très peu).

Aussi et **autant**. À *aussi...* *que* devant un adjectif ou un adverbe correspondent *autant que* après l'adjectif ou l'adverbe et *autant de* devant le nom exprimant la qualité : *Il est modeste autant qu'habile* (Ac.). *Il a autant de modestie que d'habileté.* Autrefois, *autant* pouvait précéder l'adjectif. Aujourd'hui, au lieu de *Jamais je n'avais été autant enthousiaste* (G. Borgeaud, *Le voyage à l'étranger*, p. 235), il convient d'écrire : *aussi enthousiaste* ou *si enthousiaste.*

Autant suit le verbe exprimant l'idée à propos de laquelle on fait la comparaison : *Il travaille autant que nous. Il ne travaille plus autant.*

B. Marquant l'**addition**, *aussi* signifie « également » ; ce qui vient d'être dit de qqn ou de qqch. (agent ou complément) l'est également d'une autre personne ou d'autre chose : *Vous êtes surpris ? Je le suis aussi.*

On s'étonne que les grammaires et les dictionnaires ne précisent pas la **place**, très mobile, de *aussi.*

Voici l'essentiel :

1. **Un nouveau sujet,** qui ne peut être *on,* fait l'action exprimée une seconde fois par le verbe. *Aussi* se place après le nouveau sujet (à moins que ce ne soit *je, tu, il, ils, elle, elles*) ou après le verbe : *Paul est déjà parti, Pierre aussi s'en va* ou *Pierre s'en va aussi.* On peut, dans les deux cas, ajouter la forme tonique du pronom devant *aussi* : *Pierre, lui aussi, s'en va* ou *Pierre s'en va, lui aussi.*

Si le nouveau sujet est *nous, vous,* l'adverbe suit le pronom ou le verbe ; le pronom peut être répété avant ou après le verbe : *Nous aussi partons ; nous aussi nous partons ; nous partons aussi ; nous partons, nous aussi.*

Le pronom relatif *qui* ne peut être suivi que de *lui (elle) aussi, eux (elles) aussi,* tandis que le verbe de la relative l'est de *aussi* ou de *lui aussi,* etc. : *L'homme boitait ; le cheval qui, lui aussi, boitait* ou *le cheval qui boitait aussi* ou *le cheval qui boitait, lui aussi.*

Si le nom a un complément déterminatif, on place *lui aussi* (rarement *aussi*) après le complément ou bien *aussi* ou *lui aussi* après le verbe : *Le fils de Pierre, lui aussi, s'en va* ou *Le fils de Pierre s'en va aussi* ou *s'en va lui aussi.*

Si le sujet est *je, tu, il, ils, elle, elles,* on ne peut mettre *aussi* qu'après la forme tonique du pronom : *moi aussi,* etc. Il peut également se placer après le verbe. Après *moi aussi, toi aussi,* on doit répéter le pronom, avant le verbe, sous sa forme atone. Aux autres personnes, cette répétition est facultative : *Moi aussi je le ferai. Je le ferai aussi. Je le ferai, moi aussi.* — *Eux aussi le disent* ou *Eux aussi ils le disent* ou *Ils le disent aussi* ou *Ils le disent, eux aussi.*

2. **Si le verbe est sous-entendu,** une seule construction est possible : *Son père ira, sa mère aussi. Il sera absent, moi aussi.* On laissera à la langue populaire l'emploi d'*aussi* devant le nom : *Voilà l'orfèvre, aussi sa femme, en grand émoi* (H. Pourrat, *Le trésor des contes,* V, p. 73).

3. **Si le verbe répété a un complément,** six tours sont possibles. Les quatre notés au début de 1 : *Pierre aide son ami, Paul aussi aidera le sien* ou *Paul, lui aussi, aidera le sien* ou *Paul aidera aussi le sien* ou *Paul aidera, lui aussi, le sien.* Et deux autres où *aussi* suit le complément direct : *Paul aidera le sien aussi* et *Paul aidera le sien, lui aussi.*

4. **Si l'addition porte sur le complément** du verbe (le sujet restant le même), on peut, si les deux compléments sont dans la même proposition, renforcer *et* par *aussi* : *Ils ont offert des chocolats et aussi des fleurs.*

Si un seul complément est exprimé dans la proposition où intervient *aussi,* celui-ci ne peut se placer qu'après le verbe ou son complément : *Après avoir aidé son ami, Pierre aidera aussi le vôtre* ou *Pierre aidera le vôtre aussi.*

5. *Aussi* pouvant dans certains cas occuper la même place, soit qu'il porte sur le sujet, soit qu'il porte sur le complément, certains tours peuvent être à déconseiller si le contexte ou la situation ne suffisent pas à dissiper l'**équivoque éventuelle.**

Une phrase comme *Vous aidez aussi vos ennemis* peut, isolée de tout contexte, signifier : *Vous aussi, vous aidez vos ennemis* ou *vous aidez vos ennemis, eux aussi.* De même, *Embrasse aussi ta tante* ou *Embrasse ta tante aussi* peuvent signifier, si l'on s'adresse à un enfant qui vient d'embrasser une autre personne : *Embrasse ta tante, elle aussi,* ou si la sœur de cet enfant vient d'embrasser sa tante : *Embrasse ta tante, toi aussi.* On voit que l'équivoque peut toujours être dissipée. Elle l'est d'ailleurs généralement par le contexte : *Vous avez rencontré le directeur, je le verrai aussi* (= moi aussi, je le verrai). *J'ai vu l'ingénieur, je verrai aussi le contremaître* (= je verrai en outre le contremaître).

C'est à tort que Maritain a condamné la nouvelle traduction du « Notre Père » : *Pardonne-nous nos offenses comme nous pardonnons aussi à ceux qui nous ont offensés.* Il déclarait : « Non, non, c'est *comme nous aussi pardonnons* qu'il faut dire.» (Cf. J. Green, *Ce qui reste de jour,* p. 167.) *Aussi,* même placé après le verbe, ne peut dans cette phrase se rapporter qu'au sujet. On aurait pu dire : *comme nous aussi pardonnons* ou *comme nous aussi nous pardonnons* ou *comme nous pardonnons, nous aussi.* On pouvait d'ailleurs ne pas faire intervenir *aussi* dans cette phrase où *comme* suffit à montrer qu'un deuxième sujet est comparé au premier à propos du pardon des offenses.

6. *Aussi* peut porter sur un **adjectif,** un **adverbe** ou une **locution de temps.** Il les suit : *Un meuble cossu, élégant aussi. Quelquefois aussi. Maintenant aussi. Ce soir aussi.* Devant ou après un **attribut :** *C'est aussi mon opinion* ou *C'est mon opinion aussi. Vous devez aussi être prudent* ou *être aussi prudent* (peut être équivoque, au contraire d'*également prudent*). *Vous devez être prudent aussi.*

Remarques :

a) Parfois, le second verbe n'est pas l'équivalent du premier ; deux procès s'additionnent, le sujet étant le même ; *aussi* se place après le verbe : *Ils regardent, ils parlent aussi ensemble. Il écrit, il dessine aussi. Il dessine et fait aussi de l'aquarelle. On s'impatiente, on s'inquiète aussi.*

b) *Avec une négation,* il convient d'employer *non plus* au lieu de *aussi* dans le sens d'*également : Il ne disait rien, (ni) moi non plus. Lui non plus ne partira pas.* Cf. NON, 10, p. 634.

c) Avec *ne que,* qui a pris le sens (affirmatif) de « seulement », on peut mieux justifier *aussi* à côté de *non plus.* Cf. NON, 10, p. 635.

C. **Marquant la conséquence** d'une proposition précédente, *aussi* signifie « c'est pourquoi », « à cause de cela » et se met en tête de la proposition ; il y a le plus souvent inversion du pronom sujet ou répétition du nom sujet sous la forme du pronom personnel : *Ces étoffes sont belles, aussi coûtent-elles cher. Tout paraissait normal ; aussi les voyageurs se sont-ils étonnés du retard.* Cf. INVERSION, p. 519.

D. **Marquant l'explication** de ce qui précède, *aussi,* qui réclame également plutôt l'inversion s'il est en tête de la proposition, prend plus ou moins le sens de « au demeurant », « tout compte fait », « après tout », « somme toute » : *Il s'est perdu ; aussi est-ce sa faute, il n'avait pas consulté sa carte.* Cet emploi est beaucoup moins vivant que les autres. Cf. AUSSI BIEN.

E. **Aussi** et **si** sont normalement distincts ; *si* marque l'intensité : *La crise était si grave qu'il a fallu intervenir.* Nous avons vu cependant que *si* peut remplacer *aussi* marquant la comparaison dans une phrase négative (cf. A). Par contre *aussi* remplace parfois *si* devant un adjectif dans une proposition d'opposition (*si... que*) : *Aussi saoul qu'il fût* (Fr. Mauriac, *Les chemins de la mer,* p. 286). *Ils restèrent juste le temps de ramasser un pécule, aussi léger fût-il* (Tharaud, *Quand Israël est roi,* p. 37).

On ne peut employer *aussi... que* ni *si... que* dans le sens de *dès que, aussitôt que : [Aussi vite qu'il sera là]. [Si vite qu'il sera là]. [Si vite qu'il m'a vu, il a couru vers moi].*

F. Cf. LOIN, SINON.

Emploi de *aussi* avec *avoir chaud,* etc. Cf. AVOIR, 17, p. 146.

Aussi bien, en dehors du sens comparatif (sensible dans : *Il travaille aussi bien que son frère. Je pourrais aussi bien dire qu'il n'a rien fait*), sert à justifier une proposition qui précède ; il correspond à un certain emploi d'*aussi* noté plus haut (D), « après tout, somme toute, d'ailleurs, tout compte fait » : *Je ne veux point y aller ; aussi bien il est trop tard* (ou *aussi bien est-il trop tard). Je n'ai que faire de ses offres, aussi bien ne les accepterais-je pas. — Puisque aussi bien on le tient, (...) rien n'empêche de le mettre à même de justifier ce qu'il dit* (G. Duhamel, *Cri des profondeurs,* p. 197). *Vous me permettrez de partir, puisque aussi bien vous n'avez plus besoin de moi.*

Aussitôt, adv. 1. *Aussitôt* est un adverbe (*Il est parti aussitôt*) qui est devenu préposition dans certains emplois. Malgré la caution de Littré, qui admettait *aussitôt le jour* à côté de *aussitôt que le jour paraît*, on ne dit guère : *aussitôt son arrivée ;* on dit : *dès son arrivée* ou **aussitôt après** *son arrivée* (*aussitôt après* s'oppose à *juste avant*). Mais on n'hésite pas à dire, si le nom est suivi d'un participe : *Aussitôt sa lettre reçue* (aussitôt que sa lettre a été reçue). Devant un participe : *Aussitôt arrivé, il a élevé la voix.* Avec **sitôt,** également adverbe devenu préposition, on dit : *Sitôt le dessert, il se retirait dans sa chambre* (tour plutôt littéraire). *Sitôt le jour levé, sitôt ses devoirs finis. Sitôt parti, il le regretta.*

Aussitôt que, comme *dès que,* signifie « à l'instant où, dans le moment même où » et peut marquer une antériorité si réduite qu'elle se confond avec la simultanéité. D'où un temps antérieur à celui du verbe principal, mais aussi le même temps soulignant cette rapidité dans la succession : *Aussitôt qu'on lui fit* (ou *eut fait*) *ce reproche, il se mit en colère. Il vous recevra aussitôt que vous arriverez* (ou *serez arrivé*). *Chaque fois, il nous faisait signe aussitôt qu'il nous apercevait. Aussitôt qu'il aura fini, il pourra partir. Aussitôt qu'il m'a vu, il m'a fait signe.* Cf. DÈS QUE.

2. **Aussitôt** et **aussi tôt.** Le premier signifie « dans le moment même » « au même instant », le second s'oppose à *aussi tard.*

a) C'est **aussitôt** qu'on trouve dans les expressions *Aussitôt dit, aussitôt fait ; Aussitôt fait que dit,* comme dans *Il le fera aussitôt.*

b) On distingue **Aussitôt qu'***il m'aperçut, il vint à moi* (= Au moment même où, dès que) et *Je n'arriverai pas* **aussi tôt que** *je le voudrais.* On écrira, à cause de l'opposition de *aussi tôt* et *aussi tard* dans la même phrase : *Je vous attends de bonne heure ; nous commencerons aussi tôt que possible et nous travaillerons aussi tard que possible.* Mais en dehors de tels cas, on écrit *aussitôt que : Venez aussitôt que possible, aussitôt que vous le pourrez.*

Si l'on garde *aussi* dans une phrase négative de comparaison au lieu d'employer *si* (cf. AUSSI, A), il est normal d'écrire : *Je ne vous attendais pas aussi tôt* (on voit d'ailleurs l'opposition à *aussi tard*). On dit plus souvent : *Je ne vous attendais pas si tôt.* Cf. SITÔT.

3. **Aussitôt que** n'est plus guère employé, comme il l'était dans la langue classique, devant un participe remplaçant le verbe conjugué : *J'ai collé cette lettre de Boulard sur mon cahier aussitôt que reçue* (J. Dutourd, *Pluche,* Poche, p. 217). On dit : *Aussitôt que nous serons arrivés* ou on supprime *que : Aussitôt arrivés* ou *Sitôt arrivés* (cf. 1).

4. Distinguer *Il n'était pas aussitôt parti que l'autre arriva* (RM ; à peine était-il parti) et *Il n'est pas parti aussitôt qu'on l'a appelé* (cf. 1).

Autant, tant, adv.

1. **Autant** s'oppose à **tant** comme *aussi* à *si* (cf. Aussi, E). Il s'emploie avec des **verbes** ou avec *de* devant des **noms** (mais on n'emploie pas *du*, *de la, des*) : *Ils travaillent autant que nous* (comparaison). *Autant il est attentif, autant vous êtes distrait* (*autant... autant* porte sur les ensembles comprenant les verbes). *S'il a fait cela, j'en puis faire autant. Il a autant de livres que nous. Autant il a de fermeté, autant il a de courtoisie.* — *Il a* **tant** (ou tellement) *de travail qu'il n'en sort pas. Il travaille tant !*

Autant ne s'employant **pas devant un adjectif**, on ne peut dire : [*Cela est autant sinon plus difficile*]. On dira : *Cela est aussi difficile, sinon plus.*

Notons les expressions : *Autant que possible. Autant que faire se peut. Il ne travaille plus autant* (sous-entendu : qu'auparavant). *Autant vaut faire cela* ou, plus souvent, *Autant faire cela. Autant dire la vérité. Autant que je sache. C'est autant de gagné. Pouvoir en faire autant. Autant dire qu'il est malhonnête. Cela est fini ou autant vaut* (Ac. ; ou à peu près, ou peu s'en faut).

Devant un participe pris adjectivement, on emploie *si* et non *tant : Il a l'air si abattu !* Si le participe a vraiment la valeur d'un verbe, c'est *tant* ou *autant* qu'on emploie : *On l'a tant sollicité ! On l'a autant sollicité que la veille.* Mais sans auxiliaire ou avec *être*, le participe s'accommode aisément de *si : Cette femme tant aimée !* (Ac.). *Elle est si enviée !*

Notons l'emploi d'**autant de** devant un substantif attribut pour exprimer, en insistant sur l'identité, la totalité sans exception : *Ses réflexions étaient autant de sottises.* De même avec un verbe comme *constituer : Cette région et les provinces voisines constituent autant de foyers insurrectionnels.*

2. **Tant** pour *autant :* a) Dans des **phrases négatives :** *Ce livre ne me plaît pas* **autant** (ou *tant*) *que l'autre. Jamais il n'avait montré autant* (ou *tant) de courage.*

b) Dans quelques expressions : *tant* (ou *autant) qu'il peut* ou *qu'il veut ; tant* (ou *autant) pour ce motif que pour un autre.*

On emploie toujours *tant* dans *tant bien que mal, tant et si bien, tant et plus, tant mieux, tant pis, tant s'en faut que, à tant faire que.* **Tant que** exprime l'idée d'« aussi longtemps que » et est suivi de l'indicatif : *Tant qu'il pleuvra, on ne pourra faire cette réparation.* On dit *Tous autant que nous sommes* ou *Tous tant que nous sommes.*

3. Pour les tours *Il est* **aussi modeste** *qu'habile* et *Il est* **habile autant** *que modeste,* cf. Aussi, A.

On peut dire *Il est autant que vous sensible à cette injure ;* c'est l'inversion du tour normal *Il est sensible, autant que vous, à cette injure.* On voit qu'*autant* ne précède en tout cas pas immédiatement l'adjectif.

Avec *le* représentant l'adjectif : *Il l'est autant que vous.*

4. **Belgicisme très répandu,** à tous les niveaux de langue, dans tout le pays et favorisé par le wallon : [*Supposons qu'ils soient autant et qu'ils*

restent autant de jours], alors qu'il n'y a aucune comparaison. *Autant* est abusivement substitué à *tant* pour exprimer une quantité qu'on ne veut ou ne peut pas préciser. Il faut dire : *Supposons que vous soyez tant, que vous restiez tant de jours, que vous payiez tant pour le voyage, tant pour l'hôtel.* S'il y a comparaison, *autant* s'impose : *Supposons que vous gagniez* **autant que lui.** *Vous payerez* **autant chez le voisin** (que chez lui).

Il faut noter que **deux** (*trois*, etc.) **fois autant** au lieu de *deux fois plus* n'est pas un belgicisme. L'Académie écrit d'ailleurs : *Il entre deux fois autant de monde dans cette salle que dans l'autre.* On notera toutefois que, si l'on dit souvent en Belgique (et au Canada) *deux fois autant,* on dit plus souvent en France *deux fois plus.* Cf. Fois, 3.

5. **D'autant plus** (ou **moins** ou **mieux**) **que** :

a) En corrélation, avec *plus* (*moins, mieux*), *d'autant* indique un degré proportionnel à autre chose, qui est aussi normalement au comparatif : *L'intérêt qu'il prendra aux nouveaux épisodes sera* **d'autant plus vif qu'il se sera mieux remémoré** *les événements* (J. Romains, *Les hommes de bonne volonté,* t. III, note de l'éditeur). *Il lui sembla qu'il serait* **d'autant moins ridicule** *qu'il aurait eu moins de hâte à courir à sa déconvenue* (*Ibid.,* t. II, p. 103). *Il l'accepte d'autant meilleure grâce que son intérêt s'en trouve mieux* (M. Genevoix, *Rroû,* Poche, p. 56). On accepte une chose *de bonne grâce, de meilleure* grâce ; ne pouvant exprimer à la fois le *de* de cette expression et celui de *d'autant,* l'auteur en supprime un. On pourrait écrire : *Il l'accepte d'autant mieux que son intérêt y trouve son profit* (cf. ci-dessous, b). *Cela se fera d'autant mieux que vous m'aiderez davantage.*

b) Sans cette corrélation entre deux comparatifs, *d'autant plus* (*moins, meilleur, mieux*) *que* marque aussi un degré sur lequel influe la cause qui suit : *Il est* **d'autant plus prudent qu'il est averti.** *Il a d'autant plus de reconnaissance qu'il n'a rien demandé. Cela se fera d'autant mieux que vous m'aiderez.* Mais ce serait une faute d'écrire sans qu'un comparatif marque le degré : [*C'est d'autant difficile qu'il fait sombre*]. On doit dire : *C'est d'autant plus difficile qu'il fait plus sombre* ou *C'est d'autant plus difficile qu'il fait sombre* ou (cf. 6) *C'est difficile, d'autant qu'il fait sombre.*

On peut, surtout avec un impératif, renverser l'ordre des propositions et employer **en** (= pour cela) dans la seconde devant le verbe précédant *d'autant plus* (*mieux, moins*). Au lieu de dire : **Vous serez d'autant plus estimé que** *vous vous serez montré désintéressé,* on peut dire : *Montrez-vous désintéressé,* **vous en serez d'autant plus estimé** ou **on vous en estimera d'autant plus.** L'Académie donne les exemples : *Je l'en aime d'autant mieux. Il en est d'autant moins à craindre.*

Un contexte ferait sans nul doute apparaître que *en,* dans ces exemples, renvoie à qqch. qui précède et qu'il signifie « pour cela » : *Tout le monde l'abandonne, je l'en aime d'autant mieux.* L'emploi de *en* est normal, sans être vraiment nécessaire. Parfois il serait insolite : *Il fut d'autant plus facile de le repousser* (Littré).

c) **D'autant plus que,** placé après un énoncé complet, peut aussi marquer une certaine proportion dans le degré : *La chaleur était étouffante, d'autant plus qu'il n'y avait pas la moindre brise.* Mais souvent il n'introduit qu'une justification particulière de l'énoncé qui précède : *Il est prudent, d'autant plus qu'il a été averti* (on ne pense pas nécessairement à un degré de prudence). *Il éprouve une vive reconnaissance, d'autant plus qu'il n'avait rien demandé. Vous pouvez partir immédiatement, d'autant plus que vous êtes tout à fait libre.*

Si l'énoncé qui précède est négatif ou tend vers la négation (ou comporte une interrogation correspondant à une négation), on peut hésiter parfois entre **d'autant plus** et **d'autant moins.**

Évidemment, si on répète le verbe sous sa forme positive, c'est *d'autant moins* qui s'impose : *Je ne le crains guère,* **et je le crains d'autant moins que** *j'ai pris toutes mes précautions.* On peut supposer l'ellipse de cette répétition du verbe à la forme positive et employer *d'autant moins :* *Je n'ai jamais supporté d'attendre,* **et d'autant moins que** *je suis tourmenté* (Vercors, *La puissance du jour,* p. 246). Ici, *et* renforce l'impression de l'ellipse du verbe ; il semble qu'on énonce une nouvelle proposition qui est nécessairement, avec l'expression d'un degré, *et je le supporte d'autant moins que je suis tourmenté.* D. et P. (t. VI, p. 689) citent cette phrase de M. Boulenger : *On ne résiste point à tant de furieux :* **d'autant moins que** *le Parlement, désormais seul souverain dans la capitale, ne tenait nullement à temporiser.* Les deux points (et le changement de temps) marquent aussi qu'une nouvelle phrase commence, dont le verbe sous-entendu ne peut être qu'affirmatif et doit donc être accompagné de *d'autant moins.* On trouve aussi *d'autant moins* après un point ou une virgule : *Je ne puis me bercer d'illusions.* **D'autant moins que** *je me sens dépourvu* (Ch. de Gaulle, *Le salut,* Poche, p. 8). *Pourquoi donc concéder quelque chose à cette oligarchie sans avenir et sans espoir ? D'autant moins que, dans l'instant même où elle s'instaurait à Alger, ailleurs des espérances bien préparées nous faisaient grandir nous-mêmes* (Ch. de Gaulle, *L'unité,* Poche, p. 68). *Cela l'impressionna très peu, d'autant moins que cette image n'avait rien de neuf pour lui* (Fr. Kafka, *Le procès,* trad. Vialate, Poche, p. 394). On attendrait plutôt *d'autant plus,* mais *très peu* a été assimilé à une négation : *cela ne l'impressionna guère.* — *Il ne comprenait rien, d'autant moins que ses voisins bavardaient.*

D'autant moins est donc tout à fait justifié. Mais **d'autant plus** l'est certainement aussi, par l'ellipse de « et cela » ; la locution prend le sens de « surtout parce que » : *La notice ne sera pas commode à écrire,* **d'autant plus qu'***elle sera le plus possible une étude* (Léautaud, *Journal littéraire,* I, p. 121). *La course n'était pas facile, d'autant plus que la piste était détrempée. Il ne comprenait rien, d'autant plus que ses voisins bavardaient.* Cf. des citations de Th. Gautier, G. Sand, E. Henriot, J. Supervielle, Fr. Mauriac dans le *B.U.* de Grevisse, n° 2530.

6. **D'autant que** peut remplacer *d'autant plus* (ou *moins*) *que*, soit après une affirmation soit après une négation : *Il faut qu'on me laisse traiter chaque scène amplement, sereinement, sans hâte, d'autant qu'on ne gagnerait rien à passer au tableau suivant* (M. Barrès, *Colette Baudoche*, p. 28). *À votre place, je n'irais point là, d'autant que rien ne vous y oblige* (Ac.).

7. **Pour autant que** a exprimé autrefois la cause : *Le rat ne sçavoit Sortir d'un lieu pour autant qu'il avoit Mangé le lard et la chair toute crue* (Marot). L'expression, après être sortie de l'usage, a repris vie dans un sens nouveau, influencé par l'idée de corrélation attachée à *autant*. Elle signifie normalement « dans la mesure où », mais elle a un sens restrictif : *Pour autant que je pouvais m'en rendre compte, il était préoccupé. Ces idées, pour autant qu'elles se répandraient, pourraient devenir dangereuses. Pour autant que je m'en souvienne, pour autant que je puisse en juger.*

On voit qu'il est légitime d'employer, selon le sens, l'indicatif, le conditionnel ou le subjonctif ; celui-ci accuse la nuance d'incertitude ; il s'impose dans *pour autant que je le sache*.

Cet emploi n'a pas éliminé celui de *dans la mesure où* (avec l'indicatif ou le conditionnel) ni celui d'**autant que** qui, dans son sens restrictif, peut aussi être suivi de l'indicatif, du conditionnel ou du subjonctif : *Autant que j'en puis juger* (Ac.). *Autant que je m'en souviens, il avait...* (H. Bosco, *Le sanglier*, p. 69). *Autant qu'il m'en souvient* (A. Gide, *La symphonie pastorale*, Poche, p. 69). *Autant que je m'en souvienne. Je ne lui accorderais cette permission qu'autant que ses parents m'en prieraient.*

Une remarque encore à propos d'**autant que**. Nous avons vu son sens comparatif et nous venons de voir son sens restrictif. Fr. Mauriac, dépassant celui-ci, emploie *autant que* pour marquer le degré, avec le subjonctif d'opposition : *Autant qu'il ait bu, il sait à peu près se tenir (...). Tu la feras souffrir, bien sûr (...) mais autant qu'elle souffre, si elle était ta femme, elle serait sauvée* (*Les mal-aimés*, p. 16). Cette extension de sens (ici = si fort que) est trop insolite (et trop éloignée du sens « dans la mesure où ») pour qu'on la recommande sans réserves, malgré sa concision. On voit *autant que* glisser vers le sens de *si que* pour exprimer l'intensité ou la quantité devant un verbe ou un nom. À *si attentif qu'il soit* on substitue *autant qu'il ait d'attention* ou même *autant qu'il soit attentif*. Je serais plus réservé encore à l'égard de **tant...que** encadrant un adjectif, au lieu de *si...que* : *Tant affaibli qu'on soit* (Sully Prudhomme). C'est un tour vieilli.

8. **Pour autant**, joignant à l'idée de cause celle d'opposition, signifie : « cependant pour cela » et s'emploie très correctement dans une proposition négative ou dubitative exprimant une opposition par rapport à ce qui précède : *Aujourd'hui son retard dépassera les dix minutes réglementaires. Il ne se presse pas pour autant* (L. Estang, *Les stigmates*, p. 135). *Va-t-il se presser pour autant ?* J'ai dû démontrer en 1949 que l'expression était bien française. Chacun l'admet aujourd'hui et elle a été introduite dans les dictionnaires. Je n'ai donc plus besoin d'insister.

Mais il n'est sans doute pas inutile de commenter l'exemple du *Petit Robert*, à *Autant* : *Il a fait un effort, mais il n'en est pas moins paresseux pour autant*. Voilà qui prouve à quel point, même aux yeux d'un de nos meilleurs lexicographes, *pour autant* est vivant ; il le trouve encore normal quand il peut paraître inutile ; car *pour autant*, ici, ne fait que reprendre *mais* (marquant l'opposition à ce qui précède) et *en* (qui signifie *pour cela*). De même, Fr. Mauriac écrit en employant *en : Le mal n'en est pas excusé pour autant* (*Journal, 1932-1939*, p. 378).

Tout en tenant compte de l'extension de *en* dans de véritables gallicismes où sa valeur causale est tantôt assez nette, tantôt fort affaiblie (cf. EN, adverbe ou pronom, 6), et en n'oubliant pas que la langue de tous les jours le double parfois de *pour cela* (cf. Sandfeld, I, p. 143), on prendra garde, quand on surveille son langage, de ne pas employer *pour autant* quand il est tout à fait inutile.

Mais ce voisinage de *en* et de *pour autant* a une conséquence plus grave : on double parfois *pour autant* d'un *en* parasite et nettement incorrect. On dit fort bien : *Nous avons beau être habitués à leurs extravagances ; elles ne cessent pas de nous étonner*. On peut ajouter non pas *en*, mais *pour autant* : **elles ne cessent pas pour autant** de nous étonner. C'est une faute de dire et d'écrire : [*Elles n'en cessent pas pour autant de nous étonner*].

9. **D'autant**, loc.adv., signifie « dans la même proportion » : *Cela nous soulage d'autant* (Ac.). *Donnez cent francs, vous serez quitte d'autant* (Ac.). *Tu les imites, pauvre être, et te diminues d'autant* (Colette, *O.C.*, III, p. 329).

Dans *boire d'autant*, le rapport de proportion s'atténue ; l'expression, assez rare, signifie : « boire encore plus » ou simplement « boire beaucoup ».

10. **J'aime autant** exprime proprement l'égalité : *J'aime autant cet objet que tel autre*. Par litote ou politesse, le français emploie *j'aime autant* pour *j'aime mieux* : *J'aime autant ça*. *J'aime autant qu'il fasse la commande lui-même* (PR). *J'aime autant payer au comptant*. Cet emploi, familier en France, est trop fréquent en Belgique. On l'y trouve dans des réponses : *Veux-tu de la confiture ou du miel ? — J'aime autant du miel* (ceci est correct), mais aussi pour marquer un simple acquiescement : *Veux-tu venir avec moi ? — J'aime autant* au lieu de *J'y consens, je veux bien*. *Tu veux un bonbon ? — J'aime autant* au lieu de *Oui, merci*,

11. *Autant* ou **au temps** ? Le commandement *Au temps* !, en termes militaires et en termes de gymnastique, ne devrait pas s'écrire *autant* (= refaites-en autant), bien que Thérive (*Querelles*, II, p. 26) et Damourette et Pichon (VI, p. 664) trouvent normale cette confusion. Le sens technique est clair : on commande « de revenir à la position précédente (au temps précédent) en vue de recommencer le mouvement » (Ac.) ; mais saisit-on encore ce sens technique ?

Autarcie, n.f., s'est substitué à *autarchie* pour désigner l'état d'un pays qui cherche à se suffire à lui-même au point de vue économique. Il fallait en effet représenter le grec *autarkeia* (arkein = suffire) et non *autarchia* (= pouvoir personnel absolu ; comparer avec *monarchie*).

Auteur, n.m., s'applique aux femmes : *Elle est l'auteur réputé d'un fort joli roman. Une femme auteur.* On n'emploiera ni *autrice* ni *autoresse.*

Authenticité, n.f. La critique littéraire abuse de ce mot en l'appliquant par exemple à un roman qui donne une impression de vérité. Or *authentique* signifie : dont l'exactitude, la vérité ou l'origine ne peut être contestée.

Authentifier, authentiquer, v.tr.dir. Au terme de droit ancien *authentiquer* (attention à l'orthographe) qui signifie « rendre authentique, donner une valeur légale à un acte), l'Académie, en 1950, a décidé d'ajouter *authentifier,* qui est aujourd'hui préféré dans tous les sens : rendre authentique, légaliser, certifier l'exactitude de (d'une signature, par exemple), etc.

Auto dans les **composés.** Le préfixe *auto* (= de soi-même) reste invariable ; il est généralement uni au second élément sans trait d'union, même devant une voyelle, sauf devant *i* ou *u* et facultativement devant *a* : *Autoadhésif, autoallumage, autodéfense, auto-infection.* Le nom *auto* (abréviation d'*automobile*) est aujourd'hui féminin, il est suivi ou non d'un trait d'union quand il forme un composé : *Auto-école, autostop* ou *auto-stop, autostoppeur* ou *auto-stoppeur.* On écrit *autocar, autoroute, autoroutier, autorail, autodrome, autopompe, autochenille. Des autochenilles.* On dit **un autoradio** (bien qu'on dise *une radio*) pour un poste récepteur autoradio, fonctionnant à bord d'une auto : *des autoradios.*

On trouve *auto-canon* et *autocanon, auto-mitrailleuse* et *automitrailleuse,* n.f. Marcel Thiry a écrit *Le tour du monde en guerre des autos-canons belges.* Mais Jean Mistler écrit : *des autocanons* (*Le bout du monde,* p. 196). Et Ch. de Gaulle : *un escadron d'auto-mitrailleuses* (*L'appel,* Poche, p. 298), tandis que Giraudoux écrit *automitrailleuses* et Malraux *auto-mitrailleuses* (cf. TLF). Si l'on met un trait d'union, mieux vaut accorder *auto.*

Train(s) **autos-couchettes :** telle est l'orghographe à recommander : *auto* et *couchette* sont deux noms et un tel train transporte des autos et offre des couchettes aux voyageurs.

Autocariste est répandu en Belgique, mais non en France, pour désigner un conducteur d'autocar. Gilbert (p. 36) mentionne un emploi du mot (*Revue générale des chemins de fer,* 1962) pour désigner les *entrepreneurs* de transports par autocars.

Auto-école, auto-stoppeur. Pluriel normal : *des autos-écoles, des auto-stoppeurs* (des écoles où l'on apprend à conduire une auto ; ceux qui pratiquent l'*auto-stop*).

Autostrade (italianisme), dont le genre avait été hésitant et qui s'était imposé comme nom féminin, a cédé progressivement la place à **auto-route**, n.f. : *Une autoroute.*

Auto s'emploie aussi comme deuxième élément, invariable, de noms composés, avec la valeur de « pour l'auto » : **une assurance-auto, des centres-auto**, etc.

Autoclave, n.m. *Un autoclave.*

Autogire, n.m., s'écrit avec *i* : *Un autogire.*

Autographe, n.m. *Un autographe.*

Automate, n.m. On a protesté avec raison en Suisse contre le germanisme qui appelle *automates* les *distributeurs automatiques*, les *machines* (ou *appareils*) *à sous.*

Automation, automatisation, n.f. Dans un communiqué d'avril 1967, l'Académie française a proposé, comme équivalents du mot américain *automation*, souvent francisé, « *automatisation* ou *automatique*, suivant le cas ». Les trois mots ont continué à être employés. **L'automatique** se dit surtout du téléphone automatique, supprimant l'intervention du standardiste. L'*automation* (n.m.) représente, pour les spécialistes, un stade supérieur de l'*automatisation* (cf. le GLE).

Automnal, adj. Pluriel : *automnaux.*

Automne, n.m. *Un automne pluvieux. En automne, à l'automne.*

Autoradio, n.m. *Un autoradio.* Cf. Auto.

Autorail, n.m., a remplacé *micheline.*

Autoriser, v.tr.dir. *On autorise **qqch.** ; on autorise **qqn à faire qqch.** ; on est autorisé à faire qqch. Une chose autorise qqch.* ou *autorise qqn à faire qqch. On **s'autorise à faire qqch.** On s'autorise de qqn* (ou *de qqch.*) *pour faire qqch. Ils se sont autorisés de cela pour agir.*

Autour, adv. Cf. Alentour. À côté de la locution prépositive **autour de** (*autour de la place, d'une femme, d'une question, d'une date*), signalons l'adverbe **autour** (*Il y avait une table et cinq ou six chaises disposées autour. Tout autour*). On ne peut, comme dans une partie de la Wallonie, employer **aller autour** ou **aller autour de qqch.** au lieu de *toucher à qqch., y toucher* ni **être autour de qqch.** dans le sens de *s'en occuper* (ce dernier emploi n'est pas inconnu comme provincialisme en France) : [*Le chat n'a pas été autour* ou *n'a pas été autour de son lait. Ce gamin est toujours autour de son vélo. Il est autour de ses pommes de terre*].

Autre, adj. ou pr. Pluriel de *un autre* : **d'autres.**

1. Quelques emplois : *D'autres*, complété par le pronom **en** qui précède sans renvoyer à un nom précis, veut dire *d'autres choses* : *J'en ai vu bien d'autres. Il n'en fait jamais d'autres.*

On dit avec *nous, vous*, pour souligner l'opposition : **nous autres,** *vous autres, nous autres femmes.* [*Eux autres*] est aujourd'hui fautif.

À d'autres ! est familier et marque l'incrédulité.

Autres suit le nombre : **Cent autres.** *Les dix autres.* Cf. NOMS DE NOMBRE.

Autres précède le nom : **Un autre chemin.** *Les autres chemins.*

L'autre jour = un jour plus ou moins récent, dans le passé. **Un autre jour** peut s'opposer à *un jour* (*Un jour il fait ceci, un autre jour il fait cela*) ou indiquer un jour imprécis : *Je viendrai vous voir un autre jour.*

Ces objets coûtent tant **l'un dans l'autre** (Ac.), en moyenne.

Et autres renvoie à d'autres personnes ou choses de la même espèce. On peut employer après *autres* un nom générique englobant ce qui précède : *et autres malfaiteurs.*

Aucun autre n'a dit cela. **Plusieurs autres** *l'ont dit.* **Beaucoup d'autres, bien d'autres.**

Comparer en notant l'emploi ou l'absence de *en* : *Un clou* **chasse** *l'autre. Un clou* **en chasse un autre.**

2. **Répétition de la préposition** après *autre* ou *autre chose* suivis de *que* amené par eux : elle n'est jamais obligatoire, mais elle se fait habituellement. On dit plus souvent : *Je parle d'un autre* **que de vous**, mais on peut dire : *Je parle d'un autre* **que vous.** — *Adressez-vous à d'autres qu'à moi* (ou *que moi*). *Cherchez avec d'autres que lui* (ou *qu'avec lui*). *Je n'en parlerai pas à d'autres que vous* (ou *qu'à vous*).

On notera que cette remarque ne s'applique pas aux cas où *que*, suivant *autre*, dépend d'un autre mot, par exemple dans : *Je n'ai jamais eu à me plaindre autant d'un autre que* **de** *lui* (*que* dépend de *autant*).

3. On dit **d'autre** après *rien, personne, quelqu'un, quelque chose*, et les interrogatifs *que, qui, quoi* : *Personne d'autre. Que voulez-vous d'autre ? Qui d'autre cherchez-vous ? À quoi d'autre pensez-vous ?* Les tours *rien autre* et *personne autre*, peu vivants, ne se trouvent, et rarement, que dans la langue littéraire. On dit : *Je n'ai rien d'autre à faire qu'à l'avertir.*

4. Après le nominal indéfini **autre chose**, on emploie *de* et un adjectif ou participe masculin : *Autre chose* **de bon, de bien** (*bien* est employé comme adjectif). *C'est autre chose que j'ai* **dit.** Mais : *Quelle autre chose intéressante avez-vous vue ?*

Avec *que* : *J'ai autre chose à faire* **que de me plaindre.**

On dit en corrélation : ***Autre chose*** *est de dire ceci,* ***autre chose*** *d'affirmer cela* (Ac.). Parfois, *autre* est employé sans *chose*, comme épithète : ***Autre*** *est votre situation,* ***autre*** *est celle de votre ami.*

5. La langue refuse d'employer *de* devant *d'autres* (pluriel de *un autre*). Avec *à* on dit : *Je ne pense pas à eux, mais à d'autres*, mais avec *de* : *Je ne parle pas d'eux, mais d'autres*. S'il faut préciser, on ajoutera un nom : *mais d'autres contestataires*. On dira donc : *Je me souviens d'autres mésaventures*.

6. Cf. Entre (entre autres), L'un (L'un l'autre, l'un et l'autre, l'un dans l'autre, etc.), Ne employé seul, 9, Ne explétif, Rien, 2, e, Sinon, Tout, p. 937.

Autrefois, adv. Ne pas confondre **autrefois**, qu'on retrouve dans *d'autrefois* (de jadis), avec **une autre fois, d'autres fois**.

Autrement, adv. On comprend et on admet qu'*autrement* ait ajouté à son sens, « d'une autre manière », glissant vers *beaucoup, spécialement*, dans une phrase négative (*Il ne s'en émeut pas autrement*), l'idée d'une supériorité dans une comparaison, où il se substitue à *plus* : **Cela est autrement respectable.** *Ce travail est autrement difficile.* Mais, dans la mesure précisément où cet adverbe prend ce sens de *plus*, il me paraît abusif de lui adjoindre *plus* ou *mieux* et de justifier ce pléonasme flagrant par « une nuance affective » (Grevisse, *F.C.*, p. 306). Bien que le TLF admette *autrement plus* et que le GLLF accueille ce tour comme familier et donne l'exemple : *Il était devenu autrement plus souple*, je ne crois pas que quelques exemples littéraires récents soient à suivre aveuglément.

Autrement que (*ne*). Cf. Ne explétif.

Autrui, pr.indéf. invariable, ne se dit que des personnes ; il ne peut être accompagné d'un article ni déterminé. Le plus souvent il suit une préposition : *Le bien* **d'autrui.** *Agir pour le compte d'autrui. Prêter à autrui. Reprocher à autrui ses précautions.* Mais on ne peut condamner son emploi, beaucoup plus rare, comme complément d'objet direct (*Amuser autrui. Utiliser autrui*) ou comme sujet (*Autrui est plus sévère que nous*).

Auxiliaires *avoir* et *être.* 1. On trouvera à leur rang alphabétique les verbes qui appellent une observation à propos de l'emploi des auxiliaires. Nous noterons seulement ici deux faits importants :

a) À la forme pronominale, on emploie toujours *être* : *Ils ont souri, ils se sont souri.*

b) La remarque maintenue par les grammaires à propos de plus de cinquante verbes intransitifs, qui se conjugueraient avec *avoir* quand ils expriment l'action en train de se faire et avec *être* quand ils expriment l'état résultant de l'action accomplie, ne correspond plus guère au bon usage actuel. C'est d'autant plus frappant que beaucoup d'écrivains ont pu être tentés de suivre à la lettre les remarques faites par Littré, par l'Académie et par des lexicographes, mais devenues désuètes.

J'ai fait avec mes étudiants de très larges enquêtes à ce sujet. Les résultats, portant sur des centaines d'œuvres contemporaines, ne laissent aucun doute. Parfois on trouve soixante emplois d'un auxiliaire contre trois de l'autre. Un grand nombre de verbes classés comme ayant deux auxiliaires ne se conjuguent plus, en fait, qu'avec *avoir* ; s'ils sont employés avec *être*, ce n'est jamais pour exprimer un antérieur ; *être* est alors une simple copule devant un participe devenu adjectif et l'état constaté se situe au moment marqué par le temps de l'auxiliaire.

On dit et on écrit couramment d'ailleurs : *Elle a embelli, épaissi, changé, grandi, grossi, maigri*, même pour constater un état présent ; l'énoncé du procès au passé avec *avoir* n'implique-t-il pas un résultat constaté ?

D'autres verbes intransitifs, comme *apparaître, descendre, tomber*, qui, dit-on, se construisent avec *avoir* ou *être* selon qu'on exprime l'action ou l'état, se construisent presque toujours avec *être*, sans qu'on puisse faire une distinction relative à l'aspect entre l'action en train de s'accomplir et son résultat. *Elle est apparue en plein midi.*

Quand le verbe est transitif direct (a un complément d'objet direct), il se conjugue toujours avec *avoir* : *Il a descendu l'escalier. Nous avons passé nos vacances à la mer.*

2. **Répétition ou ellipse** des auxiliaires *avoir* et *être*. Il y a une logique à observer, mais elle est parfois transgressée par les écrivains.

a) On fait l'ellipse de l'auxiliaire, **à l'intérieur d'une même phrase**, s'il y a identité du sujet (non répété) et si le même auxiliaire vient d'être employé comme tel et au même temps : *Il a grimpé par le poirier, suivi les tuiles à la crête du mur, enfin sauté dans les jardins sauvages* (M. Genevoix, *Rroû*, Poche, p. 149). *Après avoir appelé, crié, s'être fâché.* Incorrecte cette phrase : [*Il s'était affalé sur le lit, pleuré, gémi, crié*] (Giono, *Le hussard sur le toit*, Poche, p. 429) ; il faudrait : *avait pleuré, gémi, crié*. On ne dira pas : [*Il avait une artère coupée et perdu beaucoup de sang*], *avoir* n'étant pas auxiliaire dans le premier emploi.

Avoir doit aussi se répéter, en dépit d'exemples anciens, s'il est d'abord auxiliaire du verbe *être* puis d'un autre verbe : *Moi qui* **ai été** *à Paris et* **ai vu** *l'exposition.*

La phrase suivante est doublement anormale : *C'est ici que l'effort de ceux qui n'avaient jamais cédé et autour desquels s'étaient, à partir du 18 juin 1940, rassemblé l'instinct national et reformée la puissance française tira des événements sa décisive justification* (Ch. de Gaulle, *Le salut*, Poche, p. 496). Il fallait répéter *s'était*, puisque les sujets sont différents ; au lieu de cela, le verbe en inversion est mis au pluriel et les participes sont au singulier, l'un au masculin, l'autre au féminin.

b) **Si les deux propositions s'opposent** avec un sujet identique, l'une étant affirmative et l'autre négative, l'ellipse n'est permise qu'après **non, non pas, et non, et non pas, mais, mais non, mais non pas**, ou **non plus, non seulement... mais**, etc : *Il m'a menacé, mais non frappé. Il ne m'a pas frappé, mais menacé. Il m'a non seulement menacé mais frappé.*

On peut évidemment répéter le sujet et l'auxiliaire : *Il m'a menacé, mais il ne m'a pas frappé.* L'auxiliaire doit se répéter quand on passe à **ne pas, ne plus** : *Il a menacé et n'a pas frappé.*

Sans conjonction de coordination, on répète le sujet et l'auxiliaire : *Non seulement il a menacé, il a frappé.*

c) **Le pronom personnel** complément commun et qui n'est pas répété doit se rapporter aux deux verbes et avoir la même forme : **Il nous a écrit et proposé son aide.** Il est logique qu'on exige qu'il ait la même fonction, comme dans cet exemple ; mais l'usage, même parfois celui des écrivains, semble passer au-dessus de cette exigence et se contenter d'une forme identique : *Il m'a parlé et félicité. Il m'a embrassé et demandé pardon.* Le moins qu'on puisse dire est que de telles phrases restent suspectes. Cf. COMPLÉMENT COMMUN.

Si le pronom personnel n'est complément que du premier verbe, il convient, pour marquer la chose, de répéter l'auxiliaire : *Nous ne jugerons personne **sans l'avoir entendu et avoir écouté ses explications.*** Ici aussi les écrivains manquent parfois de rigueur : *Cela l'eût gêné au-delà de ce qui peut se croire et peut-être mis fin à notre correspondance* (J. Green, *Jeunesse*, p. 277) ; il faudrait : *et eût peut-être mis fin. Il les avait rassemblés et fait former les faisceaux* (P. Boulle, *Le pont de la rivière Kwaï*, ch. I). Il fallait écrire : *et avait fait former les faisceaux. Chevance-Bertin l'avait fait et confié à son adjoint la conduite de vaste et tumultueux groupement* (Ch. de Gaulle, *Le salut*, Poche, p. 37). *Le gouvernement français l'avait invité, en novembre, à se rendre à Paris et beaucoup regretté qu'il n'ait pu s'y rendre alors* (*Ibidem*, p. 105). En bonne logique, il eût fallu écrire : *et avait confié..., et avait beaucoup regretté.* Cf. PRONOMS PERSONNELS, 6, Répétition, p. 766.

Aval, n.m. (pluriel, *des avals*). *Bon pour aval. Donner son aval à un projet.*

Avance, n.f. 1. **D'avance, à l'avance** et **par avance** (celui-ci devenu moins fréquent) peuvent s'employer indifféremment. C'est une erreur de croire que *par avance* ajoute une idée d'empressement.

2. **Prévenir d'avance, prévoir d'avance, prédire d'avance, préparer d'avance** (ou **à l'avance**) doivent-ils être tous condamnés comme pléonastiques ? Il faudrait d'abord distinguer. Dans **prédire, prévoir,** on sent encore nettement la valeur du préfixe *pré* : dire d'avance, voir (imaginer, organiser) d'avance ; également, quoique d'une façon moins nette, dans **pressentir,** qui a cependant glissé vers l'idée de *deviner.* Lorsque le verbe simple est perçu dans le composé, on peut estimer qu'il y a pléonasme quand on fait suivre celui-ci de *d'avance.* C'est pourquoi je blâmerais *prédire d'avance, prévoir d'avance* et même *pressentir d'avance.* Mais **préparer,** quoiqu'il puisse impliquer l'idée d'un travail préalable, qui peut d'ailleurs se ramener essentiellement à l'idée de travail (*préparer un cours*), ne se décompose pas en *pré* + *parer* ; en effet *parer qqch.*, un coup

par exemple, c'est le détourner. De même **prévenir**, signifiant *avertir* (et l'on peut avertir — informer — d'avance), n'est pas senti comme ajoutant *pré* à *venir*. On peut donc dire qu'il n'y a qu'un pléonasme apparent dans *préparer d'avance* ; on pourrait même tâcher de justifier *prévenir d'avance*, mais je crois qu'il vaut mieux éviter cette dernière expression.

Il faut toutefois prendre en considération un autre fait, en relation d'ailleurs avec l'affaiblissement de la valeur du préfixe *pré*. Lorsqu'on examine les emplois de *d'avance* ou *à l'avance* avec **préparer** ou **prévoir** par d'excellents écrivains depuis deux siècles, on observe qu'il s'agit d'une préparation ou d'une prévision faite plus ou moins longtemps d'avance ; l'idée d'antériorité est donc nettement renforcée. Lorsque Baudelaire (*Les paradis artificiels*, Du vin et du haschisch, VI) parle des malheureux qui en Egypte se droguent et viennent « chez le pharmacien prendre, sous le prétexte d'acheter une autre drogue, leur petite dose *préparée à l'avance* », il veut parler d'une dose préparée avant la venue du client. Lorsque Faguet, généralement puriste, dit d'André Chénier : « comme s'il *prévoyait à l'avance* les théories qu'Ernest Havet allait exposer dans son ouvrage sur l'hellénisme » (*Histoire de la poésie française*, t. XIV, p. 134), il s'agit d'une prévision faite par Chénier un siècle avant le livre d'Ernest Havet. De même, quand le général de Gaulle (*L'appel*, Poche, p. 209) dit qu'il remet à un interlocuteur « une note préparée à l'avance », il veut préciser que la note a été rédigée avant l'entrevue. Autre exemple : *Le président de la République avait préparé à l'avance le texte qui expliciterait la réponse française à la suspension de la convertibilité du dollar* (R. Aron, dans *Le Figaro* du 21 janvier 1972, p. 1).

On voit dans ces exemples s'affaiblir et même disparaître le pléonasme, au profit d'une nouvelle idée. Il en va de même lorsque Littré et l'Académie française définissent *coup monté* : « coup préparé à l'avance, prémédité » ; *prémédité* (qui garde son sens *pré* + *médité*) montre bien que *préparé à l'avance* implique des préparatifs qui n'ont pas été faits au dernier moment.

Sans doute on peut se mettre à l'abri de tout reproche en disant : *soigneusement préparé*, *prévu* ou *préparé longtemps d'avance*. Lorsqu'en termes de cuisine on parle de **plats préparés d'avance**, on pourrait remplacer *préparés* par *cuisinés*. Mais ne peut-on trouver acceptable la définition d'*un en-cas* par le Dictionnaire Bordas : « repas léger préparé à l'avance (en cas de besoin) » ?

On notera que, si on précise la longueur de l'avance, on dit : *Prévenez-moi deux jours d'avance.*

3. **Être en avance**. On est en avance *à un rendez-vous*, *sur l'horaire*, sur son temps, sur ses contemporains, etc.

4. On peut employer **avance** dans le sens d'« avantage acquis antérieurement » ; c'est le sens figuré correspondant à « espace parcouru avant qqn » : *Il a commencé son programme pendant les vacances, c'est*

déjà une avance sensible (GLLF). — *Il est en avance sur nous. Avoir* ou *prendre de l'avance sur qqn.* On dira aussi : *la belle avance !* dans le sens ironique de *Être bien avancé* (avoir fait des efforts pour rien). Mais le bon français ignore les expressions, courantes en Wallonie et dans le nord de la France : [*il n'y a pas d'avance*] et [*n'avoir pas d'avance de faire qqch.*] dans le sens de : *ne pas y avoir un avantage.* On dira : *C'est peine perdue, c'est inutile, cela ne sert à rien, cela ne nous avancera pas* (on a ici **avancer qqn** = lui faire gagner du temps ou lui être utile). On évitera aussi de dire *Quelle avance ?* dans le sens de *À quoi bon ?*

Avancer, v.tr.dir. *On avance le pied gauche,* on le porte en avant. Au figuré : *Il avançait une hypothèse. On avance une date, un départ. On avance* (on fait progresser) *un travail, ses affaires. L'affaire n'avance pas.* Avec un complément de personne : *Cela vous avancera* (vous fera gagner du temps ou vous procurera un avantage). *Me voilà bien avancé !* (je n'ai rien gagné). *Cela m'avancerait. Cela ne m'avance pas beaucoup. — À quoi cela vous avancera-t-il ?* (Ac.). *Cela ne m'avancerait pas* ou *Cela ne m'avancerait à rien.* On a dit et l'on peut dire : *Cela n'avancerait rien. Je n'ai rien pu avancer par un long discours* (Descartes).

Avancer (s') ne signifie pas « se hâter », mais « se porter en avant, se rapprocher, faire des progrès, sortir de sa réserve ».

Avanie, n.f., affront, traitement humiliant.

Avant, adv.,prép.,n., **avant de, avant que.**

1. **Avant,** lorsqu'il est nom, varie. **La ligne des avants.** On écrit **un centre-avant, des centres-avants** (*centre* est un nom, comme *avant*). Mais l'adverbe est invariable dans les composés : **des avant-goûts,** *les avant-dernières.*

Adj. invariable, *avant* peut se joindre à un nom pour désigner ce qui est à l'avant : **Les roues avant,** *une traction avant.*

2. On peut dire : **le jour d'avant,** *la nuit d'avant* (Ac.). *Quelques jours avant* ou *auparavant.*

3. **Avant** et **devant.** Normalement, *avant* s'oppose à *après* (priorité dans le temps) et *devant* à *derrière* : On part *avant* la fin de la séance. On s'assied *devant* le feu. On peut dire qu'on place l'article *avant* le nom (on pense à la langue parlée) ou *devant* le nom (on pense à la langue écrite). *Avant* marque aussi la priorité de situation ou de rang : *Mettre la charrue avant* (ou *devant*) *les bœufs. La dernière maison avant le carrefour.* Mais on dit : *Je marcherai devant vous. J'irai le voir avant vous.*

4. **En avant de** : *Il marche en avant de ses hommes. Il est en avant de son siècle* (Ac. ; en avance sur son siècle). On dira : *Il reste une place libre* **à l'avant du car** ou *à l'avant* ou *en avant* (adverbe) ; mais *en avant du car* signifierait : « devant le car » !

5. **Devant un infinitif**, on emploie aujourd'hui *avant de* : *Il ne partira pas avant d'avoir fini.* La langue littéraire emploie encore parfois *avant que de* (tour classique), suivi de l'infinitif.

6. **Adverbe** : *Il doit venir ici le mois prochain, mais je le verrai avant* (ou *bien avant*). *La réunion s'est prolongée fort avant dans la soirée.*

7. **Avant que** exige le subjonctif. Cf. APRÈS, 13, p. 84. L'emploi de *ne* explétif est facultatif. Certains grammairiens veulent conférer à sa présence une valeur qui peut apparaître chez certains écrivains (doute ou désir que la chose ne se produise pas ou soit retardée). Mais l'usage, même celui des meilleurs écrivains, ne se préoccupe pas de cette intention. On pourrait multiplier les exemples qui justifient dans n'importe quel sens *J'ai voulu la voir* **avant qu'elle s'en allât** ou **qu'elle ne s'en allât.**

Si la principale est négative, *avant que* peut se réduire à *que*, suivi de *ne* et du subjonctif : *Ne partez pas avant que tout (ne) soit terminé. Ne partez pas* (ou *Vous ne partirez pas*) **que tout ne soit terminé.**

8. **Avant le moment où** est suivi de l'indicatif.

Avantage, n.m. 1. **J'ai l'avantage de vous informer**... Sans doute n'est-ce qu'une formule de politesse qui ne veut plus rien dire ; raison de plus pour la remplacer par : *J'ai le plaisir de* ou *je crois devoir* ou *je me permets de* ou *permettez-moi de* ou *veuillez me permettre de.*

2. Ne pas confondre **d'avantage** (de bénéfice ; opposé à *de désavantage, d'inconvénient, d'ennui*) et **davantage**, adv. : *Il n'avait pas d'avantage à faire cette démarche. Il n'a pas tiré d'avantage de l'erreur de son adversaire. J'y tiens davantage.* Cf. DAVANTAGE.

Avant-centre, n.m. *Des avants-centres.* Cf. CENTRE et AVANT, 1.

Avant-coureur, n.m., n'a pas de féminin. On comble parfois cette lacune en employant le féminin (poétique) d'*avant-courrier* : *des avant-courrières.*

Avant-gardiste, adj. et n., se dit d'un écrivain, etc. qui est à l'avant-garde.

Avant-guerre, n.m. ou f. *Des avant-guerres.*

Avant-hier (on prononce *t*), loc.adv., désignant l'avant-veille, s'écrit toujours avec un trait d'union : *Il est arrivé avant-hier.*

Avant-midi, n.m. (très rarement f.), est dans le TLF. Courant en Belgique et au Canada, il l'est très peu en France, où l'on dit généralement : *le matin,* (*dans*) *la matinée.* On appliquera à *avant-midi* les remarques faites à *après-midi* à propos du trait d'union : *Je viendrai* **avant midi***, dans l'avant-midi.*

Avant-plan, n.m., est qualifié de « belgicisme ». C'est un fait que les Français ont toujours dit plutôt **premier plan**, qui est à préférer. Mais dans la prolifération des composés de *avant*, on trouve parfois en France *avant-plan* (GLE), opposé à *arrière-plan* qui, lui, est bien attesté.

Avarie, n.f., signifie proprement « dommage survenu à un navire ou aux marchandises qu'il transporte », mais par extension : « dommage survenu pendant un transport par terre ou par air ». **Avarié** ne se dit pas seulement du navire qui a subi une avarie, mais, par extension, de ce qui est gâté, endommagé, détérioré : *Des produits alimentaires avariés.*

Avatar, n.m., a été emprunté au sanscrit *avâtara*, proprement « descente » (du ciel à la terre), pour désigner les incarnations successives des divinités dans la mythologie hindoue. Appliqué aux neuf avatars de Vichnou, en poisson, en tortue, etc., il s'est dit des réincarnations, puis des métamorphoses, des transformations successives d'un être, d'un héros, d'un homme politique, ou des choses, d'une doctrine, d'un texte littéraire, d'un mot, d'un suffixe, etc. Ces emplois sont réguliers. Dans la mesure où l'on ne connaissait plus son sens premier et celui qui en était dérivé normalement, le mot a pris celui d'*aventure*, dont il se rapproche phonétiquement, et de là celui de *mésaventures*, d'ennuis, d'incidents fâcheux, de péripéties. J.-P. Sartre, parlant de l'affreuse timidité de Baudelaire (*Baudelaire*, coll. Idées, p. 190), évoque *ses **avatars de conférencier**: il bafouille en lisant, presse son débit*, etc. J. Peyré (*Sahara éternel*, p. 14) : *Je ne m'intéresse plus aux **avatars d'une voiture** de touriste qui croit avoir bafoué le désert et ses hommes parce qu'elle a fait Alger-Gas.* Charles de Gaulle emploie plusieurs fois le mot dans ses *Mémoires de guerre* : *Il s'était convaincu qu'à son échelon l'essentiel était d'arrêter, une fois pour toutes, sa volonté sur un plan défini et de ne s'en laisser ensuite détourner par aucun avatar* (*L'appel*, Poche, p. 39 ; cf. aussi p. 290). On pourrait citer d'autres très bons auteurs qui donnent au mot le sens un peu flottant d'*aventures, mésaventures, péripéties, incidents fâcheux, ennuis.*

   Il faut reconnaître cependant que les initiés et les délicats répugnent à cet emploi et que d'ailleurs, inutile et assez imprécis dans ce sens, *avatars* est au contraire utile pour désigner sans équivoque des métamorphoses, des changements, des transformations d'un être ou d'une chose. Mieux vaut s'en tenir là.

À vau-l'eau, loc.adv., est formé de *à*, *val* et *eau* et signifie « au fil de l'eau, du courant, à sa perte ».

Avé, n.m. Il est normal d'écrire habituellement : *des Ave Maria* et *des Ave*, avec majuscule et sans accent. Avec minuscule et accent, il faut écrire *un avé, des avés*, qu'il s'agisse de la prière ou des grains du chapelet.

Avec, prép. 1. **Il s'en est allé avec.** [*Viens-tu avec* ?]. Commençons par observer qu'en dépit des similitudes avec le néerlandais il ne faut pas nécessairement parler de germanisme, même pour *Viens-tu avec* ?, refusé par le français normalisé. Le passage de la préposition à l'adverbe se remarque aussi bien en français qu'en allemand ; mais dans certains cas le français châtié le réserve à la langue populaire ou familière. Ces limites peuvent varier avec les prépositions. M. Genevoix, parlant d'un nez qui fascine un chat, écrit : *C'est bien dommage qu'il soit trop haut perché pour que l'on puisse* **jouer avec** (*Rroû*, I, IX, Poche, p. 46). *Il a pris un manteau et s'en est allé avec* (Ac.) est familier, mais certainement acceptable, parce que le complément vient d'être exprimé et est une chose. L'Académie donne cet autre exemple, également familier, qui va plus loin : *Il a été bien traité et il a encore eu de l'argent avec.* Cette fois, *avec* ne renvoie plus à un nom de chose précis, mais à une idée assez large de « bon traitement » ; *avec* ne marque pas ici l'accompagnement mais signifie « en plus ».

Si au contraire *avec* exprime l'idée « *en compagnie d'*une personne ou d'un animal » dont il vient d'être question ou non, il faut, en bon français, employer *avec moi, toi*, etc. : *Vous allez vous compromettre et moi avec vous. — Je vais à la foire. Viens-tu* **avec moi ?** Familier quand il renvoie à un nom de personne ou d'animal qui a été exprimé, le tour du type [*Viens-tu avec* ?] est considéré en France comme une des caractéristiques du français de Belgique ou du Nord, où il est effectivement assez courant.

2. **Déjeuner avec qqn** ou **qqch.** : on déjeune, on dîne *avec* des amis, on déjeune *d'*un croissant ou (c'est aussi correct) *avec* un croissant, on dîne *avec* de la viande, etc.

3. [*Se voir avec qqn*]. Belgicisme : [*Il ne se voit plus avec son frère*]. On dit : *Il ne voit plus son frère. Son frère et lui ne se voient plus.*

Si l'on dit fort bien : *J'ai fait ce voyage avec mon frère* ou *Nous avons fait ce voyage ensemble, mon frère et moi*, il est absurde de dire dans le même sens (*nous* désignant mon frère et moi) [*Nous avons fait ce voyage avec mon frère*] ; on peut citer quelques emplois d'un tel tour chez des écrivains, mais il faut les imputer à la distraction et à la négligence et ne pas les imiter.

4. Quelques expressions où *avec* a son sens habituel (accompagnement, moyen) et qui sont condamnées à tort : *Payer avec son argent. Faire signe* (ou *saluer*) *avec la main. Se fâcher avec qqn* (= se brouiller avec lui ; tandis que *se fâcher contre qqn*, c'est se mettre en colère contre lui). *Il m'importune avec ses questions. Vous allez vous attirer des ennuis avec votre franchise. C'est un homme avec des cheveux gris. Ce mot s'écrit avec deux l.*

Avec et **par** peuvent avoir des sens voisins dans la mesure où ils servent tous deux à exprimer le moyen ou l'accompagnement. Toutefois on ne peut pas dire : [*Commencer — ou finir — avec qqch.*], mais *par qqch.* On ne s'enrhume pas [*avec*] *ce mauvais temps* mais *par ce mauvais temps.* Il peut paraître excusable de dire qu'on envoie des marchandises *avec* le chemin de fer, puisqu'il s'agit de moyen, ou qu'on arrivera *avec* le

train de 10 heures, puisqu'on peut interpréter : « en même temps que »
(comme dans *se lever avec le jour*). Mais est-ce bien ce qu'on veut dire et
ce que dit *avec* dans ces deux cas ? Le bon usage n'hésite pas ; il dit : *par.*
Mais on dit fort bien : *en finir avec qqch.* Cf. FINIR.

On dit : *Avec le temps* (grâce au temps) *cela s'arrangera* ; mais on ne
peut dire : [*Avec la fin de l'année 1631, nous perdons sa trace*]. Le sens
exige : *à la fin de ...* ou *à partir de la fin de ...*

Il est absurde d'employer *avec* au lieu de *sans* et de dire : *Je suis
revenu [avec] rien.*

5. *Avec* peut signifier parfois « malgré » : ***Avec le respect que je vous
dois** je vous ferai remarquer... **Avec toute sa science**, il n'a pu en venir à
bout* ou *il reste naïf.* **Avec cela** (ou *avec ça* ou *avec tout cela*), je *ne suis pas
rassuré.* Autre sens, cf. 6.

Avec peut marquer des relations entre personnes : *Je suis lié* **avec lui.**
Je suis bien (ou *mal*) *avec lui. Je suis d'accord avec lui. Comment se com-
porte-t-il avec vous ? Il est gentil avec* (ou *pour*) *moi. Il est sévère avec* (ou
pour) *moi.*

6. **Avec cela** (ou **ça**), **avec cela** (ou **ça**) **que.**

a) **Avec cela** (ou **ça**). Distinguer les usages réguliers, français, d'un
usage belge (surtout bruxellois).

En français normal, *avec cela* (ou *ça*) signifie « malgré cela » (cf. 5) ou
correspond à un usage où *cela* peut fort bien être remplacé par un autre
mot. Par exemple : *En avoir terminé avec cela* (comme *avec tel travail*).
Que ferez-vous avec ça ? (au moyen de cela, avec cet objet). Autre emploi
bien français, chez les commerçants, dans le sens de « en outre » : *Et avec
ça, Madame ?*

À Bruxelles on entend [*Il n'y a rien avec ça*] au lieu de : *Cela ne fait
rien, cela n'a pas d'importance.*

b) **Avec cela** (ou **ça**) **que.** Distinguer l'usage du français populaire et
un certain usage belge. Emploi populaire français, dans le sens de « sans
compter que, indépendamment du fait que » ; on fait état d'une difficulté
supplémentaire, d'une objection, parfois en phrase exclamative : *Avec ça
qu'il se fâche pour un rien* (Ajoutez qu'il...). *Avec ça qu'il ne s'est jamais
trompé* (comme s'il ne s'était jamais trompé !). *Avec ça qu'il n'aurait pas
réagi comme moi* (Pensez-vous qu'il n'aurait pas réagi comme moi ?).

Emploi belge, pour exprimer la cause : [*C'est avec ça que je suis en
retard. C'est avec ce mauvais temps que rien ne pousse dans le jardin*].

7. **Avec lui, vous,** etc., en tête de phrase, peut signifier « à l'entendre, à
vous entendre » : *Avec lui, il n'y a que l'argent qui compte.*

8. **Distinguer d'avec** marque plus nettement la distinction que *distinguer de : Distinguer l'ami d'avec le flatteur.*

9. Cf. CAUSER, CONFORME, COMMUNIQUER, COMPARER, CONFRONTER,
CONNAISSANCE, DIVORCER, FÂCHER, FIANCER, IDENTIFIER, MARIER,
OCCUPÉ, 3, QUITTE, SÉPARER. Accord de l'adj., cf. p. 44, du verbe, p. 981.

Avenant. À l'avenant, signifie « en accord, en harmonie avec ce qui précède ». *Elle avait une robe très chic et tout à l'avenant.* Par extension, « en rapport, de même, pareillement » : *Les loyers augmentent et tout à l'avenant.* Une autre extension retrouve le sens de « comme il advient, comme cela se présente » : *Il raconte tout cela à l'avenant.*
À **l'avenant de,** loc.prép., signifie « en harmonie avec » : *Le dessert était à l'avenant du repas.*

Aventure, n.f. À **l'aventure** = au hasard, sans but précis. — **D'aventure** et **par aventure** = par hasard (et non : parfois). — *Un roman d'aventures.*

Avenue, n.f. Cf. DANS, 8.

Avéré, adj., **s'avérer,** v.pr. Le verbe **avérer** (= reconnaître ou établir comme vrai) ne s'emploie plus aujourd'hui qu'à l'infinitif, rare (*C'est une chose qu'on ne peut avérer,* Ac.) et surtout au participe passé *avéré,* qui, devenu adjectif, a gardé le sens du verbe (reconnu comme vrai) et à la forme pronominale, *s'avérer,* resurgie avec un sens un peu différent. C'est ce qu'il importe de bien voir.
Avéré : *C'est un fait avéré,* c'est un fait reconnu comme vrai. On rencontre : *C'est un criminel avéré,* c'est-à-dire reconnu indiscutablement comme tel.
S'avérer ne s'emploie plus dans le sens original : se faire reconnaître comme vrai, se vérifier. On ne dit plus : *cette nouvelle s'avère.* Le verbe ne nous intéresse plus que dans son emploi moderne (suivi d'un adjectif) et dans son sens actuel. Encore faut-il bien définir celui-ci. Brunot (p. 618) lui donnait le sens trop faible de « passer pour ». *S'avérer* dit plus que cela, il signifie : se montrer à la lumière de l'expérience ou de la réflexion, se révéler réellement : *Des promesses qui s'avèrent illusoires. Un remède qui s'avère inefficace.* On a donc tort de critiquer ce verbe, qui est utile et enrichit la langue. D'innombrables écrivains le prennent d'ailleurs dans ce sens. Comme en 1949, et avec une conviction renforcée, je plaide pour lui.
Le sens de *s'avérer* étant bien établi, je ne vois rien d'anormal, en soi, à dire **s'avérer faux** ni même **s'avérer vrai,** puisque *s'avérer* ne signifie plus « se faire reconnaître pour vrai ». Admettons toutefois que l'oreille établit encore un rapport entre *vrai* et *s'avérer* ; c'est pourquoi personnellement (bien que d'excellents écrivains n'aient pas craint d'employer *s'avérer faux*), j'évite de dire *s'avérer vrai* et même *s'avérer faux* ; mais c'est affaire de style et je me refuse à condamner comme illogique *s'avérer faux.* Est-ce plus illogique que *s'avérer impuissant, inefficace* ou *illusoire* ou *être vraiment faux* ou *c'est bien mauvais ?*

Avertir, v.tr.dir. Littré exigeait le subjonctif après **avertir que** lorsque le verbe « emporte avec lui le sens d'un désir, d'un ordre, etc. : *Je l'avertis que son travail soit prêt demain* ». On dirait aujourd'hui : *Je l'avertis que* *son travail doit être prêt demain.* En effet, *avertir* ne signifie plus que « faire savoir qqch. à qqn pour qu'il y prenne garde » et il est donc suivi de l'indicatif : *Je vous avertis qu'on vous fera subir un interrogatoire serré.* On évitera l'inutile *avertir de ce que.* — Vu son sens, *avertir* s'accommode mal de *d'avance.* Ou il faut préciser : *(assez) longtemps d'avance.* Cf. Avance, 2.

Aveu, n.m. En Belgique, on dit couramment que *l'accusé* (ou *le ministre* ou *l'élève) est en aveu* ou qu'*il est entré en aveu (x).* Ces tours ne semblent pas usuels en France. On les y comprend cependant.

Être en aveu, entrer en aveu (x) sont clairs et ne sont pas plus étranges qu'*être* ou *entrer en prière, en conversation, en discussion.* L'emploi d'*en aveu* comme apposé permet, à défaut d'adjectif, de caractériser l'état de celui qui avoue ; *Écrivains en aveu* est le titre d'un essai de Marcel Lobet, fort bien accueilli en France.

Faut-il se laisser arrêter par le fait qu'*en aveu* pourrait avoir l'air de s'opposer à *sans aveu* ? Ce n'est pas à craindre, car il n'y a rien de commun entre les deux expressions. *Un homme sans aveu,* c'était en droit féodal celui qui n'était pas *avoué* (reconnu) par un seigneur ; d'où, aujourd'hui : un homme sans moralité, capable des pires actions. Nul danger qu'on donne à *en aveu* le sens de « qui a de la moralité ».

Je plaide donc pour les expressions courantes en Belgique. Mais je signale qu'en France on dit (comme d'ailleurs en Belgique) : **entrer dans la voie des aveux** (*Elle se troubla et entra dans la voie des aveux,* G. Beaumont, *La harpe irlandaise,* p. 228). Ou bien : **passer aux aveux** (*L'accusé est passé aux aveux), avouer, faire des aveux,* **passer des aveux.** Cf. R. Floriot, *Les erreurs judiciaires,* pp. 50, 77, 93, 96, 97 (*passer des aveux*), 80, 91 (*passer aux aveux*).

Avion, n.m. Trait d'union et accord des deux éléments dans *avion-cargo, avion-cible, avion-citerne, avion-école,* mais *des avions-suicide* (PR).

Avis, n.m. **Être d'avis que** suit, selon le sens, la règle des verbes d'opinion (cf. Croire) ou celle des verbes de volonté, qui exigent le subjonctif : *Je suis d'avis qu'il s'en ira demain* (= je crois), *qu'il s'en aille demain* (= je souhaite).

M'est avis que est suivi de l'indicatif ou, pour un fait éventuel ou iréel, du conditionnel : *M'est avis qu'il a tort, qu'il ferait mieux de se taire, qu'il aurait mieux fait de se taire.* On voit qu'on emploie le même mode que si la proposition n'était pas précédée de *m'est avis que.*
Faire changer d'avis, cf. p. 501.

Aviser, v.tr.dir. **S'aviser.** *J'avisai un passant* (je l'aperçus brusquement). *On avise* (on avertit par un avis) *qqn de qqch.* **Aviser à** : *J'aviserai à ce que je dois faire* (je réfléchirai à). — **S'aviser de** : *On s'avise de qqch.* (on remarque cela pour la première fois). *On s'avise de critiquer* (on a l'audace de).

Aviser que ne s'emploie plus guère. Si on l'emploie, il exige, comme *avertir*, l'indicatif. **S'aviser que** (éviter *de ce que* au lieu de *que*) est suivi de l'indicatif : *Elle ne s'est pas avisée qu'elle était en retard.*

Remarque : Dans le jargon bancaire, il est couramment question d'*[aviser un crédit]*, d'*[aviser un chèque]*. C'est mal s'exprimer. En bon français, on *avise le bénéficiaire*, on *avise une banque* qu'on a tiré un chèque sur elle.

Avocat, n.m. Féminin *avocate* (cf. GENRE). *Elle s'est faite l'avocate de votre cause.* — Nom du fruit de l'avocatier : *un avocat.*

Avoir, v.tr.dir. Cf. AUXILIAIRES. 1. **Conjugaison.** Attirons l'attention sur quelques formes. Subjonctif présent : *que j'aie, que tu aies, qu'il ait* (avec *t*), *que nous ayons, que vous ayez* (sans *i*), *qu'ils aient.* Impératif présent : *Aie, ayons, ayez.* À l'indicatif, *eut* n'a pas d'accent circonflexe (*il eut, il eut dit*). Mais on écrit *eût* au subjonctif imparfait ou plus-que-parfait (*qu'il eût, qu'il eût fini*) ou « conditionnel passé 2ᵉ forme » : *il eût dit* (= il aurait dit). C'est une faute fréquente et grossière d'écrire sans accent circonflexe *on eût dit* dans le sens d'*on aurait dit.*

Avoir n'a de **passif** qu'au sens plaisant et familier de « duper, attraper » : *(se faire avoir)* : *J'ai encore été eu.* Cf. 2.

2. Contentons-nous de noter quelques emplois d'**avoir qqn** ou **qqch.** et **avoir de quoi.**

On dit fort bien : *Je l'aurai demain à dîner.* À distinguer de l'emploi familier d'**avoir qqn** dans le sens de « duper, triompher de » : *Il nous a eus* (ou *Il nous a possédés*). *Je me suis laissé avoir.*

Si les emplois d'**avoir qqch.** sont nombreux et variés (*Cet appartement a deux pièces ; avoir un chapeau sur la tête ; avoir un geste de dépit ; avoir son train ; avoir la fièvre ; avoir une dispute avec qqn*), ce n'est pas *avoir* mais *donner, porter* qu'on emploie en parlant d'un arbre : *Mon cerisier donne de beaux fruits cette année.*

Avoir de quoi suivi d'un infinitif = avoir ce qui permet de : *Il a de quoi écrire.* Employée seule, familièrement « être dans l'aisance ».

3. **Avoir qqch.** peut signifier « se procurer, obtenir » et exprimer l'entrée en possession au sens large : *J'ai eu ce livre pour dix francs. Voulez-vous me faire avoir la communication avec Paris ?* Il arrive qu'on supprime *faire* : *Pouvez-vous m'avoir cette communication ?* Elliptiquement : *J'ai eu Paris, j'ai eu le directeur au téléphone.* Mais on se gardera de dire : *[avoir eu qqch. à qqn]*, assez courant en Belgique pour *avoir reçu qqch. de qqn*, ou *[avoir à prêter]* pour *recevoir en prêt, emprunter.*

4. **Avoir affaire.** Cf. AFFAIRE.
Avoir l'air. Cf. AIR, 5.
N'avoir d'égal. Cf. ÉGAL, 3, p. 356.
Il n'y a de, ce qu'il y a de (+ adjectif), cf. pp. 44 et 45.

5. **Avoir beau** suivi d'un infinitif : *Ils eurent beau se plaindre, on ne les écouta pas* (en vain ils se plaignirent). Autre sens dans le proverbe *A beau mentir qui vient de loin* (être à l'aise pour).

Avoir belle de + infinitif et *l'avoir belle* (= être dans une occasion favorable) ne se disent plus guère. *Nous aurions belle de lui faire la leçon. Vous ne l'aurez jamais plus belle* (Ac.). En français régional de Wallonie, [*avoir belle à dire*] a le sens de [avoir facile à dire] ; cf. 7.

Emploi wallon : [*Vous en avez une belle avec lui*] pour *Il vous donne beaucoup de difficultés, de soucis.*

6. **Avoir plus court.** Cf. COURT, 5.

7. *Avoir* + **adjectif.** À côté des séquences *avoir chaud, froid*, etc., appartenant au français correct et généralisé, d'autres, d'une origine différente et d'un emploi plus large autrefois qu'aujourd'hui, n'apparaissent qu'en français populaire, dans des dialectes ou dans certains français régionaux, notamment en Lorraine, en Picardie, en Normandie, en Belgique.

[*Avoir bon*], dont [*avoir meilleur*] est le comparatif, a en Wallonie (sauf dans le Hainaut occidental) plusieurs sens : se trouver bien, avoir suffisamment chaud, avoir du plaisir, avoir la bonne réponse (dans le langage des écoliers, même en France d'ailleurs, avec pour contraire : *avoir mauvais*).

[*Avoir dur*] est un belgicisme. [*Il a dur à s'habituer, à gagner sa vie*], dans le sens de : *Il lui est difficile de. Il a des difficultés à.* On dit même [*Il a dur*] pour *Il gagne difficilement sa vie.* Le français populaire emploie *l'avoir dur* ; à remplacer par *avoir la vie dure.*

[*Avoir facile, difficile*]. Il ne s'agit pas de belgicismes proprement dits ; on entend ces expressions en France, particulièrement dans le Nord et en Lorraine ; mais en Belgique elles sont courantes et à tous les niveaux de la société. Au lieu de [*Il a facile, lui. Il a facile à dire, lui*], on dira : *Il ne court aucun risque à dire cela.* Au lieu de [*Il aurait difficile de* (ou *à*) *faire cela tout seul*], on dira : *Il lui serait difficile de faire cela.* On dira : *Il est facile de se tromper. Vous ferez cela facilement. C'est facile à dire. Il n'a pas eu pareille facilité. Il s'habitue difficilement. Il éprouve* (ou *il a*) *des difficultés à marcher sur ces pierres* ou *Il marche difficilement sur ces pierres. Il a du mal à s'habituer*, etc.

Avec le pronom *l'* : [*L'avoir facile* ou *difficile*]. Dire : *avoir des facilités* ou *des difficultés.*

8. Autres **régionalismes.** On entend en Wallonie : [*avoir mal sa tête*], [*avoir chaud ses pieds*] pour *avoir mal à la tête, avoir chaud aux pieds* ou *avoir les pieds chauds.*

[*Avoir le temps long*] s'entend en Belgique, sauf dans le Hainaut occidental, dans le sens de « trouver le temps long ». [*J'ai le temps long après lui*], il me tarde de le revoir.

Avoir bien le temps se dit abusivement en Hainaut pour « être dans l'aisance », expression traduite ailleurs par [*avoir pour faire*].

Avoir de bon. Belgicisme courant : [*J'ai encore un coup de bon* ou *dix francs de bon*] pour *J'ai encore droit à un coup, à dix francs. J'ai encore un coup à jouer. Vous me devez encore dix francs.*

On dit très bien, dans un tout autre sens : *Cet enfant a cela de bon que...* : il a cette qualité (cela, qui est bon) que...

[*Avoir ça propre*]. Belgicisme : [*Je n'ai pas pu avoir ça propre*] pour : *Je n'ai pas pu rendre cela plus propre* ou *le nettoyer mieux.*

[*Avoir dehors*]. Belgicisme : [*Je n'ai pas pu avoir ces taches dehors*] pour *Je ne suis pas parvenu à les enlever.* [*Je n'ai pas pu avoir ces individus dehors*] pour *Je ne suis pas parvenu à faire sortir ces individus.*

[*Avoir pour faire, avoir bien pour faire*], expressions liégeoises pour : être dans l'aisance, être riche. On donne le même sens, en Hainaut, à *avoir bien le temps !*

9. On dit fort bien **avoir une chose pour agréable** dans le sens de « considérer comme agréable », « tenir pour agréable ».

10. **En avoir à qqn**, c'est être irrité contre lui, lui en vouloir (et non s'adresser à lui).

11. **Avoir à + infinitif** marque l'obligation, parfois la simple faculté : *J'ai un travail à finir. J'ai une visite à faire* ou *J'ai à faire une visite. Il a sa famille à nourrir. Vous n'avez rien à répliquer ? Vous n'avez qu'un quart d'heure à attendre. Il a bien des choses à nous apprendre.* — Accord de *eu* dans *avoir eu à*, cf. PARTICIPE PASSÉ, D, 13. p. 683.

N'avoir qu'à + infinitif signifie « il suffit de » : *Vous n'avez qu'à m'avertir.* Parfois aussi « il ne reste qu'à » : *Si vous ne pouvez lui faire visite, vous n'avez qu'à lui écrire* ou *il n'y a qu'à lui écrire.*

La langue populaire emploie *n'avoir qu'à* à l'imparfait au lieu du conditionnel passé de *devoir* : « *Vous n'aviez qu'à faire attention*, vous auriez dû » (PR). On s'explique cet emploi : il vous suffisait de faire attention pour éviter ce mécompte.

Un certain usage belge va plus loin, trop loin, en utilisant [*Il n'a qu'à le savoir*] dans le sens approximatif de « Tant pis pour lui ». Sans doute est-on passé du sens « Il devrait le savoir » à celui de « s'il ne le sait pas, tant pis pour lui ».

12. **N'avoir de cesse que** (ou *n'avoir pas de cesse que*), où l'on retrouve le nom féminin *cesse* (repos, répit ; cf. *sans cesse*, sans s'arrêter), veut dire : ne pas s'arrêter avant que, n'avoir point de repos avant que. Cette locution est suivie du subjonctif, accompagné généralement de *ne* explétif : *Il n'aura point de cesse que vous ne lui ayez donné ce qu'il demande* (Ac.). *Il n'aura de cesse qu'il n'obtienne ce qu'il veut* (tour plus moderne, sans *point*).

On trouve, quand le sujet ne change pas, *n'avoir de cesse que de* + infinitif : *Il n'aura de cesse que d'obtenir ce qu'il veut.* Ce tour n'est pas très vivant, parce qu'il correspond à un autre tour peu courant, *avant que* (remplacé par *que*) *de* (cf. AVANT, 5). Si d'autre part on supprime *que*, on n'exprime plus l'équivalent d'*avant que* ; on trouve cependant *Il n'aura de cesse de le rencontrer* (construit comme *ne cesser de*, qui a un autre sens). Certains tournent la difficulté en employant *avant de* + infinitif : *Il n'aura de cesse **avant de le rencontrer***, correspondant fort bien à : *Il n'aura pas de repos, de répit avant de le rencontrer.*

13. **N'avoir garde de** + **infinitif** = s'abstenir soigneusement de, n'avoir pas l'intention de, être bien éloigné de : *Je n'ai garde de l'accuser.*

On trouve **avoir garde** avec la même signification ; c'est qu'on donne à *garde* le même sens qu'il a dans *prendre garde de*, signifiant, devant un infinitif, « s'efforcer d'éviter » (cf. GARDER) : *J'ai toujours eu garde de bercer d'illusions ceux qui voulaient bien m'écouter* (Ch. de Gaulle, *Le salut*, Poche, p. 456). Ce tour n'a jamais été bien vivant. On dira : *Je me suis toujours gardé de.*

14. **Avoir le droit de** + **infinitif.** L'Académie laisse encore le choix entre *avoir le droit de* et *avoir droit de*, qui n'est plus vivant devant un infinitif.

15. **Avoir lieu de** est aussi correct avec un nom de personne comme sujet (*j'ai lieu de me plaindre*) qu'à la forme impersonnelle *il y a lieu de.*

16. On a dénoncé comme un flandricisme l'expression **avoir beaucoup de qqn**, lui ressembler. Elle est correcte : *J'ai beaucoup d'elle dans l'expression du visage* (Léautaud, *In memoriam*, p. 188). Le GLLF note (Avoir, 7) : « *Avoir de qqn*, présenter une certaine ressemblance avec cette personne ». Et il cite cette phrase : *Puis il avait de sa mère, qui était Française* (Goncourt).

17. **Avoir chaud, envie, faim, froid, mal, peur, soif, soin, sommeil**, considérés comme des locutions verbales, s'accommodent des adverbes de comparaison *aussi, plus* et *très* et de *assez, si* et *trop* : *J'ai **aussi** (ou *plus*) peur que vous, j'ai **très peur**, si peur*, **trop** *peur*. — *J'ai très envie* (Camus, *L'étranger*, 2ᵉ éd., p. 52). *J'ai très envie de vous* (J. Anouilh, *Pièces brillantes*, p. 454). *Oui, nous disons à Paris « J'ai très envie », « J'ai très sommeil »* (Ch. Bruneau, *Le Figaro littéraire*, 22 mars 1952). Les Le Bidois auraient voulu (II, p. 257) réserver à la langue populaire ou familière *J'ai aussi faim que vous*. Ils exigeaient *J'ai autant faim que vous !* Il ne fait aucun doute qu'on peut dire, et non seulement en français familier : *J'ai aussi* (ou *plus*) *faim que vous, j'ai si faim, très faim, trop faim*. On peut évidemment dire : *J'ai bien soif* (ou *fort soif*), etc.

Mais, si cet emploi d'*aussi* ne cesse de s'étendre, il y a encore des limites dont on n'ose dire qu'elles sont franchies. Malgré quelques exemples relevés çà et là, je ne dirai pas qu'il est normal d'employer *trés* dans **avoir besoin, hâte, plaisir, pitié, raison, tort**. On emploiera *grand* ou *extrêmement*, etc. : *Vous avez pleinement raison*. Cependant on entendra

sans s'étonner *aussi... que, plus* et *trop* avec ces expressions : *J'en ai aussi
besoin que vous, j'en ai plus besoin que vous, j'en ai trop besoin.* Cf. TRÈS.

18. **Avoir... à.** Il est normal de placer le complément de l'infinitif après
avoir dans des phrases comme : *Il a un devoir à faire. Il a beaucoup à dire,*
parce que le sens le permet. Mais il paraît beaucoup moins normal de
dire : *Il a loin à aller* au lieu de *Il a à aller loin* (qui ne se dit pas) ou *Il
lui faut aller loin,* où *loin,* adverbe, est mis près du verbe qu'il détermine.

On dit cependant en Belgique : *Il a loin à aller* (il a une longue traite
à faire) et même *Vous avez encore loin pour trouver un garage.*

19. Cf. ADJECTIFS POSSESSIFS, 1 (*avoir mal*), BESOIN, 1, CONFIANCE,
GRÂCE, IL Y A, INTÉRÊT, PARTICIPE PASSÉ, PRÊTER, TANT, TROP, 5.

Avoisiner, v.tr.dir., se dit, au propre et au figuré, de ce qui est proche de :
*Les bois qui avoisinent la ville. Sa bonté avoisine la bêtise. La température
avoisinera 10 degrés.* Cf. VOISINER.

Avorter, v.intr., doit s'employer avec *faire* s'il y a un complément direct :
*Une femme, un projet avorte, a avorté. Une femme se fait avorter, le méde-
cin la fait avorter. La malchance fait avorter un projet.* On ne peut donc
parler d'une femme qui [*s'avorte*], pas plus que d'une femme qui
[*s'accouche*].

On parle cependant, en employant l'adjectif **avorté,** d'un *projet avorté*
(qui n'a pas atteint sa réalisation). Le substantif *une avortée* se répand
pour désigner une femme qui s'est fait avorter.

Abortif se dit de ce qui fait avorter : *Des manœuvres abortives.*

Axer, v.tr.dir., au propre et au figuré, c'est orienter qqch. (une allée, une vie,
un tableau, etc.) sur un certain axe, organiser autour d'un thème fondamental, centrer sur, diriger vers : *Axer sa vie sur qqch.* On dit aussi, au
figuré : *axer* **autour** de qqch. (GLE). **S'axer sur qqch.**

Axiome, n.m. *Un axiome.* Pas d'accent circonflexe.

Ayant-cause, ayant-droit, employés comme noms. Trait d'union conseillé,
mais facultatif. Accord, au pluriel, de *ayant,* suivant un usage ancien : *les
ayants-droit.*

Azalée, n.f. *Une belle azalée.*

Azimut, n.m. L'expression **tous azimuts** a été emprunté au langage militaire (*tirer dans tous les azimuts,* dans toutes les directions) et s'emploie
avec une valeur d'adjectif : *des négociations tous azimuts, une concurrence
tous azimuts.*

Aztèque, adj. Z se prononce couramment « s », d'après les meilleures
enquêtes.

B

Baba, adj. invariable (*Elles sont restées baba*, très étonnées), est familier. N.m. : *Des babas au rhum.*

[Babelaire], n.m., se dit familièrement à Bruxelles d'un radoteur.

[Babeler], v.intr., s'emploie très familièrement à Bruxelles pour « bavarder, papoter, commérer, radoter ».

[Babelute], n.f., et parfois **[Babulaire]**, n.m., nom d'une friandise en Belgique.

Babiole, n.f. *Une babiole*, qqch. de peu important, de peu de valeur.

Bâbord (accent circonflexe, mais on prononce *a* bref), n.m., côté gauche d'un navire, quand on tourne le dos à l'arrière, à la poupe.

Baby, n.m. Laisser ce mot au langage snob et, plutôt que d'hésiter entre *des babys* et des *babies*, dire et écrire *des bébés* ou *des enfants*. Au lieu d'employer **baby-sitter** et **baby-sitting**, on parlera de *garde-enfant* (comme de *garde-malade*) ou de *garde d'enfant* et on dira qu'*on garde des enfants*.

Bac, n.m., s'emploie abusivement en Belgique et parfois dans le nord de la France avec divers compléments : bac à cendres d'un poêle (*cendrier*), à charbon (*seau à charbon* ; s'il y a couvercle : *boîte à charbon*, *baquet à charbon*), à outils (*caisse à outils*), de bière (*casier à bouteilles*), à lumière (*lanterne* pour aveugler le gibier), à schnick (*cabaret* de bas étage). On utilise aussi parfois le mot, à Bruxelles, pour le tram ou un autre véhicule. On emploie *bac* en français régulier pour le *bac d'un évier*, le *bac à vaisselle*, un *bac à oranger*, un *bac à fleurs* ou *jardinière* et, en parlant d'un réfrigérateur, d'un congélateur, pour le *bac à glaçons*, *à poisson*, *à viande*.

Bacchanal, n.m., **bacchanale(s)**, n.f. **Un bacchanal** (sans pluriel), un grand bruit, un tapage. Ce mot est peu usité. **Les bacchanales** (f.pl.), les fêtes religieuses célébrées en l'honneur de Bacchus. **Une bacchanale,** c'est une danse tumultueuse ou, plus souvent, une débauche bruyante.

Bachique (qui a rapport à Bacchus), adj. Un seul *c* : *Chanson bachique.*

Bachot, n.m., signifie *baccalauréat* (ou *bac*) ; **bachotage, bachoter, bachoteur** sont français ; ils visent la préparation intensive et surtout mnémonique, d'un examen, dans le seul but d'une réussite, sans souci d'une véritable acquisition de connaissances.

Bacille (prononcer « il »), n.m. : *Le bacille tuberculeux.*

Back-ground, n.m., se traduira dans ses emplois généraux, soit par *arrière-plan* ou *antécédents,* soit par *acquis, base de connaissances,* soit par *contexte.*

Bâcler, v.tr.dir. Accent circonflexe : *Il bâcle son travail.*

Bacon, n.m., désigne en France (où il garde une prononciation plus ou moins anglaise) une sorte de lard. En Belgique (où on le prononce « bacon ») et parfois aussi en France, le mot désigne du filet de porc salé et fumé, coupé en tranches fines.

Badaud, n. Féminin : *badaude.*

Badge, n.m. Quoi que dise le PR, *badge* n'est pas féminin quand il désigne l'insigne porté par les scouts et masculin quand il désigne l'insigne rond à inscription humoristique ou revendicative porté sur un vêtement. Le nom est toujours masculin (cf. GLLF, Lexis, etc.). C'est au Canada qu'on l'emploie généralement au féminin.

Badiner (plaisanter avec légèreté), v.intr. *Il ne badine pas. On ne badine pas avec l'amour.* L'emploi transitif (*badiner qqn,* le taquiner) est vieilli et rare. **Badinerie** est rare et littéraire, à côté de **badinage.**

Baes (féminin *baesine*), n.m., est du flamand : patron de café, homme robuste, logeur d'un étudiant.

Baffe, n.f., gifle (d'une racine onomatopéique, *baf*), n'est pas propre à la Belgique. Il appartient au français populaire.

Bafouer, v.tr.dir. (un seul *f*), traiter avec un mépris insultant.

Bagage, n.m., s'emploie le plus souvent au pluriel pour désigner les valises, les sacs à main, etc. qu'on emporte avec soi en voyage : *placer ses bagages dans le filet ; faire enregistrer ses bagages ; emporter ses* **bagages à main.** On écrit souvent *un voyageur sans bagage,* mais on peut mettre *bagages* au pluriel. On dit au figuré, avec *bagage* au singulier : *plier bagage* (partir hâtivement), *avoir pour tout bagage* ; *son bagage scientifique n'est pas lourd.*

À distinguer de **baguage**, action de baguer un oiseau ; résultat de cette action.

Dérivés : *bagagiste* (employé chargé de la manutention des bagages), *bagagerie*, n.f., (sens nouveau : appareil tournant sur lequel sont déposés les bagages à l'arrivée d'un avion). Mais le verbe [*bagager*] n'est pas admis.

Bagnole, n.f., désigne familièrement une mauvaise (ou une vieille) automobile et en langage populaire toute automobile.

Bagou (Ac.), n.m. On écrit aussi *bagout*.

Bah !, interj., marque, suivant le ton ou le contexte, l'étonnement ou l'indifférence.

Bai, *baie*, adj., d'un brun rouge en parlant d'un cheval : *Une jument baie*.

Baigner, v.intr. : *Ces concombres baignent dans le vinaigre. Il baigne dans son sang.* **Tr.dir.** : *Baigner un enfant, baigner ses pieds, baigner les yeux avec de l'eau boriquée. Les larmes baignaient ses joues. Être baigné de sueur* (Ac.). *Un visage baigné de pleurs.* — **Faire baigner** *des chevaux, un chien.* — **Se baigner** : *Il se baigne* (dans la mer, dans une rivière). Plus rarement, dans sa baignoire (*il prend un bain*).

Bail, n.m. *Un bail, des baux. Passer un bail, donner à bail, prendre à bail, dénoncer* ou *résilier un bail, céder un bail, renouveler un bail, un bail trois, six, neuf.*

Baille, n.f., signalé par Littré comme régional au sens de « clôture de pâturage », est encore parfois employé dans la région liégeoise au sens de « barrière, rampe, garde-fou ».

Bailler, v.tr.dir., **bâiller,** v.intr., **bayer,** v.intr.
   Bailler (= donner) est vieilli ou régional. On dit encore : *Vous la lui avez* **baillé belle** ou **bonne** (vous avez cherché à lui en faire accroire). Dans ces expressions, *la* = la balle, mais le participe reste invariable suivant l'ancien usage. — *Un* **bailleur** *de fonds.* En parlant de bail, *le bailleur* (qui donne à bail), **la bailleresse,** opposés à *preneur* (*preneuse*), *locataire.*
   Bâiller. *On bâille* de fatigue, de faim, d'ennui. **Un bâillement. Un bâilleur,** *une bâilleuse* (qui bâille souvent).
   Bayer (= s'ouvrir ; même prononciation que *bailler*) a une autre origine et s'est dit de celui qui garde la bouche ouverte (**bouche bée**). Ce verbe ne s'emploie plus que dans **bayer aux corneilles** = regarder niaisement en l'air, perdre son temps, rêvasser.

Bailliage, n.m., est en rapport avec *bailli* (circonscription ou tribunal du bailli). D'où l'*i* devant la terminaison *age*.

Bâillon, n.m., et **bâillonner,** v.tr.dir., sont en rapport avec *bâiller*.

Bain, n.m. On écrit : **une salle de bain** (Ac., à *Bain*) ou (plus souvent) **une salle de bains** (Ac., à *Salle*). — On *verse* un bain, on *prend* un bain ; *on remplit le bain* (la baignoire) ; au figuré, *on est dans le bain* (on est engagé ou compromis dans une affaire). — *Un bain de boue, un bain de pieds, un bain de siège.* **Un chauffe-bain,** *des chauffe-bains.*

Bain-marie, n.m. Pluriel : *des bains-marie.* — *Faire chauffer au bain-marie.*

Baise, n.f., formé sur le verbe *baiser,* se substitue couramment, en Belgique et dans le nord de la France, aux mots familiers *bécot* ou *bise.*

Baisemain, n.m., s'écrit en un mot.

Baisser, v.tr. *On baisse les yeux,* la voix, la lumière, la radio, ses prix. **Intr.** : *Le niveau de l'eau a baissé, la mer a baissé. Les prix ont baissé. La fièvre a baissé.* **Auxiliaire** *avoir.* On ne trouve plus *être* que comme copule devant l'attribut ou au passif : *Les rideaux sont baissés.* — **Se baisser** : *Ils se sont baissés pour les ramasser.*

Bakchich, n.m., transcription approximative d'un mot persan, pourboire, pot-de-vin.

Bakélite, n.f. *De la bakélite.*

Balade, ballade, n.f., etc. On distingue une *ballade* (sorte de poème) d'une *balade,* promenade sans but précis. On écrit : **se balader** (familier), **baladeur,** une **baladeuse.** Un seul *l* aussi à **baladin** (autre origine).

Balafre, n.f., **balafrer,** v.tr., n'ont qu'un *f.*

Balai, n.m. ; pas d'*s* au singulier. En Belgique, on a tendance à réserver *balai* aux assemblages de crins ou de fibres plus dures ou de brindilles. Or *balai,* s'il convient dans ce sens, est le terme qui s'impose en général, pour le nettoyage du sol, chaque fois qu'il y a un long manche, appelé *manche à balai* ou *manche de balai.* Tandis qu'on parle d'une **brosse** *à dents, à cheveux, à habits, à chaussures,* de la brosse d'un aspirateur ou d'un peintre. Même distinction entre les verbes **balayer** et **brosser.**

Le français connaît cependant **balai-brosse,** n.m., brosse de chiendent montée sur un manche à balai pour frotter le carrelage : *L'eau savonneuse que pousse un balai-brosse sur les dalles* (Colette, *La naissance du jour,* Flammarion, p. 53). Et **balayette,** n.f., petit balai à manche court.

Balance, n.f., est employé en Belgique, en argot estudiantin, pour désigner une note non satisfaisante mais qui à elle seule n'entraîne pas l'ajournement et laisse donc en balance (dans l'incertitude) le sort de l'étudiant qui [*a une balance*] dans une branche ou [*a fait une balance*] chez un professeur.

Balancelle, n.f., signalé par les dictionnaires comme le nom d'une embarcation napolitaine, se dit aussi en France d'un siège de jardin à plusieurs places et dans lequel on peut se balancer. Dans certaines régions de Wallonie, *une balancelle* est un petit meuble à bascule en forme d'X sur lequel on peut reposer les pieds.

Balancer, v.tr.dir. On balance *les épaules, une cruche, ses phrases. J'ai envie de tout balancer.* **V.intr.** Au figuré : *Il balance* (hésite) *entre vous et lui, entre deux avis. Il balance à faire ce que vous lui demandez. Sans balancer davantage, il répondit...*

Balcon, n.m. A. Camus, dans *La peste* (Poche, p. 23), écrit successivement : *au balcon, sur un balcon, à son balcon.*

Baler, v.intr., qui a signifié *danser* en vieux français, s'emploie encore en Wallonie pour « tasser, en le battant, le sol qu'on vient d'ensemencer ». Dans certaines régions, cela se fait avec des [*balètes*], planchettes auxquelles on a attaché des sabots ou des étriers.

Baleine, n.f. On s'est moqué de l'expression familière *rire comme une baleine.* On a prétendu qu'elle était le résultat d'une collision entre *rire comme un bossu* et *se tordre comme une baleine de parapluie !* L'expression est normale et veut simplement dire : rire en ouvrant la bouche toute grande.

Baliveau, n.m., désigne en français un jeune arbre qu'on a décidé de ne pas couper dans un taillis pour qu'il puisse croître en futaie. C'est donc un contresens de désigner par là un jeune arbre coupé.

Balle, n.f. Une seule graphie dans tous les sens.

Ballon, n.m. On écrit généralement : des pneus *ballon,* des verres *ballon.* — **Ballonner.**

Ballotin, n.m., désigne couramment en Belgique le petit emballage en carton, de la forme d'un parallélipipède, qui contient des *pralines* (au sens belge). Ignoré des dictionnaires français, le mot s'emploie cependant aussi en France, notamment à Nancy, pour désigner un petit sachet où l'on met des dragées pour un baptème ; on l'entend même en Lorraine mais aussi parfois à Paris s'appliquant à un emballage pour bonbons qui correspond au ballotin belge. Il n'y a aucun mal à respecter de tels usages régionaux, en sachant qu'ils sont tels.

Ballotter, v.tr. et intr., et **ballottage,** n.m., ont deux *l* et deux *t.*

Balluchon (Ac.), n.m., s'écrit aussi **baluchon.**

Balustre, n.m. *Un balustre.*

Bamboche, n.f., (petite débauche), *bambocher, bambochard, bambocheur* sont familiers.

Ban, n.m. On dit : *ouvrir* ou *fermer le ban, un ban pour l'orateur, le ban et l'arrière-ban, mettre qqn au ban de* (la société), *rupture de ban* ; *publier* ou *afficher les bans* (de mariage).

Banal, adj., au sens propre, féodal, « qui appartient au seigneur » (moulin, four, chemin, puits), fait au pluriel **banaux** ; au sens figuré, courant, il fait généralement **banals** : *des compliments banals.* Mais de bons auteurs écrivent *banaux,* qui se répand ; d'autres hésitent à employer le pluriel, quel qu'il soit.

Banane, n.f. On dit **une peau** ou **une pelure** de banane.

Banc, n.m. **Banc de menuisier** est aussi français qu'*établi de menuisier,* mais moins courant en France. *Un char à bancs* (ou *à banc*).

Bancaire, adj., est français : système, chèque, opération, crédit *bancaire.*

Bancal, adj. Pluriel : *bancals.*

Bandoulière, n.f. Noter *li.*

Bang, n.m. *Un bang* est le bruit produit par un avion dépassant la vitesse du son. *Des bangs.*

Banlieue, n.f. Un **train de banlieue** dessert *la banlieue* d'une ville et transporte les *banlieusards* (terme familier). — Belgicisme : [*un banlieue, un train banlieue*] pour *un* **omnibus.**

Banque, n.f., reste invariable dans **des billets de banque.**

Banqueter, v.intr. *Il banquète.*

Baragouin, n.m., *et dérivés.* — Attention à l'orthographe.

[Baraquier], n.m., est un belgicisme (pour *forain*).

Baratin (discours abondant, destiné le plus souvent à tromper), n.m., **baratiner,** v.intr. ou tr.dir., **barateur,** n. et adj., sont populaires. *Faire du baratin* ou **baratiner.** *Il m'a encore baratiné, pour que je le laisse faire.*

Barbecue, n.m., a pour lui une longue existence en français et doit se prononcer à la française.

Barbifier, v.tr.dir., familier, c'est raser, faire la barbe ou ennuyer, barber (également familier).

Barboter (un seul *t,* comme *barboteur, barboteuse,* vêtement d'enfant, et *barbotière,* mare), v.intr., fouiller l'eau avec le bec (*les canards barbotent* *dans l'eau*), s'agiter dans l'eau, marcher dans une eau bourbeuse, patauger (au propre et au figuré : *barboter dans ses explications*).

Tr.dir., *barboter* est vieilli dans le sens de « marmotter, bredouiller, prononcer d'une manière confuse » et très familier dans celui de « voler, subtiliser ».

Dans certaines régions wallonnes, ce verbe s'emploie transitivement, dans le sens de *gronder, réprimander*. On a souvent conscience que c'est un mot dialectal.

Barbouze, n.f. *Une barbouze* : membre d'une police secrète (ainsi appelé à cause de la fausse barbe qu'il porte parfois et qui, en argot, est appelée une barbouze).

[**Bardaf** !] est en Belgique une interjection signifiant *patatras !*

Barder, v.tr.dir., ou intr. Rien de commun pour l'origine et le sens entre le verbe tr.dir. *barder* (couvrir d'une *barde*, armure du cheval de guerre ou tranche de lard ; couvrir à profusion, bourrer de) et le verbe intr. populaire *barder* : *ça va barder* (prendre une tournure violente), *ça barde*.

Barème (accent grave), n.m., a en Belgique un dérivé, *barémique* (relatif aux barèmes) : *Les variations barémiques des traitements*.

Barguigner, v.intr., vieilli dans le sens de « marchander », ne s'emploie plus que dans *sans barguigner*, sans hésiter. Familièrement, **barguignage** = hésitation.

Baril (un seul *r*), n.m. On prononce *l* (Martinet, Lerond).

[**Barloquer**], v.intr., est du wallon parfois employé dans le français régional : *pendiller, vaciller*.

Barmaid, barman. Ces mots anglais s'emploient inutilement pour *serveuse de bar, garçon de bar*. Pluriel : *des barmaids, des barmen* ou *des barmans*.

Baron, n.m., désignant une pièce de viande (*un baron d'agneau* : les deux gigots et les filets) ne peut s'écrire [*bas-rond*].

Baronnet, n.m., **baronnie,** n.f. Deux *n*.

Barre, n.f. 1. Parce qu'elles sont empruntées au *jeu de barres*, l'Académie écrit *barres* avec *s* dans les expressions *avoir barres sur qqn* (avoir sur lui quelque avantage) et *toucher barres* (ne faire que passer dans un lieu). On trouve cependant beaucoup plus souvent **avoir barre sur qqn**, et c'est normal puisqu'il s'agit proprement de l'avantage qu'un joueur acquiert sur un autre du camp opposé en quittant son camp, sa barre, après lui. *Toucher barres* (ou *barre*) ne se dit plus guère. On trouve aussi **prendre barre sur qqn** (prendre un avantage sur lui) : *Ils cherchèrent, d'abord, à prendre barre sur nous en soulevant la question de la ratification* (Ch. de Gaulle, *Le salut*, Poche, p. 78).

2. Dans le langage des techniques nucléaires, il faut, pour traduire l'anglais *control rod*, parler de **barre de commande** (et non de barre de contrôle, donné par le TLF) ; cette barre mobile est en effet utilisée en vue de la commande d'un réacteur. Si elle sert à des ajustements faibles et précis, elle s'appelle une **barre de pilotage**.

3. Cf. BILLE.

Bas, adj. ou adv. 1. On dit : *Bas les mains ! Bas les pattes !* mais *À bas la guerre !*

2. Cf. À et *en*, 10 : *à bas (de), au bas (de), en bas (de)*, p. 19. **Belgicismes :** [*tomber bas de qqch.*], [*couper bas*], [*sauter bas de qqch.*], [*avoir bas*] (enlever) : [*Je ne parviens pas à avoir cette tache bas, à l'avoir bas*].

3. **Pléonasme** à éviter : [*Descendre en bas*]. *On descend* ou, avec une précision, *on descend à tel étage, à la cave*.

4. **Mettre à bas** ou **mettre bas** = abattre, renverser (une maison, un adversaire). *Mettre bas* a en plus deux autres sens : déposer un vêtement, un fardeau, les armes, déposer ou abaisser un masque ; en parlant de la femelle de certains animaux, mettre au monde.

5. Les **composés** *bas-côté, bas-bleu, bas-fond, bas-relief, basse-cour, basse-fosse* s'écrivent avec trait d'union. Au pluriel, *basse* varie, ainsi que le deuxième élément : *des bas-côtés, des basses-cours*.

On écrit sans trait d'union : *la basse Normandie, la basse Loire, les basses Alpes*, etc., sauf s'il s'agit d'une unité administrative officielle, politique ou historique bien délimitée : *la Basse-Saxe, le Bas-Rhin, l'industrie bas-rhinoise*.

On écrit : *le Bas-Empire, les Pays-Bas*.

Dans *bas allemand, bas breton*, etc. (*les bas Bretons*), généralement on écrit ces expressions sans trait d'union, comme *bas latin* ; *bas* y est invariable : *des formes bas allemandes, la race bas normande*.

Base, n.f. On dit couramment en Belgique [*sur base de*] au lieu de **sur la base de**. Si l'on dit fort bien **à base de** en parlant d'un composant fondamental, on dit que tel évènement est **à la base de** (à l'origine de) tel autre et que telle chose est faite, tel rapport établi **sur la base de** tels éléments. Ceux-ci servent *de base*.

Baser, v.tr.dir., employé comme synonyme de *fonder* (*baser sur qqch., se baser sur*), a des ennemis irréductibles. Cet emploi n'est pourtant ni récent ni rare, même dans la langue cultivée ou littéraire, et l'on doit le considérer comme correct.

Basket-ball, n.m., se disant aussi *basket*, mieux vaut garder le trait d'union.

Bassin de natation s'est dit en France et s'y emploie encore (Michel Bataille, *Les jours meilleurs*, p. 136 : *dans le bassin de natation*), mais il y a été généralement remplacé par **piscine**, tandis qu'il est resté très vivant en Belgique comme nom composé sans trait d'union.

Bastingage, n.m., s'emploie aujourd'hui correctement pour désigner le garde-corps le long du pont d'un navire : *on s'accoude au bastingage, on se penche par-dessus le bastingage.*

Bastringue, n.m. *Un bastringue.* Familier dans les sens de : bal de guinguette, dancing populaire (*Une musique de bastringue*), orchestre tapageur (*Un bastringue infernal*), orgue détraqué : *Tout s'était détraqué en lui. Une mécanique qui s'emballe. Un vieux bastringue qui se met à moudre tous les airs de son répertoire pêle-mêle, avec des sautes de rythme, des arrêts brusques, des départs grinçants, des mesures qui se chevauchent* (B. Clavel, *Le voyage du père,* J'ai lu, p. 203). Populaire dans les sens de : tapage (*Quel bastringue !*), ensemble d'objets hétéroclites, matériel disparate, encombrant : *Il a emporté tout son bastringue.* C'est à tort qu'en certains endroits de Belgique on l'applique (péjorativement) à un seul objet ou qu'on le met au pluriel pour une pluralité d'objets.

Bât (accent circonflexe), n.m., désigne le dispositif qu'on pose sur le dos d'une bête de somme. D'où les expressions figurées : *Chacun sait où le* **bât blesse** *cet homme. C'est là que le bât le blesse.*

Bataillon, n.m. On écrit : *des chefs de bataillon.*

Bâtard, adj. et n., et **composés.** Noter l'accent circonflexe. *Bâtardise,* etc. Mais **batardeau** (digue, etc.) est sans rapport avec *bâtard.*

Bateau, n.m. Pas d'accent circonflexe.

Genre des noms de bateaux : cf. GENRE.

On écrit : *Un bateau à vapeur, à voiles, un bateau-citerne, un bateau-mouche, un bateau-école,* etc. *Des bateaux-citernes, des bateaux-mouches.*

Batik, n.m. *Du batik.*

Battre, v.tr.dir. 1. **Conjugaison** : *Je bats, il bat, nous battons. Je battais. Je battis. J'ai battu. Je battrai.*

2. **Battant neuf.** Cf. FLAMBANT NEUF, p. 422.

3. On dit : *une pluie battante, une porte battante.*

4. **Battre** (ou **rebattre**) **les oreilles,** et non [*rabattre...*].

5. **Battre son plein** s'est dit d'abord de la mer qui atteint son plein, sa plus grande hauteur en battant la côte. *Son* reste un adjectif possessif se rapportant à *plein* (*la fête bat son plein*) mais devenant naturellement *leur* si le sujet est au pluriel (*Les fêtes battent* **leur** *plein*).

6. C'est à tort qu'en Belgique et dans certaines régions françaises, par référence au battage de la crème pour en faire du beurre, ce qui se dit **battre le beurre,** on emploie cette expression pour *s'embrouiller dans ses explications, patauger* (au figuré), *être à côté de la question,* etc.

Bavette, n.f., **bavoir,** n.m. Tandis qu'en France *bavette* est généralement remplacé par *bavoir,* on continue, non sans raison, à distinguer en Belgique *le bavoir* des bébés, pièce de lingerie qui protège leur poitrine, et *la bavette,* sorte de grand bavoir porté par les enfants sur la poitrine pendant les repas.

Dans certaines régions wallonnes, de l'expression française **tailler une bavette** (bavarder), on a tiré *une bavette* (à éviter) pour *un bavard* et surtout *une bavarde.*

Bazar, n.m., s'écrit sans *d,* bien que le verbe très familier soit *bazarder* (formé d'après les dérivés des substantifs en — *ard*), « se débarrasser de qqch. ».

Un bazar peut désigner familièrement *un ensemble* d'objets désordonnés, de peu de valeur ou mal définis : *Range ton bazar. Tout le bazar,* sens très large et très vague à la fois. On dit d'une pièce ou d'effets en désordre : *Quel bazar !*

Mais l'appliquer à un seul objet quelconque, comme on le fait en Belgique, c'est parler en français régional.

Béat, béant, bée, adj. *Béat* signifie proprement « heureux » ; on le trouve encore dans ce sens à la première ligne de *Le hussard sur le toit,* de Giono. Mais généralement cet adjectif est péjoratif et exprime un contentement niais : *un sourire béat, un optimisme béat, une admiration béate.* Cette acception péjorative se retrouve dans *béatement,* mais non dans *béatifier, béatification, béatitude, béatifique.*

Bée (grande ouverte) ne s'emploie qu'avec *bouche* : *être, rester, demeurer bouche bée,* dans une attitude passive de surprise ou d'admiration : *Ils sont restés bouche bée.*

Béant, participe présent du verbe rare *béer,* s'emploie comme adjectif dans le sens de « grand ouvert » et se dit d'une plaie, d'un trou, d'une armoire, d'un gouffre, etc. ou, au figuré, d'une personne qui, étonnée, attentive, admirative, demeure la bouche ouverte, bouche bée : *Nous l'écoutions bouche béante* (Ac.). *Et les peuples béants ne purent que se taire* (Hugo). *Ils restaient béants.*

Beating se dit en français *une battade* (technique de massage).

Beatnik (pron. bitnik), n.m. ou f. *Les beatniks. Une civilisation beatnik.*

Beau, bel, adj. Sauf dans les locutions *bel et bon, bel et bien* et dans *Charles le Bel* et *Philippe le Bel, bel* ne doit se substituer à l'adjectif *beau* qu'immédiatement devant un nom masculin singulier commençant par une voyelle ou un *h* muet : *un bel enfant.*

En dehors de cette obligation, il y a possibilité d'employer *bel* devant *et* suivi d'un autre adjectif précédant le nom, surtout si ce nom commence par une voyelle ou un *h* muet. On peut donc dire : *un bel et charmant enfant.* On dit beaucoup plus rarement : *un bel et charmant garçon* (à déconseiller) que *un beau et charmant garçon*. Et l'on doit dire (en dépit de quelques exemples) : *un enfant beau et charmant*. Et éviter : *L'œil bel et sans malice* (M. Tournier, *Le roi des aulnes*, Folio, p. 141).

Beau s'emploie par antiphrase dans des expressions comme *une belle dose de naïveté*, *une belle peur*, *la belle affaire*, *un bel état*, *il ferait beau voir*, *c'est du beau !* Cf. AVOIR, 5, p. 144, BAILLER (*la bailler belle*).

Beaucoup, adv., pris absolument pour « un grand nombre de **personnes** », peut s'employer non seulement comme sujet du verbe mais aussi comme complément prépositionnel ou comme attribut : *Beaucoup s'en plaignent. Chez beaucoup. Pour beaucoup. Nous sommes beaucoup ce soir.*

Avec un verbe impersonnel, *beaucoup*, sujet réel, est accompagné de *en* : *Il y en a beaucoup qui le croient. Il en faut beaucoup.* De même, l'objet direct : *J'en connais beaucoup* (= je connais beaucoup de gens) *qui seraient contents*. Cf. BIEN, 2 : *beaucoup de, bien des* ; cf. aussi ARTICLE, 3.

Beaucoup s'emploie aussi en parlant de **choses**, surtout comme attribut ou complément : *C'est beaucoup. Il a beaucoup vu. C'est beaucoup dire. Compter pour beaucoup. Des pays, il en a vu beaucoup.*

Beaucoup peut déterminer un **verbe**. *On aurait beaucoup surpris le Joseph si on lui avait parlé d'oiseaux enchantés* (Giono, *L'oiseau bagué*, Folio, p. 54). *Travailler beaucoup. Plaire beaucoup. S'intéresser beaucoup à qqch.* (PR). Voir VERBE, *Accord*, A, II, p. 968.

Beaucoup, de beaucoup, bien. 1. *Il s'en faut beaucoup* (= il manque beaucoup) est vieilli ; on dit : *il s'en faut de beaucoup*, qu'il s'agisse de qualité ou de quantité. Avec une expression de sens négatif, on peut remplacer *il s'en faut de beaucoup* par *à beaucoup près* : *Il n'est pas si raisonnable que son frère, il s'en faut de beaucoup* ou *à beaucoup près*.

2. Pour renforcer une **comparaison** d'inégalité (*plus, moins, mieux, trop*) :

a) On emploie *bien* ou *beaucoup* **devant l'adverbe** de comparaison, non suivi d'un adjectif : *Il travaille bien mieux* ou *beaucoup mieux, bien plus* ou *beaucoup plus*.

b) **Devant un adjectif au comparatif**, on peut employer *bien, beaucoup, de beaucoup*. On emploie aussi *de loin* ou un adverbe comme *infiniment, joliment, incomparablement, sensiblement* (cf. AUTREMENT) : *Il est bien* (ou *beaucoup*, etc.) *plus savant*.

On dit *beaucoup meilleur* (Ac.) ou, plus souvent, *bien meilleur ;* devant *pire*, c'est *bien* qu'on emploie aujourd'hui.

Après un comparatif, on emploie *de beaucoup* : *Il est plus savant de beaucoup*.

c) On emploie aussi *de beaucoup* (ou *de loin*) **après un verbe** exprimant une idée de supériorité : *Ce projet l'emporte de beaucoup sur l'autre*.

d) **Devant un superlatif**, on emploie *de beaucoup* (ou *de loin*) : *Il est de beaucoup* (ou *de loin*) *le plus savant*.

Après un superlatif : *C'est le plus malin de beaucoup*.

3. En dehors d'une comparaison, *devant un nom*, généralement on emploie *bien du, de la, des* (*bien*, dans une phrase positive, introduit un élément d'appréciation plus subjectif) ou *beaucoup de* (qui exprime simplement la grande quantité). Comparez : *Il a beaucoup de courage* et *Il a bien du courage*. Dans une phrase négative : *Il n'a pas beaucoup* (ou *il n'a guère*) *de courage*. Cf. BIEN, 2. Emploi de *beaucoup des* : cf. ARTICLE, 3, A. Noter qu'on dit : ***Beaucoup des nôtres** l'ont aperçu.*

N.B. *Devant un pronom personnel*, on emploie *beaucoup d'entre* ou *parmi* (et non *beaucoup de*) : ***Beaucoup d'entre nous*** (ou *parmi nous*) *s'en sont plaints.*

4. Avec les adjectifs et les adverbes *au positif*, on emploie *bien* (ou *très*) et non *beaucoup* : *Vous êtes bien aimable.* Dans une phrase négative : *Vous n'êtes pas très aimable.*

Après le verbe *être* précédé du pronom personnel représentant un adjectif, on emploie *beaucoup* : *Dévoué, il l'est beaucoup.*

5. *Beaucoup trop, un peu trop.* Cf. TROP.

6. Plus souvent que *grand merci*, on dit couramment *merci bien* ou *merci beaucoup*. Cf. MERCI.

Bébé-éprouvette, n.m. Le trait d'union est généralisé. Si, au pluriel, *bébé* doit varier, *éprouvette*, n'étant pas une apposition, doit rester invariable : *des bébés-éprouvette.*

Bébête, adj. familier, signifie « un peu sot, niais ».

Bec, n.m. 1. *Tenir qqn le bec dans l'eau*, c'est le laisser dans une attente qui doit rester vaine. D'où l'expression du français familier *rester le bec dans l'eau* qui signifie (GLLF) : « être déçu, frustré dans son attente ; rester court, être incapable de répondre ». Ce dernier sens n'est donc pas un belgicisme.

2. Dans les *composés* où *bec* est déterminé par un nom (*bec-de-cane, bec-de-corbeau, bec-de-lièvre, bec-de-perroquet*), seul *bec* prend *s* au pluriel.

3. Il est normal d'écrire : *Le merle donnait des **coups de bec** rapides* et *Les charognards donnaient quelques **coups de becs** rapides* (R. Gary, *Les racines du ciel*, Folio, p. 428).

Bécane, n.f., désignant une bicyclette, est familier. Si l'on dit *aller à vélo* ou *en vélo*, on dit toujours *en bécane*. Cf. p. 17.

Bécard, n.m., (poisson) ne s'écrit plus avec deux *c*.

Béchamel, n.f. *Une béchamel, une sauce Béchamel* ou *une sauce à la Béchamel* (nom d'un ancien gourmet).

Becquée, n.f., s'écrit avec *cqu*.

Becquet, n.m. Cf. BÉQUET.

Becqueter, v.tr. ou intr. ; ne plus écrire *béqueter : Il becquète.* **Bectance,** n.f. en rapport avec *becter* (familier), manger.

Bée, béer. Cf. Béat.

Bégaiement, n.m., s'écrit avec *ie* plutôt qu'avec *ye.* On prononce « èman ».

Bégayer, v.intr. *Il bégaye* ou *il bégaie. Je bégayais, nous bégayions.*

Beige, adj.intr., varie : *Des robes beiges.*

Beignet, n.m. Tandis qu'on dit *des beignets d'écrevisse(s), d'aubergine(s), beignets aux pommes* est devenu plus courant que *beignets de pommes.*

[**Bêk**], interj., en Wallonie et à Bruxelles, [*bêtch*] ou [*bâtch*] à Liège, sont des onomatopées à éviter. Dire : *Pouah !*

Belgeois, *belgeoisant, belgeoisie, belgicain, belgitude* sont des termes qui se sont répandus en Belgique récemment. *Belgeois, belgeoise,* adj. ou nom = Belge (péjor.). *Belgeoisant,* adj. ou nom = attaché à un certain nationalisme belge (péj.). *Belgeoisie,* n.f. = ensemble des « Belgeois ». *Belgicain,* adj. ou nom = belge (péj.). *Belgitude,* n.f., implique l'affirmation de l'appartenance, aux points de vue sociologique et esthétique, à une Belgique ayant ses caractères propres.

Belgicisme, n.m., est le mot couramment adopté en Belgique et à l'étranger (des Français ont en vain voulu lui opposer *belgisme*) pour désigner les particularités (lexicales, sémantiques, phonétiques ou syntaxiques) du français (ou des français) de Belgique. Un belgicisme peut être plus ou moins répandu, plus ou moins localisé, dépasser plus ou moins la frontière franco-belge, se retrouver même loin d'elle, provenir du wallon ou du picard (wallonisme) ou du flamand (germanisme), être parfois d'un usage surtout bruxellois ; il peut être aussi simplement un archaïsme qui a survécu en Belgique, comme tant de mots l'ont fait dans les provinces françaises ; ce provincialisme français mérite le nom de belgicisme dans la mesure où sa vitalité caractérise l'usage belge.

Bélître, n.m. L'Académie conseille l'accent sur *é.* Noter l'accent circonflexe sur *i.*

Belle, n.f., s'emploie en Belgique au singulier, par antiphrase, en parlant d'une chose étonnante, inattendue, là où en français correct on dit *une bonne. [Il m'en est arrivé une belle. Il en a encore fait une belle].* Cf. Bon, 9, f.

En français, *la belle* se dit de la partie décisive entre joueurs à égalité ; en argot, se dit pour « évasion ».

Ben, adv. (pron. « bin »), est substitué parfois à *bien* dans le langage rural ou populaire.

Bénédicité, n.m. *Des bénédicités.*

Bénéficier, v.tr.dir., ne peut signifier que « tirer profit d'un avantage » et doit donc avoir pour sujet la personne ou la chose qui tire profit : *Il a bénéficié de circonstances atténuantes. Ils bénéficient de certaines primes.*
   Profiter a à peu près le même sens en ajoutant généralement l'idée que celui qui profite d'une chose en tire consciemment parti : *Il a profité des vacances.* Mais, ce que ne peut faire *bénéficier, profiter* peut avoir par extension le sens d'« être utile à » et avoir pour sujet la chose qui apporte un profit : *Cette mesure profite à chacun de nous,* mais non [*bénéficie à chacun de nous*]. *Notre entreprise **bénéficie** (ou profite) de votre collaboration. Votre collaboration **profite à** notre entreprise.* Au lieu de [*Le vent a bénéficié à l'équipe de Nice*], on doit dire qu'*elle a bénéficié du vent* ou que *le vent lui a été* **bénéfique** (favorable, avantageux). Remarquer que **bénéfique** n'est pas réservé aux astres.

Benelux, n.m., s'écrit sans accents, mais on prononce deux *é.*

Benêt (prononcer « be »), adj. et n.m., n'a pas de féminin.

Bénévolat, n.m., formé sur *bénévole* et signalé comme mot nouveau par Charles Bruneau en 1954 à propos des donneurs de sang, s'est généralisé dans un sens élargi : action volontaire et gratuite, don généreux de soi.

Béni, part. et adj., **bénit,** adj. Voici le meilleur usage, malgré des hésitations sensibles : *Bénit* ne s'emploie que comme *adjectif,* à propos de *choses* consacrées par la bénédiction du prêtre : *cierge bénit, buis bénit, eau bénite, médailles bénites.*
   Béni s'emploie dans les autres cas, lorsqu'il n'y a pas de bénédiction rituelle, ou pour des personnes, ou avec un auxiliaire (*être* au passif ou *avoir*) : *Un pays béni. Un roi béni par son peuple. La foule, bénie, se prosterne. Le prêtre a béni la foule. Cette médaille a été bénie par le Père Untel. Le mariage a été béni par le curé.*

Bénin, adj., féminin *bénigne,* ne se dit plus, en parlant des personnes, dans le sens de « bon, bienveillant, indulgent ». On le dit encore des choses qui sont clémentes, inoffensives, qui ne sont pas graves, accablantes, rigoureuses : *Un hiver bénin, une influence bénigne, une maladie bénigne, un remède bénin, une faute bénigne.* On voit dans ces exemples le sens actuel : « sans gravité, sans importance, inoffensif » ; ce sens ne rejoint pas celui de « niais ».

Benoît, adj. Accent circonflexe.

Benzine, n.f., ne peut s'employer pour *essence.*

Béotien, nom propre devenu adj., s'écrit avec une minuscule dans ce sens : *Cet homme est un béotien.*

Béquet, n.m., peut s'écrire *becquet* : en termes d'imprimerie, morceau de papier ajouté en marge d'un manuscrit ou d'une épreuve d'imprimerie pour y introduire une addition ou une modification.

Bercail, n.m. Le pluriel (*bercails*) est très rare.

Berce, n.f., **berceau,** n.m. Ce n'est pas seulement en Wallonie, mais aussi dans des provinces françaises, qu'on dit *une berce* (nom d'une plante), beaucoup plus rarement *un berce*, pour un *berceau* de petit enfant.

Berceau signifie aussi « voûte de feuillage couvrant une allée, tonnelle ». *Tirer au berceau,* c'est tirer à l'arc ou à l'arbalète dans une allée couverte.

[Berdeller], v. Belgicisme pour *marmonner, disputer.*

Berme, n.f., emprunté par le français au néerlandais, désigne un passage étroit entre une tranchée, un fossé ou un canal et les terres de déblai provenant de son creusement ou entre le pied d'un rempart et un fossé. Il ne peut, comme en néerlandais, désigner l'endroit de la route où les voitures ne circulent pas. La terminologie officielle belge, conforme à la française, parle d'ailleurs d'*accotement* et de *terre-plein* central (et non de « berme centrale »).

Bernard-l'ermite, n.m., désignation plaisante du crustacé qui se loge dans une coquille vide, prend normalement la graphie moderne d'*ermite*, sans *h.* — *Des bernard-l'ermite.*

Bernique ! interj. familière pour dire avec désappointement : « rien à faire, rien de fait, cela ne se fera pas ».

Bésicles, n.f.pl. L'Académie a opté en 1975 pour l'ancienne forme *bésicles*, conservée dans le patois et en français, de préférence à *besicles*, pour désigner plaisamment des lunettes. *Besicle* est une forme ancienne.

Besogneux, adj., a supplanté *besoigneux.* Cet adjectif vient de *besoin* (qui est dans le besoin, dans la gêne) ; mais, sous l'influence de *besogne*, il s'emploie aussi au sens de « qui fait de médiocres et dures besognes, mal rétribuées ».

Besoin, n.m. 1. On a besoin *de qqn, de qqch.* : *Il a besoin d'air, d'argent. Il n'a besoin de personne. Il a besoin d'une aide. Il a besoin d'être aidé. Il a besoin qu'on lui vienne en aide.*

Il faut donc dire : *La chose* **dont** *j'ai besoin.* Le français populaire dit, et c'est à éviter : *La chose [que j'ai besoin].* On entend à Bruxelles et en Flandre [*Je l'ai besoin*] pour *J'en ai besoin.* Ou [*Je n'ai rien besoin*] pour *Je n'ai besoin de rien.*

Le sujet de *avoir besoin*, qui signifie « sentir le besoin, ressentir la nécessité » est normalement un animé. Toutefois *avoir besoin* peut fort bien se dire d'une chose en parlant d'une nécessité vitale : *Cette plante a besoin d'eau. Ce sol a besoin d'être fumé.* On dit cependant familièrement : *Ce tapis a besoin d'un coup de brosse* (PR). *Cette porte a besoin d'être repeinte* (Bordas). Mais on fera mieux de ne pas dire, en langage soigné, qu'un travail a besoin d'être refait, qu'une personne n'a pas besoin de se tracasser. *Devoir* convient mieux : *Ce travail doit être refait. La chambre doit être faite. Vous ne devez pas vous tracasser.*

2. **L'impersonnel,** plutôt littéraire, est *Il est besoin de.* Il s'emploie surtout dans des phrases interrogatives, négatives ou dubitatives, avec *de* et l'infinitif ou avec *que* et le subjonctif. *Est-il besoin de le dire ? Qu'est-il besoin de le répéter ? Point n'est besoin d'y aller. Il est à peine besoin de le dire. S'il en est besoin. Il n'était pas besoin qu'on l'invitât.* On emploie plutôt *il est nécessaire* ou *il faut.* Ne pas employer, comme en Belgique : [*Il y a besoin de*] dans ce sens : [*Est-ce qu'il y a besoin de l'avertir ? Il n'y a pas besoin de s'affoler*], il n'y a pas lieu de (il ne faut pas) s'affoler.

3. *Avoir bien besoin de*, suivi d'un infinitif, s'emploie ironiquement et familièrement, dans des phrases exclamatives, pour « avoir tort » : *Vous aviez bien besoin de l'inviter !*

Best-seller (pluriel *best-sellers*), n.m., désigne ce qu'on a le mieux vendu, par rapport aux objets de même nature (surtout des livres), pendant une période donnée. Il s'agit donc d'un *record de vente,* d'un *succès de librairie.*

Bétail, bestiaux, n.m. *Bétail* désigne, comme le pluriel *bestiaux,* l'ensemble des animaux d'une ferme, à l'exception de la volaille. Pour désigner individuellement les bestiaux, on doit dire, au singulier, *une bête,* mais on dit au pluriel : *plusieurs bêtes* ou *plusieurs bestiaux.* On distingue le *gros bétail* et le *petit* ou *menu bétail.*

Bétonnière (machine à préparer le béton), n.f., est fortement concurrencé par **bétonneuse,** n.f., plus récent.

Betterave, n.f. On écrit : *une salade de betteraves, un champ de betteraves,* mais *du sucre de betterave, du sirop de betterave.*

Beurre, n.m. Cf. BATTRE.

Beurrier, n.m. Le récipient dans lequel on conserve le beurre pour le servir à table s'appelle *un beurrier.* C'est à tort qu'en Belgique on l'appelle *une beurrière* ; en français ce mot désigne un vase ou une toile où l'on conserve le beurre.

Beuverie, n.f., qui implique une idée d'excès, a remplacé *buverie.*

Bi-, bis-. Ce préfixe n'a plus, dans certains cas comme *bihebdomadaire*, *bimensuel*, le sens que lui donnait Littré (toutes les deux semaines, tous les deux mois). Voici, notés dans une série progressive, quelques adjectifs marquant la périodicité : *biquotidien, quotidien, bihebdomadaire* (qui a lieu ou paraît deux fois par semaine), *hebdomadaire, bimensuel, mensuel, bimestriel, trimestriel, semestriel, annuel, bisannuel* (et non *biannuel*). *Bisannuel* se dit aussi d'une plante qui vit deux ans. Il a pour synonyme *biennal* lorsqu'on parle de qqch. (concours, manifestation, prix) qui revient tous les deux ans (d'où le substantif *la biennale*) ; mais *biennal* se dit aussi de ce qui dure deux ans : *une charge biennale*. Ce qui revient tous les 3, 4 ou 5 ans est dit *triennal, quadriennal, quinquennal*.

[Bibiche], adj. belge signifiant « bébête, mièvre, gnangnan, naïf ». Comme nom, dans le langage enfantin de Belgique, petite bête.

Bibliolâtre, n.m., sans être accueilli par les dictionnaires, qui s'en tiennent à *bibliophile* et *bibliomane*, s'applique à ceux qui ne se contentent pas de collectionner les livres rares ou précieux mais prétendent en favoriser la lecture. Ainsi s'est formée une Société des bibliolâtres de France. Mais le terme n'a pas réussi à s'imposer.

Bicycliste, n.m., se trouve encore dans des textes littéraires, mais a cédé la place, dans l'usage, à *cycliste*.

Bidon, n.m., désigne un récipient en métal pour liquides. C'est à tort qu'on l'emploie au pluriel en Belgique pour « affaires, au sens matériel ou moral » : [*Ce ne sont pas mes bidons*]. En langage français très familier, *du bidon* signifie « tromperie, mensonge ». D'où son emploi comme adjectif (généralement invariable), dans le sens de « factice, simulé » : *un attentat bidon, une offre bidon, des chèques bidon*.

Bidonnant, adj. *Se bidonner*, « rire, s'amuser beaucoup », est populaire, ainsi que *bidonnant*, « qui fait se bidonner ».

Bidonville, n.m. *Un bidonville* (groupe d'habitations peu soignées dans des zones suburbaines).

Bien, adv. et adj.

1. Cet adverbe peut exprimer non seulement une approbation, mais un degré, comme *très*, devant un adjectif (*bien jeune, bien mauvais*) ou un adverbe (*bien solidement*). On l'emploie aussi devant une préposition (*bien avant l'heure*) et avec certains noms sans article (*c'est bien dommage, j'ai bien faim, bien peur*, etc. ; cf. AVOIR, 17, p. 146).

Avec des verbes : *Je crois bien, je l'espère bien, bien parler, parlons bien, il fera bien de se taire, ça tombe bien, vous feriez bien de vous en souvenir*, etc. On notera que *Je l'aime bien* peut dire moins que *je l'aime*.

2. **Bien du, de la, des.** On dit : *J'ai bien du mal, de la peine* ou *J'ai beaucoup de mal, de peine* : Il a vu *beaucoup de gens* ou *bien des gens.* Avec une négation, c'est *beaucoup* qui s'impose devant un complément direct. *Il n'a pas eu beaucoup de peine. Il n'a pas vu beaucoup de gens.* Notons aussi que, même en phrase affirmative, *bien du, bien de la* ne s'emploient que devant certains noms abstraits susceptibles d'une quantité (*Il a bien du courage*), mais non, généralement, devant un nom singulier désignant une matière concrète (*Il a mangé beaucoup de pain*). Cf. BEAUCOUP.

C'est *beaucoup* qui est complété par *en* : *J'en ai beaucoup. Des raisons, j'en ai beaucoup.* Dans : *J'en ai bien quelques-uns,* c'est à *quelques-uns* et non à *bien* que *en* se rattache.

On dit *Bien des femmes* (à côté de *Beaucoup de femmes*). Si un adjectif précède le nom, l'usage hésite un peu, mais tend à employer *des* après *bien* devant une consonne : *Bien des jolies femmes.*

On dit toujours *bien d'autres* et non [*bien des autres*] : *J'ai reçu bien d'autres plaintes.*

On emploie d'ailleurs plus souvent *beaucoup.*

3. *Bien* s'emploie adjectivement comme épithète ou comme attribut ou avec les pronoms *quelqu'un, rien, personne,* dans le sens de « comme il faut » : *Une fille bien, une femme très bien, des gens bien, il fait des choses très bien, ce spectacle est bien, c'est bien, aujourd'hui le malade est bien, je suis bien avec lui, c'est quelqu'un de bien. Il n'y avait là personne de bien.*

4. *Mais bien,* après une proposition négative, introduit une rectification : *Ce n'est pas un volume, **mais bien** une plaquette.*

5. [*Moi bien*], [*mais Pierre, bien*], etc. au lieu de *moi si, mais Pierre, si* est un tour belge, aussi bien wallon que flamand. On doit dire : *Il ne veut pas y aller ; **moi, si.** Le plat de viande ne lui plut pas ; mais le dessert, si.*

6. L'interjection s'écrit *Eh bien !* ou *Hé bien !*, non pas [*Et bien*]. Cf. EH !

7. *Bien* peut prendre dans une même phrase, selon le contexte ou l'intonation, des valeurs différentes. *Il éprouve bien des difficultés* signifie « Il éprouve beaucoup de difficultés » ; mais avec un légère pause après *bien,* il y a ailleurs une opposition (bien = assurément, sans doute) : *Il éprouve bien des difficultés, mais il ne se décourage pas.*

C'est bien fait peut signifier « c'est fait correctement, selon les règles » ou « c'est un châtiment bien mérité ». Dans *Je le ferai, **tu l'as bien fait,*** *bien* n'évoque nullement l'idée de « convenablement », mais une raison, une justification : *puisque tu l'as fait.*

8. *Bien sûr, bien entendu* (pas de trait d'union) sont corrects et, en tête de phrase, peuvent être suivis de *que.*

9. *Si bien que.* Emploi du mode. Cf. SI, adv., 2, b, p. 865.

10. Cf. ALLER, 2, ASSEZ BIEN, AUSSI BIEN, BEAUCOUP, ENCORE, MERCI, MEILLEUR, VOULOIR.

11. **Composés.** Trait d'union dans *bien-aimé(e)*, adj. et nom, et les noms *le bien-dire, le bien-être, le bien-fondé, un bien-fonds, un bien-pensant* (qui pense conformément à l'ordre établi), *bien-disant*, (une sensation de) *bien-aise*. Mais : *un journal bien pensant* (adj.), sans trait d'union.

En un mot : *bienfaisance, bienfait, bienheureux, bienséance, bienséant, bientôt, bienveillant, bienveillance, bienvenir* (se faire *bienvenir* de qqn), *bienvenu, bienvenue*. Mais *un morceau fort bien venu, une idée bien venue*. Cf. VENIR, 7, p. 961.

Bien, n.m. [*Sa mère ne fait pas de bien*] *quand il est en retard*. Tour dialectal et du français régional de Belgique, au lieu de : « elle s'impatiente, elle s'inquiète dans l'attente ». En français normal, *on fait du bien à qqn*, on lui rend service (matériellement ou moralement).

Bien que, loc.conj. 1. **Mode.** Après *bien que, quoique, malgré que*, on doit employer le subjonctif. L'indicatif n'est pas rare dans la langue parlée, il se rencontre chez des écrivains modernes ; des grammairiens tentent de le justifier plus ou moins, mais il faut le considérer comme incorrect et familier, polulaire ou archaïque. Cf. SI (*si...que*) et ENCORE, 2 (*encore que*).

Le subjonctif s'explique par l'opposition qui écarte comme sans effet, comme aussi inopérant que s'il n'existait pas, le fait, pourtant certain, introduit par *bien que* : *Il n'est pas venu, bien que nous l'ayons invité*. Le subjonctif dans ce cas n'était pas encore généralisé au XVIIᵉ siècle ; c'est pourquoi il ne faut pas citer en faveur de l'indicatif des exemples classiques ; l'usage du subjonctif s'est depuis lors fermement établi et ne peut être remis en cause par des écarts, infiniment moins nombreux que les emplois réguliers, mais commis par un grand nombre d'excellents écrivains, qui d'ailleurs emploient plus souvent le subjonctif.

C'est aussi une erreur de vouloir justifier l'indicatif en disant qu'il marque la réalité du fait. Celle-ci est toujours affirmée en même temps que le fait est retiré, en esprit, du plan de la réalité : *Bien qu'il fût mécontent, il s'est montré très aimable*. Comme plus haut l'invitation, le mécontentement est certain, affirmé, mais c'est comme s'il n'existait pas.

On peut mieux expliquer, sans vraiment le justifier, l'emploi de l'indicatif futur, pour éviter l'équivoque du subjonctif présent, qui exprime aussi bien un présent qu'un futur, et l'emploi du conditionnel, pour mieux marquer l'éventualité : *Bien qu'on pourra nous le reprocher, nous assisterons à cette réunion. Je vous permets d'y aller, bien que j'aimerais mieux vous voir rester ici*. Toutefois, plutôt que de se permettre ces écarts, on tournera la phrase autrement, en remplaçant la subordonnée par une indépendante et en recourant éventuellement à *mais, cependant, pourtant* : *On pourra sans doute nous le reprocher, mais nous assisterons à cette réunion. Je vous permets d'y aller* ; *cependant j'aimerais mieux vous voir rester ici.*

Notons aussi que l'indicatif ou le conditionnel peut s'expliquer — toujours sans se justifier — par l'insertion entre *bien que* et le verbe qu'il introduit, d'un membre de phrase assez long : *Bien que, comme on l'a fait l'an dernier, on pourra nous le reprocher,* etc. Même dans ce cas on emploiera le subjonctif.

2. Ces mêmes conjonctions sauf *malgré que,* s'emploient avec un participe présent (ou un gérondif) ou un participe passé dont le sujet, non exprimé, est celui du verbe principal : ***Bien qu'étant malade, je suis sorti.*** *Bien qu'ayant vécu chez eux, je les connais mal.* Cf. 3.

3. Elles s'emploient aussi en sous-entendant le verbe *être* et son sujet : *Il eut encore beaucoup de rêves quoique tenu à moitié éveillé.* (Giono, *Le hussard sur le toit,* Poche, p. 164). ***Bien que malade, il est sorti.*** *Les lumières éclairaient vivement le trottoir, bien que d'une façon oblique.* (J. Romains, cité par les Le Bidois, II, p. 506 ; on peut comprendre : *bien que ce fût d'une façon oblique*).

4. La vieille expression française ***malgré que j'en aie*** (cf. MALGRÉ) a donné naissance à ***quoi que j'en aie,*** qui est correct (cf. QUOIQUE, p. 795) et à l'absurde [*bien que j'en aie*], rebelle à toute analyse. Absurde aussi, *bien que* substitué à *quoi que* dans une phrase comme celle-ci : *Quoi que certains aient dit.*

Bientôt, adv., et **bien tôt** n'ont pas le même sens : *À bientôt. C'est pour bientôt ? Aurez-vous bientôt fini ?,* dans peu de temps. *C'est bientôt dit,* vite dit. — *Vous arrivez bien tôt* (très tôt ; s'oppose à *bien tard*). — *Très bientôt* renforce familièrement *bientôt. À très bientôt.*

Bière, n.f. *Ce n'est pas de la petite bière* (familier) = ce n'est pas peu de chose. — On parle de *bière à la pression* ou, couramment, d'une **bière pression** ; en Belgique, on dit souvent : *bière à pression.*

Biffer, v.tr.dir. On a critiqué l'expression : *biffer la mention inutile* en faisant valoir que *biffer* implique une idée d'autorité ou d'impatience. C'est limiter abusivement le sens du verbe. *Biffer* vient de l'ancien français *biffe,* étoffe rayée, et peut s'employer dans l'expression en cause, aussi bien que *rayer, supprimer.*

Bifide, adj., fendu en deux.

Bifteck, n.m. Pluriel : *des biftecks.* Ne pas écrire *beefsteck* ni *beefsteak* ; on dit et on écrit d'ailleurs de plus en plus *un steak.*

Bifurquer, v.intr., se dit d'un chemin qui se divise *en deux,* en forme de fourche à deux branches, mais aussi, par extension, d'une personne, d'un train, d'un véhicule qui abandonne une voie pour en suivre une autre : *bifurquer à un carrefour, bifurquer sur une voie de garage.* On ne dit plus qu'une route *se* bifurque.

Bigame, adj. et n. Un seul *m.*

Bijou, n.m. *Des bijoux.*

Bilan, n.m., vient d'un mot italien signifiant « balance ». Il a été longtemps associé à l'idée d'une comparaison entre les pertes et les profits. Mais si l'on admet que l'idée étymologique de « pesée » peut être retenue, on ne s'étonne pas d'entendre parler du *bilan de qqch.*, dans le sens d'« inventaire général ». On fait le *bilan d'une vie, d'une guerre, d'une bataille, d'une journée, d'un congrès, d'une discussion.* Le mot prend facilement un sens particulier, on pense surtout aux éléments négatifs ou fâcheux et l'on fait le *bilan d'un accident* (nombre de morts et de blessés). **Bilan de santé.** Le *Langage médical moderne* de J. C. Sournia traduit l'anglais *check up* par *examen de santé.* On peut dire aussi, comme on le fait couramment en France et en Belgique, *bilan de santé*, approuvé d'ailleurs par l'Académie, le 27 février 1969.

Bilieux, adj., et non [*bileux*], se dit d'une personne irascible, acariâtre ou mélancolique.

Bille, n.f., venu d'un mot signifiant « tronc d'arbre », se dit d'une grosse pièce de bois prise dans la longueur du tronc : *une bille de chêne.* D'où l'emploi, aujourd'hui vieilli et régional, de *bille de chocolat* pour une barre (ou un bâton) de chocolat (*Plaque* et *tablette* désignent normalement plus qu'une barre). On dit couramment : *un chocolat.*

En Belgique, on a employé couramment **billes** pour les *traverses* en bois supportant les voies d'un chemin de fer. Au Canada, on entend *dormant.*

Billet, n.m. Le terme normal et courant, pour les titres de voyage en chemin de fer, est *billet.* C'est abusivement qu'on emploie (moins qu'autrefois) *coupon* dans ce sens en Belgique, alors que *coupon* ne s'applique qu'à ce qui est détachable d'une souche. Il y a en français concurrence entre *ticket* (plus répandu) et *billet* pour *ticket de quai, de métro, d'autobus.* On dit *ticket* pour les services du wagon-restaurant. On dit toujours *billet* pour l'avion, le théâtre, le cinéma.

On doit traduire *open ticket* par *billet ouvert*, permettant au voyageur de fixer la date de son voyage en avion.

Billetterie, n.f., remplace l'anglais *ticketting* pour désigner l'ensemble des opérations relatives à la confection et à la délivrance des billets de transport et le lieu où sont effectuées ces opérations ou certaines d'entre elles.

Billevesée, n.f. On prononce « bil » plus souvent que « bille ».

Billion, n.m., est vieilli dans son sens anglais de *milliard*. Il désigne aujourd'hui non pas mille millions, mais un million de millions. On prononce *l* + *y*, tandis que *billon*, petite monnaie, se prononce « bi-yon ».

Bimbeloterie, n.f. Le nom *bimbelot*, désignant autrefois des jouets d'enfant et, par extension, des objets de peu de valeur, est tombé en désuétude. Il a été en fait remplacé par *bibelot*, qui désigne de petits objets décoratifs, ayant ou non une valeur. Mais pour désigner un ensemble de menus objets (souvent sans valeur), *bibeloterie* n'a pu s'imposer et c'est *bimbeloterie* qu'il faut employer.

Bio, préfixe, s'agglutine à l'élément suivant : *biobibliographie*.

Biparti, adj., **bipartisme**, n.m., **bipartite**, adj. et n.
L'adjectif **bipartite**, plus courant que **biparti**, se dit d'un organe, d'une corolle, d'une feuille en deux parties, mais surtout d'un comité, d'une association, d'un statut, d'un gouvernement fondé sur l'accord de deux parties et particulièrement de deux partis politiques. De même, pour trois ou quatre partis : *tripartite, quadripartite*, adjectifs.
Le **bipartisme**, c'est le système politique reposant sur la répartition des forces politiques en deux partis dominants (*le bipartisme américain*) ou la forme de gouvernement associant deux partis. En Belgique, on parle couramment de *bipartite, tripartite* (noms féminins) pour de telles associations soutenant un gouvernement bipartite, tripartite, alors qu'en français généralisé on parle de *bipartisme, tripartisme*, n.m.

Bisaïeul, n.m. *Des bisaïeuls, des bisaïeules.*

Bisbille, n.f. [**bisbrouille**]. *Une bisbille* est une petite querelle, une petite brouille pour un motif futile. En wallon et en français régional, sous l'influence de *brouille* : [*une bisbrouille*], une mésentente.

Biser, v.tr.dir., en français familier : donner une bise. *Bise ton grand frère.* En français régional de Belgique, l'impersonnel [*il bise*] s'emploie pour *il y a de la bise.*

Bisquer, v.intr., est français (familier) : éprouver du dépit, de l'humeur. *Cela le fait bisquer.*

Bissecteur, trice, adj. et n. Deux *s*.

Bisser, v.tr.dir., [**bisseur**]. *Un chanteur bisse un couplet* (le répète). *Le public bisse le chanteur.* — En Belgique *bisser* se dit à tort pour *redoubler* dans le langage des étudiants (cf. DOUBLER) et [*bisseur*] pour *redoublant.*

Bissexué, bissexuel, adj., **bissexualité**, n.f. On écrit aussi *bisexué, bisexuel, bisexualité.*

Bistre, n.m. désignant une sorte de brun, est invariable comme adjectif.

Bistrot (ou **bistro**), n.m., désigne en français très familier soit un petit café ou un petit restaurant modeste, mais sympathique, soit le patron (féminin populaire *bistrote*) d'un tel établissement.

Bitumer (enduire de bitume), v.tr.dir., est plus courant aujourd'hui que **bituminer**: *Un trottoir bitumé. Bitumeux* ou (plus fréquent) **bitumineux**: qui contient du bitume.

Biture (ou *bitture*), n.f., est populaire dans le sens d'*ivresse*, de *cuite* (également populaire).

Bivouac, n.m., **bivouaquer,** v.intr. Prononciation actuelle: « vwa ».

Blackbouler, v.tr.dir., d'origine anglaise, est français mais familier dans le sens de « refuser à un examen » (cf. Examen), « infliger un échec au profit d'un autre ».

Blague, n.f., **blaguer,** v.tr., **blagueur,** n.m., sont à peine familiers quand ils évoquent une plaisanterie, une histoire inventée pour faire rire, pour mystifier.

Blanc de blanc ou **blanc de blancs,** n.m. Le pluriel du complément traduit l'idée: vin blanc fait de raisins blancs: *Muscadet, sauvignon, blanc de blancs* (J. Mistler, *Le bout du monde,* Poche, p. 161).

Blanc-bec, n.m. *Des blancs-becs.*

Blanchiment, blanchissage, blanchissement, blanchisserie, n. Distinguer le *blanchiment* d'un mur, d'un plafond, de légumes, de l'argenterie, d'une toile écrue qu'on décolore, de la laine, du lin, du coton; le *blanchissage* du linge ou du sucre; le *blanchissement* des cheveux, de la barbe; la *blanchisserie,* boutique ou atelier du blanchisseur, où l'on fait le blanchissage du linge ou le blanchiment de la toile.

Blanchir, dans son emploi intransitif, se conjugue avec *avoir: Ses cheveux ont blanchi. Sa barbe avait blanchi. Il a blanchi.* Dans *être blanchi,* qui est rare, on a l'adjectif *blanchi.*

Blanc-seing, n.m., signature au bas d'une feuille blanche, autorisation sans réserves ni contrôle. *Des blancs-seings.* Cf. Seing.

Blaser, v.tr.dir. *La vie l'a blasé de tout* ou *sur tout. Il se blase de tout* (semble plus fréquent que *sur tout). Il est blasé de tout* ou *sur tout. Il était blasé d'aller au bal.*

Blessé, adj. et n., **blesser,** v.tr.dir. 1. Blessé *de* ou *par:* cf. De, 7, p. 302.

2. *Blessé que* ou *de ce que.* Mode: cf. Que, conj., 6, p. 784.

3. Les expressions **un grand blessé, un blessé grave, un blessé léger** doivent être admises. Pourquoi s'acharne-t-on contre les deux dernières

alors qu'on admet la première ? Il s'agit de qqn qui est blessé *grièvement* ou *légèrement*. Comme on ne peut employer l'adverbe avec le nom, on applique à celui-ci l'adjectif qui qualifie la blessure. Mais ce transfert de l'adjectif est ancien. Il y a des siècles qu'on parle de *malade imaginaire* alors que c'est la maladie qui est imaginaire. Le Professeur Sournia observe qu'on parle depuis longtemps des *médaillés militaires* et, en médecine, de *blessé crânien* et d'*abdomen aigu* (*Langage médical moderne*, p. 16).

Bleu, adj. ou n.m. Pluriel : *bleus*. *Des robes **bleu clair**. Des bleus profonds.*

Bleuet, n.m. On a écrit aussi *bluet*.

[Blinquer]. Belgicisme courant, venu du néerlandais *blinken*, briller ; on l'emploie surtout intransitivement, en parlant d'objets qu'on fait briller, pour *reluire* (*Les cuivres blinquent. Faire blinquer les cuivres*) et, à Bruxelles et ailleurs, parfois transitivement pour *astiquer, faire reluire* [*Blinquer les cuivres*].

Bloc, n.m., dans les *composés* prend *s* au pluriel comme le second élément ; celui-ci ne s'écrit avec *s* au singulier que dans *bloc-notes, bloc-cylindres*. Sans trait d'union : *bloc opératoire*.

Bloc, blocus, bloque, bloquer. Tandis que l'étudiant français *bûche* (étudie avec acharnement), *pioche* ou *potasse*, l'étudiant belge [*bloque*], il [*bloque sa chimie*], il est en *période de* [*bloc*] à Bruxelles, de [*blocus*] à Louvain, de [*bloque*] partout en Belgique. [*Bloqueur*] se dit en France *bûcheur* ou *piocheur*.

Blue-jean (pron. « bloudjin' »), n.m., mot américain : pantalon de toile bleue très collant et à piqûres très apparentes. *Des blue-jeans.* Le nom est parfois appliqué à des pantalons collants d'une autre couleur, mais on emploie plus souvent *jean* comme terme très générique : *Un jean de velours bleu* (Fr. Mallet-Joris, *Allegra*, p. 22) ; *jean* désigne aussi la toile de ces vêtements.

Bobonne, n.f., n'est pas, en Belgique, un terme donné par un mari à son épouse, mais se dit de la grand-mère.

[Boentje] s'emploie en français comme en flamand, à Bruxelles, comme nom masculin ou féminin, pour *béguin* : [*Avoir un boentje* (pr.bou) *pour qqn* ou *qqch.*].

Bœuf, n.m. On prononce *f* sauf au pluriel et dans *le bœuf gras*, désignant le bœuf promené en grande pompe pendant le carnaval.

Bogie, n.m. On écrit aussi *boggie*.

Bohême, bohème. Le nom du pays, *la Bohême*, s'écrit avec un accent circonflexe. On écrit *bohémien*. *Bohème*, avec un accent grave, est un nom masculin et rarement féminin (du latin *bohemus*, habitant de la Bohême) qui désigne soit un vagabond, soit une personne qui vit sans règles ou sans souci du lendemain ; s'emploie aussi comme adjectif (*le genre bohème, les mœurs bohèmes*) pour évoquer ce désordre, cette fantaisie insouciante. Comme nom féminin, *la bohème* = l'ensemble des bohèmes, des artistes qui mènent ce genre de vie, et ce genre de vie lui-même. *La vie de bohème.*

Bohême, avec accent circonflexe, a désigné comme substantif non seulement le pays, mais un habitant de la Bohême et comme adjectif ce qui concerne la Bohême. Le TLF note qu'on dit aujourd'hui plus souvent : « Habitants, peuple, affaires de la Bohême » et que *le bohême* désigne la langue parlée en Bohême et *un bohême* un verre, un cristal de Bohême.

Boire, v.tr.dir. Futur : *je boirai*. — On peut dire *prendre* ou *boire* du café, de la bière, de l'eau, etc. — *Il est bu*, pour « il est ivre », est populaire. On ne dit plus aujourd'hui « boire la santé de qqn », mais *boire à sa santé*.

Belgicisme : *boire le café* au sens de *goûter*, prendre le repas de quatre heures.

Après boire : cf. APRÈS (début, a).

Bois, n.m. Cf. PORTE, VISAGE.

Boîte, n.f., **boiter,** v.intr. L'orthographe n'a pas toujours distingué ces deux mots ; on a écrit *boiste* (d'où *boîte*) et *boister*. Accent circonflexe dans le nom *boîte* et dans *boîtier, déboîter, emboîter*. Un point sur l'*i* dans *boiter, boiteux, boiterie.*

Boîte à ouvrage. Boîte aux lettres. On jette une lettre *à la boîte* ou *dans la boîte* (aux lettres). Cf. LETTRE, 6.

Ne pas confondre la *boîte postale* (B.P.), louée dans un bureau de poste, et la *boîte* (Bte) désignant la boîte aux lettres individuelle au domicile de l'intéressé.

Bolus ou **baulus,** n.m. belge d'une sorte de brioche en forme de spirale.

Bomme, n.f. En Belgique, *une bomme* est un agrès de gymnastique présentant une face plate pour les exercices d'équilibre (poutre horizontale carrée) et une face arrondie pour les exercices de suspension (poutre horizontale ronde). Un dispositif permet de les retourner en cas de besoin.

Bon, adj. et adv. 1. *Bon à, bon pour, bon en* : *Du vin bon à boire. Ce plat est bon à servir. Être bon **pour** le service. Être bon **en** mathématiques.*

Avec mépris ou condescendance : *C'est bon pour les petites gens, pour les sots* (Ac.). *C'est bon pour vous de vous divertir de la sorte.* Elliptiquement : *Bon pour vous de vous divertir, mais pour moi, non !* (Ac.).

2. [*C'est bon que*] est courant en Belgique pour *Heureusement que* (*vous l'avez dit, vous le demandez*, etc.).

Il est bon de s'informer. — **Il est bon que** et **Trouver bon que** sont suivis du subjonctif.

3. On peut dire : **Il fait bon** dans le sens de : « La température est douce, agréable ».

Autre sens : *Il fait bon se promener* (il est agréable de se promener) : cf. FAIRE, 11. *Il ne fait pas bon lui répliquer* (c'est dangereux).

4. **À quoi bon ?** laisse *bon* invariable. *À quoi bon vos plaintes ?* Mais en dehors de la locution toute faite, *bon* varie : *À quoi vos plaintes sont-elles bonnes ?*

On dit aujourd'hui sans *de* devant un infinitif : *À quoi bon se plaindre ?* On trouve le substantif *l'à quoi bon.*

5. On a le choix entre *tout de bon* (classique, moins employé qu'autrefois) *pour tout de bon*, plus rare et parfois ignoré des dictionnaires, mais correct, et le tour très vivant **pour de bon** : réellement, véritablement, sérieusement, définitivement.

6. **Une bonne heure**, *un bon kilomètre* expriment l'idée que l'heure, le kilomètre sont dépassés. Mais il est anormal de dire, comme on le fait en Belgique, [*un bon cent grammes*] ou [*trois bons cents grammes*] pour ***cent bons* grammes**, ***trois cents bons* grammes**.

Bon teint, **bon enfant**, employés adjectivement, restent invariables : *Une étoffe bon teint* (= d'un bon teint). *Des airs bon enfant.*

Bon premier : les deux mots varient au féminin et au pluriel.

Bon prince, dans son sens figuré, n'a pas de féminin : *Elle s'est montrée bon prince.*

7. *Bon marché* : cf. MARCHÉ.

8. On emploie en Wallonie et à Bruxelles *bon* pour *le meilleur, le plus beau*, en parlant d'un vêtement, d'un objet personnel : *Mettre son* [*bon*] *costume, emporter sa* [*bonne*] *pipe.*

9. **Comparatif** de *bon* : *meilleur.*

Le français répugne à mettre **plus** immédiatement devant *bon* pour former le comparatif de l'adjectif.

a) On retrouve ces critères dans ce qui suit : *Il n'est plus bon à rien*, aucun comparatif. *Plus il est bon, plus il est dupe. Des copies plus ou moins bonnes. Il a montré plus de bonne volonté* (*plus* est séparé de *bon*).

Il est plus bon vivant, plus bon enfant que moi (*bon* forme des noms composés) ; cf. cependant *d.* On peut dire : *C'est le meilleur bon vivant que j'aie connu.*

b) Si *bon* est opposé, dans la comparaison, à un autre adjectif, on peut le faire précéder de *plus* : *Il est **plus bon** que sage.* Il est en effet impossible de dire : « Il est meilleur que sage ». Et *il est bon plus que sage* ou *plus qu'il n'est sage* ou *plutôt que sage* n'ont pas exactement le sens de la première expression.

Dans le même type de phrase, on n'emploie pas *meilleur* devant une qualité opposée à une autre : [*Il est meilleur administrateur que technicien*]. On dira : *Il est meilleur comme administrateur que comme technicien* ou *Il est plutôt bon administrateur que bon technicien.*

c) On ne dit pas [*de plus en plus bon*] ni [*de meilleur en meilleur*], bien qu'on dise : *de mieux en mieux.* On dit : *Il devient toujours meilleur, il ne cesse de s'améliorer,* etc.

d) Si *plus* est acceptable devant *bon enfant, bon vivant* (cf. a), il ne semble pas que l'usage admette le comparatif *meilleur* dans un certain nombre d'expressions figées où *bon* fait corps avec le nom, comme *bon apôtre, bon vivant,* etc.

Certaines s'en accommodent cependant comme *bonne heure, bonne humeur, bonne mine* : *Demain je viendrai **de meilleure heure** ; il sera de meilleure humeur ; il a meilleure mine.* Le superlatif *le meilleur* intervient beaucoup plus librement dans de tels cas : *Il a fait cela avec la meilleure foi du monde, avec la meilleure volonté du monde.* Dans certains cas on entend *le meilleur* devant *bon,* figé dans l'expression : **la meilleure bonne foi,** *la meilleure bonne volonté, le meilleur bon mot.* Mais l'usage hésite à généraliser ces tours.

e) Je dirais : *Il est bien bon d'accepter, mais vous l'êtes encore **davantage** de l'inviter* (bon = aimable, indulgent, naïf) et non *et vous êtes encore meilleur,* qui escamote un peu le sens particulier de *bon,* plus sensible encore dans *Vous êtes bien bon !,* à quoi on pourra répondre : *Et vous l'êtes encore davantage.*

f) **Bonne** (n.f.) s'emploie par antiphrase pour une chose ou une aventure surprenante ou comique, un propos inattendu : *En avoir une bonne, en dire de bonnes, en raconter une bien bonne, de bonnes.*

À qqn qui dit : ***En voilà une bonne,*** on pourra répondre : *En voici une meilleure encore.* De même : *Il en a fait une bonne. — J'en ai fait une meilleure.*

10. [*Avoir bon, meilleur, avoir de bon*]. Cf. AVOIR, 7, p. 144.

11. On écrit : *bon-papa, bonne-maman* dans les sens de *grand-père, grand-mère. Dieu est bon,* mais *le Bon Dieu.*

Bonace, n.f., **bonasse,** adj. *La bonace,* c'est le calme plat de la mer avant ou après une tempête ; au figuré, parfois, moment de calme, de répit.

Bonasse, adj. péjoratif = qui est faible, d'une bonté excessive.

Bonbon désigne en français généralisé une petite friandise, de consistance ferme et aromatisée, qu'on suce ou qu'on croque : *un bonbon fondant, acidulé, fourré.* S'est dit autrefois de toute espèce de friandise. Dans le

français de certaines régions de Belgique, abusivement, *bonbon* s'emploie pour *biscuit.*
Rose bonbon, désignant une couleur, est invariable.

Bonbonne, n.f., s'écrit avec *n* devant *b* puis deux *n.*

[Bondi], n.m., désigne en Belgique un pli horizontal (différent de l'*ourlet*, qui termine un bord) servant à raccourcir une manche, un jupon, etc. ou à orner une jupe.

Bonheur, n.m. Quoi qu'en dise Littré, on ne dit pas : « De bonheur, j'étais là », mais *Par bonheur* (par chance), *j'étais là.*

Bonhomme, n.m. et adj. Pluriel du nom, *des bonshommes* ; de l'adjectif, *bonhommes* : *des airs bonhommes.*
Bonhommie peut s'écrire avec deux *m* depuis 1975.

Boni, n.m. *Un boni, des bonis.* En Belgique, on oppose à tort [*mali*] à *boni* au lieu de parler de *pertes*, de *déficit.*

Bonifier, v.tr.dir. 1. Rendre meilleur : *Le vin se bonifie souvent en vieillissant.* 2. Avantager au moyen d'un boni. *Bonifier des intérêts* (à qqn), prendre en charge une partie des intérêts que doit l'emprunteur. Dans les deux sens, on parle de *bonification.*

Bon mot, bonne foi, etc. Cf. BON, 9, a, d, pp. 173, 174.

Bonnet, n.m. *Bonnet à poils. Bonnet de police* est généralement remplacé aujourd'hui par *calot.*
Avoir la tête près du bonnet (être très colérique). *Opiner du bonnet. Deux têtes sous un même bonnet. Un gros bonnet* (une personne influente).

Boomerang, n.m., (mot anglais d'origine australienne) se dit d'un acte qui se retourne contre son auteur (on prononce *bou* et *ran-g*) : *Il en va de telles paroles comme de gestes irréparables. Les unes et les autres sont des boomerangs* (L. Estang, *Les stigmates,* Poche, p. 94). *Un effet boomerang. Faire boomerang.*

Bord, n.m. L'Académie ne donne d'exemples qu'avec **sur** : *se promener sur le bord, sur les bords de la mer. Cette plante ne croît que sur les bords d'un étang,* tandis que des dictionnaires de langue n'en donnent aujourd'hui qu'avec **à** : *passer ses vacances au bord de la mer.* Dans un autre sens : *Rentrons par le bord de la mer.* Il est certain que, si on peut employer *sur* (qui marque une proximité plus nette), on emploie plus souvent *à,* sauf dans *Avoir un mot sur le bord des lèvres. S'arrêter au bord* (ou *sur le bord*) *de la route. Séjourner au bord de la mer.* Au figuré : *Être au bord de la ruine, de la faillite, des larmes.*

La locution familière *sur les bords* veut dire : « un peu, à l'occasion », et s'emploie aussi avec *un peu* : *Il est (un peu) malhonnête sur les bords. Jeter* (ou *balancer*) *par-dessus bord. Virer de bord* (faire demi-tour). *Être du bord de qqn* (être du même parti, de la même opinion). *Jusqu'au bord, à pleins bords.*

Boréal, adj. Pluriel masculin (rare) : *boréals* ou, préféré, *boréaux.*

Borgne, n. et adj. On dit : *un borgne, une borgne* (substantif). *Une borgnesse* est vieux, rare et péjoratif (*une méchante borgnesse*). L'adjectif *borgne* se met après le nom : *Une vieille femme borgne. Une rue borgne* (mal famée).

Borne, n.f. On écrit : *sans borne* ou plutôt *sans bornes* (très grand, qui n'a pas de bornes). On dit : *franchir, passer,* ou *dépasser les bornes* (noter le pluriel). L'emploi de *borne* pour *kilomètre* est populaire (et sportif).
Une borne servant à l'amarrage des navires ou des bateaux s'appelle une *bitte.*

Bosseler, bossuer, v.tr., *Bosseler,* outre qu'il doit s'employer dans un sens technique, comme terme de métier (faire à dessein des bosses dans des pièces de vaisselle, d'argenterie) a aussi le sens de *bossuer* (déformer accidentellement par des bosses) et s'emploie donc dans le sens général de « faire des bosses, déformer par des bosses ». On parle d'un front ou d'un crâne *bosselé* ou *bossué,* d'un champ *bosselé* ou *bossué.* On emploie surtout le participe *bossué* devenu adjectif : *Elle releva de nouveau sa jupe et son jupon, découvrant des jambes énormes et si bossuées qu'on eût dit qu'entre la chair et les bas de coton noir elle avait glissé toute une douzaine d'œufs* (M. Druon, *La chute des corps,* Poche, p. 42).

Botteresse, n.f., a désigné en Belgique les *hotteuses* (femmes portant une hotte) de la région liégeoise.

Bottin, n.m., est un nom propre, déposé pour les publications de Bottin. Il est donc abusif de l'employer comme nom commun pour tout annuaire des téléphones. En Belgique, l'appellation officielle est : *Annuaire officiel des téléphones.* C'est *annuaire* qui s'impose.

Boucan (= tapage), n.m., est familier.

Bouche, n.f. *À la bouche,* cf. À et *en,* 2, p. 17. COMPOSÉ : *le bouche-à-bouche.*

Bouche-trou, n.m. Pluriel : *des bouche-trous* (verbe *boucher*).

[Bouchette], n.f. On emploie en Wallonie le mot *bouchette* (en wallon liégeois : ensemble de tiges sortant d'une même source) dans [*tirer à la bouchette*], pour *tirer à la courte paille.*

Bouddhisme, n.m., **bouddhique, bouddhiste,** adj., s'écrivent traditionnellement avec *ddh* comme *Bouddha.* Éviter les graphies *ddi* ou *dhi.*

Bouder, v.tr.dir. ou intr. *On boude* (intransitif) ou *on boude qqn* ou *qqch.* (une réunion, une réception).

Boudin, n.m. On doit écrire *tourner* (ou *s'en aller* ou *finir*) *en eau de boudin,* aboutir à un échec total à une chose sans valeur, comme l'eau dans laquelle on a lavé le boyau. Sans être admise par tous, cette explication est vraisemblable ; elle écarte [*en os de boudin*] et [*en aune de boudin*].

Boudoir, n.m., désigne en Belgique un biscuit très léger, de forme allongée, ressemblant au biscuit à la cuiller, mais plus dur.

Boueur, boueux, n.m. *Boueur* ne concurrence plus guère **éboueur,** nom officiel de l'employé chargé d'enlever les ordures ménagères. Mais le nom courant est *boueux* (qui peut aussi être adjectif).

Bougainvillée, n.f. (pron. « ilé ») est le nom traditionnel des plantes grimpantes appelées aussi de plus en plus *bougainvillier* (masculin ; pron. « ilyé »).

Bougeotte, n.f. Attention à l'*e* et aux deux *t.*

Bouger, v.tr.dir. ou intr. 1. **Intransitif,** il se dit des personnes ou des choses : *Ne bougez pas. Je ne bougerai pas de chez moi. Le peuple bouge. Les feuilles bougent. Les choses ont bougé depuis lors.* À peine familier : *Ce tissu ne bouge pas* (ne change pas) *au lavage.*

2. **Bouger qqch.** est l'objet de condamnations beaucoup trop sévères. Il faudrait d'ailleurs distinguer : Si le complément est une partie du corps (*bouger les yeux, la main, le pied, le petit doigt*), l'expression est certainement correcte et a de bons répondants littéraires. Si le complément est un objet, *bouger* est généralement considéré comme familier et reste suspect. Le PR admet cependant *bouger un meuble* (le déplacer) et l'on pourrait citer des exemples d'écrivains : *Tout en parlant, il bouge négligemment son fusil* (Fr. Sagan, *Château en Suède,* Poche, p. 159).

3. *Se bouger* (sortir de l'inaction), qu'on trouve dans la langue classique appliqué à une personne, a été souvent condamné à tort. Il paraît aujourd'hui ou bien vieilli ou bien familier ; je me garde bien de le déclarer populaire.

4. [*Bouger à qqch.*], qu'on entend souvent en Belgique dans le sens de *toucher à,* ne peut se justifier. On ne confondra pas cet emploi fautif avec celui-ci : *Le salon tout entier semblait tenir au bout d'une canne de verrier ; on craignait d'y bouger ; un seul éternuement eût suffi à le mettre en miettes* (M. Druon, *Les grandes familles,* Poche, p. 52). On a ici le sens (cf. 1) : « y faire un mouvement ».

5. On entend et on lit : *une photo bougée*, par analogie avec *une photo voilée* : *La photo bougée d'Allegra* (Fr. Mallet-Joris, *Allegra*, p. 78).

Mais s'il est vrai que la photo présente ce qu'en photographie on appelle un *voile*, une partie anormalement obscure, due à un excès de lumière, si l'on dit (Bordas) que *le photographe a voilé la plaque* et si celle-ci ou la photo peuvent donc être voilées, on n'a pas « bougé » la photo ; c'est le photographe qui a bougé. Comparer cependant à *tremblé* pris dans le sens de : « tracé par une main tremblante » : *dessin tremblé, écriture tremblée.*

Bougre, n.m., a perdu la valeur péjorative et le caractère trivial et grossier que lui attribuait Littré. Il s'accompagne souvent de *sale, mauvais,* mais aussi de *sacré, vieux, pauvre* et peut marquer une certaine sympathie, quelque indulgence. Le féminin **bougresse** est plus souvent péjoratif.

Bouillir, v.intr. Conjugaison : *Je bous, il bout. Il bouillait, nous bouillions. Il bouillit. Il a bouilli. Il bouillira. Qu'il bouille, que nous bouillions.*

[Boujon, bouson], n.m. *Boujon,* attesté dans le TLF dans le sens de « barre de fer », est employé en Hainaut, comme *bouson* en Gaume, pour *barreau de chaise.*

Boule, n., a des emplois spécifiquement belges : *[chapeau boule]* ou *[un boule]* pour *chapeau melon,* (une) *boule de savon* pour *pain de savon, boule* (*de laine* ou *de ficelle*) pour *pelote* ou *boule* pour *bonbon* (cf. ce mot). Ne pas dire *[boule sure]* pour *bonbon acidulé.* S'il s'agit de gomme à mâcher, on parle de *pastilles* ou de *boules de gomme,* selon la forme.

Bouler, v.intr., signifie proprement « rouler comme une boule ». D'où l'emploi familier *envoyer bouler qqn,* l'éconduire sans ménagements. *Je les ai envoyés bouler. Envoyer bouler l'image qu'on se fait du monde* (M. Yourcenar, *Archives du Nord,* p. 137).

Boulette, n.f., peut se dire d'une petite boule non seulement de pâte, mais de viande hachée (PR), qu'on appelle à Liège *[boulet),* n.m., et ailleurs, notamment à Namur, *[vitolet]* ou *[vitoulet],* n.m. Le Larousse encyclopédique donne ce sens à *fricadelle. Boulette* se dit dans certaines régions pour la *caillebote* ou le *fromage blanc.* Le mot est français mais familier dans le sens de « maladresse, gaffe, bévue ».

Boulot, boulotte, adj. (petit et rondelet) : *un pain boulot, une femme boulotte.* Nom, familièrement, travail.

Le verbe populaire *boulotter* se disant pour *manger,* c'est *boulonner* (proprement : visser au moyen de boulons) qui s'emploie très familièrement pour *travailler, bûcher, travailler dur.*

Bouquet, n.m. Le nom de *bouquet-tout-fait,* appliqué en Belgique aux œillets de poète, l'était aussi autrefois en France.

Bouquin, n.m., est familier, mais courant (senti parfois comme péjoratif), dans le sens de « livre ». — *Bouquiner* : lire, feuilleter des livres, chercher des livres d'occasion.

Bourgmestre, n.m., est l'équivalent officiel, donc à conserver, du *maire* en Belgique. Prononcer *g + m.*

Bourratif, adj., est français, mais familier, et se dit d'aliments ou, au figuré, d'autres choses qui bourrent : *Mes articles étaient plus bourratifs qu'un repas complet* (Edm. Charles-Roux, *Oublier Palerme,* Poche, p. 12).

Bourrichon, n.m., ne s'emploie, très familièrement, que dans *monter le bourrichon* (monter la tête, exciter), *se monter le bourrichon.*

Bourse. Cf. À et *en,* 3, p. 18.

Boursouffler, v.tr., peut s'écrire avec deux *f,* comme *souffler,* depuis 1975 (Ac.).

Bousiller, v.tr.dir. En français familier, « exécuter un travail avec négligence, sans goût » : *Il bousille l'ouvrage* (Ac.). En français populaire, tuer.

Boustifaille, n.f., est vulgaire.

Boute-en-train, n.m. Invariable : *des boute-en-train.*

Boutefeu, n.m., s'écrit en un mot : *des boutefeux.*

Bouteille, n.f. Belgicismes wallons : *Bouteille* pour « médicament liquide à absorber ou à appliquer » (une « bouteille » pour le rhume, pour les rhumatismes), pour « biberon ». [*Mettre* (ou *tirer*) *qqn en bouteille*], le plaisanter, se moquer de lui, le mettre en boîte.
Du vin en bouteille. Mettre du vin en bouteilles.

Bouteur, n.m. Cf. BULLDOZER.

Boute-selle, n.m., est invariable. *Sonner le boute-selle.*

Boutique franche doit être substitué à *duty free shop* ou *tax free shop* pour désigner une boutique située dans une zone où les marchandises vendues sont exemptes de droits de douane ou de taxes. *Franc* a dans cette expression le même sens (= exempt de charges fiscales) que dans *port franc* ou *zone franche.*

Bouton-d'argent et **bouton-d'or,** n.m. de renoncules, s'écrivent avec un trait d'union. *Des boutons-d'or.*

Boutonner, v.tr.dir. On *boutonne* un vêtement. Un vêtement *se boutonne à droite, à gauche, par derrière.* Le GLLF et Bordas signalent l'emploi familier de *boutonner,* intransitif, dans le sens de « se boutonner » : *Ce corsage boutonne par derrière.*

Bouton-poussoir, bouton-pression, n.m. *Des boutons-poussoirs* (boutons qui sont des poussoirs), des *boutons-pression* (qui se ferment par pression) ; on dit d'ailleurs aussi *un bouton à pression* ou *une pression*.

Bow-window, n.m. *Un bow-window, des bow-windows.* L'Académie et l'administration française ont recommandé le remplacement de ce nom anglais (fenêtre en saillie sur une façade) par le mot suisse *un oriel*.

Box, n.m., après s'être dit d'une stalle d'écurie servant à loger un seul cheval, s'est étendu à des emplois analogues et notamment à un compartiment cloisonné dans un garage. — Pluriel, généralement à l'anglaise : *des boxes*.

Boyaux, n.m.pl., au sens d'*intestins*, se dit de l'animal ; en parlant de personnes, il est, dans ce sens, familier ou populaire, de même qu'*un tord-boyaux*.

Boycotter, v.tr.dir., étant la traduction française du verbe anglais *to boycott* (tiré d'un nom propre), le substantif à conseiller, plutôt que *boycott*, est *boycottage*.

Boy-scout, n.m. Pluriel : *des boy-scouts.* Le mot s'emploie en bonne part pour une personne dévouée et, avec un peu de condescendance, pour une personne à la fois idéaliste et naïve. Au sens propre, on dit plutôt *scout*. Pour les filles, on dit *une guide. Éclaireur* se dit des membres de certaines associations du scoutisme français.

Boyard, n.m. On écrit aussi *boïard.*

Brabant doit s'employer au masculin, comme le nom de la province belge, pour désigner une sorte de charrue métallique.

Bracelet, n.m. On dit *un bracelet-montre* ou *une montre-bracelet* ; au pluriel, chacun des éléments varie.

Braconnage, braconnier, n.m. Deux *n*, comme *braconner.*

Brader, v.tr.dir., **braderie,** n.f. Ces mots, partis du Nord (Belgique et nord de la France), se sont répandus dans toute la France, à l'Est, dans le Midi, comme à Paris et en Suisse. Une *braderie* est une vente de marchandises avec des rabais importants. On parle d'*articles bradés* comme on parlerait de *soldes ;* et de *braderie* dans le sens de *vente de soldes*. On emploie *prix de braderie* pour des prix très bas. Le verbe *brader* et le nom *bradeur* s'emploient même en politique. Il est normal que l'action de brader s'appelle *bradage*, mais le mot n'est pas enregistré par tous les dictionnaires.

Braiment, n.m. Ni accent circonflexe ni *ie*.

Braire, v.intr., ne s'emploie guère qu'à l'infinitif et à des troisièmes personnes : *il brait, brayait, a brait, braira,* etc.

Brain-trust, n.m., américanisme, désigne un groupe de conseillers, d'experts.

Branche, n.f. **Avoir de la branche** = avoir de la race, de la distinction (emploi familier).

Braque, adj. et n.m., appliqué aux personnes, se dit familièrement d'un individu bizarre, écervelé, aux manières originales et un peu folles (*cinglé, timbré*).

Braquer *qqn contre* qqn ou qqch., c'est l'amener à s'opposer résolument à qqn ou à qqch. D'où *être braqué contre, se braquer contre.* Ne pas employer *braquer qqn* au lieu de *braquer une arme à feu sur, vers ou contre qqn.* On dit : *braquer les yeux sur qqn, braquer sa voiture vers la droite, braquer à droite.* On s'étonne de trouver *braquant toute* pour *braquant tout à fait* : *Braquant toute, il démarra des quatre roues motrices. Dans les giclements de la neige, la jeep bondit* (A. Lanoux, *Le berger des abeilles,* p. 436).

Braquet, n.m., correct en termes de cyclisme, se dit en Wallonie pour une *scie égoïne* (appelée aussi *scie passe-partout, type égoïne*).

Bras, n.m. 1. On notera l'emploi, non indifférent, de l'article ou de l'adjectif possessif dans : *Il s'est cassé le bras. Il est blessé au bras. Elle portait un enfant sur ses bras, entre ses bras, dans ses bras. Elle le serrait dans ses bras. Tenir un livre sous le bras, sous son bras. Se jeter dans les bras, entre les bras de qqn. Ouvrir, tendre les bras à qqn. Donner le bras à qqn. Avoir qqn ou qqch. sur les bras* (en avoir la reponsabilité, en être embarrassé).

2. On dit indifféremment *être en bras de cheminse* ou *en manches de chemise* = sans veston, qu'on porte ou non un gilet, que les manches soient ou non retroussées. *En corps de chemise,* qui supposait l'absence de gilet, ne se dit plus guère depuis qu'on dit couramment *en bras de chemise.*

3. *Prendre, saisir, tenir, porter qqn à bras-le-corps* et non [*à brasse corps*] : en serrant les bras autour de ses reins.

Brassière, n.f., désigne une petite chemise à manches pour bébé. Pris dans le sens de soutien-gorge au Québec, il devrait être refusé pour désigner des vêtements ornés de figures, comme en portent les jeunes.

Brave, adj., placé devant le nom ou employé comme attribut, prend couramment le sens d'*honnête* ou de *gentil, sympathique* : *Un brave homme. De braves gens. — Ton père est délicieux. Il a de l'humour. Et il est si brave !* (J.-L. Curtis, *Un jeune couple,* Poche, p. 71). Mais, selon les régions, il peut avoir des acceptions diverses, qui vont de *dévoué* à *débonnaire, naïf* : *Brave, au sens qu'on donne à ce mot dans le Midi, dévoué* (M. Bataille, *Les jours meilleurs,* p. 105).

Brèche-dent, adj. et n.m. ou f., se dit de celui qui a perdu une ou plusieurs dents de devant. *Des brèche-dents.*

Bredouille, adj. On écrit : *Ils sont rentrés bredouilles.*

Bref, adv. *Enfin bref* est une formule renforcée pour résumer les choses en conclusion. Féminin de l'adj. *bref : brève.* Adverbe : *brièvement.*

Brette, n.f. Du sens français d'«épée de duel» (cf. *bretteur,* personne qui aime à se battre en duel), *brette* a pris le sens, en Wallonie, de *dispute, altercation* ; à éviter.

Bric. La locution adverbiale **de bric et de broc** (avec des éléments de toute provenance) est française. *Un* ou *des* **bric-à-brac.**

Bricole, n.f., désigne en Belgique ce qu'en France on appelle un *lacet,* un nœud coulant utilisé pour la capture du petit gibier. Le français emploie *bricoles,* au pluriel, en termes de chasse, pour désigner les rets destinés à capturer de grands animaux comme les cerfs.

Inutile d'insister sur les sens admis de « menu travail, chose insignifiante » et sur les mots courants *bricoler, bricolage, bricoleur.*

Brillanter, v.tr.dir., c'est rendre brillant : *brillanter ses prunelles, ses pensées.* Enduire de brillantine, c'est *brillantiner : brillantiner ses cheveux.*

Brimbaler (Ac.), v.tr.dir. et intr. On dit plus souvent **brinquebaler,** surtout dans l'emploi intransitif : *Une carriole qui brinquebale.* On trouve aussi *bringuebaler.*

Briquaillon, n.m., **brique,** n.f. On écrit : *une maison de* (ou *en*) *briques* ou *de* (ou *en*) *brique* ; *une cheminée en briques* ou *en brique — Un four à briques. Un teint couleur (de) brique* ou *un teint brique.* On parle d'une *brique de savon.* On écrit *briqueterie. — Des étoffes brique, rouge brique.*

Briquaillon (= morceau *de brique* cassée) n'est pas un belgicisme. Le mot est dans l'*Encyclopédie* (1751) et dans le GLLF. De même que *gravats,* terme français courant, qui évoque l'idée de *gravier,* a en français un sens plus large, « débris provenant d'une démolition », *briquaillons* se dit couramment en Belgique dans le même sens général, que ces débris comprennent de la brique ou du mortier, du plâtras (cf. *Vie et langage,* n° 270, septembre 1974, p. 539). Il s'emploie en France pour les matériaux granulaires provenant du concassage des débris de briques, de terre cuite.

Briquer, v.tr.dir., se dit proprement, dans le langage des marins, pour « nettoyer (avec de la brique pilée) ». *Briquer les mers* (Ch. de Gaulle, *L'appel,* Poche, p. 304) : les nettoyer, en faisant la chasse à la flotte ennemie. *Briquer* a d'ailleurs le sens général de *nettoyer,* en français familier.

Briquet, n.m. Belgicisme quand il désigne le paquet de tartines qu'on emporte pour manger sur le lieu du travail.

Brise-glace, n.m. On rencontre *brise-glaces* au singulier. Au pluriel : *des brise-glaces.*

Brise-lame, n.m. *Un brise-lame* (ou *un brise-lames*), *des brise-lames.* Cf. Noms composés, B, 5.

[Brise-vue], n.m., n'est pas français. On dit : *un brise-bise,* rideau garnissant le bas d'une fenêtre.

Brocard, brocart, n.m. *Brocard* apparaît parfois sous trois entrées dans les dictionnaires : 1) adage juridique (d'après le nom latinisé d'un juriste) ; 2) raillerie offensante (de l'ancien français *broquer,* piquer) ; d'où *brocarder,* piquer par des railleries ; 3) chevreuil mâle d'au moins un an (après qu'il n'est plus *faon* ou *chevrillard*) ; le mot, dans ce sens, vient de *broques,* autre forme de *broches,* désignant les bois de l'animal ; il faut recommander cet emploi de *brocard,* familier d'ailleurs aux chasseurs ; on trouve aussi dans ce sens *broquart,* surtout littéraire, et *brocart,* qu'il faut réserver au nom d'une sorte d'étoffe.

Brocher, v.tr.dir., peut se dire pour « faire à la hâte » un travail, le bâcler.

[Brol]. Même si l'on sait que le mot n'est pas français, on dit volontiers [*du brol*], à Bruxelles et en Brabant, pour désigner un désordre, un ensemble d'objets en désordre, un objet sans valeur ou à mettre au rebut.

Bronzer, v.tr. ou intr. Auxiliaire : *Elles ont bronzé.* Avec l'adjectif, *être* : *Nous sommes bronzés.*

Brosse, n.f. Cf. Balai.

Brosser, v.tr.dir. Dans l'argot estudiantin, [*brosser un cours*] (s'absenter volontairement) se dit en Belgique, alors qu'en France on dit *sécher un cours.* C'est que *brosser* s'est dit autrefois pour « courir à travers les bois et les broussailles, s'échapper, s'esquiver à travers » ; d'où peut-être le sens belge, « se dispenser d'aller ». *Brosseur* se dit naturellement en Belgique de l'étudiant qui « brosse » (emploi intransitif).

Se brosser le ventre (= se passer de manger) est populaire comme *se brosser,* être contraint de se passer de ce qu'on désire.

Brouillamini, n.m., est moins vivant qu'**embrouillamini.**

Brouillard, n.m. Cf. Brume, Buvard.

Brouiller, embrouiller, v.tr.dir. Ces deux verbes sont à peu près synonymes quand ils signifient « mettre en désordre, bouleverser » des fiches, des dossiers. Mais on dit qu'on *brouille* une serrure (on la détraque), une émission radiophonique, des pistes, les cartes, des œufs, des personnes (faire naître la brouille, la désunion entre elles) et qu'on *embrouille* une question en la compliquant.

Se brouiller = devenir trouble (*Ses verres se brouillent ; le temps se brouille*) ; avec un sujet désignant une personne, *se brouiller avec qqn* (cesser d'être en bons termes avec lui).

En Wallonie, *se brouiller* se dit d'une personne qui se trompe : [*Il s'est brouillé dans ses comptes*].

Brouillon, n.m. On écrit : *un cahier de brouillons* (Ac.) ou *de brouillon*.

Broussaille, n.f., reste au singulier dans : *des cheveux* (ou *des sourcils*) *en broussaille* (végétation touffue). En dehors de cet emploi, *broussailles* s'emploie surtout au pluriel.

Bruire, v.intr., qu'il s'agisse de feuilles, du vent, de plantes, d'insectes, etc., évoque toujours l'idée d'un bruit confus et continu, d'un *bruissement*. L'existence de ce nom et celle de certaines formes de la conjugaison de *bruire* ont favorisé la création du verbe [*bruisser*], qui n'est pas admis en français, bien qu'on trouve la faute chez des écrivains.

Bruire est non seulement défectif mais irrégulier. Il se conjuguait autrefois comme *fuir*, il le fait depuis longtemps et très régulièrement comme *finir*.

En effet, sous l'influence de *bruissement*, les formes en *iss* se sont introduites dans sa conjugaison : imparfait *bruissait*, participe présent *bruissant* ; l'ancien participe *bruyant* est aujourd'hui adjectif et a un sens plus fort (*des enfants bruyants ; une rue bruyante*).

On trouve l'indicatif présent : *La puissante vie nocturne bruit et palpite* (Marguerite Yourcenar, *Souvenirs pieux*, p. 254) ; parfois aussi le futur (*bruira*) et le subjonctif présent (*bruisse*). Le participe passé et les temps composés sont pratiquement inusités ; on trouve *bruit* au participe ; il faudrait écrire *brui*. Quant à *bruissant*, il peut évidemment devenir adjectif verbal : *Et les arbres bruissants défilent* (M. Genevoix, *Rroû*, Poche, p. 67).

Brûlant, adj. En Wallonie, [*avoir le brûlant*] se dit pour *avoir le pyrosis*.

Brûler, v.tr.dir. ou intr. Ce n'est pas seulement en Belgique, mais aussi en France (cf. J. Renard, *Poil de Carotte*, Flammarion, p. 256) qu'en termes de jeux on dit *ça brûle* au lieu de l'expression irréprochable et courante : *vous brûlez* (vous êtes près du but).

On peut dire : *brûler* ou *torréfier du café*.

Composés : *Un brûle-gueule, des brûle-gueules, des brûle-tout, un brûle-parfum, des brûle-parfums*. On écrit : *à brûle-pourpoint*.

Brume, n.f. Certains dictionnaires définissent la *brume* : brouillard épais ; d'autres : brouillard léger, d'autres : synonyme de brouillard. Actuellement, outre le sens de « brouillard de mer », *brume* a plus particulièrement, par convention, celui de « brouillard léger », n'abaissant pas la visibilité horizontale au sol à moins d'un km.

Brunch, n.m., formé par l'amalgame de deux mots anglais, *breakfast* (petit déjeuner) et *lunch* (déjeuner), désigne un repas tardif tenant lieu des deux autres. Pas d'équivalent français.

Brut, adj. et adv. On prononce le *t*. À côté de l'adjectif (*poids brut, matière brute*), il y a l'adverbe, invariable : *Ces marchandises pèsent brut 600 kilos* ou *600 kilos brut.*

Bruxelles, bruxellois. Pron. *s* et non *x*.

Bu, adj., pour *ivre*, est populaire.

Bûcher (accent circonflexe, comme dans *bûche*), **v.intr.**, peut s'employer dans le sens de « travailler avec ardeur, sans répit », dans le domaine intellectuel comme dans tout autre : *Il bûche ferme.* **Tr.dir.** : *Il bûche son latin.*

Budget, n.m., s'écrit avec *g. Budgétaire, budgétivore. Budgétiser,* v.tr. (inscrire au budget), a remplacé *budgéter.*

Buée, n.f., est devenu vieux ou régional dans le sens de *lessive.*

Buffle, n.m. Deux *f.*

Building (pron. « bil »), n.m., s'emploie moins que naguère. On dit : *immeuble* ; au Québec : *édifice.*

Bulbe est aujourd'hui masculin : *Un bulbe.*

Bulldozer, n.m. L'Académie recommande *bouteur,* mais admet la francisation *bouldozeur.*

Bulle, n.f., se dit, à côté de *phylactère,* n.m., et de *ballon,* pour ce qui entoure les paroles prêtées aux personnages des bandes dessinées.

Bungalow, n.m. Pron. « bungalo ». La graphie *bongalove* (Giono, *Noé*, début) est humoristique.

Bureau, n.m. On écrit : *des chefs de bureau.*
   Si *bureau,* au terme d'une évolution sémantique partie du nom d'une étoffe couvrant une table, a pris les sens de table à écrire, pièce où est ce meuble, personnel travaillant dans cette pièce et membres élus pour diriger une assemblée, un parti, une association, il ne désigne pas la réunion de ces dirigeants. On ne peut donc dire : [*Au cours de son bureau*], *le parti a décidé* ... ; il faut dire : *Au cours de la réunion de son bureau,* ... Cf. À et *en*, 6, p. 19.

Buse, n.f., désignant le conduit circulaire ou plat raccordant le poêle à la cheminée, est courant en Wallonie, mais est connu régionalement en France (cf. GLE, TLF, GLLF). En Wallonie on applique même [*platebuse*] à l'ensemble du poêle et on emploie le diminutif [*busette*] à côté de *buse* pour le bec d'un récipient.

Autres emplois belges : 1. *Buse* ou [*chapeau buse*] pour désigner ce qu'on appelle en France *un chapeau haut de forme* ou *un haut-de-forme* (ou, si on peut l'aplatir, *un gibus, un claque* ou *un chapeau claque*) ou, familièrement, *un tuyau de poêle* (au Canada, un tuyau de castor). 2. Dans l'argot scolaire, mais élargi à l'usage courant, *une buse* se dit en Belgique de l'échec d'un élève, d'un étudiant, d'un homme politique aux élections ; d'où le verbe [*buser*] (qqn). On dira : *Il a échoué. Son professeur l'a fait échouer* ou *l'a recalé* ou, en français familier, *l'a collé.*

[**Busette**], n.f., en Wallonie, désigne le bec d'une cafetière, d'un récipient.

Business, n.m. On prononce « biznès » et l'on écrit parfois *bisness* ou *bizness.*

But, n.m. On prononce généralement *t* devant une voyelle et parfois en fin de phrase. Mais l'usage hésite.

Parce qu'un but est d'habitude immobile, on s'est acharné à condamner certaines expressions et le sens figuré : fin qu'on se propose d'atteindre. Le bon usage, celui des bons dictionnaires et de nombreux et excellents écrivains (cf. *B.U.*, n⁰ˢ 2405, 2406), admet non seulement *aller au but, tendre à un but, atteindre un but,* mais *dans tel ou tel but, dans le but de* et *poursuivre un but. — Remplir un but* ne peut certes se justifier que si *but* a le sens de « dessein » et si l'on se reporte aux sens figurés de *remplir :* exécuter, accomplir, réaliser ; l'expression, moins courante, est ancienne et ne manque pas de répondants littéraires. *Réaliser un but* est très rare ; on l'évitera au nom de l'usage. On ne craindra pas de parler d'un *but final,* opposé à *un premier but.*

En langage sportif, on emploie *but* (pour *goal*) : *gardien de but, tirer au but, gagner par deux buts à un,* etc.

On écrit : *de but en blanc* (brusquement, sans préliminaires ni formalités) ; selon un ancien usage, *but* désigne là l'endroit d'où l'on tire (de la butte) au blanc de la cible, sans correction de hausse (GLLF).

Buter, v.tr.dir. et intr., **butte,** n.f., **butter,** v.tr.dir. On écrit : *de but en blanc* (voir ci-dessus), mais on doit écrire : ***être en butte à,*** être exposé à. *Butte* désigne ici le tertre où est la cible.

On écrit : *butter des plantes, des arbres, des pommes de terre,* faire une butte de terre au pied de la plante ; c'est le **buttage.** Mais on écrit *buter* dans tous les autres sens, notamment dans ceux où l'on retrouve l'idée d'*étayer* (un mur par exemple) ou de *heurter,* au propre et au figuré : *Le cheval bute constamment. Il bute contre une pierre. On se bute à un obstacle. Je me bute à ses préventions. Il se bute* (s'entête). *Cet enfant est buté. Ils se butent l'un contre l'autre. — Buter qqn,* c'est le pousser à une attitude obstinée. *Ses préjugés le butent.* En argot, *buter* (ou *butter*) qqn, c'est le tuer.

Le joueur de football ou de rugby qui marque souvent des buts s'appelle un *buteur.*

Butin, n.m. Une armée n'abandonne pas, en fuyant, un butin, mais du matériel qui, pour le vainqueur, devient un butin.

Butoir, buttoir, n.m. Les wagons viennent buter contre le *butoir*. — Un *buttoir* est un outil destiné à butter des plantes.

Buvard, n.m., se dit aussi bien, comme nom, d'une feuille de *papier buvard* (*un buvard, une feuille de buvard* ; on a dit autrefois *papier brouillard*) que d'un sous-main contenant du buvard.

By-pass, dans divers emplois en dehors de la médecine, doit être remplacé par *dérivation* : dédoublement d'un circuit de fluide, canal de dérivation pratiqué sur le trajet d'un fluide, vanne commandant ce dédoublement, robinet à double voie, route de dérivation permanente. Dans le vocabulaire de l'industrie pétrolière, on parle d'*évitement* ou on emploie *un bipasse*. En chirurgie cardio-vasculaire, on recommande, selon les cas, *dérivation* ou *pontage* (union de deux veines ou artères distantes l'une de l'autre).

C

Ça (sans l'accent qui distingue l'adverbe *çà*), pr. dém., est aujourd'hui courant dans la langue parlée et même écrite.

1. L'usage habituel le préfère souvent à **cela**, sauf immédiatement devant les formes verbales *est, était, a été, avait été* (cf. 2) : *Ça n'a aucun rapport. (...) Ah ! ça... aucun. (...) C'est entendu. (...) Ça me fait un peu rire. C'est drôle. (...) Qu'est-ce que ça veut dire, ça ?* (M. Achard, *Auprès de ma blonde*, acte III, Presses Pocket, pp. 106-107). *Ça va mal, Ça ira, Ça marche ? Ça se voit tous les jours. Ça y est. Il y a de ça quelques jours. Ça doit être lui.* Dans ce dernier cas, devant *pouvoir* ou *devoir* suivis de *être*, on trouve *ce* ou *ça* aussi bien que *cela* : *Ce pouvait être la mort (...). Ça ne pouvait être qu'un accident* (Fr. Mauriac, *Le désert de l'amour*, p. 203). De même devant *être* (aux formes admises) suivi d'un attribut : *Ça serait chic.*

Ça peut aussi remplacer **ce** (ou même *il* impersonnel) devant *ne pas être* suivi d'un attribut (cf. CE, 5) : ***Ça n'est pas facile*** *de lui faire entendre raison. Ça n'est pas étonnant qu'il ait refusé.*

Ça, qui est proprement un neutre, peut familièrement et avec affectivité, tout comme *cela*, s'employer pour des **personnes** : *Ces petites grandes filles m'agacent, ça a peur de se déchirer aux ronces* (Colette, *O.C.*, I, p. 16). *Ces vieux, ça n'a qu'une goutte de sang dans les veines* (Daudet, cité par GLLF).

On se sert aussi de *ça*, beaucoup plus fréquemment que de *cela*, pour renforcer familièrement une exclamation, une interrogation, une affirmation, une négation : ***Ça, par exemple !*** (cf. ÇÀ). *Qui ça ? Quand ça ? Où ça ? Ça oui. Ça non.*

2. **Élision.** Elle ne se fait pas devant un verbe. On dit fort bien : *Ça ira. Ça arrive. Ça allait mieux. Ça a un bon côté. Ça a l'air d'une blague.* Mais on dit avec *ce* : *Ç'allaient être les vacances* (P. Lainé, *La dentellière*, Éd. Rombaldi, p. 164). Notons qu'il aurait fallu écrire : *Ç'allait être les vacances ;* on dirait d'ailleurs : *Ce va être les vacances. Ç'avait l'air d'une blague. Ç'allait être mon tour.*

La langue soignée renonce à employer *ça* devant *a été, avait été, eut été, aura été, aurait été, eût été*. Elle dit : *Ç'aurait été délicieux, mais ç'aurait rompu l'enchantement* (J. d'Ormesson, *L'amour est un plaisir*, Poche, p. 79). *Ç'a été* (ou *cela a été*), *ç'aurait été*, etc. Ne pas oublier la cédille. Dans la conversation, on emploie parfois *ça a été* : *Ça a été encore plus rapide que je ne croyais* (M. Druon, *Les grandes familles*, Poche, p. 44). *Ça a été ma faute* (J. Dutourd, *Pluche*, Poche, p. 86). On écrit parfois *ç'a pu, ç'a dû* : *Ç'a pu* ou *ç'a dû être une erreur*. Préférer *cela*.

On peut employer *ça* (ou *cela*) immédiatement devant les formes *est* ou *était* quand *être* signifie « exister » et après *tout* : *Ça est* ou *ça n'est pas. Tout ça est de sa faute*. Mais en dehors de ces deux cas, cet emploi n'appartient qu'à la langue populaire, en France comme en Belgique. Il paraît même, en Belgique, caractériser certains milieux flamands ou bruxellois où l'on entend : [*Ça est difficile*]. On doit dire : *C'est difficile* ou *Cela est difficile* ou *Ça, c'est difficile*. Mais on peut dire, puisque *est* ne suit pas immédiatement *ça* : *Ça* (ou *cela* ou *ce*) *n'est pas difficile*.

3. Parmi les emplois de **comme ça** (ou *comme cela*), il faut noter que l'expression peut prendre le sens de l'adjectif *pareil* ou de l'adverbe *ainsi* : *C'est éreintant, un chemin comme ça ! Moi, je suis comme ça ?* Cf. AINSI, 1.

Au sens de « ni bien ni mal » : *Comment se porte-t-il ? Comme ça* (Ac.). On dit aussi, dans le même sens : *Comme ci comme ça*. Cf. CI, *pronom*.

Dans le sens de « tout naturellement » : *Ce n'est pas du courage. On fait ça comme ça*. (J. d'Ormesson, *L'amour est un plaisir*, Poche, p. 205).

Très familièrement, *comme ça* peut renforcer une interrogation ou une affirmation : *Où allez-vous comme ça ? Il dit comme ça que...* Dans ce dernier cas, entre un verbe et la proposition qui le complète, *comme ça* n'est guère qu'un élément de remplissage.

Avec ça insiste aussi sur ce qui vient s'ajouter : *Il est serviable*, **et poli avec ça !** Chez le commerçant, **Et avec ça ?** est courant. **Avec ça que**, cf. AVEC, 6.

Ça dépend s'emploie familièrement sans complément pour répondre à une question : *Viendrez-vous ? — Ça dépend* (= peut-être). Thérive admet les tours familiers *Ça dépend comment, ça dépend avec qui, ça dépend qui, ça dépend où* (*Querelles de langage*, 3ᵉ série, pp. 83-84).

4. **Ça fait que** et **cela fait que** sont à éviter en tête de phrase dans le sens de *donc, ainsi donc*, quand le contexte n'indique pas ce que représente *ça*. On n'aborde pas quelqu'un en disant : [*Ça fait que vous ne viendrez pas avec nous ?*], emploi courant en Belgique. On dit : *Vous ne viendrez donc pas avec nous ?*

Tout autre est l'emploi un peu familier de *ça fait... que* au lieu de *il y a... que* avec une indication de temps : *Ça fait trois mois que j'attends*.

5. [*Ça ne vient pas à huit jours*] ou [*à un franc*] s'entend souvent en Belgique pour *Je puis attendre huit jours* ou *Huit jours ne font rien à l'affaire* ou *Je n'en suis pas à huit jours* (ou *huit francs*) *près*.

6. Autre belgicisme : *ça* avec un comparatif, [*ça mieux, ça moins, ça plus*] pour *d'autant mieux, d'autant moins, d'autant plus* : *Vous le ferez* [*ça mieux*]. [*Ce sera ça plus gai.*] Mais on peut évidemment dire, la disjonction de *ça* et de *mieux* étant évidente : *Il fera ça mieux qu'un autre.*

7. Le français nettement populaire emploie [*Ça je sais, ça je (ne) sais pas*] au lieu de : *Je sais* (ou *je ne sais pas*) *cela* ou *ça ; cela* (ou *ça*), *je le sais.*

Çà, adv. ou interj., a un accent grave : *Çà et là. De çà de là. Ah ! çà, pour qui me prenez-vous ?* ou *Ah çà ! pour qui me prenez-vous ?* L'interjection, dans cette phrase, marque l'impatience. Ailleurs, elle est une sorte d'encouragement : *Çà, l'abbé, interrompit la comtesse, puisque vous êtes là, faites donc la jeune fille de la maison* (A. Blondin, *Les enfants du bon Dieu*, Folio, p. 22). Elle peut aussi marquer l'étonnement, exprimé également, dans la langue familière, par le pronom *ça* (cf. ÇA, 1). D'où : *Çà, par exemple !* ou parfois *Ça, par exemple !*

Le français classique employait *çà* après un verbe (*Viens çà*) là où nous disons *ici.*

Cabale, n.f., manœuvre occulte, association de ceux qui s'y livrent. En parlant de la tradition juive ou d'une science occulte, on écrit *cabale* ou **kabbale**, n.f., et **kabbaliste ;** on a écrit *cabale, cabaliste ;* mais on écrit **cabalistique**, adj. *Termes ou signes cabalistiques.*

Cabaretier (tenancier d'un cabaret, cafetier), n.m., est vieilli en France, comme d'ailleurs *cabaret* dans le sens d'établissement modeste où l'on sert des boissons et qu'on appelle couramment un *café*. Mais le mot reste vivant en Belgique dans ce sens.

Cabas, n.m., peut se dire d'un sac à provisions en étoffe ou en paille.

Cabinet, n.m., s'emploie encore au singulier ou plus souvent au pluriel comme *water-closet* pour *toilettes* : *Je suis allé au cabinet* (M. Bataille, *Les jours meilleurs*, p. 88). *Chaque fois qu'il allait aux cabinets* (E. Triolet, *Le premier accroc...*, Folio, p. 172). *Elle va aux cabinets* (H. Troyat, *La tête sur les épaules*, Poche, p. 139).

Câble, n.m., et **composés** ou **dérivés** : accent circonflexe, sauf dans **encablure**, ancienne mesure de longueur.

Dans le langage de l'audiovisuel, ou en télévision, on distingue le **câbliste** (qui manipule les câbles d'une caméra lors d'une prise de vues) du **câbleur**, qui effectue le montage des câbles électriques, et du **câblier**, qui fabrique ou pose des câbles.

[Cabolée] ou [*caboulée,*] n.f., est du wallon (*chaudronnée*).

Cabossé, adj., peut se dire d'un chapeau, mais se dit surtout d'un terrain ou d'objets rigides (chaudron, poupée, carrosserie, etc.).

Cabrer, v.tr.dir. Pas d'accent circonflexe.

Cacahuète, n.f. Ne pas écrire *cacahouette* ni *cacahouète*.

[Cacaille], n.f., désigne en wallon et en français régional un objet sans valeur.

Cacaoyier, n.m., remplace de plus en plus *cacaotier.*

Cache, n., est *masculin* en termes d'imprimerie et de photographie et *féminin* au sens de cachette.
Composés formés avec le verbe, cf. NOMS COMPOSÉS, B, 5, p. 626.
Cache-cœur et **chauffe-cœur** sont des régionalismes (le premier très courant en Belgique, le second plus répandu en France) qui désignent un vêtement court en laine, croisé sur la poitrine. On voit le vêtement, sans aucun nom spécifique, à la page *Tricot* du *Larousse ménager*, parmi les pièces de la layette. Paul Vialar écrit en 1949 dans *Le bouc étourdi* (p. 39) : *Elle apportait tout. Tout, oui, non seulement les brassières et les pièces tricotées, mais aussi les langes de coton, les chauffe-cœur, les chaussons...* Une réclame récemment parue dans un magazine emploie le mot *chauffe-cœur* pour un vêtement du même genre, mais pour dame. *Chauffe-cœur* est signalé dans TLF, V, p. 616.
Le jeu d'enfants appelé en Belgique comme en France le **cache-cache** reçoit parfois en Belgique le nom de *[cachette-caché]*.

Cache-poussière, n.m. Ce nom, devenu rare en France, est ignoré ou signalé comme vieilli par les dictionnaires et défini : « manteau en tissu léger pour protéger de la poussière ».
En Belgique, on emploie abusivement *cache-poussière* (de teinte terne) pour des emplois humbles ou salissants, en l'opposant à *blouse* (généralement blanche). En France, **blouse** se dit de tout vêtement léger de protection, quelle que soit sa couleur, pour l'exercice d'un métier (blouse de peintre, d'ouvrier, de médecin, etc.) ou pour des écoliers ; ce qui n'empêche pas *blouse* de désigner un corsage de femme.

Cacher, v.tr.dir. *Je ne veux pas vous cacher mon embarras. Je l'ai dit, je ne m'en cache pas. Je ne vous cacherai pas que je suis inquiet.* Pour les **composés,** cf. NOMS COMPOSÉS, B, 5.

Cachet, n.m. Proprement, il faut, en parlant de médicaments, distinguer *un cachet* (enveloppe contenant la poudre) et un **comprimé.** L'usage courant emploie par extension *cachet* pour *comprimé* sans se soucier généralement de l'erreur, devenue banale.

[Cachette-caché], belgicisme. Cf. CACHE.

Cachotter, v.tr.dir., **cachotterie, cachottier.** Deux *t.*

Cachou, n.m. : *Des cachous.* Invariable quand il désigne une couleur brune.

Cadavéreux, cadavérique, adj. Si l'on doit dire *cadavérique* lorsqu'il s'agit de ce qui est propre aux cadavres (fixité, raideur), il y a concurrence entre *cadavéreux* et *cadavérique* pour ce qui fait penser à un cadavre, en parlant du visage, du teint, de l'aspect et même de l'odeur.

Caddie, n.m., remplace *caddy* pour désigner le garçon qui porte les crosses de golf du joueur. *Caddie,* nom déposé, se dit aussi des petits chariots métalliques mis à la disposition des clients ou des voyageurs ; pluriel : *des caddies* (ou *Caddies*). Ne blâmons pas les Belges qui emploient dans ce sens le mot *poussette.* Cf. ce mot.

Cadre, n.m. Le pluriel **les cadres** désigne l'ensemble des employés d'un grade supérieur. L'emploi courant au singulier (*un cadre,* **un cadre moyen,** *un cadre supérieur,* **un jeune cadre**) est blâmé, sans succès, par l'Académie.

L'expression **dans le cadre de,** normale quand elle signifie « dans les limites de » *(Il a agi dans le cadre de ses fonctions. Il est sorti du cadre de ses attributions),* s'emploie de plus en plus comme un cliché pour « à l'occasion de », en s'appliquant à un fait qui se situe dans un ensemble : *Une réception est organisée dans le cadre du congrès. Cette visite s'inscrit dans le cadre du voyage* (est au programme du voyage).

Cadre ne désigne pas un tableau, une gravure (emploi assez courant en Wallonie), mais son encadrement.

Caduc, adj. ; féminin : *caduque.*

Cafard, n.m. On dit fort bien, en employant ce nom de la blatte, **avoir le cafard,** *cela me donne le cafard* (idées noires, lassitude mélancolique). **Cafarder,** v.tr.dir., ne se dit pas dans le sens de *avoir le cafard, être* **cafardeux,** mais est courant dans celui de « dénoncer », renvoyant à une autre acception de *cafard,* faux dévot, hypocrite, tartufe ; d'où : délateur, rapporteur.

Café, n.m. On écrit : *Un café filtre* (plutôt que : *un café-filtre ;* on dit aussi *un filtre), deux cafés filtres, deux cafés au lait, deux cafés crème, deux cafés rhum.* Mais *Des robes café, des chemises café au lait.*

C'est (un peu) **fort de café,** c'est excessif, inadmissible.

Emploi belge fautif : *boire le café* pour « prendre le goûter ».

Cafetan ou *caftan,* n.m. vêtement oriental.

Cafétéria, n.f., avec deux accents (pluriel *cafétérias*) doit être préféré à *cafeteria* sans accents ou à *caféteria* avec un accent et à *cafetaria.* La **caféterie** est le local où l'on prépare les cafés et les petits déjeuners.

[Caflorage], n.m., wallonisme désignant, surtout au pluriel, les dessins à fleurs sur un tissu ou du papier peint.

Cafouiller, v.intr., **cafouillage,** n.m., appartiennent au français familier et évoquent un désordre, un mauvais fonctionnement.

Cagne, n.f. Cf. KHÂGNE.

Cahot, n.m. et **chaos,** n.m., et **dérivés.** *Les cahots d'une voiture. Une voiture cahotante. Une vie cahotante. Une route cahoteuse* (qui provoque des cahots). *Nous cahotions sur cette route. La vie l'a fort cahoté. Un pays où règne le chaos. Une situation chaotique. Un style chaotique* (décousu, désordonné).

Cahutte, n.f., nouvelle orthographe admise par l'Académie en 1975 (à côté de *cahute*), par analogie avec *hutte*.

Caïeu, n.m., plutôt que *cayeu.*

Caillant. On dit en Belgique [*il fait caillant*] pour : *il fait très froid* ou *on caille* (français pop.).

Caillebotis, n.m. Un seul *t.* On écrit parfois *caillebottis.*

Caillebotte, n.f., masse de lait caillé : Deux *t.*

Caillou, n.m. *Des cailloux.*

Cal, n.m. *Des cals.*

Calamistré, adj. On n'emploie plus le verbe *calamistrer,* onduler au fer (latin *calamistrum,* fer à friser). Mais on parle encore de *cheveux calamistrés* ; l'expression ne peut désigner que des cheveux frisés. Une confusion s'est produite avec **lustré,** mais il faut l'éviter : des cheveux dont les ondulations sont fixées à la brillantine peuvent encore être dits *calamistrés,* mais on ne peut le dire de cheveux lisses et brillants, pommadés.

[**Calcareux**], adj., signalé par Littré comme « un grossier barbarisme », est resté vivant en Belgique. Il faut employer **calcaire,** comme adjectif aussi bien que comme nom : *Des terrains calcaires.*

Calcédoine, n.f. (variété de silice) ; on écrit aussi *chalcédoine.*

Cale, n.f., s'emploie à tort en Belgique pour *échec* : [*Il aura une belle cale*].

Calé, adj., se dit en français très familier pour *ferré, très instruit, bien préparé.*

Caleçon, n.m. On dit beaucoup moins qu'autrefois *des caleçons* pour *un caleçon.* D'autre part, un caleçon très court s'appelle *un slip.*

Calembour, n.m. Pas de « g ». **Dérivés** populaires avec *d* : *calembourdier, calembourdiste.* Certains auteurs emploient *calembouriste, calembouresque.* Des dictionnaires donnent l'adjectif *calembourdesque.*

Calendes, n.f.pl. Les calendes (romaines), étant le premier jour du mois, *renvoyer aux calendes grecques,* qui n'existent pas, ce n'est pas renvoyer à une autre date mais à jamais ou, par extension, à un avenir très éloigné et imprécis qui risque de ne jamais arriver.

Calepin (petit carnet de poche), n.m. Emploi belge fautif pour *cartable d'écolier.*

Caler, v.tr.dir. **Caler une bille :** la lancer en faisant ressort avec les doigts. *Caler* s'emploie à tort en Belgique pour *lancer* (des boulettes de papier, des pierres).
    V. intr. Un **moteur** *cale,* cesse brusquement de fonctionner. D'où les emplois très familiers aux sens de *abandonner, céder.*

[**Caliche**], n.m., désigne à Bruxelles de la réglisse, du jus de réglisse.

Câlin, adj., signifie aujourd'hui en français « gentil, caressant ». À éviter l'emploi liégeois dans le sens nettement opposé de « méchant ». Même divergence pour **câlinerie.**

Call-girl (pron. « colgueurl »), n.f. Pluriel : *des call-girls.* Pas d'équivalent français pour le nom anglais de ces prostituées qu'on appelle par téléphone à leur domicile.

Calotin, n.m. Un seul *t.* **Calotte** (coiffure, tape sur la tête), **calotter :** deux *t.*

Calquer et **décalquer,** v.tr.dir., sont souvent confondus. Ils sont considérés comme synonymes dans certains dictionnaires comme dans l'usage. Ils désignent pourtant deux actions différentes. Proprement, **calquer,** c'est reproduire un dessin sur un papier transparent appelé *calque* ou *papier-calque* ; on obtient ainsi *un calque.* **Décalquer** désigne l'opération finale, qui reporte le dessin (à travers un papier carbone ou par un autre procédé) sur l'objet (toile, bois, papier, etc.) où l'on veut le transposer.
    Au figuré, on dit toujours *calquer* (copier, imiter, plagier).

Calville, n.f. (variété de pomme), était déclaré masculin par Littré et par l'Académie, mais est devenu féminin. On prononce « il ».

Cameraman, n.m., quand il ne peut être traduit par *journaliste reporter,* l'est par *cadreur* lorsqu'il s'agit de l'opérateur de prises de vues, en langage de cinéma ou de télévision. On écrit **caméra** avec accent aigu.

Camisole, n.f., se dit abusivement en Belgique pour *maillot de corps.*

Camper, v.intr. Auxiliaire *avoir.* Mais avec l'adjectif **campé :** *Ils sont campés au bord de l'eau.*

Camping, n.m., désigne l'action de camper (coucher sous la tente) en touriste *(faire du camping)* ou bien le terrain où l'on campe. Si **campisme** est mal reçu pour désigner l'action, **campement** peut être employé soit pour l'action *(Campement autorisé. Matériel de campement)*, soit pour le terrain (*Un campement bien choisi*, GLLF). — On remplacera **camping-car** par *auto-caravane.*

Canaille, n.f. et adj., est variable : *Des goûts canailles* (= vulgaires). On dit : *Cette canaille de marchand.* Lorsque le nom s'applique aux enfants, son sens peut s'adoucir nettement : *Petite canaille !*

Canard, n.m., cane, n.f. Bien que la femelle du canard s'appelle *cane*, on dit généralement *des œufs de canard* (le nom *canard* désigne l'espèce).

Cancérigène, adj., l'emporte couramment, semble-t-il, sur *cancérogène*, recommandé par l'Académie des Sciences.

Candélabre, n.m. Accent aigu.

Candidat, n.m. Candidature, candi, n.f. *Elle est candidate à cet emploi.* En Belgique, le premier grade universitaire, décerné généralement après deux ans d'étude (de *candidature ;* en langage étudiant, *candi*), est celui de *candidat : Est-il en première ou en deuxième candidature ?* (en langage étudiant ; *en première candi ?*).

Caner, v.intr. très familier, signifie « reculer devant le danger, céder par peur » ; Il vient de l'ancienne expression *faire la cane*, « faire un plongeon, fuir à l'approche du danger » (comme une cane).

Canette n.f., peut se dire d'une petite bouteille de bière (comme d'une bobine). Un seul *n.*

Canicule, n.f. est employé à tort au pluriel, en Belgique, pour désigner la période de *la canicule.*

Canin, adj., est surtout employé au féminin : *race canine.*

Cannelle, n.f. Deux *n.*

Cannelloni, n.m. *Des cannellonis* (avec *s*). Deux *n* comme dans *canne.*

Canné, cannelé, adj. Un siège *canné* a le fond garni de brins de jonc ou de rotin entrelacés ; un siège *cannelé* est garni de cannelures, de rainures. Noms en rapport avec *canner : cannage, canneur.*

Cannibale, n.m., se dit en Belgique d'un toast au steak tartare.

Cantatrice, n.m. Cf. Chanteur.

Canton, n.m. Dérivés : *cantonal, cantonade* (un *n* devant *a*), mais *cantonnement, cantonner, cantonnier.* **Parler à la cantonade**, parler à quelqu'un qui est supposé être dans les coulisses ou en ne paraissant s'adresser à personne de façon précise.

Canular, n.m., signifie aujourd'hui « mystification, farce, nouvelle fantaisiste ». Adjectif familier : **canularesque**.

Canule, n.f., nom d'un accessoire s'adaptant à une seringue, à un tube, se dit en Belgique d'une personne incapable.

Caoutchouc, n.m. Dérivés : *caoutchouter, caoutchoutage, caoutchouteux*.

Capable, adj. *C'est un ouvrier capable. Il est capable de tout*, prêt à n'importe quoi. *Un argument capable d'émouvoir. Cet homme est capable de vous faire du tort*, il est à même de... ou il n'hésiterait pas à... Ne pas ajouter *assez* devant *capable* suivi d'un complément avec *de*. Cf. SUSCEPTIBLE.

Capacité, n.f., se construit avec **de**, comme *capable* (et non avec *à*, comme *apte*), devant un nom ou un infinitif : *La capacité de production de cette usine* (sa faculté de produire). Mais on trouve **à** devant un infinitif : *Sa capacité à produire*. Cf. INCAPACITÉ. Employé avec un article partitif ou un article indéfini suivi d'un adjectif et appliqué aux personnes, *capacité* se construit avec **pour** : *Il a de la capacité* (ou *une grande capacité*) *pour les mathématiques*. Même emploi de *pour* dans l'expression juridique *avoir capacité pour* : *Elle a capacité pour tester*. Mais : *Elle a la capacité de signer*.
On se gardera de dire *les capacités* pour les gens capables, compétents.

Caparaçonné, adj., **caparaçon**, n.m. Ne pas dire [*carapaçonné*].

Capharnaüm, n.m. Attention au tréma.

Capitulant, adj., se dit d'un religieux qui a voix au chapitre. Certains ordres emploient dans ce sens *capitulaire*, qui se dit normalement d'une assemblée, d'un règlement, d'une salle ou d'un vicaire élu par le chapitre d'une église cathédrale.

Capon (féminin *caponne*), n. et adj. Devenu rare en français, où son sens est *poltron*, *capon* est parfois employé gentiment en Belgique dans le sens d'*espiègle*.

Capot, adj. invariable. *Elles sont capot* (elles n'ont fait aucune levée). *Il l'a faite capot.*

Câpre, n.f., bouton du câprier : *De belles câpres dans la sauce.*

Capter, v.tr.dir. et dérivés ; **capturer**, v.tr.dir. L'action de capter par des manœuvres répréhensibles un héritage, une libéralité, s'appelle **une captation**. En dehors de ce sens juridique, on capte (on recueille, on intercepte) une source, l'attention, la bienveillance, une émission radiophonique, un courant, un message, et le nom est **un captage** : *Le captage des eaux d'une source*. — *On capture un être vivant*, on en fait **la capture**.

Caquet, n.m. *On rabat le caquet* à *qqn* ou **de** *qqn.*

Car et **parce que,** conj. Tandis que *parce que* énonce la cause objective du fait rapporté dans la proposition précédente (parfois dans la suivante), *car,* plus subjectif, explique, justifie l'assertion précédente, phrase, proposition ou même un seul mot. Il introduit donc après coup (d'où la pause, la virgule, courante) en supplément, en laissant à chacune des propositions son indépendance, une explication ou une justification de l'énoncé.

Parce que, qui exprime la cause, est plus étroitement rattaché à la proposition qu'il complète.

On distingue : *Le chat miaule* **parce** *qu'il a faim* (cause) et *Le chat a faim,* *car il miaule* (on dit pourquoi on est autorisé à déclarer que le chat a faim ; on donne la preuve de ce qui est énoncé, on n'exprime évidemment pas la cause de : Le chat a faim). *Il m'en veut, car il ne m'a pas salué. Le misérable, car il faut bien lui donner ce nom, répondit...* (justification de l'appellation qui précède). *Il ne viendra pas ce soir* **parce** *qu'il est malade :* la phrase a pour objet de donner la cause de cette absence annoncée. *Il ne viendra pas ce soir,* **car** *il est malade :* on explique pourquoi on déclare qu'il ne viendra pas ce soir. On voit que, s'il est loisible, dans certains cas, d'employer *car* ou *parce que,* il y a même alors une différence entre les deux.

Parce que ne peut être remplacé par *car* lorsqu'on exprime la cause réelle d'un fait : *Je suis ici parce que j'ai torturé ma femme* (Sartre, *Huis clos,* Poche, p. 43). On doit dire : *Il me croit fâché parce que je ne l'ai pas salué* (cause de sa croyance) ; mais, parlant de ma propre croyance, je puis dire : *Je le crois fâché parce qu'il ne m'a pas salué* ou *Je le crois fâché, car il ne m'a pas salué ;* pour celui qui parle, la cause de sa croyance rejoint la justification de son propre énoncé.

N.B. 1. Voir à PARCE QUE les emplois nécessaires de cette conjonction à cause de sa situation dans la phrase.

2. On ne peut dire [*car... et que*]. On doit dire : *car il est âgé et supporte mal la fatigue* ou *parce qu'il est âgé et qu'il supporte mal la fatigue.*

3. *Car,* moins usité qu'autrefois, surtout dans la langue parlée, est souvent remplacé par **en effet,** par *parce que* (quand le sens le permet) ou par une juxtaposition de deux phrases ou propositions : *Inutile de l'inviter, il ne viendra pas. J'ai cru vous faire plaisir en vous invitant : vous aviez (en effet) manifesté le désir de nous accompagner.*

4. **En effet,** loc. adv., ayant pris le sens de *car (Je ne m'étonne pas ; on m'avait en effet averti),* on doit éviter le pléonasme fréquent **car en effet** quand il n'exprime rien d'autre, fût-ce avec parfois plus de force, que *car* ou *en effet.* Mais *car en effet* est permis quand *en effet* conserve son sens premier de « effectivement, réellement » : *Car en effet, Chrétiens, la seule immensité de cette douleur lui aurait donné le coup de la mort* (Bossuet, *Sermon pour le vendredi saint,* 1662).

5. Comme **nom,** *car* est invariable : *Des si et des car.*

Carabiné, adj., s'emploie familièrement pour « fort, violent ».

Carabistouille, n.f., est wallon et courant en français régional en Wallonie et à Bruxelles dans le sens de *parole saugrenue, calembredaine.* On le trouve très exceptionnellement, en France, au lieu de *bobard : Alors M. Ersa en profite pour réemprunter 5.000 francs supplémentaires à l'épouse de son créancier en lui racontant ce qu'il faut bien appeler des « carabistouilles » : avec ces 5.000 francs, parole d'honneur, il allait emprunter de quoi rembourser sa première dette...* (P. Macaigne, dans *Le Figaro,* 12 mars 1976, p. 11).

Caraco, n.m., est un terme français désignant, dans des milieux ruraux, une sorte de blouse droite à manches longues et tombant sur la jupe.

Caracole, n.f. Bien que le français **escargot** (issu du provençal) soit courant en Belgique, le wallon et le flamand ont conservé le descendant du mot espagnol *caracol* désignant le mollusque à coquille (en français : **limaçon, colimaçon,** *escargot*). Le français ne connaît *caracole* qu'en langage d'équitation (verbe : **caracoler**). On ne parle plus d'un *escalier en caracole ;* on dit : *en colimaçon* ou *en limaçon.* Ces deux mots, comme *escargot,* désignent le mollusque à coquille, par opposition à la **limace,** sans coquille. Seul *escargot* se dit pour l'animal servi comme aliment.

Caractériel, adj. *Un enfant caractériel* présente des *troubles caractériels,* des tendances et des réactions rendant difficile son adaptation au milieu.

Caramel, n.m. et adj. C'est sans doute parce qu'on dit en Wallonie *une boule* ou *une chique* (cf. ces mots) que pour désigner ce bonbon on dit parfois [*une caramel*] au lieu d'*un caramel.* — L'adjectif désignant la couleur est invariable : *une soie* **caramel.** — *Une crème* **au caramel** ou, selon Dupré, *une crème caramel.* — *Une crème* **caramélée** (GLLF) est parfumée au caramel. *Du sucre* **caramélisé** (réduit en caramel). **Caraméliser** *un moule* (l'enduire de caramel), *une eau-de-vie, une crème* (y inclure du caramel).

Carapater (se) est populaire : s'enfuir, décamper.

Caraque, n.m. En Belgique, variété de bonbon au chocolat.

Caravaning, n.m., façon de camper en *caravane* (remorque aménagée à cet effet) pourrait se dire *caravanage,* n.m. *Un* **caravanier** *pratique le* **caravanage,** *le tourisme en caravane.*

Carbonnade, n.f. (écrit aussi avec un seul *n*), se dit en France d'une préparation de viande grillée sur des charbons et de la viande ainsi grillée : *Tranches de jambon à la carbonnade. Manger une carbonnade* (PR). Tout autre est la préparation des **carbonnades** (ou **carbonades**) **flamandes.**

Carême, n.m. ; Accent circonflexe. *Arriver comme mars en carême,* cf. ARRI-
VER. — *Faire carême. Rompre le carême.*

Carène, n.f. ; accent grave.

Cariatide (forme habituelle ; on écrit aussi *caryatide*), n.f., du nom d'une
ville grecque à laquelle une tradition discutée rattache ces statues-
colonnes représentant des femmes. S'il s'agit d'hommes, mieux vaut dire
un atlante qu'*une cariatide,* admis pourtant dans ce sens.

Caricole, n.f., s'emploie parfois en Belgique pour *bigorneau.*

Caritatif, adj., n'est pas emprunté à l'espagnol ; c'est un vieux mot français
qui a repris vigueur à l'époque moderne pour s'appliquer à des œuvres, à
des associations inspirées par la charité. « La notion d'activité caritative
semble devoir ajouter à celle d'activité charitable le souci de mettre à la
disposition de tous les moyens efficaces offerts par les sciences et les
techniques modernes », sans attendre que les mains soient tendues pour
recevoir (Félicien Mars dans *Foi et langage,* n° 15, 1980, p. 209).

Carnassière, n.f., se dit (comme *gibecière* et *carnier*) d'un sac où le chasseur
met le gibier tué. C'est abusivement qu'en Belgique on l'emploie pour *un
cartable.*

Carnet, n.m. On note qqch. *dans* ou *sur* un carnet.

Carotte, n.f., **carotter,** v.tr.dir. Familièrement : **carotter qqch. à qqn,** lui
soutirer qqch. par ruse, en particulier une petite somme d'argent ; **tirer
une carotte à qqn,** le tromper ; **carotter le service,** à l'armée, esquiver une
corvée, un exercice.

Carriole, n.f., est plus souvent péjoratif en français qu'en wallon ; pas toujours, notons-le.

Carrousel (on doit prononcer un seul *r* et *z*) n.m., s'est dit en France et se
dit encore couramment en Belgique et en Suisse d'un *manège de chevaux
de bois,* appelé aussi par abréviation *manège* ou *chevaux de bois : Les
chevaux, les cochons et les vaches des manèges montent et descendent (...).
Les tours de balançoires et de chevaux de bois ne sont peut-être pas étrangers à la fatigue (...). Emporté comme au manège de chevaux de bois...*
(Luc Estang, *Les stigmates,* Poche, pp. 235 et 272).
    L'emploi de *moulin* dans ce sens est un flandricisme.

Cartabelle, n.f., a été autrefois accueilli par certains dictionnaires, mais
n'est resté vivant qu'en Belgique et dans le nord de la France, pour
désigner ce qu'on appelle en français un *ordo* (nom invariable) : calendrier liturgique annuel de l'Église catholique, propre à chaque diocèse.

Cartable, n.m., est vieilli dans le sens de *sous-main* et ne se dit que du sac à poignée ou à bretelles où les écoliers mettent leurs livres, etc. *Portefeuille* est vieilli dans ce sens. S'il ne s'agit pas d'écoliers, on parle de *serviette*.

Carte, n.f. Au restaurant, on mange *à la carte*, mais on choisit un plat *sur la carte*.

Quelques expressions où il est question de **cartes à jouer** : *battre les cartes, couper les cartes, brouiller les cartes, abattre ses cartes, étaler ses cartes, jouer aux cartes, jouer telle ou telle carte, jouer carte sur table, jouer sa dernière carte.*

Composés : *carte-lettre, carte-télégramme ;* pluriel : *cartes-lettres, cartes-télégrammes.*

Carte-vue, n.f., n'est assurément pas mal formé et a un sens très clair, mais il faut savoir que, courant en Belgique, ce mot ne s'emploie plus en France, où l'on dit *carte postale illustrée* ou, par ellipse, *carte postale* ou *carte illustrée* ou *carte*.

Carter, v., ne s'emploie plus en français dans le sens de « battre les cartes ».

Tandis qu'en France on parlait de *femme* (ou *fille) en carte* (soumise par la police à des visites médicales), on disait en Belgique [*femme cartée*].

Cartonnier, n.m., meuble de bureau contenant des boîtes cartonnées en forme de tiroirs, où l'on range des dossiers.

Cartouche, n. On peut parler d'**une cartouche** (ou d'une recharge) de stylo, d'une cartouche de gauloises, de cigarettes ; boîte contenant un certain nombre de paquets.

Distinguer *une cartouche* et, en termes d'art, de dessin, **un cartouche** (contenant des armoiries, l'ornementation, une devise, une légende, etc.).

Cas, n.m. 1. À l'expression usuelle **faire cas** (ou *faire grand cas) de qqn* ou *de qqch.*, correspond l'expression familière ou régionale : *faire du cas de qqn* ou *de qqch.* Notons : *ne pas faire cas de qqn* ou *de qqch., faire peu de cas de, ne faire aucun cas de, faire assez de cas de, beaucoup de cas de,* etc.

2. On écrit **en tout cas** (moins souvent *en tous cas*), **dans tous les cas.**

3. **Au cas où, dans le cas où, pour le cas où** sont suivis du conditionnel. Rares et à éviter, le subjonctif et l'indicatif. **Au cas que** et **en cas que** vieillissent. On les rencontre encore avec le conditionnel, moins avec le subjonctif. **Dans le cas que** ne se dit plus.

À proscrire : [*pour en cas, si en cas, pour si en cas*], qui s'entendent en Belgique.

4. On écrit **cas limite,** *cas type* (trait d'union inutile) ; au pluriel ; *des cas limites.* Mais on trouve, notamment chez des linguistes : *des cas-limites.*

5. *Un* **en-cas**, repas léger ou ombrelle pouvant servir de parapluie. *Des en-cas.*

Cash, nom anglais signifiant « argent », s'emploie abusivement comme adverbe avec *payer*. On dira : **payer comptant**. Ne pas employer non plus [*en cash*] pour *en argent liquide.*

Cassate, n.f., traduit l'italien *cassata*, tranche de glace aux fruits confits.

Casse, n.m. Ce mot d'argot s'est répandu dans l'usage courant pour désigner un cambriolage.

Casser, v.tr.dir. ou intr. 1. *Casser la croûte, du sucre, la tête, une décision, se casser le cou.* **Le fil, la chaîne** *casse* ou *se casse.* En langage de publicité : *casser les prix.*

2. Le verbe *casser* convient pour « faire une cassure, marquer en pliant » : *Casser le coin d'un feuillet* (GLLF). On pourrait dire *plier. La tempête peut casser la tige* (du blé) *avant qu'elle ait eu le temps de fructifier* (A. Suarès et P. Claudel, *Correspondance*, p. 22).

3. **Composés.** *Des casse-têtes*, etc. Cf. Noms composés, B, 5.

Casserole, n.f., désigne en France tout ustensile de cuisine de forme cylindrique et à manche, donc ce qu'on appelle en Belgique **un poêlon**. En France, le *poêlon* n'est qu'une variété de casserole, en métal ou en terre, où l'on fait mijoter des aliments. Ce qu'on appelle *casserole* en Belgique s'appelle en France un **faitout** (écrit aussi *fait-tout*, invariable). Il est caractérisé par deux poignées et un couvercle. En Belgique comme en France on parle de **cocotte**, pour une petite marmite de ce genre, dont le couvercle est lourd : *un poulet cocotte* (préparé dans une cocotte).

Cassette, n.f., se dit en français d'un coffret (petite caisse) ou d'un étui en matière plastique renfermant une bande magnétique enregistrée (on parle d'un magnétophone à cassettes), mais non, comme dans les écoles belges, d'un étui où l'on met crayons, etc. ou, comme à Namur, d'un fromage blanc.

Cassis, n.m. On prononce l'*s* final dans le nom de la plante, du fruit, de la liqueur, mais non dans celui d'une rigole pratiquée dans une route : *La route n'est que cassis au fond desquels l'eau ruisselle* (Giono, *Les grands chemins*, Folio, p. 89).

Cassonade, n.f. Un seul *n*.

[**Castar**] s'emploie à Bruxelles comme nom masculin ou comme adjectif pour *costaud, gaillard* ou comme adjectif pour *formidable, remarquable*, etc.

Casuel, adj., signifie « fortuit, accidentel, qui peut arriver ou non » ; le sens de « fragile » est populaire et, assez largement, régional.

Cataclysme, n.m., en dépit de son sens étymologique dont on n'a plus conscience (en grec, bouleversement de la surface du globe), peut se dire de tout grand bouleversement. Par extension : désastre, bouleversement dans la situation d'un État ; mais le mot n'est pas synonyme de *catastrophe*, qui peut être moins fort.

Catadioptre, n.m. : *Un catadioptre.*

Catafalque, n.m. ; cf. CÉNOTAPHE.

Catalogage, n.m., est français : action de *cataloguer* ; son résultat. Noter *ga*. On dit aussi *cataloguement*.

Catalyseur, n.m., et non [*catalysateur*], est le nom donné à ce qui agit par *catalyse* (n.f.), en accélérant un processus ; le verbe est **catalyser**.

Catarrhe, Cathare, n.m. Distinguer un *catarrhe*, un rhume, et un *Cathare*, adepte de la religion cathare.

Catastrophé, adj., est nettement familier dans le sens de « consterné, abattu, découragé » par un évènement qu'on assimile, hyperboliquement, à une catastrophe, à un grand malheur, et qui serait catastrophique.

Catch, n.m., anglicisme désignant une sorte de lutte libre, a donné le verbe français **catcher** (faire du catch) et le nom **catcheur**.

Caténaire, n.f., abréviation de *ligne caténaire*, désigne le système de suspension du câble conducteur alimentant en électricité les locomotives.

Caterpillar, n.m., mot anglais signifiant « chenille », est une marque déposée ; son emploi est donc réservé ; on peut dire : *véhicule à chenilles.*

Catholique, adj., est familier dans son emploi, en sens négatif, pour apprécier ce qui n'est pas régulier, correct, ce qui est sujet à caution : *un propos peu catholique, des moyens plus ou moins catholiques.*

Cauchemar, n.m. **Adjectifs dérivés :** *cauchemardesque* ou *cauchemaresque, cauchemardeux. Une maison cauchemardesque. Un sommeil cauchemardeux* (rempli de cauchemars).

Causal, adj. Pluriel (très rare) : *causals.*

Causant, adj., « qui aime à causer » : *Elle n'est pas très causante.*

Cause, n.f. 1. **Pour cause de,** loc. prép., est suivi du nom exprimant de façon précise la cause : *Fermé pour cause d'agrandissement, d'inventaire, de décès. Il a été congédié pour cause d'incapacité.*

On dit donc : **pour cause de maladie** et non, comme en Belgique, [*pour cause de santé*] ; la santé, pouvant être bonne ou mauvaise, ne peut être donnée comme la cause précise d'une absence, d'une défection, de la fermeture d'un magasin, etc. On pourrait dire : *pour cause de mauvaise santé* ; on dit : **pour raison de santé.** Cf. RAISON, 5.

2. **Pour cause** s'emploie seul en fin de phrase dans le sens de « pour une raison bien connue, qu'il est inutile de rappeler » : *Je n'en dirai pas davantage, et pour cause.*

3. **À cause que**, synonyme de « parce que », a appartenu à la langue classique. Cette conjonction n'est pas incorrecte mais, restée vivante dans la langue populaire, elle est plus rare chez les écrivains et en style soigné.

4. **Cause**, employé comme attribut sans article, est invariable : *Ces ennuis sont cause que je n'ai pas pu assister à la fête.*

5. On dit en Belgique [*hors cause*] au lieu de **hors de cause** : *mettre en cause, être en cause, mettre* (ou *être*) *hors de cause.*

Causer, v.intr. et tr.dir. ou ind. 1. Notons quelques emplois de *causer* dans le sens de **parler** : *Ils ont causé longtemps. C'est assez causé. Causer affaires* ou *politique* ou *littérature* (à côté de *causer d'affaires*, etc.) : *Rodolphe, avec Madame Bovary, causait rêves, pressentiments, magnétisme* (Flaubert, *Mme Bovary*, Garnier, 1971, p. 152). **Causer français** et **causer le français** sont critiqués trop sévèrement, étant donné que *causer* y fonctionne comme *parler ;* ils restent suspects. On ne dira pas [*causer qqn*]. Mais peut-on dire **causer à qqn** ? Le tour a été plus ou moins vivement critiqué et il l'est encore. Très répandu dans le langage populaire ou familier, il s'est depuis longtemps introduit en littérature. L'usage soigné continue à opposer cependant *parler à qqn* et *causer* **avec** *qqn ;* mais *parler avec qqn* est un tour devenu correct et *causer à qqn* est en voie de s'imposer par analogie avec *parler à qqn.*

2. Dans le sens de **être cause de, occasionner**, on dit : *causer des désagréments, du scandale, un malheur ;* beaucoup plus rarement : *un effet agréable, une joie*, bien qu'on dise : *Cela m'a causé une agréable surprise.* Mais si on occasionne qqch., on n'occasionne pas qqn ; on ne dira donc pas : [*Cet accident a causé des morts et des blessés*]. On dira : *a fait des morts et des blessés.*

Ce, cet, c'est, cela (cf. ÇA et CELA).

1. **Ce** et **cet**, adj. démonstratifs. Au masculin, *cet* est remplacé par *ce* devant un mot commençant par une consonne ou un *h* aspiré : *Cet enfant, cet hôpital, cet extraordinaire bouleversement. Ce bouleversement, cette aventure. Ce midi,* cf. MIDI, 3. Au pluriel : *ces.*

2. **Pronom ce. Élision** de *ce* ou *c'.* Devant les formes du verbe *être* commençant par une voyelle, devant *en* et devant *aller* employé comme auxiliaire (devant un infinitif), le pronom *ce* s'élide en *c'* (*ç'* devant *a* ou *o*) : *C'est, c'était, c'eût été, ç'aurait été difficile, c'en est fait, ç'allait être difficile, ç'ont été.* Cf. ÇA, 2.

3. *Ce* et *cela* après *et* ou une préposition. On dit : *Il a déclaré, et cela* (ou *et ce*) *devant témoins... Sur ce* (ou *sur cela*), *il est parti.* On ne dit guère *pour ce, de ce ;* on dit plutôt *pour cela, de cela.*

4. **Ce disant, ce faisant** peuvent remplacer *en disant cela, en faisant cela*. Mais devant d'autres participes présents, le tour appartient au style affecté. On dit très bien : **pour ce faire** (pour faire cela).

5. *Ce, cela* et *il* impersonnel devant *être* **suivi d'un adjectif** annoncent un infinitif ou une proposition qui suit. On emploie *il* ou de plus en plus *ce* (surtout pour insister), mais on ne dit guère *cela* dans de telles phrases. **Il est** (ou **C'est**) **utile de réfléchir** (noter *de*), *que vous réfléchissiez*. Noter : *Est-ce utile ? Ce l'est.*

Devant un autre verbe, on emploie *cela* : **Cela m'étonne** *que vous soyez parti si brusquement*. Cf. ÇA, 1. Voir plus loin (7) les emplois de *c'est* devant un attribut.

Pour renvoyer à ce qui précède, on emploie *ce* ou *cela* : *Faut-il en parler ?* **C'est inutile** ou **cela est inutile**. Avec *vrai*, on peut trouver *il* : *Il me l'a dit,* **c'est vrai, il est vrai, cela est vrai**. On dit : *C'est vrai qu'il a raison.*

Dans le deuxième terme d'une comparaison, on dit, avec *être* suivi d'un attribut, *c'est* ou *il est* : *Ces malades s'agitent* **plus qu'il n'est souhaitable** ou **que ce n'est souhaitable**. Devant d'autres verbes : **comme il arrive** ou **comme cela arrive**.

6. **C'est.** Pour l'**accord**, cf. VERBE, *Accord*, C, I, p. 986.

C'est...qui, c'est...dont, c'est...que, etc. mettent en relief n'importe quel élément de la phrase, sauf le verbe à un mode personnel : *C'est* **moi qui** *l'ai dit. C'est un fripon que cet homme. C'est bien lui que j'ai vu. C'est ce dont je me plains. C'est bien de cela qu'il s'agit. C'est demain que j'irai. C'est pour lui que je l'ai fait. C'est en forgeant qu'on devient forgeron.*

Si le complément ainsi mis en relief est prépositionnel, on le fait précéder de la préposition : **C'est à vous que je parle.** *C'est de cela que tu as besoin.* Rare et affecté est le tour : *C'est vous à qui je parle. C'est cela dont tu as besoin.* Cette construction s'impose toutefois si le complément prépositionnel est précédé d'un autre, non prépositionnel : *C'est vous que je cherche* **et à qui** *je voudrais parler.* Sandfeld (II, p. 129) recommande cette construction « si la proposition relative est coordonnée à une proposition relative précédente de la même espèce introduite par *qui* ou *que* : *C'est Blanche seulement qui doit m'attendre et avec qui je veux causer une fois pour toutes* (Becque). » On pourrait dire cependant : *... et c'est avec elle que je dois causer.* Plutôt que : *C'est de cela qu'il est question* **et dont** *ils parlent à mots couverts*, on dira en répétant *que* : *... et qu'ils parlent à mots couverts.*

On évitera de dire comme autrefois : *C'est à vous à qui je veux parler. C'est de cela dont il a besoin. C'est de sa mauvaise foi dont je me plains.* On dira : *que je veux parler, qu'il a besoin, que je me plains.*

Notons qu'on emploie *que* plutôt que *où* pour marquer le temps, le lieu dans des phrases du type *C'est là* **que** *je l'attends. C'est en classe seulement qu'il est obéissant.* Cf. QUE, pronom, 2.

Emploi du mode et du temps. Dans *c'est...qui, c'est que, c'est,* **en proposition principale,** reste généralement au présent : *C'est Stella peut-être qui serait morte* (J. Cassou, *Le bel automne,* p. 233). *S'il était trois heures, c'est donc qu'il restait au moins quatre heures avant l'aube* (B. Clavel, *La saison des loups,* p. 341). *C'est lui qui le prétendait.*

C'est peut cependant se mettre au temps et au mode de la proposition qui suit, mais si ce temps est un temps composé, on emploie généralement le temps simple correspondant : *C'était lui qui le prétendait. C'était lui qui l'avait demandé* (ou *C'est lui qui l'avait demandé*). *Dans ce cas, ce serait lui qui vous accueillerait, qui vous aurait accueilli. Ce sera lui qui le dira.* Remarquer, dans la phrase suivante, l'imparfait préféré à *fut-ce : Était-ce là ou aux Trois Quartiers que j'achetai ces gants ?* (J. Green, *Partir avant le jour,* Poche, p. 300).

À distinguer du tour où *c'est* ne sert pas à mettre en relief ; on explique ou on illustre un fait qui vient d'être énoncé au passé ; on emploie alors *c'était : On sonna, c'était le facteur. Aussitôt les solliciteurs l'assaillirent : c'étaient d'anciens collègues, des amis, des parents qui venaient présenter des requêtes.*

Si *c'est* se trouve **dans une subordonnée,** il se met au présent ou à un temps simple comme plus haut, mais au mode où serait mis n'importe quel autre verbe dans cette proposition : *J'ai confiance, parce que c'est lui qui l'a dit. Quand même ce ne serait pas lui qui l'aurait dit* (on entend : *Quand même ce n'aurait pas été lui qui l'aurait dit*). *Bien que ce soit lui qui l'ait dit* (cf. QUOIQUE, 4) *Que ce soit vous qui ayez dit cela, je ne m'y attendais pas.* On emploie donc le même mode dans les deux subordonnées : *Ne croyez pas que ce soit la gourmandise qui me fasse parler de cette fraise de veau* (M. Aymé, *Contes du chat perché,* p. 92).

Après *si c'était* (ou *si ç'avait été*)... **qui** ou **que,** on emploie couramment l'indicatif : *Si c'était lui qui l'avait demandé.* Le conditionnel s'entend parfois dans la relative mais n'est pas à conseiller. Au contraire, le subjonctif imparfait (ou plus-que-parfait) après *si c'était* (ou *si ç'avait été*)... *qui* ou *que* n'est pas rare dans la langue littéraire (à côté de l'indicatif) : *Si c'était au prix de la guerre qu'il fallût acheter le mot volupté, je m'en passerais* (J. Giraudoux, *La guerre de Troie n'aura pas lieu,* I, 6). *Si c'était lui qui l'eût demandé* ou *qui l'avait demandé.*

Ce qui est..., c'est que ; ce que..., c'est que. Après *c'est que* suivant la mise en relief par *ce qui est* ou *ce que,* on emploie le même mode que s'il n'y avait pas cette mise en relief : *Ce qui est certain, c'est qu'il **a** tort* (comparer : *Il est certain qu'il a tort*). *Ce qui est surprenant, c'est qu'il **soit** en retard* (Il est surprenant qu'il soit en retard). *Ce que je sais, c'est qu'il **était** là* (Je sais qu'il était là). *Ce que je veux, c'est qu'on en **finisse*** (Je veux qu'on en finisse).

Ce qui ou **ce qu'il se passe,** cf. CE QUI, *ce qu'il.*

7. *C'est* **suivi d'un attribut** (cf. plus haut, 5) **puis d'un infinitif. a.** Si cet attribut est un **adjectif** ou équivaut à un adjectif, le nom qui précise *ce* est précédé d'une virgule : *C'est dangereux, l'obstination.* L'infinitif qui précise *ce* est précédé de *de* : *C'est dangereux de s'obstiner. C'est sans intérêt de faire cela. C'est de son devoir de le dire.* Notons qu'on dit : ***C'est gentil de** me prévenir* ou *Vous êtes gentil de me prévenir* ou *C'est gentil à vous de me prévenir.* Ce dernier tour, avec un adjectif comme *gentil, aimable,* n'est pas un belgicisme ; il est français : *C'est gentil à vous d'accepter* (PR). *C'est bien aimable à vous de...* (Martinon, p. 126).

b. Si cet attribut est un **nom** avec ou sans article, on emploie, devant l'infinitif, *de* ou *que de ; que* seul est aujourd'hui plutôt archaïque : *C'est une belle chose **de garder** le secret* ou ***que de** garder le secret* (Ac., à *Que*). *C'est folie de faire cela* ou *que de faire cela. — C'était une bénédiction que d'avoir rencontré cette femme* (E. Triolet, *Le premier accroc...,* Folio, p. 256). *C'était pitié que de voir le Rhône dans cet état* (B. Clavel, *Le seigneur du fleuve,* Poche, p. 22).

Après le nom attribut, on met une virgule ou on emploie *que* devant un nom ou un pronom précisant *ce* : *C'est un grand défaut, l'avarice. C'est un artiste, celui-là. C'est un grand défaut **que** l'avarice. C'est un grand défaut que le sien* ou *que celui-là.*

c. Si cet attribut est un **infinitif,** on emploie *que* ou *que de* devant l'infinitif précisant *ce* : *C'est se tromper **que croire** cela* ou ***que de croire** cela. Est-ce diminuer une chose qu'en montrer les difficultés ?* (Tharaud, *Petite histoire des juifs,* p. 253). *C'est rendre un mauvais service à une jeune fille que de lui faire un compliment* (Maurois, *Climats,* p. 156). On trouve beaucoup plus rarement *de* seul : *C'est se tromper de croire...* ou *que de croire...* (Ac., à *Que*).

Quand un infinitif précède *ce,* il faut employer *ce* devant *être* à la forme affirmative : ***Partir, c'est mourir** un peu. Vouloir, c'est pouvoir.* Mais *ce* est facultatif si la phrase est négative : ***Promettre n'est pas toujours tenir*** ou *Promettre, ce n'est pas toujours tenir.*

d. Si l'attribut est un **adverbe de quantité** (*assez, trop,* etc.), on emploie *de* (ou, moins souvent, *que de*) devant un infinitif : *C'était peu pour lui d'avoir obtenu cet avantage* (Ac., à *De*). *C'était assez de savoir les lire et de les réciter par cœur* (Tharaud, *Petite histoire des juifs,* p. 131).

N.B. A. Si *c'est* **intervient après un autre verbe** pour expliciter un autre *ce,* il faut tenir compte de la construction de ce premier verbe. Ainsi *de* est normal dans : *Ce qui n'arrive pas à n'importe qui, c'est **de** trouver là-dessous des armes* (Gide, *Les faux-monnayeurs,* Éd. Imprimerie nationale, p. 82) parce qu'on dit : *il arrive à qqn de trouver.* Mais *de* est fautif dans : *Ce qu'il faudrait maintenant, c'est d'avoir le sang comme celui des caméléons* (Giono, *L'oiseau bagué,* Folio, p. 56), parce qu'on ne dit pas [*Il faut d'avoir*].*Ce qu'il faut éviter, c'est de le voir.*

De même, après **le difficile, le mieux, l'important,** etc., sans verbe, *c'est* est suivi de *de* et d'un infinitif parce qu'on dit : ***C'est difficile de** faire cela. (Ce qui est difficile, c'est de faire cela). Le difficile dans la vie **c'est de** *prendre au sérieux longtemps de suite la même chose* (Gide, *Ibid.*, p. 81). *Le mieux, ce serait d'aller vous coucher. L'ennui, c'est de partir.* B. Après **ce que c'est**, on emploie *que de* ou *de* devant l'infinitif : *Voilà ce que c'est que de désobéir* (Ac.) ou *Voilà ce que c'est de désobéir.* — *Voilà ce que c'est de s'engager trop vite* (R. Rolland, *La nouvelle journée*, Éd. Cahiers de la quinzaine, p. 122).

8. **C'est que**, introduisant un verbe, s'emploie aussi bien que **c'est parce que** et est suivi de l'indicatif. Jean Rostand emploie les deux tours en recevant Louis Armand : *Si vous n'hésitez pas, Monsieur, (...) c'est parce que vous tenez pour assuré (...). Si la technique nous fait perdre notre âme, c'est que nous ne méritons pas de la sauver. C'est* est généralement au présent, mais on trouve *c'était* devant un temps passé : *Si elle arrivait à faire de bons petits plats, c'était qu'elle était une cuisinière remarquable* (E. Triolet, *Le premier accroc...*, Folio, p. 136).

9. **Ce n'est pas que**, introduisant un verbe, écarte quelque chose, généralement une cause, et est suivi normalement du subjonctif : *Ce n'est pas que je sois très content de lui. Ce n'était pas qu'elle ne trouvât dans mon cœur un semblant d'affection pour la petite Hélène ni qu'elle manquât à la cajoler dans ses moments de bonne humeur* (J. Green, *Varouna*, p. 91). Attention au sens et à la présence ou à l'absence de *ne* (rarement *ne pas*) ; ce qui est nié, c'est qu'on est content, qu'elle ne trouvait pas, qu'elle manquait.

On trouve parfois *ce n'est pas que* au présent au lieu de *ce n'était pas que* et entraînant une concordance de temps comme après un passé : *Ce n'est pas qu'Alexis préférât le cours Gambetta, il le prenait parce qu'il se présentait* (E. Triolet, *Le premier accroc*, Folio, p. 134). *Ce n'est pas que je lusse beaucoup... Je lisais et relisais les mêmes* (Colette, *La maison de Claudine*, Poche, p. 37).

Le subjonctif est normal, puisqu'on rejette ou du moins on ne retient pas une cause, un fait. L'indicatif est rare et peut se justifier quand il s'agit d'un fait passé sur le contraire duquel on veut insister : *Ce n'était pas qu'elle le quittait ou le trompait, rien* (Aragon, *La mise à mort*, p. 303). *Ce n'était pas que je visais mal* (Julien Gracq, *Le rivage des Syrtes*, p. 182). Notons que le subjonctif imparfait, *visasse* est inconcevable et que le subjonctif présent, semblable à l'indicatif présent, étonnerait. *Ce n'est pas que je soupçonnais Vladimir* (E. Triolet, *Le premier accroc...*, Folio, p. 215).

On peut introduire une opposition en employant **mais**, *mais bien* : *Ce n'est pas qu'on oublie les faits, mais bien qu'on en perd le fil.* (J. Green, *Jeunesse*, p. 294).

10. **Ce que** exclamatif, exprimant l'intensité, la quantité, est correct avec une légère teinte familière : *Ce que c'est difficile !* (= Comme c'est difficile ! Que c'est difficile !). *Ce que ça m'agace !* (= Comme, combien, que). Mais on laissera à la langue populaire l'emploi dans le même sens de *qu'est-ce que*, assez courant dans le langage oral : *Qu'est-ce que c'est*

beau ! Qu'est-ce que j'ai faim ! Quant à *comment que* dans le même sens, il est vulgaire.

On peut dire : *Ce que c'est que la vie ! Ce que c'est que de nous ! Ce que c'est que d'avoir étudié !* (cf. A. Henry, *Études de syntaxe expressive,* pp. 152-154).

11. **C'est pour** devant un infinitif a été ridiculisé par Faguet dans son fameux distique : « Malgré qu'il pleut, on part à Gif, nous deux mon chien, C'est pour sortir Azor, surtout qu'il n'est pas bien ». Le tour n'a rien d'incorrect : *C'est pour rire. Ce n'est pas pour dire, mais il a du culot.* Ne pas abuser de *c'est pour : C'est pour le gaz,* etc.

12. **C'est-à-dire.** Traits d'union. Abréviation : **c.-à-d.**

13. [*C'est aujourd'hui deux ans*] est incorrect. On dira : *Il y a aujourd'hui deux ans.*

14. **C'est à vous à** ou **de** + *infinitif.* Cf. À et *de,* 3, p. 16.

15. [*C'est ça que*] ne peut remplacer *c'est pour cela* (ou *ça*) *que : C'est pour ça qu'il est parti.*

16. **C'était septembre,** employé par Daudet au début de *Port-Tarascon,* peut se dire à côté de *On était en septembre.*

17. Cf. CE, p. 45, *ce qu'(il y) a de,* CE QUI, p. 213, EST-CE QUE.

18. **C'en est fait** s'emploie sans complément (*C'en est fait, je démissionne* = la chose est décidée) ou, malgré les puristes qui veulent s'en tenir à *c'est fait de,* avec un complément : **C'en est fait de** *nous* (Ac. ; nous sommes perdus). *C'en est fait de notre liberté.*

Ceci, cela, pr. dém. (cf. ÇA). Lorsque les deux termes sont opposés, *ceci* continue à désigner ce qui est le plus rapproché ou a été nommé en dernier lieu : *Ceci est à moi, cela est à lui.*

Employé seul, *ceci* annonce ce qui va suivre : *Ceci est mon testament. Dites-lui ceci de ma part : je ne céderai pas.* Mais *cela* tend à l'emporter nettement sur *ceci* en dehors des cas où il y a opposition. La Bruyère écrivait déjà : *La vertu a cela d'heureux qu'elle se suffit à elle-même.*

D'autre part, *Cela dit* est souvent remplacé par *Ceci dit* et *Prenez ceci* par *Prenez cela.*

La langue populaire et familière utilise très peu *ceci* et emploie *cela* ou *ça* (cf. ÇA). Elle en arrive à dire étrangement *ça ou ça* au lieu de *ceci ou cela.*

N.B. Une des fautes les plus répandues est d'écrire *cela* avec un accent.

Céleri, n.m. É est souvent prononcé *è* : « sèlri ». *Des pieds de céleri.* On écrit : *un céleri-rave, des céleris-raves.*

On peut s'étonner qu'on dise **du sel de céleri** alors qu'il paraît logique de parler de *sel au céleri.* C'est cependant la forme usuelle et la seule connue des bons dictionnaires, malgré la définition « aromatisé avec du céleri séché et pulvérisé ».

Celui, celle, ceux, pron. dém. 1. **Emploi devant une préposition, un participe ou un adjectif.** Certains grammairiens et l'Académie n'admettent que *celui de, celui qui* ou *que.* Ils rejettent donc l'emploi de *celui* devant une autre préposition que *de,* devant un participe et devant un adjectif, sauf si ceux-ci sont entre deux virgules et suivis de *qui* ou de *de : La lettre de votre père et celle de votre frère* ou *et celle qu'a écrite votre frère. Ma lettre et celle, écrite par mon amie, qui vous sera remise. Cette édition et celle, plus rare, de 1727.*

Le bon usage est certainement devenu plus libéral, malgré la persistance des condamnations :

a) *Celui* n'est pas encore suivi de n'importe quelle **préposition**. Outre *de,* on trouve cependant de plus en plus *à, après, avant, avec, dans, devant, derrière, en, entre, envers, par, pour, sans, sur : Les bibelots rares et ceux à quatre sous. Les jours avant cette rencontre et ceux **après** elle. Passez-moi son dossier, celui **avec** une chemise grise. Les statues en bronze et celles **en** marbre. Les chocolats pour vous et ceux **pour** votre sœur. On mêlait les critiques sur son œuvre et celles **sur** sa personne.*

b) On peut employer celui devant un **participe complété**. On ne dira pas : *Les livres prêtés et* [*ceux perdus*]. Mais : *et **ceux perdus dans le déménagement**. On dit fort bien : Les auteurs que je vais citer et ceux **déjà mentionnés***; il y a détermination par un adverbe. *Une autre édition que celle prêtée par mon ami. Votre position et celle prise par votre parti. Ceux marqués d'un astérisque. Ceux y **séjournant** temporairement. Les notes de l'avant-propos et celles se rapportant aux premières pages.*

c) Devant un **adjectif,** l'emploi de *celui* est beaucoup moins fréquent. Il est exclu s'il est possible de substantiver l'adjectif en recourant à l'article. On doit donc dire : *Lisez les bons auteurs et non les médiocres.*

On a vu plus haut que *celui* peut s'employer devant un adjectif entre deux virgules ou entre deux pauses, suivi d'un complément de *celui : Au souci de rajeunir son Dictionnaire l'Académie a joint celui, non moins vif, de lui conserver sa physionomie* (Préface de la 8ᵉ éd. du Dict. de l'Ac. fr., p. IV). La phrase suivante paraîtrait normale si l'on percevait deux pauses encadrant *cannées ; Ils arrivaient en traînant leurs chaises (...) ; on voyait **celles cannées** qui accompagnaient les buffets Henri II* (R. Sabatier, *Les allumettes suédoises,* p. 34).

L'emploi de *celui* peut ne pas choquer si l'adjectif est complété : *Mesnard a accompli la marche inverse de **celle habituelle** à l'artiste* (J. Dutourd, *Pluche,* Poche, pp. 93-94). *Je me méfie de ces gens-là et surtout de ceux capables de mentir.* Mais on recourra plus souvent à une relative : *et surtout de ceux qui sont capables...*

2. **Omission** de *celui*, etc. Elle ne s'impose jamais. Elle se rencontre notamment :
a) Après *être, sembler*, etc., devant un complément déterminatif : *Ses réflexions sont (celles) d'un homme désabusé.*
b) Devant un second complément déterminatif coordonné : *L'invasion allemande bouleversa la face de la France et (celle) du monde.* On évitera l'équivoque ou l'absurdité : *Le livre de Pierre et de Paul* (qui leur est commun) n'a pas le même sens que *Le livre de Pierre et celui de Paul.* On doit dire : *La femme de Pierre et celle de Paul.* On dit fort bien : *Ceux de France et de Navarre*, mais *celui* doit se répéter lorsque la clarté l'exige.
c) Quand on veut faire bref, surtout après *comme* ou *que* comparatif : *Un cri puissant comme d'un cor* (Verlaine). *Je n'ai d'autre désir que de vous être agréable.*

3. **Faire celui qui** est correct lorsqu'on parle d'un être animé qui « fait semblant de » : *Il fait celui qui ne comprend pas.*

4. [*Il y en a de ceux qui*] est un archaïsme encore vivant en Belgique. On doit dire : *Il y en a* (ou *il en est*) *qui ne comprennent pas* ou *Certains ne comprennent pas.* Mais on dit fort bien : *Il est de ceux* (ou *de ceux-là*) *qui ne veulent pas comprendre* ou *Il est parmi ceux qui...*

5. **Ceux** renvoie à un nom exprimé auparavant : *Les habitants de Paris et ceux de Lyon.* Seule la langue populaire dit : [*Les ceux de Paris ; les ceux qui...*].

6. **Emploi de celui dans les comparaisons.** L'ellipse du sujet et celle du verbe sont courantes dans le second terme d'une comparaison. *Il court comme un fou* (comme court un fou). *Il nous regardait comme des étrangers* (comme il aurait regardé des étrangers). *Il me connaissait comme sa poche.*
Mais il y a des limites que la logique et la clarté ne permettent pas de franchir. D'où le recours à *celui* comme terme corrélatif dans des phrases comme celles-ci : *Ses études sont plus intéressantes que **celles de son frère**. Il suit des cours plus passionnants que ceux de sa sœur.*

Celui-ci, celui-là, pr. dém., s'emploient (parfois au lieu d'un pronom personnel) pour traduire un geste, même fictif, ou pour renforcer l'expression, ou par besoin de clarté. Bien que *celui-là* gagne du terrain sur *celui-ci* (comme *cela* sur *ceci*), la langue garde conscience de l'opposition qui rapporte le premier à ce qui est plus éloigné, à ce qui a été nommé d'abord, et le second à ce qui est présenté comme plus rapproché.
Celui-là s'emploie aussi d'une manière emphatique, soit seul (au lieu de *il*), soit lorsqu'il reprend un sujet ou un complément précédent, soit lorsque la relative qu'il détermine est rejetée après la principale : *J'ai rencontré Pierre ; Il* (ou *celui-là*) *a de la chance. Il a de la chance, celui-là. Un nouveau visteur survint, plus poli celui-là. Je l'ai déjà rencontré, celui-là. Celui-là est heureux qui...*

CENT

On entend en Belgique substituer sans raison *Celui-là qui* à *celui qui* : [*Celui-là qui l'a dit*] *ferait bien de l'avouer.* Mais la langue littéraire dit, en séparant *celui-là* de *qui : Celui-là sera puni qui...* Après *c'est,* on emploie très bien *celui-là qui : C'est celui-là qui l'a dit.*

Cénesthésie, n.f., **cénesthésique,** adj., sont aussi écrits *cœnesthésie, cœnesthésique.* Ne pas confondre avec *synesthésie.*

Cénotaphe, n.m., par son étymologie (grec *kenos,* vide), désigne un tombeau vide, un monument élevé à la mémoire d'un mort, mais qui ne contient pas ses restes. Il ne faut pas confondre *un cénotaphe* avec *un mausolée* (sépulture somptueuse, tombeau somptueux) ni avec *un catafalque* (élevé dans une église lors d'une cérémonie funèbre), ni avec *un sarcophage,* qui désignait un tombeau où les anciens mettaient les corps qu'ils ne voulaient pas brûler, et qui aujourd'hui désigne la partie qui dans un monument funéraire simule un cercueil.

Cense, n.f., est un ancien mot français, qui survit quelque peu en Belgique et dans certaines régions de France pour désigner une ferme, une métairie. Mais on ne peut pas employer *censier* pour *fermier.*

Censé, adj. (= supposé, réputé, considéré comme ; ancien verbe *censer* = estimer, juger) ne peut être confondu avec **sensé** (= qui a du bon sens, du jugement : cf. *insensé*) : *Il est censé capable. Il est censé être en voyage. — Un homme, un projet sensé.* Même distinction entre **censément** (par supposition, en apparence) et **sensément** (rare ; = d'une manière sensée).

Cent, numéral. Concurrence entre **dix-neuf cents** et **mille neuf cents.** Cf. MILLE, 3.

Accord de **cent** et de **vingt,** adjectifs numéraux. Il ne prennent *s* que dans le cas où, multipliés par un autre nombre, ils terminent l'adjectif numéral : *Deux cents ans. Trois cent quatre-vingts pages. Trois cent quatre-vingt-quatre pages. La somme est exactement deux cent quatre-vingts. Deux cent mille francs. Les cent francs versés. Les deux cents francs versés. Prenez ces cent francs.* On écrit : *Deux cents millions quatre cent mille francs. Deux cents milliards,* parce que *million* et *milliard* sont des noms.

On notera : ***Tous les cent ans. Tous les quatre-vingts ans. Tous les deux cents mètres ;*** il n'y a pas multiplication par *les* ; on écrirait : *en cent ans, en quatre-vingts ans, sur deux cents mètres. **Trois cents et des jours.*** *Quatre-vingts et quelques pages ; vingt* et *cent,* multipliés, ne sont pas suivis d'un autre nombre.

Employés par abréviation pour *vingtième* et *centième, vingt* et *cent* sont invariables : *Page deux cent. Le n° quatre-vingt. L'an neuf cent quatre-vingt. En mille trois cent.*

Cent, **nom,** pris pour *centaine,* varie : *Des mille et des cents. Quelques cents de fagots.* À distinguer *de faire quelques cents mètres,* où *cent,* multiplié par l'indéfini *quelques* au lieu de l'être par un nombre précis, est traité comme dans *quatre cents mètres. Depuis des cents et cents années* (La Varende). Grevisse, qui cite cette phrase (*B.U.*, n° 873), note aussi ces deux autres où « *cent* est invariable parce que l'idée de pluralité est relative, non au seul mot *cent*, mais à l'ensemble des deux mots *cent mille* » : *Qu'un fabricant ait la fantaisie d'ajouter cette année quelques cent mille francs à son revenu* (Vigny). *Mais il y a des cent et cent mille ans que cette tempête est finie* (Loti).

Comme **unité monétaire**, *cent* (prononcé « sèn't »), n.m., est variable : *Cinquante cents.*

Pourcentage. On dit : *Quarante élèves sur cent* (ou *quarante pour cent des élèves*) *ont réussi. Il a placé son argent à cinq pour cent. Cela lui rapporte dix pour cent.* L'expression *cinq du cent* est populaire et à éviter.

Trait d'union. *Cent* n'est jamais précédé ni suivi d'un trait d'union : *Deux cent trois. Le deux cent cinquantième.* On trouve parfois le trait d'union dans ce dernier cas entre *cent* et l'adjectif numéral ordinal qui suit ; cf. CENTENAIRE.

Cent un, etc. On dit sans *et* : *cent un, cent dix*, etc. On emploie *cent et un* (comme *mille et un*) pour un nombre indéterminé ; mais plus souvent on emploie *cent* dans le même sens : *Il y a cent choses à dire là-dessus.*

Centenaire, n.m., etc. On parle du centenaire, du bicentenaire, du tricentenaire d'une ville, etc. Pour 150 ans, on dit **le cent cinquantenaire** (écrit aussi parfois avec un trait d'union) ou *le cent cinquantième anniversaire.*

Central, n.m. *Un central téléphonique* (où aboutissent les fils du réseau).

Centraliser, v.tr.dir. On centralise des renseignements, etc.

Centre, n.m. 1. À *shopping center* correspond **centre commercial**, appelé aussi, surtout au Québec, *centre d'achats.*

2. En termes de sport, **un centre** désigne l'action de *centrer*, c'est-à-dire d'envoyer le ballon vers l'axe du terrain, ou vers un joueur placé au centre de la ligne d'attaque (ligne des avants). On appelle aussi ce joueur un **avant-centre** ; en Belgique [*un centre-avant*]. *Avant* et *centre* étant deux noms, ils doivent varier tous deux au pluriel : *des avants-centres*, quoi que dise certain dictionnaire.

3. **Un centre-auto** est un magasin où l'on vend tout ce qui a rapport à l'automobile : *des centres-auto.*

Centrer, v.tr.dir. Cf. CENTRE, 2. On centre une activité, une réflexion *sur* qqch. ou qqn.

Centripète, (= qui tend — latin *petere* — à se rapprocher du centre), s'oppose à **centrifuge**.

Cep, n.m., pied de vigne. **Cèpe**, n.m., sorte de champignon.

Cependant, adv., n'est plus guère vivant dans le sens de « pendant ce temps », seul cas où il peut se joindre normalement à *mais.* — **Cependant que** est plus vivant dans ce sens, mais moins que *pendant que.*

Ce qui, ce qu'il. 1. **Répétition** de *qui* ou *que* dans **ce qui** (ou *ce que*)... **et.** Il n'y a pas lieu de répéter *qui* ou *que* si on ne répète pas *ce* : *Voilà ce qui m'a toujours intéressé et m'intéresse encore* (ou *et ce qui m'intéresse encore*). *Ce que je vois et entends me suffit* (ou *ce que je vois et ce que j'entends*). Cf. Pronoms personnels, 6, 8, pp. 766-768.

Il ne faut pas s'étonner que *qui* et *que* voisinent parce qu'ils ont des fonctions différentes : *Ce qui m'a étonné et que je ne m'explique pas encore, c'est votre silence* (ou *et ce que je ne m'explique pas encore*).

Avec **ce dont** : *Ce dont il se souvient et se plaint,* les deux verbes réclamant *de.*

2. **Ce qui arrive** ou **ce qu'il arrive, ce qui te plaît** ou **ce qu'il te plaît,** etc.

Il n'y a d'hésitation possible que si le verbe peut ou non être impersonnel. S'il est toujours impersonnel, comme *falloir,* on doit employer *ce qu'il* (prononcé familièrement et couramment « ce qui ») : *Il faut ce qu'il faut. Vous ferez ce qu'il faut* (sous-entendu : faire).

D'autre part, l'impersonnel est parfois voulu par la structure de la phrase. On dit : *Voilà un homme qui arrive.* Et donc : *Le voilà qui arrive.* Mais *Voilà que cet homme arrive ;* et donc : *Voilà qu'il arrive* (le verbe n'est pas impersonnel). Tandis qu'on peut hésiter entre *Voilà ce qui m'arrive* (la chose qui m'arrive) et *Voilà ce qu'il m'arrive* (qui peut faire pendant à *Il m'arrive qqch.*). Cf. b.

a) Mettons à part **plaire.** La distinction de sens est plus théorique que réelle ; d'où de fréquentes confusionns. *Fais ce qui te plaît* (ce qui te donne ou te donnera du plaisir). *Fais ce qu'il te plaît* sous-entend l'infinitif du verbe précédent : *Fais ce qu'il te plaît de faire.* Dans les deux cas, le sens peut se ramener à *Fais ce que tu voudras.* De même : *Choisis ce qu'il te plaît* (sous-entendu : de choisir). *Choisis ce qui te plaît* (ce qui a pour toi un attrait). Sens commun : *ce que tu aimes, ce que tu veux.*

b) Pour les autres verbes (**arriver, advenir, convenir, en résulter, se passer, rester, pouvoir,** etc.), la distinction est plus nette dans certains cas que dans d'autres, mais on préfère souvent *ce qui.* **Rester** se prête facilement aux deux tours : *Il sait **ce qui lui reste** à faire* et **ce qu'il lui reste** à *faire.* On peut dire en effet ; *Telle chose lui reste à faire* ou *il lui reste à faire telle chose.* De même : *Toutes les démarches qui me restent à faire* ou *qu'il me reste à faire.* D'où : *ce qui me reste à faire* ou *ce qu'il me reste à faire.* De même : *ce qui lui reste d'argent* ou *ce qu'il lui reste d'argent.* On emploie plus souvent *ce qui.*

Avec **se passer,** l'impersonnel n'est pas rare, mais on a le choix : *Sans que Nicole pût seulement se douter de ce qu'il se passait* (A. t'Serstevens, *L'amour autour de la maison,* Poche, p. 206). *Si vous saviez ce qu'il se*

passe là-bas (Fr. Chalais, *Les chocolats de l'entracte*, Poche, p. 164). *Qu'est-ce **qui** se passe?* ou *Qu'est-ce qu'il se passe?*
Avec **arriver** (cf. plus haut — avant *a* — le cas de *Voilà*) : *Qu'est-ce **qui** arrive?* ou *Qu'est-ce **qu'il** arrive? Quoi qu'il arrive* ou *quoi qui arrive : Elle ne comprend pas ce qu'il lui arrive* (Aragon, *La mise à mort*, p. 314).
De même : *Arrive ce qui pourra* ou *ce qu'il pourra. Quoi qu'il **advienne*** ou *quoi qui advienne. Qu'est-ce qu'il lui **prend**?* ou *Qu'est-ce qui lui prend? Voilà ce qu'il **en est** résulté* ou *ce qui en est résulté. Faites ce qu'il **convient** de faire* ou *ce qu'il convient* (de faire) ou *ce qui convient.*
Attention à **sembler bon**. On dira : *Faites ce qu'il vous semble bon* (de faire) ou *ce qui vous semble bon.* Mais avec l'inversion de *bon* : *Faites ce que bon vous semble.*

Cérémonial, n.m. *Un cérémonial. Des cérémonials.*

Cérémonie, n.f. *Le maître de crérémonie* ou *des cérémonies.*

Cerf, n.m. Prononciation facultative de *f* au singulier et au pluriel.

Cerise, n.f. *Tarte aux cerises. Liqueur aux cerises. Confiture de cerises. Liqueur de cerise. Des rubans cerise. Des étoffes rouge cerise.*

Certain, adj. ou pronom. 1. On distingue, après l'article indéfini *un*, le qualificatif qui suit le nom (*Il a une autorité certaine*, indiscutable), et l'adjectif indéfini qui précède celui-ci avec une valeur d'atténuation : *Il a une certaine autorité. J'ai pour lui un certain respect.* Cela peut aller jusqu'au dédain : *On lit dans une certaine presse.* Aussi devant un nom propre : *Un certain Durand est venu me voir.* La langue classique avait un pluriel **de certains** correspondant à *un certain.* Le tour n'est plus guère vivant, mais il subsiste : *Il y a certaines choses, de certaines choses pour lesquelles on éprouve de la répugnance* (Ac.) À côté de *à certains moments,* on trouve *à de certains moments.*

2. **Certain soir** (ou *jour*) a le même sens qu'*un certain soir* (ou *jour*). Au pluriel : *certains soirs.*

3. **Le pronom indéfini** ne s'emploie qu'au pluriel : *Certains, certaines s'interrogent. Chez certains... J'en connais certains qui le disent.*
On n'emploie guère le pronom comme **attribut**. L'adjectif qualificatif a au contraire facilement cette fonction : *Nous sommes certains qu'il réussira.* Théoriquement on peut dire, avec le pronom indéfini : *Nous sommes certains qui pensons qu'il réussira ;* mais on voit l'équivoque suscitée, ne fût-ce qu'un instant, par *certains.*

4. **Il est certain que** est suivi de l'indicatif ou du conditionnel : *Il est certain qu'il **est** venu, qu'il **serait** venu si on le lui avait demandé.* Comme après *croire,* on peut avoir le subjonctif ou l'indicatif (ou le conditionnel) après la forme négative ou interrogative : *Il n'est pas certain qu'il **soit**

*venu (qu'il **est** venu, qu'il viendra, qu'il viendrait si on le lui demandait).
Est-on certain qu'il **viendra**, qu'il **ait** l'intention de venir?*
Même emploi des modes après **avec la certitude, sans la certitude**.

Certainement que est suivi de l'indicatif ou du conditionnel.

Certificat, n.m. *Un certificat de bonne vie et mœurs.*

Cervical, adj. se dit de ce qui appartient au cou, à la nuque ou au col de
l'urètre, de la vessie. Ne pas confondre avec **cérébral**, « qui appartient au
cerveau ». Pluriel : *cervicaux.*

Cesse, n.f. *N'avoir de cesse de rencontrer* ou *que de rencontrer* ou *avant de
rencontrer* ou *que* et le subjonctif. Cf. Avoir, 12, p. 145.

Cesser, v.tr.dir. *(Cesser les recherches),* intr. *(Le bruit a cessé)* ou tr. ind. *(Il
cesse de chercher).* Même dans son emploi intrans., *cesser* se conjugue
aujourd'hui avec *avoir* : *La pluie a cessé. Tout travail a cessé dans les
ateliers. La neige n'a pas cessé de tomber. Il n'a pas cessé de neiger.*
Emploi de *ne* ou de *ne pas.* Cf. Ne employé seul, 3, p. 604.
On écrit : *toute affaire **cessante*** ou *toutes affaires cessantes.*

Cession, n.f., terme juridique ou commercial en rapport avec *céder (la
cession d'un bail, une cession de créance, d'un fonds de commerce),* ne peut
être confondu avec **session** qui, en rapport avec *s'asseoir,* se dit d'une
assemblée politique, d'un tribunal, d'un jury qui *siègent.*

C'est. Cf. Ce et Verbe, *accord,* C, I, p. 986. **C'est-à-dire,** cf. Ce, 12, p. 208.

Ceux. Cf. Celui.

Chacal, n.m. Pluriel : *des chacals.*

Chacun, pr. indéf. **Chaque,** adj. indéf. 1. Le **pronom** *chacun* (féminin *chacune*) n'a pas de pluriel. On dit, avec l'**adjectif** *chaque : chaque page* ou
avec le **pronom** : *chacune des pages, chacune d'entre elles, chacune d'elles,
chacune desquelles. Chacun de nous* (ou *d'entre nous) s'en aperçoit. Interro-
gez ces hommes et ces femmes **chacun à part**. Elles sont **chacune** accompa-
gnées d'un chien.*
On ne rencontre plus guère *tout chacun* ; mais **un chacun** et **tout un
chacun** gardent quelque vitalité ; ils restent invariables : *Les opinions d'un
chacun. Cela peut arriver à tout un chacun.*
Sa chacune est familier : *Chacun s'en va avec sa chacune.*
On dit : *chaque automne* ou *à chaque automne, chaque fois* ou *à chaque
fois.*

2. *Chacun* et l'**adjectif possessif.**

A. Quand *chacun* **ne reprend pas un pluriel** qui le précède, on emploie
*son, sa ses : Chacun à sa place. Chacune a ses défauts. Chacun des orateurs
parlera à son tour.*

B. Quand il **renvoie à un sujet pluriel** qui le précède :

a) Lorsque **le verbe est à la 1re ou à la 2e personne du pluriel,** on emploie *notre, votre,* si l'être ou l'objet possédé par chacun est unique ; *nos, vos* si chacun en possède plusieurs : *Nous avons allumé chacun notre lampe. Nous emporterons chacun nos livres,* si chacun possède plusieurs livres ; *chacun notre livre* si chacun ne possède qu'un livre. *Nous irons chacun de notre côté* (On trouve cependant chez de rares bons auteurs, dans des cas de ce genre : *chacun de son côté*). *Nous gagnâmes chacun notre place.* Quoi que pensent certains, *Nous gagnâmes chacun nos places* est anormal. Dirait-on : *Nous monterons chacun nos chevaux ?*, si chacun n'a qu'un cheval ?

b) Lorsque **le verbe est à la 3e personne du pluriel,** on emploie *son, sa, ses* ou *leur, leurs.* L'usage laisse le choix, c'est affaire d'oreille ou de clarté, d'orientation de la pensée vers le sens disjonctif ou le sens collectif : *Ils s'en allèrent **chacun de leur côté*** ou (exigé par l'Académie) ***chacun de son côté**. Ils ont agi chacun pour leur compte* ou *pour son compte.* D'où, si chacun n'a qu'un livre : *Ils ont emporté chacun son livre* ou *chacun leur livre ;* si chacun en a plusieurs : *Ils ont emporté chacun ses livres* ou *chacun leurs livres.* On pourra préférer l'opposition *son, ses* pour la clarté du langage oral.

C. Quand *chacun* **renvoie à un complément pluriel** qui précède, on a le choix : *Vous remettrez ces livres chacun à **sa** place* ou *chacun à **leur** place.* Mais si *chacun renvoie au sujet,* on doit dire : *Vous lirez ce livre chacun à votre tour* (cf. a) ; à la 3e personne : *Ils ont lu ce livre chacun à son tour* (ou *à leur tour*).

D. Si *chacun* est en rapport avec un participe présent s'appliquant à une 3e personne, on emploie toujours *son, sa, ses : Ils se taisaient, ruminant, chacun à sa façon, ces histoires admirables* (R. Rolland, *Jean-Christophe,* I, p. 43). *On ne les comprenait plus, chacun parlant sa langue.*

3. On s'inspirera des mêmes principes (2, B, a, b) pour l'emploi, après *chacun,* du **pronom personnel** *nous, vous, le, lui,* ou *les, leur* et du **pronom possessif** *le nôtre, le vôtre, le sien, la sienne* ou *le leur, la leur : Nous soutiendrons chacun l'opinion qui nous paraîtra la meilleure. Ils soutiendront chacun l'opinion qui lui* (ou *leur*) *paraîtra la meilleure. Ils feront leur possible, chacun en ce qui le concerne* (plutôt que *les*). — *Rassemblons nos souvenirs ; nous évoquerons chacun les nôtres. Nous y mettrons chacun du nôtre. Ils y mettent chacun du sien* (plutôt que *du leur*).

4. Emploi de **soi** ou de **lui (eux),** renvoyant à *chacun* sujet.

A. Après *chacun,* ayant un sens général et indéterminé (toute personne), on emploie généralement *soi : Chacun travaille pour soi.* Mais on trouve *lui : Chacun emmène derrière lui son portrait idéal* (R. Nimier, *Les épées,* Poche, p. 181).

B. Si *chacun* représente une personne précisée par le contexte :

a) S'il n'est pas complété, on emploie généralement *lui* ou *elle* : *Après cette conversation, chacun retournera chez lui.* L'emploi de *soi* est à recommander s'il convient d'éviter l'équivoque : *Après s'être tous amusés au café avec Pierre, chacun retourna chez soi (lui* pourrait sembler se rapporter à Pierre).

b) S'il est suivi d'un complément déterminatif, on emploie généralement *lui (elle)* ou *lui-même (elle-même)* : *Chacun de nous pense du bien de lui-même. Chacun de ces hommes travaille pour lui-même.* L'emploi de *soi* est plus rare.

c) Si *chacun* renvoie à un sujet déterminé pluriel et est donc après un verbe au pluriel, on a le choix entre *soi* et *eux* : *Ils retournèrent chacun chez soi* ou *chez eux.*

5. **Chacun et chaque.**

A. En français soigné, il est normal que *chaque*, adjectif, soit suivi d'un nom. On se gardera donc, malgré les exemples de bons écrivains, les tolérances de certains dictionnaires et les tendances très nettes du français non seulement populaire mais familier ou commercial, de dire : *Ils ont visité cinq ou six villes et passé trois jours dans chaque* (sous-entendu : *ville*). On dira : *dans* **chacune.** De même : *Ces cravates coûtent cinq francs chacune* ou *chacune cinq francs* ou *cinq francs (la) pièce.*

B. Autre tour courant, mais suspect, qui a pour lui l'ancienneté et quelques bons répondants littéraires : *(À) chaque cinq minutes. Chaque huit jours ;* le TLF tente de le justifier (t. IV, p. 532) en disant qu'il n'exprime pas une pluralité de concepts mais une grandeur. Mieux vaut s'en tenir aux tours réguliers, simples et commodes : *Toutes les cinq minutes. De cinq en cinq minutes. Tous les huit jours.*

C. Par contre, il n'y a aucune raison, selon moi, d'éviter *chaque* devant un nombre ordinal suivi d'un nom. *Chaque troisième année, chaque septième jour. À chaque cinquième minute.*

D. **Entre chaque, entre chacun.** Si étranges qu'ils soient, les tours *entre chaque tableau, entre chacun des tableaux* ont pour eux plusieurs siècles d'existence, même en littérature, la caution d'excellents écrivains, leur absence d'ambiguïté et surtout leur commodité et leur brièveté, qui ont fait leur fortune, quand il y a une suite de tableaux.

On devrait, pour exprimer la même idée, dire : *Dans l'intervalle après chaque tableau* ou *Chaque fois entre deux tableaux.* Si l'on disait simplement : *Après chaque tableau,* cela voudrait dire, s'il y a cinq tableaux, « cinq fois » ; or on ne parle que de quatre fois. Mais on ne dira pas : [*entre chaque deux tableaux*].

6. Cf. FOIS, 4 et VERBE, *Accord,* B, IX.

Chagrin, adj., a un féminin : *chagrine.*

Chah, n.m., graphie francisée de **Shah** (ou *Schah*). C'est proprement un pléonasme de parler de l'ancien *Shah de Perse* ou *d'Iran.*

Chahut, n.m., ne désigne plus, comme au XIXᵉ siècle, une danse désordonnée accompagnée de cris, mais un grand bruit, un vacarme en général et spécialement un tapage organisé dans les écoles. **Chahuter, chahuteur.**

Chai, n.m. *Un chai de coopérative vinicole.*

Chaîne, n.f. Accent circonflexe ainsi que dans *chaînette, chaînon, enchaîner, déchaîner,* etc.

Chaire, n.f. La 8ᵉ éd. du Dict. de l'Ac. (1932) donne encore **chaire de vérité,** « chaire où l'on prêche l'Évangile ». L'expression, concurrencée par *chaire,* est sortie de l'usage en France, où l'on se contente généralement de *chaire ;* on a dit aussi *chaire à prêcher ;* mais *chaire de vérité* est resté vivant en Belgique et dans le nord de la France ; seule la nouvelle liturgie l'y a fait vieillir.

Chaland, n.m. Cf. ACHALANDER.

Challenge, n.m., ne peut se remplacer par un seul mot français ; on le prononce à la française. Sens : compétition sportive dont le vainqueur conserve le titre et le trophée (appelé aussi un challenge) jusqu'à ce qu'un concurrent les lui enlève.
Challenger, n.m., désigne celui qui cherche à enlever ce titre et ce challenge au champion. On devrait franciser le mot conformément à sa prononciation, **challengeur** ; ne pas écrire *challangeur.*

Chambre, n.f. Un malade *garde la chambre, est dans sa chambre,* tandis qu'un ouvrier travaille *en chambre* (chez lui). Cf. ROBE.

Chamoisette, n.f., a été formé en Belgique, à partir de *chamois* et de *peau de chamois,* pour désigner un chiffon à enlever la poussière, un torchon d'entetien ; **chamoisine,** n.f. créé en France dans le même sens, n'a pu s'y imposer vraiment, mais est dans le Lexis et le TLF.

Champ, n.m. On écrit : **sur-le-champ,** adverbe, **à tout bout de champ.** Cf. CHANT.

Chance, n.f., peut avoir un sens général et se dire, dans un contexte non équivoque, de la manière, favorable ou défavorable, dont les faits s'enchaînent *(La chance a tourné).* Il signifie alors *hasard* et peut s'employer pour *risque* (d'où *bonne chance, mauvaise chance, malchance),* tandis que *risque* et *risquer* ne se disent que dans la prévision d'un danger, d'un évènement malheureux.
Mais *chance* ne se dit plus guère aujourd'hui que d'un hasard heureux : *On a une chance* ou *des chances de réussir, on a de la chance, on tente sa chance, on donne sa chance à qqn, on a une chance sur deux d'arriver à temps. Par chance,* par bonheur.

C'est une chance que est suivi du subjonctif parce que le sens est « Il est heureux que » : *C'est une chance qu'il soit là.* Mais on trouve l'indicatif, toujours requis après *heureusement que.*

Il y a des chances que est suivi de l'indicatif ou du conditionnel comme *il est vraisemblable que, on peut espérer que.* Mais on dira avec une négation : *Il n'y a aucune chance qu'il le fasse.* Dans une question : *Y a-t-il une chance qu'il le fasse ?*

Chanceux, adj., appliqué aux choses avec le sens de « hasardeux, incertain », vieillit : *Une entreprise chanceuse.* Il s'emploie plutôt, appliqué aux personnes, dans le sens de « favorisé par la chance », *veinard, chançard* (très familier) ou *verni* (populaire). Appliqué à une action, familièrement : « qui porte chance ».

Chandail, n.m. *(des chandails)*, peut remplacer *pull-over* ou *pull.*

Chandelle, n.f. On écrit : *C'est une économie de bouts de chandelles* (Ac., à *Chandelle*) ou *de bouts de chandelle* (Ac., à *Bout*).

Changer, v.tr.dir. ou ind. ou intr. 1. **Auxiliaire.** *Avoir* est beaucoup plus fréquent dans tous les sens (cf. AUXILIAIRES). *Être,* qui n'est pas rare mais qui ne s'impose jamais, marque, avec le verbe intransitif, un état qui se situe au moment indiqué par le temps du verbe ; *changé* est alors plutôt un adjectif : *Comme les choses **ont changé** ! Les choses **sont bien changées.** Le temps a changé. Le temps est changé aujourd'hui. Pierre n'a pas changé. Décidément, vous avez bien changé* (ou *vous êtes bien changé*). — *Peut-être rien n'avait-il changé* (G. Perec, *Les choses,* J'ai lu, p. 67). *Rien n'avait changé* (J. Green, *Moïra,* Poche, p. 153). *Je me pavanais devant lui, pleine d'assurance, dans la cour du lycée, comme si rien n'avait changé* (N. Sarraute, *Portrait d'un inconnu,* 10-18, p. 45). *Rien n'était changé* (B. Clavel, *L'Espagnol,* J'ai lu, p. 173). *Sa vie avait changé maintenant* (A. Camus, *L'étranger,* Poche, p. 71). *Les temps ont changé, bien sûr* (P. Daninos, *Le Jacassin,* p. 53). *Rien n'avait tellement changé* (Id., *Ibid.,* p. 61). *Tout a changé, bien sûr, depuis le temps* (M. Butor, *La modification,* 10-18, p. 183). *Rien ne sera changé* (Id., *Ibid.,* p. 204). *La mère de Pomme avait beaucoup changé.* (P. Lainé, *La dentellière,* Éd. Rombaldi, p. 60). *Les immeubles n'avaient pas changé (...). Les temps avaient changé* (P. Modiano, *Rue des boutiques obscures,* pp. 137, 177). *Rien n'est changé (...). Les mots qui sont changés* (F. Céline, *Voyage au bout de la nuit,* Folio, p. 15). *Mes sentiments toujours n'avaient pas changé à leur égard.* (Id., *Ibid.,* p. 22). *Rien n'avait changé ; son ancien appartement semblait toujours inhabité* (Fr. Sagan, *Les merveilleux nuages,* Poche, p. 81).

2. On change **de** *cravate, de chemise, de place, de trottoir, de fournisseur.* À côté de *changer de vêtements,* on peut dire simplement *changer* ou *se changer.* — *Changer qqn* se dit pour un malade ou un enfant dont on change le linge.

3. On change un objet **de place**, on change le fusil d'épaule, on change qqn de poste.

4. **Changer contre**. On *change* ou on *échange* un objet *contre* un autre, des billets contre de la monnaie. *Changer pour* (Littré) est vieilli. Elliptiquement : *On change un billet de cent francs.* De même : *On lui a changé son pardessus au vestiaire. Changer les draps.*

5. **Changer en** (sans article ou avec *un*) signifie « transformer en » : *Changer un doute en certitude, l'eau en vin. La femme de Loth fut changée en une statue de sel* (Ac.) L'emploi de **à** devant un article défini est devenu très rare : *Dans le sacrement de l'Eucharistie, le pain est changé au corps de Notre-Seigneur* (Ac.). *L'heureuse Bérénice change son nom de reine au nom d'impératrice* (Racine).

6. **Le ou lui faire changer de** : cf. INFINITIF, 2, A, p. 501.

Chant (de), loc. adv. Telle est l'orthographe actuelle de l'expression écrite autrefois « de champ » : *poser, mettre* (une planche, un livre, une brique) *de chant* (sur la face étroite et longue). De même : *sur chant.* Ce mot *chant* vient d'un mot latin signifiant « bande ».

Chanteur, n.m., Féminin : *chanteuse* est le terme général, remplacé par *cantatrice* (qui n'a pas de masculin) pour une chanteuse d'opéra. — On écrit : *maître chanteur* sans trait d'union, que le sens soit ancien ou moderne.

Chantier, n.m. On a (ou on met) un ouvrage *sur le chantier* ou *en chantier.*

Chantoir, n.m., appartient au français régional de Belgique et est la francisation d'un mot wallon désignant une **bétoire**, une excavation où s'engouffre un cours d'eau.

Chapeau, n.m. Cf. BOULE, BUSE.

Chapitre, n.m., et ses dérivés n'ont pas d'accent circonflexe.

Chaque. Cf. CHACUN, FOIS et VERBE, *accord*, B, IX, p. 982.

Char, n.m. On écrit généralement **char à bancs**, parfois *char à banc.*

Charbonnière, n.f., est le féminin de *charbonnier*, marchand de charbon, ou désigne l'endroit d'une forêt où l'on fait du charbon de bois. Pour l'emploi belge, cf. BAC. Notons que *Manufrance* appelle « charbonnière » un coffre à charbon.

Charcuter, v.tr.dir., a un sens péjoratif.

Chariot, n.m., peut s'écrire **charriot** (Ac., 1975), avec deux *r*, comme les autres mots de la famille de *char.*

Charisme, n.m., **charismatique,** adj. (pron. « ka »). Étymologiquement, *charisme* signifie « don gratuit, grâce ». En langage théologique, ce nom masculin s'est appliqué aux dons spirituels octroyés par l'Esprit-Saint à des individus ou à des groupes. Par extension, le mot (ainsi que l'adjectif *charismatique*) s'est dit d'une certaine Église postconciliaire faisant place et donnant libre cours à des dons spirituels transitoires et a dévié vers un sens très large impliquant, pour un chef, pour un orateur, un professeur, etc., une autorité fascinante, irrésistible.

Charlatan, n.m., a eu un féminin, *charlatane.*

Charmeur, n.m. et adj., a aujourd'hui pour féminin *charmeuse.*

Charrée, n.f., a appartenu au français commun et s'entend parfois encore en Belgique pour **charretée.**

Charrier, v.tr.dir. ou intr. **Transitif :** *On charrie de l'eau, des betteraves. La Meuse charrie des glaçons.* En langage populaire, *charrier qqn,* se moquer de lui. — **Intr.,** populaire : *On peut charrier. Charrier dans les bégonias,* abuser, exagérer.

Charroi, n.m., a éclargi son sens. Il ne se dit pas seulement de l'action de transporter par charrettes ou tombereaux. Comme *transport,* il peut se dire aussi du matériel de transport, d'un convoi, de véhicules qui font route ensemble.

Charrue, n.f. Cf. AVANT, 3, p. 136.

Charruer, v.tr.dir. resté vivant en Belgique, n'est plus signalé qu'exceptionnellement par les dictionnaires français. Il est cependant bien connu en France, en dehors de Paris.

Charter, n.m., se prononce à la française avec *è* : on entend aussi et même on écrit parfois *charteur*. Il convient de dire : *avion* (ou *vol*) **nolisé** (ou *affrété*). On peut parler de *tarif de nolisement.* Quant au verbe *charter,* il faut le remplacer par *affréter, fréter* ou *noliser.* Cf. AFFRÉTER.

Charybde. Prononcer « ka ».

Chas, n.m. *Le chas d'une aiguille.*

Chasse, n.f. *On va à la chasse. On est en chasse. On prend en chasse qqn* ou *qqch.* (un voleur, une voiture). *La chasse aux canards, à l'éléphant, au mari.* — *Actionner* (ou *tirer*) *la chasse d'eau* ou *la chasse.*

Chasser, v. L'emploi intransitif, avec pour sujet la pluie, le vent, n'est pas propre à la Wallonie, où il est courant et où l'on dit : *ça chasse,* mais est un régionalisme français : *Mademoiselle Verdure interrompit la bésigue pour aller voir dans les chambres « si la pluie ne chassait pas »* (A. Gide, *Isabelle,* Poche, p. 71). À éviter. Mais on dit fort bien que *les nuages* *chassent du Nord* (viennent du Nord). L'impersonnel [*il chasse*], pour il y a un courant d'air, est belge. **Composés** de *chasse* et d'un complément. Cf. Noms composés, B, 5.

Chassereau, n.m. André Goosse a signalé dans ses *Façons de parler* la survivance, en Hainaut, de ce nom ou de **cachereau,** qui a pénétré dans certains dictionnaires français, pour désigner des listes de propriétés.

Chasseur, n.m. Féminin : *chasseuse.* Emploi limité et poétique de *chasseresse.*

Châssis, n.m. Accent circonflexe.

Châtaigne, n.f., désigne le fruit du *châtaignier,* nom général d'un arbre qui a beaucoup de variétés ; le fruit comestible s'appelle généralement *marron,* parfois *châtaigne : Le couvert était dressé pour quatre personnes. Les châtaignes entaillées emplissaient un grand saladier* (B. Clavel, *Le voyage du père,* J'ai lu, p. 234).

Châtain, adj., a été longtemps considéré comme n'ayant pas de féminin. On disait : *une chevelure châtain.* Mais *châtaine* s'est développé depuis plus d'un siècle. Il faut l'adopter. *Châtain* est invariable en composition : *Des cheveux châtain foncé. Une chevelure châtain roux.*

Château (accent circonflexe), n.m., *Un château fort. Des châteaux forts.*

Chateaubriand, n.m. Le terme de cuisine s'écrit souvent comme le nom de la ville, **Châteaubriant.** S'il vient, comme cela semble vraisemblable, du nom de l'écrivain **Chateaubriand,** il conviendrait de l'écrire comme celui-ci : *Ils avaient voué aux **chateaubriands** et aux filets un véritable culte* (G. Perec, *Les choses,* J'ai lu, p. 42). En tout cas, on ne peut adopter une forme mixte : [*Chateaubriant*].

Chatons, n.m.pl. Cf. Poussière.

Chatouille, n.f., est un synonyme bien français, mais familier, de *chatouillement.*
On ne peut dire [*faire chatouille*]. On dit : *Faire une chatouille, des chatouilles* (ou *chatouiller*). *Elle avait des chatouilles dans le dos.*

Chatouiller, v.tr.dir., a pour sujet ce qui, personne ou chose, produit l'excitation, au propre ou au figuré : *Tu me chatouilles. Ces compliments chatouillent son amour-propre. Le fumet de ce plat me chatouille les narines.* On peut dire *ça me chatouille* si ça désigne vaguement ce qui provoque le chatouillement, mais non s'il désigne un endroit du corps.
C'est une faute assez répandue en Belgique de donner pour sujet à *chatouiller* la partie du corps où l'on éprouve une démangeaison. Il faut dire, avec un complément indirect : *Le bras (la jambe, sa cicatrice)* **lui démange**. L'emploi transitif *(le démange)* est populaire mais tend à se

répandre parce qu'aux autres personnes *(me,te, nous, vous)* on ne voit pas la différence qui apparaît entre *le* et *lui*.

Chaud, adj. *Avoir très chaud :* cf. AVOIR, 17, p. 146.

Chaud-froid, n.m., terme de cuisine. *Des chauds-froids.*

Chauffe, dans les **composés.** Cf. NOMS COMPOSÉS, B, 5.

Chauffe-cœur, n.m. Cf. CACHE.

Chaufour (four à chaux), n.m. On ne se laissera pas influencer par les mots wallons de forme voisine.

Chausse-pied, n.m. *Des chausse-pieds.*

Chausser, v.tr.dir. ou intr., se dit normalement avec pour complément des chaussures, des skis, mais aussi, familièrement, des objets (comme des lunettes) qu'on met, qu'on ajuste sur une partie du corps. On peut dire : *Il chausse du 44. Ces souliers le chaussent bien. La grande sœur chausse son petit frère.*

Chausse-trappe, n.f., doit maintenant s'écrire avec deux *p*, comme *trappe* (Ac.). *Une chausse-trappe. Des chausse-trappes.*

Chaussure, n.f. C'est à tort qu'on dénonce comme un belgicisme *faire les chaussures.* On peut certes dire : les nettoyer, les brosser, les cirer. Mais *faire les chaussures* est une expression française, aussi normale que *faire la vaisselle, les cuivres, le lit, la chambre.*

Chavirer, v.tr.dir. ou intr. **Auxiliaire** de l'intr. : *La barque a chaviré.* Le verbe pouvant être transitif (et être employé au passif), au propre (tourner la tête en bas ; *chavirer un navire,* le renverser, *chavirer les chaises,* les renverser, les retourner) ou au figuré (émouvoir, troubler profondément), on emploie *chaviré* avec ou sans *être* pour marquer l'état : *La barque est chavirée. J'en suis tout chaviré. Une voix chavirée.*

Check-up, n.m. Cf. BILAN *de santé.*

Chef, n.m., n'a pas de féminin : *Mme X est le chef de service. Cheffesse* est de l'argot ou est plaisant.

Chef est vieilli dans le sens général d'article, de point principal d'un exposé, mais se dit encore des divers points d'une accusation : *Le procureur a retenu plusieurs chefs d'accusation.* On dit encore : *au premier chef,* avant tout. *Il importe au premier chef que nous l'écoutions.*

De son propre chef = de lui-même, de sa propre initiative.

[*Dans le chef de*] est courant en Belgique, dans le langage judiciaire, administratif ou journalistique, alors qu'il suffit de dire : *chez, pour, de la part de,* etc. L'administration parle des revenus professionnels « envisagés séparément [dans le chef] du déclarant ou de la déclarante ». Elle pouvait dire : *chez*. On parle d'une profonde erreur [dans le chef de l'opinion publique], au lieu d'une *erreur de l'opinion publique*.

Chef-d'œuvre, n.m. *Des chefs-d'œuvre*.

Chef-garde, n.m. Cf. GARDE.

Chef-lieu d'une province, d'un département, d'un arrondissement, d'un canton. *Des chefs-lieux*.

Cheik, n.m., est l'orthographe courante, à préférer à *Scheik* ou à *cheikh*.

Chelem, n.m., altération de l'anglais *slam*, écrasement, se prononce « chlèm » et s'écrit parfois, en une graphie prétendument anglaise, *schelem* ou *schlem*.

Chélidoine, n.f. Pron. « Ké ».

Chemin, n.m. 1. On dit fort bien : *aller en chemin de fer, voyager en chemin de fer* ou *par chemin de fer*.

2. Flandricisme : [*ne savoir pas de chemin avec*], cf. SAVOIR, 11, p. 848.

Chemise, n.f. Cf. BRAS, FARDE.

Chêne-liège, n.m. Pluriel : *des chênes-lièges* (Ac.) On a tort d'écrire, en pensant abusivement à des chênes à liège : *des chênes-liège*. On écrit plutôt *chêne-vert*, variété de chêne méditerranéen.

Chenil, n.m. On prononce généralement *l* final.

Cheptel, n.m. On prononce aujourd'hui généralement « chèptel ».

Chèque, n.m. On fait, on tire, on émet *un chèque, un chèque postal, un chèque bancaire, un chèque au porteur, un chèque de voyage* (éviter : *traveller's chèque*). En Belgique et dans plusieurs pays, on a un compte aux chèques postaux ; en France où ce service a été fragmenté et porte le nom de grandes villes, un compte à un centre de chèques postaux.

Cher. Adjectif. *Des oranges chères. Ces fruits sont chers.* **Adverbe** et invariable : *Ils coûtent cher. Je les ai achetés cher. Ils me reviennent cher. Vous faites cette étoffe trop cher. Il a vendu cher sa vie.* — On dit : *Il fait cher vivre dans cette ville ;* pas de préposition devant l'infinitif.

Chercher, v.tr.dir. *Chercher à faire qqch. Chercher qu'on soit content* ou *à ce qu'on soit content.* — *Il me cherche* est familier dans le sens de : Il me provoque (souvent, continuellement). On dit abusivement en Belgique dans un sens voisin : [*chercher misère à qqn*], « lui chercher des ennuis ». Expression parallèle en français familier : *faire des misères à qqn,* lui causer des ennuis, le harceler, le tracasser.

Laisser à la langue familière : *Cela va chercher dans les dix mille francs* (cela vaut dans les dix mille francs ; ou environ dix mille francs).

Chercher après *qqn ou qqch*. Cf. APRÈS, 2, p. 82.

Chérif, n.m. Distinguer le *chérif* arabe (pluriel français : *des chérifs*) et le *shérif* des westerns.

Cherry, n.m. Distinguer le *cherry* ou *cherry-brandy* (liqueur de cerise) et le *sherry,* nom anglais du *xérès.*

Cheval, n.m. Trait d'union dans *Une cinq-chevaux. Un cheval-vapeur, des chevaux-vapeur.*

Chevaucher, v.tr.dir ou intr. *Elle chevauchait un mulet, un manche à balai. Ces tuiles chevauchent* (se recouvrent en partie). *Les lignes chevauchent l'une sur l'autre* ou *se chevauchent.*

Chevau-léger, n.m. Ce singulier est tiré du pluriel *des chevau-légers,* qui représente un ancien usage.

Chevesne, n.m. Albert Doppagne a noté, dans *Le Soir* du 27 août 1974, qu'il a trouvé pour ce nom de poisson, que l'Académie ignore, jusqu'à six graphies dans les dix-huit dictionnaires qu'il a consultés. Les plus courantes sont *chevesne, chevaine et chevenne.* La prononciation la plus répandue, d'après Martinet, fait entendre *e* dans la première syllabe (cela ne s'impose pas) et *è* dans la seconde ; *s* n'est jamais prononcé.

Cheveu, n.m. *Elle est sortie en cheveux,* nu-tête.

Cheviotte, n.f. Deux *t.*

Chevrette, n.f., jeune chèvre, femelle du chevreuil.

Chewing-gum (on ne prononce pas *e : u* est prononcé *o* comme dans *gomme),* n.m., n'a guère de chance d'être remplacé par *gomme à mâcher,* pourtant recommandable.

Chez, prép., se dit en parlant d'êtres animés. Cf. ALLER, 9. *Viens chez moi* (dans ma maison) et *viens près de moi* n'ont pas le même sens. *Revenir de chez qqn. Passer par chez qqn. Aller jusque chez lui.*
    On peut dire : *J'ai lu chez cet auteur* (dans son œuvre) ... *C'est chez lui une habitude.*
    Ne pas dire : [*un élève de chez les Jésuites*], pour *un élève des Jésuites.*
    Mon chez-moi, *ton chez-toi, son chez-soi, son chez-lui, son chez-elle, notre chez-nous, votre chez-vous, leur chez-eux.*

Chialer (sans accent circonflexe), v.intr., est populaire (pleurer).

Chic peut être nom, adjectif ou interjection. L'adjectif est invariable en genre : *Une femme chic.* L'accord en nombre se généralise : *Les gens chics.*

Chiche, interjection familière exprimant un défi *(Chiche !),* s'emploie aussi très familièrement avec *que : Chiche que je le fais !*

Chichi, n.m. *En voilà du chichi !* *Faire des chichis,* se comporter sans simplicité. *Sans chichis* ou, moins souvent, *sans chichi.* — *Chichiteux* est très familier.

Chicon, n.m., **chicorée de Bruxelles.** Les dictionnaires français donnent généralement à *chicon* le sens de « laitue romaine », parfois aussi de « witloof ». Ce dernier sens, courant en Belgique, n'est pas ignoré en France, non seulement dans le Nord, mais même à Paris ; on y entend, pour ce légume, *chicon* ou *witloof* ou *chicorée de Bruxelles* ou plus souvent, *endive.* Mais les marchands qui donnent ce dernier nom au *chicon* le distinguent nettement de la *(chicorée) scarole* et de la *(chicorée) frisée.*

Chienlit est un vieux nom français (écrit aussi autrefois *chie-en-lit*) dont le sens premier est clair et qui a désigné, au **masculin**, une personne masquée, un personnage grotesque ou répugnant, et, au **féminin**, une mascarade, un désordre anarchique.

Chienne, n.f. de *chien,* s'est dit d'une femme sans moralité. C'est à tort qu'en Belgique *une chienne (*ou *des chiennes)* a désigné ce qu'en français, à partir de *coiffure à la chien,* on appelle *des chiens :* cheveux formant une sorte de frange sur le front.

Chiffe, n.f. (étoffe de mauvaise qualité), se retrouve normalement dans l'emploi familier, appliqué à une personne sans énergie ; *mou comme une chiffe.* À préférer à l'autre expression française *mou comme une chique.*

Chiffonner, v.tr.dir., appliqué aux choses, peut signifier « préoccuper, contrarier » : *Cela le chiffonne* (Ac.). **Intransitif,** ce verbe signifie « s'occuper de petits travaux de couture ».

Chiffonnier, n.m. **chiffonnière,** n.f. *Un chiffonnier, une chiffonnière,* c'est celui ou celle qui ramasse et revend les chiffons, etc. Les deux mots, mais surtout le masculin, ont désigné et désignent encore un meuble à tiroirs superposés ; en Belgique, le féminin est courant.

Chiffre, n.m. On écrit : *mille francs en chiffre rond* ou *en chiffres ronds.*

Chiffrer, v.tr.dir. On dit : *chiffrer ses dépenses* (Ac.), *chiffrer le coût d'une réparation* (= évaluer) *à telle somme. Les dépenses se chiffrent à tant par mois. Elles se chiffrent par millions.*

Chine, n.m. *De vieux chines* (en porcelaine). *Un livre imprimé sur chine.*

Chiner *qqn* est français et familier : le taquiner sans méchanceté.

Chinois, n.m., peut désigner une petite passoire à trous fixes et de forme conique.

Chiper, v.tr.dir., est familier dans le sens de « dérober ».

Chipoter est familier. **Intransitif** : manger par petits morceaux, sans appétit *(Il chipote dans son assiette. Il chipote sur chaque morceau)* ; cet emploi vieillit ; au figuré, discuter sur de menues dépenses, lésiner, marchander avec mesquinerie *(Ce client chipote. Il chipote sur toutes les dépenses)*, travailler avec lenteur en s'arrêtant à des vétilles *(Il ne travaille pas, il chipote).* **Transitif** (se dit d'une chose) : *Cela me chipote,* me tracasse.
    Dérivés : *chipotage, chipoteur* (remplace *chipotier*). Ne pas confondre avec *tripoter.* Voir ce mot.

Chips, n.m.pl. (emprunté à l'anglais), est donné comme féminin par les plus récents dictionnaires. *Des pommes chips, des chips.* Je note dans *Match,* n° 1376, 11 octobre 1975, p. 98 : *Elles sont beaucoup trop riches en matière grasse. Il y en a quarante pour cent dans une chip alors qu'on n'en trouve que dix pour cent dans une frite.* Et chez Aragon, sans doute sous la même influence de *pomme* et de *frite* : *Avec les dernières chips (La mise à mort,* p. 142).

Chique, n.f. Au pays de Liège, *une chique* peut désigner un bonbon, une friandise. On vend à Bavai des friandises nommées *chiques de Bavai.* — [*Avoir une chique*] s'entend couramment en Belgique et en Suisse pour « être en état d'ivresse ».

Chiquet, n.m., n'appartient qu'à des français régionaux, y compris ceux de Wallonie, pour désigner un petit morceau, notamment de pain.

Chiromancie, n.f. *Chi* se prononce ici « ki ».

Chiure, n.f., désignant les excréments d'insectes, n'a pas le caractère trivial du verbe *chier* ni du nom *les chiottes.*

Choc, n.m., employé comme adj. invariable : *Des prix choc.*

Chocolat, n.m. Cf. BILLE, CARAQUE, PRALINE. *Un chocolat. Une barre, une plaque, un bâton, une tablette de chocolat. Des teints chocolat.*

Choesels, n.m.pl., désigne un plat bruxellois à base de pancréas frais.

Choir, v.intr. vieilli. Les formes les moins rares sont celles de l'infinitif, surtout avec *faire* et *laisser,* et du participe passé *chu, chue.* L'indicatif présent est rare ainsi que le passé simple et surtout le futur *choira* ou *cherra.*
    Auxiliaire : *être. Elle est chue,* comme *elle est tombée.* La concurrence de *avoir* ne peut pas être encouragée ; pas plus qu'avec *tomber.*

Choisir, v.tr.dir. *Il a choisi de s'en aller. Ils l'ont choisi pour chef. On l'a choisi parmi les meilleurs. Ils ont choisi entre trois solutions. De deux maux* (ou *entre deux maux) il faut choisir le moindre.*
    On peut choisir arbitrairement ou judicieusement ; mais par définition on ne peut [*choisir au hasard*].

Chômer, v.tr.dir. ou intr. **Transitif** : *On chôme un saint, une fête. Une fête est chômée.* **Intr.** : *Les ouvriers chôment. Il n'a pas chômé, il* n'est pas resté inactif.

Choper, v.tr.dir. (avec un *p*), est très familier : *On lui a chopé sa montre* (= chipé). *Il s'est fait choper* (attraper) *par la police.*

Chopper, v.intr. (deux *p*). Avec *contre*, trébucher, heurter du pied contre : *chopper contre un obstacle.* Sans complément, se tromper, faire une erreur, avoir un écart de conduite : *Il n'a choppé qu'une fois.*

Choquer, v.tr.dir. *On choque les verres* en trinquant. L'emploi absolu n'est plus vivant. On dit : *Voulez-vous trinquer ?* Au figuré, *Sa conduite m'a choqué. Je suis choqué qu'il ait dit cela.*

Choral, adj. et n.m., **chorale,** n.f. *Un choral* est un chant religieux. Pluriel : *des chorals.* Tandis que le pluriel masculin de l'adjectif peut être *choral* ou *choraux : des chants choraux.*

Le nom *choral* dans le sens de « enfant de chœur », est devenu archaïque ; il survit un peu en Belgique.

Une chorale exécute des chœurs.

Chorée (pron. « k »), n.f., maladie nerveuse appelée communément *danse de Saint-Guy* parce qu'on invoquait contre elle saint Gui (ou Guy).

Chose, n.f. Distinguer le **nom** *(C'est une chose facile, c'est chose facile. Quelle autre chose lui plairait mieux ? C'est toujours la même chose. Quelque chose que je lui aie dite. Il y a toujours quelque chose urgente à faire. Toute autre chose le contenterait)* et les **locutions pronominales** indéfinies. *(Quelque chose d'urgent. Il se souvient de quelque chose que je lui ai* **dit.** *Autre chose d'*intéressant. *Faites donc quelque chose. Je cherche autre chose d'aussi beau. C'est tout autre chose* (cf. TOUT, D, 4.). *Je ne puis vous offrir que cela, c'est peu de chose. Il n'a pas dit* **grand-chose***).*

2. Si l'on écrit : *C'est peu de chose, à peu de chose près,* on écrit : *un* **état de choses.**

3. Familiers : *Il est* **tout chose** (emploi comme adjectif), *elle est toute chose,* mal à l'aise. *Un* (ou *une*) *pas grand-chose.*

Ne pas dire : *C'est toujours la même chose* [*avec lui*], au lieu de : *Il est toujours le même.*

Chou, n.m. *Des choux. Un chou-fleur, des choux-fleurs. Des choux-raves. Des choux-navets. Un chou rouge* (sans trait d'union), *des choux rouges.*

On dit en Belgique : *C'est chou vert et vert chou,* alors que l'expression, si elle n'est pas inconnue en France, y a pour correspondant usuel : *C'est bonnet blanc et blanc bonnet* (= les deux choses se valent). Un ancien usage permettait à l'adjectif de couleur de précéder le nom. Il en reste des traces dans des usages régionaux.

Chrême (huile consacrée), n.m. : *Le saint chrême.* Accent circonflexe.

Chromo, n.m. (on dit aujourd'hui : *Un chromo.* Pluriel : *Des chromos*), est une abréviation de *chromolithographie,* n.f. désignant l'image obtenue par le procédé de la chromolithographie.

Chrysanthème, n.m. *Un chrysanthème.*

Chute, n.f. On fait une chute *de* bicyclette.

Chuter, v.intr., n'est pas un néologisme. Il signifie familièrement « tomber, faire une chute » et a plusieurs sens figurés, dont « fauter » en parlant d'une femme, « subir un échec » en parlant d'une pièce de théâtre.

· **Chypre.** Pour désigner les habitants de Chypre, on a le choix entre **Cypriote,** formé sur le nom latinisé de l'île, et **Chypriote,** formé sur son nom français. Pour le dialecte, on dit plutôt le *cypriote.*

Ci, adverbe, est précédé ou suivi d'un trait d'union, sauf en style commercial pour annoncer une somme : *ci dix francs.* On écrit : *ci-joint, ci-gît, ci-inclus, ci-devant, ci-contre, ci-après,* etc. et *cet homme-ci, celui-ci, ceux-ci, celles-ci, ces deux-ci, de-ci de-là.* (cf. DE-CI), *par-ci par-là.* — *Ci-devant* est invariable.
  On ne dit plus : *Qu'est-ce ci ?* ni *Ci et là.* On dit : *Qu'est-ce ? Qu'est ceci ? Çà et là.*

Ci, pronom, a été créé par la langue française pour faire pendant à *ça : Il faut faire ci, il faut faire ça. L'un dit ci, l'autre dit ça. Il se porte comme ci comme ça* (ni bien ni mal). *Avant, elle était ci, elle était ça : maintenant, elle aimait Philippe* (J. d'Ormesson, *L'amour est un plaisir,* Poche, p. 182).

Ci-annexé, ci-joint, etc. Cf. PARTICIPE PASSÉ, A, 5, p. 674.

Cicatriser, v.tr.dir. : *Un remède qui cicatrise la plaie. Le temps cicatrise* (guérit, apaise) *les douleurs.* **V.intr.** ou **pron.** : *La blessure cicatrise vite, se cicatrise lentement.* Par extension, se dit parfois des personnes : *Les jeunes gens n'ont pas de mémoire. Ils cicatrisent vite* (H. Troyat, *Les Eygletière,* J'ai lu, p. 319). Attention à la terminaison du n.f. *cicatrice.*

Cicérone, n.m., forme francisée *(un cicérone, des cicérones),* est à préférer à *un cicerone, des ciceroni,* qui peuvent encore se dire.

Ciel, n.m., ne s'emploie qu'au singulier pour désigner la partie de l'espace au-dessus de nos têtes *(le ciel est gris)* ou Dieu *(le ciel — ou le Ciel — vous en saura gré).*
  Ciel fait au **pluriel** *cieux,* emphatiquement, pour le paradis, *ciels* ou beaucoup plus souvent *cieux* pour « pays, climat » *(sous tous les cieux,* dans tous les climats) et en astronomie *(les cieux des planètes)* ; *ciels* dans les autres sens : *ciel de lit, de tableau, de carrière,* ou en termes d'aviation

(*ciel* d'une région) et pour désigner l'atmosphère, les parties du ciel, au-dessus d'une région, perçues dans leur aspect pittoresque *(des ciels brouil-lés, mouillés, grisâtres, des ciels marins, des ciels d'hiver, de beaux ciels sans nuages, des ciels qui se confondent avec l'horizon).*

Cigare, n.m., s'emploie abusivement en Belgique dans le sens de *réprimande* (ou de *savon*) avec des verbes comme *attraper, passer, recevoir,* etc. Il faut dire : *passer un savon à qqn, lui laver la tête,* etc.

Cigarillo, n.m., petit cigare. *Des cigarillos.* Pron. : « iyo ».

Cil, n.m. On prononce *l,* non prononcé dans *sourcil.*

Cimaise, n.f. L'orthographe *cymaise,* qu'on trouve encore dans des diction-naires, a vieilli et doit être abandonnée.

Cime, pas d'accent circonflexe.

Cinéraire, n.f. de plante : *Une cinéraire.*

Cinéroman, n.m. *Des cinéromans.* On écrit aussi *un ciné-roman, des ciné-romans.*

Cingalais, adj. et n. Renoncer à la forme *cinghalais.*

Cinglé, adj., est très familier dans le sens de : qui a l'esprit dérangé.

Cinq. On prononce toujours *q* en liaison et devant une pause : *Cinq amis. Le cinq août. J'en ai cinq.*
Dans les autres positions, l'usage considère le plus souvent *q* comme muet, surtout devant un pluriel commençant par une consonne ou un *h* aspiré : *Cinq francs, cinq millions,* mais on l'entend souvent prononcer dans les dates : *le cinq mai.* On le prononce quand il s'agit du chiffre *cinq : Le cinq romain.* Et aussi dans : *en cinq sec.* On ne prononce ni *q* ni *s* dans le nom propre **Cinq-Mars.**
En cinq sec (Ac.), très vite. L'expression invariable semble venir d'une partie d'« écarté joué en cinq points et sans revanche » ; d'où le sens de l'adverbe *sec,* comme dans *répondre sec.* On écrit aussi *en cinq secs* (comme si *sec* était un nom, abréviation de *seconde* ?). Certains disent et écrivent *en cinq-sept : Il délibéra en cinq-sept* (J. Robert, *Ma clé des champs,* p. 73). On peut comprendre cette hésitation, due à l'ignorance du sens premier de l'expression. Mieux vaut s'en tenir à *en cinq sec.*

Cinquantenaire, n.m. *On fête le cinquantenaire d'un quinquagénaire.*

Cintre, n.m. Un *cintre* est un support léger auquel on suspend un vêtement par les épaules. Ne pas dire : [*un esse*] ; cf. ce mot. Un **portemanteau** n'est pas proprement un cintre ; c'est un support, à pied ou à accrochage mural, auquel on suspend des vêtements ou des chapeaux. Cf. VESTIAIRE.

Circoncire, v.tr.dir. Notons les formes *Je circoncis, il circoncisait, qu'il circoncise, circoncisant, circoncis, -e.*

Circonscrire, v.tr.dir., se conjugue comme *écrire.*

Circonvenir, v.tr.dir., se conjugue comme *venir,* mais avec l'auxiliaire *avoir.*

Circuler, v.intr. Il est ahurissant qu'un ministre français ait parlé des *routes* [*les plus circulées*] pour les routes à très grand trafic.

Cisaille, n.f. L'outil en forme de ciseaux, à deux lames égales, servant à découper du carton, du métal en feuille, à élaguer les arbres, à tailler les haies s'appelle *une cisaille* ou plus souvent *des cisailles.* Mais on dit *une cisaille* pour la machine à deux lames, dont l'une est fixe et l'autre mobile : *une cisaille mécanique, une cisaille de ferblantier.*

Ciseau, n.m. *Un ciseau* (formé d'une seule lame) de menuisier, de sculpteur : *des ciseaux* (plutôt qu'*un ciseau*) *de couturière.*

Citronnade, n.f., **citronné, citronnelle,** etc. Deux *n.*

Civil, adj. *Officier de l'*état civil (sans majuscule ni trait d'union). On distinguera le courage *civil* (opposé au courage militaire) et le courage **civique** (propre au bon citoyen).

[**Clacher**], en Wallonie, signifie *claquer* (une porte) ou appliquer abondamment, sans soin (de la couleur).

Clair-obscur, n.m. *Un clair-obscur, des clairs-obscurs.* S'emploie aussi comme adjectif invariable : *Leurs formes* (des déités) *vaguement humaines se détachaient mollement l'une après l'autre des profondeurs de la nuit (...), laissaient émerger leurs corps demi-nus et venaient s'arrêter à la limite verticale et à la surface clair-obscur où leurs brillants visages apparaissaient* (Proust, *À la recherche du temps perdu,* Éd. Pléiade, t. II, p. 40).

Clairsemé, adj., s'écrit en un mot.

Clapper, v.intr., produire avec la langue un bruit sec, un **clappement.** En wallon et en français régional, [*clapper la porte*], c'est la claquer.

Clappette, n.f., vieilli et familier, est un vieux mot français (venu de l'ancien verbe *clapeter,* babiller) qui signifie *bavardage* et qui, dans le français régional de Belgique, s'emploie pour *une bavarde.*

Claque, n.f. *Recevoir une claque. Une tête à claques. La claque d'un théâtre.* Au Canada, chaussure légère en caoutchouc. Populaire : *en avoir sa claque,* en avoir assez, être excédé, dégoûté de qqch.

Claquer, v.intr., est populaire dans le sens de « mourir ».

Clarifier, v.tr.dir., rendre plus clair. *On clarifie un liquide, l'esprit, des idées, une question, une situation*, etc.

Clarinette, n.f. même quand il désigne le musicien, appelé aussi *clarinettiste*, m. ou f.

Classe, n.f. Cf. COURS. Ne pas abuser des tours *de classe, de grande classe,* de valeur, de qualité. Mais on dit très bien : *Cela a de la classe.* Un soldat de « première classe » s'appelle *un première classe* ; au pluriel, *des première classe* (il y a ellipse). Mais en parlant des chemins de fer, il est normal d'écrire : *une première classe* (ou *une première*), *des premières classes.*

Clé ou **clef,** n.f. On écrit : *roman à clefs* ou *à clés* (parfois *à clé*). Sans trait d'union, de préférence : *une position clé, une industrie clé, les mots clés.*
On dit : *La clé est à la porte* ou plutôt **sur** *la porte. Il a laissé la clé sur la porte,* **dans** *(ou* **sur***) la serrure. Mettre la clé* **sous** *la porte* (abandonner — plutôt furtivement — une maison). *Donner un tour de clé. Mettre sous clé. Louer une maison clé en main. Prendre la clé des champs,* s'évader.

Clenche, n.f. On écrit et on prononce *en* (comme dans *vent*) et non *in.* D'où : *enclencher, déclencher.* [*Cliche*] est dialectal. [*Clinche*] ne peut désigner, comme en Belgique et en Picardie, *la poignée* d'une porte. *La clenche* est le petit levier s'engageant dans le mentonnet fixé sur le chambranle. On actionne la poignée pour soulever la clenche ou dégager le pêne. **Poignée** est le nom général de l'appareil qui permet d'ouvrir une porte ou une fenêtre. Il peut être remplacé par *bouton* si la forme est ronde. On ne peut non plus parler de [*la crosse d'une porte*].

Clepsydre, n.f., horloge à eau. Attention à l'orthographe.

Cleptomane, n.m., souvent écrit *kleptomane.*

Clignoteur, n.m., est français (GLLF). Ce n'est pas en Belgique seulement, mais aussi dans certaines régions françaises, notamment dans le Midi, qu'on emploie souvent ce mot en parlant des autos, au lieu de **clignotant,** terme généralisé pour désigner les feux signalant qu'une voiture va changer de direction, ce que le code belge appelle *indicateur de direction.* On appelle toujours *feux clignotants* ceux qui annoncent certains carrefours.

Climat, n.m., peut désigner l'ambiance, l'atmosphère intellectuelle ou morale, les conditions de vie.

Climatérique, adj., a glissé du sens de « qui va par échelons », « qui appartient à un des âges critiques de la vie » à celui de « relatif au climat » : *Les conditions climatériques d'un pays* (Ac.). On a ainsi parlé de *station climatérique.* Mais **climatique,** plus récent, l'a emporté dans ce sens : *Influence climatique. Conditions climatiques. Station climatique.*

Climatologique = qui se rapporte à la climatologie (étude des climats) : *Des études, des explications, des cartes climatologiques.*

Climatisation, n.f., **conditionnement,** n.m. On parle de *la climatisation d'une salle,* d'une *salle climatisée,* jouissant du *conditionnement de l'air,* d'un *air conditionné.*

Clin d'œil, n.m. Pluriel : *des clins d'œil* (ou *des clins d'yeux*). C'est à tort qu'on écrit parfois [*un clin d'yeux*].

Clip, n.m., est un mot anglais qui a été facilement adopté par le français pour désigner une sorte de broche, de boucle d'oreille, d'agrafe de corsage ou une agrafe chirurgicale. Mais dans le vocabulaire général, on doit dire *une agrafe* pour l'élément (quelle que soit sa forme) servant à en réunir d'autres.

Cliques, n.f.pl. *Prendre ses cliques et ses claques.*

Cloche, cloque, n.f. Les deux mots ont été considérés comme vulgaires pour désigner les ampoules de la peau. Ils sont devenus usuels, mais *cloque,* forme picarde, a pratiquement éliminé *cloche,* resté cependant vivant en Belgique.

[Cloppe], n.f., est un flandricisme, employé surtout à Bruxelles, avec la conscience, généralement, qu'il ne s'agit pas d'un mot vraiment français, pour désigner la peur éprouvée en face d'un évènement, par exemple d'un examen, qu'on va subir. Le mot vient du verbe néerlandais *kloppen,* qui peut s'appliquer au cœur qui bat.
   Remplacer [*avoir la cloppe*] par *avoir peur, avoir le trac, la frousse,* etc. Ne pas dire [*un cloppard*] pour *un froussard.*

[Clopper], v.intr. employé en Belgique, vient d'un autre sens du néerlandais *kloppen,* concorder, correspondre. Au lieu de [*ça cloppe*], on dira : *c'est juste, ça va,* etc.

Clore, v.tr.dir. *Je clos, tu clos, il clôt* (accent circonflexe). *Nous closons* (rare). *Je clorai. Clos* (impératif). *Que je close, Clos, close.*
   On notera que *clore* s'emploie (en concurrence avec *fermer* et à l'exclusion de *clôturer,* cf. ce mot) dans le sens de « fermer » dans *clore les paupières, le bec, une porte, une lettre, un passage,* etc.

Close up. Dire en français *plan rapproché* (cinéma) ou *plan serré, gros plan* (photographie, cinéma, télévision).

Clôturer, v.tr.dir. *Clôturer un débat, une séance, une session, un congrès, un exercice budgétaire* (terminer, mettre fin à) est critiqué depuis longtemps et encore par l'Académie française, qui s'en tient à **clore** *un débat* et **clôturer** *un jardin* (l'entourer d'une clôture). On peut comprendre cette condamnation d'un emploi jugé inutile, mais l'usage admet incontestablement celui-ci. Il se justifie par l'emploi nécessaire de *clôture* avec pour complément : débat, discussion, compte, saison théâtrale, congrès, etc. Dans le jargon de certains comptables, *clôturer un compte*, c'est l'arrêter provisoirement, tandis que *clore un compte*, c'est le terminer définitivement. Cf. DOSSIER.

Clou, n.m., peut se dire pour *furoncle* et, familièrement, pour « mont-de-piété » *(mettre au clou)*, « vieille bicyclette » ou « vieille voiture ».

Clown, n.m. Le féminin *clownesse* est très peu usité. Prononcer « ou ».

C.O., C/O. En langage commercial, C.O. signifie « compte ouvert ». Remplacer C/O, qui abrège l'expression *care of*, par A.S., qui représente la formule française ayant le même sens : « aux soins de ».

Co. Après ce préfixe, on ne met pas de trait d'union : *coauteur, codirecteur,* etc. Tréma sur *i* dans *coïncider* (et dérivés), *coïnculpé*.

Coaguler, v.tr.dir. *(Coaguler du sang)* ou intr. *(Le sang coagule* ou *se coagule)*.

Coasser, croasser, v.intr. La grenouille *coasse*, le corbeau *croasse*.

Cobaye, n.m. Prononcer *ail* comme dans *travail*.

Cochon, n.m., en dehors de son sens propre, connaît de nombreux emplois figurés, familiers ou populaires, comme injure ; il a alors un féminin, *cochonne*. On dit : *un rôti de porc, de la viande de porc, un cochon de lait*.
*Jouer **un tour de cochon*** (cf. TOUR) et non [*jouer un pied de cochon*], belgicisme. — Les dérivés ont deux *n*.

Cockpit, n.m. À traduire, dans le langage de l'aviation, par *poste de pilotage*.

Cocu, adj. et n.m. Féminin de l'adjectif : *cocue*.

Coefficient, n.m., s'écrit sans accent, mais on prononce *é* après *co*.

Cœur, n.m. Quelques expressions : *avoir du cœur, savoir par cœur, apprendre par cœur* (mais on ne dit pas [*un par cœur*] pour une leçon de mémoire), *dîner par cœur* (se passer de dîner), *avoir à cœur de faire qqch., avoir à cœur qqch., garder qqch. sur le cœur, n'avoir pas le cœur à rire, prendre qqch. à cœur*.
Tenir à cœur ou **au cœur** *à qqn* (avoir beaucoup d'importance à ses yeux) : *Cette affaire lui tient fort à cœur* ou (devenu beaucoup plus rare) *au cœur*.
De gaieté de cœur. À contrecœur.

Coffin, n.m., désigne l'étui rempli d'eau où le faucheur place sa pierre à aiguiser. Ne pas remplacer par **couffin,** n.m., ou **couffe,** n.f., grand cabas.

Coffre-fort, n.m. *Des coffres-forts.*

Cogner, v.tr.dir., intr. et tr.ind. *On* **cogne** *un meuble, on* **se cogne** *à un meuble, on se cogne la tête* **contre** *un mur, on cogne à la porte, on cogne au plafond,* **sur** *la table,* etc. ; *cogner* peut s'employer sans complément dans le sens de « donner des coups », mais l'expression *cogner qqn* (le battre) est populaire, ainsi que *se cogner* pour « se battre ».

Coi, adj., « tranquille ». Féminin : *coite.*

Coin, n.m. On dit : *le coin de la rue, un coin de rue, au coin de la rue.* Éviter le pléonasme [*rencogné dans un coin*]. *Le coin cuisine, le coin salon.*

Coïncidant, participe de *coïncider ;* **coïncident,** adjectif ; **coïncidence,** n.f.

Coing est le nom masculin du fruit du cognassier. Il ne faut donc pas parler, comme on le fait en Wallonie, d'une [*poire de coing*].

Colère, n.f. et adj. L'adjectif, qui varie comme le nom *(Ils étaient colères),* est vieilli. On dit : *Ils étaient en colère.*

Coléreux, adj., « prompt à se mettre en colère, irascible, irritable », est devenu dans ce sens synonyme de *colérique.*

Collation, n.f. (on ne prononce qu'un *l*), peut signifier : repas léger, ou action de conférer un grade universitaire, ou action de collationner, de comparer deux écrits (notamment un original et sa copie) pour voir s'ils sont identiques. Dans ce dernier sens, on parle plutôt de **collationnement.**

Collaboration, n.f. **collaborer,** v.intr. *On fait un travail en collaboration avec qqn* ou *avec la collaboration de qqn. On collabore avec qqn à qqch.*

Collecter, v.tr.dir., peut s'employer de façon absolue pour « quêter, faire une collecte » (TLF). On collecte (on recueille) *des aumônes, des dons, des fonds, du lait,* etc.

Collège, n.m., se dit en Belgique officiellement, suivi de *des bourgmestre et échevins* ou d'*échevinal.* Cf. ÉCHEVIN. Le mot se dit aussi d'un établissement d'enseignement secondaire généralement catholique. En France, aujourd'hui, de tout établissement du premier cycle de l'enseignement secondaire.

Collègue, n.m. ou f., **confrère,** n.m. Sont *collègues* ceux ou celles qui sont subordonnés à une même autorité ou qui exercent une même fonction ou remplissent en même temps une mission : ministres, parlementaires, ambassadeurs, évêques, professeurs, magistrats, curés, militaires, fonctionnaires de même rang, employés, etc. Sont *confrères* ceux qui appartiennent à une académie ou ont la même profession indépendante, médecins, notaires, avocats, écrivains, journalistes, libraires, etc. Pour *consœur,* cf. GENRE.

Coller, v.tr.dir. Familièrement, *coller un élève,* c'est lui infliger une retenue, ou le faire échouer à un examen ou lui poser une question à laquelle il ne peut répondre ; dans ce dernier sens, cela se dit de tout interlocuteur qu'on met dans l'impossibilité de répondre ou à qui on pose une *colle,* une question particulièrement embarrassante. *On est **collé à un examen.*** Cf. Examen.
   Intr. *Ça colle* est populaire dans le sens « cela convient très bien » ou « nous sommes d'accord ».

Collimateur, n.m. ; vient de *collimation,* (action d'orienter une lunette), formé sur le verbe latin des astronomes *collimare,* lecture fautive du latin classique *collineare* (= viser) ; il désigne un appareil d'optique, mais surtout un appareil de visée pour le tir. D'où l'expression *prendre qqn dans le collimateur,* le soumettre à une surveillance étroite pour ne pas le manquer, se tenir prêt à lui faire un mauvais coup.

Collision, n.f., convient au choc de deux corps, même si un seul est en mouvement. À ne pas confondre avec **collusion,** entente généralement secrète au préjudice de qqn.

Colloquer, v.tr.dir. En termes de droit, *colloquer des créanciers,* c'est les ranger dans l'ordre suivant lequel ils seront payés. Dans l'usage général, le verbe est peu répandu et a un sens péjoratif : « se débarrasser de qqn ou de qqch. » (*Il m'a colloqué un objet sans valeur,* Ac.). Dans le sens, d'ailleurs vieilli, de « placer qqn dans un endroit peu enviable », le lieu doit être précisé : *On l'a colloqué dans un asile, on l'a colloqué parmi les malfaiteurs.* L'emploi belge, sans complément de lieu, dans le sens d'« interner, séquestrer, emprisonner », est donc fautif, comme celui de *collocation* dans le même sens.

Colmater, v.tr.dir., en dehors de son sens propre et technique (exhausser un bas-fond en y faisant déposer du limon, *colmater un sol infertile*), s'emploie aussi correctement dans le sens de « boucher, fermer, combler » : *Colmater une brèche, une fissure, une ouverture, un mur.* S'il s'agit de boucher soigneusement les fentes, les joints d'une porte, d'une fenêtre, on emploie **calfeutrer,** altération, à cause de *feutre,* de **calfater** qui signifie : boucher avec de l'étoupe, du goudron, etc., les fentes de la coque d'un navire.

Côlon, n.m. (partie du gros intestin). Accent circonflexe.

Colonnade, n.f. Deux *n.*

Colophane, n.f. *De la colophane.*

Colorer, colorier, v.tr.dir. On *colore* un verre en bleu ; le soleil *colore* le raisin, un paysage ; on *colore* un récit (on lui donne de la couleur). Mais on *colorie* une image, une carte, un dessin, on passe son temps à *colorier* (on applique des couleurs sur qqch., on fait du *coloriage*).

Colossal, adj. Pluriel : *colossaux.*

Combattif, adj. et **combattivité,** n.f. peuvent s'écrire avec deux *t*, comme *battre*, depuis 1975 (Ac.).

Combien, adv. 1. **Quantité.** On dit *être trois* ou parfois *être à trois* (communauté d'efforts, de situation, insistance). À ces deux façons de s'exprimer correspondent normalement deux façons d'interroger avec *combien* : *Combien êtes-vous !* ou *À combien êtes-vous ?* Cf. À, 3.

Mais on affranchit une lettre *à* 10 francs et l'on demandera donc : *À combien faut-il affranchir cette lettre ?*

2. Emploi comme **substantif invariable** : *le* ou *les combien* (date, rang, place, pointure, périodicité). On peut dire, sans recourir à *combien* : *Quel jour sommes-nous ? Quelle est la date ?* (cf. DATE, 2). *Quelle est sa place ? Quelle place a-t-il ? Quelle est sa pointure ? Quelle pointure a-t-il ?*

Le **quantième** et *quel quantième* sont vieillis. *Combientième* ne s'est pas imposé pour remplacer *quantième* et est à considérer comme une faute.

On est ainsi amené à substantiver *combien* et à dire : ***Le combien** sommes-nous ? Le combien es-tu ? Tu chausses du combien ?* et surtout *Tous les combien est-ce que l'autobus passe ?* ou *Tous les combien est-ce que cette revue paraît ?* Sinon, il faut dire : *Quelle est la fréquence des autobus ? À combien de minutes se suivent-ils ? Quelle est la périodicité de cette revue ?*

L'usage est devenu tel qu'on ne peut plus considérer *le combien* comme incorrect, mais seulement comme familier.

3. *Combien* n'est pas seulement interrogatif (cf. INTERROGATION), il est aussi **exclamatif** : *Combien de personnes* (ou *que de personnes*) *se sont plaintes ! Combien de temps vous avez perdu ! Combien je le regrette !*

Il marque l'intensité devant un adjectif : *Cette mesure est impopulaire, mais combien efficace !* ou *mais combien plus efficace que les précédentes !*

Combien peu, condamné trop sévèrement par Thérive comme une « expression baroque, pédante » (*Clinique du langage*, p. 189), ne paraît pas très vivant. Je ne vois rien de fautif toutefois dans : *Combien peu de gens s'en inquiètent ! Combien peu d'importance a ce détail !*

4. Cf. INVERSION, II, A, II, 3, c, p. 517, NE PAS, 3, p. 616, PARTICIPE PASSÉ, D, 10, 11, p. 680.

Combiner, v.tr.dir. On combine une chose *avec* une autre ou *et* une autre.

Come back. À remplacer par *retour* (d'un athlète sur le tard).

Comics, n.m.pl., se dit en français *bande dessinée*.

Commander que est (comme *ordonner*) suivi du subjonctif quand il exprime simplement l'idée générale de « donner un ordre, vouloir » ; de l'indicatif lorsque le sujet est une personne responsable prenant une décision qui ne peut être discutée (ce cas est rare ; on emploie plutôt *ordonner, décréter, décider*) : *Commandez qu'il arrête* (Ac. ; subjonctif). *Les circonstances lui commandent la fermeté* ou *d'être ferme. Les circonstances commandent qu'il soit ferme. Le colonel commande* (ordonne) *que la première compagnie ouvrira le feu.*

Commando, n.m., désigne un groupe spécialisé dans les coups de main à objectif précis. Le même mot (écrit alors plus souvent *kommando*) s'est appliqué à un groupe de prisonniers qui était provisoirement détaché d'un camp en Allemagne.

Comme, conj. et adv. 1. **Conjonction,** *comme* peut avoir un sens temporel avec l'indicatif imparfait ou le présent historique ou le plus-que-parfait *(Comme il entrait, le téléphone sonna)* ou un sens causal. Dans ce dernier cas il se met normalement en tête de phrase : *Comme il était en retard, il prit un taxi ;* le fait introduit ici par *comme* n'est pas connu de l'auditeur ; on pourrait dire *parce que.* Mais le fait peut être connu, admis ; et *comme* se rapproche alors de *puisque ;* toutefois il suggère moins que celui-ci un raisonnement qui s'impose ; il présente plutôt une suite logique de faits, comme *parce que.* Le fait justifié par *comme,* et qui est dans l'autre proposition, est toujours nouveau et constitue l'essentiel de l'information : *Comme nous sommes de vieux amis, je vous ferai un prix de faveur* (on pourrait dire *puisque,* soulignant le raisonnement qui, partant d'un fait connu, impose en quelque sorte la conclusion ; c'est bien la seconde proposition qui est l'essentiel de l'information). *Comme on vient de m'avertir que nous sommes attendus, nous devons partir aussitôt* (on ne pourrait dire *puisque,* le fait n'était pas connu de l'auditeur ; d'autre part, *parce que* accentuerait l'énoncé de la cause). *Comme le train avait du retard, nous n'avons pas vu le début du spectacle* (même explication : ce qu'on veut avant tout énoncer, en le justifiant, c'est qu'on n'a pas vu le début du spectacle. Avec *parce que,* on insisterait sur la cause).

Accord de l'adj., p. 44 ; du verbe, p. 981. VI.

Comme peut être suivi de **et que** : *Comme il se fait tard et que nous avons encore une longue étape à parcourir, nous allons nous remettre en route (Puisque* pourrait ici intervenir, les faits étant connus, vérifiables, si l'on voulait vraiment présenter un raisonnement).

On trouvera plus loin d'autres emplois de *comme,* conjonction, dans diverses expressions qu'il a paru préférable d'énumérer (4 et suiv.). Il peut en effet exprimer la comparaison et la manière : *Il écrit comme il parle. Il agit comme son père. Beau comme un page. Comme qui dirait. C'est tout comme. Comme si de rien n'était. Dans un cas comme dans l'autre. Une femme comme il faut. Comme ça. Comme de juste. Comme de raison. Comme quoi. Il est gentil comme tout.*

2. *Comme, combien* et *comment,* **adverbes**. La langue moderne n'emploie plus l'adverbe *comme* mais *comment* dans l'interrogation directe : *Comment le savez-vous ?*

Dans l'interrogation indirecte, *comme* s'emploie parfois au lieu de *comment* ou de *combien : Voilà comme je suis. Vous ne savez pas comme il vous aime. Tu sais comme il est taquin.* Il n'a rien d'anormal, bien qu'on emploie généralement *comment* pour exprimer la manière et *combien* pour exprimer la quantité : *Je me demande comment il le sait. Voilà comment il est. Vous ne savez pas combien il vous admire.*

On ne confondra pas cet emploi et celui qui, exclamatif, marque le degré, l'intensité et non la manière : *Comme elle est belle ! Comme il se fâche ! Comme il parle méchamment !* Ces phrases sont conservées en subordonnées : *Voyez comme elle est belle.*

Notons l'expression *Dieu sait comme !* (= Dieu sait comment ; valeur généralement péjorative). Mais on dit : *Voici comment, Je ne sais comment* (plutôt que *Voici comme, Je ne sais comme*).

3. *Comme,* adverbe, peut signifier « en qualité de, en tant que » : *Je l'ai choisie comme secrétaire. Comme directeur, il est efficace. Mieux vaut l'avoir comme ami que comme ennemi. On le cite comme le plus savant helléniste* (Littré). *Il est remarquable comme épistolier.* Cf. CONSIDÉRER.

Mais on laissera à la langue populaire l'emploi incorrect de *comme* dans le sens de « du point de vue de » [*Je n'ai pas à me plaindre comme santé*] ou de « quant à » [*Cette mesure a été bonne comme effet*].

4. *Comme,* **conjonction**, peut s'employer elliptiquement dans le sens de « comme s'il était », « en quelque sorte », « pour ainsi dire » : *Il était comme fou. Il eut comme un étourdissement.* Pour exprimer une approximation, on peut employer *quelque chose comme : Il y a quelque chose comme trois mille ans.*

5. **Comme ça**. Cf. ÇA, 3.

6. **Comme convenu** s'emploie elliptiquement au sens de *comme c'était convenu.* De même : *comme prévu.* Mais *comme de bien entendu* est très familier. *Bien entendu* suffit. *Comme de bien entendu, septembre ne coïncidait presque jamais avec les septembre de l'histoire* (J. Giono, *Noé,* Poche, p. 37).

7. **Comme de juste** est correct et plus vivant que *comme il est juste.*

8. **Comme de raison** est correct (= évidemment, comme de juste).

9. **Comme deux gouttes d'eau**. De l'expression *Ils se ressemblent comme deux gouttes d'eau,* on en est venu à *Il lui ressemble comme deux gouttes d'eau ;* ce tour, employé depuis longtemps par de très bons auteurs, peut se justifier par la même ellipse ; *comme deux gouttes d'eau se ressemblent.* Mais il est encore critiqué.

10. **Comme il faut** peut s'employer comme adverbe ou avec une valeur d'adjectif : *Il travaille comme il faut. C'est une femme comme il faut.*

11. **Comme pas un** = mieux (ou plus) que quiconque.

12. **Comme qui dirait** = comme si on disait, pour ainsi dire.

13. **Comme quoi** est une vieille expression dont il ne faut pas abuser ; après un verbe, dans le sens de *que, comment,* elle a été classique et littéraire, mais elle est aujourd'hui populaire : *Il raconte comme quoi on l'a volé.* Après un nom aussi, on fera mieux de l'éviter ; au lieu de « un certificat comme quoi », on dira : *un certificat déclarant que.* Mais en tête de phrase l'expression est régulière et signifie « ce qui prouve que » : *Comme quoi on n'est jamais assez prudent.*

14. **Comme si.** Une distinction s'impose.

A. À l'intérieur de la phrase, *comme si* dépend d'un verbe et introduit une hypothèse conditionnelle comparative : *Il parle comme s'il était fâché.* Il y a là une ellipse ; l'énoncé complet serait : *Il parle comme il parlerait s'il était fâché.* Dans les deux tours, où il y a comparaison, on présente comme une pure éventualité une hypothèse qui donnerait l'explication du fait énoncé, *il parle.* L'énoncé complet, avec la reprise du verbe au conditionnel, fait comprendre pourquoi on emploie après *comme si* le mode indicatif et les deux temps, imparfait et plus-que-parfait, employés dans le système conditionnel de l'irréel avec la valeur qu'ils ont dans celui-ci : l'imparfait situe le fait au présent, au passé ou dans le futur, le plus-que-parfait le situe dans le passé, avec en plus, selon le contexte, une idée d'antériorité par rapport au fait passé (cf. Si, *conjonction*) : *Il hésite comme s'il avait peur. Vous ferez comme si de rien n'était. Il se tait* (ou *se taira* ou *se taisait*) *comme si on le lui avait ordonné. Il criait comme si on le battait* ou *comme si on l'avait battu* ou *comme si on l'eût battu.* Comparez : *Il criait comme il aurait crié si on le battait* ou *si on l'avait battu* ou *si on l'eût battu.* De même qu'après *si* dans la proposition conditionnelle, on peut exprimer l'irréel par ce qu'on appelait le « conditionnel passé deuxième forme » (subjonctif plus-que-parfait ; cf. Conditionnel, A, b) après un passé : *Il bégayait, bredouillait, sans réussir à se taire, comme si le regard prodigieusement attentif du maître lui eût arraché ce pauvre aveu* (G. Bernanos, *La joie,* p. 246). *Il fumait sa cigarette, immobile sur sa selle, observant le troupeau avec une joie paisible, comme s'il n'eût pas eu d'autre souci* (R. Gary, *Les racines du ciel,* Folio, p. 185). On pourrait avoir : *comme s'il n'avait pas* ou *n'avait pas eu.*

Il est parfois nécessaire de marquer l'antériorité : *Il me regardait comme s'il ne m'avait jamais vu. Elle m'accueillait* (ou *m'accueille* ou *m'accueillera*) *comme si rien ne s'était passé.*

En dépit de quelques rares exemples d'écrivains, on considère comme insolite l'emploi après *comme si* de l'indicatif présent ou futur, des formes en -*rais* ou du subjonctif présent ou imparfait sauf, en ce qui concerne le subjonctif, après *que* remplaçant *comme si* (cf. QUE, 5, A) : *Vous craignez de le laisser partir seul comme s'il était imprudent et qu'il fallût le surveiller.* Comme ailleurs, un subjonctif imparfait peut être remplacé par un subjonctif présent : *On avait besoin que tout soit calme, comme si un bel oiseau allait s'envoler et qu'on attende en retenant son souffle* (Giono, *Que ma joie demeure,* Poche, pp. 30-31).

Notons le gallicisme **comme si de rien n'était**, où l'on ne peut supprimer *de* : *Faites comme si de rien n'était* (comme si la chose n'était pas arrivée). Cf. RIEN.

La proposition introduite par *comme si* peut se rapporter à *c'est* : *C'est* ou *c'était* ou *ce sera comme s'il ne m'avait rien demandé. Pour nous, c'était à peu près comme s'ils eussent parlé du cabaret des Porcherons* (R. Dorgelès, *Au beau temps de la Butte,* p. 14).

L'expression familière **C'est** *(c'était, ce sera)* **comme si je chantais** exprime l'inutilité totale de l'action qui vient d'être énoncée (ou qui est implicite) : *Il pourra me menacer, ce sera comme s'il chantait.*

B. En tête d'une proposition exclamative, *comme si* exprime un étonnement, une protestation, un refus, l'ironie, etc. : *Comme si je n'étais pas assez grand pour me tirer d'affaire !* Sans doute on pourrait à la rigueur encore parler d'ellipse ou d'hypothèse *(Il me traite comme si...),* mais sans que le verbe élidé ait été employé. En fait, il n'y a ni ellipse ni hypothèse et la phrase énonciative correspondant à cette négation deviendrait positive : *Je suis pourtant assez grand pour me tirer d'affaire.* À un verbe positif après cet emploi de *comme si,* correspond une négation : *Comme si tu l'ignorais !* = tu ne l'ignores pourtant pas.

On remarquera que, dans ces exclamations commençant par *comme si,* l'imparfait et le plus-que-parfait correspondent respectivement à un présent et à un passé composé dans la phrase énonciative : *Comme si on ne te l'avait pas dit !* = On te l'a pourtant dit.

Dans le discours indirect libre d'un monologue intérieur, on a un décalage du même ordre : *Sa mère aussi avait été ravie de leur réconciliation. Comme s'il y avait eu réconciliation ! Comme s'il se réconcilierait jamais avant d'avoir vaincu !* (H. Troyat, *L'araigne,* Presses Pocket, p. 87). En discours direct : *Ma mère aussi a été ravie de notre réconciliation. Comme s'il y avait eu réconciliation !* (Il n'y a pourtant pas eu réconciliation). *Comme si je me réconcilierai jamais avant d'avoir vaincu !* (Je ne me réconcilierai pourtant jamais avant d'avoir vaincu). Cette dernière phrase montre que, dans cet emploi affectif de *comme si* en discours direct, on peut même avoir théoriquement un futur, gardant sa valeur temporelle.

Mais ce qui n'est ni théorique ni rare, c'est l'emploi du conditionnel, dans ce cas, gardant sa valeur modale et temporelle lorsqu'il serait imposé dans la proposition sans *comme si : Comme si je n'aurais pas pu passer mon chagrin ici, bien tranquillement !* (Colette, *Chéri,* p. 131) =

J'aurais pu passer... *Comme si vous ne **devriez** pas donner l'exemple !* Vous devriez donner l'exemple. *Comme si vous n'auriez pas pu me le dire plus tôt !* Vous auriez pu me le dire plus tôt. Le décalage de valeur temporelle ne se fait donc que pour l'indicatif imparfait et plus-que-parfait correspondant respectivement à l'indicatif présent ou passé composé. Mais la transposition du négatif en positif et du positif en négatif se fait toujours.

Parfois *comme si* à l'intérieur d'une phrase garde sa valeur d'exclamation et est donc soumis aux conditions qui viennent d'être précisées. Dans la phrase suivante, il est question de compartiments vides interdits aux civils et dont les portes sont fermées : *Ils secouent les portes des compartiments vides, comme si on ne les aurait pas déjà ouverts si cela avait été possible !* (E. Triolet, *Le premier accroc...*, p. 87). Le sens n'est pas : Ils secouent les portes comme si on n'avait pas déjà ouvert ces compartiments. Ce serait absurde. Mais : Ils ont tort de secouer ces portes, on aurait certainement déjà ouvert ces compartiments si cela avait été possible.

On remarquera le point d'exclamation conservé par l'auteur. C'est à tort qu'on l'omet parfois ; il marque dans le style écrit ce que l'intonation marque toujours dans le style oral : *Vous servirez le café dans mon boudoir, dit-elle. Comme si une pièce plus restreinte (...) limiterait l'angoisse de voir le passé surgir de ses ombres* (G. Beaumont, *La harpe irlandaise*, p. 89).

Commémorer, v.tr.dir., marquer par une cérémonie le souvenir d'une personne ou d'un évènement. Cette cérémonie s'appelle une **commémoration.** Le langage châtié garde à *commémorer* son sens propre et évite de lui donner par extension celui de « rappeler, célébrer, fêter ». Proprement, on ne commémore pas un anniversaire, le souvenir, la mémoire, on les célèbre ; mais on commémore une naissance, une mort, une victoire.

Commencer, v.tr.dir. ou intr., 1. **Auxiliaire** de l'intr., *avoir : La séance a commencé à deux heures.* On n'emploie *être,* en dehors du passif, que pour marquer un état se situant au moment marqué par le temps du verbe *être : Nous sommes arrivés trop tard, la séance était commencée* (*avait commencé* marquerait un antérieur). *La séance est déjà commencée, a commencé il y a dix minutes, est commencée depuis dix minutes.* Au passif : *La bouteille est commencée.*

2. *Commencer* à ou **de** + *infinitif.* Les deux tours sont corrects et d'un emploi indifférent pour le sens, même s'ils ne le sont pas toujours — mais c'est très subjectif — pour l'oreille.

3. *Commencer* **par,** *Devant un infinitif* : c'est une faute de l'employer, par analogie avec *finir par,* pour le début de l'action exprimée par l'infinitif (*Il finit par m'ennuyer* = À la fin, il m'ennuie). On ne dit donc pas *Il commence par m'ennuyer* dans le sens de *Il commence à m'ennuyer.*

Commencer par se dit, en parlant de personnes, dans le sens de « faire en premier lieu » : *Commencez par vous taire, par n'en plus parler.* Devant un nom ou un pronom : *Commençons par un potage. Je commencerai par lui, par cela.* Ne pas dire dans ce sens *avec cela*, qui s'entend en France comme en Belgique, mais est nettement suspect. On dit : *La séance commença par un discours du président.*

Il n'y a aucune incorrection à dire : *Commençons par le commencement* mais il faut éviter [*Commençons d'abord*] *par cela.*

4. **Être commencé de** (ou **à**) + infinitif sert de passif à *commencer de* (ou *à*) + infinitif. C'est le même tour qu'on a dans *achevé d'imprimer*, qui est justifié par sa fréquence. Mais *une robe commencée de garnir, un édifice commencé à* (ou *de*) bâtir sont très rares.

Comment, adv. Cf. Comme, 2, adv. Il est ridicule, quand on admet et doit admettre *Comment vas-tu ?*, de vouloir condamner *Dis-moi comment tu vas* (interrogation indirecte). Mais on ne dira pas : *Comment que tu vas ?* Le français actuel rejette *comment que*, soit dans son emploi classique (*comment que ce soit* = de quelque façon que ce soit), soit dans son emploi interrogatif ou exclamatif. On dit : *Comment a-t-il fait ?* (ou *Comment est-ce qu'il a fait ?* : cf. Est-ce que, 1). En subordonnée : *Dis-moi comment cela s'est fait.*

Commerce, n.m. 1. On dit en Belgique : [*commerce à remettre*] pour *commerce à céder, à vendre.*

2. Si *commerce* est plus littéraire que vraiment vivant dans le sens de « rapports sociaux », on dit fort bien : *être d'un commerce agréable.*

3. *Hors commerce* est correct.

Commettre, v.tr.dir. On *accomplit* une bonne action, un exploit, on *commet* une imprudence, une faute. On *se commet* avec des gens peu recommandables (on les fréquente).

Comminatoire, adj., menaçant. Le verbe **comminer** n'est plus employé en France ; il survit en Belgique dans les milieux judiciaires (*comminer une peine*, menacer d'une peine). Ne pas confondre avec *commuer*, changer.

Commis, n.m. Un féminin normal, *commise*, s'est introduit dans l'administration et le commerce. Il n'est pas courant. *Commis voyageur*, n.m., s'écrit sans trait d'union.

Commissaire d'arrondissement, n.m., appartient à la langue officielle belge et correspond de très loin à sous-préfet.

Commissaire-priseur, n.m. L'usage et les dictionnaires actuels (sauf celui de l'Académie) mettent un trait d'union.

Commission, n.f. On emploie fort bien *commission* pour une marchandise à acheter, une course d'approvisionnement, un message transmis, un service rendu, etc. : *Il est allé faire des commissions, les commissions, ses commissions, une commission.* **Dérivés :** deux *n.*
　　Faire la (ou *sa*) *petite* ou *grosse commission* appartient au français familier et se dit en parlant des enfants.

Commotionner, v.tr.dir., frapper d'une commotion. On n'oubliera pas qu'une commotion n'est pas une simple émotion, mais un choc violent et, au figuré, une vive émotion.

Commun, adj. Une chose est commune à une personnne **et** à une autre, aux deux ; une chose a qqch. de commun **avec** une autre ; il n'y a pas de commune mesure **entre** une chose *et* une autre. L'Ac. donne l'exemple : *Cette joie m'est commune avec bien des gens.*

Communal, adj., s'entend et se lit en France à propos par exemple d'une école, d'un bâtiment, d'une fête, de biens, mais beaucoup moins qu'en Belgique où il se substitue à *municipal* et où la mairie, appelée en certaines régions de France *maison commune,* se dit *maison communale.* L'adjectif *communal* s'applique en Belgique au secrétaire de mairie, au conseil et aux conseillers qui dirigent la commune, à la loi qui régit celle-ci et qu'en France on appelle *le code municipal,* à ce qui, stade, piscine, théâtre, etc., appartient à la commune.

Communautaire, adj., s'emploie beaucoup en langage d'Église aujourd'hui ; on parle de *vie communautaire,* d'*esprit,* de *messe communautaire.* Il s'applique aussi à ce qui appartient au Marché commun, à la Communauté économique européenne : *Les dispositions, les prix, les tarifs communautaires.* Mais dans les États où s'affrontent des communautés linguistiques ou religieuses, et notamment en Belgique, et de là aussi dans la presse française, *communautaire* s'emploie à la fois, à vrai dire sans équivoque, dans le sens de « qui est fondé sur le particularisme de ces communautés » *(les partis communautaires, les objectifs, les problèmes communautaires)* et dans celui qu'on aurait pu exprimer par intercommunautaire, « entre communautés » *(un accord communautaire, les relations communautaires).*

Communier, v.intr. ou tr.dir. *Elle communie* (ou *elle va à la communion*) *chaque semaine. Le prêtre communie les fidèles (les communiants).* Cf. Confirmer.

Communiquer, v.intr. *Une personne communique avec une autre,. Elles communiquent entre elles. Elles communiquent par téléphone.* En parlant de choses : *La cuisine communique avec la salle à manger, ces deux pièces communiquent.*

Se communiquer. *Ils se sont communiqué leurs impressions. Le feu s'est communiqué au bâtiment voisin. La fièvre s'est communiquée à toute la famille.* Distinguer le participe (**communiquant**) et l'adjectif verbal (*vases* **communicants**).

Compagnie, n.f. *On tient* ou *on fausse compagnie à qqn.*

Compagnon, n.m. Féminin : *compagne.* Rare et plutôt péjoratif, *compagnonne.* Deux *n* après *gno* dans **campagnonnage,** n.m.

Comparaison, n.f. On ne dit plus : *à comparaison de.* On dit : **en comparaison de, par comparaison avec** (plutôt que *par comparaison à*). *Faire une comparaison entre deux êtres* ou *deux choses* ou *entre l'un et l'autre.* Emploi de *celui* dans les comparaisons, cf. CELUI, 6.

Comparaître (accent circonflexe sur *i* devant *t*), v.intr., se conjugue avec *avoir : Ils* **ont** *comparu devant le juge.*

Comparant, n. ou adj. On parlera, dans un jugement, de la partie comparante (qui comparaît), du comparant, de la comparante. S'il y a un complément avec *par,* on dit : *comparaissant par Me X.*

Comparer à ou **avec** sont généralement équivalents ; toutefois, s'il s'agit d'un simple rapprochement, on emploie *à* (on compare une voiture à une autre, une femme à une fleur) et si l'on fait une comparaison minutieuse pour établir les ressemblances et les différences, on dit plutôt *avec* (on compare une traduction avec l'original).
S'il est normal de condamner [*comparer ensemble*], il est abusif de condamner *comparer* **entre** *eux : Comparer plusieurs auteurs, les comparer entre eux* (Ac.).

Comparse, n. Un comparse n'est pas un *complice,* mais au contraire une personne qui joue un rôle insignifiant dans une affaire.

Compatir, v.tr.ind. Pas d'accent circonflexe (à la différence de *pâtir*). *On compatit à la peine de qqn.* Absolument : *on compatit.*

Compendieusement = brièvement, sans rien omettre d'essentiel.

Compensation, n.f., garde son sens (action de compenser, de contrebalancer heureusement) dans *en compensation* (en revanche, en échange).

Compère-loriot, n.m., nom du loriot ou de l'orgelet ; pluriel : *des compères-loriots.*

Compétence, n.f., peut se dire d'une personne compétente. Il s'emploie au pluriel dans ce sens mais non dans le sens abstrait (aptitude, capacité). On écrira : *Ces personnes sont sorties de leur compétence* (ou de leurs attributions).

Compétitif, adj., se dit de ce qui permet ou peut supporter la compétition, la concurrence : *Un marché compétitif. Des prix compétitifs* ou *concurrentiels.*

Complément commun. La langue classique ne craignait pas de dire : *Aller et revenir d'une ville.* On n'employait que la préposition demandée par le second verbe coordonné, au lieu de lire : *Aller dans une ville et en revenir.*

Aujourd'hui, la langue soignée veut qu'un complément commun convienne à chacun des mots, verbe, adjectif, préposition, etc. dont il dépend : *Arriver et entrer dans une ville.* De même : *Désireux et impatient de nous rencontrer* (mais : *désireux de se justifier et prêt à le faire*). *Avant et après la classe* (mais : *au début de la classe et pendant celle-ci*).

Cette exigence de l'usage moderne est très souvent négligée dans la langue parlée. La langue écrite la respecte davantage. Exemples de négligences à éviter ; après deux prépositions : *La danse passionnée de Tenn autour et dans les plaies ouvertes gratuitement sur le corps de Speranza* (M. Tournier, *Vendredi,* Folio, p. 156). Après deux verbes : *Des visiteurs parfois, allant ou revenant de Palerme, tentaient leur chance* (E. Charles-Roux, *Oublier Palerme,* Poche, p. 173). *D'autres mannequins entraient ou sortaient des cabines* (P. Modiano, *Rue des boutiques obscures,* p. 178). *L'immense popularité que la télévision a donnée à vos travaux et à votre personne a ravivé et donné une acuité nouvelle à la vieille question que pose l'histoire* (A. Roussin, *Réponse à Alain Decaux,* reçu à l'Académie française). Il serait facile, dans ces trois dernières phrases, d'éviter l'incorrection : *allant à Palerme ou en revenant ; entraient dans les cabines ou en sortaient ; a ravivé la vieille question que pose l'histoire et lui a donné une acuité nouvelle* (ou : *et a donné à cette question une acuité nouvelle*). On dira donc : ***Sur la plage** et **près de celle**-ci* (ou *et à proximité*). *Un résultat **supérieur ou égal à** 10.*

En ce qui concerne les **pronoms** *me, te, nous, vous* qui peuvent, sans changer de forme, être compléments directs ou indirects, si la règle est la même, l'usage est plus souple et se laisse davantage influencer par la tradition classique, plus libérale. On trouve aujourd'hui comme au XVIIe siècle le pronom exprimé une seule fois avec une double fonction, du moins quand les verbes sont à un temps composé. Ne citons que deux écrivains excellents : *Il m'a pris par le cou et demandé pardon* (G. Duhamel, *Les plaisirs et les jeux,* p. 150). *Et un autre de mes aînés dont l'amitié m'avait appelé, appuyé, ouvert la porte* (M. Genevoix, *La perpétuité,* p. 117).

Normalement, il conviendrait de répéter et l'auxiliaire et le pronom : *et m'a demandé pardon, et m'avait ouvert la porte.* Personnellement, je me refuserais à écrire avec des accords différents des participes : *Il nous a calomniés et fait du tort. Il nous a parlé et félicités.* Cf. PRONOMS PERSONNELS ET RÉFLÉCHIS, 6, p. 766, AUXILIAIRES, 2, c, p. 133.

Complément d'objet direct ou indirect. *Mise en relief* par inversion et recours à un pronom : *Tu as vu ton ami* devient *Ton ami, tu l'as vu* ou *Tu l'as vu, ton ami.* — *Tu as parlé à cette femme* devient *Cette femme, tu lui as parlé* ou *Tu lui as parlé à cette femme.* Avec *en* ou *y : Je tiens à ce livre* devient *Ce livre, j'y tiens.* Cf. PRONOMS PERSONNELS.

Compléments d'un même verbe. La langue classique hésitait moins que la nôtre à coordonner avec *et* (et aussi avec *ou, ni, mais*) des compléments qui n'étaient pas de même nature grammaticale (noms, adjectifs, pronoms, infinitifs, propositions complétives) : *J'en suis persuadé et que de votre appui je serai secondé* (Molière). *Je le souhaite fort et de pouvoir remettre en train mon commerce de la poste* (Sévigné). *Le Roi craignait le poids des affaires et de manquer d'un homme capable de l'en soulager* (La Rochefoucauld).

Certaines de ces asymétries restent courantes ou possibles aujourd'hui ; on dit sans hésiter : *C'est un élève intelligent, mais qui ne travaille pas* (adjectif + relative). *Il demanda son chemin et si c'était loin* (nom ou pronom + interrogation indirecte). Le tour est très vivant avec une interrogation indirecte : *J'ai vu son chagrin et combien elle était désemparée.* On peut sans doute dire encore : *Ah ! savez-vous le crime et qui vous a trahie ?* (Racine), mais on le fait surtout après un complément prépositionnel : *Demandez-le au concierge et à qui vous voudrez.* En dehors même de l'interrogation indirecte, après un tel complément : *Je m'étonnais de son aménité et que ses yeux fussent rougis par les larmes* (Fr. Mauriac, *La robe prétexte*, p. 24). Même après un nom complément direct on trouve une complétive coordonnée : *Ainsi lui avons-nous appris (...) les soupers au strip-tease et que les plus belles huîtres pouvaient encore se rouvrir devant elle* (A. Blondin, *Quat'saisons*, Éd. Rombaldi, p. 93). *Elle attendait mes confidences et que je trahisse le secret.* Une complétive est suivie d'un infinitif complément : *Je voudrais que le mur soit transparent et suivre, autrement que par bribes, cette cérémonie* (M. Butor, *Passage de Milan*, 10/18, p. 96). Ou l'inverse : *Tu veux le suivre et qu'on te laisse la paix ?* Ou après une proposition infinitive : *J'ai vu sa figure s'allonger et qu'il ne s'attendait pas à cela.* Pour plus de précisions, cf. A. Lorian, *La substantive attelée*, dans la *Revue de linguistique romane*, juillet-décembre 1978, pp. 324-354.

Complétage, n.m. L'Office de la langue française, en 1938, a approuvé le néologisme *complétage*, utilisé par l'administration, pour l'action de compléter, de rendre complet (un dossier, une carte, etc.). Il écartait *complétement,* à cause de son voisinage avec l'adverbe *complètement.* On peut observer aujourd'hui que le nom *complétement,* devenu **complètement**, est donné comme rare dans ce sens par les dictionnaires, qui ne citent pas *complétage.* L'administration semble se passer du substantif exprimant l'action.

Complexe, n.m., ne s'applique pas seulement à un ensemble de bâtiments industriels, mais à un ensemble de bâtiments groupés à cause de leur utilisation commune : *complexe hospitalier, universitaire, touristique.*

Complicité, n.f., perd parfois son sens défavorable (participation à un délit) et exprime avec l'approbation des dictionnaires une entente profonde, un concours favorable, dans un sens très large : *Pour bien réussir une convalescence, il y faut la complicité du printemps* (Gide).

Compliment, n.m., **complimenter,** v.tr.dir. Il n'y a pas lieu de refuser l'emploi de *compliments* pour *félicitations.* Mais *compliments* signifie en outre « message de politesse dont on charge qqn » : *Des compliments chez vous* ou *pour lui* ou *à votre frère.* On dit généralement *complimenter qqn sur qqch.* ou *faire compliment* (ou *faire des compliments*) *à qqn sur qqch. ;* parfois *pour.* On trouve *de : Par politesse, je l'ai complimenté de quelque guéridon ou de quelque bibelot affreux* (J. Dutourd, *Pluche,* Poche, p. 219). *Tout brille de propreté dans ces trois petites pièces où vit notre hôte. Je lui fais des compliments d'un très beau Bérard, un portrait de l'artiste* (J. Green, *Journal,* 15 avril 1932).

Comporter, v.tr.dir., porter en soi, par nature, ou même admettre, permettre : *Cet appartement comporte deux pièces et une cuisine. Ce problème comporte une difficulté. Cette loi comporte six articles. Cette règle ne comporte aucune exception.* Mais c'est abusivement qu'on déclare, en donnant à *comporter* le simple sens de « comprendre », que tel menu comporte un hors-d'œuvre, un plat et un dessert ou qu'une robe comporte des dessins à fleurs ou qu'un catalogue comporte telle ou telle rubrique.

Composter, v.tr.dir., marquer, numéroter avec un *composteur,* appareil mécanique à lettres ou à chiffres interchangeables et servant à numéroter ou à dater des documents : *Le voyageur est invité à composter lui-même son billet.*

Compote, n.f. On écrit : *Une compote de pommes, de poires,* etc.

Comprendre, v.tr.dir. 1. *On comprend qqn ou qqch. On ne comprend rien à qqch. Il ne comprend rien à rien. Il n'y comprend rien.*

2. **Mode** après **comprendre que** : indicatif, conditionnel ou subjonctif selon le sens. *Comprendre* garde toujours dans ce cas le sens fondamental de « saisir par l'esprit, par la pensée ». Mais on peut saisir intellectuellement **l'existence même du fait, s'en rendre compte** ; celui-ci, qu'on découvre, est alors mis à l'indicatif : *Je comprends, à son air, qu'il va partir. S'ils refusent, tu comprendras que ce n'est pas ma faute. — Quand vous me connaîtrez mieux, vous comprendrez que vous avez eu tort de me traiter en ennemi* (H. Troyat, *La tête sur les épaules,* Poche, p. 213). *Plus*

j'y réfléchis et mieux je comprends qu'un écrivain libre n'a pas sa place dans l'Europe telle qu'elle est en train de se constituer (J. Green, *Journal,* 19 novembre 1932). Le sens est bien « se rendre compte d'un fait qu'on découvre » et non pas vraiment « trouver naturel », bien que la nuance puisse paraître faible. — Si ce même fait devait être énoncé au conditionnel en proposition principale, il resterait à ce mode en subordonnée : *Il comprenait enfin qu'il aurait dû agir autrement.*

Il est naturel qu'on emploie généralement l'indicatif quand *comprendre* est accompagné de *bien* ou de *croire* : *J'ai bien compris qu'on ne pouvait compter sur lui. Vous comprenez bien que c'est impossible. Je crois comprendre qu'il ne s'est même pas excusé.*

On peut d'autre part saisir **les motifs du fait déjà connu** et le trouver normal, l'admettre ; *comprendre* signifie alors « s'expliquer, ne pas (ou ne plus) s'étonner », « comprendre pourquoi » et est suivi d'un subjonctif (comme le serait *je ne m'étonne pas*) : *Je comprends qu'il soit parti, qu'il soit content, qu'il n'ait pas réagi.* — *C'était bien raisonné et je comprends qu'elle ait apprécié* (E. Charles-Roux, *Oublier Palerme,* Poche, p. 22). *Ils refusaient tous de comprendre qu'elle pût être là pour son propre compte* (R. Gary, *Les racines du ciel,* Folio, p. 479). *Les soldats l'adoraient (ce chien) et comprenaient une fois de plus que je sois favorisé* (J. Marais, *Histoire de ma vie,* Poche, p. 196). Cette nuance n'est pas toujours respectée : *L'homme n'avait pu cependant se tromper aussi souvent et on ne comprenait pas davantage que, s'accusant spontanément d'un crime, il avait donné volontairement des renseignements inexacts* (R. Floriot, *Les erreurs judiciaires,* p. 81). Le sens est bien « s'expliquer » ; l'auteur emploie sans doute l'indicatif à cause de l'évidence du fait relaté dans la subordonnée et parce qu'on l'emploierait après *comprendre pourquoi.*

S'il ne s'agit pas d'un fait déjà connu, mais d'un **fait nouveau** que l'on énonce, dont on comprend les raisons, il se met à l'indicatif s'il est vraiment affirmé comme une chose dont on ne peut douter ; le subjonctif peut apparaître s'il y a une idée d'éventualité : *Vous comprenez que cela doit m'inquiéter* (Ac.). *Vous comprendrez qu'il ne m'est pas possible (ou qu'il ne me soit pas possible) de faire ce que vous demandez.* On dirait, le fait étant bien connu : *Vous comprendrez qu'il ne m'ait pas été possible de faire ce que vous demandiez.*

Quoi que disent certains grammairiens, ce n'est donc pas la forme positive ou négative de *comprendre* ni la présence ou l'absence de *sans* qui détermine le mode du verbe qui suit ; c'est le sens : *Il comprend enfin (ou Il ne comprend pas ou Il ne parvient pas à comprendre ou Il nous regarde, sans comprendre) que nous sommes ses amis. Je comprends (ou Je ne comprends pas ou Je reste là sans comprendre) qu'on nous ait opposé un refus.*

On peut hésiter à donner à un seul emploi de *comprendre,* dans une même phrase, ces deux sens entraînant deux modes différents. Plutôt que : *Je comprends qu'il est trop tard et que vous ne puissiez plus accueillir*

notre réclamation, je dirais : *Je vois bien qu'il est trop tard et je comprends que vous ne puissiez plus...*
Il est compréhensible que est suivi du subjonctif.
Notons l'expression : **Comprenne qui pourra.**

Compresser, comprimer, v.tr.dir. *Compresser* est un vieux verbe français que l'usage avait abandonné et qui fait aujourd'hui concurrence à *comprimer.* Tous deux évoquent l'idée fondamentale de « presser, serrer ». Mais *compresser* ne s'emploie guère que pour des corps entassés : ***Des voyageurs compressés** dans un compartiment.* On doit employer *comprimer* non seulement au sens propre d'« exercer une pression sur qqch. pour en réduire le volume », mais dans les divers sens figurés, en parlant de la pensée, des sentiments, des dépenses : *Cette robe lui comprimait la poitrine.* ***Comprimer une artère,** de l'air, du gaz, un désir, une colère, des larmes,* etc.
Le substantif est toujours **compression.**

Compris (y, non). *Accord*, cf. Participe passé, A, 1, p. 673 : *y compris les annexes ; les annexes y comprises.*
On n'est pas tenu de répéter après *y compris* la préposition qui précède le terme dans lequel il y a inclusion : *La plainte a été appuyée par tous les pays arabes, y compris l'Égypte.* Cependant on la répète parfois comme si on disait « et aussi, et même » : *Il se préoccupe de tout, y compris du moindre détail.* Cf. Préposition, 2.

Comptant, n.m., adj. m. ou adv. **Nom** : *Le comptant,* opposé au terme, en Bourse. L'**adjectif** ne s'emploie qu'au masculin : *Il a pris cela pour argent comptant* (il y a vraiment cru). Il varie dans l'expression figée *à (beaux) deniers comptants* mais, perçu comme un **adverbe**, reste invariable après l'indication d'une somme ; *mille francs comptant.* Adverbe : *payer comptant, régler comptant.* Loc. adv. : *acheter, vendre au comptant.* Adjectivement : *une vente au comptant.*

Compte, n.m. 1. On dit fort bien : *être loin de compte* (être fort éloigné de ce qu'on espérait), *être loin du compte ; au bout du compte, en fin de compte ; tout compte fait* (tout bien considéré).

2. *On se rend compte de qqch. Ils se sont rendu compte qu'on les trompait.* Il ne faut pas se croire obligé d'employer *de ce que* (très lourd) dans une telle phrase.

3. Mais avec **tenir,** on semble dire plutôt *tenir compte de ce que : Il faut tenir compte aussi de ce que les hommes se font leurs opinions et fixent leur goût entre dix-huit et trente ans* (M. Garçon, *Discours de réception à l'Académie française*).

4. On écrit : *un règlement de compte* ou (plus souvent) *de comptes.*

5. En Belgique, *faire son compte* s'emploie pour *s'y prendre* : [*Je ne sais pas comment il a fait son compte*].

6. Cf. CHÈQUE.

Compte-goutte, n.m. *Un compte-goutte* (ou *un compte-gouttes*), *des compte-gouttes.* Cf. Noms composés, B, 5, p. 626.

Compter, v.tr.dir. et intr. *Que comptez-vous faire ? Je compte sur lui. Il faut compter avec lui* (= tenir compte de lui). *Compter de* + infinitif est vieilli. On dit : *Je compte l'avertir* (= je me propose de l'avertir). *Je compte qu'il viendra.*

Compter une somme à qqn peut avoir, selon le contexte, deux sens opposés : *Passez à la caisse, on vous comptera* (paiera) *deux cents francs. On a lui a compté* (facturé) *la bouteille deux francs.*

Compte rendu, n.m., est écrit par l'Académie sans trait d'union. De nombreux auteurs écrivent cependant : *Un compte-rendu.*

Concéder, v.tr.dir. dans son emploi général, implique l'idée de faveur, de consentement, d'acceptation ; mais dans l'usage courant, en langage sportif, *on concède un but, un coup de coin,* bien qu'il n'y ait aucune concession volontaire. **Concéder que** : *Je concède qu'il l'a dit.*

Concepteur, n.m., se dit de celui qui est chargé de proposer des idées nouvelles aux firmes commerciales ou industrielles, aux agences de publicité, etc.

Concerner, v.tr.dir., avoir rapport à, toucher à, s'appliquer à : *Cela ne le concerne pas. En ce qui concerne* (ou *pour ce qui concerne*) *qqn* ou *qqch. En ce qui le concerne* ou *En ce qui concerne sa demande, il peut compter sur moi. Des mesures concernant la circulation. Concernant cette affaire* (ou *en ce qui concerne cette affaire*), *j'écrirai à votre avocat.*

Concerné. L'emploi au passif est certainement correct dans le sens de « être impliqué dans, touché par » : *Votre ami est* **concerné dans** *cette affaire* (Littré). *Nous sommes tous* **concernés par** *cette mesure. Autrefois l'existence individuelle semblait seule concernée dans cette syllabe prestigieuse* (A. Thérive, *Clinique du langage*, p. 304, parlant de vie). Ce qu'il faut éviter, c'est de substituer purement et simplement, à la voix active, *concerner* à *intéresser* (dans le sens de « constituer un objet d'intérêt pour, retenir l'attention de »), par exemple dans : *Cette affaire ne m'intéresse pas* ou *Cet homme ne m'intéresse pas.*

Concert, n.m., **conserve,** n.f. **De concert** et **de conserve**, malgré leur différence originelle de sens, ont fini par se rapprocher.

De concert (formé avec le nom *concert*, de l'italien *concerto*, accord), en accord parfait (c'est à tort que certains chroniqueurs veulent qu'on n'emploie cette expression que par référence au verbe *se concerter* : avoir des échanges de vues pour préparer une action commune). On dit très bien : *Ils agissent de concert. Elle fait cela de concert avec lui.*

De conserve est formé avec le nom féminin *conserve* dans son sens maritime : *la conserve,* c'est le navire qui fait route avec un autre pour le protéger. D'où *naviguer de conserve,* ensemble (sans se perdre de vue) ; puis *de conserve* s'est employé avec d'autres noms et verbes dans le sens de « ensemble », « en même temps ». L'Académie admet le sens très large d'*agir de conserve* (avec qqn) : agir, opérer d'accord avec qqn. Notons que, dans l'usage courant, on dit plus souvent *de concert* (avec qqn) dans ce sens figuré. S'il n'y a pas accord, on dira *ensemble* (ou parfois *de conserve*).

Concertation, n.f., a été admis par l'Académie dans un sens très général pour l'élaboration en commun, par les responsables et les intéressés, de décisions qui les concernent.

Concerto, n.m. Pluriel : **des concertos.**

Concetti, n.m.pl. : *Des concetti* (traits d'esprit trop recherchés). On dit parfois, abusivement, [*un concetti*] et, très rarement, *un concetto.*

Concevoir que est suivi de l'indicatif, du conditionnel ou du subjonctif, selon le sens, comme *comprendre* (voir ce verbe) : *Tu peux aisément concevoir* (saisir le fait par l'esprit, imaginer) *que je ne me laisserai pas faire, qu'ils ne se seraient pas laissé faire. Je conçois* (je m'explique, je trouve naturel) *qu'il n'ait pas été content. Il concevait mal qu'on pût s'y fier. Je ne conçois pas qu'on l'ait fait attendre.*

Conclure, v.tr.dir. Attention au passé simple *(je conclus)* et au futur simple *(je conclurai).* On trouve [*concluai-je*] et [*je concluerai*], comme si le verbe était [*concluer*]. — On conclut **à qqch.,** après une réflexion, un examen de la question : *Les médecins ont conclu à sa non-responsabilité. J'en ai conclu qu'il était jaloux.* On trouve, en termes de procédure : *conclure à ce que.*

Concomitant, adj. Un seul *t* (latin *concomitari,* accompagner). Se construit normalement avec **de :** *La chute de la vie, concomitante de la dévaluation.*

Concordance des temps. A. À l'indicatif ou au conditionnel. Voir l'emploi de ceux-ci aux divers noms des modes et des temps. Cf. aussi Grevisse, *B.U.,* n°s 2728 et suiv. Lorsque la subordonnée est à l'indicatif ou au conditionnel, on emploie le temps requis par le sens. Il suffira de donner ici quelques exemples : *Je sais qu'il le pense, qu'il le pensait, qu'il le pensa, qu'il l'a pensé, qu'il le pensera, qu'il le penserait,* etc. *Je savais qu'il était là ; qu'il l'avait dit, qu'avec lui on a toujours tort, que vous vous êtes intéressé à lui, que vous vous intéressez à lui* (non seulement alors, mais encore maintenant). *On m'a dit qu'il vous en voulait* ou *qu'il vous en veut, qu'il s'est plaint* ou *qu'il s'était plaint. C'est pour vous que je le fais* ou *faisais* ou *C'était pour vous que je le faisais.* Cf. CE, 6, *c'est,* p. 204.

B. Au subjonctif. Lorsque le verbe principal est au présent ou au futur, le verbe subordonné, s'il est au subjonctif, se met au présent pour exprimer la simultanéité ou la postériorité par rapport au fait de la principale ou au passé pour exprimer l'antériorité par rapport au fait de la principale ou à un moment à venir que l'on précise : *Je souhaite qu'il soit là, qu'il s'en aille, qu'il soit parti, qu'il soit parti avant notre arrivée.* Voir plus loin les remarques 3 et 4.

Lorsque le verbe principal est à un temps passé, en théorie (voir la remarque 2) le verbe subordonné, s'il est au subjonctif, se met à l'imparfait s'il y a simultanéité ou postériorité par rapport au fait de la principale, au plus-que-parfait s'il y a antériorité par rapport au fait de la principale ou à un autre moment passé que l'on précise : *J'étais heureux qu'il fût là. J'attendais qu'il s'en allât. Je souhaitais qu'il fût déjà parti. Je souhaitais qu'il fût parti avant que commençât la discussion.*

On trouve dans la phrase suivante, après *supposer que* réclamant le subjonctif, l'emploi d'un subjonctif plus-que-parfait ; *Supposez que Martine eût en effet mérité la haine de sa maîtresse* (A. Hermant, *Xavier...*, 1923 ; p. 52). C'est l'éventuel du subjonctif. Cf. 3, b.

REMARQUES. 1. **Le conditionnel présent** de la principale peut, quel que soit son sens, être considéré aujourd'hui comme un temps présent ou un temps passé : *Je voudrais qu'il vînt* (ou *qu'il vienne*). *Je regretterais qu'il fût parti* (ou *qu'il soit parti*) *sans nous attendre. Pour éviter un accident, il faudrait qu'on appliquât* (ou *qu'on applique*) *rigoureusement le règlement.*

2. **L'imparfait et le plus-que-parfait du subjonctif** s'emploient de moins en moins, surtout dans la langue parlée courante, mais aussi dans la langue écrite, où pourtant ils survivent. Notons d'abord qu'ils subsistent surtout dans des expressions figées qui, à la troisième personne, avec inversion du sujet, expriment l'opposition ou la condition : *fût-il, dût-on, ne fût-ce que,* etc. Parce qu'elles sont figées, elles peuvent s'employer avec un présent ou un futur : *Dût-on me le reprocher, je suis prêt à le faire. Je l'écouterai, ne fût-ce qu'un instant.* De même *rien qui vaille, âme qui vive, coûte que coûte, vaille que vaille* restent couramment au présent, même s'ils dépendent d'un passé.

En dehors de tels cas, le remplacement du subjonctif imparfait par le subjonctif présent et du subjonctif plus-que-parfait par le subjonctif passé dans les subordonnées ne cesse de s'accentuer ; même quand le fait subordonné est passé.

On peut certes encore employer l'imparfait ou le plus-que-parfait. Mais on doit savoir qu'aujourd'hui des formes comme *accompagnasse* ou *vinssiez* sont devenues si rares, non seulement dans la langue parlée mais en littérature, qu'elles font sourire ceux-là même qui restent fidèles au subjonctif.

On ne trouve guère, plus ou moins couramment, l'imparfait et le plus-que-parfait du subjonctif qu'avec les verbes *être* et *avoir*, à la 1re et surtout à la 3ᵉ personne du singulier, plus rarement à la 3ᵉ personne du pluriel et, avec les autres verbes, à la 3ᵉ personne du singulier (particulièrement avec *pouvoir, devoir, vouloir*) : *Il a regretté qu'on lui refusât* (ou *refuse*) *ce plaisir, qu'on ne voulût* (ou *veuille*) *pas l'attendre. Il regrettait que je fusse là (que je sois là), que son ami fût absent, que ses amis fussent absents, qu'on ne l'eût pas averti.* Même dans ces dernières phrases on emploie souvent le subjonctif présent ou passé.

*Que l'action du film de Julien Duvivier se **passât** en Italie dépaysait assez les Français pour qu'ils **admettent**, quelles que **fussent** leurs opinions politiques, de la voir traiter sur le mode badin* (Claude Mauriac, *Le Figaro littéraire*, 20 juin 1953). On voit que l'auteur a employé *passât* et *fussent* pour marquer des passés mais a reculé devant *admissent*. L'usage s'accommode fort bien de ces discordances et l'on écrit : *Il souhaitait que nous fassions assez d'efforts pour qu'on fût content de nous ; fassions* a beau être au présent, on comprend qu'il s'agit du passé ; *fût* a l'avantage de bien marquer que c'est dans le passé que ce contentement se situe ; *soit* pourrait le situer dans le présent.

Après un passé composé, le présent est nécessaire pour marquer un fait présent ou futur ou qui se vérifie dans tous les temps : *Il a beaucoup vieilli, bien qu'il ait à peine quarante ans. Il m'a fait trop de bien pour que j'en dise du mal. Il a souhaité que nous soyons là demain. J'ai alors éprouvé l'humiliation la plus vive qui puisse troubler un père.*

3. On trouve très régulièrement un **subjonctif imparfait** dépendant d'un présent ou d'un futur, mais exprimant un fait passé :

a) Pour exprimer la durée, comme le ferait en proposition indépendante un indicatif imparfait : *Il semble même que cette indifférence s'étendît chez lui au règne animal* (M. Yourcenar, *Discours de réception à l'Académie française*). *Je ne veux pas laisser croire qu'il mît une ostentation quelconque à ses aventures* (Fr. Sagan, *Bonjour tristesse*, p. 28). *On comprendra que l'élégance de Madeleine Cédrat, jamais en défaut, fût un enchantement* (G. Borgeaud, *Le voyage à l'étranger*, p. 149). Dans ces trois phrases, on pourrait employer le subj. passé. Mais : *Il n'est pas certain qu'il **fût*** (ou *était*) *docteur. Il n'est pas certain qu'il **ait obtenu** son diplôme.*

b) Avec la valeur d'un conditionnel (c'est l'éventuel du subjonctif) : *En est-il un seul parmi nous qui **consentît*** (Ac.) ou ***consentirait...*** Même valeur du subjonctif plus-que-parfait ; *Je doute que tout se fût si bien passé sans son intervention.* Cf. DOUTER, p. 344, 2.

4. Le subjonctif passé après un présent ou un futur se substitue au subjonctif présent pour une action future dont on veut marquer l'achèvement : *J'attendrai qu'il **ait terminé**.* Même emploi du subjonctif plus-que-parfait au lieu de l'imparfait : *Je craignais qu'il n'**eût terminé** avant mon arrivée.* On voit l'équivalence de ces temps avec un indicatif futur anté-

rieur et un indicatif futur antérieur du passé : *Je suis sûr qu'il **aura terminé**. J'étais sûr qu'il **aurait terminé** avant mon arrivée.*

5. Notons enfin que l'on peut souvent éviter des formes insolites du subjonctif en tournant la phrase autrement. On peut dire : *Il souhaitait que j'achète ce livre* ou *Il souhaitait de me voir acheter ce livre ;* on ne dira pas d'ordinaire : *Il souhaitait que j'achetasse ce livre.*

Concorder, v.intr. *Les témoignages concordent* (inutile d'ajouter *entre eux*). *Ses idées concordent **avec** les nôtres.*

Concrètement, adv., de façon concrète, en fait, en pratique.

Concréter, concrétiser, v.tr.dir. Si **concréter** et *se concréter*, rares, peuvent se dire à propos de liquides épaissis, solidifiés, coagulés, ils sont remplacés dans l'usage actuel par *concrétiser* et *se concrétiser* quand il s'agit d'idées, de concepts, de sentiments. On **concrétise** un sentiment **dans** une phrase, **par** un acte. Un sentiment *se concrétise* dans une phrase, par un geste.

Concurrence, n.f., **concurrencer,** v.tr.dir., **concurrent,** adj. et n., **concurrentiel,** adj., **concurremment,** adv. Deux *r*. *Faire concurrence à qqn* ou *à qqch. Concurrencer qqn* ou *qqch.* On parle d'un *secteur concurrentiel* (où règne la concurrence), d'un *prix concurrentiel* (compétitif). **Jusqu'à concurrence de** = jusqu'à ce que telle limite soit atteinte. *On emploie **concurremment** deux langues, ou une chose concurremment avec une autre.*

Concussion, n.f., se dit d'une perception abusive et consciente d'argent par un fonctionnaire. À ne pas employer pour *corruption,* qui implique l'intervention d'une autre personne.

Condition, n.f. On ne dit plus guère *être en condition* pour « servir comme domestique, être en service ». **Mettre en condition :** dans le vocabulaire hippique, *mettre un cheval en condition,* c'est l'entraîner jusqu'à ce qu'il atteigne sa meilleure forme physique. On dit de même qu'un athlète, un coureur est dans une *condition* étonnante. Mais en dehors du langage sportif, *mettre qqn en condition* c'est tout au contraire le mettre progressivement dans un tel état qu'il ne réagira plus au moment décisif.

À (la) condition que, sous (la) condition que se construisent beaucoup moins qu'il y a cinquante ans avec l'indicatif, qui reste permis. Le subjonctif est aujourd'hui le mode courant et il faut renoncer à dire que l'indicatif présente le fait d'une manière plus tranchante ou qu'il est plus fréquent après *à la condition que.*

Sous condition que se dit beaucoup moins qu'*à condition que. Sous la condition que* est devenu rare : *J'y consens à condition* (ou *à la condition*) *que vous partiez demain* (ou *que vous partirez demain*). *On n'a autorisé leur départ qu'à la condition que leur père **signât** ou **signe** (subj. présent) ou **signerait** (indicatif du futur du passé et non conditionnel) la demande. Le* *petit port de Rufisque (...) semblait convenir pour l'opération, à la condition toutefois que celle-ci ne **rencontrât** pas de résistance déterminée* (Ch. de Gaulle, *L'appel*, Poche, p. 134). On pourrait dire *rencontrerait* (indicatif futur du passé). Pour la différence entre le futur du passé et le conditionnel, cf. CONDITIONNEL, A.

Conditionné, adj. *Air conditionné* s'écrit sans trait d'union et ne s'emploie pas comme adjectif : *Nos bureaux* **ont l'air conditionné** ou **sont climatisés.**

Conditionnel. A. Mode ou temps. On a beaucoup discuté, et depuis longtemps, pour savoir si le conditionnel est un mode. Les linguistes préfèrent aujourd'hui le ranger parmi les temps de l'indicatif en lui gardant son nom de conditionnel et en lui reconnaissant deux valeurs :

a) l'une, strictement temporelle, de **futur du passé**, transposition du futur en dépendance d'un temps passé. Comparer : *On est sûr qu'il viendra* ou *qu'il aura bientôt fini* et *On était sûr qu'il viendrait* ou *qu'il aurait bientôt fini.* Le conditionnel présent est appelé aussi dans ce cas futur du passé et le conditionnel passé, futur antérieur du passé.

b) l'autre, incontestablement modale, exprimant non pas la condition mais un **fait conjectural, imaginaire.** Dans le présent ou le futur, ce fait imaginaire est irréel ou plus près de l'irréel ou de l'improbable que de la réalité envisagée comme possible : *J'ouvrirais pour si peu le bec ? Je supporterais pareille injustice ! À votre place je tiendrais bon. Si on m'en priait, je le ferais. À votre place, j'aurais tenu bon. Je l'aurais fait si on me l'avait demandé.*

Cette dernière phrase peut devenir, surtout dans la langue écrite ou littéraire : *Je l'eusse fait si on me l'eût demandé.* Le conditionnel passé est remplacé par le subjonctif plus-que-parfait (cf. SI, conjonction). On a généralement renoncé aujourd'hui à donner à cette forme du subjonctif, dans cet emploi, le nom de conditionnel passé deuxième forme. Cette appellation avait l'avantage de souligner la correspondance entre ce subjonctif et un conditionnel et surtout la possibilité, refusée au subjonctif, d'employer interrogativement cette forme : *Qui l'eût dit ?* (Attention à l'accent circonflexe sur *eût*, à ne pas confondre avec l'indicatif passé antérieur : *il eut dit*).

Mais il est particulièrement anormal de parler de conditionnel passé deuxième forme lorsque, dans la subordonnée après *si*, le subjonctif plus-que-parfait remplace un indicatif plus-que-parfait ; le conditionnel est d'ailleurs exclu après un *si* introduisant une condition.

B. Emplois. 1. Dans les **systèmes hypothétiques** : cf. SI, CAS, 3 et INVERSION, C, 4 (Hypothèses au conditionnel) et 5 (Hypothèses en opposition).

2. *Je ne pense pas que ce soit un homme à qui l'on pourrait* (ou *puisse*) *se fier.* Cf. SUBJONCTIF, *Emploi*, 7. Cf. aussi p. 254, remarque 4, b.

3. **Conditionnel d'atténuation** (cf. FUTUR, 3). Il se substitue par discrétion ou par politesse à un indicatif présent ou futur plus (ou trop) catégorique. Il exprime une volonté atténuée, un conseil, un souhait et parfois suppose ou suggère plus ou moins l'attente d'un consentement fictif comme : *si c'était possible, si vous le vouliez bien, si même on le voulait,* etc. C'est ce qui le distingue du futur d'atténuation : ***Vous plairait-il** de fermer cette porte ? Auriez-vous l'obligeance de m'accompagner demain ? Je vous **serais** obligé de me recevoir. Voudriez-vous fermer la fenêtre ? Verriez-vous un inconvénient à m'accompagner ? Vous devriez le lui dire. Je **voudrais** (pour je veux, je désire) vous parler sérieusement. Je désirerais un renseignement. Je voudrais un kilo de beurre. Je serais curieux de savoir ce qu'il en pense.*

Avec **savoir** (cf. ce verbe) : *Je ne saurais dire* (= je ne puis dire) *s'il s'est trompé. Je vous saurais gré de le faire.*

4. **Refus, doute, on-dit, apparence,** etc. On voit comment, si l'on part de l'expression de l'imaginaire, d'un fait soumis à une éventualité peu probable, on en arrive à l'emploi du conditionnel dans une exclamation indignée impliquant une négation, un refus *(Moi, j'aurais dit cela ? Je pourrais lui mentir !)* ou pour nuancer de doute une question *(Vous l'auriez rencontré ? Seriez-vous malade ?)* ou pour dire ce qui se serait passé *(Il aurait eu cent ans l'an passé,* s'il n'était pas mort) ou ce qu'on n'ose affirmer nettement, un on-dit *(Il y aurait dix morts. Deux wagons auraient déraillé)* ou, avec *dire* et *croire,* l'apparence : *On dirait* (on est tenté de croire) *qu'il est fâché. On se serait cru au marché.*

5. **Conditionnel du rêve,** conditionnel **préludique** (notamment dans le langage des enfants imaginant un jeu) : *Il s'est arrêté à trois pas pour jouir d'une discussion où fleurit le délicieux conditionnel du surréalisme enfantin :* « *Ça ce serait la montagne, dit le gamin blond. Alors vous seriez les Indiens et Ian arriverait par-derrière en rampant avec Basil.* » (H. Bazin, *Les bienheureux de la désolation,* Poche, p. 110).

6. Au lieu de dire logiquement, et correctement d'ailleurs : *Je voudrais avoir été là,* on dit fort bien : *J'aurais voulu être là.*

7. **Remarque importante.** Lorsqu'on dit qu'une conjonction ou un verbe suivi de *que* réclame ou accepte l'indicatif, on admet aussi en principe le conditionnel à valeur modale (sauf après *si* conditionnel) si la subordonnée revêt le caractère qui appelle le conditionnel. Comparer : *Il est venu parce que nous l'avions convoqué* et *Il est venu parce qu'il aurait voulu intervenir dans le débat, mais l'occasion ne lui en a pas été offerte. Je pense qu'il le fera, qu'il le ferait* (si on le lui demandait).

Conditionner, v.tr.dir. Distinguer : 1. *Conditionner des étoffes, l'air d'un bureau,* les mettre dans l'état requis. 2. *Conditionner des articles de confiserie, un emballage,* les préparer pour leur présentation commerciale et leur vente. 3. *Conditionner un fait, une réussite, un départ,* en être la condition, se dit de ce dont dépend un fait : *Cela conditionnera mon acceptation.* 4. *Conditionner qqn,* le mettre en condition ; cf. CONDITION.

Condoléances, n.f., est beaucoup plus souvent au pluriel qu'au singulier dans *lettre de condoléances.*

Condottiere, n.m. Pas d'accent d'après l'Académie et l'ensemble des dictionnaires. On écrit cependant aussi **condottière** et on n'a pas tort puisque le mot s'est francisé au point que le pluriel *condottieri* a vieilli au profit de *des condottieres* (ou *des condottières*).

Conduire, v.tr.dir. C'est à tort qu'on a vu un anglicisme dans *conduire un orchestre,* qui n'est pas nouveau. *Conduire* signifiant « mener en étant à la tête », on peut fort bien dire *conduire une entreprise, une enquête,* etc., même si cela semble un anglicisme.

Conduite, n.f. On peut évidemment parler d'une. *conduite intérieure* en parlant d'une voiture. L'expression *s'acheter une nouvelle conduite* (s'amender) est familière.

Conférence, n.f. On *fait,* on *donne,* on *prononce* une conférence. **Conférencier** n'apparaît dans les dictionnaires que comme nom, alors que le **verbe** se répand à bon droit. On *donne* ou *on tient une conférence de presse.* Un directeur est *en conférence* avec ses collaborateurs. *Avoir une conférence* (un entretien) *avec qqn* est plus littéraire qu'usuel. On écrit *Maître de conférences.*

Confesse, n.f. *Aller à confesse. Revenir de confesse. Aller se confesser.* Deux *n* dans **confessionnal, confessionnel.**

Confetti, n.m., est proprement un pluriel (italien *confetto,* dragée). Employé au singulier, il peut rester invariable (*un* ou *des confetti*), mais à partir de là s'est formé un pluriel en *s,* accepté aujourd'hui comme celui de *macaroni* (*du macaroni* ou *des macaronis*).

Confiance, n.f., intervient dans plusieurs expressions ou locutions verbales où il convient de noter l'emploi de diverses prépositions.

Avoir confiance, *avoir (une) grande confiance,* **mettre** ou **placer sa confiance, manquer de confiance** : *J'ai (grande) confiance en Dupont, en Dieu, en lui, en* ou *dans mon directeur, en* ou *dans vos capacités, en* ou *dans cet homme, en* ou *dans un remède, dans la capacité de mes collaborateurs.* On emploie plutôt *dans* devant l'article défini.

L'Académie mentionne : **Prendre confiance** *en quelqu'un. Prendre confiance en qqch.* (Bossuet). **Faire confiance à qqn, à qqch.,** et non [*en*] : *Faire confiance à Dupont, à un collaborateur, à son expérience, lui faire confiance.* Le tour est correct et très vivant.

Avoir confiance que est suivi de l'indicatif ou du conditionnel : *J'ai confiance qu'il le fera, qu'il pourrait le faire.*

Avoir la confiance de qqn, c'est lui inspirer confiance, jouir de sa confiance.

Gagner, rechercher ou **perdre la confiance de qqn** : *Il a gagné la confiance de son directeur. Il a perdu sa confiance.*

Perdre confiance (sans article ni déterminatif) s'emploie surtout absolument : *Il a perdu confiance.* Mais : *Il a perdu la confiance qu'il avait en vous.*

Mettre qqn en confiance : *Il les a mis en confiance.*

Témoigner (ou **donner**) **sa confiance à qqn** : *Il leur a témoigné sa confiance.*

Acheter une chose en confiance, *en toute confiance,* sans crainte d'être trompé.

Acheter une chose de confiance, les yeux fermés.

Faire cela de confiance, sans hésiter.

Confidentiel, adj., s'écrit avec *en* (comme *confidence*) et *t*.

Confier, v.tr.dir. *Elle a confié l'enfant à sa grand-mère. Je lui ai confié une mission, un secret.*

Se confier *dans* ou *en* ou *sur*, « mettre sa confiance dans, s'en remettre à », est vieilli ou littéraire : *Il s'est confié en ses amis* (Ac.) *Se confier sur ses forces, en la bonté de qqn* (Ac.). Cf. FIER. Le tour vivant, mais qui a un autre sens, est *se confier à qqn*, lui faire des confidences.

Confirmer, v.tr.dir., **confirmand,** n.m. Au sens religieux, *confirmer* veut dire « administrer le sacrement de confirmation » et a donc pour sujet l'évêque *(l'évêque confirmant).* C'est à tort qu'en Belgique et dans certaines régions de France on dit que les enfants « confirment » (emploi intransitif). Il faut dire qu'ils *sont confirmés* et écrire à leur propos *les confirmands* (du latin *confirmandus,* qui va être confirmé). De même l'**ordinand** est celui qui va être ordonné prêtre. Mais le *t* est normal dans **communiant,** parce que *communier* ne se dit pas seulement, comme verbe transitif, du prêtre qui donne la communion, mais, comme verbe intransitif, des fidèles qui la reçoivent.

Confiture, n.f., s'employait autrefois plus souvent au pluriel là où le singulier est aujourd'hui plus fréquent : *faire, manger de la confiture.* Cf. À et *de,* 8, p. 17. Le complément (avec *de*) se met normalement au pluriel : *de la* (ou *une*) *confiture de fraises.*

Confluant, confluence, confluent. Confluant, participe de *confluer,* se joindre, se réunir. **Confluence,** n.f. Action de confluer, convergence. **Confluent,** n.m. et adj.

Confondre, v.tr.dir. *On confond deux choses, deux personnes, l'un et l'autre, l'un avec l'autre. Deux choses se confondent. Une chose se confond avec une autre. On se confond en remerciements, en excuses.*

Conforme, adj., **conformité,** n.f. *Une copie est conforme à l'original. Ce qui est **conforme** à la loi est **en conformité avec** la loi (en conformité de* est vieilli). *La conformité d'une chose avec une autre, la conformité entre deux choses.*

Confort, n.m., se dit essentiellement d'un bien-être *physique, matériel,* résultant des commodités dont on dispose. Mais on parle aussi d'un confort *intellectuel.* Cf. CONFORTABLE.

Confortable, adj., a été emprunté au XVIIIᵉ siècle à l'anglais *comfortable* (avec *m*), dérivé du verbe *comfort,* correspondant au français *conforter* (voir ce verbe), qui signifiait « aider, consoler, réconforter » et, en médecine, « fortifier ». *Confortable* se disait en français, dans un texte de 1786, d'une nuit aussi bonne que possible. Son sens vague, tendant vers « agréable », lui a permis d'être appliqué, au début du XIXᵉ siècle, dans un sens très large, à tout ce qui donnait un bien-être physique, à une maison, à un habit, à une boisson, à une nourriture. Il s'est même appliqué à une personne estimable ou d'une fréquentation agréable.

Le mot a perdu sa faveur extraordinaire pour ne plus se dire que de ce qui procure (sens actif) le confort, c'est-à-dire un bien-être dû à un ensemble de commodités matérielles : maison, fauteuil, vêtement, pantoufles, etc. Mais une nouvelle vogue, due à une nouvelle vague anglaise, a étendu depuis cinquante ans son emploi au sens moral. D'abord au sens actif, le mot étant appliqué à ce qui procure un bien-être du corps, du cœur ou de l'esprit, une sécurité, une tranquillité d'esprit. C'est ainsi qu'on peut parler d'un *revenu confortable,* d'une *situation confortable,* d'une *majorité confortable.*

Dans *Le confort intellectuel,* Marcel Aymé a défini malicieusement celui-ci : « ce qui assure la santé de l'esprit, son bien-être, ses joies et ses aises dans la sécurité » (éd. Poche, p. 10), « une commodité permettant à l'intelligence de s'exercer avec toute la vigueur utile » (p. 47). Et il a appelé *écrivain confortable* (p. 157) celui qui assure à ses lecteurs ce confort intellectuel.

Marcel Thiry a parlé de la gratuité intellectuelle *confortable* de certains problèmes, comme la définition de la poésie, qui sont de tout repos parce qu'ils seront toujours à l'ordre du jour (*Bulletin de l'Académie royale de langue et de littérature françaises,* 1956, p. 99).

C'est encore ce sens actif qu'on retrouve dans un *ami confortable* si l'on entend : dont la fréquentation procure au cœur ou à l'esprit ce bien-être causé par l'assurance que les heurts sont exclus. On a même parlé d'une *abstinence confortable,* qui ne compromet pas le bien-être : *Une abstinence confortable : les harengs étaient soigneusement cuits, sautés au beurre* (H. Bazin, *Le bureau des mariages,* Poche, p. 126).

Mais on va plus loin et, comme dans la première vogue du terme, on emploie *confortable,* et depuis longtemps, au sens passif en l'appliquant à la personne qui éprouve une sensation de confort, qui se sent bien ou confortablement installée : *Vous n'êtes pas confortable comme cela, attendez, moi je vais bien vous arranger* (Proust, cité par GLLF). *En famille de nouveau, je serais mieux soigné ; un peu plus riche ; probablement plus confortable, peut-être trop* (P. Valéry, *Correspondance Gide-Valéry*, p. 303, 11 novembre 1898). *Elle n'aurait pas juré qu'elle aimait Georges, mais elle se trouvait assez bien auprès de lui, presque confortable* (J.-L. Curtis, *La moitié du chemin*, J'ai lu, p. 68). J'hésite à admettre ce sens passif, bien qu'il soit associé à l'idée fondamentale de confort, de bien-être, d'aises. Mais on abuse vraiment lorsqu'on applique *confortable*, au sens actif ou passif, à ce qui n'éveille que l'idée d'agréable, de sympathique : *Ce contrôleur était confortable* (E. Triolet, *Le premier accroc...*, Folio, p. 358). N'est-il pas excessif d'accoler *confortable* à un cigare, à une odeur de cigarette, à un frisson, à un spectacle ?

Le nom abstrait *le confortable* a été employé par maints écrivains comme Taine, Huysmans, Barrès, Bourget. Il n'est plus usité. *Confortabilité* est rare.

Conforter, v.tr.dir., qui était depuis longtemps tombé en désuétude, a repris vie très vigoureusement à notre époque dans les sens anciens de « réconforter » et de « fortifier » : *Il s'appuie à cette pensée, il s'en conforte* (M. Genevoix, *Un jour*, p. 174). Il s'emploie pour « renforcer, consolider » : *Qqn ou qqch. conforte qqn ou qqch., une situation, un redressement économique, des arguments, une volonté, une façon de se comporter*, etc. Que cette faveur nouvelle soit due à une influence anglaise, est-ce une raison pour la rejeter ?

Confrère, n.m. Cf. COLLÈGUE.

Confronter, v.tr.dir., c'est mettre en présence pour comparer, vérifier (mais non pour se battre). On confronte des témoins, des textes, des écritures, des points de vue : *Confronter deux personnes ensemble, deux choses ensemble*, dit l'Académie. *Ensemble* paraît superflu. *Confronter des témoins à l'accusé,* **avec** *l'accusé* (Ac.). *Confronter la copie à l'original* (Ac.). On dit souvent *avec : On est confronté avec qqn. Toute croyance qui s'énonce doit se confronter avec elle* (avec l'imposture ; J. M. Domenach, *Ce que je crois*, p. 15).

Un emploi plus récent est noté par le supplément du Grand Robert : « (Emploi critiqué). *Être confronté à quelque chose,* mis en présence de », avec une citation de Camus *(confronté à son crime)* et une de Mauriac *(une foule confrontée à la peinture de Buffet).* On pourrait sans peine en ajouter d'autres : *Confronté aux problèmes des jeunes mariés* (M. Butor, *La modification*, 10-18, p. 104). Et ajouter **se confronter à, se confronter avec,** dans un sens analogue : *Je ne m'étais pas confronté avec le cinéma depuis mes figurations dites intelligentes* (J. Marais, *Histoires de ma vie*, Poche, p. 232).

Il faut, je crois, distinguer parmi les emplois nouveaux dus à l'influence de l'anglais. Il est absurde de dire que certaines questions, certaines difficultés confrontent un gouvernement. Où est, dans cet emploi, le sens de « mettre en présence » ? Il est donc également absurde de dire que le gouvernement est confronté *par* une difficulté. On dira : *être aux prises, devoir faire face, devoir affronter,* etc.

Mais il n'y a, me semble-t-il, rien d'anormal à employer *confronté, être confronté* dans le sens fondamental de « mis en présence », même si n'intervient plus une des composantes de l'acception du verbe : pour comparer, pour vérifier. Ce glissement de sens est courant, même chez les gens cultivés et les écrivains.

[**Confusionner**], v.tr.dir., ne peut se dire pour *remplir de confusion, de honte, rendre confus.*

Congé, n.m. *On donne congé à un locataire.* Ne pas dire [*renoncer, donner un renom*]. — L'Académie a admis l'adjectif **congéable** pour un bail résiliable au gré des propriétaires.

Congère, n.f. *Une congère* est un amas de neige entassée par le vent. On dit aussi *un banc de neige.*

Congrûment (accent circonflexe), adv., « de façon congrue, appropriée », est vieilli : *Parler congrûment* (Molière). **Congrue** reste vivant dans *portion congrue,* tout juste suffisante pour vivre. Mais *congru* est vieilli dans le sens de « convenable », bien que le contraire se dise encore *incongru.*

Conjecture, conjoncture, n.f. Une **conjecture** = une supposition fondée sur des apparences, des probabilités : *Faire des conjectures. Se perdre en conjectures.* — Une **conjoncture** = une situation (particulièrement, mais pas nécessairement, une situation économique) résultant d'un concours de circonstances : *Une conjoncture favorable.*

Adjectifs correspondants : respectivement, **conjectural, conjoncturel**.

Conjoint, n.m. et adj. *Le conjoint,* en termes de jurisprudence, se dit aussi bien de la femme que de l'homme : *À défaut de conjoint survivant... Il a présenté son conjoint. Les futurs conjoints.* « Il n'est pas d'usage d'employer ce nom au féminin » (GLLF) ; l'Académie admet cependant *la conjointe.*

Adjectif, *conjoint, conjointe : Les problèmes conjoints,* étroitement associés. *Une déclaration conjointe,* une déclaration jointe à une autre (non pas : commune).

Conjointement : *Nous agirons conjointement. J'agirai conjointement avec vous.*

Conjugaison. Cf. Verbe, B, p. 962.

Connaissance, n.f. *Cet homme est une vieille connaissance que j'ai* **retrouvée** *avec plaisir. J'ai fait (la) connaissance d'un camarade. J'ai fait sa connaissance. J'ai fait (ou lié) connaissance* **avec** *lui. Nous avons fait connaissance. Il a fait connaissance avec la misère, avec la mauvaise foi. On est en pays de connaissance* ou *entre personnes de connaissance* ou *entre (anciennes) connaissances.*

Connaître, v.tr.dir. 1. **Conjugaison.** Ne pas oublier l'accent circonflexe sur *i* devant *t.* **Interrogation.** On dit fort bien : *Le connais-tu ?* etc., mais on ne dit pas : *Le connais-je ?* (qui est grammaticalement correct). Il est évident qu'on ne peut dire : [*Le connaissé-je ?*], qui supposerait un indicatif présent *je connaisse.* On dit : *Est-ce que je le connais ?*

2. Wallonisme : [*Il s'est donné à connaître*] pour : *Il s'est fait connaître.*

3. Une des trouvailles du purisme est d'avoir voulu remplacer l'expression correcte *Je ne le connais ni d'Ève ni d'Adam* (pas du tout) par l'ahurissant *Je ne le connais ni des lèvres ni des dents !*

4. L'opposition entre **connaître** et **savoir** est moins nette qu'on ne le dit, elle tient moins à la signification qu'à certains usages. On oppose *savoir* et *connaître* dans la mesure où celui-ci oppose la connaissance de l'existence d'une chose à la connaissance de la chose elle-même : *connaître sa leçon ou une prière,* c'est savoir quelle leçon on doit apprendre ou que telle prière existe. Les *savoir,* c'est être capable de les réciter. Mais și l'on dit *savoir par cœur,* on peut dire *connaître par cœur.* On *connaît* ou on *sait* l'allemand, le violon, une science, un art. On prie qqn de faire *connaître* ou *savoir ses conditions.* Mais on dit plus souvent *connaître son chemin* que *savoir son chemin.*

On *connaît* une personne, un tableau, son métier, une plante, une référence, sa chance, son erreur, son bonheur. Mais devant un infinitif ou une subordonnée complément, on doit employer *savoir : Il connaît le chant* mais *Il sait chanter. Il sait qu'il a tort. Il ne sait quand il pourra venir. Il nous a fait savoir qu'il ne fallait pas l'attendre.*

De *Je sais que le directeur est* (ou *que vous êtes*) *hostile à ce projet,* on est passé tout naturellement à *Je sais le directeur* (ou *je vous sais*) *hostile à ce projet.* Cf. Savoir, 4.

5. **Connaître de qqch.** est un terme de procédure (= avoir autorité ou compétence pour juger une affaire).

6. **Connaître à** avec une négation. *Je ne connais pas grand-chose à cela. Je n'y connais rien.*

7. **Se connaître, s'y connaître en** : *Je me connais en cela (à cela* vieillit). *Il s'y connaît en peinture.* On ne sent plus et on admet le pléonasme dans « *s'y connaître en* ».

8. **Pour une raison à moi connue** se dit encore très bien à côté de *Pour une raison de moi connue.* Mais en dehors de cette expression, on doit dire aujourd'hui : *Des vérités connues de tous,* etc.

Connecter, v.tr.dir., **connexe,** adj., **connexion,** n.f. *Connecter des appareils électriques. La connexion des idées* ou *entre une chose et une autre,* qui sont *connexes* ou *en connexion.* Cf. INTERCONNEXION.

Conscience, n.f. **Avoir conscience que :** *J'ai conscience qu'il est tard. Ils n'ont pas conscience qu'il soit tard* ou *qu'il est tard.*

Conscient, adj. **Dérivés.** Adverbe : **consciemment.** Les dictionnaires reculent devant l'adoption de *conscientiser,* v.tr.dir., et de *conscientisation,* n.f., qui se répandent : effort pour rendre les hommes (et les femmes) conscients de leur dignité, de leurs droits, de leurs possibilités, etc.

Consécutif, adj. Inutile d'insister sur l'emploi en grammaire de : *une proposition consécutive* ou *une consécutive.* Ni sur *consécutif à* (qui est la conséquence de) : *Une boiterie consécutive à un accident.*

Qu'on me permette de dire nettement que je ne partage pas la sévérité obstinée qui fait toujours condamner l'emploi très courant et très clair de *consécutif* au singulier, gardant le sens (qu'il a au pluriel) de : « de suite ». On dit : *trois démarches consécutives. Pendant trois jours consécutifs.* Mais on proscrit : *pour la troisième fois consécutive.* Paul Robert, qui comme les autres lexicographes condamne au moins tacitement le tour, l'emploie : *Philippe allait entrer pour la troisième année consécutive à l'école de...* (*Au fil des ans et des mots,* I, p. 254).

Conseil, n.m. On écrit : *ingénieur-conseil, avocat-conseil.* Pluriel : *des ingénieurs-conseils.*

Conseiller, v.tr.dir. *On conseille qqn* ou *qqch., on conseille qqch. à qqn, on conseille à qqn de faire qqch.* D'où l'accord ou l'invariabilité du part. passé dans : *Il les a mal conseillés. Les livres qu'il m'a conseillés. Les romans qu'il leur a conseillé de lire.*

Consensus, n.m. Prononciation : « con (comme dans *consentir*) -sin-sus ».

Consentir, v.tr.dir. et intr. 1. **Consentir une chose** est d'un emploi beaucoup plus limité qu'autrefois. On ne le trouve plus guère qu'avec certains compléments, dans le sens d'« accorder un avantage » (parfois d'« accepter »), surtout dans le langage juridique : *consentir un prêt, un délai, une remise, un sacrifice.*

2. Le tour habituel, en dehors de telles expressions, est **consentir à qqch.,** avec pour complément un nom, un pronom ou un infinitif ; *Il consent à ce mariage, à venir nous voir. J'y consens.* On peut encore employer **de** devant un infinitif, mais le tour est archaïque, beaucoup moins vivant : *Mais enfin je consens d'oublier le passé* (Racine). *Ils ne consentent point de s'abandonner au néant* (Fr. Ambrière, *Les grandes vacances,* Préface).

3. Devant un subjonctif, **consentir à ce que** (ou, plus rare et littéraire, **consentir que**) : *Je consens à ce qu'il* **vienne** (ou *je consens qu'il vienne*). L'emploi de l'indicatif par de rares écrivains après *consentir que*, pour exprimer l'idée de « reconnaître (comme vrai), admettre », est insolite.

4. *Consentir* s'emploie aussi sans complément dans le sens de « donner son consentement, accepter » : *Je consens.*

Conséquence, n.f., **conséquent,** adj. Une chose *est de conséquence* (cf. plus bas) ou *sans conséquence, tire à conséquence, a des conséquences graves, est grosse de conséquences, a pour conséquence une remise en cause de la question* ou *a pour conséquence de nous obliger à revoir la question.* **Conséquemment. Par conséquent.** *En conséquence du mauvais temps* ou *conséquemment au mauvais temps* (par suite de). *Il pleut ;* **par conséquent** (ou *en conséquence*) *nous ne sortirons pas.* Il faut éviter de mêler plusieurs tours et de dire : [*Par conséquence du mauvais temps.*]

L'adjectif *conséquent* s'applique à une **personne** qui agit logiquement, avec esprit de suite ; s'il y a un complément, il est introduit généralement par *avec* ; beaucoup plus rarement par *à* si une **action** fait logiquement suite à une autre : *Il se flatte d'être conséquent. Il est conséquent dans sa conduite. Il n'est pas conséquent avec lui-même. Sa conduite est conséquente à ses principes* (Ac.). La langue classique a utilisé **de conséquence** dans le sens de « qui mérite d'être pris en considération ». On parlait (et on peut encore parler) d'*un homme de conséquence*, d'*une affaire de conséquence.* Cette expression, devenue plus rare, a été remplacée par *conséquent*, prenant abusivement le sens d'« important », « considérable ». Ce sens est fréquent, on le trouve depuis le XVIIIe siècle chez de bons écrivains (Stendhal, Mérimée, Huysmans, Proust, Giono, Mauriac, Montherlant, Lacretelle, etc.), et non seulement quand ils font parler des gens du peuple. On ferait mieux de garder à *conséquent* le sens de « logique ». L'autre emploi est d'ailleurs inutile ; on peut, selon les cas, parler d'une *affaire grave, importante, considérable,* de *frais élevés,* d'une *personne importante, riche, influente,* etc.

Conserve, n.f. On écrit : *des aliments* **en conserve ;** on met des haricots *en conserve. On fait, on prépare, on mange* **des conserves.**

D'après certains dictionnaires, il faudrait écrire *boîte* **de conserve.** Mais on écrit aussi bien *boîte* **de conserves** (Cf. À et *de,* 5, pp. 16, 17.

On parle de *l'industrie de la conserve* ou de *l'industrie des conserves alimentaires.* Avec *usine* on emploie indifféremment le singulier ou le pluriel. Dans un même article du *Monde* (4 février 1976), il est question tantôt de telle *usine de conserves,* tantôt de telle *usine de conserve.*

De conserve, loc. adv. (ensemble). Cf. CONCERT.

Considérer (v.tr.dir.) **comme.** *Considérer* se construit avec *comme* devant la qualité attribuée au complément d'objet direct : *On le considère comme habile. Je considère cela comme impossible* ou *comme réglé. Il se considère* *comme l'héritier légitime.* L'omission de *comme,* influencée par la construction d'autres verbes, est fréquente et faite par de bons écrivains, même académiciens, mais est condamnée avec raison par l'Académie. Comparez : *Je le juge* (ou *je le crois* ou *je l'estime* ou *je le trouve*) *habile. Je le tiens pour habile, pour un imposteur, pour un voleur. On l'a traité d'imposteur, de voleur. Je ne sais si elle est infidèle ; en tout cas elle est tenue pour telle, considérée comme telle.*

Consigne, n.f., **consigner, déconsigner,** v.tr.dir. *On consigne ses bagages* à la consigne d'une gare, on met sa valise *à la consigne, à la consigne automatique,* on reçoit un *bulletin de consigne.* Le commerçant *consigne un emballage,* une bouteille (il les facture avec faculté de remboursement), on paie cinq francs de consigne, on se fait rembourser la consigne d'une bouteille consignée ; cf. VIDANGE, à éviter dans ce sens. On *déconsigne* sa valise ; le commerçant déconsigne une bouteille (il rembourse la consigne).

Dans un autre sens, on ne dit plus *consigner qqn à sa porte,* donner l'ordre de ne pas le laisser entrer ; on ne dit même plus guère *consigner sa porte à qqn,* la lui interdire.

Consistance, n.f., évoque une idée de fermeté, de solidité, de cohésion, opposée à celle de fluidité : *Un personnage sans consistance.* Avec l'adj. : *Une sauce consistante.*

On parle (cf. GR) d'un *plat de consistance* ou d'un *plat de résistance* (le plat principal d'un repas).

Consister, v.intr. On n'emploie plus la construction classique *consister à* devant un nom ; mais on l'emploie encore devant un infinitif : *La libéralité consiste moins à donner beaucoup qu'à donner à propos* (La Bruyère).

Consister se construit avec *en* ou *dans* (cf. EN, 3) : *L'accord consiste en trois points, en ceci, dans la proposition suivante.*

Consœur, féminin de *confrère,* fait souvent sourire ; à tort.

Consommer, v.tr.dir. et intr., **Consumer,** v.tr.dir. On *consomme* un crime (on le commet), le mariage (on le mène à son accomplissement), des aliments, du vin ; une voiture consomme de l'essence. On *consume* des déchets (on les détruit, notamment par le feu), sa fortune, ses jours (on les dissipe). Le feu consume un édifice, la rouille consume le fer. Un artiste **consommé,** une méchanceté *consommée* (= qui atteint une sorte de perfection). *Un consommé* = un bouillon de viande concentré. On peut employer *consommer* sans complément dans le sens de : boire dans un café ou faire partie des consommateurs.

Consonance, n.f., **consonant, consonantique,** adj. Un seul *n.* On écrit *consonner* plus souvent que *consoner.* Cf. ASSONANCE. *Consonne* a deux *n.*

Consonnes. *Genre.* On a généralement renoncé à considérer comme féminins les noms de consonnes quand ils commencent par une voyelle : f, h, l, etc. On fait de tous des masculins.

Consortium, n.m. Pluriel : *des consortiums.*

Constellé, adj. Il est inutile et déraisonnable d'ajouter *d'étoiles,* puisque c'est le sens propre de *constellé* ; mais on dira : *constellé de marguerites, de paillettes.*

Conster, constant. Il **conste** (impersonnel) a signifié en français : il est certain, il est établi. L'expression a vieilli en France, où elle a toujours été rare ; mais elle s'est maintenue en Belgique, dans la langue du droit et de l'administration, avec un autre sens : il résulte. À éviter.

L'impersonnel **il est constant que** (il est certain que) est suivi de l'indicatif.

Construction, n.f. On écrit : **un jeu de construction** (sens abstrait, le fait de construire) ou **de constructions** (sens concret, ce qui est construit).

Consultation, n.f., en parlant de médecine, a deux sens : 1) examen du malade dans le cabinet de consultation du médecin, aux heures de consultation ; 2) échange de vues entre médecins à propos d'un malade ; c'est par archaïsme qu'en Belgique on emploie *consulte,* n.f., dans ce dernier sens. *Consulte* est vieux ou populaire en français dans le sens de : action de consulter.

Consulter, v.tr.dir., a pour complément une personne (médecin, avocat, ami, etc.) ou une chose (un horaire, sa montre, son cœur, son intérêt, ses souvenirs, un livre, etc.). En **emploi absolu,** il se dit du médecin qui consulte un confrère, des médecins qui délibèrent sur la maladie d'un client, ou du client qui consulte un médecin, ou du médecin qui reçoit les malades dans son cabinet. Le contexte dissipe l'équivoque : *Les médecins se sont retirés pour consulter. Je maigrissais, on me pressait de consulter. Ce médecin consulte tous les matins.*

Contact. Cf. ÉLARGIR.

Contacter qqn est condamné, à tort selon moi, par les puristes et par l'Académie, malgré sa fréquence. On lui reproche son inutilité à côté de *prendre contact avec qqn, entrer en contact* (ou *en relation*) *avec qqn,* etc. À ce compte-là, bien des verbes seraient condamnables : *avantager,* donner un avantage à, *baser,* faire reposer sur telle base, *fonder,* donner un fond à, *tamiser,* faire passer à travers un tamis, etc. Comme ces verbes, *contacter* dérive d'un nom français. Formé au XIXe siècle, il ne s'est répandu que cent ans plus tard sous l'influence du verbe anglais *to contact.* Est-ce une raison pour le déclarer « monstrueux » ? Le GLLF, le Lexis et le Dict. encycl. Larousse ont bien fait de l'admettre sans réserves.

[Contagionner], v.tr.dir., est inutile. On doit dire **contaminer** au sens propre et au sens figuré, où l'on peut dire aussi *influencer*. Notons que **contagieux** se dit seulement du malade ou de la maladie, de ce qui se propage par contact (sens propre ou figuré).

Container, n.m. Anglicisme à remplacer par **conteneur**. Dérivés : **conténériser, conténérisation**.

Content, se contenter. **Je suis content que**. Cf. HEUREUX.

Avoir son content de qqch., en avoir autant qu'on peut en désirer.

Se contenter de ne signifie plus « satisfaire ses désirs » mais « ne rien demander de plus, accepter faute de mieux » ou « ne faire que ». *On se contente de qqch. Il se contente de sourire.* On ne dit plus « se contenter que » et on ne dit guère : *Je me contente de ce qu'il soit parti.* On dit : *Je me contente de son départ, de savoir qu'il est parti* (Je n'en demande pas plus).

Contestation, conteste, n.f. *On obtient une chose sans contestation* (singulier), sans que personne s'y oppose. *On élève une contestation, on entre en contestation avec qqn, on tranche une contestation.*

Le nom féminin **conteste** (traité parfois abusivement comme masculin) ne s'emploie plus guère que dans **sans conteste** (sans discussion possible).

Contester, v.tr.dir., **contestable**, adj. *Contester que* est suivi du subjonctif : *Je conteste qu'il l'ait dit.* Pris négativement (ou dans une proposition correspondant à une négation) ou interrogativement, il est suivi du subjonctif avec ou plus souvent sans *ne* explétif, ou de l'indicatif insistant sur la réalité du fait en cause, ou du conditionnel marquant l'éventualité. *Je ne conteste pas* (ou *il pourrait difficilement contester*) *qu'il l'ait dit* ou *qu'il l'a dit, qu'il ait* (ou *a*) *des chances de réussir, qu'il pourrait s'en tirer* (éventuellement). — *M. Blum aurait du mal, d'abord, à contester qu'il fut l'un des plus ardents adversaires du plan* (W. d'Ormesson, dans *Le Figaro*, février 1939 ; cité dans *Le Figaro Magazine*, 4 février 1979, p. 13). Même construction de *il n'est pas contestable*.

Contexte, n.m., n'a pas seulement le sens de « texte qui entoure », il désigne l'ensemble des circonstances qui entourent un fait, qui l'éclairent : *Il faut replacer cette démarche dans son contexte. Dans le contexte politique actuel.* Mais il faut se garder d'employer ce tour comme un cliché, surtout s'il est inutile.

Continuer, v.tr. ; **à** ou **de** devant un infinitif ; on a le choix : c'est parfois l'oreille qui choisit. *Continuer par* se dit surtout après *commencer par*, pour marquer un second stade.

Continûment, adv. Accent circonflexe. Cf. ADVERBE.

Contondant, adj. : qui blesse, meurtrit sans couper, par choc.

Contorsionner (se) : faire des contorsions (torsions violentes).

Contourner, v.tr.dir., a pris, à partir de « faire le tour » *(contourner la ville)*, un sens figuré, qu'on devrait accepter, où il prend la place de « tourner » mais quand il s'agit d'éviter une difficulté par des moyens détournés : *Contourner la loi, les règlements, un obstacle. Contourner la vérité* (R. Gary, *Les racines du ciel*, Folio, p. 65).

Contraindre, v.tr.dir. ; à ou de devant un infinitif : les deux constructions sont correctes et équivalentes. Il y a cependant une nette tendance à employer à après les formes actives et quand *être contraint* apparaît vraiment comme une forme verbale, et **de** dans les autres cas, où *contraint* est adjectif : *Il faut le contraindre à s'excuser. Je suis contraint par les circonstances à refuser cette invitation, Je suis contraint de vous refuser ce plaisir. Contraint de vous importuner, je vous prie de m'excuser.*

Contraire, adj., appliqué sans complément à deux choses, marque la plus grande différence possible, une opposition très nette entre elles : *Deux opinions contraires, des propositions contraires, des intérêts contraires.*
   Contraire à : *Cela est contraire à la vérité. Ces usages sont contraires à la mode.*
   L'emploi de *contraire*, dans le sens affaibli de « défavorable hostile, nuisible », tend à vieillir : *Cet homme m'a toujours été contraire* (Ac.). *Ce genre de vie est contraire à sa santé* (Ac.). *Le café m'est contraire.*
   Sans complément, *contraire* ne s'emploie que si ce complément s'impose à l'esprit : *Je voudrais suivre ici la démarche contraire* (= inverse) (M. Yourcenar, *Archives du Nord*, p. 13). *Les résolutions qu'on prenait engendraient des actes contraires* (H. Bosco, *L'antiquaire*, Folio, p. 95). *Un vent contraire. Des mots de sens contraire* (opposé). *Un mouvement contraire* (en musique). *Bergson observe que langage et pensée sont de nature contraire* (Paulhan, cité par GR).
   Ce qu'il faut condamner, c'est l'**emploi belge** donnant à *contraire* le sens de « qui ne convient pas » et l'appliquant à une chose faite par erreur : [*prendre un train contraire, mettre une adresse contraire*] pour : *un mauvais train, une adresse inexacte* ou *une fausse adresse* ou *se tromper de train, d'adresse.*
   Autre faute courante en Belgique : l'emploi de [*que du contraire*] comme locution adverbiale ; il ne s'agit pas du nom *le contraire* employé comme complément prépositionnel *(Je me plains précisément du contraire)*, mais de la substitution de [*que du contraire*] à **au contraire, bien au contraire, tout au contraire :** *Je ne m'en plains pas,* [*que du contraire*].
   Au contraire de et **contrairement à** peuvent exprimer la différence, allant jusqu'à l'inverse, entre deux personnes ou deux faits, deux idées, etc. : *Il s'est enrichi au contraire de son frère* (ou *contrairement à son frère*)

qui a toujours été dans la gêne (Ac.). *Contrairement à ce que vous supposez, il s'en tire très bien.*

Contralto, n.m. Pluriel : **des contraltos**.

Contrarié, adj., se construit avec *que* et le subjonctif : *Je suis contrarié qu'il ait dit cela.* Mais on emploie aussi *de ce que* et l'indicatif : *Elle s'informa de ma température et parut contrariée de ce que je ne la prenais pas chaque soir* (Fr. Mauriac, *Les anges noirs*, Prologue). Ne pas confondre avec *de ce que* où *que*, ayant pour antécédent *ce*, est objet direct : *Je suis contrarié de ce qu'il a dit.*

Contraste, n.m. On parle généralement des contrastes d'une chose **avec** une autre, comme d'une chose qui contraste (verbe) avec une autre. Mais on trouve *d'avec* : *Ce contraste de la pensée courante d'avec les choses, et des mots d'avec la réalité...* (Paulhan, *Discours de réception à l'Académie française*).

Contrat, n.m. L'expression *être sous contrat* est empruntée à l'anglais. On peut dire assurément : *avoir un contrat.* Mais l'anglicisme *sous contrat* entre dans une série d'emplois français où *sous* marque un rapport de subordination : *sous condition, sous réserve*, etc.

Contravention, n.f. *On est* **en** *contravention. On attrape* — ou *on récolte* — *une contravention. L'agent dresse* — ou *flanque* — *une contravention à qqn.*

Contre, prép. et adv. 1. **Composés.** *Contre* est invariable et souvent suivi d'un trait d'union devant *accusation, allée, amiral, appel, approche, assurance, attaque, chant, digue, enquête, épreuve, espionnage, filet, indication, jour, manifestation, offensive, pied, placage, plaqué, projet, révolution, ut, valeur, visite, voie*, etc. : *Une contre-attaque, des contre-attaques. Des contre-ut* (seul invariable).

En un mot : *contrebalancer, contrebande, en contrebas, contrebasse, contrecarrer, contrechamp, à contrecœur, contrecoup, contredanse, contredire, contrefaire, contrefaçon, contrefort, contremaître, contrepartie, contrepèterie, contrepoids, contrepoint, contresens, contresigner, contretemps, contrevenir, contrevent, contrevérité.* Pour d'autres mots les dictionnaires hésitent ou s'opposent ; l'agglutination peut être considérée comme toujours permise devant consonne, sauf dans *contre-vapeur ;* devant voyelle on met plutôt un trait d'union, sauf dans **contralto, contrescarpe, contrordre.**

2. Flandricismes : *Comparer une chose [contre] une autre* (au lieu de *à* ou *avec*). *Vous n'êtes rien [contre] lui* (pour : *par rapport à lui, près de lui*).

3. Contre, **adverbe** est critiqué abusivement. Voici des exemples de l'Académie : *Parler pour et contre. Quand on fit cette proposition, tout le monde s'éleva contre. J'étais tout contre. Pour moi, je suis contre. Je n'ai*

rien à dire contre. On dit aussi : *là contre* (= contre cela), généralement écrit sans trait d'union ; mais comme on en met toujours un dans *ci-contre*, la tentation est forte de l'introduire dans *là contre*.

4. **Pousser la porte contre**. *J'ai poussé la porte contre* (J. Romains, *Les humbles*, Poche, p. 134) veut dire : Je n'ai pas tourné la poignée. On dit en Belgique : *laisser la porte contre ; la porte est contre*. Ces expressions paraissent très peu courantes chez les Français, qui disent : *La porte est seulement poussée* (contre le chambranle) ou *On n'a pas tourné la clé* ou *la poignée* (il suffit donc d'une pression pour ouvrir la porte).

5. **Par contre**, qui exprime une opposition, est entré depuis longtemps, malgré Voltaire et les puristes, dans le meilleur usage et est employé par d'excellents auteurs. Mais les dictionnaires définissent mal cette locution adverbiale quand ils lui donnent le sens de « en compensation, en revanche ». Ce n'est pas toujours vrai. Ces deux expressions introduisent un avantage ; *par contre* peut introduire un avantage ou un inconvénient. Il n'est donc pas toujours possible de remplacer *par contre* par *en revanche* ni non plus par *au contraire*. André Gide a écrit, pour montrer que *par contre* était parfois nécessaire : *Trouveriez-vous décent qu'une personne vous dise : « Oui, mon frère et mon mari sont revenus saufs de la guerre ; en revanche j'y ai perdu mes deux fils »*? ou *« La moisson n'a pas été mauvaise, mais en compensation toutes les pommes de terre ont pourri »*? (*Attendu que*, p. 89). C'est *par contre* qui s'impose dans ces phrases.

6. Cf. Déblatérer, Fâcher, Invectiver, Vitupérer.

Contrebasse, n.f. *Une contrebasse* désigne l'instrument ou le musicien ; celui-ci s'appelle aussi *un contrebassiste* ou un *bassiste*.

Contredire, v.tr.dir. *Vous* **contredisez** *qqn* ou *qqch*.

Contrefaire, v.tr.dir., se conjugue comme *faire*.

Contre-indication, n.f. *Les contre-indications de ce médicament à tel emploi. Les mille et une contre-indications à l'état sacerdotal* (J. M. Domenach, *Ce que je crois*, p. 14).

Contrer, en dehors de son emploi intransitif à certains jeux de cartes, est familier dans le sens transitif de « s'opposer avec succès aux menées de qqn » : *Je l'ai facilement contré. Je me suis fait contrer*.

Contrevenir, v.tr.ind., se conjugue comme *venir*, mais avec *avoir*.

Contrôler, v.tr.dir., ne signifie pas, comme l'anglais *to control*, « diriger, commander, se rendre maître de », mais « soumettre à une vérification, à une surveillance, à un examen minutieux » : on contrôle une comptabi-lité, des billets, un on-dit, des connaissances, ses nerfs. On voit dans *contrôler ses nerfs* ou dans *garder le contrôle de ses actes* l'idée de « dominer, rester maître de » rejoindre celle de « surveiller » ; de même, en termes militaires, dans *contrôler une région.* Mais c'est abusivement qu'on parle du contrôle des naissances ou des coquelicots au lieu de la *limitation des naissances* ou de la *destruction des coquelicots.* Un joueur ne contrôle pas le ballon, il le dirige, il le commande, il en est le maître ; il ne vérifie pas, en effet, ce que fait le ballon. De même on ne contrôle pas la vitesse de son auto, on ne peut pas dire qu'un conducteur a gardé le contrôle de sa voiture ou qu'un champion cycliste contrôle la course, alors qu'il la *maîtrise* (qu'il en reste le maître) ; il la *domine,* il la *conduit.* On voit qu'un *poste de commande* n'est pas un poste de contrôle. Mais l'emploi abusif de *contrôle* et *contrôler* va jusqu'à les appliquer à des difficultés qu'on surmonte, à un incendie qu'on maîtrise.

Controuver, v.tr.dir., ne signifie pas « démentir, contester », mais « inventer de toutes pièces ». *Une nouvelle controuvée* est une nouvelle fausse ; c'est pourquoi — mais ce n'est qu'une conséquence — elle peut être démentie.

Contumace, n. ou adj. Le nom abstrait féminin ne s'emploie plus guère que dans l'expression *condamner par contumace* (sans que le prévenu soit présent). L'adj. et le nom *contumace* (ou *contumax*) sont des deux genres. *Un accusé* (ou *une accusée*) *contumace* (ou *contumax*). *Un* ou *une contumace. Elle a été déclarée contumace* (ou *contumax*).

Convaincre, v.tr.dir., se conjugue comme *vaincre.* Attention à la distinction entre le participe **convainquant** et l'adjectif **convaincant.** — *On convainc qqn de qqch., de faire qqch., qu'il a eu tort. On est convaincu qu'il a tort.* Plutôt que « Vous serez convaincu combien cela est nécessaire », je dirais : *Vous comprendrez combien..., Vous. serez convaincu de la nécessité de...* — *Elle s'est convaincue qu'on la trompait.*

Convenance, n.f. On peut prier qq de faire une chose **à sa convenance** (= quand cela lui conviendra). Mais je déconseillerais plutôt de l'inviter à la faire « à sa plus prochaine convenance », c'est-à-dire quand cela lui conviendra, mais le plus tôt possible.

Convenir, v.tr.ind., se conjugue comme *venir.*

1. **Auxiliaire.** Une règle traditionnelle imposait *avoir* quand le verbe signifie « être approprié, plaire, être à propos (impersonnel) » et *être* dans les sens de « admettre, tomber d'accord, faire une convention » : *Cette maison m'a convenu* (Ac.). *On délibéra sur ce qu'il aurait convenu* (ce qu'il aurait été à propos) *de faire* (Littré). *Nos dispositions lui auraient certainement convenu. Il est convenu de mes arguments* (R. Nimier, *Les épées,* Poche, p. 150). *Il est convenu lui-même de sa méprise* (Ac.). *Ils sont convenus de se trouver en tel lieu* (Ac.).

Cette règle est encore respectée par beaucoup d'écrivains. Mais d'autres, nombreux et excellents, suivent l'usage courant, qui emploie *avoir* dans tous les cas : *Hier, avec le bourgmestre et les échevins affolés, il a convenu d'un prix* (A. Peyrefitte, *Le mal français*, p. 441). *Ils avaient convenu de se retrouver à Rome* (R. Rolland, *La nouvelle journée*, Cahiers de la Quinzaine, p. 26). *Une tristesse dont il n'eût jamais convenu* (Fr. Mauriac, *Thérèse Desqueyroux*, XIII). *Nous avons convenu que chacun avait ses raisons* (R. Nimier, *Les épées*, Poche, p. 65). *Nous avons convenu de ne lui parler de rien* (A. Gide, *La symphonie pastorale ;* Poche, p. 113). *Comme nous en avions même convenu ensemble hier* (P. Léautaud, *Journal littéraire*, p. 232). *Dans un autre moment, les petits en auraient convenu les premiers* (M. Aymé, *Les contes du chat perché*, p. 76). *J'avais convenu avec Albertine qu'elle viendrait me voir* (Proust, *À la recherche du temps perdu*, t. IV, p. 67). *Cet endroit, nous en avons convenu la dernière fois* (H. Bazin, *Le matrimoine*, Poche, p. 378). *Nous avons convenu qu'en tout état de cause la 1ʳᵉ Armée devait s'emparer de Stuttgart (...). À Reims, comme on en a convenu (...). Ce dont on avait convenu à la conférence de Crimée* (Ch. de Gaulle, *Le salut*, Poche, pp. 147, 207, 237).

On peut donc sans hésiter employer *avoir* dans tous les cas, sauf dans l'impersonnel *il est convenu ce qui suit, il est convenu que* (cf. 2), signifiant : Une convention est faite, précisant que... On a là l'adjectif *convenu* avec le verbe *être*.

On aura remarqué chez Léautaud un *convenir ensemble* qui peut étonner à bon droit. Il est vrai que l'Académie ne recule pas devant *convenir entre eux : Ils convinrent entre eux de faire telle chose.*

2. **Modes et constructions.** Avec un sujet désignant des personnes, *convenir*, s'il signifie « reconnaître, accepter comme vrai », se construit avec un infinitif sans préposition, avec *de* et un nom, avec *que* et l'indicatif ou le conditionnel : *Je conviens l'avoir dit. Je conviens de sa bonne foi. Je conviens qu'il a raison.*

S'il signifie « s'entendre sur une décision à prendre », il se construit avec *de* aussi bien devant un infinitif que devant un nom, ou avec *que* et l'indicatif ou le conditionnel : *Convenons de nous rencontrer dimanche. Ils ont convenu d'une démarche. Ils conviennent qu'ils se reverront* (cf. 1.). Le subjonctif n'est pas courant ; *Ils convinrent que cela fût fait* (Littré).

L'impersonnel *il est convenu que,* dans le même sens, se construit aussi avec l'indicatif ou le conditionnel : *Il a été convenu qu'ils se reverraient.*

Mais l'impersonnel *il convient, il convenait,* etc. signifiant « il est (était) souhaitable, opportun », s'il se construit aussi avec *de* et l'infinitif *(il convient de nous en aller),* exige le subjonctif après *que* : *Il convient qu'il s'en aille.*

3. **Convenu.** Puisqu'on convient d'une chose, on ne dit pas normalement, au passif avec le verbe et un complément d'agent, qu'une chose, qu'une date par exemple, a été [convenue par] les délégués, qui ont convenu (ou sont convenus) d'une date. Mais on peut fort bien employer l'adjectif *convenu*, signifiant « établi par une convention » et dire qu'on se

rencontrera *à une date convenue*, qu'on fera telle chose *pour une somme convenue*.

Puisqu'on dit (cf. 1 et 2) *il est convenu que* (impersonnel), il n'y a rien d'anormal dans le tour elliptique **comme convenu** (comme il a été convenu, décidé).

Convention, n.f. À ne pas employer dans le sens américain de *congrès*.

Conventionné, adj., se dit d'un médecin ou d'un établissement médical lié par une convention à la Sécurité sociale.

Conventionnel, adj., ce qui résulte d'une convention : *une clause conventionnelle*. Par un américanisme à proscrire, *conventionnel* se dit des *armes de type classique*, utilisées traditionnellement, par opposition aux armes nucléaires, aux fusées téléguidées, etc.

Converger, v.intr. Participe : **convergeant**. Adjectif : **convergent**. Substantif : **convergence**.

Convertir, v.tr.dir. *Convertir le doute en certitude, Convertir les païens au christianisme* (les amener à). *Convertir l'eau en vin*.

Convier, v.tr.dir. On convie qqn *à qqch., à faire qqch.*

Convoler, v.intr. Il faut corriger ce qu'a dit l'Académie en 1932 dans son Dictionnaire et ce que répètent encore aujourd'hui certains auteurs en reproduisant l'opinion erronée qui prévalait autrefois : « Convoler, v.intr. Contracter un nouveau mariage, en parlant d'une femme. *Convoler en secondes noces, en troisième noces,* ou absolument *Cette veuve ne sera pas longtemps sans convoler.* Il est familier. »

Déjà des écrivains s'étaient affranchis de cette limitation d'emploi dont Émile Benveniste a montré (*F.M.,* janvier 1955) qu'elle reposait sur une erreur.

Convolare, en latin, c'est proprement voler avec qqn, « voler ensemble, accourir de tous côtés ». Mais le terme s'est appliqué à une seule personne, à celui ou celle qui cherchait en hâte un refuge, un appui, un remède. Parmi ces emplois, dans les textes juridiques latins de l'empereur romain Justinien, il en est où il est question d'un second avocat, d'un second légataire ou d'un second mariage *(ad secundas nuptias convolare)* autorisé dans un délai réduit. On a vu dans cette dernière expression une formule spécifiant le sens et l'emploi de *convoler.* D'où la définition de l'Académie. S'il est vrai que *convoler* ne se dit plus que du mariage, il peut se dire d'un homme aussi bien que d'une femme, d'un premier mariage aussi bien que d'un remariage. *On convole, on convole avec qqn, entre les bras de qqn.* L'emploi de ce verbe reste limité. Il est légèrement plaisant, parfois même tout à fait irrespectueux : *Loin de céder aux mouvements lascifs de son sang, comme le gros Luther convolant au sortir du cloître entre les bras d'une nonne, le laïc Calvin avait attendu longtemps*

avant de contracter avec une veuve le plus chaste des mariages (M. Yourcenar, *L'œuvre au noir*, Poche, p. 96).

Coordinateur, coordonnateur, adj. et n.m. **Coordonnateur** a été régulièrement formé sur le verbe *coordonner* et a, comme lui, deux *n*. Mais il a été récemment concurrencé par un néologisme formé sur *coordination* (un seul *n*). *Coordinateur* a été discuté, non sans raison, mais il s'est imposé et il est aujourd'hui admis à côté de *coordonnateur*, qui survit et devrait être préféré.

Coordonnés, n.m.pl., se dit de vêtements assortis.

Coordonnées, n.f. pluriel, a ajouté à ses anciens sens un sens nouveau, bien installé dans l'usage : indications précises (adresse, n° de téléphone, horaire, etc.) permettant de se mettre en rapport avec une personne : *J'ai pris ses coordonnées. Donnez-moi vos coordonnées.*

Copain, n.m., a un féminin de formation populaire, *copine,* qui, comme *copiner* et *copinage,* est très familier.

Copie-lettre, n.m. *Un copie-lettre* (ou *copie-lettres*), *des copie-lettres.* Cf. NOMS COMPOSÉS, B, 5, p. 626.

Copier, v.tr.dir. On ne copie pas « du » tableau, on copie ce qui est au tableau, on copie son devoir sur le voisin. L'action de copier pour tricher s'appelle **copiage,** n.m., mais ce mot ne peut être pris, comme au Canada, pour plagiat.

[Copion], n.m., appartient à l'argot scolaire belge, où il désigne les papiers, préparés pour la fraude, sur lesquels on copie pendant un concours.

Coq-à-l'âne, n.m. invariable : *Des coq-à-l'âne.*

Coquecigrue, n.f. *Une coquecigrue* (animal, rêverie ou propos fantasque).

Coquemar, n.m., est un vieux mot français resté vivant en Belgique : bouilloire à anse.

Coquin, n.m. On dit : *ce coquin de valet, cette coquine de servante.*

Cor, n.m. Sans *s : à cor et à cri* (en insistant bruyamment). On notera que les veneurs parlent plutôt de *trompe* que de cor de chasse, contrairement à l'usage général.

Corail, n.m. *Des coraux.*

Corbeau, n.m. Le corbeau *croasse.*

Cordillère, n.f. Prononcer « iyèr ».

Coreligionnaire, n.m. Un seul *r*, pas d'accent, deux *n*.

Corinthe, n.m. ou f. Ignoré généralement des dictionnaires, *le corinthe* est donné par le GLE comme une variété de cépage dont les raisins sont petits, blancs ou roses. Les dialectes et le français de Belgique ont gardé le mot, mais au féminin, pour désigner des raisins séchés.

Corne, n.f., se dit des cornes creuses des bovidés, des rhinocéros, etc., mais non des bois ou des cors des cerfs. Se dit, par analogie, de l'avertisseur d'une voiture.

Corner, n.m. ou v.intr. ou tr.dir. Le nom *corner*, au football, désigne soit la faute du joueur qui envoie le ballon derrière la ligne des buts de son camp *(mettre la balle en corner, la détourner en corner)*, soit le *coup de pied de coin* qui en est la sanction *(tirer un corner)* et qui s'appelle aussi *coup de coin.* On prononce le mot à l'anglaise.

Le verbe *corner* peut se dire intransitivement pour « bourdonner » en parlant des oreilles *(Les oreilles lui cornent)* ou d'une trompe *(L'automobiliste corne)* ou, transitivement, dans le sens de « publier partout qqch. ou le répéter souvent et bruyamment » ou de « plier le coin » d'une page d'un livre ou d'une carte de visite.

Cornet, n.m. *Cornet à dés, cornet à la crème, cornet de dragées. — La couleur des mauvais bonbons qu'on trouve dans les cornets-surprise* (G. Cesbron, *Les innocents de Paris*, Poche, p. 9) : *surprise* est invariable (cornet à surprise).

Corniaud, n.m., « chien mâtiné » ou, familièrement, « imbécile » ne s'écrit plus *corniot.*

Corolle, n.f. Un *r*, deux *l.*

Corps, n.m. On écrit sans trait d'union *corps à corps* (loc. adv. ou adj. ou n.m.). *À corps perdu, à son corps défendant* (malgré soi), *à leur corps défendant.* Mais : *à bras-le-corps, à mi-corps. — Corps de chemise.* Cf. BRAS.

Correctionnaliser (v.tr.dir.) **un délit,** c'est ramener une infraction criminelle au rang de délit correctionnel. C'est donc fautivement que ce verbe est parfois employé en Belgique dans le sens de « transformer une action quelconque en délit », c'est-à-dire en faire l'objet d'une contravention, d'un renvoi devant la justice, ce que des juristes belges appellent aussi [*contraventionnaliser*] !

Corrélatif, adj. *Les obligations corrélatives des époux. Un droit corrélatif à un autre. Son déménagement est corrélatif à sa nouvelle situation.* Substantivement : *Ce droit est le corrélatif de tel autre* (Ac.).

Corrélation, n.f. Il y a corrélation *entre* une chose et une autre. Une chose est en corrélation *avec* une autre.

Correspondance, n.f. Notons trois sens : 1. *Il y a entre eux une parfaite correspondance d'intérêts* (harmonie, rapport de conformité). *La correspondance entre ceci et cela.* — 2. *C'est elle qui est chargée de la correspondance. Elle fait la correspondance. La correspondance inédite de Gide et de Claudel* ou *de Gide avec Claudel. Être en correspondance avec qqn.* — 3. *À quelle heure la correspondance* (de l'autobus)*? Demander une correspondance.*

Corriger, v.tr.dir. C'est un pléonasme de dire qu'on a corrigé *après coup,* mais l'expression peut indiquer que la correction n'a été faite qu'après une nouvelle étape.

Corvée, n.f. Dans certaines régions de Lorraine et de Belgique, on dit [*faire corvée*] pour *faire* (ou *trouver*) *buisson creux,* (ne pas trouver ce qu'on cherchait), *trouver porte close, faire chou blanc.*

Coryphée, nom toujours masculin, quel que soit son sens.

Cosmonaute, n.m., s'est imposé à côté d'*astronaute,* plus ancien.

Cosser, v.intr. Ne pas confondre ce verbe, qui est vieux et rare (se heurter de la tête) avec *écosser* (dépouiller de leur cosse des pois, des haricots) ; voir ce mot.

Costaud, adj. et n., n'a plus rien d'argotique ni de populaire. Féminin *costaude.*

Cosy, n.m., a ajouté au sens qu'il avait déjà en anglais, « couvre-théière », celui, plus général, d'enveloppe rembourrée couvrant un plat ou des aliments pour en conserver la chaleur. Il est aussi l'abrégé de *cosy-corner,* divan placé dans une encoignure. Pluriel : *des cosys.*

Cote, n.f. (sans accent circonflexe). On parle de *la cote* d'un livre dans une bibliothèque, de la cote d'un dossier, de la cote d'un cheval, d'un titre à la Bourse, d'une cote foncière, morale, d'une cote mal taillée, etc.

Le français n'ignore pas l'emploi habituel en Belgique de *cote* (et du verbe *coter*) désignant la « valeur attribuée à un devoir par un correcteur, à une réponse par un examinateur » (GLLF) : *Ma dissertation qu'il aurait cotée 16* (S. de Beauvoir, *Mémoires d'une jeune fille rangée,* Poche, p. 16). *La cote d'un devoir* (PR). Mais c'est *note* (parfois *note chiffrée*) et *noter* qu'on emploie généralement en France : *Tu porteras des notes sur chaque nom.* (...) *Coter les autres par rapport à 20* (...). *Pour le noter, je devrais lui donner moins dix* (La Varende, *Indulgence plénière,* pp. 169, 173). *Les candidats ayant obtenu une note moyenne égale ou supérieure à 12* (...), *Une note moyenne au moins égale à 8* (*Journal officiel,* 21 novembre 1968). On dira d'un élève ou d'un employé qu'il est bien ou mal *coté* (ou *noté*).

Côte (maritime), n.f. On dit : *En juillet, nous partirons pour la côte* ou *vers la côte* ou *sur la côte, nous serons sur la côte, nous passerons nos vacances sur la côte, nous irons voir nos amis sur la côte.* Le tour *à la côte* est devenu rare et archaïque en France dans ces divers emplois, mais il est resté vivant en Belgique. On dit en bon français qu'un navire *va à la côte* quand il est poussé vers la côte par le vent, par les courants. On écrit : *la Côte d'Azur, d'Émeraude, d'Argent.* Mais *la Côte-d'Ivoire.*

Côte (flanc, côté), n.f. On écrit : *une côte de bœuf, de melon ; se tenir les côtes* (de rire) ; *côte à côte, être à mi-côte.* En parlant de tissage ou de tricot : *du velours à côtes, des chaussettes à côtes.*

Côté, n.m. (à distinguer de *coté ;* cf. CÔTE). Notons quelques expressions. *Un à-côté, des à-côtés* (cf. À-CÔTÉ). *Être à côté* ou *au côté* ou *aux côtés de quelqu'un, à son côté, à ses côtés :* le pluriel est admis, même en parlant d'une seule personne, bien que celle-ci ne puisse être physiquement qu'à un seul côté de qqn. *Être* (ou *passer*) *à côté de la question.*
À **côté de** signifie, au figuré, « en comparaison de ».
On parle des *deux côtés* d'une étoffe, d'une médaille, du *côté de l'endroit* ou *de l'envers. Le côté intérieur, le côté extérieur, le côté de devant, de derrière* (Ac.). On écrit : *de tout côté* ou *de tous côtés* (cf. TOUT, II. Remarques 1 et 3). On dit : *chercher de tous côtés ;* l'omission de *de* n'est pas rare en Belgique, elle est fautive. — *Avoir, mettre de l'argent de côté. Mettre les rieurs de son côté.*
On dit : *se tenir les côtes de rire ;* et non *les côtés.*
Du côté de, dans le sens de « quant à, en ce qui concerne, relative-ment à » *(Du côté de sa femme, il n'y a rien à dire. De mon côté, je l'admirais)* est abusivement mais de plus en plus fréquemment réduit à *côté (Côté famille, côté mœurs, on ne peut rien lui reprocher).*

Coteau, n.m. Pas d'accent circonflexe.

Cotiser, v.intr. *Chacun doit cotiser.* On cotise *à* un parti, *à* la Sécurité sociale. *Ils ont cotisé* peut se dire pour le pronominal *Ils se sont cotisés.* Ne pas ajouter « à plusieurs ». Mais *à deux, à quatre,* etc. apporte une précision utile.

Coton, n.m. L'étrange expression, familière surtout aux sportifs et évoquant un sérieux effort, **donner du coton** (faire un effort pour se presser) n'est pas mentionnée par les dictionnaires qui accueillent les expressions fami-lières où *coton* est associé à l'idée de faiblesse : *filer un mauvais coton, avoir les jambes en coton* (être très faible), *élever dans du coton,* trop mollement.

Côtoyer (accent circonflexe ; *il côtoie*) et **coudoyer** *(il coudoie),* v.tr.dir., peuvent s'employer l'un pour l'autre dans le sens de « fréquenter, être en contact fréquent avec qqn » : *J'ai côtoyé* (ou *coudoyé) beaucoup d'intellec-*

tuels. Mais on dit : *côtoyer la faillite, le ridicule, la mort, une rivière ; coudoyer qqn dans une cohue.*

Cotte, n.f. (deux *t*), mais **cotillon,** n.m.

Cou ou **coup.** Cf. MONTER, 4.

Coucher, v.tr.dir. ou intr. *Coucher un enfant.* **Se coucher,** c'est s'étendre dans la position horizontale, se mettre au lit. Avec *aller,* on dit toujours : *Allez vous coucher. Je vais me coucher.* **Coucher,** intransitif, peut se dire pour « dormir, passer la nuit » : *Où couche-t-il ?* (Colette, *O.C.,* II, p. 150). *Nous couchâmes, cette nuit-là...* (P. Vialar, *Les morts vivants,* p. 128). *Une cellule où je couchais sur un bat-flanc de bois* (A. Camus, *L'étranger,* p. 104). *Cathie resta coucher* (E. Triolet, *Le premier accroc...,* Folio, p. 193). *Il couchait dans une autre partie du château* (A. Gide, *Isabelle,* Poche, p. 139).

Couche-tôt, n.m.inv. *Des couche-tôt.*

Couci-couça, loc. adv. (ne pas mettre de cédille devant *i* ; ne pas oublier le trait d'union), a pratiquement éliminé *couci-couci.* On dit aussi : *comme ci comme ça.*

Coude, n.m. Pas de trait d'union dans **coude à coude :** *Ils avancent coude à coude. Un coude à coude.*

Cou-de-pied, n.m. (partie du membre inférieur). *Des cous-de-pied.*

Coudre, v.tr.dir. *Je couds, il coud, nous cousons. Je cousis, je coudrai. Cousu.* — *Des gants cousus main.*

Cougnou, n.m., n'appartient pas au français des dictionnaires. C'est un provincialisme. Il désigne en Belgique une brioche de Noël ; il a d'autres sens dans certaines régions de France ; il semble que ce soit en rapport avec l'ancien français *coignon,* devenu *quignon.*

Couiner, v.intr., onomatopée (faire entendre un **couinement**), s'est dit d'abord du lapin, du lièvre, puis d'autres animaux, puis d'autres bruits grinçants (d'un charriot, d'un frein, d'un moteur, etc.) : *Les moyeux couinèrent (...). Le métal se mit à couiner* (B. Clavel, *La saison des loups,* pp. 15, 161).

Couleur, n.f. On écrit : *Des rubans couleur de feu, couleur chair. Un film* ou *une photo en couleurs* (ou *en couleur*). *Un téléviseur couleur. Une étoffe de couleur. Un marchand de couleurs.*
  Sous couleur de = sous prétexte de.
  Cf. ADJECTIFS QUALIFICATIFS, 4.

Coulon, n.m. noté par Littré comme « un des noms vulgaires du pigeon », est encore le nom donné en patois liégeois et en français régional au pigeon domestique.

Coup, n.m. Dans l'usage général, le complément déterminatif de *coup* reste au singulier, même après *les coups.* On écrit : *un coup d'œil, des coups d'œil ;* de même : *des coups de balai, d'épée, de canon, de feu, de fusil, d'épingle, de corne, de patte, de bec, de main, de pied,* etc. On écrit même, au sens propre et au sens figuré : *un coup de griffe, des coups de griffe.* Il ne serait pas illogique de mettre *griffes* au pluriel, car on pense aux griffes d'un animal. On trouve *un coup* (ou *des coups*) *de dé* à côté de *un coup* (ou *des coups*) *de dés,* plus courant.

Recevoir **un coup de poing.** *Frapper avec un* **coup-de-poing** *américain.*

On écrit : à **coups** *de* (*bâton, dictionnaire,* etc.), *à tout coup* ou plus souvent *à tous coups, à tous les coups, tout à coup* (soudainement), **tout d'un coup** (proprement « tout en une fois », mais peut s'employer aussi dans le sens de *tout à coup*).

Du même coup est de plus en plus réduit à *du coup* (marquant un effet brusque se produisant presque en même temps). — *Être, mettre dans le coup* sont familiers. — *Un coup de téléphone* ou, familièrement, *un coup de fil.* — Cf. MONTER, 4.

Au coup de midi ou *sur le coup de midi.*

Un à-coup, des à-coups. Travailler par à-coups.

Sans coup férir signifie proprement « sans frapper un seul coup », « sans user de violence », mais veut dire au figuré : « sans difficulté », « sans rencontrer de résistance ». À cause de la persistance du sens propre, qui implique une idée de coup, on ne peut s'empêcher de sourire quand on lit : *Le joueur, rapide comme l'éclair, marque sans coup férir un but magnifique.*

Coupable, adj. **Plaider coupable** : cf. PLAIDER.

Coupe, élément verbal, est toujours invariable dans les noms **composés.** Quant au complément formant la deuxième partie du nom, il ne varie qu'au pluriel ; cf. NOMS COMPOSÉS, B, 5. Toutefois :

1. Il peut se mettre au singulier et rester invariable dans *coupe-air, coupe-batterie, coupe-circuit, coupe-feu, coupe-file, coupe-gorge, coupe-jambon, coupe-papier, coupe-pâte, coupe-vent.*

2. Il peut prendre *s* au singulier comme au pluriel dans *coupe-cigares, coupe-cors, coupe-ongles, coupe-légumes, coupe-racines.* On écrit : *Un coupe-chou* ou *un coupe-choux,* mais toujours *des coupe-choux.*

Coupe sombre, coupe réglée. La **coupe** que l'on fait dans un bois est une **coupe sombre** ou une **coupe d'ensemencement** quand on n'enlève des arbres que pour permettre l'ensemencement naturel ; la forêt reste donc sombre et c'est pourquoi on parle d'une coupe sombre, opposée à une **coupe claire**, qui ne laisse que des arbres clairsemés. Ces sens techniques ne sont évidemment pas perçus par l'usage courant qui, en dépit de condamnations répétées, emploie au figuré l'expression **faire une coupe**

sombre dans qqch. (dans un écrit, un budget, un personnel, etc.) en donnant à *sombre* le sens de « sévère, sans pitié ». Il faut admettre cet emploi de *coupe sombre* dans le sens de « suppression importante ». On dit généralement : *faire des coupes sombres.*
    Mettre qqn ou qqch. en coupe réglée a aussi dévié de son sens au figuré, mais beaucoup moins. Proprement, une *coupe réglée* est une coupe soumise à des règles pour sa périodicité, sa nature. Au figuré, *mettre une personne ou une population en coupe réglée*, c'est l'exploiter systématiquement, lui imposer des sacrifices abusifs et réitérés.

Coupelle, n.f., petite coupe : *une coupelle de confiture.*

Couper, v.tr.dir. 1. Notons quelques expressions, discutées à tort par des puristes : *Couper les cartes. C'est à vous de couper. Se faire couper les cheveux. Couper les blés* ou *le blé, les foins, l'herbe. Couper l'herbe sous le pied de quelqu'un* (Ac.). *Je lui ai coupé l'herbe sous le pied. Couper l'herbe sous les pieds de quelqu'un.*
    2. *Couper* peut certainement signifier « interrompre » quand son complément est une chose : la journée, un travail, le gaz, le courant, une phrase, une communication (téléphonique), etc. Quelle que soit la chose coupée, le verbe garde son sens : mettre fin à une continuité.
    Couper qqn, dans le même sens d'« interrompre, couper la parole à qqn », reste suspect malgré sa fréquence et ses bons répondants : *Il s'écria avec fureur (...). Je le coupai* (Ch. de Gaulle, *L'unité,* Poche, p. 44). *Gide me coupa* (R. Mallet, *Une mort ambiguë,* p. 123). *Si vous trouvez que je divague, allez-y carrément, coupez-moi* (M. Genevoix, *Un jour,* p. 93). *À son tour, il me coupa* (Aragon, *La mise à mort,* p. 95). Ce tour me paraît correct. L'Académie le considère d'ailleurs comme « une négligence de style trop fréquente chez les écrivains contemporains » plutôt que comme une incorrection. Si on coupe votre communication téléphonique, vous pouvez dire : *On a coupé,* mais ne vous croyez ni ridicule ni négligent si vous dites : *On nous a coupés.*
    Trans. ind., couper à ne se dit plus que dans *couper court à qqch.* (mettre fin à) et, familièrement, dans le sens d'« échapper » : *Vous n'y couperez pas.* On a dit autrefois *couper à qqch.* dans le sens de *couper court à qqch.*
    3. Ne pas confondre **couper, coupure** et **découper, découpure.** On **découpe** une volaille, un poulet, une aile de poulet, un gigot, une figurine en suivant le contour, des fleurs en papier, un article dans un journal.
    L'article découpé s'appelle une **coupure,** bien que **découpure** se rencontre dans ce sens chez de rares écrivains et se dise théoriquement, en concurrence avec **découpage,** de l'action de découper (et de l'objet découpé). Une **découpe** est, en couture, une incrustation de tissu sur un autre, en guise d'ornement.

On **coupe** un livre, les pages d'un livre. Cette fois encore, en dépit de quelques écrivains faisant la faute, assez courante, on se gardera de dire *découper*.

Il convient en effet de respecter la différence entre *couper (un livre)* et *découper (un poulet, un article)*.

4. **Accord du participe** : *Elle s'est coupée. Elle s'est coupée à la main. Elle s'est coupé les ongles. Elle s'est coupé une robe.* Cf. PARTICIPE PASSÉ, E, *Verbes pronominaux*, p. 686.

5. Cf. COURT, 3, 4, 8.

Couple, n.m. ou f. **Un couple** : homme et femme réunis, mâle et femelle d'animaux ou deux êtres unis par l'amitié, l'intérêt, le travail. Le mot a aussi des sens techniques.

Le féminin **une couple** a vieilli et est devenu plus ou moins dialectal ou régional pour désigner deux animaux ou deux choses de même espèce : *Une couple de chiens, d'œufs, de serviettes.* S'il s'agit de choses qui vont naturellement par deux, on dit **paire** : *Une paire de gants, de bas, de boucles d'oreilles.*

Coupon, n.m. Cf. BILLET. L'Union postale nomme *un coupon-réponse* un billet permettant à un correspondant d'obtenir, dans un pays étranger, un timbre pour affranchir une réponse par voie postale ordinaire.

Coupure, n.f. (cf. COUPER, 3), se dit couramment pour tout billet de banque, bien que proprement le mot ne s'applique qu'aux billets de moindre valeur que « le billet type ». Mais quel est le billet type ? De cent, de mille ou de cinq mille francs ? D'où l'emploi généralisé de *coupure*.

Couque, n.f. d'origine néerlandaise (koek), est connu dans plusieurs régions de France pour désigner des sortes de pains d'épices ou de gâteaux ou même des petits pains que l'on coupe en deux parties pour les beurrer. En Belgique, le mot a un sens très large (pain d'épices, brioche, etc.) et qui varie selon les régions ; le mieux est de respecter les usages locaux. Parmi les spécialités belges, *la couque de Dinant*, formée d'une pâte très ferme moulée, et la *couque* (dite) *de Reims*, dont le nom, déformé, serait dû à celui d'un ancien pâtissier dinantais appelé Rins.

Cour, n.f. On joue *dans la cour de l'école*. Il a vécu *à la cour de Louis XIV* ou *à la Cour de Louis XIV. Premier président de la cour d'appel d'Alger* (Ch. de Gaulle, *L'unité*, Poche, p. 220). *La Cour de cassation, la Cour des comptes.*

En Belgique et dans le nord de la France, [*aller à la cour*] s'emploie couramment pour *aller aux toilettes*. Cet usage s'explique par la situation des cabinets, autrefois, dans une cour. À éviter.

Courant, adj. et n.m. On dit : *Le 5 courant* (pour *le 5 du mois courant*). *Fin courant* (à la fin du mois en cours). *Dans le courant du mois de mars* (on dit même : *Il partira courant mars*). *Vos lettres (datées) des 5 et 10 courant.* L'Académie note encore l'usage vieilli : *le 5 du courant.*

Courbatu (un seul *t*), adj., est souvent remplacé aujourd'hui, correctement, par **courbaturé.**

Courir, v.intr. et tr.dir. (ancien infinitif *courre*). 1. **Conjugaison.** Attention au deux *r* au futur et au conditionnel : *Je courrai.*

2. On écrit : *chasse à* **courre, courrier, courrière, courriériste,** mais **coureur, coureuse.**

3. On dit **courir un risque,** mais **encourir des reproches.** R. Sabatier a tort d'écrire : *Il était fier de ne jamais courir de reproches* (*Trois sucettes à la menthe,* p. 89).

4. Quelques expressions : **courir après** *qqn* (chercher à l'atteindre en courant, rechercher continuellement sa présence), *courir après une femme* (la poursuivre de ses assiduités), **courir après qqch.** (essayer avec acharnement de l'obtenir), **courir sur qqn** (avec une intention hostile), **courir sur ses trente ans** (s'en approcher), **courir sus à qqn,** *courir à sa perte, à sa ruine, à un échec, courir à toutes jambes, à bride abattue, à perdre haleine.* Cf. APRÈS.

5. **Emploi transitif ou intransitif** et accord de **couru.** *Courir* est intransitif lorsqu'il signifie une certaine façon de se déplacer rapidement. *Couru* reste invariable quand le complément indique la durée, la longueur du trajet : *Les trois heures que ce cheval a couru. Les cinq kilomètres qu'il a couru.*

Mais *courir* est transitif (et *couru* devient variable) dans les sens de « poursuivre » *(les lièvres qu'il a courus),* « disputer une course » *(courir le Grand Prix, le quinze cents mètres),* « rechercher avec empressement » *(courir les honneurs, les filles),* « s'exposer à subir, affronter » *(les dangers, les périls qu'il a courus),* « fréquenter assidûment ou longuement » *(courir les magasins, les concerts, les spectacles),* « parcourir » *(les terres hostiles — ou les mers — qu'il a courues ;* on dit plus souvent : *parcourir, sillonner).* — *C'est couru* = c'est prévisible.

Courrerie, n.f., est un provincialisme belge et partiellement français dans le sens spécial (familier) de « le fait de courir les filles (ou les garçons), de les rechercher à des fins galantes » : *Trois filles qui n'avaient que la danse et la courrerie en tête* (H. Pourrat, *Trésor des contes,* III, p. 263). Le pluriel [*courreries*] est assez courant en Belgique et à éviter, dans le sens de *courses, démarches.*

Courrier, n.m. Cf. COURT, 10, MOYEN-COURRIER, LONG-COURRIER.

Cours, n.m. 1. On dit : **faire, donner, avoir, suivre un cours** (emploi d'un article). On rencontre cependant **avoir cours** : *Nous avons cours le matin ; il y a cours ce matin.* **Il y a cours** n'est pas plus insolite qu'*il y a fête.* Quant à *avoir cours,* il est plus d'une fois employé par Paul Guth dans *Le naïf aux 40 enfants,* ch. 6. *(Je n'avais cours qu'à onze heures),* ch. 7 *(Dans l'après-midi je n'avais pas cours). C'est mercredi. Les gosses n'ont pas cours* (J. Cau, *Paris Match,* 27 janvier 1978, p. 68). On entend aussi *faire cours* en France, mais l'expression habituelle et normale est *faire un cours, faire son cours.*

2. **Prendre cours.** *Une rivière prend cours* (ou plus souvent *prend son cours*) *à tel endroit. Un contrat prend cours à telle date.* La locution substantive est *la prise de cours.* Comparer *prise de sang, de possession, de contact,* etc.

3. Autres sens : *Le cours du temps. Un cours urbain* (longue et large avenue servant de promenade). *Ces valeurs n'ont plus cours.*

4. *En cours de route. Au cours d'un voyage.*

Court, adj. ou adv. 1. **À court de.** L'expression *être court de* (où *court* varie) a vieilli. On dit plutôt : *Elle est à court d'argent, d'idées, de souffle, de vivres,* etc. Tandis qu'on dit en Belgique *être à court d'haleine,* on dit en France : **être hors d'haleine, avoir le souffle court, l'haleine courte. Avoir la courte haleine** (Ac.) ne semble guère vivant. *Être à court, rester à court, se trouver à court* s'emploient aussi sans complément : *Je suis resté à court, sans pouvoir répondre.* Cf. aussi 3.

2. On dit : *prendre qqn de court* (au dépourvu ; ou : ne pas lui laisser le temps de faire ce qu'on lui demande). *Tenir qqn de court* (restreindre sa liberté) est vieilli. **Tenir la bride courte** à *qqn.*

3. *Court* est **adverbe** et invariable dans : *La vérité tout court, pour le faire court, pour faire court, couper court* (abréger), *couper court à qqch.* (en finir), *tourner court, trancher court qqch., arrêter court qqn, s'arrêter court, amarrer court, demeurer court, rester court, se trouver court.*

4. **Couper au court** est une expression naturelle et régulière. Elle s'emploie moins qu'autrefois en français généralisé, mais elle reste vivante dans des provinces et particulièrement en Belgique, et elle est encore employée par de bons auteurs : *Mariette coupe au court* (H. Bazin, *Le matrimoine,* Poche, p. 80). On dit et on écrit aussi : *prendre au court, prendre au plus court, couper au plus court, prendre le plus court, par le plus court.* Ou *couper court : Je pris un sentier qui coupait court* (H. Bosco, *Malicroix,* Folio, p. 185) ; autre sens, cf. 8.

5. **Avoir plus court,** resté vivant en Wallonie, est vieilli en France, au sens propre ou figuré.

6. Si l'on dit encore *Le plus court est d'agir ainsi,* on ne dit plus, comme La Fontaine : *Votre plus court est de ne dire mot.*

7. [*J'ai* — ou *il y a* — *un franc trop court*] est un flandricisme. On dit : *Il (me) manque un franc.*

8. **Couper** (*les cheveux*) **court.** Si *court* reste invariable dans *On lui coupa les cheveux court, Il s'est fait couper les cheveux court*, il y a quelque hésitation quand *coupé* (ou *bouclé* ou *taillé*), adjectif (ou participe), est épithète ou attribut. On trouve chez de bons auteurs : *Ses cheveux étaient taillés très courts* (Daniel-Rops, *Mort, où est ta victoire ?*, Poche, p. 333). *Il avait les cheveux coupés courts* ou *Ses cheveux étaient bouclés courts.* Mais *court* reste souvent invariable : *Des cheveux coupés court et frisés* (Colette, *Julie de Carneilhan*, p. 6). *Ses cheveux sont défaits, abandonnés ; d'un noir de jais ; coupés court sur le front* (A. Gide, *Journal*, 20 janvier 1910). *Les cheveux coupés court* (J. Romains, *Eros de Paris*, Poche, p. 92).

9. **Tout court** est invariable : *La vérité tout court. Je l'appelle Pierre, tout court.*

10. **Composés** de *court*. Pluriel : *des courts-bouillons, des courts-circuits, des courtes-queues* (cerises), *des court-pendus* (pommes à queue courte), *des court-courriers, court-vêtus.*

Court, n.m. désignant un terrain de tennis, a été emprunté à l'anglais mais est une ancienne forme du français *cour* et se prononce comme ce mot.

Courtil (ne pas prononcer *l*), n.m., est vieilli, comme *courtille*, et dialectal dans le sens de « petit jardin attenant à une maison ».

Courtiser (faire la cour à une femme), v.tr.dir., demande un complément : *courtiser une voisine.* On ne dit pas [*Il courtise*] pour *Il est fiancé.* En Belgique, on emploie ce verbe intransitivement avec pour sujet un garçon ou une fille : [*Il courtise avec la fille du boucher*]. Cf. FRÉQUENTER.

Coussin, n.m., ne peut se dire, comme en Belgique et dans certaines provinces françaises, pour *oreiller.*

Coût, n.m., se prononce avec ou, plus souvent, sans *t* final.

Couteau, n.m. On écrit : *Être à couteaux tirés avec qqn. Des manches de couteau.* On dit : *mettre le couteau sur la gorge*, plus rarement : *sous la gorge.*

Coûter, v. 1. **Emploi transitif ou intransitif** et **accord du participe passé.** *Coûter* est toujours considéré comme intransitif au sens propre, lorsqu'il s'agit d'argent (prix, dépense) ; c'est à la question *combien ?* que répond le complément : *Les deux mille francs que cela m'a coûté.* Mais si le complément est le nom *somme*, désignant une somme d'argent, on hésite sur l'analyse. Certains considèrent, non sans raison, que le participe est invariable puisqu'il s'agit de prix, d'argent et du sens propre : *La somme que cet objet m'a coûté* (Littré, Dauzat).

D'autres, assimilant ce cas à celui où l'on parle d'une somme d'efforts, de difficultés qu'une chose a réclamée, font l'accord : *La grosse somme que cette maison m'a coûtée* (Le Bidois). On ne peut dire qu'ils aient tort ; on ne fera cependant l'accord que dans les cas où la nature du complément ne permet pas de poser normalement la question : *combien ?* Mais on peut toujours laisser *coûté* invariable quand il s'agit de prix, d'argent.

Au sens figuré, lorsque *coûter* signifie « causer, être cause de, réclamer, occasionner, exiger de la part de qqn, faire perdre à qqn », il n'est pas question d'argent, mais d'efforts, de peines, de difficultés, de soucis, de temps, de perte (mais non en argent) ; le verbe devient transitif direct et le participe est variable : *Les efforts que ce travail m'a coûtés* (Ac.). *La peine que cet accord m'a coûtée. Les pleurs que cet enfant a coûtés à sa mère. Les semaines que m'a coûtées ma recherche. Les prisonniers que cette défaite leur a coûtés. La somme d'efforts que ce travail m'a coûtés.* Toutefois, une certaine hésitation subsiste, beaucoup plus légère d'ailleurs qu'autrefois, où l'Académie et Littré considéraient le verbe comme toujours intransitif et laissaient toujours *coûté* invariable, par analogie avec l'idée d'une somme exigée ou perdue.

Il faut aujourd'hui considérer *coûter* comme transitif au sens figuré.

Si le verbe est impersonnel, *coûté* est toujours invariable : *Les pleurs qu'il lui en a coûté.*

2. **Coûte que coûte** reste toujours au présent et au singulier.

3. On dit : *au prix coûtant* ou *à prix coûtant.*

Coutil, n.m. On ne prononce pas *l.*

Couvert, n.m., dans l'expression **le vivre et le couvert**, ne désigne pas les ustensiles de table nécessaires au convive, et qu'on met, dresse ou place ou qu'on lève, ôte ou enlève, mais, selon un sens plus ancien, le logement où l'on est à couvert des intempéries. On dit aussi : *le gîte et le couvert*, expression où il y a proprement pléonasme. En fait, dans les deux cas, on pense seulement à ce qui est essentiel pour vivre.

Couverte, n.f. vieilli dans le sens de *couverture.*

Couverture, n.f. *Faire la couverture* (préparer le lit pour la nuit en abaissant la couverture) a vieilli mais est loin d'avoir disparu.

Couvre. Composés, cf. Noms composés, B, 5, p. 626.

Couvrir, v.tr.dir. Bien que Sartre mette le verbe entre guillemets dans le sens de « mettre une couverture à un livre » (*Elle les « couvrait » soigneusement, Les mots,* p. 31), l'expression est correcte à côté de *recouvrir un livre*, plus courant. On parle de la *couverture* d'un livre.

Un autre sens, emprunté à l'anglais *cover,* se répand dans le langage de l'information pour désigner un reportage complet, pouvant dépasser le compte rendu : *La cérémonie a été couverte par un journal local.*

Couyon (sorte de jeu de cartes), n.m., est du wallon.

Cover-girl (des cover-girls), n.f., n'a pas d'équivalent français pour désigner un *modèle,* une jeune femme qui pose pour des photographies dont la reproduction figurera en page de couverture d'un journal illustré.

Cow-boy, n.m. *Des cow-boys.*

Craché, adj., est ancien mais familier dans *tout craché,* tout à fait ressemblant : *C'est son père tout craché, sa mère toute crachée.* Certains laissent, à tort, *tout craché* invariable. *C'est elle tout craché* (J.-L. Curtis, *La parade,* J'ai lu, p. 130). *Être le portrait tout craché de son père.* — **Cracher** : On crache *en l'air, à terre* ou *par terre, sur qqch.* (familier au sens figuré).

Crack, n.m. (à ne pas confondre avec **un krach,** débâcle financière), s'emploie inutilement dans le sens de *as* pour désigner un champion, une personne remarquable dans une discipline, un élève particulièrement doué.

Cracking, n.m., procédé de raffinage, devrait se dire en français *craquage,* n.m.

Craindre, v.tr. 1. **Conjugaison.** *Je craignais, nous craignions, je craignis, que nous craignions.*

2. **Craindre que** est suivi du subjonctif. *Ne* explétif n'intervient — et facultativement aujourd'hui — qu'après l'emploi affirmatif ou interrogatif. Il est exclu après la forme négative : *Je crains qu'il (ne) parte. Craignez-vous qu'il (ne) parte ? Ne craignez-vous pas* (interrogation oratoire correspondant à : *vous craignez sans doute) qu'il (ne) parte ? Je ne crains pas qu'il parte.*

Ne pas confondre *ne* explétif et *ne pas ;* ils s'opposent : *Je crains qu'il ne vienne* (je crains sa venue). *Je crains qu'il ne vienne pas* (je crains sa non-venue). *Je ne crains pas que ce projet n'aboutisse pas ;* le verbe *aboutir* est vraiment nié.

La présence ou l'absence de *ne* explétif, devenu facultatif après *craindre, redouter, avoir peur,* etc., n'exprime plus aujourd'hui aucune nuance : *Cette injustice, (...) je redoutais seulement qu'elle eût mutilé votre âme même* (Daniel-Rops, *Mort, où est ta victoire ?* Poche, p. 335). *Il fallait craindre qu'elle fût précaire* (H. Bosco, *Malicroix,* Folio, p. 295). *Je craignais que l'un d'eux finît par me remarquer (...). Je craignais qu'il ne me prît pour un fou (...). Il craignait en effet qu'on le reconnût* (P. Modiano, *Rue des boutiques obscures,* pp. 28, 32, 181). *Il craignait qu'il* (le soleil) *se cachât trop vite* (R. Sabatier, *Les allumettes suédoises,* p. 11). *Je crains bien qu'elle me soit interdite. (...) Je crains bien qu'il faille attendre* (M. Aymé, *Le confort intellectuel,* Poche, pp. 145, 151).

Crainte, n.f. 1. **De crainte de** *(dans la crainte de, par crainte de)* suivi d'un infinitif ou d'un nom de chose, peut être réduit à **crainte de** : *Crainte de malheur, d'accident, de pis* (Ac.). *Il se taisait, (de) crainte de les importuner* ou *dans la crainte de* ou *par crainte de les importuner.*

2. **Dans la crainte que, de crainte que, par crainte que, crainte que** sont suivis du subjonctif, souvent avec *ne* explétif (ou *ne pas* s'il y a lieu de nier le verbe subordonné) : *De crainte qu'il ne vienne. De crainte qu'il ne soit pas content.*

Cramique, n.m., est un mot belge (d'origine flamande) désignant une spécialité belge : pain au lait, au sucre et aux raisins de corinthe. Cf. Corinthe.

Cranter, v.tr., faire des crans à qqch. : *Cranter un objet.*

Crapule, n.f., ne s'emploie plus guère comme collectif pour désigner un ensemble de gens débauchés ; il se dit aujourd'hui d'un individu malhonnête, capable des pires actions. L'adjectif **crapuleux** a aussi un sens très sévère : *une vie crapuleuse, un crime crapuleux.*

Craque, n.f. (mensonge, vantardise), appartient au français populaire : *Raconter des craques.*

Craquelin, n.m., est enregistré par le GLLF comme un mot du nord de la France, d'origine néerlandaise ; biscuit sec craquant sous la dent. Je le trouve dans un livre évoquant la région de Limoges et du Périgord vert : *Avant de connaître les brioches, on enfilait les tiges de branches de buis dans les craquelins — ou cracalins —, gâteaux à pâte sèche en forme de têtes de gros cèpes renversés avec un grand trou en leur milieu... Le pâtissier de la Nadalie, le père Chaumont, raconte encore comment, avec son père, il fabriquait au temps des Rameaux dix mille à douze mille craquelins qu'il allait vendre à la porte des églises* (F. Dupuy, *L'Albine,* Poche, p. 125). Dans un autre livre, *des craquelins de sésame* (plante oléagineuse originaire de l'Inde) sont, avec des biscuits, des noisettes et des brioches, au menu de Grecs pittoresques voyageant dans le Midi (A. Cohen, *Solial,* Folio, p. 278). En Belgique, le craquelin est un pain au lait et au sucre.

Crasse, n.f. ou adj. f. : *Enlever la crasse* (la saleté). *Faire une crasse* (mauvais tour, indélicatesse) *à qqn. Une ignorance crasse.*

Crasset, n.m. Ancienne lampe à huile où la mèche brûlait à l'air libre.

Crassier, n.m. Amas de déchets, de scories provenant d'une mine, d'une usine métallurgique.

Crédit-bail (inusité au pluriel), n.m., traduit l'anglais *leasing* désignant une sorte de location avec possibilité d'achat : *Cette société a acheté des immeubles en crédit-bail.*

Créditer, v.tr.dir. On crédite *qqn* ou *un compte* d'une somme, mais on ne crédite pas une somme à qqn ou à son compte, *on porte cette somme à son compte, on crédite son compte de telle somme.*

Credo, n.m. Pas d'accent. Invariable et avec majuscule quand il s'agit de la prière : *Réciter son Credo.* Variable et avec minuscule dans ses extensions de sens : *leurs credos* (leurs opinions fondamentales). On le trouve parfois invariable : *Quand ils eurent tâté vraiment de divers credo pour sortir de leur désarroi* (F. Ambrière, *Les grandes vacances,* p. 157). À éviter.

Crédule, adj. On est crédule *à* des paroles, *envers* qqn.

Créer, v.tr.dir., conserve toujours *é : il crée, il créera.*

Crème (accent grave), n.f. désignant une couleur, est invariable : *Des gants crème.* Accent aigu dans les **composés et dérivés** : *crémer* (le lait *crème, crémait*), *écrémer, crémerie, crémier, crémière, crémeux ;* une *crémerie* peut aussi désigner un petit restaurant. — Cf. GLACE.

Créneau, n.m., a élargi sensiblement son sens d'ouverture pratiquée dans un parapet, pour s'appliquer à des intervalles, dans le temps ou dans l'espace, où l'on peut insérer un temps de parole, une préoccupation, etc. Emploi encore critiqué.

Créole, n.m. ou f., se dit d'une personne de race blanche née dans les plus anciennes colonies comme les Antilles ou la Guyane.

Créosote, n.f. *De la créosote.*

Crêpe, crêper, crêpeler, crêpier. Accent circonflexe.

Crépi, adj. *Des murs crépis. Une maison crépie.* N.m., *faire un crépi.*

Crépuscule, n.m., s'est dit longtemps du matin comme du soir, à cause d'une commune « incertitude » de la lumière ; aujourd'hui il ne se dit plus guère que du moment qui suit le coucher du soleil.

Crescendo, n.m. *Des crescendo* (invariable).

Cresson, n.m. La prononciation avec *é,* donnée comme normale, est beaucoup moins courante que celles avec *e* (surtout à Paris) ou *è.*

Crête, n.f. Accent circonflexe dans *une crête de coq* ou *de montagne* et dans *crêter, crêté.* On écrit : *l'île de Crète* (accent grave).

Creton (pron. *e*), n.m., est un régionalisme français : résidu de la fonte des graisses d'animaux (GLLF). Haust définit le wallon *crèton* (passé dans le français régional) : « petit morceau de lard frit dans la poêle, qu'on mange avec son pain ou qui sert à accommoder certains mets » ; il s'agit essentiellement de morceaux de couenne. Le mot français à peu près correspondant, dans l'usage général, est *lardon* (bien que le lardon comprenne plus que la couenne) et non *rillettes*, n.f.pl., qui a un autre sens (charcuterie faite de viande de porc (ou d'oie) hachée et cuite dans la graisse).

Creux est adverbe et invariable dans *sonner creux*.

Crevant, adj. (= qui fait mourir — par hyperbole — d'ennui, de fatigue ou de rire) est nettement populaire et même vulgaire.

Crève-cœur, n.m. *Un crève-cœur, des crève-cœurs* (ou *des crève-cœur*). Cf. NOMS COMPOSÉS, B, 5.

Crever, v. **Auxiliaire** de l'intransitif : *Ce pneu a crevé ; j'ai crevé deux fois. L'abcès a crevé.* Au sens de « mourir » ou de « se rompre », on emploie *avoir* ou *être : Ma chienne a crevé* ou *est crevée. La digue a crevé* ou *est crevée.* (*Être* marque plutôt le résultat). Dans les emplois populaires ou vulgaires : *J'ai crevé de faim. Ce voyage m'a crevé. Je suis crevé de fatigue. Il a crevé* (épuisé) *son cheval. Il se crève au travail.*

Cri, criant, criard, crier. *À cor et à cri. Un abus criant. Une erreur criante. Une vérité criante* (manifeste). *Une voix criarde, une dette criarde, une couleur criarde.* La substitution de *criant* à *criard* en parlant d'une toilette, d'une couleur est à déconseiller.
    Crier. *On crie qqch. à qqn. On crie cela sur les toits. On crie une édition spéciale, une vente* (on l'annonce). On ne dit plus : *crier qqn* (= le réprimander) ; on dit : *crier contre qqn ; crier après qqn* (le gronder, le quereller ; familier, dit plus que « appeler »). *Crier sur qqn* est considéré comme populaire. *Crier à l'injustice, au secours.* Cf. APRÈS, 4.

Crin, n.m., s'employant en wallon dans le sens d'« entaille », de « cran », apparaît abusivement dans le français régional de Belgique pour *coupure, entaille,* ou *division d'une plaque de chocolat.* On écrit **à tout crin** ou mieux **à tous crins** (= à toute épreuve ; emploi figuré d'une expression vieillie : *cheval à tous crins,* auquel on a laissé tous ses crins).

Cristalliser, v., s'emploie **transitivement et au passif** (*cristalliser du sucre ; du sucre cristallisé ; cristalliser des énergies, des sentiments, une inquiétude, des souvenirs,* rassembler, préciser, donner forme à ; *des souvenirs cristallisés*) ou **intransitivement,** avec le sens de *se cristalliser : Certains sentiments cristallisent* ou *se cristallisent autour de lui. Un souvenir cristallise* ou *se cristallise. Tandis qu'au-dedans du pays cristallisaient les passions* (Ch. de Gaulle, *Le salut,* Poche, p. 30). *Tous les quartiers de Paris cristallisaient soudain en une masse unique, en un sentiment unanime* (A. Maurois, *Espoirs et souvenirs,* p. 20). On voit que *cristalliser* peut se dire des collectivités qu'une communauté de sentiments réunit en un bloc : *Les têtes faibles cristallisaient sur le franc-maçon comme un demi-siècle plus tôt elles cristallisaient sur le jésuite* (P. Audiat, *Le Figaro littéraire*, 4 juillet 1953).

Critérium, n.m., prend couramment l'accent que lui a refusé l'Académie *(criterium)*. Pluriel : *des critériums.* On emploie d'ailleurs plus souvent **critère,** n.m., sauf s'il s'agit d'une épreuve sportive.

Critiquable, adj., s'écrit avec *qu,* comme *critiquer.*

Croasser, v.intr., se dit du corbeau ou de la corneille.

Croc, n.m. Le *c* final ne se prononce pas, sauf, au pluriel comme au singulier, dans le nom composé **croc-en-jambe** (pluriel : *des crocs-en-jambe*) ; on entend en Belgique *croc* pour *croc-en-jambe.*

Croche-pied, n.m. *Des croche-pieds* (= des crocs-en-jambe).

Crocheter, v.tr.dir. ou intr. Les dictionnaires ne donnent que les sens : ouvrir une serrure avec effraction, saisir avec un crochet (*crocheter de vieux chiffons* dans un tas de détritus). Ce verbe s'emploie pourtant couramment, en France comme en Belgique, en parlant de travail au crochet, dans les expressions comme *crocheter une maille, une bride, un rang.* Et si l'on dit plus souvent, en France, *faire du crochet,* on y entend aussi *crocheter,* intransitif, dans ce sens . *La vieille dame crochetait, préoccupée* (Fr. Mallet-Joris, *Allegra,* p. 330). Conjugaison, cf. p. 963.

Croire, v.tr.dir. *Je crois, nous croyons, ils croient. Je croyais, nous croyions. Je crus. Que je croie, que nous croyions.*

1. **Croire que,** à la forme affirmative, est suivi de l'indicatif (ou du conditionnel, s'il s'agit d'une éventualité) : *Je crois qu'il viendra. Je croyais qu'il viendrait* (futur du passé). *Je crois qu'il pourrait faire mieux. Je veux croire qu'il ne l'a pas fait exprès. Tout laisse croire qu'il est mécontent.*

Lorsque *croire* est employé à la forme négative ou interrogative ou est mis en question notamment par un *si* conditionnel, le bon usage, qui exigeait autrefois le subjonctif, admet aujourd'hui l'indicatif (ou le conditionnel) ou le subjonctif sans qu'on puisse dire que ce choix exprime nécessairement une nuance quant à la réalité du fait exprimé dans la subordonnée : *Je ne crois pas qu'il se soit trompé* ou *qu'il s'est trompé, qu'il l'aurait fait* ou *qu'il l'eût fait. Croyez-vous qu'il le fasse ?* ou *qu'il le fera ? Ne croyez-vous pas qu'il le fera ?* (l'interrogation négative correspond à une affirmation). *Si vous croyez que cela soit* (ou *est*) *utile... Ce serait une erreur de croire que cela soit* (ou *est*) *nécessaire. J'ai peine à croire qu'il l'ait dit* (ou *l'a dit*). *Rien ne me fait croire qu'il soit* (ou *est*) *coupable.*

L'indicatif s'impose si l'interrogation a la forme affirmative ou est formée avec *est-ce que : Tu crois qu'il est parti ? Est-ce que tu crois qu'il est parti ?*

2. **Croire, croire à, croire en.** Distinctions actuelles :

Croire peut s'employer sans complément : *Je crois. Je crois bien.*

Croire qqn, ajouter foi à ce qu'il dit, être assuré de la chose : *Je vous crois.* Avec un attribut : *On les a cru(s) morts ;* cf. p. 678.

En croire qqn, s'en rapporter à lui. **En croire qqch.,** lui accorder sa confiance : *Si j'en crois mon ami. Ne pas en croire ses yeux, ses oreilles. Si j'en crois mon expérience.*

Croire qqch., tenir pour certaine, réelle la chose qui est dite : *Je crois ce qu'il a dit. Je crois qu'il a raison. Il croit avoir raison. Il est plus malin qu'on ne le croit.* On ne dit plus : *croire l'immortalité de l'âme.* On dit *croire en...*

Croire à qqn, tenir pour certaine son existence, admettre son pouvoir, mettre sa confiance en lui : *Il croit aux revenants, aux sorciers, aux voyantes. Il ne croit ni à Dieu ni à diable. Je crois au Saint-Esprit.* On ne dit plus : *croire un Dieu* (Voltaire) pour « croire à son existence ».

Croire à qqch., être convaincu de la vérité, de la réalité, de l'efficacité de cette chose : *Croyez à mes sentiments dévoués,* mais non [*Croyez à l'expression de mes sentiments dévoués*] ; cf. ASSURANCE. *Je ne crois plus à ses promesses, à (l'efficacité de) ce remède. Il ne croit à rien. Il croit à l'immortalité de l'âme. Il ne croit plus à la médecine. Croyez à ma reconnaissance.*

Croire en qqn ou **en qqch.** marque un abandon plus confiant que *croire* ou *croire à,* une adhésion, souvent du cœur, pouvant entraîner un comportement moral ou même religieux ; *Je crois en Dieu. Je crois en l'homme, en l'humanité. Ne croyez pas en lui. Croire en soi. Croire en la parole de qqn. Croire en la médecine, en l'Évangile. Trop de gens croient en leur valeur d'une manière indécente* (G. Sion, *La conversation française,* p. 47). Mieux vaut donc se garder de substituer *en* à *à* dans une simple formule de politesse et de dire : *Croyez en mes sentiments dévoués.* Voici trois phrases du général de Gaulle, on y perçoit les nuances : *Je vous prie de croire, mon cher Général, à mes sentiments les meilleurs et sincèrement dévoués* (*L'unité,* Poche, p. 445). *On ne se trompe jamais à long terme quand on veut croire en la France* (*Ibid.,* p. 452). *Veuillez croire, mon cher Général, à mon entière confiance et en ma fidèle amitié* (*Le salut,* Poche, p. 422). **N.B. Croire de** + infinitif a pu se dire au XVIIᵉ et au XVIIIᵉ siècle et a survécu dans des parlers régionaux. On dit en français actuel : *J'ai cru le voir.*

Croisière, n.f., ne se dit proprement que pour un voyage en mer. On a tenté d'appliquer le mot à un voyage d'agrément en train ou en avion.

Croître, v.intr., prend un accent circonflexe sur *i* devant *t* dans toute sa conjugaison, ainsi qu'aux formes qui se prononcent comme celles du verbe *croire* (*je croîs, tu croîs, je crûs,* etc.), sauf au participe passé où seul le masculin singulier s'écrit avec cet accent : *crû, crue, crus.* Cf. CRU.

On se demande pourquoi l'Académie écrit au subjonctif imparfait *que je crusse, que tu crusses*, sans accent. Ces formes sont d'ailleurs plus théoriques que vivantes.

Composés. Il y a de l'hésitation dans la conjugaison des composés. L'Académie conjugue **accroître** comme *croître*, avec l'accent circonflexe aux mêmes formes, bien qu'il n'y ait aucun risque de confusion avec *accroire*. Grevisse (n° 1622) ne met l'accent circonflexe dans **accroître, décroître,** que sur *i* devant *t* et aux formes qui le reçoivent dans la conjugaison de tous les verbes. Tel semble être l'usage : *La voix décrut rapidement* (B. Clavel, *La saison des loups*, p. 315). **Décroître** se conjugue, d'après l'Académie, comme *croître* (sauf au participe passé *décru*) ; d'après Grevisse, comme *accroître*. **Recroître** se conjugue comme *croître* d'après l'Académie, comme *accroître* d'après Grevisse (mais *recrû, recrue, recrus* au participe passé).

Auxiliaires : bien que les grammairiens admettent les deux auxiliaires, c'est *avoir* qui est d'usage courant ; *être* est archaïque.

Croix, n.f. L'expression **la croix et la bannière** n'évoque plus une grande pompe mais des difficultés. On écrit : *Le président de la* **Croix-Rouge**.

[Crolle, croller] sont à la fois des wallonismes et des flandricismes. On doit dire, *boucle, boucler, friser*. Pour du bois : *des copeaux*. En Belgique, très familièrement : [*son nez crolle après qqch.*], il en a envie.

Croque dans les **noms composés**. On écrit *un* ou *des croque-en-bouche* (concurrençant *croquembouche), un croque-mitaine, des croque-mitaines* ou *un croquemitaine, des croquemitaines, un* ou *des croque-monsieur, un croque-mort, des croque-morts, un croque-note, des croque-notes* (on écrit aussi *croquenote*). On écrit : *manger des radis à la croque au sel* (sans autre assaisonnement que du sel).

En Belgique, [*une croque*] se dit pour certains accidents de santé.

Croquembouche, n.m. invariable, sorte de pâtisserie. On écrit aussi *croque-en-bouche*. Cf. CROQUE.

Croquer, v.tr.dir., c'est proprement « broyer sous la dent ». En Belgique, on dit abusivement *croquer* au lieu de *casser* pour une noix qu'on ouvre, le coin d'un feuillet ou un fétu qu'on plie et même dans le sens de « punir » : [*Cet élève se fera croquer. Il a été croqué*] ou au passif pour « avoir un accident de santé » (cf. CROQUE).

Croustillant, adj., a repris, à côté de son sens propre (*un biscuit croustillant*, qui craque sous la dent), un sens figuré qui avait vieilli et qui le substitue de plus en plus à *croustilleux : Une anecdote croustillante*, piquante, amusante et inconvenante à la fois.

Cru. Adjectif : *Des légumes crus, en termes crus, des couleurs crues. Le cru et le cuit.* — [*Il fait cru*] se dit en Belgique, en Suisse, dans le Nord de la France et au Canada pour *Il fait humide (et froid).* C'est un archaïsme. Ailleurs, on donne à *cru* le sens simple d'« humide », qui n'est pas non plus généralisé.

À distinguer de *crû* : cf. CROÎTRE.

L'adverbe de *cru* est **crûment.**

Nom : On écrit : *un grand cru, un vin du cru, des auteurs du cru* (= du pays même), *une histoire de son cru ;* pas d'accent circonflexe.

[**Cruaud**], n.m., est un terme dialectal qui, en Belgique et dans le Nord de la France, désigne les mauvaises herbes.

Crucial, adj., a certainement dépassé son sens propre (*une incision cruciale,* en forme de croix). Il signifie « situé à un croisement », d'où « important, décisif » : *Je m'installe à un point crucial. Une question cruciale. Une expérience cruciale. Une heure cruciale.*

Cueillir, v.tr.dir. *Je cueillais, nous cueillions. Je cueillerai.* Attention à *ue* dans *cueillir, cueillette,* etc.

Cuiller, n.f., est préférable à *cuillère.* On continue en bon français à distinguer le contenant du contenu *(cuillerée)* alors qu'on prend une *assiette* de potage et qu'on boit un *verre* de vin : *Une cuillerée de confiture gélatineuse* (G. Perec, *Les choses,* J'ai lu, p. 42). — *Un biscuit à la cuiller.*

Cuire, v., ne peut s'employer pour *bouillir* en parlant de l'eau.

[**Cuisine-cave**], n.f. La **cuisine en sous-sol** est appelée en Belgique *cuisine-cave.* Colette écrivait : *Elle quitta donc la chaude maison belge, la cuisine-de-cave...* (*La Maison de Claudine,* Poche, p. 12).

Cuisinette, n.f., doit être substitué à *kitchenette.*

Cuisseau, n.m. L'Académie française a unifié en 1975 la graphie *cuisseau,* pour le chevreuil ou le cerf (on écrivait *cuissot*) comme pour le veau.

Cuite, n.f., est populaire (comme *se cuiter*) dans le sens d'ivresse, d'état d'ivresse : *prendre une cuite, avoir la cuite, une bonne cuite.*

Cul, n.m. **Composés :** *cul-blanc (des culs-blancs), cul-de-jatte, cul-de-lampe, cul-de-sac ; des culs-de-jatte,* etc.

Culotte, n.f., ne s'emploie plus guère au pluriel pour un seul vêtement masculin. On parle toujours d'*une* culotte de femme ; on ne parle plus aussi souvent qu'autrefois de *culotte(s) courte(s). C'est sa femme qui porte la culotte.* Fam. *Prendre une culotte,* faire au jeu une grosse perte.

Culturel, adj., s'applique à la culture intellectuelle, aux valeurs de l'esprit, tandis que *cultural* se dit de la culture du sol *(procédés culturaux)* et *cultuel* de ce qui a rapport à l'exercice d'un culte religieux *(les libertés cultuelles).*

[Cumulet], n.m., emprunté au wallon (où l'on trouve d'autres mots de même sens), est répandu en Belgique dans le sens de *culbute, galipette.*

Cuniculture, n.f., « élevage du lapin domestique », est préférable à *cuniculiculture.*

Cure. Cf. Noms composés, B, 5, p. 626.

Curer, écurer, récurer. On *cure* un puits, une pipe, un égout, un canal, on *se cure* les dents, les ongles. *Écurer* ne s'emploie plus guère, soit dans le sens de *curer,* soit dans celui de *récurer* des ustensiles de cuisine (les faire reluire). **Composés** formés avec *cure,* cf. Noms composés, B. 5.

Curieux, adj. On ne dira pas : [*Je suis curieux s'il viendra*]. On dira : *Je suis curieux de voir s'il viendra.* — *Curieux* au sens de *soigneux* est un régionalisme.

Curriculum vitae, loc. latine invariable. *Un curriculum vitae.*

Cuvelle, n.f., **cuvier,** n.m. *Cuvelle* est sorti de l'usage français. Il est resté vivant en Belgique. *Cuvier,* cuve en bois pour faire la lessive, est également vieilli. On dit : *cuve, cuveau, bassine, baquet.*

Cyclone, n.m. Pas d'accent circonflexe.

Cymbale, n.f., désigne chacun des disques formant un instrument de musique à percussion ; il ne peut être confondu avec *timbale* (grand tambour semi-sphérique ; gobelet de métal).

Cypriote. Cf. Chypre.

Czar ne se dit plus guère pour *tsar.*

Czardas, n.m. ; autre graphie pour *csardas* (danse hongroise).

D

Da renforce familièrement *oui : oui-da.*

D'abord. Cf. Abord.

D'accord. Cf. Accord.

Dada, n.m. du cheval dans le langage enfantin, remplace avantageusement *hobby* (réduction de *hobby-horse*) dans le sens de « marotte » ou « occupation préférée ».

Dadais (jeune homme sot et gauche), n.m., n'a pas de féminin.

Dahlia (attention au *h*, du nom *(Dahl)* d'un botaniste suédois), n.m. Plur. : *des dahlias.*

Daim, n.m. La femelle s'appelle *daine* ou *dine.*

Dam, n.m. *Au grand dam de qqn,* à son grand dommage (ou préjudice).

Dame, n.f., employé avec un possessif ou un complément, se dit en parlant de la littérature courtoise du moyen âge, mais appartient aujourd'hui à la langue populaire dans le sens d'«« épouse ».
   On dit : *Une dame vous demande. J'attendais des amis, mais la dame a eu une syncope* (pas de possessif ni de complément). *Ma femme m'accompagnera. Votre femme* (ou *Madame X*) *viendra-t-elle ?* et non [*Votre dame*]. *Il est venu avec sa femme. La femme du patron est malade.* Ce n'est qu'en parlant à un domestique qu'un mari dira : *Je sortirai demain soir avec Madame.* En visite, à un domestique : *Madame est-elle là ? —* **Interjection** : *Dame ! Dame oui. Dame non.*
   Cf. Épouse, Madame, Messieurs.

Dame-jeanne, n.f. *Une dame-jeanne, des dames-jeannes.*

Dandy, n.m. Pluriel : *des dandys.*

Dangerosité, n.f., néologisme, « caractère dangereux de qqch. ou de qqn »
(Lexis), reste heureusement rare.

Dans, prép. 1. **Dans le journal.** Littré admettait *lire sur un journal* quand on
voulait montrer qu'il s'agissait d'un journal déplié, comparable à une
affiche. En dehors de cela il exigeait *dans,* comme avec *un livre.* Ni la
langue parlée ni la langue écrite ne font avec constance cette distinction.

Sur est assez courant dans la langue parlée et se rencontre chez des
écrivains. Mais *dans* est certainement la seule expression admise sans
conteste par le bon usage et *sur* est même parfois considéré comme
vulgaire.

On dit : *dans un livre, un catalogue, une revue, un annuaire,* mais on
peut employer *sur* ou *dans* devant : *un registre, un carnet, un cahier, un
agenda.*

Avec *programme* (feuille ou brochure donnant des indications sur un
spectacle, un concert), on emploie *dans,* mais s'il s'agit d'une feuille, on
peut employer *sur ;* on dit que telle œuvre est inscrite *au programme.*

2. On s'installe **au soleil,** on s'assied *au soleil.* On s'expose *à la pluie,*
on reste *à la pluie, sous la pluie ;* on arrive *au soleil.* On va se promener
dans le soleil. — Ouf, il fait chaud ! Dans le soleil, c'est toujours l'été.
(Ionesco, *Présent,* p. 127). Le tour habituel est *au soleil,* mais on trouve
dans le soleil, opposé à *dans l'ombre.*

On ne dit plus **dans la lune,** sauf dans l'expression figurée et figée *être
dans la lune ;* on dit : *marcher sur la Lune.*

3. On dit : s'asseoir *dans la prairie,* jouer *dans un pré ;* on se couche
dans l'herbe (haute) ou *sur l'herbe* (rase).

4. On dit : *dans un tram* (comme *dans un train*), mais *sur la plate-
forme ; dans un bois, sur la plage.*

5. On pose un objet *sur un fauteuil,* mais on s'assied *dans un fauteuil*
(beaucoup plus fréquent que *sur un fauteuil ;* c'est qu'on pense aux bras
du fauteuil, entre lesquels on s'installe), *dans* ou *sur une bergère, sur une
chaise, un canapé, un divan, un sofa.*

6. Devant un nom de ville, on emploie *dans* au lieu de *à* lorsqu'on
veut dire vraiment « à l'intérieur de ce territoire » : *Ils sont à **Paris** depuis
quinze jours. Ils circulent **dans Paris.***

7. **Dans la rue.** On dit : *Je l'ai rencontré* (ou *il habite*) *rue de Mau-
beuge, boulevard Magenta.* Si l'on emploie une préposition, on emploie
dans : dans la rue de l'école (on entend en France, mais surtout en Suisse :
à la rue de. À éviter), *à un carrefour, sur une place, sur un boulevard, sur*
ou *dans une avenue.*

On se promène, on se rencontre, on joue, on descend *dans la rue.* On
se gardera de dire dans cet emploi : *sur la rue* et *en rue ;* ce tour est vieilli,
mais s'entend encore en France et en Suisse et est très courant en Bel-

gique. On dit : *en pleine rue.* On dit qu'*une maison donne sur la rue*, qu'*on a vue sur la rue. Avoir pignon sur rue.* Au figuré : *jeter à la rue* (chasser, réduire à la misère), *être à la rue* (se trouver chassé de son domicile).

8. *Avoir **dans les quarante ans**, coûter dans les cinquante francs* sont corrects et marquent, avec l'article, l'approximation.

9. On a pu dire autrefois [*Les souliers qu'il a dans les pieds*]. Il faut dire : *qu'il a aux pieds.* On dit toujours : *donner un coup de poing dans le dos.*

10. **Être dans** : *Il est dans sa chambre, dans l'embarras, dans la peine.* Avec un nom indiquant le monde auquel quelqu'un appartient, la profession qu'il exerce, on peut dire : *Il est dans le commerce, dans l'administration, dans les affaires, dans l'édition, dans les assurances.* Ces tours sont considérés comme plus ou moins familiers. Ils appartiennent plus nettement à la langue négligée ou très familière si les noms sont concrets : *Il est dans les cuirs et peaux.* — *Lui, il était dans les chemins de fer* (J. Romains, *Mort de quelqu'un,* p. 50) *Elle a un mari dans les automobiles* (Colette, *Œuvres,* III, p. 256). *Faire dans les cuivres,* encore admis par Littré, est devenu vulgaire. Cf. FAIRE, 25.

11. *Dans* et *en* pour **une date ou un moment** que l'on fixe ou une durée. Noter la différence entre *Je lirai ce livre **dans deux jours*** (indique la date) et *Je le lirai **en deux jours*** (durée ; ne pas dire, comme en flamand, *sur*). Même opposition entre *dans un moment* et *en un moment.* On dit : *En ce moment, à ce moment. Je ferai cela dans les huit jours, dans le mois* (au cours des prochains huit jours, etc.). *Je ferai cela dans huit jours* (au bout de huit jours), *dans un mois.*

12. Cf. EN, *Préposition,* BUT, CRAINTE, PERFECTION, POCHE.

Danse de Saint-Guy. Cf. CHORÉE.

Dante. Ne pas dire [*Le*] *Dante ;* l'italien n'emploie jamais l'article devant un prénom masculin.

D'après. Cf. APRÈS, 11.

Date. 1. **Les noms des mois** ne prennent pas la majuscule après un nombre ou dans le corps de la phrase : *Bruxelles, le 10 janvier 1976, le 1ᵉʳ février 1976. Le 5 et le 6 juin. Les 5 et 6 juin.* — *Le 8 de mai* est archaïque.

Prononciation : devant les noms de mois commençant par une consonne, l'usage se perd de prononcer la consonne finale du numéral, sauf dans *sept* et *neuf.* On n'est donc nullement astreint à prononcer cette consonne devant *mars* dans *cinq, six, huit, dix,* pas plus qu'à supprimer *f* devant *cent* dans 1900. Dans le cas de *cinq,* il convient même de ne pas prononcer la consonne finale, sauf devant une voyelle ou devant une pause.

2. **Comment demander la date ?** Certains tours recommandés par des grammairiens sont très peu usités ou sont vieillis : *Quel est le quantième ?* (Littré.) *Quel quantième* (ou *quelle date) est-ce aujourd'hui ?* (Le Bidois, II, p. 599.) *Quel quantième tenons-nous ?* (Littré.) *Quel quantième du mois avons-nous ?* (Dict. gén.) *À quel quantième du mois sommes-nous ?* (Ac.) *Quel est le quantième du mois ? Quel jour est-il aujourd'hui ?* (Ac.)

Le tour le plus naturel est : *Quel jour sommes-nous ?* Mais il peut aussi bien porter sur le jour de la semaine *(Nous sommes lundi)* que sur la date *(Nous sommes le 3 mars).* Pour préciser que c'est celle-ci qu'on demande, on peut dire : *Quel jour du mois sommes-nous ?*

On trouve aussi : *À quelle date* (ou *à quel jour du mois) sommes-nous ?* et *Quelle date avons-nous ? Quel jour (du mois) est-ce aujourd'hui ?* Éviter : [*le combientième*]. Cf. COMBIEN, 2.

3. **Comment donner la date ?** On a prétendu qu'il fallait dire : *Nous sommes au 10 mai* ou employer *c'est* et dire : *C'est le dix mai.* Ce dernier tour est correct, mais on dit très bien : *Nous sommes le 10 mai.* Le tour *être à* est aussi correct, mais moins vivant.

On dit : *J'arriverai le lundi 3 mars, le 10 au matin, le 15 au soir.* Cf. COURANT. *Nous sommes le jeudi 10 mai. On est le 10 mai.*

On a critiqué l'emploi du démonstratif : *ce lundi 4 avril.* Il n'a certainement rien de condamnable, mais il ne faut pas en faire un tic.

4. **Noms des jours.** Pas de majuscule. On dit : *J'irai le voir demain, le lendemain, jeudi, jeudi prochain, d'aujourd'hui en huit, de jeudi en quinze* (plus familièrement : *aujourd'hui en huit, jeudi en quinze), demain matin* ou *demain au matin ; il est venu hier soir* ou *hier au soir, hier à midi* ou *hier midi. Nous sommes dimanche* ou *nous sommes le lundi 6. Je voudrais être demain.*

Pluriel ou singulier ? Les noms des mois, même précédés de *les* ou *des,* ne prennent pas la marque du pluriel. On écrit : *Ouvert tous les lundis, le lundi et le mercredi, le lundi de chaque semaine, chaque lundi soir, tous les lundis soir* (= au soir ; des auteurs écrivent : *les lundis soirs), les lundi et mercredi de chaque semaine, les samedis après-midi* (cf. APRÈS-MIDI). Cf. ARTICLE, 4, b. Mais : *des septembre pluvieux.*

5. On dit : *À quelle date m'avez-vous écrit ? Je ne sais plus à quelle date il m'a écrit. Dans une lettre datée du 6 juin* ou **en date** *du 6 juin* (ou *à la date du 6 juin)* et non [*sous la date du*], qu'on lit en Belgique.

Daube, n.f. désigne une préparation à petit feu, à l'étouffée : *bœuf en daube.*

Dauber *qqn* est vieilli. *On daube* **sur** *qqn,* on se moque de lui.

Dauphin, delphinarium, n.m. C'est à tort qu'on a vu se répandre en Wallonie l'appellation néerlandaise *dolfinarium* pour désigner un établissement où l'on peut voir évoluer des dauphins : en français, *delphinarium* (latin *delphinus* + suffixe *arium ;* comparer : *terrarium, aquarium).* Pluriel : *des delphinariums.*

Daurade, n.f., poisson comestible ; *dorade*, poisson d'aquarium.

D'autant plus que. Cf. AUTANT.

D'avance. Cf. AVANCE.

Davantage ou **plus.** — Tandis que *plus* peut modifier un verbe, un adjectif ou un adverbe, *davantage* ne peut modifier un adverbe et modifie très rarement un adjectif : *Allons plus loin. Il est plus attentif. Ce livre est aussi intéressant que l'autre, sinon plus. J'aurais voulu faire plus pour lui* ou *davantage pour lui.* On dit : *Ni plus ni moins. Je l'aime davantage.*

Si l'adjectif est représenté par le pronom *le*, attribut, on peut employer *davantage : Vous êtes patient, mais votre ami l'est davantage ;* si dans une telle phrase on emploie *plus* à la fin de la phrase, on le renforce volontiers par un autre mot : *bien plus, plus encore.*

Remarques :

1. *Davantage de*, suivi d'un nom, est un tour classique qui a gardé quelque vie : *J'ai plus d'argent* ou *J'ai davantage d'argent. J'ai davantage de loisirs depuis quelque temps.* De même avec *en : Je n'en sais pas plus* ou *pas davantage.*

2. *Davantage*, substitué à *plus*, permet d'éviter une équivoque : *À aucun moment, il n'avait davantage eu confiance. Ce que nous voulons ? Davantage d'examens au cours de l'année.*

3. *Davantage que*, courant à l'époque classique, a été ensuite condamné avec obstination. Le tour est aujourd'hui vivant et régulier : *Rien n'attire davantage que le mystère* (P. Claudel, *L'œil écoute*, p. 162).

4. *Davantage* peut signifier « le plus » : *Ils s'empressaient à qui lui plairait davantage* (Ac., à A). Le contexte peut lui donner le sens de « plus longtemps » : *Ne vous attardez pas davantage* (GLLF). Il ne signifie plus « de plus, en outre », comme à l'époque classique. On ne dit plus [*beaucoup davantage*] ; on dit : *beaucoup plus* ou *bien plus.*

5. Ne pas confondre avec **d'avantage**. Cf. AVANTAGE.

D'avec. Cf. AVEC, 8.

De, prép. 1. *De* introduit diverses sortes de compléments. Bornons-nous à des remarques sur les noms exprimant le temps, la durée et la matière.

Temps et durée. *De* marque le point de départ : *Le malaise date de ce jour-là, de cette époque. Ce n'est pas d'aujourd'hui que je le connais.* En corrélation avec *à, jusqu'à* ou *en : De juillet à septembre. Du 10 au 15* ou *du 10 jusqu'au 15. D'aujourd'hui en huit, en quinze* (cf. DATE, 4).

Dans certaines expressions, *de* devient synonyme de *depuis : Sur la pente fatale où une erreur démesurée nous avait de longtemps engagés* (Ch. de Gaulle, *L'appel*, Poche, p. 40). *(Ils) le connaissent de ce matin* (H. Troyat, *L'araignée*, Presses Pocket, p. 136).

Mais il peut exprimer le moment où se fait qqch. : *Se lever de bon matin. Il ne fait rien de toute la journée* (= pendant). *Elle n'avait pas dormi de la nuit. Travailler de nuit. De ce temps-là, du temps de Racine. De tout temps. De mon temps* = quand j'étais jeune.

De exprime aussi la durée dans : *Je ne vous verrai pas de huit jours, de longtemps. Je ne l'ai vu de ma vie.*

Matière. On dit *une table de marbre* ou *une table en marbre*. Mais, quoi qu'on ait pu prétendre, *en* est souvent le tour normal. Au figuré, on emploie toujours *de : un cœur de pierre, une santé de fer.*

2. Tour familier : *de* devant un nom précise ce qu'a indiqué vaguement un possessif ou *en* : *La mienne est faite, d'opinion. J'en connais une, de femme, qui vous donnera raison.*

3. **Devant un adjectif ou un participe passé :**

a) *De* est facultatif entre *un* ou une indication de nombre, précédant un nom, et un adjectif ou un participe passé pris adjectivement avec des verbes marquant un état, une possession ou une perception, comme *être, il y a, se trouver, rester, avoir, trouver, voir, remarquer*, ou *voici, voilà* (parfois non exprimés). *De* met l'adjectif en relief : *Il y eut mille soldats de tués* (ou *mille soldats tués). Il lui reste un bras (de) libre. J'ai une heure (de) libre. Voilà une semaine (de) passée. Encore une semaine (de) passée.*

On voit l'emploi de *de* tendre vers le sens de : *qui est. Un de perdu, dix de retrouvés.*

Si le nom est remplacé par *en*, on emploie généralement *de : Sur deux cents députés, il y en avait seulement cent vingt de présents. Sur dix, il n'y en avait pas un de bon. Des livres, j'en ai peu de reliés.*

b) Devant les adjectifs, les participes passés et les adverbes *moins* et *plus* se rapportant à *ceci, cela, qui, que, quoi, personne, pas un, quelqu'un, quelque chose, grand-chose, autre chose, rien*, on emploie *de : Il a cela de beau. Qui d'autre l'aurait fait ? Quoi d'étonnant ? Quelqu'un d'influent. Rien de plus.* Cf. AUTRE, 3, 4.

c) Avec *il n'y a*, si l'adjectif précède le nom, *de* est obligatoire : *Il n'y a de certain* que sa bonne volonté. Cf. ADJECTIFS QUALIFICATIFS, *Accord*, 12, p. 44. On dit aussi : *Ce livre n'a d'intéressant que ses illustrations.*

4. *De* s'emploie dans des appositions *(la ville de Paris)*, des tours affectifs comme *un drôle de corps, un coquin d'enfant, un chien de métier, pauvre de moi* et dans des gallicismes : *Ce que c'est que de nous !* (ou *que nous). On dirait d'un enfant* (ou *On dirait un enfant). Si j'étais de vous* (= si j'étais à votre place, dans votre situation). *Si j'étais vous* veut plutôt dire : si j'étais la personne que vous êtes ; comparez : *Si j'étais votre père. (Si j'étais que de vous* est vieilli). *Et d'un ! Et de deux ! Il est d'un triste ! J'ai fait de mon mieux. Peste soit du bavard ! J'ai agi de moi-même*, etc.

5. **Après un pronom interrogatif** développé par une alternative marquée par *ou*, *de* est facultatif, sauf immédiatement après *qui*, où il est

obligatoire : *Lequel des deux, (de) Corneille ou (de) Racine, fut le plus célèbre ? Qu'aimez-vous mieux, (de) partir ou (de) rester ? Qui de vous ou de moi le lui dira ? Qui le lui dira de vous ou de moi ? Qui le lui dira, vous ou moi ?*

6. **Devant un infinitif.** Quelques cas :

a) *C'est à vous à* ou *de jouer :* Cf. *À* et *de*, 3, p. 16. *Êtes-vous fou de lui parler sur ce ton ?*

b) *C'est* ou *Il est honteux de mentir :* Cf. CE, 5. Mais : *Mentir est honteux. Partir, c'est mourir un peu* (l'attribut est un infinitif). *Vouloir, c'est* **pouvoir**. *L'essentiel, c'est* (ou *L'essentiel est*) *de le lui dire.* Avec une négation : *Permettre, ce n'est pas exiger* ou *Permettre n'est pas exiger.* En tête de phrase : *(De) l'avoir rencontré nous rendait heureuses* ou *De l'avoir rencontré, cela nous rendait heureuses.*

Distinguer : *Ce qu'il veut, c'est capter notre confiance* (il veut capter). *Son projet, c'est* (ou *Son projet est*) *de capter notre confiance* (il a le projet *de* capter).

c) Après *que* suivant *ce que c'est* ou dans une phrase de comparaison marquant l'égalité ou la préférence, *de* est facultatif : *Il faut savoir ce que c'est* **que** *vivre dans les rues* (Giono, *Le hussard sur le toit*, Poche, p. 428 ; on pourrait dire : *ce que c'est que de vivre...*). *N'ayant d'autre alternative que doubler à droite ou ralentir* (J.-L. Curtis, *La parade*, J'ai lu, p. 74). *Autant faire cela sur-le-champ que (de) différer. Mieux vaut rire que (de) pleurer. Plutôt souffrir que (de) mourir. J'aime mieux souffrir que (de) mourir* ou *plutôt que (de) mourir.*

On dit : *Je ne demande qu'à le faire.* Mais avec *mieux* : *Je ne demande pas mieux que de le faire.*

d) Après *à moins que*, l'infinitif est précédé de *de* : *Je ne pouvais pas lui parler plus nettement, à moins que de le quereller* (Ac.). Le tour habituel est *à moins de* : *à moins de le quereller.*

e) Après *sinon que* on emploie *de* : *Il n'avait plus rien à y faire, sinon que de disparaître* (M. Druon, *Les grandes familles*, Poche, p. 248). Mais on peut dire *sinon à disparaître* (il avait *à* disparaître).

f) *De* s'emploie devant l'infinitif présent historique ou de narration ayant la valeur d'un passé simple : *Ainsi dit le renard, et flatteurs d'applaudir.*

N.B. Fautes qu'on entend en Belgique : [*Je ne puis pas de mon père. Je dois manger de la viande du docteur. Je suis venu de pied*], au lieu de : *Mon père me le défend. Je n'ai pas la permission de mon père. Je dois manger de la viande par ordre du docteur. Le docteur m'a prescrit de manger de la viande. Je suis venu à pied.*

7. **De** ou **par** *devant le complément d'agent du verbe passif.* Il y a d'autant plus de flottement qu'on employait plus souvent *de* autrefois et

que certains écrivains restent fidèles à cet emploi par archaïsme, alors même que *par* est possible.

De s'emploie surtout (mais non exclusivement) lorsqu'il s'agit d'exprimer, plutôt que l'action même du verbe pris au sens propre, un sens affaibli ou figuré, une conséquence, un état durable résultant de l'action, un sentiment, une émotion. C'est lui qu'on trouve généralement si le participe passé a la valeur d'un adjectif : *Il est adoré de ses condisciples* (mais : *Le soleil a été adoré par certaines peuplades*). *Il est accablé de honte* (mais : *accablé par ce rhume*). *Il est détesté des Parisiens, aimé de ses sujets. Approuvé de tout le monde. Approuvé par son auditoire. Abandonné par sa mère. Abandonné de tous. Un Indien coiffé de plumes* (mais *surpris par l'ennemi*). *La tête remplie de projets. Effrayé de son acte* (mais : *effrayé par l'obstacle, par le cheval*). *La tête enveloppée d'un linge* (mais : *le vase enveloppé par les déménageurs*). *La menace a été suivie d'un prompt effet* (mais : *a été formulée par l'agent*). Cf. DONT, 2, b.

Par s'emploie plus souvent devant un complément accompagné de l'article défini ou d'une détermination : *Il était suivi d'une foule. Il était suivi de tous* (ou *par tous*). *Il était suivi par la foule de ses admirateurs. La rue était encombrée de curieux. La rue était encombrée dans toute sa largeur par un troupeau de moutons. La gorge nouée par l'émotion...*

On dit d'une personnalité qu'*elle honore une réunion de sa présence* (complément de moyen). *Nous sommes* donc *honorés de sa présence. La réunion sera honorée de la présence...* Mais on dira plutôt : *L'éclat de cette séance sera rehaussé par la présence de...* Il s'agit d'une action, non d'une conséquence.

On notera que la langue moderne, contrairement à un usage classique, n'exprime plus l'agent avec un verbe pronominal à sens passif. Au lieu de dire comme Bossuet : *L'élection s'en faisait par tout le peuple,* on dit : *L'élection en était faite par tout le peuple.*

8. À côté de **vingt francs le mètre,** on dit en langage plus familier *vingt francs du mètre. Gagner quinze francs l'heure* s'est répandu à côté de *par heure* ou *de l'heure.*

9. *De* intervient devant l'adjectif possessif *ses* ou *leurs* ou devant l'adjectif démonstratif *ces* pour introduire une idée partitive : *Car je croyais ouïr* **de ces bruits** *prophétiques qui précédaient la mort des paladins antiques* (Vigny). *Ce sont de ces fautes qu'on ne peut pardonner. J'ai vu de ses livres. Il y aura toujours dans notre nation polie de ces âmes qui tiendront du Goth et du Vandale* (Voltaire).

10. *De par :* Cf. PAR.

11. *De ce que :* Cf. QUE, 6.

12. *De* dans une évaluation approximative : Cf. À et *ou,* p. 20.

13. Cf. ADJECTIFS QUALIFICATIFS, 10 *(des plus),* ARTICLE PARTITIF, AUJOURD'HUI, BEAUCOUP, BON, CERTAINS, DATE, DEPUIS, DEUIL, DÎNER,

ÉCHAPPER, ÉLISION, FAIRE, FAUTE, FÉLICITER, FIN, HEURE, JUSTE, MERCI, NOMS DE PROVINCES, NOMS DE RUES, NOUVEAU, POINT DE VUE, PRÉPOSITION, PRÈS, QUALIFIER, RAISON, REMERCIER, RÊVER, SERVIR, TITRES d'œuvres, TRAITER, TROP, VIS-À-VIS.

14. *De*, **particule nobiliaire**, ne se met généralement qu'après un prénom, un titre de noblesse, une appellation de politesse *(Monsieur, Madame, Mademoiselle, Monseigneur)*, un titre marquant la fonction, surtout s'il s'agit d'une haute fonction *(maréchal, général, amiral, cardinal, abbé)*, le nom *famille* ou un nom de parenté *(frère, oncle, cousin*, etc.) : *Alfred de Vigny, le comte de Vigny. M. de Montherlant. Le maréchal de Villars. Le cardinal de Bourbon. La famille de Vigny. Son oncle de Sévigné.*

On écrit donc : *Vigny est un poète romantique. Les Orléans.* Cependant on dit couramment : *les frères Goncourt.*

Exceptions. *De* est généralement maintenu, malgré une certaine hésitation de l'usage, même sans un de ces éléments placé avant lui :

1. Devant les noms d'une seule syllabe et devant ceux de deux syllabes dont la seconde contient un *e* muet : *De Thou disait... De Bèze a écrit... De Gaulle a dit...* (on dit cependant : *Retz, les Guises*). Mais on trouve *Mun* aussi bien que *de Mun, Maistre* au lieu de *de Maistre*.

2. Devant les noms commençant par une voyelle ou un *h* muet : *Le romancier d'Urfé. D'Alembert et ses intimes. L'Armorial de d'Hozier. Les héritiers des d'Orléans.*

L'hésitation augmente quand le maintien de la particule non élidée crée la suite *de de*. On l'évite souvent : *C'était un des familiers de Ligne.* Mais on n'a pas hésité à dire : *« L'Astrée » de d'Urfé. Les Mémoires de de Gaulle.*

N.B. a) *Du* et *des* (écrits souvent avec minuscule, parfois avec une majuscule) ne s'omettent jamais : *Les œuvres de du Bellay* ou *de Du Bellay.*

b) Lorsque le nom de famille est aussi un nom de lieu, on évite éventuellement l'équivoque en ajoutant le titre de noblesse ou le prénom, etc. : *Le complot du duc de Vendôme.*

c) Quand il s'agit de noms étrangers, on garde généralement telle quelle en français (quand on ne l'omet pas) la particule *von* ou *van* pour des personnages non entrés dans l'histoire depuis longtemps. Ainsi : *Beethoven, Goethe*, mais *von Wartburg.*

Cf. une étude d'André Goosse dans *Mélanges Grevisse.*

Dé, n.m. On écrit *un coup de dé* ou *un coup de dés.*

Débarquer, v.intr. **Auxiliaire** : *Nous avons débarqué hier ; nous sommes débarqués depuis hier.*

Débattre, v.tr.dir. ou ind., s'emploie surtout avec un complément direct. *Nous avons débattu le prix, la question, les conditions du contrat. Prix à débattre.* On entend parfois *débattre de qqch.* ou *sur qqch.* — On *se débat contre* la misère.

Débaucher, v.tr.dir. En namurois, en picard et dans les dialectes de France comme dans le français régional des mêmes régions, **se débaucher** a depuis très longtemps le sens de « s'attrister », alors qu'en français *se débaucher,* utilisé dans la langue classique, signifiait : se jeter dans la débauche, dans l'inconduite. Aujourd'hui **débaucher** s'emploie surtout pour « détourner du travail » soit en vue d'une grève, soit en vue d'un divertissement.

Débiner, v.tr.dir. familier, a des origines et des acceptions différentes dans *débiner qqn* (en dire du mal) et **se débiner** (prendre la fuite). Ne pas confondre avec *se désister* (renoncer, retirer sa candidature).

Débiteur, n.m., a deux féminins : *débiteuse* (de nouvelles, de marchandises), *débitrice* (qui a une dette). Dauzat notait, en 1940, que l'on appelait couramment *débitrice* (alors que l'Académie exigeait *débiteuse*) l'employée qui conduisait les clients à la caisse. Ce sens a disparu des dictionnaires comme de l'usage, semble-t-il.

Déblatérer, v.tr.ind. *On déblatère* **contre** *qqn.* Sans complément : *Ils sont toujours en train de déblatérer.*

Déboîter, v.tr.dir. ou intr., peut s'employer intransitivement pour un véhicule qui sort d'une file de circulation. *L'auto a dû déboîter.* Accent circonflexe.

Déborder, v.tr.dir. ou intr. Il est utile de distinguer les emplois intransitifs et transitifs et d'examiner les emplois avec *de.*

1. **Intransitif,** *déborder* se dit, au propre et au figuré, du contenu qui se répand par-dessus bord ou du contenant qui laisse échapper un trop-plein. Compléments, contenant et contenu sont introduits par *de.* On emploie *sur* ou *dans,* selon le sens, devant les noms de choses *sur* lesquelles ou *dans* lesquelles se répand le trop-plein.

a) **Le sujet est le contenu** : *La rivière déborde, a débordé.* (On ne dit plus *s'est débordée*). *La tasse est trop pleine, le café déborde. Les pluies ont fait déborder la rivière. Sa bile a débordé* (il s'est emporté). *Sa fureur déborde. Sa joie déborde.*

Avec *de* devant le contenant : *La rivière déborde de son lit. L'eau déborde du verre. Le linge déborde du tiroir. Les balcons débordent de la façade. La colère lui a débordé du cœur. La cohue débordait de la salle dans le couloir. La foule débordait du trottoir sur la chaussée. L'eau de la baignoire a débordé sur les dalles. Sa réputation débordait des frontières de son pays. Le magasin* (il s'agit des marchandises du magasin) *débordait sur la première des deux pièces où ils vivaient. Des stocks occupaient tous les espaces* (R. Sabatier, *Trois sucettes à la menthe*, p. 28). *Il* (le brouillard) *débordait de la vallée et s'étalait peu à peu sur les terres* (B. Clavel, *La saison des loups*, p. 132). *Ma grande balade à travers la France a débordé cette semaine sur l'étranger. Une étape genevoise me paraissait en effet indispensable* (E. Schneider, *Jours de France*, 24 août 1971, p. 28). Avec pour sujet un nom de personne : *Le chauffeur débordait du tender une burette à la main* (Giono, *L'oiseau bagué*, Folio, p. 221).

b) **Le sujet est le contenant** : *Un verre plein à déborder. La coupe déborde. C'est la goutte d'eau qui fait déborder le vase. Mon cœur déborde. Il m'a fait déborder* (m'a mis hors de moi).

Au figuré, on emploie *de* devant le contenu : *La ville déborde de touristes. Mon cœur déborde de reconnaissance. Il déborde de vie. — Ma mémoire déborde de leurs images* (Fr. Nourrissier, *Un petit bourgeois*, p. 57).

N.B. *Déborder* s'emploie aussi intransitivement en parlant d'un bateau ou du bois de flottage, dans un autre sens : s'éloigner du bord.

2. **Tr.dir.**, *déborder* se dit, au propre et au figuré, de ce qui non seulement atteint mais dépasse les limites de qqch. : *Un peu de café déborda la tasse* (H. Troyat, *La tête sur les épaules*, Poche, p. 59). On pourrait dire (cf. a) : *déborda de la tasse. La foule arrêtée débordait le trottoir* (Giono, *L'oiseau bagué*, Folio, p. 182). *L'agglomération déborde les boulevards. Cette pierre déborde l'autre de trois centimètres. Cette maison déborde les autres. La première ligne de l'ennemi débordait la nôtre.* (Ac. ; le sens est : la dépassait, pour pouvoir la contourner). *Nos troupes risquent de se laisser déborder sur la gauche. Cette nappe déborde un peu trop la table. Le toit déborde le mur. Cette maison déborde les autres. — Débordant l'angle de cette villa qui me tourne le dos* (J. Giono, *Noé*, Poche, p. 127). *En maint endroit les cerisiers débordent les murs* (Colette, *Œuvres*, XIV, p. 23).

Au figuré : *Les troupes de ce meneur l'ont débordé* (ont dépassé la limite qu'il s'était fixée). *Les chefs de l'émeute auraient voulu l'arrêter, mais ils ont été débordés. — Tout ce qui débordait le cadre de la vie banale* (J. Gracq, *Le rivage des Syrtes*, p. 78). *Cette question me déborde. L'orateur déborde son sujet. Une recherche déborde son objet premier :* elle l'étudie, mais elle va au-delà.

De même dans l'adjectif **débordé**, au figuré : *Je suis débordé* (accablé de travail, jusqu'à ne pouvoir faire dans les délais tout ce que je dois faire). *Il est débordé de soucis. Il est débordé par les évènements.*

3. **Nouvel emploi intransitif.** Rappelons que lorsqu'on dit *La rivière déborde de son lit*, la rivière était dans son lit, mais s'est répandue par-dessus bord. Tel n'est pas le sens d'un nouvel emploi de *déborder de* : *La question déborderait du cadre de ce volume* (R. Floriot, *Les erreurs judiciaires*, p. 313). C'est-à-dire qu'elle est en dehors des limites que l'auteur s'est fixées. *Je vous demande de tenir votre place et de ne pas déborder de*

vos fonctions (G. Borgeaud, *Le voyage à l'étranger,* p. 215). On entend dire couramment : *Cette affaire déborde du cadre de mes attributions ;* elle en est exclue, parce qu'elle n'y a pas sa place. On voit la différence avec *La rivière déborde de son lit.*

Or, pour la même raison, on ne pourrait pas dire : « déborder le cadre, déborder ses fonctions » (sens transitif) comme *Le café déborde la tasse.* On voit toutefois que l'idée de « sortir de » est commune à tous ces sens. Étant donné la clarté et la fréquence du nouvel emploi, mieux vaut l'admettre que de prétendre lui substituer l'emploi transitif, qui a un autre sens précis. Observons d'ailleurs que, si l'on dit dans ce cas *sortir de (Cela sort de ma compétence),* on donne aussi un autre sens à *sortir de,* non plus « *aller* hors de », mais « *être* en dehors de ».

N.B. On s'est demandé si l'on pouvait dire : *Bruxelles déborde des dix-neuf communes.* C'est fort bien dit : les dix-neuf communes font partie de Bruxelles, qui s'étend au-delà, qui déborde du contenu dans lequel on veut l'enfermer, comme l'eau déborde du verre. On peut dire aussi toutefois : *Bruxelles déborde les dix-neuf communes,* puisque le sens est « dépasser la limite de ce qui est inclus ».

4. *Déborder* a encore **deux autres sens transitifs**, où l'idée est *« défaire le bord ».* On *déborde* une jupe, un chapeau, un tapis : on dégarnit l'objet de sa bordure. On *déborde* un drap, une couverture, un lit : on tire le drap et la couverture de dessous les bords du matelas. Dans le même sens, on déborde un enfant, un malade et celui-ci *se déborde.*

Débotté, n.m., l'instant où l'on ôte ses bottes. *Au débotté,* à l'improviste.

Déboucher, v.tr.dir. ou ind. *On débouche une bouteille.* — On débouche *d'une rue sur une place ;* on débouche *sur des conclusions.*

Déboulé (au), loc. adv., au sortir du gîte, du terrier. On écrit aussi : *au débouler.*

Debout, adv. Invariable : *Elles étaient debout, la position debout.*

Débouter, v.tr.dir. *On déboute qqn* (et non une action judiciaire).

Débris, n.m. *Un débris* s'écrit avec *s* (penser à *briser*).

Débucher n'a pas d'accent circonflexe. **Tr. :** *On débuche un lièvre.* **Intr.,** il se dit du gros gibier : *Le cerf a débuché* (sortir du bois). *Au débucher du bois.*

Début, n.m. On dit : *Au début de l'année, dès le début novembre* ou *du mois.* Mais non [*au début que*] pour *dans les premiers temps que.* Cf. p. 936, *le tout début, au tout début,* à éviter. On dit : *au début de 1983* ou *début 83, début février.*

Débuter, v.intr., est toujours intransitif en français normal. L'emploi transitif, quoique fréquent, est condamnable. On ne débute pas une émission, un programme, une discussion, un discours, on les *commence* ou, avec certains compléments, on *entame* une discussion, etc. *Un acteur débute* (fait ses débuts) dans telle pièce. *Une conversation débute mal.*

Par, suivi d'un nom, introduit la chose qu'on fait d'abord : *Il débuta par une citation.* C'est la même construction qu'on retrouve avec *commencer, continuer, finir.* Mais, contrairement à ces verbes, *débuter* ne s'emploie plus guère avec *par* et un infinitif.

Deçà (accent grave), adv., ne s'emploie guère que par opposition à *delà (deçà delà)* et dans *en deçà (de),* sans trait d'union.

Décade, n.f., signifie proprement « série de dix ». Il a pris dans le calendrier républicain le sens de « période de dix jours ». Il a été repris dans ce sens pendant la guerre pour les distributions de tabac. Mais, ces sens précis étant tombés en désuétude, on a cru pouvoir lui donner celui de « période de dix années », répandu dès avant la guerre, peut-être sous l'influence de l'anglais. On a pu croire que ce nouvel usage allait l'emporter, même en littérature, mais une vigoureuse et triomphante offensive lui a opposé dans ce sens le terme technique **décennie,** réservé jusqu'alors à la sylviculture. Bien que certains restent partisans de donner à *décade* le sens de « période de dix ans », il faut, *décennie* s'étant largement répandu dans ce sens, maintenir avec l'Académie la distinction : *décade* pour « dix jours » (cela se dit notamment de certaines réunions), *décennie* pour « dix ans ».

[**Décalcairer**] n'existe pas en français. On *détartre* un radiateur, on *adoucit* l'eau.

Décamper, v.intr. *L'armée a décampé, elle est maintenant décampée.*

Décaper, dérocher, v.tr.dir. On *décape* une surface métallique ou du bois ou un mur peint ou même une chaussée. On *déroche* un chenal, un cours d'eau, un terrain. Si l'on *déroche* une surface métallique, c'est en recourant à un acide.

[**Décauser**] est wallon. On dit : *dénigrer,* v.tr.dir.

Décéder, v.intr. *Il est décédé.*

De ce que. Cf. Que, conj., 6, p. 784.

[**Décesser**] (= cesser) est populaire et inutile.

Dèche, n.f., est populaire.

Déchirement, n.m., **déchirure,** n.f. Le premier se dit de l'action de déchirer une étoffe, un muscle, une communauté ou d'une grande douleur physique ou surtout morale. Le second se dit de la rupture faite en déchirant un tissu, un muscle ou des chairs.

Déchoir, v.intr. *Je déchois, il déchoit, nous déchoyons. Je déchoyais, nous déchoyions. Je déchus. Je déchoirai, Je déchoirais (décherrai* et *décherrais* sont rares et archaïques). *Que je déchoie, que nous déchoyions. Son autorité **a** déchu de jour en jour. Elle **est** déchue de ses droits. Un père déchu de sa puissance paternelle.*

On trouve (très rarement) le verbe employé transitivement : *On l'a déchu de ses grades. Un jugement avait déchu le traître de ses droits civiques* (Bordas ; l'en avait privé). On dira plutôt : *Un jugement l'avait déclaré déchu de ses droits.*

De-ci de-là, loc. adv. Deux traits d'union. La virgule *(de-ci, de-là)* mise par l'Académie ne semble plus usuelle.

Décider, v.tr.dir. Sans complément de personne : on décide **qqch.** ou *de faire qqch. Le directeur a décidé son renvoi* ou *de le renvoyer.* Qqn (ou qqch.) *décide qqn **à qqch.**, à faire qqch. — **Je me décide à** le dire* (très rarement *de* + infinitif après *se décider*) **Je suis décidé** *à qqch., à faire qqch.* (être décidé *de faire qqch.* est tout à fait exceptionnel). *Cela m'a décidé à partir.*

Autres emplois : *Décider du plan d'action. Décider sur le bien-fondé d'une réclamation* (se prononcer sur). *Le sort en décidera. L'arrivée des renforts a décidé de la victoire. Il s'est décidé pour tel candidat, pour tel voyage organisé, pour telle cravate.*

Décider que est suivi de l'indicatif ou du conditionnel : *Nous décidons que vous partirez demain.* Éviter le subjonctif, qui réduit *décider* au sens de *vouloir* et ne place pas l'action subordonnée sur le plan de la réalité.

Déciller, v.tr.dir. ; nouvelle orthographe (Ac. 1975) substituée à *dessiller.*

Décimer, v.tr.dir., a signifié longtemps « mettre à mort une personne sur dix ». Mais en dépit des puristes on peut l'employer dans un sens plus large, « faire mourir un grand nombre de personnes », « anéantir » : *Ce fléau a décimé la population* (Ac.). *Ce régiment fut décimé par le feu de l'ennemi* (Ac.).

Décision, n.f. En langage sportif, on dit abusivement [*faire la décision*] pour *forcer la décision* (prendre un avantage décisif).

Déclencher, v.tr.dir., s'écrit avec *en* comme *clenche* et non avec « an ».

Décliner, v.tr.dir. *On décline une invitation* (on la refuse courtoisement), *on décline toute responsabilité* (on refuse d'accepter).

Décombres, n.m.pl., ne s'emploie qu'au pluriel, sauf parfois en poésie. Il est masculin : *tous ces décombres.*

Décommander, v.tr.dir. On décommande *qqch.*, un repas, une voiture, un déménagement, mais aussi *qqn*, ses invités (bien qu'on ne les commande pas), les déménageurs. *On se décommande* (on fait savoir qu'on ne pourra se rendre à une invitation qu'on avait d'abord acceptée).

Déconnecter, v.tr.dir. Substantif : **déconnexion,** avec *x*.

Découpe, découper, découpure. Cf. Couper, 3.

Découplé, adj. En termes de vénerie, *découpler,* c'est détacher les chiens couplés, pour qu'ils courent après la bête. *Découplé* a donc signifié : libéré de ses liens, libre de ses mouvements. S'est ajoutée, en parlant des personnes, l'idée de « bien bâti, bien proportionné et de belle taille, d'allure aisée plutôt que massive » : *Lourds, puissants, moins découplés, moins élégants, moins étincelants que les Américains* (Thierry Maulnier, *Images d'Helsinki,* dans *Le Figaro littéraire,* 2 août 1952). S'emploie surtout dans *bien découplé.*

Décrépi, décrépit, adj. *Une façade décrépie* (qui n'a plus son crépi). *Décrépit* (en rapport avec *décrépitude*) se dit des personnes ou des choses (déchéance physique, apparence misérable due à l'âge) : *un vieillard décrépit, un chêne décrépit, une maison décrépite.*

Décréter que ne peut être suivi du subjonctif. Cf. Décider.

Décrisper, v.tr.dir., **décrispation,** n.f., s'appliquent à l'atténuation du caractère tendu d'une situation, surtout dans un sens moral.

Décrocher, v.tr.dir., s'emploie intransitivement et familièrement dans le sens de « rompre le contact », « abandonner une activité ». *Un décrochez-moi-ça,* pop., boutique de fripier ou vêtement d'occasion.

Décroître, v.intr. Cf. Croître. **Auxiliaire** *avoir. Être* marque l'état au temps où est employé l'auxiliaire.

Décupler, v.tr.dir., a pris le sens de « multiplier », non pas nécessairement par dix.

Dédaigner, v.tr.dir. Tandis qu'on ne dit plus *daigner [de] faire qqch.*, mais *daigner faire qqch.*, on dit toujours *dédaigner de faire qqch.*

Dedans, prép. et adv., ne s'emploie plus seul comme préposition, mais dans des composés. On écrit *de dedans, en dedans, en dedans de,* sans trait d'union. On met généralement un trait d'union dans *au-dedans, au-dedans de,* toujours dans *là-dedans, par-dedans* (par l'intérieur). — On dit familièrement : *Mettre qqn dedans,* le tromper, l'enfermer ou l'enfoncer au sens figuré. — *Rentrer dedans* est populaire au sens de : se précipiter violemment sur qqn pour le frapper : *Il lui a rentré dedans.*

Dédicacer, dédier, v.tr.dir. Un auteur *dédie* son livre à qqn par une *dédicace* imprimée. Si la dédicace est manuscrite, il *dédicace* son livre à qqn, à un ami, à un lecteur, etc.

Dédire, v.tr.dir. Cf. Dire (Attention ! *Vous vous dédisez*). — *Elle s'est dédite.*

Dédoubler, doubler, v.tr.dir. Cf. Doubler. *Dédoubler* est rare dans le sens de « ramener à l'unité ce qui était double » : *dédoubler les rangs d'une colonne.* Outre le sens d'« enlever la doublure », *dédoubler* a le sens courant de « partager en deux, faire deux touts d'un seul » : *dédoubler une classe, un service administratif, un fil de laine.*

Sens spécial : *dédoubler un train,* faire partir, presque à la même heure que le train régulier, un train supplémentaire. — Le *dédoublement* d'une classe, d'un train, de la personnalité.

Doubler les rangs, c'est mettre sur deux ou quatre rangs ceux qui étaient sur un ou sur deux. Le *doublement* des rangs. Cf. Doubler.

De facto, loc. adv. (= de fait), se met en italique ou entre guillemets.

Défaillir, v.intr., se conjugue comme *assaillir* (bien qu'on trouve l'indicatif présent *défaut*) et n'est plus guère usité qu'à l'indic. prés., à l'imparfait, au passé simple, aux temps composés (participe passé *défailli*), à l'infinitif et au participe présent.

Défaire, v.tr.dir., se conjugue comme *faire.*

Défaufiler, éfaufiler, v.tr.dir., *Défaufiler,* c'est enlever la faufilure ; *éfaufiler,* c'est faire de la charpie.

Défaut, n.m., marque le manque *(la concision lui fait défaut ; être en défaut ; à défaut de ce qu'on aime)* ou l'imperfection *(les défauts d'une installation).*

Défendeur, n.m., désigne celui contre lequel est intentée une action en justice. Féminin : *défenderesse.*

Défendre que est suivi du subjonctif sans *ne* explétif.

Défenseur, n.m., désigne celui (et spécialement l'avocat) qui défend qqn ou soutient une idée. Pas de féminin.

Défiance, méfiance, n.f. *Se défier de* et *se méfier de* sont pratiquement synonymes. *Se méfier* et *méfiance* sont plus courants.

Déficience, n.f., faiblesse, insuffisance, manque.

Déficit, n.m. *Des déficits.*

Défier, v.tr.dir. On défie *qqn* ou *qqch.* (la mort, l'autorité), on défie *qqn de faire qqch.* (*à faire* est vieilli). Cf. Défiance.

Défiler, v.intr., c'est marcher en file, l'un derrière l'autre. C'est donc un pléonasme que d'ajouter *successivement.* Mais on dira dans un autre sens (dérober) : *Ils se sont défilés l'un après l'autre* (Ac.).

Définitif, adj. On ne dit plus « en définitif (en jugement définitif) », mais **en définitive** (par ellipse, à l'origine, de *sentence*), pour conclure, tout bien considéré.

Déforcer, v.tr.dir., courant en Belgique dans le sens d'« affaiblir, enlever de la force à, ébranler » (une personne dans sa conduite, un argument, une hypothèse, etc.), est inusité en France. Les dictionnaires ignorent ce verbe.

[Défranchir], [désaffranchir] ne sont pas français mais wallons. On dira : *Il a perdu toute confiance, il n'a plus la même assurance.*

Défrayer, v.tr.dir. *On défraie qqn* en lui remboursant ses frais, ses dépenses ; une personne ou une chose *défraie la chronique, la conversation,* les alimente. On peut dire : *Vous serez défrayé de tout,* mais ce serait un pléonasme de dire : *Vous serez défrayé de vos frais* ou *de vos dépenses.* Cf. REMBOURSER.

Défriser, v.tr.dir., signifie « défaire la frisure de » mais aussi « contrarier, décevoir » : *Il fut tout défrisé par cette nouvelle* (Ac.). *Cela me défrise.*

Défroquer, v.intr. *Ce prêtre a défroqué.* On dit plus souvent *se défroquer.*

Défunt, n.m. *La messe des défunts. Les parents de la défunte.* L'emploi comme adjectif est surtout littéraire : *Ses parents sont défunts. Sa défunte mère. Nos amis défunts.* Plus rare : *Défunte sa mère.* Vieilli ou dialectal : *Défunt sa mère.*

Dégaine, n.f., **dégainer,** v.tr.dir. Pas d'accent circonflexe. *Dégaine* est péjoratif : allure, façon de se tenir, de marcher.

Dégât, n.m. Accent circonflexe (rapport avec *gâter*).

Dégeler, v.intr. *La rivière a dégelé, est maintenant dégelée.* **Tr.dir.** *Dégeler qqn, dégeler l'atmosphère.*

Dégénérer, v.intr. *Cette race a bien dégénéré, est bien dégénérée* (Ac.). *Dégénérer en,* se transformer en qqch. de plus mauvais : *La dispute a dégénéré en bataille.* On écrit : *dégénérescent,* adj., *dégénérescence,* n.f.

Dégingander ne s'emploie guère qu'à la forme pronominale *se dégingander* : prendre un air disloqué dans l'attitude, dans la démarche. *Dégingandé,* plus vivant, se dit d'une personne dont les mouvements semblent disloqués. Prononcer *gin* avec *j.*

Déglinguer (disloquer), v.tr.dir., est familier. *Un vélo tout déglingué.*

Dégonder, v.tr.dir., tirer de ses gonds : *Dégonder une porte.*

Dégoter ou **dégotter** qqch. (découvrir) sont très familiers.

Dégoûter, v.tr.dir., **dégoutter,** v.intr. *Ses procédés m'ont dégoûté. — L'eau dégoutte du toit. Des feuilles dégouttantes de pluie.*

Dégrafer, v.tr.dir., et non [*désagrafer*], qui s'entend en France comme en Belgique.

Degré, n.m. Bien que le PR écrive « *par degré* ou *par degrés* », on écrit habituellement *par degrés.*

Déguerpir est aujourd'hui intransitif. L'expression *villages de déguerpis,* notée par A. Doppagne en Côte-d'Ivoire (*Le Soir,* 21 janvier 1976) et s'appliquant à des populations déplacées à cause de l'établissement d'un barrage, ne peut se justifier que par l'ancien sens, classique, de *déguerpir,* faire partir, faire déguerpir.

Déguster, v.tr.dir., se dit non seulement au sens de *boire,* mais aussi de *manger,* en appréciant, en savourant.

Dehors, adv. *Nous dînerons dehors* ou *au-dehors.* Généralement (obligatoirement, d'après l'Académie), on met un trait d'union dans *au-dehors, au-dehors de* et *par-dehors.* Pas de trait d'union dans : *de dehors, du dehors, en dehors, en dehors de : Sa porte s'ouvre en dehors. Marcher les pieds en dehors. — Se pencher au-dehors* ou *en dehors. — En dehors de* (à l'extérieur de) s'emploie au sens propre (*Il habite en dehors de la ville* ou *hors de la ville*), mais surtout au sens figuré : *C'est en dehors de la question. En dehors de vous, personne n'est au courant. Cette décision a été prise en dehors de moi.*

Déjà, adv. s'emploie familièrement dans des questions relatives à un fait qu'on a connu *déjà* (précédemment) mais qu'on a oublié : *Comment s'appelle-t-il déjà ? —* Il peut aussi marquer le degré relatif dans une constatation : *Ce n'est déjà pas si mal. C'est déjà beaucoup.*

Déjeter, v.tr.dir., c'est déformer qqch. (particulièrement du bois) en le faisant porter plus d'un côté que de l'autre : *L'humidité déjette* (ou *déjète*) *le bois. Le bois de ce meuble s'est déjeté.* Dans un sens figuré, à propos d'une partie du corps, subir une déformation : *Sa colonne vertébrale s'est un peu déjetée. Cet homme est tout déjeté* (Ac.). Il faut s'en tenir à ces sens physiques, matériels, et ne pas faire de *déjeté,* comme en wallon, un synonyme de « jeté pêle-mêle », « en désordre » en parlant d'un intérieur, de livres, etc. Pour la conjugaison, cf. p. 963.

Déjeuner, dîner, souper, v.intr. et n.m. Ce n'est pas seulement en Belgique, mais dans beaucoup de régions françaises, qu'on est resté fidèle à un ancien usage, *déjeuner, dîner, souper* correspondant respectivement à ce qu'on nomme, surtout à Paris, *petit déjeuner, déjeuner, dîner,* le *souper* y étant un repas tardif, fait à la sortie d'un spectacle, à la fin d'une soirée. Remarquer que *déjeuner,* au contraire de *jeûner* et de *dîner,* n'a pas d'accent circonflexe. — Cf. Avec, 2, Rester, 5.

Delà. Le trait d'union est obligatoire dans le nom *l'au-delà,* et dans *au-delà, au-delà de, par-delà.* Cf. Deçà.

Délibérer, v.intr. ou tr.ind. *Le jury délibère. Il délibère **sur** une question (de qqch.* est aujourd'hui beaucoup plus rare). On délibère *si on fera* telle chose. *Délibérer qqch.* (mettre qqch. en délibération) est vieilli. Il reste de cet usage l'emploi de l'adjectif **délibéré** (*un propos délibéré,* qui a été délibéré, qui est tenu à dessein ; *de propos délibéré ;* par extension, *d'un air délibéré,* assuré, décidé).

En Belgique, l'expression courante *Un arrêté délibéré en Conseil des ministres* (discuté, examiné) reflète cet ancien usage. Plus audacieusement les étudiants disent couramment : [*Je serai délibéré demain*] au lieu de : *On délibérera demain sur mon cas.*

Délice, n., est masculin au singulier et féminin au pluriel. Mais on ne le fait pas figurer dans une même phrase à des genres différents. On dit : *De grandes délices,* mais : *Un de mes plus grands délices.*

Déliter, v.tr.dir., peut signifier, au figuré, « désagréger » : *Il n'en faut pas plus pour déliter une idée fixe* (G. Duhamel, *Cri des profondeurs,* p. 140). Dans ce sens, seul est courant le pronominal *se déliter,* se désagréger.

Delta, n.m. On écrit *des avions à ailes-delta* (en delta), *des deltas* de fleuve. Cf. Lettre.

Démailloter, v.tr.dir. Un seul *t.*

Demain, adv. On dit *Demain au matin* ou *Demain matin, Demain au soir* ou *Demain soir. De demain en huit.* Cf. Date, 2.

Demande, n.f. *Faire qqch. à* (ou *sur*) *la demande de qqn, à la demande générale. Renseignements **sur** demande. Faire, adresser, présenter, exprimer, formuler une demande.* On dit aussi, à l'imitation de l'expression figée (en droit) *introduire une instance, introduire une demande.*

Demander, v.tr.dir. 1. **Demander à** et **demander de** ne s'emploient pas, aujourd'hui, indifféremment devant un infinitif.

A. Les deux verbes ont le **même sujet** :

a) Si *demander* n'a pas de complément indirect, on emploie *à.* Le tour avec *de,* permis par Littré, a vieilli depuis quelque temps. On dit : *Il demande à partir. Je ne demande qu'à vous faire plaisir.*

b) Si *demander* a un complément indirect, on emploie souvent *de,* plus rarement *à (Il lui demanda de venir chez lui) ;* dans les deux cas, il faut que le contexte — notamment la présence d'un pronom personnel ou d'un adjectif possessif renvoyant au sujet identique — dissipe toute équivoque : *Il me demanda, un jour, de se servir du téléphone* (G. Duhamel, *Les espoirs et les épreuves,* p. 95). *J'ai écrit à ma mère jeudi dernier, pour lui demander de finir mes études à Paris* (Alain-Fournier, *Le grand Meaulnes,* II, X, p. 194). — *Il m'a demandé à voir ce que j'écrivais* (A. Gide, *L'école des femmes,* p. 75).

c) **Demander pour** est un tour populaire français, qui n'est donc pas propre au wallon, quand l'infinitif exprime l'objet de la demande : [*Il demande pour entrer*]. Mais ce tour est correct au sens causal : *Il demande cent francs pour cette réparation* ou *pour avoir fait cette course à notre place.*

B. Les deux verbes n'ont **pas le même sujet** :

On emploie *de*. Généralement *demander* est accompagné d'un complément indirect qui est le sujet de l'infinitif : *Je vous demande de lui parler, de m'écouter.* Si, sans être exprimé, le sujet de l'infinitif est évident, on emploie *de* également : *Je soussigné... demande d'accorder à M. X l'autorisation de...*

2. **Demander que, demander à ce que.** Au lieu de *Je vous demande de m'écouter* (Cf. B), on peut dire : *Je demande que vous m'écoutiez* (subjonctif). Mais, malgré quelques exemples d'écrivains, on évitera *demander à ce que,* inutile et lourd. Il faut dire cependant : *Je ne demande qu'à ce qu'il vienne.* À moins de dire : *Je ne demande qu'à le voir venir* ou *qu'à savoir qu'il vient,* etc. (Cf. 3).

3. **Ne pas demander mieux que.** Pour éviter deux *que* qui se suivent [*Je ne demande pas mieux que que vous réussissiez*], on dit avec l'infinitif et le même sujet (comme dans *Il ne demande pas mieux que de venir*) : *Je ne demande pas mieux que de vous voir réussir.* On peut d'ailleurs aussi réduire les deux *que* à un seul : *Je ne demande pas mieux que vous réussissiez* (cf. Le Bidois, II, p. 282, Grevisse, n° 2506 et Sandfeld, II, p. 3).

4. **Demander après qqn** est familier. Cf. APRÈS, 5.

5. Cf. EXCUSE.

Demandeur, n.m. Féminin : *demandeuse* dans l'emploi général, *demanderesse* en langage de procédure.

Démanger, v.intr. Cf. CHATOUILLER. *Le bras* ou *la langue lui démange.*

Démanteler, v.tr.dir., qui signifiait proprement « ôter le manteau (démolir les fortifications) d'une ville », a pris depuis longtemps un sens plus général : démolir, détruire (*des murs, un réseau d'espionnage,* etc.).

Démarquage, n.m., s'écrit normalement avec *qu* comme **démarquer.** Ce verbe signifie « ôter, effacer la marque » et de là « baisser le prix d'un article après en avoir ôté la marque, solder » : *des robes démarquées, des marchandises démarquées.* Cette action s'appelle la **démarque.** En langage sportif, *un joueur se démarque :* il se libère de la surveillance de l'adversaire.

Démarrer, v.tr.dir. ou intr. Il faut éviter l'emploi transitif au sens de « commencer » (qqch.). *Une émission démarre, un commerce démarre bien, on fait démarrer sa voiture, la voiture démarre ;* il ne faut pas se laisser entraîner à dire [*démarrer sa voiture, une émission, etc.*]. *On démarre un bateau,* c'est-à-dire qu'on en largue les amarres : *Il semblait que le moindre vent allait les* (les montagnes) *démarrer* (Giono, *Que ma joie demeure,* Poche, p. 87).

Démêler, v.tr.dir. On démêle une chose *d*'une autre, le vrai du faux (dans la langue classique : *d'avec* qqch.).

Déménager, v.tr.dir. ou intr. Auxiliaire de l'intransitif, *avoir : Ils ont déménagé le mois dernier.* Rare : *ils sont déménagés* (présentement).

Démentir, v.tr.dir., se conjugue comme *mentir.* Ne pas dire : [*Il dément n'avoir jamais dit cela*] au lieu de *Il dément avoir jamais dit cela.*
   Démentir que + ind. ou subj. Cf. NIER. On trouve l'indicatif (plus rare que le subjonctif) après *démentir que* affirmatif.

Démerger, v.tr.dir., s'emploie en Belgique comme le contraire d'*immerger :* *démerger des terres envahies par l'inondation. Démerger une cave.* Le mot est dans Littré avec un exemple belge : *Démerger l'exploitation.*

Demeure, n.f., a signifié autrefois « retard ». On disait dans ce sens : *Être en demeure envers qqn, envers qqch. Je n'étais pas en demeure de ce côté-là* (Bossuet). *Être en demeure de payer* (être en retard de paiement). Ce sens subsiste seulement dans l'expression **Il n'y a pas péril en la demeure** (noter l'ancien tour *en la*) : il n'est pas dangereux d'attendre, rien ne presse. *Il y a péril en la demeure* (le moindre retard serait préjudiciable) se dit moins.
   Dans le langage juridique, *demeure* désigne l'état de celui qui a reçu une sommation et est donc responsable de son retard : *Mettre qqn en demeure de tenir ses engagements. Une mise en demeure.* D'où : *se mettre en demeure de faire qqch.,* s'obliger soi-même à, se préparer à. On voit qu'on ne peut employer *être en demeure de* dans le sens d'*être en mesure de, en état de.*

Demeurer, v.intr. **Auxiliaire** *avoir* dans le sens de « habiter » (*J'ai demeuré rue de Lille*) ou « tarder » (*Sa plaie a demeuré longtemps à guérir*) ou « mettre du temps à faire qqch. » (*Je n'ai demeuré qu'un quart d'heure à faire ce sonnet*). On emploie aujourd'hui plutôt *habiter* dans le premier sens (*J'ai habité*), *rester* dans les deux autres (*Je suis resté*).

Auxiliaire *être* dans le sens de « s'arrêter, rester en un endroit, en un certain état » (on emploie plutôt *rester*) : *Je reprends mon travail où j'en étais demeuré* (Ac.). *Il est demeuré muet* (Ac.). *Ma lettre est demeurée sans réponse.* Cf. COURT, DANS.

Demi, adj. *Une demi-heure. Toutes les demi-heures. Des gaufres demi-cuites. Les paupières demi-fermées. Une demi-bonne foi* (M. Druon, *Les grandes familles,* Poche, p. 165). *Une heure et demie a sonné. Une pomme et demie lui suffit. Midi et demi. Minuit et demi.* On trouve chez de très bons auteurs : *Il était midi et demie, minuit et demie* (B. Clavel, *Le voyage du père,* J'ai lu, p. 134).

[*Demi-ouvrier*] n'est pas français, mais belge. Dire : *manœuvre, aide-ouvrier.*

Quatre demis. Cette pendule sonne les demies. La demie de trois heures vient de sonner, trois heures et demie viennent de sonner.

À demi. Trait d'union devant un nom : *à demi-mot ;* mais pas devant un adjectif ou un participe : *une bouteille à demi pleine ; des malheureuses à demi mortes de faim.*

On dit : *plus (moins) d'à demi fait* ou *plus (moins) qu'à demi fait.*

Démissionner, v.tr.dir. ou intr. On démissionne qqn *de* ses fonctions. Familièrement : *on l'a démissionné* (obligé à abandonner ses fonctions), on l'a *démis. Il a démissionné.*

Demoiselle, n.f. *Votre demoiselle, sa demoiselle* pour *votre fille, sa fille,* appartiennent au langage populaire à éviter. *Elle est restée demoiselle,* célibataire.

Démon, n.m. Le féminin *démone* est très rare. On dit : *Cette femme est un vrai démon.*

Démystifier, démythifier, v.tr.dir., sont trop souvent confondus à cause de l'idée commune de tromperie. Proprement, *démystifier,* c'est détromper celui qui est la victime d'une mystification, d'une tromperie, ou dissiper par des explications claires le caractère mystérieux d'une chose ; *démythifier,* c'est faire cesser le caractère mythique, imaginaire, irréel, idéalisé. *On démystifie un public trop crédule, on démythifie un grand personnage, une œuvre surfaite.*

Dénicher, v.tr.dir. ou intr. **Trans.,** s'emploie familièrement pour « trouver à force de recherches ou par chance ». **Intr.** : *Les hirondelles ont déniché.*

Dénigrer, v.tr.dir. On dénigre qqn, qqch. qui devrait être apprécié, mais on ne dénigre pas des fautes, on les souligne.

Dénommer, v.tr.dir. Deux *m. Dénomination :* un *m.*

Dénouement, n.m., s'écrit avec *oue. Un dénouement heureux* ou *malheureux.*

De nouveau, loc. adv. Cf. Nouveau.

Dental, adj. Pluriel : *dentaux.*

Denté, adj., en parlant d'une feuille bordée de petites échancrures, est souvent remplacé par *dentelé. Une feuille dentée* ou *dentelée.* Mais *une roue dentée.*

Dentellière, n.f. Deux *l.* La prononciation hésite entre *tè* (comme dans *dentelle*) et *te.*

Dentier, n.m., **dentition, denture,** n.f. Le *dentier,* c'est l'appareil de prothèse ; la *dentition,* c'est la formation et la poussée des dents, mais dans l'usage courant (abusif) en France, c'est ce qui s'appelle normalement la *denture,* l'ensemble des dents : *La vedette à dentition de cheval* (J.-L. Bory, *Mon village à l'heure allemande,* J'ai lu, p. 145).

D'entre. Cf. Entre.

Dénuement, n.m., s'écrit avec *ue.*

Déodorant, n.m. et adj., est rejeté par l'Académie au profit de *désodorant* ou **désodorisant,** mieux formés. Dans la pratique courante, *déodorant* s'emploie surtout pour les produits destinés aux soins corporels et *désodorisant* dans un sens général, plus large. *Désodorant* ne s'est pas imposé. On dit : *désodoriser, un désodoriseur* (appareil).

De par. Cf. Par.

Dépareiller, déparer, déparier, désapparier, v. tr.dir. Un ensemble est *dépareillé,* un service de table est *dépareillé,* des pigeons ou des souliers sont *dépariés* ou *désappariés,* une collection est *déparée* par un tableau médiocre.

Déparler, v.intr., est régional : parler à tort et à travers.

Départ, n.m. *Être sur son départ* (près de partir). *Le départ pour* (ou *vers*) *le Midi.*

Départir (se) se conjugue comme *partir* et non, quoi que fassent de bons auteurs, comme *finir : Il ne se départ* (ou *se départait*) *jamais de son calme.*

Dépasser *les bornes* est correct (à côté de *passer les bornes*).

Dépeçage (d'un bœuf), **dépècement** (d'un État), n.m..

Dépêcher (se). On se dépêche d'en finir (la langue classique employait aussi dans ce sens *dépêcher*). Éviter [*se dépêcher vite*].

Dépendre (*Je dépends,* etc.), v.tr.ind., exige normalement un complément : *Cela dépend de vous, de sa conduite, de ce qu'il dira.* Mais on peut dire par ellipse et familièrement : *Cela dépend* (GLLF). *Il dépend de vous que* (+ subj.) ou *de* (+ *inf.*) *Il n'a pas dépendu de moi que cela se fît* (ou, moins clair, *ne se fît*), *que cela ne se fasse pas* (négation complète).

Dépens, n.m.pl., ne s'emploie qu'au pluriel : *aux dépens de.*

Dépense. Cf. Somptuaire.

Dépenser, v.tr.dir. *Dépenser de l'argent, son énergie, peu d'essence. Les cent francs qu'il a dépensés.*

Dépiauter, v.tr.dir. d'origine picarde, est familier en France dans le sens de « dépouiller de sa peau un animal », écorcher.

Dépister, v.tr.dir., a deux sens opposés : 1) trouver ou retrouver le gibier en suivant sa piste, découvrir la trace de, découvrir : *dépister un lièvre, un criminel, une maladie ;*

2) faire perdre la trace, la piste aux chiens qui poursuivent, détourner sur une fausse piste : *dépister les agents lancés à ses trousses, dépister les espions.*

Dépit, rr.m. *En dépit de qqn, de qqch.,* sans tenir compte de. **En dépit que j'en aie,** *qu'il en ait,* malgré moi, malgré lui.

Déplaire, v.tr.ind. Part. passé invariable. *Elle nous a déplu. Ils se sont déplu.*

Déplumer *qqn* (en langage populaire), c'est le dépouiller de son argent. *Se déplumer,* familièrement, c'est perdre ses cheveux.

Déposer, v.tr.dir. Le complément est toujours accompagné d'un article ou d'un adjectif déterminatif : on dépose *les armes, un fardeau, ses valises, la plume, son bilan, une plainte.* Donc, *on porte plainte,* mais *on dépose une plainte.* **Intr.** *Déposer en justice, dans un procès.*

Déprédation, n.f., acte de pillage, dommage matériel, gaspillage.

Depuis, prép., marque le point de départ (lieu ou temps) : *depuis Paris, depuis hier, depuis peu, depuis toujours, depuis Aristote, depuis le premier jour jusqu'au dernier* (ou *du premier jour au dernier*), *depuis le Rhin jusqu'à l'Océan. Cette institution existe depuis dix ans,* elle a été créée il y a dix ans. *Depuis dix ans qu'elle existe. Radiodiffusion de tel discours depuis tel poste, depuis telle ville.* On critique ces expressions, comme *Depuis ma fenêtre* pour *de ma fenêtre.* Elles sont courantes : *Depuis une table de la terrasse, vous l'avez vue venir* (M. Butor, *La modification,* 10-28, p. 120). *Depuis le cimetière, on devait voir la route* (B. Clavel, *L'Espagnol,* J'ai lu, p. 166).

Flandricisme : [*J'y suis déjà deux ans*] pour : *depuis deux ans.*

Adv. *Je l'ai rencontré l'an dernier, mais je ne l'ai plus vu depuis. Il a eu une congestion ; depuis, nous sommes inquiets.* **Depuis que,** loc. conj. *Depuis qu'il est revenu. Depuis que nous ne nous voyons plus.* Avec un temps composé, la négation *ne pas* est souvent réduite à *ne* : *Depuis que je ne l'ai vu. Depuis qu'on ne s'est vu* ou *Depuis qu'on s'est vu.* Cf. NE *employé seul,* 8. p. 607.

Député, n.m., n'a pas de féminin : *Une femme député. Mme X, député.* Cf. p. 447.

Déranger, v.tr.dir. *Il a l'estomac dérangé. Cela lui a dérangé l'estomac.* On peut employer aussi *déranger* dans un sens plus large : *J'ai mangé un peu plus qu'à l'ordinaire, et cela m'a dérangé* (Littré). On peut donc dire, au passif, dans ce sens : *Je suis dérangé.* Mais *être dérangé* se dit aussi, familièrement, pour « avoir la diarrhée ». Sens courants : *Déranger des livres, l'esprit, le temps. Pardonnez-moi de vous déranger. Ne vous dérangez pas pour moi.*

Derechef (en un mot), adv., de nouveau, une fois de plus (vieux ou littéraire).

Dérisoire, adj., qui est vieilli dans son ancien sens, « qui est dit ou fait par dérision, pour se moquer », s'applique à ce qui est si insignifiant, si insuffisant qu'on devrait en rire : *un salaire dérisoire, une proposition dérisoire.*

Dernier, adj. 1. On dit, en mettant *dernier* après le nom de nombre : *Les sept derniers livres. Les cent derniers mètres ;* mais si le groupe *cent mètres* est considéré comme un tout : *D'un élan, il franchit les derniers cent mètres.* C'est ainsi qu'on dit : *Au cours des dix dernières heures,* mais, *vingt-quatre heures* formant un tout : *Au cours des dernières vingt-quatre heures.*

2. *Avoir le dernier mot ;* on ne dit plus guère dans ce sens : *avoir le dernier.*

3. [*C'est le dernier de tout*] est un provincialisme français, courant en Belgique, pour : c'est un comble, cela passe la mesure, etc.

4. *Le tout dernier, la toute dernière, les tout derniers, les toutes dernières.*

5. Après *le dernier qui (que, à qui),* on emploie l'indicatif, le subjonctif ou le conditionnel selon la nuance : *C'est la dernière personne que j'ai interrogée, que je recevrai ; à qui je veuille m'adresser* (élément subjectif d'appréciation, intention) ; *qui consentirait à faire cette démarche* (fait hypothétique).

Dernier-né, n., varie dans ses deux éléments : *La dernière-née. Les derniers-nés.*

Dérober, v.tr.dir. On dérobe *qqch. à qqn,* furtivement. *Dérober qqn* est vieilli (le voler). **Se dérober** : *Se dérober à son devoir, aux recherches, aux regards.* Absolument : *N'essayez pas de vous dérober.* En parlant de choses : *Les genoux se dérobaient sous lui,* il était près de tomber.

Dérouler (se). *Se dérouler* peut se dire de tout ce qui se passe progressivement dans le temps (une vie, une fête, un congrès, etc.) ; mais on abuse de ce verbe quand on l'applique, à tort et à travers, même à des choses brusques, à n'importe quoi, au lieu d'*y avoir* ou d'*avoir lieu.*
    Au sens propre, *on déroule un câble ;* on ne le [*désenroule*] pas.

Derrick, n.m., dans le langage de l'industrie pétrolière, doit être remplacé par *tour de forage* ou *tour.*

Derrière, prép., adv. et n.m. 1. On dit fort bien : *les mains derrière le dos.*
    2. On peut parler du derrière d'une maison et dire qu'on est logé *sur le derrière* ou *sur l'arrière.*
    3. *Ils traînent et demeurent derrière* ou *en arrière.*
    4. *Mettre le feu au derrière de qqn,* c'est le pousser vivement. *Il court comme s'il avait le feu au derrière.*
    5. Trait d'union dans *par-derrière. Il a été attaqué par-derrière. On dit du mal de vous par-derrière.*

Dès, prép., immédiatement à partir de, dans le temps *(dès maintenant, dès à présent, dès demain, dès lors)* ou l'espace *(dès l'entrée, dès le seuil),* mais non en parlant d'un prix comme dans cette annonce [*Voyages dès 2000 francs*], à partir de. **Dès que** est suivi de l'indicatif : *Dès qu'il arrivera* (ou *sera arrivé*), *nous commencerons. On vous recevra dès que vous le voudrez.* Avec une nuance de causalité : *Dès qu'il avait bu un verre, il déraisonnait.* Cf. AUSSITÔT. Avec un temps surcomposé : *Dès qu'il a eu téléphoné, il est sorti.*

[Désagrafer]. Cf. DÉGRAFER.

Désapprendre, v.tr.dir. On apprend ou on désapprend *qqch.* On *apprend à faire qqch.,* on *désapprend de le faire.*

Desceller, v.tr.dir. (Pron. *dé-céler* ou *dé-cèler*). *Desceller une grille.* Ne pas confondre avec **desseller** (ôter la selle), qui a souvent les mêmes prononciations.

Descendre, v.tr. ou intr., en dehors de l'emploi transitif *(On a descendu les malles. Nous avons descendu l'escalier),* se conjugue aujourd'hui avec *être* dans tous les sens. Éviter de dire [*descendre en bas*]. Mais on dit : *Descendre au premier étage.*

Déserteur, n.m. Le féminin *déserteuse* n'est guère usité.

Désespérer, v.tr.ind. *Je désespère d'y parvenir. Je désespère que cette affaire réussisse. Je ne désespère pas qu'il réussisse* ou *qu'il ne réussisse* (le *ne* explétif ne peut apparaître qu'après la forme négative). **Se désespérer :** *Il se désespère de n'avoir pas été reçu, qu'on ne l'ait pas reçu, à la pensée qu'on ne le recevra pas.*

Déshéritement, n.m., action de déshériter qqn, de le priver de sa part d'héritage ; résultat de cette action.

Desideratum, n.m., est très rare par rapport au pluriel *desiderata.*

Design, n.m., s'est répandu en France (aussi comme adj. : *Des meubles design*) avec une prononciation anglaise, comme une réduction d'*industrial design* (conception esthétique d'un objet ou d'un ensemble, appropriée à sa nature et à sa fonction). On a essayé de le remplacer par *esthétique industrielle ;* on a proposé d'adopter, selon les cas, diverses expressions françaises comme *graphisme publicitaire, esthétisme, stylisme, stylique,* etc. Un spécialiste du design s'appelle un *designer.* On a proposé *stylicien* et, pour la mode, *styliste.*

Désintéressé, adj., **se désintéresser, désintéressement, désintérêt.** *Désintéressé* ne se dit plus dans le sens de : qui n'éprouve pas d'intérêt, de curiosité pour qqch. ; il signifie « qui ne cherche pas un intérêt personnel, qui n'est inspiré par aucune partialité » : *un arbitre désintéressé, une démarche désintéressée.*
  Se désintéresser de qqn ou *de qqch.,* c'est ne plus lui porter d'intérêt. Le *désintéressement,* c'est l'action de dédommager qqn *(le désintéressement des créanciers)* ou l'attitude qui n'est pas inspirée par l'intérêt personnel *(j'apprécie son désintéressement).* Le *désintérêt,* c'est l'indifférence *(je regrette son désintérêt).* Le mot est assez rare : *Le désintérêt des gens à ton égard* (J.-L. Curtis, *La parade,* J'ai lu, p. 180) ; on le voit remplacé par *désintéressement : Il y avait moins de monde et de moindre qualité, mais le désintéressement pour le cadavre était encore plus grand* (M. Druon, *Les grandes familles,* Poche, p. 354). Il y a donc là une extension de sens de *désintéressement ;* il faut éviter l'équivoque. On loue le désintéressement de certains sénateurs, en pensant à leur intégrité, on regrette leur désintéressement en pensant au peu d'intérêt, d'assiduité qu'ils montrent dans leur travail de parlementaires. Ne serait-il pas plus simple, dans le second cas, de parler d'un *manque d'intérêt, de désintérêt ?*

Désirer, v.tr.dir., se construit aujourd'hui sans *de* devant un infinitif : *Il désire vous voir.* La construction avec *de* est archaïque. *Désirer que* est suivi du subjonctif.

De sitôt, loc. adv., s'écrit en deux mots et ne s'emploie qu'avec la négation : *Il ne partira pas de sitôt.*

Désobéi, part. passé, se rencontre très rarement, par archaïsme, au passif mais sans complément : *Il s'attend à être désobéi.*

Dès que, loc. conj. Cf. Dès.

Dessiccation, n.f. (deux *s*, deux *c*), action de dessécher (des fruits, du lait, etc.).

Dessiller. Cf. Déciller.

Dessoûler prend normalement l'accent circonflexe de *soûl* et de *soûler*. On s'explique mal que l'Académie, dans son Dictionnaire, ait écrit *dessouler* tout en écrivant *soûl* et *soûler*. On écrit aussi *dessaouler*.

Dessous (« e » muet), adv. et n.m., est archaïque comme préposition, sauf s'il est précédé de *de* ou *par*. On dit : *chercher sous la table ; tirer qqch. de dessous la table ; passer par-dessous la table ; faire un travail par-dessous la jambe* (sans soin). Comme adverbe, *dessous* reste vivant : *bras dessus, bras dessous ; sens dessus dessous ; ne la cherchez pas sur la pile, elle est dessous ; le prix du vase est marqué dessous.* Et aussi comme nom : *L'étage du dessous. Les gens du dessous* (de l'étage immédiatement inférieur). *Les dessous d'une affaire. Le dessous d'une assiette. Des dessous en dentelle. Avoir le dessous. Être dans le trente-sixième dessous.*

Bien qu'une confusion tende à s'établir au profit d'*en dessous (de)*, on notera que les deux adverbes ne peuvent se confondre et que seul *au-dessous de* est locution prépositive. On dira donc que *le pain est brûlé en dessous,* qu'*une boîte est rugueuse en dessous,* c'est-à-dire dans leur face située en dessous. Mais : *Le thermomètre est descendu au-dessous de zéro* (plus bas que, à un niveau inférieur à). *La citadelle est sur la colline ; la ville s'étend au-dessous. L'eau ne nous venait que jusqu'au-dessous du genou. Les enfants au-dessous de cinq ans. Être au-dessous de sa tâche, de tout.* On cite deux phrases pour montrer que ces deux locutions sont équivalentes et qu'«*en dessous (de)* semble peu à peu l'emporter sur l'autre forme » : *En dessous du dessin, Xavière avait écrit de grosses lettres violettes* (S. de Beauvoir). *M. Marin qui habitait en dessous de chez Marthe* (Radiguet). Mieux vaut, en langue soignée, dire *au-dessous de.*

On notera que tous les composés ont un trait d'union, sauf *en dessous* et *de dessous.*

Régionalismes : [*un dessous de tasse*] ou *une sous-tasse* (cf. Sous-tasse) pour *une soucoupe.* Mais on parle d'*un dessous-de-plat,* d'*un dessous-de-bouteille* et, pour une sorte de pot-de-vin, d'*un dessous-de-table.*

Dessus (« e » muet), adv. et n.m., s'emploie comme adverbe. *Bras dessus, bras dessous. Prenez ce tabouret et montez dessus. Mettre le doigt dessus. Avoir le nez dessus. Ne comptez pas trop dessus.* Mais *Il m'a marché dessus* (sur les pieds) est vulgaire.

Trait d'union dans tous les composés sauf dans *en dessus* et *de dessus :* *là-dessus, au-dessus, par-dessus* (adv. et prép.), *ci-dessus.* On dit : *par-dessus le marché* (en plus) et non [*Au-dessus du marché*]. Mais : *au-dessus de la ceinture, au-dessus de mille francs, se sentir au-dessus des autres* (plus haut). *En dessus* ne se dit plus guère ; il signifie : dans la partie supérieure : *Dans cette bibliothèque, les auteurs latins sont en dessous, les auteurs grecs en dessus* (plus usuel *au-dessus*), note le Lexis. Usage insolite, donc : *L'aiguille (...) est plus souvent au-dessous du chiffre cent qu'en dessus* (A. Pieyre de Mandiargues, *La motocyclette,* Folio, p. 114). Tour normal : *qu'au-dessus.* Il est également insolite d'employer *d'en dessus* pour *d'en haut : Les hommes, il faut les voir d'en haut. J'éteignais la lumière et je me mettais à la fenêtre : ils ne soupçonnaient même pas qu'ont pût les observer d'en dessus* (J.-P. Sartre, *Le mur,* Poche, p. 77).

Destinataire (celui à qui est destiné un envoi), n.m. ou f., a eu pour antonyme *destinateur* (celui qui destine une chose à qqn), vieilli, mais remis aujourd'hui en vogue dans un certain jargon linguistique.

Destination, n.f. *Un train à destination de Paris. Une lettre arrivée à sa destination. Être arrivé à destination.*

Désuet, adj. Pron. *s* (comme dans *penser*) ou *z* (comme dans *base*) + *wè.*

De suite, loc. adv. Cf. Tout, 11.

Détail, n.m. Vu l'opposition entre l'idée d'*ampleur* et celle de *détail,* il est étrange de dire : *pour de plus amples détails, voyez...* au lieu de *pour **plus** de détails.*

Détendre, distendre, v.tr.dir. *Détendre,* c'est relâcher ce qui était tendu, par exemple un ressort, une situation, faire cesser un état de tension. *Distendre,* c'est au contraire soumettre à une forte tension, de manière à augmenter la longueur ou le volume : *Distendre un câble, l'estomac. Se distendre un muscle.* Cf. Distendre.

Détente, gâchette. n.f. La *gâchette,* dans une arme à feu, est la pièce intérieure qui immobilise le percuteur ; la *détente* est la pièce extérieure, le levier coudé agissant sur la gâchette et permettant ainsi de faire partir le coup. On ne peut donc avoir le doigt sur la gâchette ! C'est sur la détente qu'on presse, qu'on appuie. La confusion est fréquente, elle apparaît même chez quelques bons écrivains. Il convient de l'éviter : *Puis il met un doigt sur la détente* (R. Nimier, *Les épées,* Poche, p. 15).

Déterminant, n.m., désigne généralement, dans la grammaire moderne, à la fois l'article et ce qu'on appelait les adjectifs déterminatifs : démonstratifs, possessifs, numéraux, indéfinis, interrogatifs, exclamatifs, interrogatifs.

Détester, v.tr.dir. On déteste *faire qqch.* ou *de faire qqch.*

Détoner, détonner, v. intr. *Détoner* (un *n* comme en latin *detonare*), c'est exploser avec force, avec bruit *(détonation ; un explosif détonant)*. *Détonner* (deux *n*), c'est sortir du ton juste, rompre l'harmonie : *Cela détonne dans ce milieu.*

Détour, détournement, n.m., **détourner,** v.tr.dir., **déviation,** n.f. Cf. DÉ-VIER. On *détourne* les voitures à cause de certains travaux. Il n'y a donc rien d'anormal à parler du *détournement* des voitures, de la circulation, d'un « *détour* de la circulation pour cause de travaux » (PR).

Mais *détournement,* outre son sens péjoratif habituel *(détournement de fonds, détournement de mineur)*, est particulièrement appliqué aux cours d'eau détournés. Les Français ont donc opté pour un autre mot, qui a fini par se substituer à *détournement :* **déviation.** On dit que la circulation est *déviée.* Quant à *évitement,* il s'emploie en termes de chemins de fer.

Détracteur, n.m., a un féminin : *détractrice.*

Détritus, n.m. On prononce généralement l'*s* final.

Détruire, v.tr.dir., ayant un sens très fort (démolir entièrement), il peut sembler inutile d'ajouter *entièrement.*

Deuil, n.m. *Être en deuil (porter le deuil) de qqn, faire son deuil de qqch.*

Deusio, adv. Abréviation plaisante (alignée sur *primo*) de *deuxièmement*. À éviter.

Deux, adj. numéral. 1. *Nous deux, eux deux.* Cf. NOUS, 3 et EUX. *À deux,* cf. À, 3, p. 15.

2. Cf. FOIS, 3.

3. *Deux ou plusieurs* est correct, *plusieurs* indiquant un nombre indéfini généralement supérieur à deux.

4. On écrit : *un deux-mâts, un deux-pièces, un deux-roues.*

Deuxième, second, adj. et n. Jamais la langue n'a fait couramment entre les deux la distinction que des théoriciens ont voulu établir et qui est respectée par certains.

Second, qui est apparu avant *deuxième,* se dit comme lui, qu'il y ait deux termes ou plus. La seule distinction est qu'on n'emploie que *deuxième* dans les adjectifs numéraux composés : 22e, 62e, etc. Mais c'est une erreur de croire qu'il s'impose si on pense à un 3e, etc. On dit toujours : *les causes secondes, un état second, de seconde main, à nulle autre second, capitaine en second.*

Devancer, v.tr.dir. Il devance *le peloton, son temps, les objections, l'échéance d'un paiement, son siècle* (il est en avance sur son siècle).

Devant, prép., adv. et n.m. Cf. AU-DEVANT DE. Trait d'union dans les composés *(par-devant, ci-devant),* sauf dans *de devant.*
Devant que et *devant que de* + infinitif sont vieillis.
Devant utilisé pour *avant* est un archaïsme *(être Gros-Jean comme devant),* mais on peut dire : *Mettre la charrue avant les bœufs* ou *devant les bœufs.*

Dévier. Intransitif. *L'auto a dévié, a dévié vers la droite.* Au figuré : *La conversation a dévié. Ils ont dévié de leur projet. La doctrine a dévié de ses principes.* Il est anormal d'écrire : *Une forme de socialisme que les dirigeants se sont empressés de dévier.* Il faut dire : *se sont empressés de faire dévier.* L'emploi **transitif** est réservé au sens propre et suppose que le complément est détourné de sa direction, de son itinéraire normal : *dévier un coup, des rayons, la circulation, une route, un train, un convoi.*

Devin, devineur, n. *Devin,* féminin *devineresse,* s'emploie au sens de divination, de prédiction de l'avenir. Au figuré et familièrement : *Je ne suis pas devin.* Au sens courant de *deviner,* on dit *devineur, devineuse :* celui qui devine (trouve la solution de) une devinette, une charade.

Deviner que : *Je devine qu'il a des intérêts dans cette affaire. Nous ne pouvions pas deviner qu'il était là.* On trouve le subjonctif après cet emploi négatif : *qu'il fût là.* — *Il n'était pas forcé de deviner qu'il y eût quelqu'un* (J. Romains, *Mort de quelqu'un,* p. 70).

Dévisager qqn, c'est le regarder avec attention, avec insistance.

Devoir, v.tr.dir. 1. *Dussé-je le regretter. Dût sa modestie en souffrir.* Ne pas écrire [*dusse*]. *Sa modestie dût-elle en souffrir* (même si sa modestie devait). Cf. INVERSION, II, C, 5, p. 520.

2. Le participe passé **dû** s'écrit avec un accent circonflexe au masculin singulier seulement : *Il a dû partir. Le montant dû. La somme due. Les égards qui lui sont dus.* Cf. PARTICIPE PASSÉ D, 14, p. 683.

3. **Ce doit être** suit les mêmes règles que *c'est* (cf. VERBE, *Accord,* C, I, 4, p. 988).

4. Déplacement de la **négation.** Cf. plus loin, C, N.B., 6.

5. *Sens* de *devoir* **suivi d'un infinitif.** Il exprime l'obligation, la nécessité, la vraisemblance ou l'intention.

A. **Obligation** morale ou de convenance : *Je dois partir avant la nuit. Vous devez respecter le code de la route. Je ne sais pas ce que je dois faire. Je l'ai quitté parce que je devais partir. J'ai dû m'absenter. Il devait* (ou *il aurait dû) me prévenir. Il m'a tellement importuné que j'ai dû le mettre à la porte.* On voit que l'imparfait peut correspondre à un conditionnel passé : *Il devait me prévenir,* mais il ne l'a pas fait ; donc : il aurait dû me prévenir.

L'obligation peut correspondre à l'idée d'« avoir des raisons de » : *Elle ne sait si elle doit rire ou pleurer.* Autre nuance : *Moi, je ne sais pas, mais lui doit le savoir* (il est bien placé pour le savoir). Cette dernière phrase peut aussi exprimer la probabilité (cf. C).

Devoir peut exprimer aussi, plutôt que l'obligation, l'idée d'« être normal, juste et raisonnable que » : *Son succès ne m'étonne pas, il devait réussir. Je dois réussir.*

B. Nécessité de fait : *Nous dûmes alors tirer le canot à terre et le porter à bras par-dessus les dunes* (Maupassant, *Sur l'eau*, p. 156). Georges Gougenheim, citant cette phrase dans son *Étude sur les périphrases verbales dans la langue française*, p. 201, observe que cet emploi, non inconnu en France, « semble répandu en particulier dans le nord de la France et en Belgique » ; les Français emploient d'ordinaire, dit-il, le tour passif *être obligé de.* Il ne s'agit donc pas d'un belgicisme, quoi qu'on ait prétendu. Ni non plus dans l'expression critiquée : *Je dois rire quand j'y pense ;* elle est correcte, à condition de dire plus que *je ris ;* elle exprime la nécessité dans laquelle on se trouve après avoir réfléchi. Mais il est bon de savoir que la plupart des Français diront plutôt : *Je ne puis m'empêcher de rire.* De même, plutôt que *Il a dû s'arrêter faute d'essence,* qui est correct, on dira généralement : *Il a été obligé de s'arrêter.* On sera amené à dire : *Il a été obligé de partir* en réservant *Il a dû partir* à l'expression de la probabilité (cf. C, 3), si le contexte n'est pas clair.

C. Vraisemblance, probabilité, intention, conjecture :

1) dans le présent : *Je dois le connaître. La campagne doit être belle en ce moment.*

2) dans le futur : *Le courrier doit être ici dans peu de jours. Il doit y avoir demain une assemblée générale. Je dois le voir demain* (j'ai l'intention de le voir demain). Noter l'emploi de l'indicatif présent.

3) dans le passé : *Il devait être dix heures quand il est arrivé. Il ne devait pas être bien tard quand ils sont arrivés. Le législateur doit avoir prévu ce cas. Je dois m'être trompé* ou *J'ai dû me tromper.* On remarquera les deux tours avec un temps composé : *Il a déjà dû le dire* et *Il doit l'avoir déjà dit. Il a dû partir ce matin* (Ac.) et *Il doit être parti ce matin. Elle a dû être jolie* et *Elle doit avoir été jolie.* Le premier n'est pas, comme on l'a prétendu, un wallonisme : *Il avait dû y avoir conseil de révision* (R. Martin du Gard, *Les Thibault*, 2ᵉ partie, p. 69). Il est évident qu'il faut que toute équivoque soit dissipée par le verbe (par exemple, *être jolie*) ou par le contexte. À la 1ʳᵉ personne, *J'ai dû partir ce matin* ne peut exprimer que l'obligation. Mais la phrase *Il a dû partir ce matin* peut sembler exprimer aussi l'obligation, tandis que *Il doit être parti ce matin* ne peut exprimer que la vraisemblance. Cette précaution à l'égard de l'équivoque se présente d'ailleurs aussi au futur : *Je dois aller demain à la campagne.*

N.B. 1. On observera que l'emploi de *devoir* exprimant la vraisemblance ou l'idée de « sans doute » permet d'atténuer poliment une affirmation : *Vous devez faire erreur. Vous avez dû faire erreur.*
2. *Devait* suivi d'un infinitif peut se substituer au futur du passé de cet infinitif pour exprimer non pas une obligation mais un devenir, une sorte de fatalité : *Il devait mourir deux ans plus tard. Il devait le regretter l'année suivante* (Il mourrait ; il le regretterait).
3. *Devoir* peut aussi servir à marquer le futur au subjonctif : *Je ne crois pas qu'il doive pleuvoir. Quoique je doive y aller un de ces jours.*
4. Après *si*, l'emploi de *devoir* souligne l'éventualité, en même temps qu'il marque plus nettement le futur : *Si cela doit se reproduire, j'interviendrai. S'il devait venir demain, je lui en parlerais. S'il doit revenir seulement à cinq heures, ce n'est pas la peine que nous l'attendions.*
5. On laissera à *se devoir de*, suivi d'un infinitif, le sens de « avoir le devoir de », « être moralement tenu de ».
6. Avec la négation, *devoir* peut marquer l'interdiction. Cf. NE PAS, 2, d, pp. 614, 615.

Dévot, adj. et n. Pas d'accent circonflexe.

Dévoué, adj., s'applique à un fils, à un serviteur, à un ami ; mais dans la formule finale d'une lettre, sauf si l'on se dit *respectueusement dévoué*, c'est habituellement le supérieur ou au moins l'égal (ou le fournisseur, en style commercial) qui présente l'assurance de ses sentiments dévoués.

Dévoyé, adj., signifie « moralement perverti ». La Société nationale des chemins de fer belges lui donne encore officiellement son sens premier, « sorti du droit chemin », et atteste qu'un voyageur qui s'est trompé de train est dévoyé !

Dia, n.f., est courant en Belgique *(une dia, des dias)* ; en France on dit *diapo* (diapositive).

Diable, n.m., **diable de** ayant valeur d'adj. (étrange, mauvais). 1. *Ce diable d'homme. Cette diable de femme* (Ac.). *Cette diable d'habitude* (Aragon, *La mise à mort*, p. 89). *Une diable d'affaire* (Ac.). *Un vent du diable, de tous les diables.* On parle d'*une diablesse, d'une bonne diablesse, d'une pauvre diablesse,* et aussi d'*une diablesse de femme.*
2. *[Quelles diable] de questions pose la peinture... ?* (J. Dutourd, *Pluche,* Poche, p. 283). Dans ce type de phrase (avec *diable de*), *diable* doit varier en nombre. Il faudrait donc *quelles diables de questions* ou *quelles diablesses de questions.*
3. On dit *aller au diable Vauvert* (allusion possible au château de Vauvert, près de Paris, qui passait pour être hanté par le diable) et par corruption : *au diable vert.* Le sens est : aller très loin. Ne pas confondre avec *envoyer au diable.* Cf. A. Rey et S. Chantreau, *Dictionnaire des expressions et locutions.*

4. *Du diable si* peut être suivi de n'importe quel temps de l'indicatif ou du conditionnel (cf. Si, C, 2) : *Du diable si on m'y reprendra* (on ne m'y reprendra certainement pas). *Du diable si je vous aurais reconnu.*

5. *Diable* est français pour désigner un chariot à deux roues qu'on pousse devant soi pour transporter des caisses, des sacs, etc.

Dialogue, n.m. Le dialogue de X *et* de Y, de X *avec* Y, *entre* X et Y.

Diesel, n.m., est devenu nom commun et s'écrit donc sans majuscule : *un diesel,* des *diesels.*

Diététicien, n.m., et non [*diéticien*], spécialiste de la *diététique.*

Différé, adj. et n.m. En parlant d'une émission radiophonique ou télévisée, *en différé* s'oppose à *en direct.*

Différenciation, n.f., terme général, ne devrait pas être confondu avec *différentiation,* terme de mathématiques relatif aux différentielles.

Différent, adj. **Différend,** n.m. (« contestation ») ne peut être confondu avec l'adjectif *différent* ni avec le participe *différant.* — Adjectif pluriel : *Les différentes personnes que j'ai consultées. J'ai consulté différentes personnes ;* on marque la diversité dans la pluralité. Après le nom, *différent* exprime la diversité, l'opposition : *J'ai consulté des sources différentes.* Ne pas unir *plusieurs* ou un nombre et *différents.* Notons qu'on écrit : *deux robes de longueurs différentes* ou *de longueur différente, deux mots de natures différentes* ou *de nature différente.*

Différer, v.tr.dir. On diffère (on retarde) *sa réponse, de répondre* (moins souvent *à répondre*). On diffère *d'avis,* on diffère *sur une question. Mon opinion diffère de la vôtre.* Nous différons *entre nous,* nous différons *en cela,* nous différons *beaucoup, du tout au tout.*

Difficile, adj. Éviter [*avoir difficile*] : cf. Avoir, 7. — Un aveu *difficile à faire.* Une chose *difficile à dire.* Un homme *difficile à vivre.* — *Il est difficile de faire mieux.*

Difficulté, n.f. *La difficulté d'un problème ; la difficulté de ou à le résoudre, la difficulté qu'il y a à le résoudre. On a (on trouve) des difficultés ou de la difficulté à faire qqch. Avoir des difficultés. Avoir des difficultés avec qqn. Être (ou se trouver) en difficulté. Réussir sans difficulté. Faire des difficultés* (pour accepter qqch.). *Cela soulève des difficultés. Surmonter, vaincre les difficultés.*

Difficultueux, adj. « Cet adjectif qualifie une personne qui soulève ou qui fait des difficultés sur toutes choses. Ex. : *Ce partenaire est difficultueux.* Un problème, un travail peuvent être difficiles, mais non difficultueux » (Mise en garde de l'Ac.). À vrai dire, on dira d'une personne d'un caractère peu sociable ou qui est peu accommodante et donc difficile à satisfaire, que c'est une personne *difficile*. C'est aussi *difficile* qu'on préférera à l'emploi familier et discuté de *difficultueux* pour un problème, un règlement, une affaire, une opération, etc., comportant des difficultés.

Digest, n.m. prononcé à la française (avec *i, s* et *t*), se dit d'un résumé, du *condensé* d'un livre, d'un article, ou d'un recueil de tels résumés ou condensés.

Digital, adj., appliqué aux montres et pendules. À remplacer par *numérique* (voir ce mot).

Digeste, adj., est synonyme de *digestible* et est le contraire d'*indigeste*. Cet emploi reste suspect aux yeux de quelques-uns, trop sévères. **Digestif** = relatif à la digestion *(troubles digestifs* ou qui sert *(tube digestif)* ou favorise la digestion *(une liqueur digestive, un digestif).*

Dilemme (deux *m* et non *mn* comme *indemne*), n.m., ne peut être pris pour un simple synonyme d'*alternative* (voir ce mot). Proprement, un dilemme est un raisonnement où, partant de deux propositions contraires ou contradictoires, entre lesquelles on laisse le choix, on arrive chaque fois à la même conclusion. C'est le seul sens admis par l'Académie. Cependant l'usage courant, admis par les meilleurs dictionnaires, lui donne le sens d'alternative très difficile ou impossible à résoudre, comportant dans les deux cas de graves conséquences, avec une mise en demeure de choisir : *Le lui dire, ou le lui cacher, c'est m'attirer sa mauvaise humeur. — Je m'agite dans ce dilemme : être moral ; être sincère. La morale consiste à supplanter l'être naturel (...) par un être factice préféré. Mais alors, on n'est plus sincère* (A. Gide, *Journal,* 1ᵉʳ janvier 1892). *Orthodoxie ou hérésie, nous ne pouvons accepter ce dilemme* (É. Henriot, *La vie de Beethoven,* p. 342).

Dilettante, n. Pluriel actuel : *des dilettantes.*

Dimension, n.f. L'Académie accepte l'emploi figuré de ce mot au sens de *importance, ampleur : Ces projets sont à la dimension des ambitions de leur auteur. La dimension européenne d'une décision. Les dimensions nouvelles des objectifs d'un parti politique.* Mais elle dénonce l'abus de ce mot qui devient une sorte de mot passe-partout, par exemple dans : *la dimension psychique d'une maladie physique, la dimension urbanistique de l'architecture,* etc. On pourrait dire : *la composante.*

Dimensionner, v.tr.dir., calculer les dimensions en fonction d'un usage. Ne pas l'employer dans le sens d'« avoir des dimensions ».

Diminuer, v.tr.dir. ou intr., est encore donné par les grammairiens comme se conjuguant, lorsqu'il est intransitif, avec *avoir* pour marquer l'action, avec *être* pour marquer l'état résultant de l'action accomplie. En fait, *avoir* prédomine très nettement, même lorsqu'il s'agit de constater l'état :

L'enflure avait diminué. Sa cigarette avait diminué de moitié. Pour une diminution de prix : *La viande a diminué de prix* ou *a diminué.*

Au sens figuré, *être* est courant : *Il était depuis lors diminué à leurs yeux.* Avec l'adjectif : *Il n'est pas fini, mais diminué* (ses facultés intellectuelles sont amoindries).

Dindon, n.m. *Être le dindon de la farce* (jouer le rôle ridicule de dupe) s'explique peut-être par le fait que *dindon* se dit d'un homme vaniteux et stupide, facile à berner dans les farces du moyen âge.

Dîner. Cf. Avec, Déjeuner, Rester, 5.

Dionysiaque (de *Dionysos*), adj. Attention à la place de *y*.

Diplôme, diplomate, n.m. Accent circonflexe dans *diplôme* et *diplômer*, non dans *diplomate, diplomatie, diplomatique.*

Diptyque, n.m. Attention à l'orthographe, comme dans *triptyque.* On retrouve l'*i* du grec *dis* (deux fois) comme dans *diptère.*

Dire, v.tr.dir. 1. **Conjugaison** de **dire** et de ses composés. Notons que *dites* ne se retrouve que dans *redire.* On dit donc : *contredisez, dédisez, interdisez, médisez, prédisez.* — *Quoi qu'on dise.*

2. **On dirait d'un fou,** tour classique encore en usage dans la langue distinguée, est généralement remplacé par *On dirait un fou* (Ac.). *On dirait d'un thermomètre* (A. Blondin, *Les enfants du bon Dieu,* Folio, p. 13).

3. **Avoir son mot à dire** peut signifier « avoir le droit d'exprimer son opinion, de placer une observation, dans une discussion ou avant une décision ». **Cet homme n'a rien à dire chez lui** (il n'a pas d'autorité).

4. *Tout s'est passé* **comme j'avais dit** ou *comme je l'avais dit.* Après *comme, le* est facultatif. Mais dans une incise, *comme vous dites, comme on dit* veulent dire : « pour parler comme vous, ou comme on parle généralement » *(Il est un peu scandalisé, comme vous dites),* tandis que *comme vous le dites, comme on le dit* veulent dire : « comme vous l'affirmez, comme on le prétend » *(S'il ne m'en veut pas, comme vous le dites, faisons la paix).*

5. **Trouver à dire à qqch.** (trouver à critiquer, à reprendre) appartient à la langue classique et est généralement remplacé par **trouver à redire.**

6. Dans certains tours, *dire* peut signifier : « objecter » : *Qu'avez-vous à dire à cela ? Rien à dire. Il n'y a pas à dire.*

7. S'il est normal de remplacer l'**incise** *dit-il* (ou *répondit-il*) par *soupira-t-il, insista-t-il, s'exclama-t-il, interrogea-t-il,* etc., où se retrouve l'idée de *dire,* il est abusif de remplacer dans ces incises le verbe *dire* par des verbes comme *sursauter, sourire, s'apaiser, trembler,* etc. Cf. des exemples étonnants dans *B.U.,* n° 1352.

8. *Dire* passe pour être parfois un verbe de **commandement** ou d'invitation. En réalité, il ne change pas de sens dans *Je dis qu'il parte* comparé à *Je dis qu'il part.* C'est la mise en discours indirect qui fait employer dans le premier cas un subjonctif, correspondant à un impératif en discours direct *(Partez)* et dans le second un indicatif reprenant l'indicatif d'énonciation, de constatation du discours direct *(Il part).*

C'est pourquoi il est permis de n'employer qu'une seule fois le verbe *dire* devant un indicatif et un subjonctif ; le changement de mode en discours indirect ne fait que traduire le changement de mode en discours direct. *Je lui dis qu'elle soit patiente, qu'elle m'attende, que je viendrai sûrement, qu'elle ne s'en fasse pas* (Giono, *Les grands chemins*, Folio, p. 90). La même remarque s'applique à *écrire : Je lui écris qu'il vienne, que nous l'attendons.*

Au lieu de *Il dit qu'il l'a entendu* ou *Il lui dit qu'il vienne*, on peut dire avec un infinitif : *Il dit l'avoir entendu, il lui dit de venir.* De même : *Il dit qu'il est malade* ou *Il dit être malade.*

Après **on dirait que** (on peut croire que) on emploie l'indicatif ou le conditionnel. Le subjonctif, courant à l'époque classique, est aujourd'hui exceptionnel.

Dire que, « quand on pense que », exprime l'étonnement : *Dire que je n'y avais pas songé !* Indicatif.

9. Ne pas oublier les traits d'union dans **c'est-à-dire**, *c.-à-d.*

Directive, n.f., peut s'employer au singulier comme au pluriel dans le sens de « ligne de conduite, instruction générale donnée » : *Les directives que j'avais reçues. Je lui donnai comme directive de ne pas se faire connaître.* Ne pas faire de *directives* un synonyme d'*ordre* ni de *mode d'emploi.*

Diriger, v.tr.dir. On dirige une école, un service, un débat, un orchestre, etc.

Discipline, n.f., peut prendre le sens de « matière étudiée ou enseignée ».

Disc-jockey (ou *disque-jockey*), n.m., désigne le responsable de l'animation d'une soirée, d'une fête, d'un bal, où il se charge d'un programme varié de musique enregistrée et où il intervient personnellement, par des commentaires, des imitations, etc., pour animer la salle. En français : *animateur* ou *meneur de jeu.* Cf. ANNONCEUR.

Disconvenir, v.tr.ind., ne s'emploie qu'avec une négation : *Ne pas disconvenir de qqch., d'avoir fait qqch., Il n'en disconvient pas. Je ne disconviens pas qu'il (ne) se soit trompé, qu'il (n') ait raison* ou *qu'il a raison* (indicatif plus rare).
Auxiliaire : le verbe s'aligne naturellement sur *convenir.*

Discount, n.m., voulant dire « escompte », « rabais, remise, ristourne », *discount-house* a désigné un type de magasin pratiquant une politique systématique de vente avec marges réduites. Le mot a été officiellement remplacé par *un minimarge* (ellipse de *un magasin minimarge*).

Discriminer, v.tr.dir. Le verbe est beaucoup plus rare que le nom *discrimination* et l'adjectif *discriminatoire.*

Discursif, adj., se rapporte étymologiquement à l'idée de *discours* et implique la soumission à un raisonnement, à un enchaînement : une *pensée discursive* s'oppose à une *pensée intuitive.*

Mais, sous l'influence fâcheuse de *cursif, discursif* a pris le sens tout opposé de « qui court de droite à gauche, qui ne s'astreint pas à une continuité rigoureuse, qui procède par digressions » : *Un récit discursif.* Attention à l'équivoque !

Discuter, v.tr.dir. ou intr. *On discute qqch.,* une opinion, une affaire, un projet de loi, un ordre, on en examine le pour et le contre. *On discute de qqch., de politique* (elliptiquement : *on discute politique*), on discute *avec* qqn, on échange avec lui des idées. On dit aussi *discuter sur qqch.,* sur un point, sur des détails.

Disgracier, v.tr., **disgracieux,** adj. Pas d'accent circonflexe.

Disparaître, v. intr. **Auxiliaire :** *avoir* l'emporte nettement, aujourd'hui, même pour marquer l'état constaté, résultant de l'action, comme dans les phrases suivantes d'Henri Bosco : *Un nuage vint et les emporta. Lorsqu'il fut passé, la barque avait disparu des hauts fonds (...). Le soir, tout avait disparu (Malicroix,* pp. 196, 312). *Le mousqueton avait disparu (Le sanglier,* p. 14). On dit : *La valise avait disparu. Les moindres traces de sa fatigue avaient disparu. Un usage qui a disparu. — Là-bas, à l'orée du bois, le peloton des jeunes a, depuis longtemps, disparu* (J.-L. Curtis, Un jeune couple, Poche, p. 88). *Une atmosphère d'où les dernières traces d'humidité avaient disparu* (R. Gary, *Les racines du ciel,* Folio, p. 425). *Au-delà de la fenêtre sur laquelle les gouttes d'eau ont maintenant disparu* (M. Butor, *La modification,* coll. 10/18, p. 131).

Disparate, adj. et n.f. *Une disparate.* Des journalistes et quelques bons auteurs l'emploient au masculin. À éviter.

Dispatching, n.m., se traduit, dans le domaine des télécommunications, par *distribution* (des signaux), *poste* (ou *centre*) *de distribution, de régulation, de répartition.* Éviter le verbe [*dispatcher*], répartir, organiser.

Dispendieux, adj., se dit de ce qui occasionne de grands frais, une dépense importante : *Des goûts dispendieux.*

Dispos, adj., a un féminin *dispose,* très peu usité.

Disposer, v.tr.dir. ou ind. On dispose *des fleurs* dans un vase, on dispose *de* qqn, *de* qqch. *d'*un compte en banque.

Disputer, v.tr.dir. ou ind. 1. *On dispute **qqch.**,* un prix, le terrain, un match, une course, les droits de qqn. On dispute *qqch. à qqn,* on lui dispute son droit (on le lui conteste).

2. *Disputer* **qqn** (le quereller, le réprimander), condamné par l'Académie, est plutôt considéré comme familier et ne manque pas de répondants. En dehors de cela, on trouve *disputer qqn à qqn* comme *disputer qqch. à qqn : Il lui a disputé son amie.*

3. **Se disputer** (se quereller) est courant : *Il s'est disputé* **avec** *son frère. Ils se sont disputés.* — On se dispute qqch. : *Ils se disputaient sa main.*

4. On dispute **de qqch. avec qqn** ; cet emploi rejoint le sens de « discuter ». Le tour est plutôt littéraire.

5. Classique : *Disputer* (lutter) *contre* qqn, qqch.

Disquaire, n.m. On aurait pu passer de *disque* à *discaire* comme de *bibliothèque* à *bibliothécaire.* Mais *disquaire* s'est imposé.

Dissension, n.f., dit plus que *dissentiment* ou *désaccord.*

Disserter, v.intr. On disserte *de* qqch. ou *sur* qqch.

Dissimuler que est suivi aujourd'hui, selon la pensée, du moins théoriquement, de l'indicatif, du subjonctif ou du conditionnel, qu'il soit employé affirmativement, négativement, interrogativement ou pronominalement. Après *ne pas (se) dissimuler que,* on peut employer *ne* explétif avec le subjonctif : *Il faudra dissimuler que nous en ayons* (ou *avons*) *été informés* (GLLF), *que nous aurions été contents de le faire. Lui dissimulera-t-on qu'il est ruiné ?* (Robert) — *Je ne dissimule pas que j'ai changé d'avis, qu'il en soit ainsi* ou *qu'il n'en soit ainsi, que je préférerais être loin d'ici. Faut-il encore nous dissimuler que nous* **avons** *été trompés ? Je ne me dissimule pas que mes sentiments* **ont** *beaucoup changé* ou, moins couramment (n')*aient beaucoup changé. Il ne se dissimule pas qu'on le lui* **reprochera** *ou* **reprocherait** *bientôt.* Il est certain que, dans tous les cas, l'usage actuel donne la préférence à l'indicatif (ou au conditionnel) : c'est normal, puisque le fait qu'il s'agit ou non de dissimuler est régulièrement présenté comme une réalité (ou une éventualité). *Ils se sont dissimulé qqch.*

Dissemblable, adj. Préfixe *dis-* et donc deux *s*.

Dissoner, v.intr., *dissonant, dissonance :* un seul *n.*

Dissoudre, v.tr.dir. Conjugaison : cf. ABSOUDRE.

Dissyllabe, adj. et n.m. *Un dissyllabe.*

Distancer, v.tr.dir., **distanciation,** n.f., **distancier,** v.tr.dir. *Distancer qqn,* c'est le dépasser. *Prendre ses distances* se dit des gymnastes qui s'alignent en étendant les bras. Au sens figuré, en parlant du recul pris par rapport à qqn, à qqch., on a créé les néologismes *distanciation* et *se distancier de* qqn ou de qqch. *Un acteur* **se distancie de** *son personnage,* un homme politique se distancie de son parti, du chef de celui-ci, etc. Ne pas dire [*se distancer*] au lieu de *se distancier,* ni *distancement* au lieu de *distanciation,* ni *distanciement,* qui tend à se répandre en Belgique.

Distendre un corps, c'est en accroître les dimensions en le tendant très fort : *Distendre un ressort, un muscle, un câble, l'estomac. La peau se distend.* Mais le verbe a pris depuis longtemps un sens figuré : relâcher les liens qui attachent à qqch. : *Distendre les attaches politiques d'un groupe. Les liens familiaux se sont distendus* (Lexis).

Distinction, n.f. Les mentions *avec distinction, avec grande distinction, avec la plus grande distinction,* qui accompagnent les certificats ou les diplômes, sont d'usage courant en Belgique mais non en France. Autre sens, cf. DISTINGUER.

Distinguer, v.tr.dir., peut être employé intransitivement : *Avant de tirer les conséquences, distinguons* (Ac.). On distingue *entre* deux choses ou *parmi* les solutions proposées.

    Distinguer en *(se distinguer en)* avec plusieurs compléments et le sens de *diviser en, se diviser en ;* généralement, *en* n'est pas répété : *Les participes se distinguent en participes présents et participes passés* (Littré). *Ils ont été distingués en indispensables, nécessaires ou utiles.*

    On distingue *ceci et cela,* le bien et le mal, deux personnes ou deux choses, on perçoit la différence qui les sépare. *On distingue une chose* ou *une personne d'une autre* ou *d'avec une autre.* Cf. AVEC, 10.

    On fait la distinction *entre une chose et une autre* ou *d'une chose et d'une autre* ou *d'une chose d'avec une autre : Je fais peu de distinction entre l'un et l'autre* (Ac.). *Faire distinction de l'ami et de l'ennemi* (Ac.). *Faites la distinction de mes droits d'avec les siens* (Ac.).

Distinguo, n.m. *Un distinguo, des distinguos.*

Distraire, v.tr.dir. *Je distrais, nous distrayons, ils distraient. Je distrayais, nous distrayions.* Pas de passé simple. *J'ai distrait. Que je distraie.*

Distribuer, v.tr.dir. *Les mille francs qu'il a distribués aux pauvres.* Un seul *n* dans *distributionalisme.* Mais *distributionnel.*

Dit, adj., se joint à l'article défini pour désigner ce qui vient d'être nommé : *ledit contrat, ladite, dudit, audit, à ladite, lesdits, auxdits,* etc. C'est une faute (que commettent plusieurs écrivains) d'écrire *ledit* en deux mots ou de lui donner le sens de « le prétendu » : [*La dite*] *banalité de Juliette* (E. Triolet, *Le premier accroc...,* Folio, p. 16).

Divergeant, participe ; *divergent,* adj. ; *divergence,* n.f.

Divers, adj. ind. employé devant le nom sans article, ajoute l'idée de diversité, de différence à celle de « quelques ». Ne pas dire : *à* [*de*] *diverses profondeurs* (M. Druon, *La chute des corps,* Poche, p. 361).

Diviser, v.tr. On ne dit plus *diviser une chose d'une autre* ou *d'avec une autre.* Cf. SÉPARER. *On divise une propriété **en** parcelles. Les congresistes se divisèrent en deux groupes de travail.*

Divorcer, v.intr., s'emploie avec l'auxiliaire *avoir* pour une action passée : *Ils ont divorcé l'an dernier*. *Être* s'emploie pour un état qui se situe au temps marqué par l'auxiliaire : *elle est divorcée* (maintenant), *elle était divorcée* (à ce moment-là), *elle est divorcée depuis deux ans*. **Divorcé** est devenu adjectif et nom : *une femme divorcée, une divorcée*.

L'emploi transitif ou pronominal de *divorcer* n'est pas correct. On ne dit donc pas : [*ils se sont divorcés*] ni, comme on l'a fait autrefois, [*divorcer un mariage*], le rompre, [*divorcer une femme*], la répudier, s'en séparer. [*Se divorcer*] s'est dit dans l'ancienne langue et a survécu en Belgique, où l'on entend aussi : [*Le juge les a divorcés*] au lieu de : *Le juge a prononcé leur divorce*.

Divorcer n'est devenu courant qu'après la Révolution française. On disait à l'époque classique *faire divorce avec sa femme, faire divorce avec la fortune*. L'expression est devenue rare.

Avec le verbe *divorcer* ou l'adjectif ou le substantif *divorcé*, on emploie *avec*, beaucoup plus souvent *d'avec* (qui a été longtemps critiqué), parfois *de* : *Il a divorcé d'avec sa première femme en telle année* (ou *avec sa première femme* ou *de sa première femme*). *Un homme divorcé d'avec sa première femme* (ou *avec sa première femme* ou *de sa première femme*). Mais avec **divorce**, seuls *d'avec* et *avec* sont possibles, sous peine de non-sens ou de contresens, dans des phrases de ce genre : *Le divorce du prince d'avec* (ou *avec*) *sa première femme*. On voit ce que deviendrait la phrase avec seulement *de*.

Dix, adj. num., **dixième,** adj., **dizaine,** n.f. Attention au *z* dans *dizaine*. On prononce *di* devant une consonne, sauf dans *dix-neuf* et parfois encore devant le nom d'un mois. On prononce *z* devant une voyelle et *s* (et non *z*) devant une pause ou devant *de : Ils sont dix. Le dix de carreau. En voilà dix de faits.*

Dixit, forme verbale, peut s'employer suivi d'un nom de personne quand on rapporte l'opinion d'un autre, surtout quand on ne la reprend pas à son compte.

Dizeau, n.m., est un régionalisme désignant autrefois en Belgique et dans le nord de la France un tas de dix gerbes dressées sur le champ moissonné.

Docteur, n.m. employé ou non pour *médecin*, se dit des femmes aussi bien que des hommes. Le féminin *doctoresse*, réservé d'ailleurs aux femmes médecins, est assurément correct mais a beaucoup moins de faveur que *Madame le docteur*. Quand on s'adresse à une femme, c'est toujours, comme à un homme, *docteur* qu'on emploie. En parlant d'elle on peut dire *la doctoresse, une femme docteur, le docteur* (mais non *la docteur* ni *la docteure*).

Doctorand, n.m., mot savant, courant dans le monde universitaire belge pour désigner celui qui prépare son doctorat universitaire. En France, il s'appelle un *thésard*. Préférer *doctorand* à *doctorant*.

Documentaliste, n.m. L'Office de la langue française avait approuvé en 1939 *documentiste* pour désigner un conservateur de documents. Le mot ne s'est pas répandu. *Documentaliste* convient parfaitement pour désigner la personne qui recherche, classe ou conserve des documents dans une administration.

Dogaresse, n.f., titre de la femme d'un *doge.*

Doigt, n.m. *Montrer qqn au doigt* (Ac.) ou *du doigt. Savoir une chose sur le bout du doigt* ou *des doigts. Avoir de l'esprit jusqu'au bout des doigts. Obéir au doigt et à l'œil. Mettre le doigt sur une difficulté, dans l'engrenage. Se mordre les doigts* (de qqch.).

Dans *Se mettre un doigt de rouge sur le visage* (Ac.), *Faire un doigt de cour à une femme* (Ac.), on trouve *un doigt de* dans le sens de « très peu », comme dans *un doigt de vin.*

On peut dire *doigt de pied* ou *orteil.*

Dom et **don.** — *Dom :* titre donné en français aux membres de certains ordres religieux. *Don* est un titre de courtoisie espagnol qui ne s'emploie que devant le prénom : *Don Juan. Don Quichotte.* Mais : *donjuanisme, donjuanesque ; donquichottisme, donquichottesque.*

Domiciliataire, n.m., tiers (en général un banquier) au domicile duquel est payable un chèque ou une lettre de change.

Dommage que en tête d'une proposition ou *quel dommage que* ou *c'est dommage que* ou *il est dommage que* sont suivis du subjonctif. L'indicatif, pour marquer la réalité du fait, est très rare aujourd'hui. Devant un infinitif, on emploie *de.* On dit : *c'est bien dommage* et moins *c'est grand dommage. Sans dommage.*

On peut dire *dommages-intérêts* ou *dommages et intérêts.*

Dompter, v.tr.dir., **dompteur,** n.m. — Ne pas prononcer le *p.*

Donataire, n. celui ou celle à qui est faite une donation par *le donateur* ou *la donatrice* (un *n*).

Donc, conj. Le *c* se prononce obligatoirement en liaison ou en début de phrase et a tendance à se prononcer dans tous les cas. Martinet n'enregistre que cette prononciation.

Et donc, dont Littré disait qu'il n'est plus usité, se rencontre encore.

Donne, n.f., au jeu de cartes : *À vous la donne. Il fait la donne.*

Donner, v.tr.dir. 1. Cf. PARTICIPE PASSÉ, *Étant donné,* p. 674, *Donné à,* p. 683, CONNAÎTRE, 2 [*se donner à connaître*].

2. *Donner un cours, une conférence.* Cf. ces noms.

3. *Donner le jour* (mettre au monde) se dit généralement de la mère ; mais d'excellents auteurs l'ont dit du père : *Digne fils du héros qui t'a donné le jour* (Racine).

4. *Donnez-m'en* et non [*Donnez-moi-z-en*].

5. [*Donner un pas de conduite*]. Cf. Pas, nom, 3.

6. *Donnez-vous la peine de vous asseoir* est aussi correct que *Prenez la peine de vous asseoir*.

7. *On donne **ordre** ou on donne **l'ordre** de faire qqch., qu'on fasse qqch.*

8. *Une porte donne **sur** la rue, sur le jardin.* Emploi insolite de *où* dans cette phrase : *La rue qui coupe celle où donne sa maison* (B. Clavel, *L'espion aux yeux verts*, J'ai lu, p. 30).

Dont, pr. relatif. **Emploi** parfois très délicat. Il faut lui conserver son sens (cf. 2) et éviter de fâcheux pléonasmes ou des archaïsmes.

1. *Dont* peut représenter des personnes aussi bien que des animaux ou des choses : *L'auteur dont* (ou *de qui*) *vous me parlez. Le chien dont la laisse est détachée. La maison dont le toit s'est effondré. La façon dont il se comporte. J'écrirai à la personne dont vous m'avez donné l'adresse.*

2. Il correspond toujours à *de* suivi de l'antécédent. Mais son emploi était plus large autrefois :

a) Il ne marque plus autant qu'autrefois l'origine : cf. plus loin, 9, *Dont* et *d'où*. Si nous disons : *L'homme dont j'ai ici une lettre*, c'est que *dont* est un complément déterminatif (de *lettre*) et indique l'auteur. Mais nous ne disons pas : [*L'homme dont j'ai reçu une lettre*] ; nous disons : *de qui*, complément du verbe.

b) Il ne marque plus, sinon par un archaïsme littéraire, le moyen, l'instrument. Nous emploierions *au moyen duquel* au lieu de *dont* dans ce vers de La Fontaine : *Le collier dont je suis attaché.*

Au lieu de *dont* nous emploierions *par qui* ou *par lequel* dans ce vers de Racine : *J'ai vu ce même enfant dont je suis menacée.* On est en effet menacé *par* qqn ; mais comme on peut être menacé *de* qqch., d'un malheur, nous disons : *Le malheur dont je suis menacé.*

c) Dans une incidente ou après *c'est*, contrairement à l'usage classique, *dont* doit être aujourd'hui précédé de *ce* : *On ne l'a pas reconnu, ce dont il s'est ému. C'est ce dont je me souviens.* On notera qu'après *ce*, on ne peut remplacer *dont* par *duquel, de quoi*.

3. Le nom auquel *dont* sert de complément déterminatif est normalement sujet, attribut ou complément direct : *Le livre dont la couverture est déchirée. La femme dont elle est la fille. L'homme dont j'ai servi les intérêts.*

Le nom complété par *dont* ne peut aujourd'hui être précédé d'une préposition (à moins qu'il ne fasse partie d'une locution figée comme *faire du cas, venir à bout, être à l'écart*), sauf si *dont* est aussi complément d'un autre nom qui précède ce complément prépositionnel : *Un cavalier dont le manteau flotte sur les épaules.* Au lieu de [*L'homme dont j'ai marché sur les pieds. L'homme dont j'ai nui aux intérêts*], on dit : *L'homme sur les pieds de qui* (ou *duquel*) *j'ai marché. L'homme aux intérêts de qui* (ou *duquel*) *j'ai nui.* Mais on peut dire : *L'homme dont la conduite nuit à la carrière* (Ac.). Jacques Perret écrit à tort : [*Ces pompes funèbres dont je n'arrive pas à me convaincre de la vanité*] (*Bande à part,* p. 88). Il pouvait dire : *dont la vanité ne me paraît pas évidente.* Si l'on dit fort bien : *Je vais chez l'ami dont nous avons reçu des nouvelles,* on ne dira pas : [*Je vais chez l'ami dont vous vous inquiétez du sort*]. On dira : *Je vais chez l'ami du sort de qui vous vous inquiétez* ou, plus élégamment : *chez l'ami dont le sort vous inquiète.* On dit très bien : *L'homme dont vous faites tant de cas.*

Cependant, avec *jusqu'à* correspondant à *même* et avec *à bout,* on emploie fort bien *dont : Cet enfant dont nous devinons jusqu'aux pensées. Des difficultés dont il ne viendra jamais à bout.* Il va sans dire que *dont* peut être complément d'un nom composé, au sens très large, où intervient *de : Un homme dont on apprécie la force de caractère* ou *dont la présence d'esprit est surprenante. Cet ancien champion dont la carrière de sportif a été soudain brisée.* Mais on ne peut dire : [*X, dont nous avons pu apprécier la qualité du français*], parce que *dont* est le complément non pas du complément direct *la qualité,* mais du complément prépositionnel *du français.*

4. **Redondance de *dont* et d'un pronom personnel** ayant dans la même proposition le même antécédent. Elle apparaît parfois dans des textes de bons écrivains : *Le général J.-B. Stuart dont la hardiesse, la bravoure et le goût du panache l'apparentent à Murat* (J. Green, *Les années faciles,* Poche, p. 414). Il suffisait de dire *que la hardiesse, etc. apparentent.* Au lieu de [*Les enfants dont les parents les ont bien élevés. L'enfant dont le père s'est sacrifié pour lui*], on dira, avec un autre pronom relatif et un adjectif possessif : *Les enfants que leurs parents ont bien élevés. L'enfant pour qui son père s'est sacrifié.* La phrase de Supervielle : *Chiron dont le talent d'éducateur lui valut de faire du garçon un homme dans toute l'acception du terme* (*Premiers pas de l'univers,* p. 33) aurait été aisément corrigée : *Chiron à qui son talent d'éducateur valut... Je me demande si l'admiration pour Gil Blas ne serait pas, pour beaucoup d'esprits, une de ces opinions conventionnelles dont on aime mieux les reproduire que les vérifier* (E. Henriot, *Conférencia,* 1ᵉʳ juin 1924, p. 507). Il suffisait de dire : *une de ces opinions conventionnelles qu'on aime mieux reproduire que vérifier.*

Voir cependant plus loin, 6, le cas de *dont* complément de propos. D'autre part, lorsque *dont* ne peut être remplacé par un autre relatif, on le trouve parfois avec un pronom personnel : *Une jeune fille dont les cheveux lui retombaient sur le dos.* Mais ce pronom personnel est superflu. L'Académie donne en exemple cette phrase d'Anatole France : *L'autre, dont les cheveux flottaient sur les épaules.*

5. **Redondance de *dont* et de l'adjectif possessif** ou de **en**. En bonne logique, et sous les réserves qui suivent, la relative ne peut commencer par *dont* si elle contient un adjectif possessif renvoyant aussi à l'antécédent de *dont*.

On ne dira pas : [*Un roman dont j'ignore son auteur. Un méchant dont chacun vante les remords de sa conscience*] ; on dira en employant éventuellement l'article et en supprimant ainsi le pléonasme : *Un roman dont j'ignore l'auteur. Un méchant dont chacun vante les remords de conscience.* On ne dirait pas en effet : [*J'ignore son auteur de ce roman. Chacun vante les remords de sa conscience de ce méchant*]. Mais lorsqu'il apparaît que, transformée de la sorte en indépendante, la relative permet fort bien le maintien de l'adjectif possessif malgré la présence du complément, l'emploi de *dont* et de l'adjectif possessif dans la relative est tout à fait normal : *L'homme dont ses amis ont besoin ;* on dirait : *Ses amis ont besoin de lui.* On notera d'ailleurs que *les amis* ne suffirait pas à exprimer l'idée. De même dans : *Un écrivain dont l'œuvre est inséparable de sa vie.* Il n'y a rien d'anormal dans la phrase : *L'étrange libraire, dont le nom s'inscrivait sur sa porte en caractères d'émail blanc* (André Billy, *Le narthex*, p. 26). On dirait en effet : *Le nom de ce libraire s'inscrivait sur sa porte.* Citons encore : *Un pin abattu dont l'immense corps dans sa chute avait dévasté les chênes* (Fr. Mauriac, *Les anges noirs*, Prologue).

Ce qui vient d'être dit de l'adjectif doit l'être aussi de **en** doublant *dont* : Au lieu de [*Un roman dont j'en connais l'auteur*], on dira : *dont je connais l'auteur.*

6. ***Dont* complément de propos** (= au sujet duquel).

Lorsque la proposition introduite par *dont* (A) est suivie elle-même d'une proposition complément (B), la fonction de *dont* peut être double :

a) Ou bien il signifie « au sujet duquel » et est un complément circonstanciel de propos, repris en B sous la forme d'un pronom : *Une sentence dont ils savent, par expérience, qu'elle peut être provisoire* (G. Duhamel, *Refuges de la lecture*, p. 102). Le tour n'est ni nouveau ni rare : *En avril arrivait Emmanuel d'Astier, tout armé de projets et aussi de calculs et dont je crus bon qu'avant de regagner la France il allât porter aux États-Unis quelques précisions* (Ch. de Gaulle, *L'appel*, Poche, p. 295). *La mission dont j'avais d'abord demandé (...) qu'on la laissât gagner l'Afrique...* (Id., *L'unité*, Poche, p. 80).

C'est donc abusivement que ce tour a été condamné, mais on peut le trouver parfois trop lourd. Au lieu de *Cet enfant dont je sais qu'il a été malade*, on peut dire plus simplement : *Cet enfant qui, je le sais, a été malade.* Mais il n'est pas incorrect de dire : *Cet homme, dont chacun se demande ce qu'il est devenu.*

Dans ce cas, rien n'empêche qu'en B un adjectif possessif renvoie au pronom qui est sujet de cette proposition, bien qu'il s'agisse du nom représenté aussi par *dont* en A : *C'est ce jeune homme dont je vous ai dit qu'il a perdu sa mère.*

Mais on dira : *Ce jeune homme dont on dit que le père s'est suicidé*. Ici, *dont* est le complément de *le père* et n'est pas un complément de propos (cf. b) ; ce serait une redondance blâmable de dire : *son père*.

b) Ou bien *dont* (= de + nom) dépend d'un des mots de la proposition B. Ce n'est pas un complément de propos et il ne peut donc être repris en B sous la forme d'un adjectif possessif ni se substituer à un relatif précédé d'une autre préposition que *de*. Il y aurait pléonasme dans [*L'employé dont je sais que vous avez suivi ses conseils*]. On dira : *les conseils. Les soucis dont je sais que vous êtes accablé*. Mais : *L'employé à qui je sais que vous avez demandé conseil* (on demande conseil *à qqn* ; comparez : *à qui vous avez demandé conseil*). Autre phrase fautive : *Catholiques pratiquants, le régisseur et sa femme avaient tenu à m'offrir un bon repas tout en se conformant aux règles de l'abstinence* [*dont*] *ils pensaient que le moinillon que j'avais été serait sensible* (G. Borgeaud, *Le voyage à l'étranger*, p. 356). Il faudrait : *auxquelles ils pensaient que...* On est en effet sensible *à qqch*.

7. *Dont* peut être **complément d'un nom de nombre ou d'un indéfini numéral**, qu'ils soient sujets ou compléments directs ou en rapport avec un verbe impersonnel : *Prenez soin de ces livres dont deux* (ou *quelques-uns*) *sont très rares. J'ai retenu quelques faits dont je citerai quelques-uns. Je vous envoie deux livres, dont il y a un pour vous*.

L'usage classique admettait que, dans ce cas, le pronom **en** doublât *dont* devant le verbe, en représentant le même nom. Les Le Bidois (I, p. 304) ont justifié des phrases comme celle-ci : *Vingt ou vingt-cinq volumes dont il y en a bien une dizaine sur l'histoire de la littérature* (Brunetière), en disant que *dont* et *en* n'expriment pas le même rapport : *dont* = parmi lesquels ; *en* = desquels. On trouve encore exceptionnellement ce tour chez des écrivains contemporains, mais on y voit plutôt un pléonasme et on l'évite (cf. 5).

Une distinction s'impose. Si l'on n'éprouve aucun embarras à supprimer *en* lorsque le nom de nombre ou l'indéfini numéral est sujet *(dont deux sont très rares ; dont quelques-uns sont perdus ; dont il y a un pour vous)* ou lorsque l'indéfini numéral est complément direct *(dont je citerai quelques-uns)*, certains écrivains sont encore tentés d'employer *dont...en* devant un nom de nombre complément, comme le faisaient les classiques *(dont j'en citerai deux)*. Ils ne devraient pas craindre d'écrire : *On reparle de ce soupçon par dix fois, dont il faut citer au moins deux* (G. Antoine, *Vis-à-vis ou le double regard critique*, p. 95). Il faut éviter *en* pour renvoyer au même nom que *dont* (cf. 5). Dès lors, si l'on refuse, parce qu'ici le complément de *j'ai* est trop bref : *On a publié plusieurs de ces pamphlets, dont j'ai deux* (ou *dont j'en ai deux*), on dira, faisant deux phrases : *On a publié plusieurs de ces pamphlets ; j'en ai deux. Elle m'a écrit de nombreuses lettres ; j'en ai gardé trois*. À moins qu'on ne dise : *dont j'ai gardé quelques-unes*.

8. *Dont* employé **sans verbe** : *Dont acte* (et de cela je vous donne acte). *Je l'ai entendu dire par mon ami, dont voici les propres termes.* Avec une indication numérale, *dont* signifiant *parmi lesquels* autorise l'ellipse du verbe *être* : *Il a cinq enfants, dont trois filles. Trois personnes, dont moi, ont protesté. Je lui ai emprunté quatre livres, dont deux très rares.*

9. **Dont** et **d'où**. Avec des verbes comme *venir, sortir, partir, descendre, résulter, conclure,* etc., on doit faire aujourd'hui une distinction :

a) *D'où* se dit des choses pour marquer l'éloignement, le point de départ : *La ville d'où vous venez. Un appartement d'où la vue est fort belle. Un fait d'où je conclus.* La langue littéraire emploie cependant parfois *dont* : *Le pays dont il sort.*

b) *Dont* se dit normalement des personnes ou remplace un nom comme *la famille, la race, le sang ;* il marque la descendance : *Le sang* (ou *la famille*) *dont vous sortez.* On emploie parfois *d'où,* (mais pas si c'est un nom de personne qui précède) : *La famille d'où il est sorti* (Ac., à *Sortir*).

N.B. *Dont* suppose un antécédent. S'il n'y en a pas d'exprimé, on doit employer *d'où,* dans tous les cas : *D'où venez-vous ? Rappelez-vous d'où vous êtes parti.*

10. *C'est de lui que je parle* et non [*C'est de lui dont je parle*], [*C'est lui dont je parle*]. Cf. Ce, 6.

Dopage, n.m., doit remplacer *doping :* procédé destiné à augmenter le rendement général, physique ou mental, d'un individu (*il se dope en prenant **un produit dopant** ou **un dopant***).

Dorloter, v.tr.dir. Un seul *t*.

Dormir, v.intr. *Je dors, il dort, je dormis. Combien d'heures avez-vous **dormi** ?*

[Dôsse], n.f., est un mot qui, des dialectes, a passé dans le français régional de certains Wallons, qui parfois le francisent étrangement en *douce* ! Il désigne un gonflement de la peau, accompagné de démangeaisons. Certains Belges croient devoir le traduire par *gourme,* qui désigne une dermatose d'un autre ordre, plus grave, d'enfants mal soignés. Le terme français qui convient le mieux est *élevure ;* mais il n'est plus guère employé que régionalement en France.

Dos, n.m. On dit : *mains **au dos** ou mains **derrière le dos*** (et même *mains **dans le dos***). *Avoir qqch. sur le dos. Mettre qqch. sur le dos de qqn.*

[Dossée], n.f., est un mot dialectal (= fardeau, responsabilité) que des Wallons transposent parfois en français en parlant d'une responsabilité qui est imposée.

Dossier, n.m. Je lis dans un document administratif belge : [*Ce dossier n'est pas encore clôturé*]. On veut dire qu'aucune décision n'a encore été prise, que la discussion se poursuit. Notons qu'on *ouvre* et qu'on *ferme* un dossier (on commence l'examen d'une affaire, on la classe). Cf. FARDE.

Double dans les **composés**. Il y a de l'hésitation dans l'emploi du *trait d'union*. Mieux vaut le généraliser, à condition qu'il s'agisse vraiment d'un composé. (On écrit évidemment *jouer un double jeu, mener une double vie*). Au pluriel, *double* varie généralement. En parlant de dominos : *des doubles-un, des doubles-blancs*, etc. *Des doubles-commandes* (en parlant d'automobiles ou d'avions à double commande). *Des doubles-crèmes* (fromage), mais, le composé étant pris adjectivement : *des fromages double-crème ; des doubles-faces, des doubles-fonds*, ou *des doubles fonds, des doubles-plis*. On écrit : *à double commande, à double fond*.

Double, adj., **doublé,** n.m. En termes de chasse, réussir *un doublé*, c'est abattre deux pièces de gibier coup sur coup, l'une immédiatement après l'autre. Ne pas confondre avec *faire coup double*, abattre deux pièces de gibier d'un seul coup de fusil ; au figuré, obtenir par une seule action un second effet qu'on ne visait pas. Tandis qu'*un doublé*, c'est un double succès remporté coup sur coup. *Le Monde* du 11 juin 1969 intitule *Un beau doublé* un entrefilet consacré à un élève qui, au concours général, a obtenu un premier prix en mathématiques et un second prix en physique.

Doubler, redoubler, v.tr., **doubleur, redoublant,** n.m. *Doubler une classe,* c'est la suivre une seconde fois (PR). L'expression est courante en Belgique, elle est devenue archaïque en France et tend à ne plus être reprise par les dictionnaires, qui ne notent plus que *redoubler, redoubler sa classe* (le redoublement d'une classe). Cf. DÉDOUBLER.

Quant aux élèves qui redoublent, on les appelle en Belgique, ainsi qu'au Canada, des [*doubleurs*], mot inconnu en France où ils sont des *redoublants*. Si *doubler* n'est pas incorrect, *doubleur* n'est pas français et il conviendrait d'aligner le verbe *(redoubler)* sur le substantif *redoublant*.

Douceâtre, adj. Attention à *e* (remplaçant la cédille ; cf. *cerceau*) et *â*.

Doucement, adv., s'emploie au figuré dans *aller doucement, marcher doucement* pour une affaire qui va médiocrement.

Douceurs, n.f.pl., peut signifier *friandises, sucreries*.

Doué, adj. On est doué *de qualités, d'une bonne mémoire, de patience*, on est doué *en musique, en mathématiques ; pour les mathématiques, pour le piano*.

[Douf]. — [*Il fait douf*] pour *Il fait lourd, étouffant*, s'entend à Bruxelles et en pays flamand, mais n'y passe pas pour du français.

Doute, n.m., **douter,** v.tr.ind., **douteux,** adj.

1. On dit : *douter **de** la réalité de qqch., de la bonne foi de qqn. N'en doutez pas. On doute **d'avoir** bien fait*. Plus littéraires que réellement

vivants **douter si** et **douter comment** ; ils sont suivis de l'indicatif ou du conditionnel : *Je doute encore s'il ne viendra pas. Je doute si, dans son cas, j'agirais comme lui* (je me demande si, je ne suis pas sûr que). — *On a des doutes sur qqch., on met qqch. en doute.*

2. **Douter que** affirmatif (ou *mettre en doute que*) est suivi du subjonctif : **Je doute** *qu'il l'ait dit.* On trouve parfois le conditionnel, surtout pour un fait futur éventuel : *Je doute qu'ils vous laisseraient faire ce que vous voulez.* Mieux vaut l'éviter. C'est une faute d'employer dans ce cas, avec le subjonctif, *ne* explétif, mais on peut évidemment employer *ne pas* : *Je doute qu'il ne l'ait pas dit* (opposé à *Je doute qu'il l'ait dit*).

Négatif, il est suivi également du subjonctif, mais avec ou sans *ne* (qui ne s'impose jamais), quel que soit le degré de conviction : **Je ne doutais pas** *que ce fussent là les intentions de l'ennemi* (Ch. de Gaulle, *L'appel,* Poche, p. 1317). *Je ne doute pas qu'il (ne) le fasse.* On peut employer l'indicatif (sans *ne*) pour insister sur la réalité du fait subordonné *(Je ne doute pas qu'il le fera)* ou le conditionnel si le fait est hypothétique *(Je ne doute pas qu'il le ferait si on le lui demandait. Je ne doute pas qu'il pourrait faire mieux).* — *Élisabeth n'a jamais douté que si elle n'avait pas quitté son mari (...) il ne fût pas mort* (Fr. Mauriac, *Destins,* Poche, p. 50) ; *fût* est mis pour *serait.* Cf. p. 254, 3, b. *En somme, je ne doutais pas que la France dût traverser des épreuves gigantesques, que l'intérêt de la vie consistait à lui rendre, un jour, quelque service signalé et que j'en aurais l'occasion* (Ch. de Gaulle, *L'appel,* Poche, p. 6. *Aurais* est un indicatif futur du passé).

Après **je ne puis douter**, même usage : *On ne peut douter qu'il (ne) l'ait dit* ou *qu'il l'a dit.* — *Verlaine nous a trop souvent fait l'aveu de l'effarement de sa conscience travaillée par le songe pour que nous puissions douter que celui-ci n'ait finalement altéré sa vie et même, d'une certaine manière, ne l'ait détruite* (O. Nadal, *Introduction aux Œuvres complètes de Verlaine,* Le Nombre d'or) ; *douter* est ici construit comme s'il était négatif ; le sens est en effet : *nous ne pouvons douter, nous ne doutons pas.* Cf. POUR, 7.

Interrogatif, *douter* se construit comme s'il était négatif, mais avec une plus grande fréquence du subjonctif avec ou plus souvent sans *ne* : *Doutez-vous qu'il (ne) vienne ?*

3. Les mêmes principes règlent l'emploi du mode et de *ne* après **il est douteux que, il n'est pas douteux que, nul doute que**, *il ne fait pas de doute que,* etc. Il n'est pas étonnant que le subjonctif soit plus rare, à cause de la négation très forte du doute, correspondant à une quasi-certitude, après **il n'y a pas de doute que** et surtout après **il est hors de doute que,** très rarement suivi du subjonctif : *Or, il ne faisait guère de doute que Schoudler entrât dans l'agonie* (M. Druon, *La chute des corps,* Poche, p. 314).

Il faut mettre à part **sans doute que,** qui marque la probabilité et qui, comme *sans aucun* (ou *nul*) *doute* marquant la certitude, est suivi de l'indicatif (ou du conditionnel) : *Sans doute que ses dispositions étaient prises.* Cf. INVERSION.

4. **Se douter que** ne marque pas le doute et se rapproche de *croire*. Aussi est-il suivi de l'indicatif ou du conditionnel à la forme affirmative et, rarement, du subjonctif à la forme négative ou interrogative : *Je me doute qu'il s'est trompé. Elle ne s'était pas doutée qu'on l'observait. Il ne se doutait pas qu'on eût des preuves contre lui* (Ac.).

Doux, adj. ou adv., est adverbe dans *filer doux : Elle a filé doux.*
   Doux-amer : *un accueil doux-amer, des réflexions douces-amères.*

[**Drache**], n.f., mot d'origine germanique, s'est répandu en Belgique à partir de Bruxelles et a atteint le nord de la France ; il faut dire *averse* (pluie soudaine, courte et abondante) et, au lieu du verbe [*dracher*], *pleuvoir à verse.*

Draguer, v.intr., **dragueur,** n.m., se disent familièrement de celui qui cherche à multiplier les aventures galantes.

Drap, n.m., s'entend en France comme en Belgique au lieu de *drap de lit.* Mais il faut laisser aux dialectes [*drap de mains*] pour *serviette*, [*drap de maison*] pour *torchon*. On écrit : *une pièce de drap, un fabricant de drap,* mais *un marchand de draps.*

Drastique, adj., se dit proprement d'un purgatif énergique, mais s'applique au figuré à tout remède très énergique : *Des mesures financières drastiques* (GLLF).

[**Dresse**], n.f., s'emploie parfois en Wallonie, comme dans les dialectes, pour *dressoir, armoire.*

Dresser, v.tr.dir. On peut dire : *Cela (m'a) fait dresser les cheveux (sur la tête). Mes cheveux se dressent.* — On dresse *un acte, un contrat, un procès-verbal, une contravention.*

Drève, n.f., est un mot d'origine néerlandaise, courant en Belgique et connu dans le nord de la France, pour désigner une allée bordée d'arbres (conduisant ou non à une propriété).

Dribbling, n.m. Anglicisme du langage des sports ; remplacé par *dribble,* n.m.

Dringuelle, n.f. d'origine néerlandaise, est courant en Belgique et connu dans le nord de la France au sens de *pourboire* ou de petite libéralité en argent.

Drink, n.m. Pourquoi dire *prendre un drink* au lieu de *prendre un verre* ?

Drogue, n.f., est employé pour *médicament* plus souvent en Belgique qu'en France, où il a généralement un sens péjoratif. **Droguerie** désigne le commerce de produits d'hygiène, de toilette, de ménage, d'entretien, ou le lieu où on les vend. Ne pas faire de *marchand de couleurs* un synonyme de *droguiste.*

Droit, n.m., peut être adverbe (*Marcher droit,* en ligne droite ou conformément à la discipline imposée, *aller droit au but, au fait ; les yeux fixés droit devant lui*) ou adjectif (notamment dans *se tenir droit, droite* et quand l'adjectif est détaché ou attribut : *la flamme montait droite ; la route s'allonge, droite et boueuse*). On écrit : *le droit fil, dans le droit fil de qqch.,* conforme ou conformément à.

Quelques emplois du nom : *Avoir droit ; avoir droit à qqch. Avoir droit de faire qqch.* (*Cet accueil a droit de* (= peut) *vous surprendre*) est littéraire et recherché ; l'Académie admet : *Avoir droit de voter* ou *le droit de voter,* mais on emploie plutôt l'article. *Être en droit de faire qqch. Cela lui appartient de droit, de plein droit.*

Drolatique, adj. Pas d'accent circonflexe.

Drôle (prononcer *au*), adj. et n. *Avoir une idée drôle, des idées drôles, de drôles d'idées* = des idées qui paraissent plaisantes ou étranges. Mais le nom *un drôle* a un sens plutôt péjoratif, sauf dans le sud-ouest de la France.

Drôle de (faire une drôle de tête ; un drôle de type, une drôle d'odeur) marque le caractère surprenant. Familièrement, sert d'intensif et signifie « beaucoup » : *il faut une drôle de patience pour supporter cela.*

Drôlesse est vieilli ; il se dit d'une femme aux mœurs déréglées.

Je me sens tout drôle (ne pas se sentir dans son état habituel), *ça me fait tout drôle* (cela me fait une impression bizarre) sont familiers.

Drôlement signifie : d'une manière bizarre (*Il est drôlement accoutré*) et, familièrement, « d'une façon extraordinaire » : *Les prix ont drôlement augmenté. Il fait drôlement froid aujourd'hui* (PR). *J'ai drôlement soif* (TLF). On entend parfois, en français populaire de Belgique, prononcer « drôl'dement ». À éviter.

Dru est **adjectif** (*Des cheveux drus, une averse drue, un style dru,* direct, vif) ou **adverbe** (*il pleut dru*). On écrit : *la pluie tombe dru* (d'une manière très serrée) plutôt que *tombe drue* (abondante, serrée). Noter qu'on dira : *tombe droite.* L'adverbe *drument* est rare.

Drugstore, n.m., est un anglicisme admis en français (et où *u* se prononce *e*) pour désigner un établissement ouvert suivant un très large horaire et où l'on trouve un restaurant ou un bar, divers articles de première nécessité (journaux, tabac, pharmacie) et des produits alimentaires, des cadeaux.

Druide, n. Féminin : *druidesse.*

Dry, adj. et adv. Pourquoi ne pas dire *sec* ?

Dû, n. Le substantif s'écrit *dû : payer son dû ; chacun son dû.* Le participe passé masculin singulier s'écrit *dû.* Cf. DEVOIR.

Ducasse, n.f., dans le français du Nord et en Hainaut désigne une fête populaire, une fête patronale, une kermesse.

Duffel-coat (*u* se prononce *e* et *oa* se prononce *ô*), n.m., « manteau ample, trois quarts, muni d'un capuchon, fait en gros tissu de laine imperméabilisée » (GLLF). *Des duffel-coats.* Pourquoi ne pas dire *cape* ou *pèlerine* ou *pèlerine à manches ?*

Dûment (= selon les formes prescrites), adv. Accent circonflexe.

Dumping, n.m., pratique commerciale consistant à vendre à l'étranger moins cher que dans le pays d'origine.

Dune, n.f. C'est un pléonasme d'ajouter le complément : *de sable.*

Dupe, adj. *(Nous ne sommes pas dupes)* et n.f. : *C'est lui qui est la dupe.*

Duplex, n.m., se dit d'une *émission en duplex,* appelée aussi *un duplex* (qui permet de faire entendre ou voir des programmes émis simultanément par deux stations différentes), ou d'un appartement (qu'on appelle aussi *en duplex*) disposé sur deux étages communiquant par un escalier intérieur.

Duplicata, n.m., est invariable : *Un duplicata, des duplicata.*

Dur, adj. Cf. AVOIR 17, p. 146. Adv. : *Ils frappent dur.*

Durant, prép. L'étymologie permet certes d'opposer *durant,* réservé à l'expression de la durée entière, à *pendant,* qui ne concerne qu'un laps de ce temps : *Il est resté debout durant la cérémonie. Il est sorti pendant la cérémonie.* Mais cette distinction est généralement abandonnée au profit de *pendant. Il s'est relevé pendant la nuit. Pendant la journée* peut vouloir dire *pendant toute la journée* ou *à un moment de la journée.* On peut dire : *Quand l'homme meurt durant la journée* (J. Supervielle. *Premiers pas de l'univers,* p. 127). On écrit *durant vingt ans* ou *vingt ans durant. Durant que* (suivi de l'indicatif) a vieilli.

Durer, v.intr. On dit fort bien : *durer longtemps.*

Duvet, n.m. On parle du *duvet de l'oie, d'un poussin, d'un oreiller, d'un édredon* (= des plumes dont on le garnit). On a dit autrefois *duvet* pour « lit de plume ». Mais c'est un belgicisme d'employer *duvet* pour *édredon.*

Dynamique, adj., se dit couramment et fort bien d'une personne qui manifeste une grande vitalité, de la décision, du *dynamisme.*

Dysenterie (Pron. *s* dur), n.f. Attention à l'orthographe. Le préfixe *dys,* exprimant la difficulté, l'anomalie, le trouble, se trouve dans beaucoup de mots savants comme *dysenterie, dyslexie, dysfonctionnement, dyspepsie.*

E

Eau, n.f. 1. On écrit : *Une ville d'eaux. Prendre les eaux,* faire une cure thermale. — 2. On dit : *sous terre,* mais on emploie généralement l'article dans *sous l'eau* (parfois *sous les eaux*) : *La rue est sous l'eau.* En Belgique, on omet couramment l'article. — 3. Laisser aux Wallons [*eau de gouttière*] pour *eau de pluie.* — 4. *Eau de boudin :* cf. BOUDIN. — 5. Trait d'union dans *eau-de-vie, eau-forte, eaux-vannes.*

Ébahir (s') se construit comme *s'étonner.* Cf. ÉTONNER. Proprement, si l'on s'en tient aux sens premiers, l'étonnement se traduit par la bouche ouverte chez **l'ébahi,** par un bégaiement chez celui qui est **ébaubi** et par un éblouissement chez celui qui est **éberlué.**

Ébène, n.f. *Une ébène très noire.*

Ébonite, n.f. *L'ébonite est isolante.*

Éboueur, n.m., cf. BOUEUX.

Ébouler (s'), écrouler (s'). *Un terrain s'éboule,* tombe par morceaux, progressivement. *Un homme s'écroule, un mur s'écroule,* tombe soudainement de toute sa masse.

Ébouriffage, n.m., **ébouriffé,** adj. Un *r,* deux *f.*

Écaille, n.f., **écailler,** v.tr.dir. On parle d'*écailles* à propos de poissons, de moules, d'huîtres, de serpents, de papillons ; mais on dit *la coque, la coquille* et parfois (vieux ou dialectal) *l'écale* d'un œuf. Cf. ÉCALE.

    Verbe. On *écaille* du poisson. *L'humidité écaille le plâtre ; la peinture s'écaille ; le mur est écaillé* ou *s'écaille par endroits ; l'enduit, le vernis s'écaille, s'est écaillé.*

Écale, n.f., **écaler,** v.tr.dir. *Une écale* se dit de l'enveloppe recouvrant la coque de certains fruits (amandes, noisettes, noix) et a vieilli dans le sens de *coquille* d'œuf ou de *gousse* de fève, de pois, de haricot. — *Écaler des noix,* les dépouiller de l'écale.

Écarlate, n.f. ou adj., est féminin comme nom de couleur ou d'étoffe. L'adjectif varie comme le nom, au pluriel.

Écart, n.m. Un écart **de** langage, de conduite, de régime, un écart **à** une ligne de conduite : *Tout écart à cette ligne de conduite* (L. Armand, *Discours de réception à l'Académie française*).

Ecce homo, n.m. invariable. *Des ecce homo.*

Ecchymose, n.f. : *Une ecchymose.*

Échanger, v.tr.dir. *Il a échangé un livre* **contre** *une gravure. Il a échangé des timbres* **avec** *un ami. Il a échangé avec moi quelques propos. Ils ont échangé des timbres. Nous avons échangé un sourire.* La réciprocité est marquée par *avec* ou par un sujet pluriel.

Échappatoire, n.f. : *Une échappatoire.*

Échapper, s'échapper. Sens, construction, auxiliaires.

1. *Échapper* en **emploi absolu** (sans complément) ; auxiliaire **avoir** :

a) Avec *faire* ou *laisser* : *Laisser échapper une occasion, un plat, un cri. On l'a laissé échapper* (ou *s'échapper*). *On l'a fait échapper.* Cf. Faire, 7.

b) Au sens de « ne pas être perçu » (cf. 2, a). Emploi rare : *Le détail échappe.*

c) Au sens de « ne pas être atteint par, être soustrait à, être préservé de » (cf. 2, c) : *L'incendie a ravagé tout le quartier ; seules deux maisons ont échappé. L'épidémie a fait des centaines de morts, mais nous avons échappé. J'ai échappé par miracle, à bon compte.*

2. Avec **à** :

a) En parlant de choses ou de personnes, au sens de « ne pas être perçu, remarqué » (cf. 1, b), toujours l'auxiliaire **avoir** (autrefois on a pu employer *être*) : *Toute la finesse de ce trait lui a échappé. Cette faute a échappé au correcteur. Rien n'a échappé à sa prévoyance. Rien ne lui échappe. Cela ne vous a pas échappé* (vous l'avez remarqué). *Il a échappé aux regards indiscrets.* **Impersonnellement,** *il ne m'échappe pas que* + indicatif ou conditionnel : *Il ne vous a pas échappé qu'il était mal à l'aise, qu'il en souffrirait.*

b) En parlant de choses, au sens de « être dit ou fait par mégarde, par imprudence, sans contrôle », *échapper* se conjugue le plus souvent avec **être** : *Un mot malheureux lui est échappé. Plusieurs fautes lui sont échappées.* **Impersonnellement** : *Il lui est échappé un mot inconvenant* (Ac.). *Il lui est échappé de la tutoyer.*

Cependant **avoir** n'est pas rare : *Un certain nombre de bourdes qui lui ont échappé* (J. Duché, *Le Figaro littéraire*, 19 janvier 1952, p. 5). *Ils n'avaient fait que suivre leur destin. Les décisions et les actes leur avaient échappé* (R. Peyrefitte, *Les amitiés particulières*, p. 426). *Cette petite phrase lui avait échappé tout inconsciemment* (A. Gide, *L'école des femmes*, Poche, p. 60). *Les paroles qui lui avaient échappé tout à l'heure* (M. Aymé, *Le bœuf clandestin*, p. 53). *Un cri, un soupir lui a échappé, lui est échappé* (Ac.).

c) En parlant de personnes, d'animaux ou de choses, au sens de « se maintenir hors d'atteinte, être préservé de » (cf. 1, c), auxiliaire **avoir** généralement : *Ils ont échappé à l'accident, à l'épidémie, à la prison, au massacre, à la honte. Échapper à une obligation, à l'impôt, à une influence. Cette forêt a échappé à l'incendie. Son œuvre a toujours échappé à la banalité.* On trouve **être** pour marquer l'état : *Ils étaient une dizaine, en piteux état, qui étaient échappés au massacre.* La construction avec *de* dans ce sens est vieillie.

d) En parlant de personnes, d'animaux ou de choses, aux sens de « glisser hors des mains, sortir des mains, au propre ou au figuré », « sortir de la mémoire », auxiliaire **avoir** (action) ou **être** (état), plus souvent *avoir* : *Le château de famille (...) lui avait échappé* (M. Druon, *La chute des corps*, Poche, p. 72). *Le verre m'a échappé* (ou *m'est*) *échappé des mains. Le couteau m'avait* (ou *m'était*) *échappé. L'oiseau que je tenais m'a* (*m'est*) *échappé. Son fils lui échappait. Le bonheur lui a* (*lui est*) *échappé. La patience lui a échappé* (Ac. ; il a perdu patience). *Il a enfin échappé aux soucis électoraux. Son nom m'échappe* (je ne m'en souviens plus), *m'a* (*m'est*) *échappé.*

3. Avec **de** :

a) En parlant de personnes ou d'animaux, aux sens de « se soustraire à qqn ou à qqch., se libérer (par la force, la ruse, ou la fuite), cesser d'être retenu », auxiliaire **avoir** (action) ou **être** (état), plus souvent *avoir* : *Ils sont échappés de prison, des mains de leur gardiens. Ils ont échappé de prison.* On dit généralement **s'échapper** : *Ils se sont échappés de prison. L'oiseau s'est échappé de sa cage. Trois des coureurs se sont échappés du peloton. Elle s'échappa un moment pour aller vérifier le service à la cuisine.*

S'échapper se dit des êtres animés ou de qqch. qui peut se répandre ou s'évanouir : *Le gaz s'échappe du tuyau. Des flammes s'échappaient du toit. Son dernier espoir s'est échappé.*

b) En parlant d'un objet : *L'objet échappa de mes mains* (Ac.), *a* (ou *est*) *échappé de mes mains.* Cf. 2, d.

4. On a dit autrefois : *Échapper la potence, l'accident, un danger* (= éviter). — Comme dans *la bailler belle*, le pronom représente à l'origine *la balle* dans **l'échapper belle**. L'expression signifiait : laisser échapper une balle qui était pourtant belle. Aujourd'hui cette expression est

figée (le participe est invariable) dans un sens tout différent, « échapper de justesse à un danger » : *Ils l'ont échappé belle.*

Échauffourée, n.f. (deux *f*, un *r*), désigne aujourd'hui une bagarre de courte durée.

Échecs (on prononce aujourd'hui *c* final), n.m.pl. Le jeu s'est appelé autrefois *le jeu des échecs,* mais on dit maintenant : *jeu d'échecs, partie d'échecs.*

Échelle, n.f. On peut fort bien dire : *bâtir, fabriquer, commencer sur une grande (large, vaste) échelle,* en grand, de façon importante. On dit qu'*une chose se mesure à l'échelle de l'homme, de la planète,* etc., qu'*une entreprise est à l'échelle mondiale.* — *On monte à l'échelle,* au figuré ; *à l'échelle* ou *sur l'échelle,* au propre.

Échevin, échevinat, n.m. Le mot *échevin,* bien français et qui a désigné sous l'Ancien Régime un magistrat élu, est resté vivant en Belgique et doit y être employé pour désigner un conseiller communal élu par ses pairs pour prendre en charge une partie de l'administration de la commune : *L'échevin de l'état civil* ou *des travaux publics,* etc. Le bourgmestre et les échevins forment *le collège des bourgmestre et échevins.*

À *échevin* correspondent deux adjectifs, *scabinal* et, plus courant, *échevinal (fonctions échevinales, collège échevinal)* et un nom, *échevinat.*

La prononciation belge fait entendre deux consonnes sonores (j + v) et c'est normal ; en France, où le nom n'est plus vivant, on prononce souvent *ch* + *v,* parfois *ch* + *f.*

Les dictionnaires français mentionnent encore **échevinage** en lui donnant des acceptions en rapport avec l'ancienne fonction d'échevin. Le mot n'est jamais employé en Belgique au lieu d'*échevinat.* Mais *échevinage* est apparu en France en 1981 pour désigner le système qui permet aux citoyens non magistrats de participer au fonctionnement de la justice (cf. *Le Monde* du 27 juin 1981, à propos d'une déclaration du président de la République).

Échiner, v.tr.dir. (rompre l'échine), ne s'emploie plus que dans s'**échiner** (se donner beaucoup de peine) *à une chose, à faire qqch.*

Écho, n.m. 1. Annoncer à la radio qu'on va faire entendre un *écho sonore* d'une manifestation, c'est ridicule. Un écho n'est-il pas toujours sonore ? Si Hugo a pu dire que Dieu a mis son âme « au centre de tout comme un écho sonore », c'est que *sonore* peut signifier « qui donne beaucoup de son, qui a un beau son ». *Sonore* ajoutait donc dans ce vers une qualification utile. — *Écho* peut signifier « petite nouvelle », ou « renseignement plus ou moins vague, on-dit ».

2. **Se faire l'écho de** est considéré par certains dictionnaires comme une expression plus ou moins figée où le participe est invariable : *Ils se sont fait l'écho de ces calomnies* (GLLF). *Elle s'en est fait l'écho* (GLLF).

Mais la logique et l'usage autorisent — et même recommandent — l'accord, comme on le ferait dans *Elle s'est faite la protectrice des réfugiés* : *Des rumeurs fantastiques dont Mme de Sévigné s'est faite l'écho* (F. Funck-Brentano, *Le drame des poisons*, p. 39). Il arrive même qu'on écrive *les échos* lorsque le sujet est au pluriel : *Opinion dont Mme de Caylus, (...) Bussy-Rabutin se sont faits les échos* (Id., *ibid*, p. 201). Mais on laisse plutôt *l'écho* au singulier : *La découverte sensationnelle (...) dont les journaux de tous les pays se sont faits aussitôt l'écho* (*Le Figaro littéraire*, 13 avril 1947, p. 1). *Nous nous sommes faits l'écho dans notre dernier numéro de l'émotion...* (*Ibid.*, 28 janvier 1956, p. 3). *Certains journaux se sont faits l'écho du désaccord...* (*Le Monde*, 7 février 1964, p. 21).

3. *Écho* reste au singulier dans **rester sans écho**.

4. Dérivé : **échotier**, n.m., rédacteur d'échos.

Échoir, v.intr., n'est guère usité qu'à l'infinitif et aux formes suivantes : *Il échoit* (*il échet* est archaïque et subsiste dans le langage juridique), *ils échoient, il échut, il échoira, ils échoiront* (*écherra, écherront* sont archaïques), *il échoirait, ils échoiraient* (*écherrait, écherraient* sont archaïques), *qu'il échoie, qu'il échût, échéant, échu, échue*. On trouve parfois l'imparfait *échoyait, échéait*. **Auxiliaire être**.

Échoppe, n.f. *Une échoppe* ; deux *p*. Le mot s'applique aujourd'hui, dans certaines régions surtout, à des installations provisoires, boutiques ou ateliers artisanaux.

Échouer, v.intr. **L'auxiliaire** est presque toujours *avoir*, toujours au sens figuré : *Le navire a échoué sur un écueil. L'avion a échoué dans le désert.* Avec *être*, pour marquer un état, *être* gardant sa valeur temporellle : *Ils sont échoués là, dans le jour* (A. de Saint-Exupéry, *Un sens à la vie*, p. 48). Sens figuré : *Il a échoué à l'examen de licence. Tous ses efforts ont échoué. Le bistrot où nous avions échoué.*

Éclair, n.m. **Fermeture éclair** est une marque déposée, ce qui a normalement entraîné l'emploi d'une majuscule à *Éclair* : *Les fourreaux de plastique à fermeture Éclair* (H. Bazin, *Le matrimoine*, Poche, p. 442). *Un blouson (...) à fermeture Éclair* (B. Clavel, *La maison des autres*, J'ai lu, p. 55).

D'autres fermetures analogues ont été mises sur le marché, avec d'autres noms déposés. Mais l'usage n'a pas craint d'employer *fermeture éclair* (avec une minuscule à *éclair*) pour désigner ce qu'on appelle généralement une **fermeture à glissière** : *Le bruit léger du tirant glissant dans la coulisse de la fermeture éclair* (A. Pieyre de Mandiargues, *La motocyclette*, Folio, p. 78).

Le français régional de Belgique emploie abusivement dans ce sens *tirette*, n.f., qui a d'autres significations en français (notamment dans *table* ou *bureau à tirette*).

Une autre marque, déposée plus récemment, Zip, a donné naissance au nom commun *un zip* pour une fermeture à glissière et surtout au verbe *zipper* (munir d'une fermeture à glissière) et à l'adjectif *zippé* : une robe *zippée*.

On écrit : *Des voyages **éclair**, des guerres **éclair**. **Des éclairs** au chocolat.*

Éclairer, v.tr.dir. et intr. 1. Il est faux de dire que l'impersonnel **il éclaire** (avec l'auxiliaire *avoir*), dans le sens de *il fait des éclairs* n'est pas français : *Il a éclairé toute la nuit* (Littré). Mais cet emploi, resté courant en Belgique et au Canada, se raréfie en France, ou du moins tend à y devenir régional.

2. **Éclairer qqn** ne signifie pas seulement « répandre de la lumière sur lui » (*Les projecteurs éclairaient l'artiste*), mais « lui procurer de la lumière pour lui permettre de voir clair » : *Ce fonctionnaire est logé et éclairé. Il s'éclaire à la bougie.* Au figuré : *Éclairez-moi sur ce qui s'est passé.* **Éclairer qqch.,** *le plafond, un tableau. Le magasin est éclairé.* Emploi **intransitif** (donner de la lumière) : *Cette ampoule éclaire mal. Voulez-vous éclairer ? — On les voyait mal* (les passants), *car peu de magasins avaient éclairé* (H. Bosco, *L'antiquaire*, Folio, p. 29).

Éclater, v.intr. On ne dit plus *s'éclater de rire*, mais **éclater de rire**. — Auxiliaire *avoir* : *Sa colère a éclaté.*

Éclore, v.intr., se conjugue comme *clore* ; on ne suit guère l'Académie qui écrit *il éclot* au lieu d'écrire *il éclôt* comme *il clôt*. Le verbe étant défectif et ne s'employant guère qu'à l'indicatif présent et futur, au conditionnel, au subjonctif présent (*qu'il éclose*), au participe passé (*éclos, éclose*) et aux temps composés (avec *avoir* pour l'action, mais généralement avec *être*), on remplace les formes manquantes par *faire éclosion* : *Ces fleurs ont éclos pendant la nuit* (action). *Ces fleurs sont écloses (la semaine dernière). Les poussins (ou les œufs) sont éclos, faisaient éclosion.* Cf. FRAIS.

Écolage, n.m., était signalé par Littré non seulement dans les sens de « état de celui qui est à l'école, enseignement d'école », mais dans celui de « frais d'école, droit que paye chaque écolier ». Le mot, vieilli en France et conservé en Belgique où il fait concurrence à l'archaïque *minerval* et où on le voit sur des cars et autobus de ramassage scolaire, a resurgi en France et ailleurs, sous l'influence de l'anglais *schooling*, dans un autre sens : « cycle d'instruction dans l'enseignement des techniques aériennes : saut en parachute, pilotage... » (GLLF). On l'applique en Belgique à la formation d'autres militaires ou de policiers.

Écolier, n.m., s'est dit aussi autrefois des *étudiants* qui fréquentaient les facultés universitaires. Il est généralement remplacé par *élève* comme terme général ; *écolier* ne se dit plus que pour l'école primaire.

Écorce, n.f., s'applique à un arbre mais aussi, à côté de *pelure,* à cause de l'épaisseur, à l'orange, au citron.

Écosser, v.tr.dir. On écosse des petits pois, on en enlève **la cosse,** non *l'écosse* (vieux ou populaire).

Écoulé, adj., **s'écouler.** *S'écouler* se dit du temps qui disparaît progressivement, de la vie, d'une foule, de produits mis en vente. On parle en France comme en Belgique des *années écoulées,* passées. Mais les Belges vont sans doute plus loin en écrivant en style commercial : *le 15 du mois écoulé,* qui paraît défendable à côté de : *le 15 du mois dernier, du mois passé, le 15 octobre dernier.* Là où la faute est manifeste, c'est lorsqu'ils font de [*l'écoulé*] un nom et disent : [*le 15 de l'écoulé*].

Écoute, n.f. On est *à l'écoute, à l'écoute de l'actualité, aux écoutes.*

Écouter, v.tr.dir., peut s'employer absolument, dans le sens d'« obéir » : *Cet enfant n'écoute jamais* (GLLF). Sens habituel : *Écoute-le. Ne l'écoute pas. Écoute-le raconter ses exploits.*

Écrevisse, n.f. *Rouge comme une écrevisse.*

Écrier (s'). *Ils se sont écriés qu'on les trompait.* Imparfait et subj. prés. : *Nous nous écriions.*

Écrire, v.tr.dir. Parce qu'on ne dit pas [*écris-je*], certains auteurs emploient [*écrivé-je*]. C'est une faute. Dans l'interrogation, il faut dire : *Est-ce que j'écris ?* — On écrit des pages **sur** un sujet, sur qqn. On écrit *à* qqn, **avec** un stylo. J'ai écrit **en** Angleterre, *à* Londres. Le mot est écrit **au** crayon, à l'encre, **en** majuscules. Ce mot est écrit **d'**une main ferme, de la main de l'auteur. On écrit **sur** le sable. « S'efforcer » s'écrit **avec** deux f. Écrire par deux f est exceptionnel et à déconseiller. **S'écrire :** Ils se sont écrit des lettres. Les lettres qu'ils se sont écrites.
On dit **récrire** ou **réécrire.**

Écritoire, n.f., ne désigne plus un meuble contenant ce qu'il faut pour écrire et a vieilli dans le sens d'encrier et même dans celui de petit nécessaire utilisé autrefois et contenant ce qu'il faut pour écrire.

Écriture, n.f., peut s'employer pour « manière d'écrire, style » : *Un roman d'une écriture recherchée. L'écriture artiste.*

Écrivain, n.m., se dit au masculin d'une femme : *Colette est un excellent écrivain.* **Écrivailleur, euse,** est péjoratif.

Écrouler (s'). Cf. ÉBOULER.

Écurer, v.tr.dir. Cf. CURER.

Édile, n.m. Un édile est aujourd'hui un conseiller municipal. Il faut donc éviter le pléonasme [*édile communal* ou *municipal*].

Éditeur, n.m. Féminin du nom et surtout de l'adjectif : *éditrice*.

Éduquer, v.tr.dir. Voltaire blâmait l'emploi d'*éduquer* pour *élever*. On peut certainement parler aujourd'hui d'une personne bien *éduquée*. C'est à tort que l'Académie a blâmé cette expression après avoir admis dans son Dictionnaire : *Un enfant bien éduqué, mal éduqué.* Il est vrai qu'on dit beaucoup plus souvent *élevé*.

Effacer, v.tr.dir., **s'effacer.** On efface ce qui était marqué, une tache, un mot, ce qui est écrit au tableau. Par extension, *effacer le tableau*.

S'effacer se dit de qqch., une tache, un pli, une inscription, un sourire, un souvenir, en train de disparaître. En parlant de personnes, au sens réfléchi, *on s'efface* en offrant le moins de prise possible à l'adversaire dans un combat ou, au figuré, en occupant le moins de place possible : *Il s'effaçait pour faire briller son ami* (Ac.), il se plaçait en retrait, il évitait de se mettre en valeur. D'où l'emploi avec **devant** ou **derrière**, qu'il ne faut pas confondre.

On s'efface **devant une dame** pour la laisser passer, on se place en retrait. *On s'efface devant un concurrent*, (au figuré), on lui laisse la première place. *L'intérêt personnel doit s'effacer devant l'intérêt général.*

Mais *s'effacer* a aussi le sens d'« éviter de se faire remarquer » : *C'est une personne discrète, qui s'efface volontiers.* Avec *derrière*, qui a vraiment son sens locatif : *Le romancier doit s'effacer* **derrière ses personnages**, il doit disparaître derrière eux, comme qqn qui s'efface derrière un groupe ou une colonne.

Effectuer, v.tr.dir., c'est proprement « rendre effectif, faire passer dans la réalité », mais le sens courant est « accomplir, exécuter » : *on effectue une démarche, une opération*. « *Effectuer* est mis à toutes les sauces », écrivait Thérive.

Effet, n.m. **En effet,** loc.adv. Cf. CAR, 4.

Efficience, n.f., **efficient,** adj., qui restent suspects à certains juges, ont été influencés par l'anglais et évoquent souvent aujourd'hui une idée de rendement. *Efficience* peut signifier capacité de rendement ou efficacité : *L'efficience d'une machine.* Le nom féminin **efficace**, vieilli, est littéraire et plutôt réservé au langage théologique et religieux. *Efficient*, « qui est capable d'obtenir de bons résultats et surtout qui en obtient » en arrive à être synonyme d'*efficace* : *Un collaborateur efficace* ou *efficient* (à distinguer de *compétent*).

Effiler, affiler, v.tr.dir. On *effile* un tissu (on le défait fil à fil), de la charpie, des cheveux, une moustache. Le vent effile les fumées. — On *affile* une lame, on a la langue bien *affilée* (cf. AFFILER).

Effluve, n.m. Il convient de continuer à dire *un effluve*, comme tous les dictionnaires d'ailleurs, bien que le féminin se lise parfois, même depuis longtemps.

Efforcer (s'). Le tour habituel, devant un infinitif, est **s'efforcer de** : *S'efforcer de soulever un fardeau* (Ac.). La construction avec *à* paraît plus recherchée, plus littéraire ; elle ne marque aucune nuance particulière de sens : *Ne vous efforcez point à parler* (Ac.). Elle s'impose devant un nom : *s'efforcer à la cordialité*. Accord du participe avec le sujet.

Bien qu'on la retrouve dans plusieurs bons dictionnaires, la remarque de Littré, associant toujours l'emploi de *s'efforcer* à l'idée de « de toutes ses forces, avec tous les moyens dont on dispose », ne correspond pas à l'usage courant.

S'efforcer pour suivi d'un infinitif est rare et s'explique par un emploi absolu, « faire des efforts en vue de » : *Il s'efforce pour paraître aimable.*

Effraie, n.f. À ne pas confondre avec *orfraie* (voir ce mot).

Égaiement, n.m. On écrit aussi *égayement*.

Égailler (s') signifie « se disperser en tous sens » et ne se dit correctement que de personnes ou d'animaux groupés. À ne pas confondre avec *s'égayer*, qui d'ailleurs se prononce autrement.

Égal, adj. 1. **Sans égal.** L'adjectif s'accorde avec le mot auquel il se rapporte. Toutefois on hésite parfois à le mettre au masculin pluriel : *Une joie sans égale. Des perles sans égales. Des chagrins sans égal* (GLLF). Cette hésitation n'est pas justifiée ; on peut dire : *Des succès sans égaux.*

2. **D'égal à égal.** L'expression reste généralement invariable : *Il la traite d'égal à égal.* On trouve parfois l'accord de chaque adjectif avec le mot auquel il se rapporte : *Elle voulait être traitée par son mari d'égale à égal. Il traite ses filles d'égal à égales.* Mais cet accord est beaucoup plus rare et on évite particulièrement le masculin pluriel *égaux*, soit en première, soit en seconde position.

3. **N'avoir d'égal que.** On trouve trois traitements, qui en fait laissent le choix, à cause d'une hésitation de l'usage.

a) Invariabilité d'*égal* : *Sa prétention n'a d'égal que sa bêtise* (n'a rien d'égal, sauf sa bêtise). *Ses talents n'ont d'égal que sa modestie.* Ceci est conforme à l'usage habituel noté à ADJECTIFS QUALIFICATIFS, 12, p. 44 ; mais, à cause de l'idée d'égalité entre les deux termes du rapport, l'invariabilité d'*égal* est assez rare ; on fait beaucoup plus souvent l'accord (cf. b et c).

b) Accord d'*égal* avec le sujet d'*avoir* : *Sa prétention n'a d'égale que son sans-gêne* (accord avec le seul terme déjà énoncé, comme si on disait : sa prétention est égale à son sans-gêne).

Toutefois, on ne dit pas *égaux* si le premier terme est un masculin pluriel et le second un féminin singulier. On dit alors : *Ses talents n'ont d'égale que sa modestie* (cf. c) ou beaucoup plus rarement (cf. a) : *Ses talents n'ont d'égal que sa modestie.*

c) Accord d'*égal* avec le second terme du rapport : **Sa prétention n'a d'égal que son sans-gêne** (seul son sans-gêne est égal à sa prétention). Cet accord apparaît surtout lorsque l'un des deux termes, soit le premier, soit le second, comprend deux noms : *Il n'a d'égaux que deux ou trois auteurs. Avec une politesse et une discrétion qui n'ont d'égal que son désintéressement. Avec un désintéressement qui n'a d'égales que sa politesse et sa discrétion.* On hésiterait à dire : *qui n'a d'égaux que son dévouement et sa discrétion*, bien que le masculin pluriel de l'adjectif se justifie par la présence d'un masculin dans les deux noms qui suivent. On dirait plutôt : *Avec un désintéressement qui n'a d'égal que son dévouement et sa discrétion* (cf. b).

4. **Cela m'est égal** (ou **ça m'est égal**) exprime l'indifférence et n'est donc pas de mise pour accepter une proposition aimable, favorable. À *Voulez-vous m'accompagner à cette fête ?* on répondra poliment : *Avec plaisir* ou *volontiers.*

5. **À l'égal de**, locution prépositive invariable (= autant que, au même degré que) : *Elle est crainte à l'égal de la peste.*

6. **Toutes choses égales d'ailleurs** = en supposant que les autres éléments de la situation ne changent pas.

Également, adv., peut signifier « aussi ».

Égaler, v.tr.dir. 1. *Ma joie égale la vôtre. Il veut égaler ce capitaine à un foudre de guerre.*

2. Lorsqu'on est amené à écrire en toutes lettres le verbe *égaler* dans une opération mathématique, on laisse généralement *égale* invariable, comme si l'on pensait « cela égale » : *Trois plus trois égale six. Trois fois cinq égale quinze. Deux mutiplié par cinq égale dix* (Littré).

On rencontre parfois le pluriel: *Un plus un égalent deux* (Aragon, *La mise à mort*, p. 94). Ce pluriel est au contraire courant avec **faire** : *Deux et deux font quatre* (Ac.). *Trois fois trois font neuf.* Remarquer que si l'on emploie *mutiplié par* ou *divisé par*, il peut paraître normal de mettre le participe au singulier ou au pluriel suivant que le verbe est lui-même au singulier ou au pluriel : *Quatre multiplié par vingt fait quatre-vingts. Quinze multipliés par trois font quarante-cinq.* Le singulier est nettement plus fréquent, à condition de laisser *mutiplié* au singulier. Notons ici que *reste* est laissé invariable (= il reste) : *Quatre ôté de sept, il reste trois, reste trois* (Ac.).

Égaliser, v.tr.dir., a toujours pour complément un nom de chose : *Égaliser un terrain, les parts, des franges, les cheveux, les rangs.* Emploi intransitif en termes de sport : *Égaliser à la fin de la première mi-temps.*

Égard, n.m., ne s'emploie plus guère au singulier que dans quelques expressions : *par égard à* ou *pour*, *sans égard pour* (ou *à*), *avoir égard à* (tenir compte de), *eu égard à*, à ne pas remplacer par [*en égard à*], *à l'égard de qqn ou de qqch.*, *à cet égard.* Aussi écrit-on plutôt : *Traiter qqn avec égards* et toujours : *un manque d'égards, à certains égards, avoir des égards pour qqn.*

Égérie, n.f. *Une égérie* (pas de majuscule). Ne se dit que d'une femme.

Égide, n.f. *Sous l'égide de* = sous la protection de, sous le patronage de.

Églefin, n.m. de poisson, s'écrit aussi *aiglefin.*

Église, n.f. Pas de majuscule quand il s'agit d'un bâtiment.

Égorger, v.tr.dir., « tuer en tranchant la gorge ». Extension abusive : « tuer avec une arme tranchante, massacrer ».

Égout, n.m. Pas d'accent circonflexe.

Égoutter, v.tr.dir. Deux *t* comme dans *goutte* : *Égoutter la vaisselle.*

Égrener, v.tr. L'Académie laisse le choix entre *égrener* et *égrainer.*

Eh !, interj. *Eh ! qui aurait pu croire cela ?* (Ac.). Cf. HÉ.

Eh bien ! On n'écrit plus *Et bien !* ni *Hé bien !* — *Eh bien* est suivi d'un point d'exclamation ou d'interrogation ou d'une virgule : *Eh bien ! en voilà une histoire ! Eh bien, que faites-vous donc ?* (Ac.) cf. QUOI, 3, *interjection.*

Éhonté, adj., signifie « qui n'a pas honte d'être scandaleux, immoral » : *un menteur éhonté, un mensonge éhonté.*

Élancement, n.m., **élancer,** v.intr., ne peuvent être remplacés (comme on le fait en Belgique dans ce sens) par *lancer, lancement.* Il faut dire : *Le doigt lui élance. Ce mal de dents **me donne des élancements douloureux** (Ac.). Il souffre d'élancements dans le doigt.*

Élargir, v.tr.dir. On élargit un vêtement, une route, un débat, son horizon, sa façon de voir, ses connaissances (ou le cercle de ses connaissances), etc., mais non des contacts. Le sens de « contact » s'oppose à cet emploi. On peut multiplier des contacts.

Élastique, n.m. *Un élastique.*

Elbot, n.m., mot d'origine néerlandaise, du français régional de Belgique, désigne le *flétan.*

Électro dans les **composés** est souvent suivi d'un trait d'union devant une voyelle et reste invariable : *Un électro-encéphalogramme. Un électroaimant* (ou *électro-aimant*), *une électroosmose* (ou *électro-osmose*). Devant consonne, agglutination.

Éliminatoire, adj. (*une épreuve éliminatoire*) ou n.f. (*une éliminatoire*).

Élire, v.tr.dir., se conjugue comme *lire*. Passé simple : *ils élurent*.

Élision. Dans l'écriture, l'élision, quand elle est marquée, l'est par une apostrophe devant une voyelle ou un *h* muet. (cf. H). On ne termine pas une ligne par une apostrophe. L'apostrophe marque l'élision des voyelles *a* dans *la*, article ou pronom, *i* dans la conjonction *si* devant *il, ils, e* dans des cas beaucoup plus nombreux :

1. Dans *je, me, te, le* (article ou pronom), *se, que* (relatif ou conjonction), *de, jusque, ne* : *j'avais, donne-m'en, l'homme, tu l'as, ce qu'on aime, je crois qu'il viendra, parce qu'André le sait, depuis qu'on le dit, d'un jour, jusqu'au soir, il n'arrive pas.* Pas d'élision si *le* et *la* sont toniques. *Dites-le avec des fleurs. Prends-la avec toi. Place-la ici.*

2. Dans le pronom *ce* dans certains cas ; cf. Ce, 2.

3. Dans *lorsque, puisque, quoique* (en un mot), toujours dans certains cas, plus ou moins couramment dans d'autres. Toujours devant *il(s), elle(s), on, un, une,* généralement devant *ainsi* et *en* (pronom, adverbe ou préposition), souvent dans les autres cas. On peut donc toujours l'élider dans ces trois conjonctions : *Quoiqu'un peu frémissante* (J.-L. Curtis, *La parade,* J'ai lu, p. 90). *Puisqu'on l'a déjà dit. Puisque* (ou *puisqu'*) *aucune réclamation n'a été faite.*

4. Toujours dans *presqu'île* et *quelqu'un* (mais : *quelque ami, quelque autre*). On écrit *quelque apparence, presque achevé, presque aussitôt, presque avec grossièreté, presque ininterrompu ; presque au même instant,* etc. Des écrivains font cependant parfois l'élision dans de tels cas (*presqu'un enfant,* Fr. Mauriac, *Le désert de l'amour,* P. 116).

5. D'après l'Académie, dans cinq verbes composés de *entre* (voir ce mot) : *entr'aimer, entr'apercevoir, s'entr'appeler, s'entr'égorger.* Mais on doit écrire *entrouvrir, entre eux, entre autres,* etc.

6. Devant les noms des voyelles et celui des consonnes dont le nom commence par *a, è* ou *i* (*f, h, l, m, n, r, x*), on élide couramment l'*e* de **le** : l'*a* long, l'*o* ouvert, l'*n* final ; il y a plus d'hésitation pour l'*e* de **de** ; l'oreille choisit souvent *de* : *l'e suivi de n,* ou *de a* ou *de i.* Mais on dit aussi : *une sorte d'a.* On dit souvent : *l'h muet, le h aspiré* (mais on peut dire : *l'h aspiré*). On dira plutôt : « Dans *exhibition,* l'*x* est suivi de *h* ».

Remarques

1. Quand on cite un mot, on fait souvent l'élision, mais on hésite parfois. On dira : *Les divers sens d'« aimer »,* mais *o de « homme ». Le sujet d'« avoir »,* ou *d'« aimer »* ou *d'« encercler »,* mais *le sujet de « être ».*

2. L'élision est facultative mais courante devant un titre d'ouvrage ou le nom d'une entreprise : *L'auteur d'« Antigone »* ou *d'« À rebours ». Le directeur d'« Arts et Métiers ».*

On évite l'élision qui pourrait créer la moindre ambiguïté dans le langage oral. On dit : *L'auteur de « Un jour »* plutôt que *L'auteur d'« Un jour »*. *Grâce aux services de « Avec vous »*.

On omet souvent l'élision devant un nom ou un prénom, mais cela ne s'impose que pour éviter une ambigüité. Cf. Huit, Onze, Ouate, Oui, Un. 1, Y.

Élitaire, élitiste, adj., s'appliquent au système ou aux personnes qui visent à la formation ou à la satisfaction d'élites, en négligeant volontairement la masse.

Ellébore, n.m. On a écrit aussi *hellébore*.

Ellipsé, adj., est employé par certains grammairiens : *Une relation où le verbe « être » est ellipsé* (M. Grevisse, *Le français correct*, n° 783).

Élocution, n.f., s'emploie abusivement en Belgique pour exercice d'élocution, exposé fait en classe. Ne pas remplacer *locuteur* (celui qui parle) par [*élocuteur*].

Éluder, v.tr.dir., c'est éviter adroitement : *Éluder une question embarrassante.*

Élytre, n.m. : *Un élytre.* Féminin chez quelques écrivains.

Émail, n.m. Pluriel : *émaux*. L'Office de la langue française avait recommandé *émails* en 1937 pour certains produits de beauté, mais l'usage a opté pour *vernis à ongles*.

Émarger, v.tr.dir., s'emploie absolument dans le sens de « toucher un traitement, une subvention » : *Ils finiront bien par émarger.* Souvent : *émarger au budget.*

Emballer, v.tr.dir., **s'emballer.** Emplois courants : *Son discours nous a emballés. Il s'est emballé sans réfléchir.*

Embarcadère, n.m. : *Un embarcadère.*

Embarquer, v.tr.dir. ou intr. **Auxiliaire** : *Ils ont embarqué des marchandises* (dans un bateau ou un camion). *Ils ont embarqué la semaine dernière. Ils sont à présent mal embarqués. Une affaire mal embarquée.* Au figuré, *embarquer qqn*, *s'embarquer* (dans une aventure, une affaire compliquée ou comportant de grands risques).

Embarras, n.m. L'expression usuelle en France, correspondant à l'expression belge [*faire de ses embarras*], est *faire de l'embarras, faire des embarras* (faire des manières, manquer de naturel). On parle *d'un faiseur d'embarras, d'une faiseuse d'embarras.*

Embarrassé, adj., avec un infinitif complément : *Il serait bien embarrassé de répondre* ou *pour répondre. Il semble que à ait vieilli.* — **S'embarrasser** : *Il ne s'embarrasse guère de dire la vérité.*

Embattre, v.tr.dir., entourer d'un cercle (une roue), s'écrit avec deux *t*.

Embellir. Auxiliaire dans l'emploi intrans : *avoir* s'impose si l'on marque l'action progressive en train de se faire : *Elle a beaucoup embelli en deux ans.* Il s'emploie même pour marquer l'état, le résultat, mais *être* reste possible et normal dans ce cas : *Elle a embelli* ou *elle est embellie* (maintenant).

Emberlificoter, v.tr.dir., est français, mais familier.

Embêtant, embêté, adj., sont courants dans la conversation, même entre gens distingués.

Emblème, n.m. : *Un emblème* (accent grave).

Embobeliner et **embobiner,** v.tr.dir., s'emploient plutôt familièrement, au figuré, dans le même sens (séduire par de belles paroles), à cause de l'idée commune d'envelopper, bien que l'un renvoie à l'ancien mot *bobelin*, chaussure grossière, et l'autre à *bobine*.

Emboîter, v.tr.dir. Accent circonflexe comme dans *boîte*.

Embonpoint, n.m. À cause de l'étymologie (en bon point), on écrit *n* devant *p*.

Embouteiller, v.tr.dir. *On embouteille du vin,* ou, au figuré, *une discussion, la circulation, une rade.* Substantif : *embouteillage,* dans tous les sens.

Émergence, n.f., évoque l'idée d'apparition, généralement soudaine, d'une source, d'un fait historique, de valeurs nouvelles, etc.

Émeri, n.m. : *De l'émeri, du papier d'émeri* ou *du papier émeri, toile d'émeri* ou *toile émeri.*

Émérite, adj., **éméritat,** n.m. *Émérite* signifie proprement « qui a fini de servir » et s'est dit à Rome de celui qui avait accompli son temps de service dans l'armée. En français, l'adjectif s'est appliqué notamment aux professeurs qui, à la retraite, jouissaient encore de leur titre : *un professeur émérite.* Le mot est sorti de l'usage dans ce sens en France, où il est remplacé par *honoraire* (la qualité s'appelle *l'honorariat*). Mais en Belgique il a été officiellement conservé pour les magistrats et les professeurs d'université, jouissant dans leur retraite tardive de certains avantages ; d'où la survivance d'*éméritat,* que citait Littré. Notons qu'on dit (à cause du préfixe *é* représentant le latin *ex,* qui proprement signifie « hors de ») : *professeur émérite de telle Université.* Cf. PROFESSEUR.

Dans l'usage courant, l'adjectif, sous l'influence de *mérite,* a pris le sens, aujourd'hui admis, de « qui, par une longue pratique, a acquis une remarquable compétence ou habileté » ; on parle donc *d'un charpentier émérite, d'un accoucheur émérite.*

Émerveiller (s'). *On s'émerveille de qqch., d'entendre qqch.*, on s'émerveille *que qqn ait fait* telle chose ou *de ce que qqn a fait* ou *ait fait telle chose.*

Éminent (= supérieur), adj. À ne pas confondre avec **imminent** (proche, sans que soit conservée toujours l'idée de menace) : *la décision est imminente.* Cf. IMMINENT.

Emmailloter, v.tr.dir. Un seul *t. L'emmaillotement d'un enfant.*

Emmener, v.tr.dir. On *emmène* une personne ou un animal, on *emporte* une chose ou une personne non valide. Ne pas ajouter « avec soi » ! Au lieu de : *J'ai emmené ma voiture au garage*, on dira : *J'ai* **conduit** *ma voiture au garage.* Parce qu'il s'agit de personnes emportées contre leur gré : *Que le diable l'emporte ! Se laisser emporter par la colère. L'épidémie a emporté beaucoup d'enfants.*

Emmenthal, n.m., s'écrit aussi *emmental.*

Emmi (au milieu de), prép., est vieilli.

Emmitoufler, v.tr.dir. Deux *m*, un *f.*

Emmurailler, v.tr.dir. (Littré ; enfermer dans une muraille) est vieilli. *On* **mure** *une ville, on* **emmure** *qqn, un prisonnier.*

[Emmouracher (s')], belgicisme courant pour **s'amouracher** (péjoratif : tomber amoureux). Cf. ENAMOURER.

Émolument, n.m., ne s'emploie plus au singulier qu'en langage juridique ; c'est le pluriel qu'on emploie dans le sens général de *traitement* (rétribution).

Émotionner, v.tr.dir., a pu paraître utile, et d'une conjugaison facile, pour doubler *émouvoir*, en laissant à celui-ci un sens plus fort (sentiment plus profond) et en exprimant qqch. de plus courant, de plus physique, où les nerfs interviennent : Ainsi Flaubert (*Madame Bovary*, III, 7) vient de dire que la servante, *émue*, tend à sa maîtresse le papier annonçant la saisie du mobilier et s'écrie : *C'est une abomination !* Emma se rend chez son notaire : *Alors elle tâcha de l'émouvoir, et, s'émotionnant elle-même, elle vint à lui conter l'étroitesse de son ménage, ses tiraillements, ses besoins.* Proust parle de *la perspective émotionnante de déjeuner chez Mme Swann* (*À l'ombre des jeunes filles*, Pléiade, p. 526). Le verbe *émotionner* s'est répandu, ainsi qu'*émotionné* et *émotionnant*, en perdant souvent cette nuance, ce qui peut être regretté.

Émouvoir se conjugue comme *mouvoir*, mais *ému* n'a pas d'accent circonflexe.

Émoulu, adj. : *Il est tout frais émoulu (elle est toute fraîche émoulue) de Polytechnique.*

Empaler, v.tr.dir., **s'empaler,** ne peuvent s'employer qu'avec une certaine référence au supplice du pal, non pas nécessairement quant à l'endroit (le fondement) où le pal, le pieu aiguisé, était enfoncé, mais au moins à l'idée de « transpercer au moyen de qqch. de pointu ou de similaire » : *Empaler des insectes. Il s'est empalé sur une fourche. La voiture s'est empalée sur un poteau transporté par un camion.*

Empêcher, v.tr.dir. 1. **Empêcher qqn.** Le sens étymologique, « entraver » (par un lien aux pieds), justifiait l'expression : *Oui, j'ai juré sa mort, rien ne peut m'empêcher* (Molière).

Cet emploi a disparu, sauf dans deux cas :

a) L'adjectif **empêché,** seul ou avec *être,* peut signifier « retenu par ses occupations ou par une maladie » : *Dites-lui que je suis empêché. Le président, empêché, s'est fait excuser. Pour le ministre empêché.*

b) Avec *de* et un infinitif : *Je l'empêcherai bien de vous nuire.* À la forme pronominale, *s'empêcher* ne s'emploie que dans *ne pouvoir s'empêcher de faire qqch.*

Mais on dit encore **empêcher qqch.,** « faire obstacle à » : *La pluie a empêché la sortie du cortège.* On ne dit plus guère *empêcher qqch. à qqn* (= interdire qqch. à qqn ou empêcher qqn de faire qqch.)

2. **Empêcher que** est suivi du subjonctif avec ou sans *ne* (toujours facultatif et souvent omis, surtout si *empêcher* est à la forme négative ou interrogative) : *C'était, à mon sens, la première condition pour empêcher que l'Allemagne retournât à ses mauvais penchants* (Ch. de Gaulle, *Le salut,* Poche, p. 57). *Empêcher que la flotte soit livrée* (Id., *L'appel,* Poche, p. 227). On trouve, mais exceptionnellement, *ne pas empêcher que,* suivi de l'indicatif, pour une chose constatée : *Ce résumé (...) n'empêche pas que j'ai vécu durant ces quelques semaines aussi libre d'inquiétudes que si je devais mourir le lendemain, ou vivre toujours* (M. Yourcenar, *Le coup de grâce,* Poche, p. 134). On se rapproche ici de **cela n'empêche pas que** ou **ce qui n'empêche pas que,** ayant le sens de « et cependant » (cf. 3) et qui sont alors souvent suivis de l'indicatif (ou du conditionnel s'il s'agit d'un fait hypothétique) : *Cela n'empêche pas qu'il est de mauvaise fois, que je serais heureux d'y aller.* Mais s'il s'agit d'un fait possible, permis, on emploie le subjonctif : *Cela n'empêche pas qu'il vienne me voir demain.* On voit qu'ici le verbe retrouve sa valeur habituelle.

3. **Il n'empêche que** et **n'empêche que,** ayant le sens de « et cependant », sont suivis de l'indicatif ou du conditionnel ; non du subjonctif, qui est abusif. *Il n'empêche qu'il a tort. N'empêche qu'il serait le bienvenue.*

4. *Être empêché de sa personne* (Ac. = ne savoir comment se tenir ou se comporter) est vieilli.

Empesé, adj. Cf. AMIDONNÉ.

Emphysème, n.m. : *Un emphysème.*

Emphytéose, n.f., **emphytéote,** n.m. ou f., celui ou celle qui jouit d'un bail emphytéotique.

Empiètement ou **empiétement,** n.m. Accent grave, conforme à la prononciation, autorisé par l'Académie en 1975.

Empirer, v.intr. **Auxiliaire** : *Le mal a empiré.* Parfois *être* pour l'état : *Son état a* (ou *est*) *empiré.* Le verbe n'est plus transitif et ne s'emploie plus à la forme pronominale [*s'empirer*].

Emplâtre, n.m. : *Un emplâtre.*

Emploi, n.m., est au singulier ou au pluriel dans *offre d'emploi,* selon qu'on offre un ou plusieurs emplois.

Employer (s'). *Je m'emploierai à leur réconciliation, à les réconcilier, à ce qu'ils soient heureux.*

Empoigner (s'). *Ils se sont empoignés,* ils en sont venus aux mains.

Emporter. Cf. EMMENER.

Empressé, adj., **s'empresser.** On présente à qqn ses *salutations empressées. On est empressé* (*on fait l'empressé*) *auprès de qqn.* La langue classique a employé *empressé à* ou *de* devant un nom ou un infinitif. On emploie plutôt *à* aujourd'hui : *Il est toujours empressé à nous accueillir.*
Dans le même sens (montrer du zèle, user de prévenances), **s'empresser** se construit absolument (*Il s'empresse auprès d'elle*) ou avec *à,* plus souvent qu'avec *de,* devant un infinitif : *S'empresser à faire sa cour* (Ac.). *Le clergé s'empressait à déployer ses hommages officiels* (Ch. de Gaulle, *Le salut,* Poche, p. 91). Mais dans le sens, plus courant, de « se hâter », on emploie *de* : *Je m'empresserai* **de** *l'avertir* (Ac.). *Il s'est empressé d'intervenir.*

Emprise, n.f., mainmise, forte domination intellectuelle ou morale : *L'emprise de cet écrivain sur la jeunesse* (Ac.).

Emprunt, n.m., ne peut être confondu avec *empreint,* adj.

Emprunter, v.tr.dir. Le tour moderne vivant, quel que soit le sens, est *emprunter* **qqch.** *à qqn* ou *à qqch.* : *On emprunte de l'argent à qqn* (*de qqn* ne se dit plus). *J'emprunte ces chiffres à un rapport officiel. Un mot emprunté au latin* (*du latin* est vieilli). *La lune emprunte sa lumière du soleil* (Ac.) ; on dit plutôt actuellement : *au soleil.* — *Un air emprunté,* peu naturel.
En parlant d'**une route,** *emprunter* a le sens de *prendre, suivre* ; il n'est nullement requis que la route soit normalement réservée à un autre usage. De même on emprunte un souterrain.

Empyrée, n.m. *Un empyrée.*

Émule, n., est des deux genres, suivant à qui il s'applique.

En. Prononciation en *in* non seulement dans *agenda, appendice, examen, européen, memento,* etc., mais dans quelques noms propres : *Magenta, Marengo.* Dans *Senghor,* une tradition familiale maintient *in,* mais on prononce généralement *an.*

En, adverbe ou pronom. Étymologiquement adverbe de lieu (*de là*), *en* est employé pour représenter un nom précédé de la préposition *de* et signifie *de lui, d'elle, d'eux, de cela* (et même *à cause de cela, par suite de cela,* etc.) Il suffira d'attirer l'attention sur quelques problèmes.

1. **Place** : il se place avant le verbe (avant l'auxiliaire), après les autres pronoms, après l'impératif affirmatif : *Il en est parti. Je vous en parlerai. Parlez-en. N'en parlez pas. Ne m'en parlez pas.* Cf. PRONOMS PERSON-NELS, 7, p. 767 et IMPÉRATIF, 2, pp. 488-489.

2. *En* est requis (pour remplacer un nom) comme complément d'une expression quantitative (numéral, pronoms indéfinis, adverbes, *beaucoup, peu, combien, plus d'un, un autre, une foule,* etc.) lorsqu'elle est sujet réel d'un verbe impersonnel, attribut ou complément d'objet direct : *On man-quait de porteurs, **il s'en présenta un** ou deux ou plus d'un ou Le premier jour il ne s'en présenta aucun. En êtes-vous un ? J'en cherche un. En voici deux.* — *Les Allemands (...) occupent tout le long du front une position solide derrière laquelle ils en ont organisé deux autres* (Ch. de Gaulle, *L'unité,* Poche, p. 325). *J'ai lu tous ses livres, **j'en possède un grand nombre.***

On ne l'emploie pas comme complément de **chacun.** On dit : *On les entendit chacun* ou *On entendit chacun d'eux. On embaucha chacun.* On l'omet parfois avec **un autre,** moins qu'autrefois : *On en a embauché un autre.* Comparer : *Un souci **chasse l'autre** et **en chasse un autre.***

Il faut se garder d'étendre à d'autres types d'expressions comme **les principales** cet emploi de *en,* normal après *quelques-uns.* On dira sans *en* : *Diverses questions se posent, nous mentionnerons les principales.* Pour *dont... en,* cf. DONT, 7, p. 341.

3. *En,* complément d'un verbe, peut représenter un complément intro-duit par *de* ou peut avoir un sens partitif : *Je connais la question, je vous en parlerai* (je vous parlerai de cette question). *J'étais à Paris, j'en suis revenu hier. J'aime cette confiture, j'en prendrai encore* (je prendrai encore de cette confiture). *Je voudrais du poivre vert, en avez-vous ? Je n'en ai plus.*

Mais *en* peut aussi remplacer un pluriel indéfini (*des*) : *J'attendais des nouvelles et j'en ai reçu hier* (j'ai reçu des nouvelles). *Il aime les fleurs et est heureux d'en avoir dans son bureau* (d'avoir des fleurs). Cf. PARTICIPE PASSÉ, p. 680.

En s'emploie surtout pour désigner des choses, des idées, des animaux. On le trouve encore cependant, mais moins souvent qu'autrefois, pour désigner des personnes, au lieu de *de lui, d'elle, d'eux,* toujours possibles : *Vous n'aimez pas cet homme, mais moi je n'ai jamais eu à **m'en plaindre*** (ou *à me plaindre de lui*). *Elle ne sort plus avec cette amie, elle en est jalouse.* On évite ainsi de répéter aussitôt un pronom personnel. *Ce que je sais de lui, c'est uniquement ce qu'on m'en a raconté. Nous ne pouvons nous empêcher de penser à lui et d'en parler.* Avec un verbe passif exprimant un sentiment : *Ce roi aime son peuple et il en est aimé.* Comme complément d'origine : *C'est un ami dévoué ; je n'oublie pas les services que j'en ai reçus.*

4. *Choix entre* **en** *et* **l'adjectif possessif.** Une concurrence s'est établie entre d'une part l'adjectif possessif et d'autre part *en* suivi de l'article défini et du nom. D'où quelque hésitation. Dans certains cas, l'emploi de *en* est dénoncé comme une inélégance ou un manque de clarté plutôt que comme une incorrection. Voici quelques principes.

A. Le possessif s'impose :

1. Si le possesseur est dans la même proposition que ce qui est possédé. *Je distinguais la maison et sa cour.* Mais on pourrait dire : *Je distinguais la maison, mais je n'en voyais pas la cour* (ou *je ne voyais pas sa cour* ; cf. B).

2. Si le nom de ce qui est possédé est précédé d'une préposition : *J'aime ce parc, j'apprécie la régularité de **ses** lignes, je ne me lasse pas de **ses** ombrages. Cette légende est très vieille ; peut-être quelque fait historique est-il à **son** origine* ; et non pas [*en est-il à l'origine*].

3. Si le nom de ce qui est possédé n'est pas sujet d'un verbe d'état, mais est sujet d'un verbe exprimant une action : *Ce projet est excellent, **son** succès me réjouit.*

B. L'emploi du possessif est normal, sans s'imposer, quand on parle de choses personnifiées ou auxquelles on peut appliquer au sens large (celui d'*avoir*) une idée de possession, d'appartenance : *Plantez un saule au cimetière. J'aime **son** feuillage éploré, Sa pâleur **m'en** est douce et chère, Et **son** ombre sera légère, À la terre où je dormirai* (Musset). Cet emploi est restreint par les remarques qui suivent.

C. L'emploi de *en* paraît naturel si le nom de l'objet, possédé au sens large, est : 1) sujet du verbe *être* ou d'un verbe qu'on pourrait remplacer par *être* ; 2) attribut ; 3) complément direct : *Ne répondez pas à cette lettre ; le ton **en** est impertinent. Il a fomenté ce complot, il en est l'âme* (ou *il en reste l'âme*). *Le train ne peut partir que les portes fermées : ne pas en gêner la fermeture. Nourri dans le sérail, j'en connais les détours.*

Le possessif ne choquerait pas (cf. B), puisqu'on peut dire : la lettre *a* un ton, le complot *a* une âme, la porte *a* une fermeture, le sérail *a* des détours. Dans le dernier exemple, l'emploi de *en* n'est d'ailleurs possible que parce que *nourri dans le sérail* est détaché et prend la valeur d'une proposition distincte. On devrait dire : *Je connais le sérail et **ses** détours* (cf. A, 1).

Si l'idée d'appartenance, telle qu'elle a été définie, ne peut se concevoir, *en* est recommandable : *J'ai vu ce monument, j'en ai même une photo* (le monument n'a pas de photo). *Cette maison tombe en ruine ; un arrêté vient d'en prescrire la démolition. Ce métier me pèse, j'en supporte mal l'ennui. La guerre s'éloignait et le souvenir s'en effaçait.* Si l'on ne peut employer *en* parce que le mot qu'il devrait déterminer est précédé d'une préposition, ni d'autre part le possessif, parce qu'il n'y a pas la moindre idée de possession, d'appartenance, on tournera la phrase autrement : *Il n'aime pas ce travail ; il supporte mal la lenteur des recherches qu'il exige, il répugne aux vérifications minutieuses qu'il comporte.*

5. *En* peut se trouver dans la même proposition que le complément qu'il remplace et qui précéde ou qui suit si, plutôt que d'un pléonasme, il s'agit d'une expression plus vive ou d'un effet d'insistance : *On en parlera longtemps, de ce coup-là ! Il en faut du courage pour un tel sacrifice ! Des précautions, on n'en prend jamais assez ! J'en ai assez de ces manières.*

6. *En* s'emploie dans un assez grand nombre d'expressions qui forment des **gallicismes** et où l'on retrouve parfois, très affaiblie, l'acception « de cela, à cause de cela, par suite de cela » : *En appeler au témoignage de qqn. En arriver là. C'en est fait de lui, de mon repos. C'en est trop. Il en a menti. Ce qu'il en coûte. Il en est de vous comme de lui. Il en est de même pour chacun d'entre nous. Je n'en reviens pas. J'en suis là. J'en suis quitte pour la peur. S'en prendre à qqn. En rester là. En venir à qqch. N'en craindre pas moins. Pour que nul n'en ignore. En imposer à qqn,* etc.

7. Cf. L̲E̲, 2, *Pronom,* B, 1, P̲O̲U̲V̲O̲I̲R̲, [*Je n'en peux rien*], F̲A̲I̲R̲E̲ (*C'en est fait, S'en faire*).

En, préposition. Sans énumérer tous ses emplois, il faut noter, avec l'Académie, que *en* sert à indiquer « le motif qui fait agir ou la fin qu'on se propose : *Il l'a fait **en haine** d'un tel. **En considération** de ses services. En reconnaissance de ses bienfaits* ». On peut donc dire : *En application du règlement, en exécution de tel arrêté.*

1. *En* ou **à**. Cf. *À et en,* pp. 17-20.

2. *En* ou **de**. Cf. D̲E̲, 1, p. 300.

3. **En** ou **dans**. A. En principe (voir B), *dans* s'emploie devant un nom précédé d'un article, d'un démonstratif ou d'un possessif ; *en,* avec des noms sans article ou avec des pronoms : *Dans un livre, dans la salle, dans ce cahier, dans ma cave. Il séjourne dans l'Italie du Nord. — En bateau, en ville. un travail en chambre* (mais : *Il reste dans sa chambre*). *En octobre. en hiver. Dans l'hiver qui suivit. En Italie. La chose en soi. Il a confiance en vous.*

En rue est un archaïsme resté très vivant en Belgique et en Suisse, au lieu de **dans la rue**. On dit fort bien : *en pleine rue.* Il faut dire : *Je l'ai rencontré dans la rue* ou *je l'ai rencontré rue Neuve.*

En semaine se dit par opposition à *le dimanche.*

En règle générale, le nom précédé de *en* ne peut être déterminé par un adjectif ou une proposition relative, à moins que *en* n'ait la valeur de « comme » : *Il agit en maître incontesté* ou *en maître qui prend ses responsabilités.*

Cependant on dit : *en temps voulu, en septembre prochain, en bonne justice, en cinq actes, être en bonne santé, écrire en grosses lettres, imprimé en beaux caractères*, etc. On dit : *à la troisième page* ou *page trois* ou *en troisième page.* Voir plus loin, B.

En est assez rare devant *lequel* dans l'usage courant, mais l'est un peu moins en littérature, surtout si l'antécédent n'est pas une personne : *L'homme **en qui** j'ai confiance. L'homme dont ma sœur m'a parlé et **dans lequel** (ou en qui) j'ai pleine confiance. Le monde **en lequel** (ou dans lequel) nous vivons.*

B. On trouve *en* (suivi d'un article ou d'un déterminatif) au lieu de *dans* :

a) Dans des locutions comme : ***en l'absence de**, en l'air, en l'espace de, en l'espèce, en l'honneur de, en l'occurrence, il y a péril en la demeure* (= à attendre), *en la personne de, en la* (ou *en*) *chambre du conseil, en l'an..., en quelle* (ou *telle*) *année, en la présence de* (ou *en présence de*), *en un seul point, en mon pouvoir, en mon âme et conscience, laisser les choses en l'état.*

b) Dans des expressions courantes où l'on peut d'ailleurs souvent employer *dans* : ***en l'église de...**, en un temps lointain, en ce temps-là, en ce lieu, en un lieu agréable, en un endroit charmant, en cette matière, en ce monde, en cette situation, en l'état où...*

Flottement devant un adjectif dit indéfini : ***En** ou **dans chaque** cas, quelque livre* (mais on doit dire : *en quelque sorte*), *en tout cas* ou *dans tous les cas, en tout état de cause, en toute chose, en toute amitié, en toute liberté, en même temps* (mais : *dans les mêmes circonstances*), *en* ou *dans un même endroit.*

c) Trop souvent, par une affectaion qui peut devenir agaçante, chez de bons auteurs, devant un article défini. On se gardera d'imiter André Gide lorsqu'il écrit : *Ce n'est qu'en la solitude qu'il trouve un peu de quiétude (...). Et se laissant vivre en les choses* (*Journal*, 28 mai et 13 septembre 1893). On laissera à l'Académie des sciences la manie de dire, dans ses comptes rendus : *en la séance du...* On dira ; *dans la* (*en sa*) *séance du...*

On évitera surtout, soigneusement, [*en les*].

5. Distinguer : *Je ferai cela **en deux jours*** (durée) et *Je ferai cela **dans deux jours*** (délai).

6. *En* forme le gérondif. *Répétition.* Cf. GÉRONDIF.

7. *En* n'est suivi d'un trait d'union que dans le nom *en-tête* (voir ce mot). On écrit : *en haut, en avant, en arrière, en dessous*, etc.

8. Cf. DANS, FAIRE, MAIN, POCHE, RUE, TÊTE.

Enamourer (s') signifie « s'éprendre ». On prononce « an-na ». L'Académie écrit *énamourer* (pron. « é-na »).

Énarque, n.m., élève ou ancien élève de l'E.N.A. (École nationale d'administration).

Encablure, n.f. Pas d'accent circonflexe.

Encaisse, n.f. : *Une encaisse.*

En-cas, n.m. On écrit aussi *un encas.*

Encaustique, n.f. : *Une encaustique.*

Enchanteur, n. et adj. Féminin : *enchanteresse.*

Enclaver, v.tr.dir. Proprement, une chose est enclavée *dans* une autre. Mais on dit aussi par extension : *entre* une chose et une autre, entre plusieurs choses.

Enclencher, v.tr.dir. On écrit *clen* comme dans *déclencher.* **L'enclenchement** suppose l'intervention d'une solidarité entre les parties d'un mécanisme.

Enclin, adj. Féminin *encline.* [*Encleindre*] ne peut se dire pour **incliner** : *Leurs injures (...) encleignent davantage à la pitié qu'à la rigueur* (R. Vailland, *Bon pied bon œil,* Poche, p. 72). On est enclin *à* la nonchalance, *à faire* qqch.

Enclore, v.tr.dir. L'Académie écrit : *il enclot,* mais l'usage opte pour *il enclôt* (comme *il clôt*).

Encoignure, n.f., peut s'écrire **encognure** d'après l'Académie (1975), conformément à la prononciation.

Encontre (à l'), loc.adv., s'emploie seul (*Je n'ai rien à dire à l'encontre*) et surtout formé avec *de* une loc.prép. signifiant « contre » ; *Cela va à l'encontre du règlement.* Le sens de « à la différence de » est rare et même exceptionnel : *À l'encontre de son frère, il est travailleur.* On trouve, mais très rarement, le possessif : *à mon encontre, à leur encontre.*

Encore (parfois *encor* en poésie), adv.

    1. **En tête de phrase,** *encore* marque une opposition, une restriction, un correctif : *Encore faut-il qu'il s'en aperçoive.* Cf. INVERSION, C, 2, p. 519.

    Et encore, après une affirmation, marque un correctif indiquant que ce qui vient d'être dit est peut-être optimiste, excessif : *Vous en aurez cent francs, et encore ! Il aura sa moyenne, et encore !*

    2. **Encore que,** qui requiert normalement le subjonctif, a pu s'employer avec l'indicatif au XVIIᵉ siècle. Le subjonctif se justifie comme après *bien que : Encore qu'il **soit** jeune, il ne laisse pas d'être sérieux* (Ac.). L'indicatif, assez courant, ou le conditionnel peuvent

s'expliquer par le sens particulier d'*encore que* et sont certainement plus acceptables qu'après *bien que*. Celui-ci (cf. BIEN QUE) veut marquer le manque d'effet d'une réalité affirmée. *Encore que* est davantage senti comme un complément d'information (qu'on met d'ailleurs parfois entre parenthèses ou dans une autre phrase, comme si on employait *et pourtant*) et l'indicatif peut souligner la réalité du fait ainsi mentionné, tandis que le conditionnel exprime l'hypothèse : *Je ne prétends pas m'être mis à ressembler en rien à ses caricatures (encore que l'hypothèse **mériterait** examen), mais une pente en moi se révèle* (Fr. Nourrissier, *Le maître de maison*, p. 209). *Il ne pensait qu'à se venger (...). À se venger non pas sur la personne du garde, mais plutôt sur ce qu'il représentait. Encore qu'une fois, il lui **fit** une belle peur au garde...* (F. Dupuy, *L'Albine*, Poche, p. 215). *Encore que **j'ignorais** presque tout de l'amour et qu'Antonio en était conscient, il apportait une grande coquetterie à me faire comprendre qu'il était un amant habile* (E. Charles-Roux, *Oublier Palerme*, Poche, p. 216). *Encore qu'on ne pouvait pas ne pas apercevoir...* (Aragon, *La mise à mort*, p. 122). *Encore qu'un tel souci trouverait à se justifier* (G. Duhamel, *Le notaire du Havre*, p. 121). On pourrait citer d'autres exemples, de Fr. Mallet-Joris, J. Roy, H. Masis, Léautaud, P. de Boisdeffre, etc. Leur nombre et la fréquence de l'indicatif ou du conditionnel dans le style oral, joints à la nuance indiquée plus haut, plaident pour l'indulgence, d'autant plus que cet usage écrit est peu influencé par la langue parlée, qui n'emploie guère *encore que*. Mais le subjonctif reste normal.

On fait rarement l'ellipse du verbe *être* : *Vous en êtes la cause, encor qu'innocement* (Corneille). *Un trait plaisant, **encore qu'un peu facile**.*

3. En français régional, on substitue *encore* à *déjà* : *Comment s'appelle-t-il encore ?* (cf. DÉJÀ.) *J'ai encore entendu dire cela.* Comparer : *Il dort encore. Il est encore plus riche que je ne pensais. Il n'est pas encore arrivé* (sens habituel de *encore*).

4. **Si encore**, suivi de l'indicatif imparfait ou plus-que-parfait, est beaucoup plus fréquent aujourd'hui qu'*encore si* pour marquer une supposition accompagnée d'une réserve et souvent d'un regret : *Si encore (si du moins, si seulement) je pouvais le voir, il me comprendrait.*

5. **Encore bien** est fautif (et wallon) dans : [*Il pleuvrait encore bien demain*] pour : *Il pleuvra peut-être demain, Il pourrait bien pleuvoir demain ;* dans : *Il y avait là des enfants* [*et de tout jeunes encore bien*] pour : *et même de tout jeunes ;* dans : *Il est venu de loin* [*et à pied encore bien*] pour : *et à pied par-dessus le marché ;* dans : [*Encore bien qu'il était là*] pour : *Heureusement qu'il était là.* Mais on dit très bien : *Il est encore bien jeune* ou *Il est bien jeune encore.*

6. Un des deux adverbes est de trop, selon les circonstances, dans ce français wallonisant : [*Il est encore toujours malade*].

7. Si l'on dit : **Jamais encore** en tête de proposition (*Jamais encore il ne m'a parlé de la sorte*), on dit couramment **encore jamais** à l'intérieur de

la phrase : *Je découvrais ce jour-là mon profil, que je n'avais encore jamais vu* (M. Pagnol, *Le temps des secrets,* p. 295). *Je ne l'ai encore jamais rencontré* (PR). Cf. ADVERBE, 3 (Place de l'adverbe).

8. *Encore* peut marquer une restriction, comme *et encore* (cf. 1) ; *Mille francs, c'est bon marché ; encore faut-il les avoir.* On retrouve l'idée de restriction dans ce vers de La Fontaine : *Passe encor de bâtir, mais planter à cet âge !* Mais il faut laisser au wallon [*Ça va encore*] pour *Ça va assez bien,* passablement.

Encourir, v.tr.dir. 1. On ne peut *encourir* qu'un blâme, un reproche, une peine, une disgrâce. On n'encourt pas des difficultés, on les accepte, on les assume. Le TLF note cependant le sens de « courir le risque, affronter » : *Ces dépenses qu'on a encourues, la responsabilité encourue.*

2. **S'encourir** (écrit parfois aux temps simples *s'en courir :* il *s'encourt* ou il *s'en court ; il s'est encouru*) n'appartient plus guère au français généralisé mais est resté vivant dans plusieurs provinces françaises et en Belgique.

Endéans, « préposition ancienne, demeurée en usage en Belgique » (GLLF). A. Goosse (*F.P.,* pp. 106-112) a fort bien montré qu'*endéans* n'est pas un archaïsme français qui aurait survécu en Belgique, mais un mot d'origine belge, renforçant *dans,* qui a pu passer en France mais n'a pu s'y imposer. Il faut le proscrire et dire : *dans les vingt-quatre heures, dans le délai d'un mois,* etc. On a employé aussi *sous* dans ce sens (*sous peu de jours*), mais le tour n'est plus vivant que dans *sous peu.*

Endurer, v.tr.dir., supporter avec patience : *Endurer des souffrances.*

Enfant, n.m. ou f. *Un enfant, une enfant* (fille). *Une intimité* **bon enfant** (invariable comme épithète). Mais : *Elles sont restées très enfants.*

Enfanter, v.tr.dir., ne s'emploie au sens propre que pour les femmes. Pour un père, on dit **engendrer.** Les deux se disent au sens figuré.

Enfin, adv., peut s'employer pour ajouter une restriction (*Elle est jolie, enfin à mon goût*) ou pour conclure : *Il était bon, serviable, affectueux, enfin le meilleur des amis.* Familièrement (et souvent inutilement) on ajoute *bref* (qui se justifie si on se résume) : *enfin bref.*

[Enflammation], n.f., ne peut remplacer *inflammation,* bien qu'une plaie *s'enflamme.*

Enfuir (s'). *Je m'enfuis. Nous nous enfuyons.* Imparfait : *Nous nous enfuyions. Nous nous sommes enfuis. Ils se sont enfuis de leur maison. Enfuis-toi.* Ne pas confondre avec *enfouir.*

Engineering, n.m., est à remplacer par *ingénierie ;* et *biomedical engineering* par *génie biomédical.*

Engouement, n.m. Noter *oue* ; pas d'accent circonflexe.

Engouffrer, v.tr.dir. Deux *f* comme dans *gouffre*.

Engraissement, n.m. : *L'engraissement* (on dit aussi : *l'engraissage*) **du bétail,** *des volailles.*

Engraisser, v.tr.dir., ne se dit que d'animaux ou d'une terre ; on engraisse une volaille, un sol. **Intr.,** *engraisser* se dit aussi, par analogie et avec quelque désinvolture, des personnes qui prennent de l'embonpoint : *Il avait beaucoup engraissé, elle le reconnaissait à peine* (A. Maurois, *Le cercle de famille*, 3ᵉ partie, ch. XIX). *Elle engraisse tous les jours. Elle est engraissée.* Au figuré, familièrement, **s'engraisser,** s'enrichir.

Énième ou **nième,** adj. Cf. ORDINAUX.

Enivrer (pron. « an »), v.tr.dir. Un seul *n.*

Enjoindre, v.tr.dir. Ne pas dire : [*enjoindre qqn de faire qqch.*]. *On enjoint à qqn de faire qqch.*

Enlaidir, v.intr. : *J'ai trouvé qu'elle avait enlaidi, qu'elle était enlaidie* (à ce moment-là).

Ennoblir (deux *n*), v.tr.dir., sens figuré (pron. « an »). **Anoblir,** sens propre ; un *n.*

Ennui, n.m., **ennuyant,** part. ou adj., **ennuyeux,** adj., **ennuyer,** v.tr.dir. L'adjectif *ennuyant* a vieilli et est régional. Il est remplacé par *ennuyeux*, même s'il s'agit d'une contrariété passagère.
L'ennui, c'est que... est suivi de l'indicatif : *L'ennui, c'est que je dois partir* (ce qui est ennuyeux, c'est que je dois partir). — *Cela m'ennuie que tu as dit cela.* Le subjonctif pourrait s'expliquer par une équivalence avec *Je suis ennuyé que*, qui, exprimant un sentiment, est suivi normalement du subjonctif : *Je suis ennuyé qu'il soit arrivé trop tard* (Je suis contrarié que). Mais l'indicatif est normal après *cela m'ennuie que*, la subordonnée explicitant *cela.*
Le tour impersonnel *il m'ennuie de* est vieilli. On dit : *Cela m'ennuie de vous importuner* ou *Je suis ennuyé de vous décevoir.*
Ennuyer qqn, c'est lui causer, par monotonie, par manque d'intérêt, de la lassitude, de la contrariété, de la mauvaise humeur : *Sa conversation m'ennuie. Cet homme m'ennuie.*
S'ennuyer, c'est éprouver de l'ennui. *Je ne m'ennuie jamais avec lui. Le monde où l'on s'ennuie.* Vieilli ou régional : *s'ennuyer de qqn,* éprouver de la contrariété à cause de son absence. Ne pas dire : *après* qqn. On ne dit plus guère *s'ennuyer de qqch.* : *Il s'ennuie de tout.* Devant un infinitif, *de* ou *à* s'emploient assez indifféremment ; *à* insiste plutôt sur la durée. *Ils s'ennuient d'être ensemble. Je m'ennuie à l'attendre.*
[*Il me fait ennuyer*], belgicisme : *Il m'agace, il me taquine.*

Enorgueillir, v.tr.dir. Attention à l'orthographe.

Énorme, adj., peut se dire de ce qui sort fortement des normes habituelles.

En outre. Cf. OUTRE.

En plus. Cf. PLUS.

Enquête, n.f. *Ces sondages-express, appelés testings ou enquêtes-minute* (G. Perec, *Les choses,* J'ai lu, p. 22).

Enquêteur, comme nom, a deux féminins : **enquêteuse** pour le sens général, **enquêtrice** pour la femme dont la profession est de faire des enquêtes pour des études sociologiques ou économiques.

Enquérir (s'). *On s'enquiert de qqn, de qqch., s'il est encore malade.*

Enquiquiner, v.tr.dir., très familier ou même populaire, veut dire « ennuyer, causer une vive contrariété » (*il m'enquiquine, c'est un enquiquineur*) ou « ne tenir aucun compte de l'opinion de qqn, le tenir pour négligeable » (*je l'enquiquine*).

Enrager, v.tr.dir. et intr. On dit : *J'enrage* (j'éprouve un dépit très fort, de l'irritation) : *J'enrage de devoir attendre. Une chose l'enrageait. Faire enrager qqn* (provoquer son agacement en le taquinant, en le contrariant). On laissera au wallon [*va te faire enrager*], (va au diable) et l'exclamation [*il faut enrager*]. Le wallon liégeois dit aussi « boire et manger qu'enrage » pour *boire et manger extrêmement.*

Enraiement, n.m. On écrit aussi *enrayement.*

Ensauver (s') n'est pas nouveau mais est plutôt dialectal ou populaire : *Il s'est ensauvé.*

Enseignant, n.m., **enseigné,** n.m., **enseigner,** v.tr.dir. On ne dit plus *enseigner qqn.* Parallèlement à l'emploi de plus en plus répandu d'*enseignant* comme nom (personne dont le métier est d'enseigner), *enseigné* s'emploie aussi comme nom.
   Enseigner qqch. à qqn se dit lorsqu'il s'agit d'un enseignement, mais non plus d'un renseignement, par exemple sur un chemin. Devant un infinitif, on dit **enseigner à** et non plus *enseigner de.*

Ensemble, adv., a plutôt vieilli et est littéraire dans le sens de « en même temps, à la fois » : *Il nous exposa toutes ses opinions philosophiques, politiques et religieuses, ensemble avec une volubilité de langue étourdissante et une merveilleuse concision* (A. Hermant, *Xavier...,* 1923, p. 55). *Une série de modulations ensemble joyeuses et pathétiques* (M. Tournier, *Le roi des aulnes,* Folio, p. 155). Cf. FOIS, 6, c, p. 427.

Ensuite, adv., fait évidemment pléonasme avec *puis* ou *après*. Il faut éviter de les lui adjoindre, malgré l'exemple de quelques auteurs qui imitent, consciemment ou non, la langue populaire ou relâchée.

Ensuite de qqch. est devenu très rare, même sous la forme *en suite de.* On ne le trouve plus que dans quelques expressions littéraires : *Ensuite de cela, ensuite de quoi* (Ac.). On dit : *À **la suite de** cela* (ou *par suite de qqch.,* dans le sens de « en conséquence de »). Éviter *suite à votre lettre* ou *à notre entretien.* Dire : ***comme suite à, en réponse à.*** Cf. Suite.

Ensuivre (s'). *Ensuivre,* dans *s'ensuivre,* s'écrit en un mot, sauf dans les cas notés ci-dessous, et signifie « suivre » : *Jusqu'à ce que mort s'ensuive* (Ac.). *Dans les minutes qui s'ensuivirent.*

Il est normal de dire : **il s'ensuit de là que, d'où il s'ensuit.** D'où le tour classique *il s'en ensuit* (*il s'ensuit de là*) : *Il s'en est ensuivi un changement* (Bossuet). Mais, pour éviter la succession de deux *en,* on a pris l'habitude soit de supprimer celui qui précède le verbe **(ce qui s'ensuit ; il s'ensuit que),** soit d'écrire (quand on ne dit pas *il en résulte*) : *il s'en suit un changement ; il s'en est suivi.* Sans doute paraît-il anormal, si l'on raisonne, d'écrire **il s'en suit,** puisqu'on ne dit pas : il se suit de là, mais *il suit de là* ou *il s'ensuit de là.* Toutefois le tour *il s'en suit* se rencontre chez de très bons auteurs, surtout aux temps composés : *il s'en est suivi.* Déjà Vigny écrivait : *Il s'en est suivi quelques propos un peu vifs* (*Cinq-Mars,* ch. XIV).

En tout cas la forme *s'en ensuivre* est vieillie.

Il s'ensuit que, affirmatif, est suivi de l'indicatif ; négatif ou interrogatif, il est suivi normalement du subjonctif, puisque le fait est nié ou douteux.

Entendre, v.tr.dir. *J'entends chanter, j'entends chanter les enfants, j'entends les enfants qui chantent. J'entends coudre dans la pièce voisine. J'entends qu'on coud dans la pièce voisine.*

Dans ces exemples, *entendre,* suivi d'un infinitif ou d'un indicatif, veut dire « percevoir par l'oreille ». Mais il peut, devant un subjonctif ou un infinitif, signifier « vouloir » ou « avoir l'intention de » : *J'entends qu'on m'obéisse. J'entends être obéi. Il entend se faire obéir.*

La construction avec un infinitif (cf. ce mot) peut créer une ambiguïté : *Je l'ai entendu dire à mon pére* et *Je lui ai entendu dire cela* peuvent signifier qu'on a dit cela à mon père ou que c'est lui qui a dit cela. L'amphibologie disparaît s'il y a un autre complément de personne (*Je lui ai entendu dire cela à son fils*) ou par le contexte (*Je lui ai entendu dire qu'il était content*). On dira donc, s'il le faut, pour être clair : *J'ai entendu dire cela par mon père. J'ai entendu mon père dire cela* ou *J'ai entendu qqn qui disait cela à mon père. On a dit cela à mon père.*

Entendre qqch. de qqn : *Je l'ai entendu presque aussitôt d'un monsieur sur la plate-forme de l'autobus* (R. Vivier, *À quoi l'on pense,* p. 19). On pourrait dire : *Je l'ai entendu dire par...* Le TLF note : *Ayant entendu des médecins qu'un air salubre exercerait une action bienfaisante sur sa santé.* **Quelques expressions** : *Faites comme vous l'entendez. Ne vouloir rien entendre. Il faut entendre* (comprendre) *par là que... Entendre la messe* (y assister). *Il ne veut rien entendre. Entendre finesse, entendre malice à qqch.* (ou parfois *dans* une chose) = attribuer à une chose un sens plus fin (plus malicieux) qu'elle n'a réellement. *Il n'y entend pas finesse,*, il n'y voit pas de finesse, de malice. *Entendre raison* = acquiescer à ce qui est juste, raisonnable. *N'entendre ni rime ni raison. Entendre raillerie sur qqch.* = admettre qu'on plaisante sur qqch. : *Il n'entend pas raillerie là-dessus.* Mais *entendre la raillerie ou la plaisanterie,* c'est savoir la supporter, l'apprécier. *N'y entendre goutte,* cf. VOIR. *Ne rien entendre à la poésie. Il nous a donné à entendre qu'il ne fallait pas compter sur lui. Il ne l'entend pas de cette oreille.*

Entendre à une chose, dans le sens d'« y donner son consentement », est littéraire : *Il ne veut entendre à aucun engagement* (Ac.).

S'entendre. *Cela s'entend* ou, elliptiquement, *s'entend. Je le recevrai, s'entend, à mon bureau. Nous ne pouvons nous entendre. Je m'entends* (je sais ce que je veux dire). *Je m'entends en affaires* (j'ai une expérience, une compétence). *Je m'y entends. Il s'entend à nous tracasser. Je m'entendrai avec lui. Ils s'entendaient pour le perdre* (Ac.).

Entendu, adj. ou participe. On écrit : *Entendu les témoins.* — *Bien entendu,* loc.adv. = assurément, évidemment. Très familièrement, *comme de bien entendu.*

En-tête, n.m., s'écrit avec un trait d'union : *Faire imprimer des en-têtes gravés. Du papier à en-tête.* Mais : *On lisait en tête de sa lettre...*

Entêté, adj., **entêter,** v.tr.dir. On ne dit plus guère *être entêté* (engoué) *de qqn,* ni *entêter qqn,* ni *s'entêter de qqn, de qqch.* On s'entête dans ses opinions, on s'entête à faire qqch.

Entièreté, n.f., vieux mot français resté très vivant en Belgique, vient de reprendre vie en France comme un néologisme dérivé de *entier.* Certains le trouvent inutile (on a déjà *totalité, intégralité, ensemble, en entier, dans son entier,* etc.).

Entorse, n.f. *Se donner une entorse, se faire une entorse. Elle s'est fait une entorse. Faire* (ou *donner*) *une entorse à la vérité.*

Entour, n.m., s'emploie surtout au pluriel, mais est plutôt littéraire (on dit : *les abords, les alentours, les environs*) : *Les entours de la commune* (A. Gide, *La symphonie pastorale*, Poche, p. 10). *Rroû s'arrêta sous de hautes orties, épia un instant les entours* (M. Genevoix, *Rroû*, Poche, p. 100) Cf. ALENTOUR.

Entraide, n.f., **s'entraider.** On s'abstiendra d'ajouter *mutuelle* ou *mutuellement* : pléonasme.

Entraîner, v.tr.dir., **entraîneur.** Accent circonflexe.

Entre, prép., 1. *Entre* peut se rapporter à plus de deux êtres ou choses : *Entre quatre murs ; entre quatre yeux L'un d'entre vous trois.*

2. **Entre autres** s'écrit sans élision. Ne pas oublier l'*s* de *autres*. Il n'est pas nécessaire que l'expression (qui signifie « parmi d'autres », « notamment », « en particulier ») se rapporte à un nom ou à un pronom exprimé avant ou après elle : *J'ai vu les plus beaux tableaux de ce musée, entre autres... J'ai vu entre autres tableaux... J'ai parlé entre autres de X et de Y. J'ai rencontré là, entre autres, un de mes collègues* (GLLF). *Comme cela différencie ! (Cela entre autres).* (A. Gide, *Journal,* 20 janvier 1892). *Corps dur et solide, de la nature des rochers, qu'on emploie, entre autres, pour bâtir* (Littré).

3. **Entre parenthèses.** Cf. PARENTHÈSE.

4. **Entre chaque portrait, entre chacun.** Cf. CHACUN, 5, D, p. 217.

5. [*Entre l'heure de midi*]. Cf. MIDI.

6. **D'entre** s'emploie devant le complément exprimant l'ensemble, surtout devant un pronom personnel, après un nombre, un pronom démonstratif ou un pronom indéfini autre que *on, quelque chose, tout, tous* ou après un pronom interrogatif ou après un superlatif : *Deux d'entre nous. Ceux d'entre vous. L'un d'entre eux. Quelques-uns d'entre eux. Qui d'entre vous ? Choisissez lequel d'entre ces jeunes gens vous voulez pour compagnon. Le meilleur d'entre nous.*

7. *Entre* dans les **composés.** Il y a une hésitation d'autant plus grande dans le recours à la juxtaposition, à l'apostrophe ou au trait d'union, que l'Académie n'évite pas les discordances et n'enregistre pas tous les composés. Il faut les écrire tous en un mot sans apostrophe ni trait d'union, sauf s'il y a plus de deux éléments (*l'entre-deux-guerres*) et si le second commence par *h* (*s'entre-heurter, s'entre-haïr*). Devant voyelle, il faut supprimer *e*. Donc : *s'entredéchirer, entracte, s'entraimer.* Latitude pour *un entre-deux* ou *un entredeux.* Cela dit, voyons l'usage de l'Académie.

Quand le deuxième élément du composé commence par une **consonne,** l'Académie ne met un trait d'union que dans les mots suivants, qu'il n'est pas rare de trouver sans trait d'union : *s'entre-déchirer, s'entre-détruire, un entre-deux, s'entre-dévorer, s'entre-donner, une entre-voie, s'entre-frapper, un entre-ligne* (on dit plutôt *interligne*), *un entre-nœud* (*des entre-nœuds*), *s'entre-nuire, s'entre-soutenir, s'entre-suivre, entre-temps, s'entre-tuer.* Les autres composés qu'elle cite sont écrits en un mot : *entrebâiller, entrecolonne* (masc.) ou *entrecolonnement, entrelacs* (où on ne prononce pas *cs*), etc. Il faut favoriser l'agglutination, sauf si le second élément commence par *h*. Cf. ENTRETEMPS. Écrire : *un entrerail.*

Quand le deuxième élément commence par une **voyelle,** l'Académie met une apostrophe dans cinq verbes : *s'entr'aimer, entr'apercevoir,* *s'entr'appeler, s'entr'avertir, s'entr'égorger* ; on doit pouvoir les écrire en un mot comme tous les autres, écrits par elle sans apostrophe : *s'entraccorder, un entracte, entraide, entrouvrir*, etc.

Entrecôte, n.f. *Une entrecôte.* Le masculin est vieilli.

Entrée (d'). La seule expression française avec *d'entrée* est *d'entrée de jeu.* Les Suisses en emploient d'autres.

Entrefaite, n.f., ne s'emploie plus qu'au pluriel et dans l'expression *sur ces entrefaites.*

Entrelacs, n.m. On ne prononce pas ce qui suit *a.*

Entreprendre, v.tr.dir. *On entreprend qqch.*, un travail, des recherches, un voyage, *on entreprend de faire qqch.* On ne dit plus : *entreprendre sur qqn* ou *qqch.* (attaquer, empiéter sur) ni *entreprendre qqn* dans le sens d'« attaquer ». ni *entreprendre contre qqn.* Aujourd'hui, **entreprendre** *qqn (sur un sujet),* c'est s'entretenir avec lui d'une question pour tâcher de le sonder ou de le convaincre ; plus spécialement, *entreprendre une femme,* c'est tâcher de la séduire.

Entrer, v.intr. ou tr.dir. Cf. RENTRER, AVEU *(Il est entré dans la voie des aveux). Il a entré sa voiture au garage. Il est entré dans son garage. La voiture est entrée dans le garage.* Il est ridicule de dire : [*Ce soulier n'entre pas dans mon pied*].

Entre-temps (Ac.), adv., **entretemps,** n.m. Telles sont les graphies à conseiller. On a écrit autrefois *entretant* ; cela signifiait « sur ces entrefaites ». Cette orthographe ne peut être reprise aujourd'hui, l'adverbe et le nom (**dans l'entretemps**) étant perçus comme en rapport avec *temps.* On écrit : *Entre-temps, je l'ai revu.* On écrit aussi : *Entre temps, je l'ai revu. Il est venu entre-temps* ou *dans l'entretemps* (ou *dans l'entre-temps*).

Entretenir, v.tr.dir. On entretient qqn **de** *qqch.* (et non *au sujet de*).

Entrevoir, v.tr.dir., c'est voir rapidement, à demi : *Je n'ai fait que l'entrevoir* (cette personne, cette solution).

Envahi, adj. et part. passé, *de tristesse, par l'ennemi.* Cf. DE, 7, p. 302.

Envers, prép., marque une relation, une disposition à l'égard de qqn ou de qqch. : *Être reconnaissant, bien disposé, coupable envers qqn. Avoir raison envers et contre tous.*

Envi (à l'), loc.adv. (à qui mieux mieux) et non [*à l'envie*].

Envie, n.f. *On a envie* (ou *grande envie*) *de qqch., on a envie* (ou *l'envie* ou *bonne envie* ou *grande envie* ou *une extrême envie*) *de faire qqch. Cela lui fait envie. J'en ai perdu l'envie. Je lui ai fait passer l'envie de me faire du* *tort. Prenez ce qui vous fait envie.* On voit qu'*envie* est loin d'avoir toujours le sens qu'il a dans *être rongé d'envie, porter envie à qqn, envier,* et qui est apparent dans *envieux.*

On dit : *Il a tout ce dont il a envie, Il fait tout ce qu'il a envie de faire.*

Envier, v.tr.dir. *On envie qqn* (on lui porte envie, on voudrait être ce qu'il est ou posséder ce qu'il a) ; *on envie qqch.* (comme le bonheur d'autrui). *N'avoir rien à envier à qqn.* On ne dit plus : *envier de faire qqch.* Cf. ENVIE.

Environ. Nom : *Visiter les environs.* **Préposition,** emploi courant à l'époque classique, mais aujourd'hui rare et littéraire : *Environ ce moment, environ telle date* (= vers). La locution prépositive *aux environs de* est courante non seulement pour l'espace mais pour le temps : *Aux environs de la gare, aux environs de midi.* **Adverbe,** *environ* signifie « à peu près » : *Il est environ sept heures. Il y avait environ trente personnes. Il a environ trente ans. Il y a une lampe environ tous les vingt mètres.* Dans ces phrases, *environ* peut suivre l'indication numérique qu'il nuance : *Il a trente ans environ,* etc. On se gardera d'ajouter *environ* quand l'approximation est déjà indiquée, par exemple par *trente ou quarante.*

Envisageable, adj., néologisme admis.

Envolé, s'envoler. *Un oiseau s'envole, s'est envolé.* On peut dire toutefois : *Il trouva la cage ouverte et les oiseaux envolés* (Littré). Bien qu'*envoler* ne s'emploie qu'à la forme pronominale, l'Académie laisse le choix entre *Les oiseaux se sont envolés* et *Les oiseaux sont envolés.*

Envoûtement, n.m., **envoûter,** v.tr.dir., évoquent proprement une pratique magique, un maléfice, mais s'emploient fort bien au sens élargi de domination de la volonté, de charme exercé sur l'esprit, d'attrait irrésistible.

Envoyer, v.tr.dir. *J'envoie, nous envoyons.* À l'imparfait et au subjonctif présent : *nous envoyions. J'enverrai. Envoyer qqn chez* (ou *à*) *qqn. On envoie un message à qqn. On envoie un enfant en vacances. Un médecin envoie un malade à un confrère. Envoyez-moi un délégué. Envoyer qqn au diable, à tous les diables.*

Devant un infinitif, si le complément d'objet direct d'*envoyer* doit faire l'action de l'infinitif, celui-ci n'est généralement pas introduit par une préposition : *J'ai envoyé mon fils faire une course.* **Envoyer qqn promener.** *Je les ai* **envoyés promener.** Très familièrement : *Je les ai* **envoyés paître.**

Parfois, pour marquer que l'infinitif n'exprime que l'intention, le but du sujet d'*envoyer,* on emploie *pour* : *J'envoyai mon fils au-devant de lui* **l'assurer...** ou **pour l'assurer** (Littré). Si le complément direct d'*envoyer* ne doit pas faire l'action, on doit employer *pour* : *J'ai envoyé un télégramme* **pour le féliciter.** *J'ai envoyé un messager pour gagner du temps. J'envoyai mon fils au-devant de lui pour l'empêcher de venir* (Littré).

L'emploi d'*envoyer* sans complément direct de personne dans *envoyer chez* est vieilli (*J'ai envoyé chez lui*). *S'envoyer une corvée* est populaire.

Enzyme, n., est féminin d'après l'Académie, mais s'emploie fréquemment au masculin. *Des enzymes gloutonnes.*

Épaisseur, n.f. Emploi fautif belge, d'origine wallonne et assez limité : [*tirer d'épaisseur*] pour *tirer d'affaire, d'embarras.* En wallon, *épais* peut signifier « sombre ».

Épaissir, v.tr. ou intr. **Auxiliaire** dans l'emploi intr. : *Je ne la reconnaissais pas, tant elle avait épaissi* (action), *tant elle était épaissie* (état). — *Hier, rencontré un Américain (...). Il a grossi et épaissi de toutes les façons* (J. Green, *Journal*, 26 juillet 1932).

Épargne, n.f., reste au singulier dans *Caisse d'épargne.*

Épater, v.tr.dir., s'emploie familièrement dans le sens d'« étonner vivement, causer un vif sentiment de surprise, d'admiration, d'émerveillement ». De même l'adjectif *épatant.*

Éperdument, adv. Pas d'accent circonflexe.

Éphéméride, n.f., se dit pour une liste groupant les évènements qui se sont produits le même jour de l'année à différentes époques : *l'éphéméride du 10 mai.* Couramment, pour un calendrier dont on détache chaque jour une feuille. Au pluriel, tables astronomiques.

Épicène, adj., se dit des noms, masculins ou féminins, désignant une personne ou un animal de l'un ou l'autre sexe : « *Enfant* », « *crocodile* », « *souris* », *sont des noms épicènes.*

Épices, n.f.pl. Cf. PAIN.

Épiderme, n.m. *Un épiderme.*

Épigramme et **épigraphe,** n.f., ne peuvent être confondus. *Une épigramme* est un trait mordant (qu'on lance, qu'on décoche). *Une épigraphe* est une inscription gravée sur un monument, ou une citation placée en tête d'un livre, d'un chapitre, d'un article. Cf. EXERGUE.

Épingle, n.f. On dit à tort en Belgique [*épingle à sûreté*] pour *épingle de sûreté, épingle de nourrice, épingle anglaise.* On peut dire *épingle à linge* comme *pince à linge ;* on trouve aussi *épingle de bois* (H. Bosco, *L'âne culotte,* Folio, p. 94). *Épingle à cheveux, épingle de chapeau, de cravate.*

Épitaphe, n.f. *Une épitaphe.*

Épithalame, n.m. : *Un épithalame,* poème ou chant composé à l'occasion d'un mariage.

Épithète, n.f. *Une épithète.*

Épître, n.f. *Une épître* (accent circonflexe remplaçant l'*s* qu'on a encore dans *épistolier*).

Éplucher, v.tr.dir. On *épluche* ou on *pèle* des pommes de terre ; on obtient ainsi des **épluchures** ou des *pelures*. On *épluche* de la salade, des radis, des oranges, des noix, des crevettes, on *pèle* des oignons, mais *peler* se dit couramment pour un fruit. On épluche aussi un texte (on l'examine avec soin), une copie, des actes, une vie. L'action d'éplucher s'appelle **épluchage,** n.m.

Époumoner (s'). Un seul *n.*

Époussette, n.f. vieilli en France, est devenu régional et est resté vivant en Belgique pour désigner une petite brosse à épousseter.

Époustoufler, v.tr.dir., (étonner très fort), est familier. *S'époustoufler.*

Époux, n.m., **épouse,** n.f., ne peuvent être employés en toutes circonstances. Le pluriel *les époux* est courant. Au singulier, ces mots sont à leur place dans le langage administratif ou juridique ; ailleurs ils prennent facilement une coloration noble, bourgeoise, prétentieuse, particulièrement dans la conversation et quand il s'agit de l'époux et de l'épouse de celui qui parle ou de celui à qui on parle. Mais il y a des usages locaux.

On écrit fort bien : *Le lauréat et son épouse ont été fêtés.* On dira parfois : *Il était là avec son épouse* mais on dira plutôt : *avec sa femme.* Il convient de dire si l'on ne veut pas faire sourire : *Ma femme et moi. Elle était là avec son mari. Comment va votre femme ?* Si l'on craint de paraître trop familier, on dira à M. Dupont : *Comment va Mme Dupont ?*

Épreuve, n.f. On écrit aujourd'hui : *à toute épreuve.*

Épurer, v.tr.dir. Cf. APURER.

Équerre, n.f. *Une équerre.*

Équinoxe, n.m. : *Un équinoxe.*

Équipollé, adj., **équipollence,** n.f., s'écrivent avec deux *l.* Prononcer « Kwi ».

Équivalent, adj. et n.m., **équivaloir,** v.tr.ind. *Équivaloir* se conjugue comme *valoir* ; c'est à tort que le GLLF dit que le subjonctif présent est *équivale.* C'est *équivaille.* — *Une chose équivaut à une autre, est l'équivalente d'une autre. Une somme équivalant à une autre* (noter le complément du participe). *Ce sont deux sommes équivalentes, l'une en francs, l'autre en dollars.* Distinguer l'adjectif *équivalent* (l'adverbe le précède ou il s'agit d'un attribut) et le participe *équivalant* (l'adverbe le suit) : *Deux procédés parfaitement équivalents* ou *équivalant parfaitement. Ces expressions me paraissent équivalentes à celles que vous citez. Elles sont les équivalents* (n.m.), *de celles que vous citez. Sans équivalent.*

Équivoque, n.f. : *Une équivoque.*

Érésipèle ou **érysipèle,** n.m. : *Un érésipèle.*

Errata, n.m. *Un errata* (*des errata*) est une liste de fautes d'impression dans un ouvrage. On emploie normalement le singulier, *un erratum,* pour ne désigner qu'une seule erreur.

Errement, n.m. qui s'emploie surtout au pluriel, est le substantif du verbe *errer,* qui d'après son étymologie signifiait « aller çà et là, voyager » et n'a pris que dans la suite le sens de « se tromper ». *Les errements* sont donc les marches habituellement suivies, les procédés habituels : *Suivre les anciens errements.* Mais comme, généralement, on dénonce ceux-ci, avec un sens péjoratif, le mot est plus souvent pris dans le sens d'*erreur,* substantif du verbe *errer,* se tromper. La confusion est blâmée par l'Académie. Il convient de l'éviter, parce qu'elle supprime une distinction qui peut être utile : *Ses chefs* (de l'armée) *vieillissaient à leur poste, attachés à des errements qui avaient, jadis, fait leur gloire* (Ch. de Gaulle, *L'appel,* Poche, p. 9). Ce serait un contresens de comprendre *erreurs,* non seulement parce qu'il s'agit bien de manières d'agir mais parce qu'au temps où elles faisaient la gloire de ces chefs elles n'étaient pas des erreurs ; elles ne sont devenues des erreurs que lorsqu'elles ont été maintenues en dépit de l'évolution des circonstances et de la stratégie. En disant *errements,* on se contente de noter que ces façons habituelles d'agir sont devenues blâmables.

Erreur, n.f. Une erreur peut être plus ou moins grave, ou grossière, mais n'est-elle pas normalement *involontaire* et faut-il s'excuser en la qualifiant de la sorte ? Il faut noter cependant que la notion d'erreur ne comporte que l'idée de fausseté, d'inexactitude et qu'il n'est pas impossible qu'on commette volontairement une erreur d'appréciation, de calcul.

Erroné, adj., n'a qu'un *n.* Adverbe : *erronément.*

Éructer, v.tr.dir. ou intr., est péjoratif dans son emploi transitif : *Éructer des injures.*

Ès (on prononce l's) s'écrit avec un accent ; c'est une contraction de *en les.* Il doit donc être suivi d'un pluriel : *licencié ès lettres.* Lorsqu'on remplace *en qualité de* par *ès qualités,* le nom doit être au pluriel. Dans les exemples suivants, le sens (= en tant qu'exerçant une fonction, une profession) explique le singulier, qu'il conviendrait cependant d'éviter, me semble-t-il : *L'une de nos commissions (...) où j'ai siégé ès qualité (...) Même parmi nos élus, je n'en ai pas rencontré un qui ne voulût avoir été choisi en tant qu'écrivain d'abord, expressément et ès qualité* (M. Genevoix, *La perpétuité,* pp. 39 et 57).

Esbrouffe, n.f. (souvent écrit avec un seul *f*), ne désigne pas une personne (*un esbrouffeur*), mais un comportement, un étalage de grands airs : *faire de l'esbrouffe.* Familièrement, **esbrouffer qqn** : lui en imposer en faisant de l'esbrouffe. Privilégier les deux *f.*

Escabeau, n.m., **escabelle,** n.f., désignent des objets différents d'après le GLE : *L'escabelle* est un siège bas, avec ou sans dossier, et généralement à trois pieds. *Escabeau* a pu avoir le même sens de « petit siège sans dossier », mais désigne aujourd'hui un petit banc sur lequel on pose les pieds (TLF) ou couramment le siège sans dossier à quatre pieds, entre lesquels se rabattent des marches, constituant une petite échelle.

Escalator, n.m., mot américain, se traduit en français par *escalier mécanique* ou *escalier roulant.*

Escalier, n.m., désigne une suite de degrés, de marches qui servent à monter ou à descendre. L'usage s'est établi de dire indifféremment *les escaliers* ou *un escalier* pour cet ensemble. C'est le même emploi du pluriel qu'on trouve pour une chose composée de plusieurs parties semblables dans *des lunettes, des ciseaux.* On dira donc : *Il faut descendre **un escalier*** (ou *des escaliers*) *pour aller au jardin*, à condition qu'il y ait plusieurs marches. Rarement en France et couramment en Belgique on emploie à tort *un escalier* pour une seule marche. Il faut dire : *Pour accéder à la terrasse, il faut descendre **une marche.***

On monte ou on descend les escaliers *quatre à quatre* ou, avec ellipse : *Je descends quatre à quatre dans la rue* (Fr. Mauriac, *La robe prétexte*, p. 132).

On a dit autrefois en France **montée** pour *degré, marche* : *Deux servantes déjà, largement souffletées, Avaient à coups de pieds descendu les montées* (Boileau, *Satire X*). Cet emploi est devenu dialectal en France et en Wallonie ; il faut l'éviter en français.

On peut dire : *un escalier **en spirale*** (Ac.) pour un escalier *hélicoïdal, en vis* ou *en colimaçon.*

*Avoir **l'esprit de l'escalier**,* c'est être lent à réagir (comme si on ne trouvait la réplique qu'après avoir descendu l'escalier).

Escarre, n.f. *Une escarre.*

Escavèche, n.f., désigne en Wallonie une préparation de poissons de rivière ou d'étang frits et plongés dans un mélange de vin et de vinaigre. Le mot vient de l'espagnol, qui l'a emprunté à l'arabe. On trouve en français méridional *escabèche*, s'appliquant surtout aux sardines à l'huile.

Esclaffer (s'). *S'esclaffer de rire* est devenu un pléonasme.

Esclandre, n.m. *Faire un esclandre.*

Escompter, v.tr.dir. *On escompte une traite, une lettre de change.* Du sens vieilli, « dépenser d'avance l'argent qu'on attend », on est passé au sens bien vivant de « prévoir, compter sur une chose à venir » : *Vous escomptez son silence et son revirement* (G. Beaumont, *La harpe éolienne,* p. 232). *Il escomptait nous embarrasser.*

Escroc, n.m., désigne celui ou celle qui escroque ou qui a l'habitude d'escroquer. Dans ce dernier sens il a remplacé *escroqueur,* vieilli.

Espace, n., est masculin dans tous les sens sauf quand il désigne la petite lame de métal dont les typographes se servent pour séparer les mots (*mettre une espace entre deux mots*).

Espèce, n.f., doit rester féminin même dans **une espèce de** suivi d'un nom masculin, dans le sens d'*une sorte de* ; il a parfois, pas toujours, un sens dépréciatif devant un nom de profession : *Une espèce d'avocat. Une espèce de fou. Je ne lui fais aucune espèce de reproche* (Ac.) me paraît autoriser *aucune espèce d'importance,* ni grande, ni légère ; mais on dit plutôt : *aucune importance.* Le PR note cependant : *Cela n'a aucune espèce d'importance.*

On écrit : *des meubles de toute espèce* (beaucoup plus rarement : *de toutes espèces*) **Quelle espèce de** *fautes a-t-il faites* (le pluriel d'*espèces* pourrait répondre à l'idée nette de plusieurs espèces : *il a commis plusieurs espèces de fautes*). *Il se livre à toute espèce de grimaces.*

On écrit : *Un cas d'espèce, des cas d'espèce. Payer en espèces.*

Espérance, n.f., **espoir,** n.m. Le vers 135 du Cid, *Ma plus douce espérance est de perdre l'espoir,* est, ne l'oublions pas, une pointe de l'Infante, qui manie la préciosité. On peut dire que l'espérance a en principe qqch. de plus large, de plus durable comme objet, tandis que l'objet de l'espoir est plus concret, plus précis, plus passager. Mais les mots se confondent souvent. On notera toutefois qu'en théologie on parle seulement de la vertu d'espérance ; mais dans l'usage courant *espoir* est beaucoup plus vivant. Cf. ESPÉRER, 2, b (*Avoir l'espoir que, dans l'espoir*).

Espérer, v.tr.dir. ou ind. 1. **Espérer qqn** est archaïque et régional (l'attendre avec plus ou moins d'impatience) : *Je repartis aussitôt pour l'Est où Gabriel nous espérait* (G. Duhamel, *Biographie de mes fantômes,* p. 239).

Espérer qqch., la chose étant exprimée par un nom, se dit surtout dans quelques expressions comme *espérer une heureuse issue, une aide, une récompense, une réponse favorable,* etc.

2. *Espérer* s'emploie seul ou avec *que* ou avec un infinitif.

a) *Il faut espérer.* Avec *en* : *Espérer en l'avenir. J'espère en toi, Seigneur.*

b) **Espérer que** peut s'employer dans le sens d'« aimer à croire » devant un indicatif présent ou passé : *J'espère qu'il va bien. J'espère que vous **avez réussi.***

Dans le sens habituel, « à la fois désirer et attendre avec confiance », il doit, à cause de ce sens, différent de celui de *souhaiter*, être suivi, **à la forme affirmative**, de l'indicatif futur ou, pour un fait hypothétique, du conditionnel : *J'espère qu'il **viendra**, J'espère que dans ce cas il n'**hésiterait** pas.* Il faut se garder d'employer le subjonctif, normal après *souhaiter*, mais anormal après *espérer*, qui exprime une confiance dans la réalisation du fait espéré. Cet emploi est assez courant dans la langue parlée, mais supprime la différence essentielle entre les deux verbes. Il peut être plus facilement être toléré après l'impératif **espérons**, qui traduit davantage une invitation à espérer (comparer : nous espérons).

Même mode après **avoir l'espoir que, dans l'espoir que** : *Dans l'espoir qu'il s'en souviendra.* Le subjonctif ne se justifie, sans d'ailleurs s'imposer, que si l'espoir est explicitement réduit : *Aussi avais-je le vague espoir que Christian ne m'ait pas tout à fait tenu parole* (Aragon, *La mise à mort*, p. 123).

À la forme interrogative ou négative, *espérer* est suivi du subjonctif ou de l'indicatif (ou du conditionnel) : *Je n'espère pas **qu'il vienne** ou **qu'il viendra**. Espérez-vous qu'il le fera* (ou *qu'il le fasse* ou *le ferait*) ?

c) **Devant un infinitif**, *espérer* se construit aujourd'hui sans *de ;* la construction avec *de* est devenue un archaïsme (qu'*espérer* soit ou non à l'infinitif) : *Je ne puis espérer me sauver seul* (M. Butor, *La modification*, p. 229). *S'il avait pu encore espérer revenir* (H. Troyat, *Le vivier*, Poche, p. 78). *Quand j'espérais te voir entrer dans le prétoire* (M. Aymé, *La tête des autres*, p. 240). Notez : *J'espère pouvoir revenir* ou *J'espère que je pourrai revenir.*

Espion, n.m., n'est pas un belgicisme mais est français dans le sens de « miroir extérieur placé en oblique à proximité d'une fenêtre et qui permet de voir sans être vu ». — **Dérivés** d'*espion* : deux n. Seul *espionite* s'écrit avec un ou deux *n*. Préférer *espionnite*.

Esquimau, n.m. ou adj. Féminin : *esquimaude*. On trouve aussi *eskimo*.

Esquinter, v.tr.dir., est familier.

Essart, n.m., est souvent remplacé par *sart* en français régional de Belgique.

Essayer, v.tr.dir. (*j'essaie* ou *j'essaye, nous essayons*). *On essaie un appareil, un remède, un vêtement, sa force, une méthode, une recette, un métier,* etc.
On ne dit plus guère (tours littéraires) : *essayer de qqn, de qqch., essayer à faire qqch.* On dit : *essayer **de faire** qqch., **s'essayer à** qqch., à faire qqch.*

Esse, n.f. Dans certaines régions de Wallonie, on dit à tort [*un esse*] pour *un cintre.* On appelle *une esse,* un crochet en forme d'S, une certaine agrafe, un type de cheville. Le même mot désigne en Belgique une brioche en forme d'S.

Essentiel, adj. et n.m. Après **l'essentiel est que,** on emploie, selon le sens, l'indicatif, le conditionnel ou le subjonctif : *L'essentiel est qu'il **est** là* (on constate, on affirme qu'il est là). *L'essentiel est qu'il le **fasse*** (il doit encore le faire mais il n'est pas certain qu'il le fera. Cette certitude serait marquée par l'indicatif futur : *L'essentiel est qu'il le fera*). *L'essentiel est que nous **serions** là* (dans telle hypothèse), *que nous pourrions le faire* (éventualité). *L'essentiel est que vous ayez été là* ou *que vous avez été là* ; le fait est certain, attesté, il est donc normal de le mettre à l'indicatif ; mais, parce que sa réalité passée peut être mise en doute, on peut sans inconvénient l'exprimer au subjonctif comme un fait simplement envisagé, comme si l'on disait, avec un impersonnel : *Il est essentiel que vous ayez été là.* S'il s'agit du présent, l'indicatif peut être imposé par la réalité bien constatée. Comparez : *L'essentiel est qu'il n'**est** pas coupable* et *L'essentiel est qu'il ne **soit** pas coupable.* Avec le conditionnel, pour marquer l'éventualité : *L'essentiel est que vous le **feriez** si c'était permis.*

Essor, n.m., s'écrit sans *t.*

Essoufflé, adj. Deux *s,* deux *f.*

Essuie-main, n.m. En français, *essuie* ne s'emploie pas seul comme nom (usage belge), mais forme des noms composés qui précisent la destination : *essuie-main, essuie-glace,* etc. Cf. Noms composés, B, 5, p. 626.

En Belgique, on dit : [*un essui* ou *un essuie*] non seulement pour un essuie-main ou pour une serviette de toilette, mais pour un torchon qui sert à essuyer la vaisselle ; on y parle aussi d'*essuie-tout.* Cf. Torchon.

Essuyer, v.tr.dir. *Il essuie les verres, des revers.* On dit : *essuyer **ses chaussures*** ou, couramment, **ses pieds** (sur un paillasson), *s'essuyer les pieds.*

Estaminet, n.m., n'est pas inconnu en France, surtout dans le Nord, pour désigner un petit café populaire, de ville ou de village.

Est-ce que. 1. **Interrogation directe.** L'emploi de cette locution interrogative est devenu courant et normal dans l'interrogation directe, soit en tête de phrase (***Est-ce que** vous viendrez ?*), soit même après un adverbe interrogatif ou un pronom interrogatif. Cela peut paraître lourd ou familier, mais ce n'est certainement pas incorrect : ***Quand est-ce que** vous partirez ?* (Ac., à *Ce*). *À **qui est-ce que** je dois m'adresser ?* (Ac., à *Ce*). ***Pourquoi est-ce que** je ne bougerais pas ?* (J. Green, *Partir avant le jour,* Poche, p. 210).

Il est pourtant bon de savoir que l'emploi de *est-ce que* peut donner à certains auditeurs ou lecteurs « une impression de vulgarité ou de négligence après les adverbes interrogatifs » (Dupré, p. 888) ; il n'y a toutefois pas lieu de se montrer plus sévère pour cet emploi après *pourquoi* et *comment* qu'après *quand,* comme le fait le GLLF (p. 1749). Mais la langue soignée semble hésiter à employer *est-ce que* après une nom complément précédé de l'adjectif interrogatif *quel : Quel âge est-ce qu'il a ?*

On peut dire : *Pourquoi ne venez-vous pas ?* ou *Pourquoi est-ce que vous ne venez pas ? Qui est-ce ? Qui est là ?* ou *Qui est-ce qui est là ? Que voulez-vous ?* ou *Qu'est-ce que vous voulez ? À quoi pensez-vous ?* ou *À quoi est-ce que vous pensez ? Que m'arrive-t-il ?* ou *Qu'est-ce qui m'arrive ? Où avez-vous vu cela ?* ou *Où est-ce que vous avez vu cela ?*

Il n'est pas inutile d'ailleurs d'observer que, dans certains cas, à la 1re personne (cf. INTERROGATION. 1), on est contraint d'employer *est-ce que* : *Est-ce que je perds ? Est-ce que je cours ? Est-ce que je le mets ?* Mais on se gardera de renforcer *est-ce que* par *c'est que* : [*Quand est-ce que c'est qu'il viendra ?*].

2. **Interrogation indirecte.** Bien que la langue classique n'ait nullement réprouvé cet emploi resté courant aujourd'hui encore dans la langue populaire ou familière, on évitera *est-ce que* dans l'interrogation indirecte. Aux tours notés ci-dessus correspondent dans l'interrogation indirecte : *Je ne sais **quand vous partez**. Je me demande à qui je dois m'adresser, pourquoi vous ne venez pas, qui est là, ce que vous voulez, à quoi vous pensez, ce qu'a dit cette femme. — Je ne sais pas qui c'est* et non [*Je ne sais pas qui est-ce*].

3. [*Qu'est-ce que c'est pour un homme ?*] ou [*Qu'est-ce là pour un homme ?*], germanisme qui n'est pas propre à la Belgique ; cf. POUR, 9.

Dans l'**exclamation** : cf. CE, 10, p. 207.

Ester, v.intr., terme de droit (latin *stare*, se tenir debout) : *ester en justice, en jugement* (soutenir une action).

Estivant, *estivante*, nom d'origine provençale, désigne celui qui passe ses vacances d'été dans une station de villégiature. *Vacancier* a un sens plus large.

Estran, n.m. Partie du littoral entre les plus hautes et les plus basses mers.

Estudiantin, adj., cède de plus en plus la place à *étudiant*, employé comme adjectif pour « des étudiants, relatif aux étudiants » ; *le monde **étudiant**, la mentalité étudiante, la jeunesse étudiante, le pouvoir étudiant*.

Et, conj. 1. Coordination de compléments de nature grammaticale différente. Cf. COMPLÉMENTS, p. 247.

2. **En tête de phrase**, *et* est emphatique ou fait ressortir un sentiment, une opposition : *Et vous voudriez que je me taise ?* Il est parfois employé comme si la phrase précédente ne se terminait pas par un point.

3. Lorsque deux propositions comparatives en corrélation sont introduites par *plus, moins, mieux*, l'emploi de *et* est facultatif entre les deux (mais non avec *autant*) : *Plus je le vois et plus je l'apprécie* (Ac.). *Autant il est actif, autant vous êtes indolent.*

4. **Et/ou,** calqué sur l'anglais *and/or,* peut être commode pour marquer qu'il y a possibilité d'addition ou de choix : *Invitez le recteur et/ou le président.*

5. Cf. CENT, MILLE, HEURE, QUART, NI.

Établir, v.tr.dir. L'auteur d'une édition savante *établit* le texte.

Étage, n.m. *Un immeuble à* (ou *de*) *quatre étages. Habiter au premier étage* ou *au premier.*

Étagère, n.f. Si l'on en croit Littré, le nom d'*étagère* doit être réservé à un meuble composé de montants supportant au moins deux tablettes formant des étages ou à ces tablettes elles-mêmes. Ce sens est encore vivant, mais il est dépassé depuis longtemps ; on peut donner le nom d'étagère à une simple tablette fixée au mur et sur laquelle on dispose des livres ou des bibelots.

Étaiement, n.m. On écrit aussi *étayement.*

Étain, n.m. Les fondeurs d'étain et les fabricants d'étains artistiques s'appellent des *étainiers* (GLE). À Huy, ils s'appellent les *postainiers hutois.*

Étal, n.m. Le pluriel *étaux,* parce qu'il est homonyme de celui de *étau,* est généralement remplacé par *étals : Les **étals** des bouchers.*

Étant donné. Cf. PARTICIPE PASSÉ, p. 674.

Étape, n.f. On va *d'étape en étape.* Il n'est pas logique, proprement, de parler d'étape intermédiaire, puisqu'une étape est toujours entre deux courses, entre deux haltes.

État, n.m., s'écrit avec une majuscule pour désigner un pays, une nation, un gouvernement : *Affaire d'État. Les droits de l'État. Un secret d'État. Servir l'État. Le chef de l'État. La raison d'État. Un coup d'État. Les États membres de l'O.N.U.*
   État-major : trait d'union (*des états-majors*). Mais **état civil** : *Acte de l'état civil. Officier de l'état civil.* **Le tiers état.**
   En tout état de cause : dans tous les cas, quelle que soit la supposition à laquelle on s'arrête (Lexis).
   Dupré (II, p. 897) a tort de vouloir réserver « au style comique » la locution **être dans tous ses états,** être très agité, très troublé.

Etc., abréviation du latin pluriel neutre ET CETERA (graphie à préférer) ou ET CÆTERA (A et E étant liés) ou ET CŒTERA (Ac.), se dit aussi bien des personnes que des choses à la fin d'une énumération : *Taine, Bourget, etc.* (A. Gide, *Journal,* 6 janvier 1892). Ne pas mettre plusieurs points après l'abréviation. Prononcer « ett-sé-té-ra » et non « èk-sé-tè-ra » ni « ett-sé-tra ».

Lorsqu'on redouble *etc.* pour insister, on écrit **etc., etc.** et on prononce deux fois *et cetera* et non pas [*et ceteri et cetera*].

On écrit *un* ou *des et cetera*.

Éteindre le salon. Cf. ALLUMER.

Étendage, n.m. Distinguer *l'étendage* du linge, de la lessive sur le pré (verbe *étendre*) et *l'épandage* du fumier sur le jardin (verbe *épandre*).

Étiage, n.m., ne désigne pas le niveau le plus élevé des eaux d'un cours d'eau, mais le niveau moyen et, par extension, le plus bas.

Étiqueter, v.tr.dir. *J'étiquète* (Ac., 1975) à côté de *j'étiquette*, mais *une étiquette.* Cf. p. 963.

Étonnant, adj. (ou **surprenant**) : subjonctif après *étonnant que* : *Il est étonnant* (ou *C'est étonnant*) *qu'il ne soit pas là. Je trouve étonnant qu'il soit parti. Est-il étonnant que sa femme se plaigne ?* Autre sens de *c'est étonnant comme* : *C'est étonnant comme on peut se méprendre.* On constate.

Après *quoi d'étonnant* et *rien d'étonnant,* on peut, sans changer le sens, mettre *que* et le subjonctif ou *si* et l'indicatif : *Quoi d'étonnant **qu'il n'ait pas réussi ?** ou **s'il n'a pas réussi ?** Rien d'étonnant que nous ne le voyions plus* ou *si nous ne le voyons plus. Quoi d'étonnant s'il ne le faisait pas ?* On trouve *à ce que* et le subjonctif : *Rien d'étonnant à ce qu'il ait étendu ses investigations,* (Colette, *O.C.,* I, p. 11). *Elle ne voyait rien d'étonnant à ce qu'on l'eût toujours tenue à l'écart* (G. Beaumont, *La harpe irlandaise,* p. 203).

Avec **l'étonnant** (n.m.) ; *L'étonnant est son succès* ou *est qu'il ait pareil succès.*

Étonner, v.tr.dir. **Être étonné** (ou **surpris**) et **s'étonner** se construisent avec **que** et le subjonctif ou avec **de ce que** et l'indicatif ou le subjonctif : *Elle est étonnée qu'on ne l'ait pas avertie. Je m'étonne qu'il **soit** là. Il s'étonna grandement d'abord de ce qu'elle fût restée à ce point arriérée* (A. Gide, *La symphonie pastorale,* Poche, p. 32). *Je m'étonne de ce qu'il n'est pas venu* (Ac.). *Il s'étonnait de ce que Gide n'eût pas pris soin de prévoir comment se dérouleraient ses obsèques ou plutôt de ce qu'il eût pris soin de ne pas le prévoir* (R. Mallet, *Une mort ambiguë,* p. 79).

Si et l'indicatif s'emploient lorsque le complément est présenté comme une sorte d'hypothèse ; simple tour de style, parfois, pouvant aussi souligner la réalisation du fait subordonné. Mais il faut que l'étonnement soit nié ou doive encore se produire. On emploie donc *si* après *je m'étonnerai, je m'étonnerais, étonnez-vous, ne vous étonnez pas, il ne faut pas s'étonner.* On doit dire : *Elle est* (ou *était*) *étonnée qu'on lui ait mal répondu.* Après un indicatif présent négatif ou interrogatif, on trouve encore *si,* mais plus souvent *que* : *Je ne m'étonne pas s'il n'a pu venir* (Littré). *Faut-il s'étonner s'il n'a pu venir ?* (Littré). *Faut-il s'étonner qu'il n'ait pu venir ?* On dira :

Étonnez-vous, après cela, si on vous répond mal ou *qu'on vous réponde mal.*
Il ne faut pas être étonné s'il est parti ou *qu'il soit parti.* *Je serais bien
étonné s'il ne réussissait pas* ou *qu'il ne réussisse pas.* Après un futur, on
doit employer *si* : *Je serai bien étonné si sa mère y consent.*
Devant un infinitif, on emploie **de** comme devant un nom : *Je
m'étonne de son silence. Je m'étonne de le voir partir. Il s'étonne de nous
rencontrer.*

Être, v. 1. **Conjugaison.** Attention au passé simple : *je fus, il fut, nous fûmes,
ils furent),* au subjonctif présent : *que je sois, qu'il soit, que nous soyons,
qu'ils soient* et au subjonctif imparfait : *que je fusse, qu'il fût.* Il faut
écrire : **Ne fût-ce qu'un moment** et non [*ne fusse qu'un moment*] ; *quand il
eut fini* et non [*quand il eût fini*] ; *s'il en fut,* mais *fût-il là,* je dirais ce que
je pense.

2. **J'ai été** ou *je suis allé. Je fus le voir* ou *j'allai le voir. Il s'en fut.*
Cf. ALLER, 2, p. 62.

3. **C'est,** *ce sont.* Cf. CE, INVERSION, B, 1, VERBE, *Accord,* C, I.

4. **C'est à moi à** ou **de.** Cf. *À* et *de,* 3, p. 16.

5. **Être à deux, à trois,** etc. Cf. COMBIEN, 1.

6. **Être à.** Noter les sens différents : *Le temps est à la pluie* (évoluer
vers). *Les prix sont à la baisse* (tendre vers). *Il est à son bureau* (se trouver). *Ce livre est à mon frère* (appartenir). *Je suis à vous dans un instant* (à
votre disposition). *Je suis ici à l'attendre* (Ac.) ; *elle est toujours à se
plaindre* (être en train de). *Elle en est à ne plus savoir où aller* (être arrivé
au point de). *Cet homme est à admirer* (digne d'admiration). *C'est à
prendre ou à laisser.*

7. **Être après.** Cf. APRÈS, 6 et 7, p. 83.

8. **Être court, à court.** Cf. COURT, 1, p. 284.

9. **Être à lundi.** Cf. DATE.

10. **Être d'avis que.** Cf. AVIS.

11. **N'était, n'eût été.** Cf. VERBE, *Accord,* C, II, p. 989.

12. **S'il en fut** et non [*s'il en fût*]. Cf. SI, conjonction, D, p. 863.

13. **Y être** signifie « se trouver chez soi » (*Vous direz que je n'y suis
pas*), « avoir bien deviné, être près de la vérité ». (*Vous n'y êtes pas*),
« comprendre » (*J'y suis*). Le Dictionnaire Bordas donne « *Attention ! Y
êtes-vous ?* = êtes-vous prêt ? ».

14. **Être pour.** Cf. POUR, 9, p. 745.

15. **N'être pas sans savoir.** Cf. SANS, 3, p. 841.

16. **Si j'étais de vous**, plus courant que **si j'étais que de vous,** est concurrencé par **si j'étais vous**, qui est correct. Devant un nom, on dira : *Si j'étais de cet homme* ou *Si j'étais cet homme.* Cf. DE, 4, p. 301.

17. On dit : *Deux et deux font quatre*, et non [*sont*].

18. **En être** : *Nous organisons un voyage. En serez-vous ? Où en êtes-vous ? J'en suis à la moitié du chemin. Voilà ce qu'il en est. Il ne sait plus où il en est. Il n'en est rien. Il en est ainsi. Il en est de cela comme du reste. Il en est de ce roman comme de l'autre. J'en étais là de mes réflexions. Où en êtes-vous dans vos recherches ?*

19. **Être dans.** Cf. DANS, 10, p. 298.

20. **Il est** pour *il y a.* Cf. IL, 4, p. 483.

21. **C'est que. Ce n'est pas que.** Cf. CE, 8 et 9, p. 207.

Étrécir, v.tr.dir., est pratiquement remplacé par **rétrécir,** qui est transitif (*rétrécir une jupe*), intransitif (*ce tissu rétrécit au lavage*) ou devient pronominal (*Ce cercle se rétrécit*).

Étrenne, n.f., en dehors de l'expression *avoir l'étrenne de qqch.* (être le premier à en jouir), s'emploie au pluriel : *Il a reçu ses étrennes.* Familièrement : *Les magasins illuminent pour les étrennes* (pour la période où l'on fait des cadeaux).

Étude, n.f. On écrit : *Maître d'étude, salle d'étude* (ou *étude*), plutôt que *salle d'études, une bourse d'études* et *bureau, mission, commission, voyage d'étude* ou *d'études. Un étudiant en droit, en médecine, en lettres fait des études de droit, de médecine, de lettres.*

Étudiant, adj. Cf. ESTUDIANTIN.

Étuver, v.tr.dir. On peut dire : *étuver un poulet* ou *le cuire à l'étuvée.*

Europe et ses dérivés. S'il n'y a aucune hésitation pour *européen, euromarché, eurodollar, eurovision,* l'usage a hésité, avec une nette préférence pour les seconds, entre *européiser* et **européaniser,** *européisation* et **euro-péanisation,** *européisme* et **européanisme.**

Eux deux, trois, etc. On ne dit pas : [*Eux deux le savent*], mais : *Ils le savent tous deux* ou *Il n'y a qu'eux deux qui le sachent.* On emploie *eux deux* avec une préposition : *Ils l'ont fait à eux deux* et non pas [*Ils l'ont fait eux deux*]. *Je travaille avec eux trois.* Cf. LUI.

Évadé, adj., **s'évader.** À côté du verbe *s'évader* (*elle s'est évadée*), existe l'adjectif *évadé : un prisonnier évadé.* On peut dire : *laisser* (ou *faire*) *évader un prisonnier.*

Évaltonné (= émancipé, trop libre), adj., ne se dit plus. On dit : *Ces jeunes gens sont très émancipés, très évaporés. C'est une évaporée.*

Évanoui, adj., **s'évanouir.** *Elle s'est évanouie.* Avec l'adjectif : *Elle est évanouie. Une personne évanouie.*

Évènement, n.m. L'Académie, réglant l'orthographe sur la prononciation, a décidé en 1975 qu'*événement* pouvait s'écrire *évènement.*

Éventail, n.m. *Des éventails.* On peut parler, au figuré, de *l'éventail des articles offerts,* de *l'éventail des prix, des salaires.*

Évertuer (s'). *On s'évertue à faire qqch.* On trouve encore *contre qqch.* : *S'évertuer contre la mort* (Bossuet) ou *pour* devant un infinitif quand le sens est plutôt « s'agiter » : *Il a beau s'évertuer pour se tirer d'affaires, il n'y peut parvenir* (Ac.).

Évier, n.m., désigne une cuvette où on lave la vaisselle dans une cuisine. En Belgique, le mot se substitue couramment à *lavabo.*

Évincer, v.tr.dir., c'est déposséder légalement, juridiquement, mais aussi, par extension, le faire par intrigue, empêcher qqn d'accéder à une fonction, à une dignité. Dans les deux cas il y a **éviction.**

Évitement, n.m. On parle en bon français, à propos de chemins de fer, de *gare d'évitement,* de *voie d'évitement.* Mais ce n'est qu'en Belgique qu'à propos de circulation routière on substitue *évitement* à *déviation, détour* ou qu'on l'emploie pour désigner l'emplacement où un véhicule peut se garer pour en laisser passer un autre venant en sens opposé.

Éviter, v.tr.dir. *Éviter qqn* ou *qqch. Éviter qqch. à qqn* (le lui épargner, lui permettre d'y échapper). *Éviter de faire une chose, d'être expulsé. Tâcher d'éviter qu'ils (ne) s'en aillent* ; on peut toujours omettre *ne* ; on l'omet particulièrement si *éviter* est négatif : *Je ne puis éviter qu'il s'en aille.*

Évoquer et **invoquer,** v.tr.dir., ont en commun l'idée d'appeler par la parole, mais ne peuvent être confondus.

Évoquer a pris des sens nouveaux, contre lesquels s'élevait R. Le Bidois (*Les mots trompeurs,* pp. 109-110). On n'évoque pas seulement des esprits, des démons ou des âmes, par des opérations magiques, on les évoque aussi quand on les interpelle ; *évoquer,* c'est faire apparaître, rendre présent, éveiller l'idée de : *évoquer un souvenir, un ami disparu, des absents, une fête* ; on évoque *un problème, une question, un fait,* on en parle ou en fait mention ; *une chose en évoque une autre,* y fait penser.

Invoquer, c'est appeler à l'aide, avoir recours à qqn ou à qqch. : *invoquer Dieu, un saint, un témoignage, la loi, un argument, une aide.*

Ex est joint par un trait d'union au nom qui le suit : *Un ex-député. Dupont, ex-député.* On écrit *ex abrupto, ex aequo.* Le préfixe *ex* est agglutiné à ce qui le suit : *exhausser, exhumer.*

Exact, adj. Au masculin on prononce ou non les deux consonnes finales. Jamais *c* seul. *X* se prononce « gz ».

Exaction, n.f., en dépit du mauvais exemple de quelques écrivains, ne signifie pas « violences, attentats, cruautés » mais, en rapport avec le verbe *exiger,* « exigences illégitimes, en parlant d'un fonctionnaire, en matière d'argent ».

Examen, n.m. *On prépare un examen,* mais on ne présente pas un examen, *on se présente à un examen, on passe un examen.*

    On est reçu à un examen. On réussit à un examen. L'emploi transitif *réussir un examen* est critiqué, mais est entré depuis longtemps dans l'usage.

    On rate un examen. On échoue à un examen, on se fait refuser ou *on est refusé à un examen.* Familièrement : on est *blackboulé, collé, recalé* (à un examen), *on se fait recaler au bachot.* Cf. [BUSE].

Excédant, part. ou adj., **excédent,** n.m. **Excédant** est participe ou adjectif : *Des dépenses excédant les recettes. Des démarches excédantes. Un gamin excédant.* Le nom est **excédent** : *Un excédent de bagages ; un budget en excédent ; payer cent francs d'excédent* (en supplément).

Excellant, part., **excellent,** adj., **excellence,** n.f. **excellemment,** adv. L'emploi de l'adjectif au comparatif ou au superlatif (*plus excellent, très excellent, le plus excellent*) est rare et appartient plutôt à la langue classique.

Excepté, adj. et prép. On écrit *excepté les enfants,* mais *les enfants exceptés.* On répète la préposition après *excepté* : *Il est content de tous, excepté de vous.*

    Excepté que s'est construit avec le subjonctif, comme *à moins que,* mais est suivi aujourd'hui de l'indicatif ou du conditionnel, comme *si ce n'est que* : *Ils se ressemblent parfaitement, excepté que l'un est un peu plus grand que l'autre* (Ac.).

    Toutefois, comme *si ce n'est que, sauf que* et *sinon que, excepté que* est suivi du subjonctif si le verbe qui précède et qui régit ce qui suit appelle ce mode : *Je ne veux rien, excepté que tu m'avertisses.*

    Excepté si est suivi de l'indicatif : *Je ne viendrai pas, excepté si j'ai le temps.* De même *excepté quand, excepté lorsque.*

Exception, n.f. : *Quelques mots font exception* (échapper) *à la règle. Nous ferons une exception pour lui. Nous ne ferons d'exception pour personne.*

Excessivement, adv. Chacun perçoit ou peut percevoir dans cet adverbe le mot *excès.* Il est donc légitime de lui conserver le sens de *trop,* bien que, au risque souvent d'une équivoque, on lui donne depuis longtemps le sens de *très, extrêmement.* La langue ne peut que perdre à cette confusion.

Exciper, v.intr., qui signifie proprement, en droit, « argüer d'un moyen préjudiciel pour écarter définitivement une intervention judiciaire » (*exciper de l'autorité de la chose jugée, de la prescription*), s'emploie aussi dans le sens de « faire état de qqch. pour sa défense » (*exciper de sa bonne foi, des services rendus*).

Exclure, v.tr.dir. Futur : *j'exclurai* et non [*j'excluerai*]. Participe : *exclu, exclue* (tandis qu'on écrit : *inclus*).

    Robert Le Bidois (*Les mots trompeurs*, pp. 158, 159) avait tort de condamner *il est exclu que* (+ subjonctif) : *Il est exclu qu'on nous reçoive* (il est hors de question que). Ce tour s'emploie surtout à la forme négative, dans le sens de « il est possible, il se peut » : *Il n'est pas exclu que nous puissions vous accompagner.*

Excursion, n.f., est souvent mal prononcé et mal écrit. Attention aux groupes *xc* et *rs* et à la finale *sion*. Dérivés : *excursionner, excursionniste,* deux *n.*

Excuse, n.f., **excuser,** v.tr.dir. **S'excuser de faire une chose** est théoriquement équivoque. Mais le sens de « alléguer des motifs pour s'en dispenser » est vieilli ; le sens courant est « faire une chose en présentant ses excuses » : *Je m'excuse de vous importuner.* On présente ses excuses ou on s'excuse ; le sens est le même et depuis longtemps. Il est bon toutefois de savoir que des personnes peuvent encore se froisser si l'on dit *Je m'excuse* au lieu de *Je vous demande pardon* ou *Veuillez m'excuser* ou *Je vous présente* (ou *vous fais*) *mes excuses* ou *Excusez-moi.* L'expression est pourtant admise : *Je m'excuse beaucoup auprès de mes nombreux correspondants de n'avoir pas pu, durant les vacances, tenir mon courrier à jour* (Fr. Mauriac, *Le Figaro*, 5 septembre 1949). *Vous vous excusez de les déranger et vous sortez* (M. Butor, *La modification*, 10-18, p. 447). Avec *que* et le subjonctif : *Il nous servit, sous la tonnelle, du jambon et des pâtes en s'excusant qu'il n'y ait plus rien d'autre* (M. Duras, *Le marin de Gilbraltar*, J'ai lu, p. 53).

    Faire excuse à qqn est vieilli. *Faites excuse* est populaire dans le sens de *Pardonnez-moi.*

    Demander excuse à qqn est un très ancienne locution qui signifiait « présenter ses excuses » et ne survit que comme provincialisme.

    On excuse qqn d'avoir fait qqch. On s'excuse de qqch. On excuse la maladresse de qqn. Il m'a invité à dîner ; je l'ai prié de m'excuser ; je me suis fait excuser. Veuillez m'excuser d'être en retard ou *si je suis en retard. J'ai excusé ma femme.*

Exécuter qqn ne se dit pas seulement quand on met à mort légalement, par autorité de justice (*exécuter un criminel*), mais aussi « mettre à mort sans jugement, même par vengeance » : *exécuter des prisonniers, des otages.* Au figuré : *exécuter un débiteur, un auteur.*

[**Exemplatif**], qui n'est pas français, s'emploie couramment en Belgique, soit dans le sens de l'adjectif **exemplaire** [*une valeur exemplative*], soit surtout dans l'expression [*à titre exemplatif*], signifiant « à titre d'exemple ». Notons qu'*exemplaire* implique l'idée de modèle, d'exemple à suivre, d'exemplarité, mais aussi, par conséquent, de perfection (*une épouse exemplaire*).

Exemple, n.m. 1. **Par exemple**, loc.adv., a plusieurs sens opposés.

a) Il confirme, il illustre ce que l'on dit, par un ou plusieurs exemples : *Prenez un dictionnaire, par exemple Bescherelle ou Littré, vous verrez que...*

b) Familièrement : mais, toutefois (marque l'opposition) : *On mange très bien dans ce restaurant ; par exemple, il ne faut pas être pressé* (DFC).

c) En exclamation, *par exemple !* exprime la surprise, l'incrédulité, le mécontentement ou l'insistance : *Par exemple, je ne m'attendais pas à cela ! Ça, par exemple ! Par exemple, voilà qui est fort ! Tiens, par exemple ! Je voudrais bien voir ça, par exemple ! Ah ! non, par exemple !*

2. **Il n'y a pas d'exemple que** (ou : *il est sans exemple que*) est suivi du subjonctif : *Il n'y a pas d'exemple qu'on ait accordé cette faveur.*

3. **À l'exemple de,** loc. prép. : *Il s'est tu, à l'exemple de son frère.*

4. Cf. Ainsi, 2.

Exemplifier, v.tr.dir., néologisme : confirmer ou illustrer par un ou des exemples.

Exempter, v.tr.dir., **exemption**, n.f. (*p* ne se prononce pas dans le verbe). *On exempte qqn de qqch.*

Exergue, n.m. (*un exergue*), se dit proprement du petit espace réservé dans une médaille pour y graver une date, une inscription. D'où cette inscription elle-même ou une inscription similaire. Par extension *exergue* a pris le sens d'*épigraphe* (cf. ce mot), mais l'Académie française refuse cette synonymie. Certains discutent aussi de la correction de l'expression *mettre en exergue,* « mettre en valeur, en évidence, au premier plan ». Ces emplois sont pourtant courants et très clairs.

Exhausser, v.tr.dir. *Exhausser un édifice.* Mais *exaucer une prière.*

Exhaustif, adj., signifie « qui épuise » et se dit parfois de ce qui épuise les forces, les réserves de qqn ou de qqch., mais surtout de ce qui épuise une matière, de ce qui la traite à fond : *une bibliographie exhaustive, une énumération exhaustive.*

Exhibitionnisme, n.m. Deux *n.*

Exhorter, v.tr.dir. *On exhorte qqn à qqch., à faire qqch.*

Exhumer, v.tr.dir. *H* comme dans *inhumer.*

Exigence, n.f., **exiger,** v.tr.dir. *Nous ne l'exigeons pas. En exigeant que nous le fassions. Des supérieurs* **exigeants** (attention à l'orthographe). *Une exigence abusive.*

Exigu, adj. Féminin : *exiguë* ou *exigüe* (Ac., 1975). Cf. Tréma.

Exode, n.m. : *Un exode.*

Exorable, adj. (qui se laisse fléchir, qui est capable d'indulgence), ne se rencontre plus guère, il est beaucoup moins vivant qu'*inexorable : Clémence se voue au temps exorable* (M. Genevoix, *Rroû*, Poche, p. 144).

Exorbitant, adj., s'écrit sans *h ;* penser au latin *orbis,* cercle.

Exorde, n.m. : *Un exorde.*

Expansionnisme, n.m., **expansionniste,** adj. Deux *n.*

Expatriation, n.f. *L'expatriation d'une personne, des capitaux.* On a dit aussi autrefois *expatriement.*

Expédiant, participe d'*expédier.* **Expédient,** n.m. (ayant souvent un sens péjoratif : *vivre d'expédients*) ou adjectif (*Vous ferez ce qui vous paraîtra expédient,* utile, opportun. *Il est plus expédient de le voir*).

Expirer, v.intr. ou tr.dir. **Auxiliaires. Transitif,** *avoir : Il a expiré l'air des poumons.* **Intransitif** (sens de *mourir*), au sens propre, *avoir* pour une action passée (*Il a expiré hier*) et *être* pour l'état (*Il est expiré depuis ce matin*) ; au sens figuré, on peut suivre la même distinction (*Le délai a expiré hier. Sa rancune est expirée. Le délai est expiré*), mais le verbe tend à se construire avec *être* (*Le bail est expiré la semaine dernière*).

Expliquer, v.tr.dir. **Expliquer que,** dans le sens de « exposer que, faire comprendre que », est suivi de l'indicatif ou du conditionnel : *Expliquez-lui qu'il a tort. Il a expliqué qu'on ne lui permettrait pas de venir.*
  Dans le sens de « donner des raisons, faire comprendre pourquoi », il est suivi du subjonctif si le sujet est un nom de chose : *Cela vous explique que je* **tienne** *à faire des publications que beaucoup trouvent scandaleuses* (R. Mallet, *Une mort ambiguë,* p. 102). Si le sujet est un nom de personne, subjonctif après la forme négative ou interrogative (cf. Comprendre, p. 249) : *Comment expliquez-vous qu'il* **soit** *parti au moment où l'on annonçait notre arrivée ?*
  La différence peut être ténue entre les deux sens. D'où par exemple, l'indicatif dans cette phrase : *Pour les évêques, ces deux approches sont complémentaires et cela explique que leur recherche* **va** *s'appuyer à la fois sur les travaux de la commission épiscopale et sur ceux du bureau d'études doctrinales* (*Le Figaro,* 12 mars 1976, p. 9).
  2. **S'expliquer que** est suivi du subjonctif dans le sens de « comprendre le pourquoi, la raison de qqch. » : *Je m'explique qu'il soit gêné de nous*

rencontrer. — On s'explique que les simples s'y soient d'abord laissé prendre (Fr. Ambrière, *Les grandes vacances*, Poche, p. 158).

3. **Sens passif** de *s'expliquer* : *Cela ne peut s'expliquer* (= être compris ; subjonctif, cf. 1). *Ainsi s'explique que les « monstres fumants » (...)* **soient** *à présent nimbés de poésie* (L. Armand, *Discours de réception à l'Académie française*). *Ces quiproquos se sont finalement expliqués.*

4. **S'expliquer** et **s'exprimer.** *S'expliquer* ne signifie pas « s'exprimer, parler ». On ne dira pas qu'un étranger s'explique bien si l'on veut dire simplement qu'il parle correctement. Mais on dira qu'une personne *s'explique bien* si elle fait bien comprendre sa pensée : *Je ne sais si je me suis bien expliqué. Je m'explique* (je donne des précisions sur ce que je viens de dire). *Je m'explique sa conduite*, je la comprends. *Je m'explique mieux maintenant votre refus*, j'en comprends mieux les raisons.

S'expliquer sur qqch., c'est se justifier, rendre compte de : *Elle s'est expliquée sur sa conduite.*

S'en expliquer : *Elle s'en est expliquée devant lui.*

S'expliquer avec qqn, c'est avoir une explication avec lui, se justifier auprès de lui : *Elle s'est expliquée avec le commissaire.*

Explicable, adj., s'écrit avec *c* (et non avec *qu* comme dans H. Bosco, *L'antiquaire*, Folio, p. 162).

Exploratoire, adj., néologisme, se rencontre, sans doute sous l'influence de l'anglais, dans le sens de : « destiné à explorer une question » : *des entretiens exploratoires.* Il suffirait souvent de dire : *préliminaires.*

Exposer (s'). *On s'expose à des ennuis, à être rabroué,* **à ce que** *les autres ne* **soient** *pas contents. Elle s'est exposée à un refus. Ils se sont exposé leurs projets.*

Exprès, express, expressément.

A. **Exprès** (*s* ne se prononce pas) peut être adjectif, nom ou adverbe.

1. **Adjectif** (féminin *expresse*), « qui exprime formellement la pensée, la volonté de qqn » : *Cela est* **en termes exprès** *dans le contrat* (Ac.). *La loi est expresse sur ce point* (Ac.). *Un ordre exprès, une mission expresse, une défense expresse, une prière expresse, avec l'intention expresse de* (cf. C).

2. **Nom,** il s'emploie pour *courrier exprès* (et rapide) : *On a envoyé un exprès pour porter ce message.* Le nom désigne aussi l'envoi, qui porte la mention *par exprès* ou *exprès* (*lettre exprès, colis exprès, un exprès*). Ne pas employer *express* dans ce sens.

3. **Adverbe,** *exprès* = expressément (cf. C), à dessein, avec une intention formelle : *J'ai dit cela* **exprès.** *Il l'a fait exprès. Ils sont venus exprès pour me voir.* Littré recommande avec raison de ne pas dire dans ce sens *par exprès*, qui est un archaïsme littéraire. A. Thérive l'emploie cependant au lieu de « volontairement », « intentionnellement » : *Par exprès,*

nous les étudions avant la date fatidique de 1940. (...) M. Jean Schlumber-
ger dédie par exprès son livre à un converti (*Moralistes de ce temps*, pp. 8
et 30).
   Éviter le wallonisme [*en exprès*].
   Une chose faite exprès. Avec le nom *un fait*, l'ellipse du verbe *fait*
produit **un fait exprès** : *C'est **un fait exprès**. Comme par un fait exprès.*
   B. **Express** (prononcer *s*) peut être nom ou adjectif invariable : *Un
train express* ou *un express* a plus d'arrêts qu'un rapide. Ce qu'on appelle
en italien *un espresso* s'appelle en français *un express* ou *un café express.*
On applique aussi *express* à ce qui est rapide : *une solution express, des
pâtes express* (qui se cuisent rapidement).
   C. **Expressément** (= avec une intention bien précise, de façon explicite, en termes clairs et précis) suppose l'énoncé de l'intention toute
particulière : *Je suis revenu exprès* (ou *tout exprès* ou *expressément*) *pour
vous voir. Cela est dit expressément dans le contrat. Il est intervenu expressément avec l'intention de...* ou *Il est intervenu avec l'intention expresse de.
Il m'a expressément chargé de vous avertir.* Mais on ne dira pas : *Je suis
revenu* [*expressément*] *le lendemain.* On dira : *Je suis revenu exprès* ou *tout
exprès...*

Expression, n.f. Cf. Assurance et Croire, 2.

Exquisément. L'Académie, en 1932, a abandonné l'orthographe *exquise-
ment* pour écrire *exquisément* (comme *assurément*).

Exsangue, adj., Noter *xs* (ex-sang). Pron. : èks et non èkz.

Extension, n.f., anglicisme courant en Belgique au lieu de *poste* intérieur
dans un service téléphonique. Dire : *Téléphone 622.71.65, poste 225.*

Exténué, adj., **de** ou **par.** *Par* marque la cause : *Il était exténué par la course,
par les privations, par son genre de vie.* — *De* marque l'état : *Exténué de
fatigue.*

Exterminer, v.tr.dir., c'est faire périr jusqu'au dernier. Ce n'est qu'en termes
de plaisanterie qu'on extermine une seule personne.

Extra s'agglutine à l'adjectif : *extraconjugal, extradoux, extrafin, extrahu-
main ;* mais *extra-utérin.* On écrit plutôt : *extra-muros,* mais on peut écrire
extra muros.
   Extra peut être adjectif invariable (*un vin extra, une qualité extra, des
liqueurs extra*) ou nom invariable (*faire des extra, on a embauché un
extra, deux extra*).
   Dans le langage des sports, dire *prolongation* au lieu de *extra-time.*

Extravagant, n. ou adj. Le participe d'*extravaguer* s'écrit *extravaguant.*

Extrême, adj., bien qu'il marque la dernière limite, le plus haut degré, s'est employé dans la langue classique avec *le plus*. On dit très bien : *Une solution aussi extrême ne me plaît pas.*

Extrémiser, v.tr.dir. Littré notait ce verbe comme un mot de Bretagne pour « donner l'extrême-onction ». Cela ne se dit plus.

Extrémité, n.f. *Il est à la dernière extrémité* (sur le point de mourir). *Il est à toute extrémité.*

Exubérance, n.f., **exubérant,** adj. : *Une végétation exubérante. Une exubérance de paroles.* (Pas d'*h*, conformément à l'étymologie : *ex* et *uber*, abondant, plein).

Exutoire, n.m. : *Un exutoire.*

Ex-voto, n.m., est invariable : *Un* ou *des ex-voto.*

F

Fabulation, n.f., **fabuler,** v. Cf. Affabulation.

Face, n.f. 1. **En face de,** loc. prép., signifie « vis-à-vis de, devant » : *En face de moi, en face de l'église.* La suppression de *de* devant un nom de chose *(en face l'église)* se rencontre chez quelques écrivains, mais appartient à la langue populaire ou négligée. On dit : *en face l'un de l'autre* ou *l'un en face de l'autre.*

En face de peut signifier « en présence de » : *En face d'une telle mauvaise foi, je préfère me taire. Je me trouve en face de difficultés imprévues.*

2. **En face,** loc. adv. : *Regarder qqn en face* (droit dans les yeux). *Regarder une situation en face. Avoir le soleil en face* et non [*de face*], cf. 5. *Je le lui ai dit en face. La maison d'en face.*

3. **À la face de,** loc. prép., ne s'emploie qu'au sens figuré, soit dans le sens de « en présence de », avec une idée d'ostentation ou de défi (*Elle fut hier mariée à la face du soleil,* Mme de Sévigné. *Faire qqch. à la face de l'univers*), soit surtout dans le sens de « en public, sans se cacher » : *Faire qqch. à la face de tous.*

4. **Face à,** loc. prép. : *Se trouver face à un adversaire, face au soleil. Parler face au public. Une chambre d'hôtel face à la mer. Face à de telles résistances* (en présence de), *il a dû renoncer.*

Faire face : *Sa maison fait face à la mienne* (a sa façade tournée vers la mienne). *Il fait face à la fenêtre. Faire face à un adversaire, à une échéance, à ses obligations. Il se redressa et fit face* (fit front, résista). **Se faire face :** *Elles se sont fait face ;* cf. p. 403 (haut).

5. **De face.** On regarde un édifice (ou *qqn*) *de face. Poser de face. Voir qqn de face* ou *de profil. Un portrait de face. La statue est posée de face. Attaquer qqn de face. Une loge de face,* au théâtre, fait face à la scène. En train, *un coin* ou *une place de face* est un coin ou une place où l'on peut regarder vers l'avant du train.

6. **Face à face.** *Nous voilà face à face. Je me suis trouvé face à face avec lui.* Le nom, invariable, s'écrit avec deux traits d'union : *un face-à-face.*

7. *Examiner une question* **sous toutes ses faces.**

8. *Un* ou *des* **face-à-main.**

Fâcher, v.tr.dir. *Cela me fâcherait. Sans vouloir vous fâcher. On est fâché* (ou *on se fâche*) **contre** *qqn,* on est en colère ou on se met en colère contre lui. [*Sur qqn*] est un germanisme. *On est fâché* (ou *on se fâche*) **avec** *qqn,* on est en mauvais termes avec lui. Cf. Avec, 3. *Être fâché* (ou *se fâcher*) *après qqn* est populaire. On ne dit plus : *Il leur fâche que nous soyons réconciliés ;* on dit aujourd'hui : *Cela les fâche que nous soyons réconciliés.* *Être fâché de qqch.,* le regretter : *Je suis fâché de ce retard. Je suis fâché que le train ait du retard. Je suis fâché de n'avoir pu arriver à temps.*

Fâcheux, ne s'applique plus aux personnes que comme nom.

Facial, adj. Pluriel : *faciaux.*

Faciès, n.m., que l'Académie écrit sans accent, s'écrit couramment *faciès : Son faciès* (prononcer *è + s*).

Facile, adj. 1. Quelques emplois **sans complément** : *Avoir la parole facile* (parler avec facilité, sans chercher ses mots). *Avoir la réplique facile, la plume facile, la larme facile.* — *Un style facile* (simple, naturel). *Un enfant facile* (à élever, à guider). *Un caractère facile. Un homme facile en affaires.* — *Une femme facile :* l'expression peut avoir un sens péjoratif (= qui accorde facilement ses faveurs).

2. **Facile à** *suivi d'un infinitif* se dit des personnes ou des choses : *C'est facile à dire. Un travail facile à faire. Un homme facile à tromper* (qu'il est facile de tromper). On voit que l'infinitif a pour complément logique le nom auquel se rapporte *facile ;* sauf dans : *Un homme facile à vivre* (en compagnie de qui il est facile de vivre).

Tel est l'usage actuel. La langue classique employait *facile à* devant un infinitif avec le sens de : prêt à, prompt à, disposé à *(Il se rendra facile à conclure une paix. Sa langue est facile à mentir).*

Si l'on peut dire : *Un travail facile à faire,* on doit pouvoir dire : *Un objet facile à se procurer,* car on se procure un objet comme on fait un travail. Mais on ne dirait plus aujourd'hui comme à l'époque classique : *Un homme facile à se consoler.* On dirait : *facile à consoler* ou *prompt à se consoler.*

3. [*Avoir facile. Faire facile*]. Cf. Avoir, 7, p. 144 et Faire, 6, c, p. 404.

4. Ce qui vient d'être dit de *facile* peut s'appliquer à *difficile.*

Facilité, n.f., ne se construit avec *de* et un infinitif que dans des phrases du type : *La facilité que l'on a de se renseigner sur place, Il a la facilité de le rencontrer tous les jours,* exprimant la possibilité que l'on a. Le tour exprimant l'aptitude est avec *à* ou *pour* : *Une étonnante facilité à apprendre* ou *pour apprendre*.

Devant un nom : *Il a une étonnante facilité de paroles, beaucoup de facilité pour les mathématiques. On lui a accordé des facilités de paiement.*

Façon, n.f. 1. On écrit : **de toute façon,** quoi qu'il arrive, quoi qu'il en soit. *De toutes les façons* = de toutes les manières, par tous les moyens.

2. On dit : *se comporter* **de** *telle ou telle façon.* D'où : *la façon* **dont** *il s'est comporté,* **dont** *il s'est exprimé,* **dont** *on nous en a parlé.*

3. On dit : *D'une façon ou d'une autre. C'est une façon comme une autre de se tirer d'affaire. D'une façon comme de l'autre il se tirera d'affaire.*

4. **De façon que, de façon à ce que.** Les deux peuvent se dire ; *de façon que* est plus courant et plus léger. **Modes** : l'indicatif, marquant simplement la conséquence est encore vivant, mais est plus rare qu'autrefois : *Tout alla de façon qu'il ne vit plus aucun poisson* (La Fontaine). Le conditionnel marquerait l'éventualité d'une hypothèse : *Il se défendait de façon (à ce) qu'on l'aurait acquitté si ç'avait été possible.* Mais c'est, aujourd'hui, surtout une intention, une finalité qu'on exprime par là ; d'où le subjonctif : *Tout sera prêt de façon que vous n'ayez pas à attendre.*

Même remarque pour **de manière que, de manière à ce que.**

De façon que (non pas : *de façon à ce que*) et *de manière que* peuvent devenir *de telle façon que, de telle manière que.* Même emploi des modes.

Avec un infinitif : *Une façon de parler. De façon à voir.*

5. On écrit : **sans façon** ou **sans façons.** Le pluriel est normal puisqu'il s'agit ici du pluriel qu'on retrouve dans *faire des façons* : *Un homme sans façons.* Mais le singulier est courant : *Agir sans façon.*

6. On écrit : *Des meubles façon chêne.*

Fac-similé, n.m. : *Un fac-similé. Des facs-similés.*

Facteur, n.m., a un féminin *factrice* pour l'agent de la poste. Le terme officiel en France est *la préposée.*

On peut dire, en recourant à l'apposition : *le facteur temps, le facteur prix, le facteur chance* ou avec *de* : *le facteur du temps,* etc.

Factorerie, n.f., a remplacé *factorie,* mais a lui-même vieilli.

Facultaire, adj. utilisé largement en Belgique dans le sens de « qui est relatif à une Faculté universitaire » (*règlement facultaire, conseil facultaire,* etc.), s'est introduit récemment dans le langage universitaire de France.

Fade, adj. [*Faire fade*] est du wallon pour *faire lourd, étouffant.*

Fading, n.m. Cf. FONDU, 1.

Fagnard, n.m., signifie tout naturellement en Belgique ; qui connaît et aime la Fagne, les Fagnes.

Fagoté, adj., qui signifie « habillé sans goût », se passerait facilement de l'adverbe *mal*. Mais on dit couramment : *mal fagoté*.

Faible, adj. **Tomber faible** n'est pas un belgicisme. L'expression, courante en Wallonie, s'entend et se lit en France (lorsqu'on fait parler des provinciaux) et au Canada : *Il est tombé faible* (H. Pourrat, *Trésor des contes*, V, p. 36). *Je risquerais de te voir tomber faible* (G. Bernanos, *Journal d'un curé de campagne*, p. 19). C'est du français régional, On dit : *tomber en faiblesse, en syncope, avoir une faiblesse, une syncope, s'évanouir, défaillir, se trouver mal*. **Faiblir** veut dire : perdre de sa force, de sa résistance, devenir faible, mais tend à signifier : tomber en faiblesse (cf. Grevisse, *Problèmes*, III, p. 17).

Faignant, adj. et n., remplace parfois **feignant**.

Faillir, v.intr. signifiant *manquer,* se conjugue aujourd'hui comme *finir* mais ne s'emploie guère qu'à l'infinitif, au passé simple, au futur, au conditionnel, aux temps composés et parfois à l'indicatif imparfait : *Il faillissait à ses devoirs, il faillirait à sa mission, il faillit nous rencontrer, il a failli nous voir.* On ne construit plus ce verbe avec *à* ou *de* devant un infinitif. Les formes *je faux, il faillait, il faudra* sont archaïques : *Le cœur me faut* (me fait défaut). — *Faillir* est très rare dans le sens de « faire faillite » ; il se conjugue alors aussi comme *finir*. Notons l'adjectif et nom *failli, faillie* (qui est ou a été déclaré en faillite) : *Une commerçante **faillie**. C'est **un failli**.*

Faim, n.f. *J'ai très faim* (cf. AVOIR, 17) : *J'ai très faim, j'ai fameusement faim* (G. Bernanos, *La joie*, ch. I, 1929, p. 3). *Avoir grand-faim, une très grande faim.*

Faine, n.f. On a écrit *faîne*. Mais on écrit : *une faine*.

Faire, v. 1. **Conjugaison** : *Je fais, nous faisons, vous faites, ils font. Il faisait. Je fis. Je ferai. Que je fasse. Qu'il fît. Faisant. Fait.* Le participe passé est invariable devant un infinitif *(Je les ai fait venir)* et dans le verbe impersonnel *(Les chaleurs qu'il a fait).*

2. **Se faire.** a) Régler l'accord ou l'invariabilité du participe passé sur les exemples suivants : *La blessure qu'il s'est faite. Les illusions qu'il s'est faites. Les amis qu'il s'est faits. Ils s'en sont fait beaucoup trop. L'idée qu'il s'en est faite. Ils se sont fait(s) l'écho de nos plaintes* (cf. ÉCHO, 2). *Ils se sont fait porter malades. Ils se sont fait bien voir. Elle s'est fait connaître. Les costumes qu'il s'est fait faire. Ils se sont fait obéir. Ils se sont faits à cette nouvelle situation. Ils se sont faits eux-mêmes. Ces fromages se sont faits en quelques jours. Bientôt ils se sont faits vieux* ou *plus conciliants.*

Dans *se faire face, se faire vis-à-vis*, le participe reste invariable, le pronom réfléchi étant complément indirect (*faire face* ou *vis-à-vis à qqn*) : *Nos couverts s'étaient fait vis-à-vis* (M. Genevoix, *Un jour*, p. 34). Cf. 35, *S'en faire*.

b) **Se faire mal**. Parce qu'on dit *faire mal à qqn*, on dit fort bien, dans le même sens, *se faire mal : Ces chaussures lui font mal. Cela lui fait mal de vous entendre parler ainsi. Elle s'est fait mal au doigt*. Mais on évitera le wallonisme [*se faire mal de qqn, de qqch.*] pour « s'apitoyer sur, avoir de la peine ». Au lieu de [*Je me fais mal de cet enfant, je me fais mal de le voir souffrir*], on dira : *J'ai pitié de cet enfant. Cela me fait mal de le voir souffrir.*

c) **Il se fait que** est suivi de l'indicatif à la forme affirmative : *Il se fait que nous l'avons rencontré le soir même.* Mais : *Comment se fait-il qu'il n'est pas venu ?* ou *qu'il ne soit pas venu ?*

d) **S'en faire** : *Ils ne s'en sont pas fait pour nous. Il ne s'en fait pas.*

3. *Faire* **remplaçant un autre verbe** dans une proposition comparative (cf. LE, LA, B, b) :

a) **Si le verbe n'a pas de complément direct**, on le répète ou on le remplace par *faire : Il répondit comme les autres auraient fait* (Ac.) ou *auraient répondu* ou, généralement, en ajoutant *le* devant *faire, comme les autres l'auraient fait.*

Mais *faire* et *le faire* ne sont pas possibles si le verbe à répéter est *avoir* ou *être : Il a l'audace, comme tu l'as eue autrefois, de m'insulter. Il est distrait comme tu l'es.* On répète, précédés de *le*, les verbes comme *devoir, falloir, pouvoir, saisir, vouloir* suivis d'un infinitif : *Il devait lui aussi partir, comme nous le devions.* On peut ici, sans nuire à la clarté, supprimer *le devions*. Si c'est le verbe à l'infinitif qui doit être répété : *Il veut partir, comme nous le faisons* (comme nous partons).

Observons ici que dans des phrases non comparatives *le faire* remplace aussi, selon le sens, soit un verbe conjugué, soit l'infinitif dépendant de *devoir*, etc. : *Nous attendions qu'il se fâche, mais il ne l'a pas fait* (il ne s'est pas fâché). *Nous avons attendu, nous, mais il ne l'a pas fait. Il devait partir, mais il ne l'a pas fait.* On répète *avoir* ou *être : Il était riche, mais il ne l'est plus. Il avait la faiblesse, mais il ne l'a plus, d'être trop confiant.*

On peut avoir : *c'est ce que je* (*tu*, etc.) *fais, en faire autant : Vous m'avez prié d'attendre, c'est ce que je fais.* — *Ils se sont enfuis ; j'en ai fait autant.*

b) **Si le verbe a un complément direct,** on peut encore, si on cultive l'archaïsme, le remplacer par *faire* ; mais dans l'usage moderne ou bien on remplace le complément direct, après *faire*, par un complément introduit par *de* (ou *pour* ou parfois *avec*) ; ou bien on répète le verbe ; ou bien, s'il n'y a pas d'équivoque, on peut, si les sujets sont différents, supprimer le verbe après *comme : On regarde une femme savante* **comme on fait une belle arme** (La Bruyère) ou **comme on fait d'une belle arme** ou *comme on regarde une belle arme. Il vous accueillerait comme un père fait de son enfant* ou *comme un père fait pour son enfant* ou *comme un père accueille son enfant* ou *comme un père son enfant. Il leur distribua des friandises comme il eût fait à ses enfants* ou *comme il en aurait distribué à ses enfants.*

4. *Faire* **suivi d'un infinitif.** Emploi de *à, le, lui, de, par* : cf. INFINITIF, pp. 502-504, et plus loin, 7.

5. Accord de *faire* dans l'expression d'une égalité. Cf. ÉGALER.

6. **Impersonnel.** a) Pour indiquer l'état du temps, de l'atmosphère, de la lumière, l'impersonnel *il fait* s'emploie surtout avec des adjectifs : *Il fait beau, bon, chaud, clair, doux, frais, froid, glacial, glissant, humide, lourd, mauvais, noir, obscur, sec, sombre, vilain.*

Les Belges feront bien de se surveiller à ce sujet. Ils disent : *Il fait laid* ou *il fait pluvieux,* ce qui peut paraître normal, mais qu'on n'entend pas en France. Ils ont tort de dire : [*Il fait malade*], car ce n'est pas le temps qui est malade, ce sont les gens qu'un tel temps met mal à l'aise.

Autre abus belge, ignoré des Français ; [*Il fait propre,* ou *sale* ou *tranquille,* etc.] au lieu de : *Tout est propre,* etc. On dit en Belgique : *Il fait gai, triste, lugubre ici ;* emplois insolites en France.

b) L'impersonnel *il fait* s'emploie aussi, parfois, devant certains noms sans article, toujours à propos du temps ou de la lumière : *Il fait jour, nuit, soleil.* Plus rarement devant un nom déterminé : *Il fait beau temps, il fait une belle matinée.* Courants : *il fait un froid terrible, il fait du vent, il fait des éclairs, il fait dix degrés.* On dit aussi : *Quelle chaleur il a fait !* On dit généralement : *Il y a du verglas* ou *du brouillard* plutôt que *Il fait du verglas* ou *du brouillard.* Mais des écrivains n'hésitent pas à dire : *Il fait matin,* etc.

L'impersonnel *il fait* suivi d'un adjectif s'est employé plus largement qu'aujourd'hui dans le sens de « c'est » **devant un infinitif** : *Il ne fait pas bien sûr (...) d'épouser une fille en dépit qu'elle en ait* (Molière). On a pu dire : *Il fait mauvais de lui résister.* Ce tour, encore courant avec *bon,* suivi ou non de *de,* devient rare avec d'autres adjectifs : *Il fait bon s'abstenir* ou *de s'abstenir. Il fait cher vivre dans cette ville* (Ac.). *Il fait beau voir que...* (Ac.).

c) [*Faire facile, faire difficile*]. À éviter. Au lieu de [*Il fait facile — ou difficile — marcher*], on dira : *On marche facilement, difficilement* ou *avec peine.*

7. **Omission du pronom réfléchi** après *faire.* Cette omission est régulière, sans s'imposer. C'est parfois l'oreille qui choisit, ou le souci de clarté : *Elle le fait asseoir* ou *s'asseoir, lever* ou *se lever.* Pour éviter l'équivoque, on dira : *Il la fit s'arrêter. Le hasard les avait fait se connaître. Un coup frappé à la porte la fit s'ouvrir* ou *la fit ouvrir comme d'elle-même.*

Mais on préfère ne pas répéter *nous* dans des phrases comme *Il nous faisait taire. Il nous faisait souvenir de ces beaux jours.* Cf. ALLER, 14.

8. **Ça fait que**. Cf. ÇA, 4, p. 189.

9. **Si fait** renforce l'affirmation *si*. Cf. SI, adv.

10. Emploi de *faire* sans complément dans des **expressions régionales ou dialectales**. On ne dira pas, comme en Wallonie, *J'ai fait* pour *J'ai fini, terminé*, etc. Ni, comme dans certaines régions de Wallonie et d'Auvergne, *J'ai bien fait* pour *J'ai bien mangé, j'ai mangé suffisamment*.

11. *C'est fait de* (vieilli), **c'en est fait** (de) : *Puisque c'en est fait* (puisque la chose est accomplie), *n'en parlons plus. C'en est fait, je ne vous accompagnerai pas. C'est fait de moi, de ma tranquillité* ou, plus souvent, *C'en est fait de moi, de ma tranquillité.*

12. **Ne faire que**, suivi d'un infinitif, a deux sens : il marque la répétition constante, la continuité *(Il ne fait que dire toujours la même chose)* ou la limitation à telle action *(Il ne fait que répéter ce qu'on lui a dit. Il ne fait qu'obéir)*. Il faut donc ce que les circonstances ou le contexte dissipent l'équivoque, par exemple dans *Il ne fait que jouer.*

On marquera une opposition en employant **ne pas faire que** : *Il ne fait pas que vous respecter, il vous admire.*

Distinguer *ne faire que* et **ne faire que de**, beaucoup plus rare, qui marque un passé très proche : *Je ne fais que d'arriver ; laissez-moi réfléchir un peu.*

Ne pouvoir faire que + subjonctif, éventuellement nié par *ne* seul ou par *ne pas*, signifie « ne pouvoir obtenir, par une intervention, qu'une chose se produise (ou ne se produise pas) » : *Je ne puis faire qu'il ne soit* (ou *ne soit pas*) *mécontent.* Comparer : *Faites qu'il ne soit pas mécontent. Je ferai en sorte qu'il ne soit pas mécontent. Je ne puis faire qu'il soit heureux* (je ne puis assurer son bonheur). *Faites qu'il soit content.* Cf. n° 39.

13. **Ne faire qu'un**, avec pour sujets des noms propres, veut dire « n'être qu'une même personne », ou « être très unis ». *Un* reste invariable : *Pierre et Paul* (ou *Louise et Marie*) *ne font qu'un.*

Si les sujets sont des noms communs, on distingue *ne faire qu'un* et **n'en faire qu'un(e)** : *Ces deux amies ne font qu'un* (elles sont très unies). *Ces deux villes ne font qu'un* (même sens). *Ces deux cités n'en font qu'une* (ne sont en réalité qu'une seule cité). *Ces deux personnages n'en font qu'un en réalité.*

14. **Avoir à faire**. Cf. AFFAIRE. [**Avoir pour faire**]. Cf. AVOIR, 18, p. 147.

15. **Faire accueil** est vieilli. On dit : *faire bon accueil à.*

16. *Faire en aller*. Cf. ALLER, 14, p. 65.

17. *Faire attention*. Cf. ATTENTION, 1, 3, 4.

18. **Faire très attention, faire très peur**, etc. *Faire attention, envie, mal, peur* et les tours impersonnels *il fait chaud, froid*, etc. (cf. plus haut, 6 et plus loin, 36) s'accommodent de *aussi, plus, très* (à côté de *bien, fort*), *assez, si, trop : Faites très attention. Il me fait très peur.*

D'autres expressions du même genre, comme *faire injure* et *faire plaisir*, s'accommodent plus difficilement de ces adverbes, surtout de *très*. Cf. Avoir, 17, p. 146.

19. **Faire avoir** *: Je lui ferai avoir la place qu'il sollicite. Il s'est fait avoir* (tromper).

20. **Faire cas de**. Cf. Cas.

21. **Faire celui qui**. Cf. Celui, 3, p. 210.

22. **Faire les chaussures**. Cf. Chaussure.

23. **Faire confiance à**. Cf. Confiance.

24. **Faire (la) connaissance**. Cf. Connaissance.

25. **Faire cours**. Cf. Cours.

26. **Faire dans les cuivres**, avoir une activité dans le secteur des cuivres, est devenu vulgaire. Littré admettait « *faire dans les draps*, être négociant en draps ». Cf. Dans, 10.

27. **Se faire l'écho de**. Cf. plus haut, 2 et Écho, 2.

28. **[Faire ennuyer qqn]**. Cf. Ennuyer.

29. **Faire long feu**. Cf. Feu, nom, 1, p. 417.

30. **Se faire fort**. Cf. Fort, 1.

31. **[Faire de son nez]**. Cf. Nez.

32. **[Faire de sa poire]**. Cf. Poire.

33. **[Faire sans]** se dit absolument en Belgique pour *s'en passer :* [*J'ai bien fait sans*] *jusqu'à présent.*

34. **[Ne pas faire de bien]** : wallonisme pour « être inquiet, en alerte, agité ».

[Faire corvée]. Cf. Corvée.

35. **S'en faire** est familier dans le sens de *se faire des soucis* (*Ils s'en sont fait à notre propos* ou *pour vous*) ou *se gêner*. Ne pas dire, comme en Wallonie, [*se faire mal de qqn*] pour « se faire de la peine à son propos ».

36. *Faire*, **suivi d'un adjectif**, peut signifier « avoir l'air, donner l'impression d'être ». L'adjectif reste généralement invariable. *Elle fait vieux, elle fait vieille pour son âge* (PR, *Faire*, III, 6 et TLF). *Dans ses cheveux noir corbeau, les quelques fils blancs faisaient très distingué* (E. Triolet, *Le premier accroc...*, Folio, p. 213). *Ces meubles font riche*. On trouve l'accord : *Nous faisons encore jeunes* (J.-L. Curtis, *La parade*, J'ai lu, p. 82). Avec un **nom** sans article : *Cela fait province. Cela fait très*

vieille dame. Mais on distingue *faire* et *être* devant un nom de profession. *Il fait professeur* (= il a l'air d'un professeur) n'a pas le même sens que *Il est professeur.* Avec un possessif : *Il fait son petit dictateur,* il joue le rôle de.

37. Emploi **intransitif** de *faire,* sans complément, dans le sens d'« agir » : *Laissez-moi faire. Des façons de faire. Avoir fort à faire. Pour bien faire. Il a bien fait. Faites comme vous voulez.*

On s'est interrogé sur la correction du tour : *J'aurai plus vite fait de lui écrire.* On y trouve *faire* dans le sens classique de « finir » : *Je n'aurais jamais fait si je m'arrêtais aux subtilités de quelques critiques* (Racine) et la préposition *de* suivie d'un infinitif après *plus* ou *mieux : Vous feriez mieux de lui écrire.*

38. Quelques expressions à remarquer : *Faire son droit, sa médecine. Faire des mathématiques, du grec, une licence, du théâtre, du sport, de l'escrime. Il sait y faire* (familier ; il sait s'y prendre pour arriver à ce qu'il veut). *Faire le malin. Faire l'imbécile. Faire le contrôleur* (jouer le rôle du contrôleur). *Faire pour le mieux. Faire de son mieux. Faire le dîner, faire à dîner. Faire du blé* (en produire), *de la betterave. Faire de l'essence* (faire provision de). *Faire de l'herbe pour les lapins. Faire les magasins. Faire une route de montagne. Faire cent kilomètres à l'heure. Faire du cent à l'heure. Faire la Bretagne* (la parcourir). *Cela ne fait rien* (c'est sans importance). *Cela n'y fait rien. Cela ne lui fait ni chaud ni froid. Faire une chambre, un lit, la vaisselle, les chaussures, son jardin. Faire ses ongles* ou *se faire les ongles. Je ne puis rien y faire. Se faire quelque argent. Pour bien faire. Bien faire et laisser dire. Faire* (ou *agir) à sa guise, à sa manière. Il ferait bien de se méfier. Vous feriez mieux de lui écrire. Elle fait jeune. Ça fait joli. Faire des manières. Faire le lundi. Faire le malade, faire le mort. Faire de la température, faire une pleurésie. Combien faites-vous ce vase ? Il lui a fait les poches. Ce mur fait trois mètres de haut. Cet homme fait un mètre quatre-vingt-cinq. « Je viendrai », fit-il.*

39. **Faire que.** 1. Être cause de (+ indicatif) : *Tout cela fait que je le connais mal.* 2. Agir de telle façon que (+ subjonctif) : *Faites que je le connaisse mieux.*

Faire en sorte que, faire si bien que : L'indicatif insiste sur la conséquence considérée comme assurée *(Il fait en sorte qu'il arrivera. Il fit en sorte que tous furent contents)* ; le conditionnel exprime la conséquence éventuelle *(Il fait si bien qu'on lui permettrait tout)* ; le subjonctif insiste sur l'intention, la finalité *(Faites en sorte qu'on soit content de vous).*

Faire-part, n.m., **faire part.** *Un faire-part. Des faire-part.* Bien que l'Académie écrive : *Une lettre de faire part,* il convient d'écrire : *Une lettre de faire-part* (TLF) ; cf. LETTRE, 5. On rencontre **faire part que** pour *informer que : J'ai l'honneur de vous faire part que nous avons décidé...*

Fair-play. Trait d'union hésitant dans *être fair play.* Trait d'union dans *un fair-play.* Pour éviter cet anglicisme, on dira : *J'admire sa correction* ou *son franc-jeu* ou *sa loyauté. Ils jouent franc jeu. Ils sont franc-jeu* (cf. FRANC, *composés*). *Il est loyal* ou *régulier.* On notera : *se montrer* (ou *être*) *beau joueur :* s'incliner loyalement devant la victoire de l'adversaire.

Faisabilité (néologisme), n.f., caractère de ce qui est faisable.

Faisan, n.m. ; féminin *faisane : Un faisan, une poule faisane.* Noter : *faisandeau, faisander, faisanderie.* Vieilli : *faisanneau.*

Fait, n.m. **Prononciation.** Le *t* ne se prononce jamais au pluriel. Au singulier, il peut s'entendre, mais on l'omet souvent ; on le prononce généralement devant une pause *(On l'a pris sur le fait),* dans des locutions comme *au fait, de fait, en fait* (plus rarement dans *en fait de*) et dans *lui dire son fait.* On fait souvent la liaison devant un verbe, couramment devant *être : Le fait est qu'il s'est trompé.*

1. **Le fait que** intervient de trois façons, dont peut dépendre le mode.

A. Cette expression forme avec un verbe le **sujet de la phrase** : *Le fait qu'il ne soit pas venu* (ou *n'est pas venu*) *est incontestable* ou *est regrettable. Le fait qu'il l'ait dit ou non est sans importance.* On emploie souvent le subjonctif, même si le fait est certain, bien établi ; mais l'indicatif est permis.

On s'est longtemps contenté de dire **que** (avec le subjonctif) : *Qu'il ne soit pas venu est incontestable* ou, quand c'était possible, *le fait de* suivi d'un infinitif : *Le fait d'être malade ne l'empêche pas de venir à son bureau.* D'où *le fait que,* qui résulte du télescopage des deux tours et a été influencé par d'autres plus anciens, comme *l'idée que.*

C'est une erreur de prétendre que le choix du mode dépend du degré de réalité reconnu au fait en question, de l'influence qu'il exerce ou non, ou que le subjonctif s'explique par une appréciation, par l'affectivité. Charles Bruneau *(Figaro littéraire,* 20 juin 1953) a opposé *Le fait que tu es mon fils m'oblige à te nourrir* et *Le fait que tu sois mon fils ne m'oblige pas à tolérer toutes tes incartades.* Distinction factice, que d'autres ont reprise, mais dont l'usage le meilleur ne tient pas compte. On emploiera souvent le subjonctif, parfois l'indicatif, dans les deux phrases. Le subjonctif l'emporte nettement sous l'influence du tour plus ancien avec *que* seul et parce que le fait évoqué, au moment où on l'énonce, est encore en l'air, attend le rapport qu'on établira, le jugement qu'on portera : *L'intensité de la campagne menée contre l'ancien numéro un du parti et le fait qu'elle se soit poursuivie si longtemps témoignent de la force que représentait encore cet homme réduit à l'impuissance (Le Monde,* éditorial du 4 novembre 1968). Dans le même numéro de ce journal, autre emploi du subjonctif, alors qu'on fait aussi état d'une réalité reconnue : *Déjà le fait qu'Hanoï ait approuvé (...) l'intervention soviétique (...) tendrait à montrer que le Kremlin exerçait une influence grandissante* (p. 2, col. 6). Le subjonctif apparaît même lorsque *le fait que*, introduisant un fait réel, suit le verbe exprimant le procès dont il est le sujet : *Toutes vos belles raisons ne changeront rien à mon idée, ni même le fait que ce soit la guerre* (M. Druon, *Les grandes familles*, Poche, p. 9).

L'indicatif, redisons-le, s'emploie aussi très bien, mais moins souvent : *Le fait que le commandement français **est** absent de l'organisme commun de direction (...) a eu pour résultat...* (Ch. de Gaulle, *Le salut*, Poche, p. 433. Autres emplois du même type par le même auteur, *ibidem*, p. 333 et *L'unité*, Poche, p. 200).

La possibilité d'employer l'indicatif est parfois utile ou même nécessaire pour situer exactement dans le temps le fait en question. *Le fait qu'il **soit** en voyage nous privera de ses conseils au moment où nous devrons prendre une décision.* Est-il déjà en voyage ? Ne sera-t-il absent qu'au moment où la décision devra être prise ? On peut situer le fait dans l'avenir en disant : *Le fait qu'il **sera** en voyage.* Même dans ce cas cependant on trouve le subjonctif : *Le fait que vous **soyez** séparé de sa mère ne vous empêchera pas...* (M. Butor, *La modification*, 10-18, p. 157 ; la séparation envisagée appartient au futur).

Parallèlement à l'emploi de l'indicatif, celui du conditionnel permet d'exprimer une éventualité : *Le fait qu'il y **aurait** préméditation aggraverait son cas.*

N.B. Ne pas confondre avec *le fait est que*, *c'est un fait que*, *du fait que*, *par le fait que*.

a) **Le fait est que** introduit une constatation énoncée à l'indicatif ou une éventualité exprimée au conditionnel : *Le fait est qu'il n'**est pas** venu. Le fait est qu'il **aurait** mieux fait de ne pas venir.* Mêmes modes que si on n'employait pas *le fait est que*.

b) **C'est un fait que.** Mêmes modes : *C'est un fait qu'il n'**est pas** venu. C'est un fait que nous aimerions mieux nous en aller.* Mais la présence d'un adjectif après *c'est un fait que* entraîne normalement le même mode qu'après un verbe impersonnel formé avec cet adjectif : *C'est un fait certain qu'il n'**est** pas venu. C'est un fait étrange qu'il ne **soit** pas venu.*

c) **Du fait que** (= parce que, puisque), comme **ce fait que**, est toujours suivi de l'indicatif (ou du conditionnel) : *Du fait qu'il ne s'**est** pas présenté, il n'a plus aucune chance. Du fait qu'il ne se **présenterait** pas, il perdrait toute chance. — Mais du seul fait qu'on le rappelait aux affaires, il voyait la situation sous un jour moins tragique* (M. Druon, *Rendez-vous aux enfers*, Poche, p. 380). Même construction de **par le fait que**.

B. **Après le verbe** impersonnel ou transitif qui sert de base à la phrase, *le fait que* peut former le sujet réel de ce verbe impersonnel ou un complément : *Mais il y a le fait qu'il s'est excusé. Je reconnais le fait qu'il n'**avait** pas été prévenu. Je regrette le fait qu'il n'**ait** pas été prévenu.* On voit que l'on emploie normalement après *le fait que* au début d'un complément le même mode que si on ne recourait pas à cette expression : *Vous vous plaignez du fait qu'on ne vous **ait** pas convoqué*. Parfois *le fait que* est nécessaire parce qu'il faut un substantif ou pour éviter l'emploi de *que* immédiatement après un autre *que* ou après *quand, comme* ou *si* de la condition ou de l'interrogation indirecte : *M. Churchill qualifia de regrettable le fait que les généraux Giraud et Georges aient dû quitter le Gouvernement français* (Ch. de Gaulle, *Mémoires de guerre*, II, Poche, p. 263). *Il convient de justifier le fait que le texte soit présenté sans modifications sensibles* (B. Pottier, *Systématique des éléments de relation*, p. V) : le texte est réellement présenté tel qu'il l'a été comme thèse de doctorat ; on attendrait l'indicatif, mais on voit le subjonctif apparaître par analogie avec les cas cités en A. *Je me demande si le fait qu'il est* (ou *soit*) *intervenu ne lui a pas fait du tort.*

C. **Après une préposition**, surtout après celles qui ne peuvent être suivies de *que*, même avec les autres, l'emploi de l'indicatif est logique à cause de l'intervention du substantif et d'ailleurs semble requis par le sens : *Vous protestez **contre le fait** qu'on ne vous **a** pas convoqué. Je m'incline **devant le fait** qu'il n'a pas été prévenu. J'ai été sensible au fait que vous avez tenu à me prévenir.* On trouve cependant le subjonctif, qui ne s'impose pas, lorsqu'on pourrait supprimer *le fait* et employer une locution conjonctive requérant le subjonctif : *Malgré le fait que le général ait été invité à partir* (Ch. de Gaulle, *L'unité*, Poche, p. 432).

2. [*À fait que*]. Belgicisme pour *à mesure que*.

3. **Fait divers**. Pas de trait d'union. Cette expression, qui paraît étrange au singulier si l'on y réfléchit, s'explique par l'emploi initial au pluriel pour grouper, dans les journaux, des nouvelles variées, sans portée générale. L'éloignement du sens premier peut justifier le trait d'union, qui n'est pas rare ; mais si l'on suivait un tel principe, il faudrait mettre des traits d'union dans des mots comme *pomme de terre*.

Faîte, n.m. Accent circonflexe : *le faîte. Au faîte du toit, des honneurs.*

Fait-tout, n.m., est invariable ; mieux vaut écrire : *un **faitout**, des faitouts*. Cf. Casserole.

Fallacieux, adj. Cf. Prétexte.

Falloir, v. impers. 1. *Il faut, il fallut, il a fallu*, etc. Le participe est toujours invariable : *Les sommes qu'il nous a fallu. — Un geste, un mot, eussent peut-être tout changé. Mais il les eût fallu magiques* (H. Bosco, *L'antiquaire*, Folio, p. 125).

2. Ne pas dire : [*Il faut mieux*] *se taire* pour *Il vaut mieux se taire*. On dit : *Il faut vous taire* (il est nécessaire de). *Il faut que vous vous taisiez. Il fallait voir la tête qu'elle faisait !*

3. *Un homme, un veston **comme il faut**.*

4. Sauf dans un emploi absolu ou avec certains adverbes, l'impersonnel **il s'en faut** se construit aujourd'hui avec **de** : *Il s'en faut de peu, de beaucoup, de dix francs, d'un moment, de la moitié, d'un bon tiers.*
Sans *de* : **Il s'en faut** sans complément (= loin de là, bien au contraire), ou **tant s'en faut** ou **peu s'en faut**, *il s'en faut bien, il ne s'en est guère fallu, il ne s'en faut pas tellement. Ce travail est parfait, ou peu s'en faut. Lui, content ? Il s'en faut ou tant s'en faut* (bien au contraire). *Peu s'en faut* s'oppose donc habituellement à son synonyme avec *il : il s'en faut* **de beaucoup** *(de peu)*. On trouve exceptionnellement : *Les mêmes observations valent, ou de peu s'en faut, pour le juif...* (G. Antoine, *Liberté, égalité, fraternité,* p. 126).
Il est donc insolite d'écrire aujourd'hui : *Il s'en était peu fallu* (M. Druon, *Les rois maudits,* V, éd. Famot, p. 27) au lieu de : *Il s'en était* **fallu de peu** ou **Peu** *s'en était fallu.* Mais le tour sans *de* était encore normal aux yeux de Littré. Il est aujourd'hui vieilli, comme *beaucoup s'en faut* et *il s'en faut beaucoup.*
Ces divers tours, avec ou sans *de,* suivis de *que,* demandent le subjonctif. Sauf après *tant s'en faut (Tant s'en faut qu'il y ait consenti),* on peut mettre ou non *ne* explétif, sans que cela exprime une nuance : *Il s'en est fallu de peu qu'il vînt* ou *qu'il ne vînt* (= il a failli venir). S'il y a négation du verbe subordonné, on doit employer *ne pas : Il s'en est fallu de peu qu'il ne vînt pas* (= il a failli ne pas venir).
[**Loin s'en faut**] est une faute qui n'est pas propre à la Belgique et qui est favorisée par le croisement de *Tant s'en faut* et de *Loin de là,* qui ont le même sens.

5. Cf. NE PAS, 2, d, *Déplacement de la négation,* p. 615.

Falot (pas d'accent circonflexe), *falote,* adj. Sens actuel quand on parle d'une personne : insignifiant ; mais a signifié « grotesque ».

Familiariser, v.tr.dir. *On se familiarise* **avec** *qqn ou qqch. Cette lecture m'a familiarisé avec le sujet. Nous sommes familiarisés avec ces problèmes.*

Familier. Nom : *Être le familier* **de** *qqn. Faire le familier* **avec** *qqn.* — **Adjectif** : *Ce square est familier* **aux** *enfants. Ce quartier lui est familier. Cette langue lui est familière. Ces procédés ne lui sont pas familiers. Il n'est pas familier* **avec** *ces procédés.*

Famille. Cf. ATTENDRE.

Fan, n. et adj., abréviation de l'anglais *fanatic,* signifie « admirateur ou admiratrice (d'une vedette) », et est perçu comme une abréviation de *fanatique ;* il se prononce comme les trois premières lettres de ce mot. *Cette vedette et ses fans.* On trouve aussi l'adjectif (plus rarement le nom) **fana** (familier) : *Elle en est fana. Il est fana du jazz.*

Fancy-fair, n.f., se dit en Belgique pour une grande fête de bienfaisance en plein air (si possible). Les Français disent : *une kermesse.* Cf. ce mot.

Faner, v.tr.dir. **Se faner** se dit de ce qui, personne ou chose, perd sa fraîcheur, son éclat : *Cette fleur s'est fanée. Cette étoffe se fane.*

Fanfaronnade, n.f. Deux *n.*

Fantasme, n.m. La graphie *phantasme* survit dans des emplois particuliers.

Fantastique, adj., ne se dit pas seulement de ce qui paraît irréel, incroyable, inexplicable par les lois naturelles, mais aussi de ce qui impressionne fortement : *un luxe fantastique.* Ne pas abuser de cet emploi.

Fantôme, n.m. Accent circonflexe. Mais **fantomal, fantomatique.**

Faramineux (écrit aussi *pharamineux*), adj., se dit, dans un emploi très large, de ce qui est extraordinaire, de ce qui dépasse l'imagination : *des prix faramineux.*

Farce, comme adjectif, s'applique à ce qui fait rire. Son emploi est familier et vieillit. Le mot varie généralement. *Des airs farces.* Verlaine a écrit : *Aux endroits farce* (TLF).

Fard, n.m. *Piquer un fard* est familier.

Farde, n.f. Plusieurs dictionnaires citent le nom *une farde,* aujourd'hui peu répandu, en lui donnant le sens de « ballot, de poids variable, servant à expédier en Europe certains produits exotiques » (Lexis). Il vient, comme *fardeau,* de l'arabe *farda* désignant la moitié de la charge portée par un chameau.

Mais en Belgique *farde* a un autre sens courant, qui n'est pas inconnu dans le nord de la France, même dans les milieux cultivés ; papier fort ou cartonnage léger dans lequel on classe des papiers. C'est la définition donnée à **chemise** par le Grand Larousse encyclopédique. On dit aussi en France, moins souvent, *chemise (de dossier)* ou *dossier : Un **dossier** mauve glisse sur le verre du bureau où se reflète un arc-en-ciel fade de chemises* (H. Bazin, *Madame Ex,* ch. I). Autre sens courant en Belgique et qui n'est qu'une extension du précédent : feuilles libres réunies sous une couverture (c'est-à-dire sous une « farde ») ; c'est la *farde d'écolier,* appelée en France **copies** *(d'écolier), portefeuille de copies, paquet de copies* (doubles ou simples). D'où, en Belgique ; *une feuille de farde,* pour **feuille libre.**

Ces emplois belges ont paru absurdes, sans rapport avec *ballot.* Mais Maurice Piron a montré que ce mot *farde* n'est qu'un homonyme de celui qui est en relation avec *fardeau.* Il vient non pas de l'arabe mais, « par le canal de certains dialectes du Midi », de l'aragonais *farda,* « habit ». Il a donné en ancien français, au pluriel, *fardes,* tandis qu'en gascon *f* initial passait à *h* aspiré pour donner *hardes.* C'est *hardes* qui l'a emporté en français ; *farde,* survivant au Nord, a gardé non pas le sens général de

« vêtement usagé » mais le sens second, figuré, donné au français *chemise*. On retrouve le point commun de « vêtement », de ce qui enveloppe, comme d'ailleurs dans *jaquette* désignant une couverture de livre (cf. M. Piron, *Aspects et profil de la culture romane en Belgique*, pp. 61, 62).

Il est incontestable que *chemise*, dans le sens que je viens de noter, est familier aux Français mais dans certains emplois *(Passez-moi la chemise Verhaeren)* fait sourire en Belgique, où l'on ne doit pas rougir des emplois particuliers de *farde*, mais où l'on doit savoir qu'ils sont régionaux.

On doit être plus sévère pour un autre emploi belge, inutile, où *farde* se substitue souvent à *cartouche* pour désigner *une cartouche de cigarettes :* un ensemble, emballé, de paquets de cigarettes.

Farfelu, adj. et n., se dit de ce qui est bizarre, un peu fou : *Un projet farfelu. Des jeunes gens farfelus. De grands farfelus.*

Fascisme, n.m., **fasciste,** adj. et n., s'écrivent avec *sc* et se prononcent avec *ch*. La prononciation avec *ci* n'est pas rare et a même entraîné la graphie (à éviter) *facisme, faciste.*

Faste, nom, est masculin. L'adjectif veut dire aujourd'hui : favorable.

Fat, n. et adj., se prononce généralement avec *t*. L'adjectif seul a un féminin, assez rare : *fate.*

Fatal, adj. *Des coups **fatals**.*

Fatigant (sans *u*), adj. : *Des efforts fatigants.* **Fatiguant,** participe présent.

Fatiguer, v.tr.dir. ou intr., s'emploie surtout comme verbe **transitif** et à la forme pronominale : *Cette discussion m'a fatigué. La bonne chère fatigue l'estomac. Cette lecture lui a fatigué les yeux. Vous me fatiguez les oreilles. Mes yeux commencent à se fatiguer. On se fatigue des meilleures choses. Je me fatigue à vous le répéter. Ne te fatigue pas* (sens parfois ironique). **Intransitif,** *fatiguer* est vieilli ou régional dans le sens de *se fatiguer,* sauf en parlant d'un bateau, d'une machine, d'un matériau qui peine sous l'effort : *Le moteur fatigue dans les côtes. Cette poutre fatigue.*

Faute, n.f. 1. On peut dire : **C'est ma faute, c'est de ma faute, c'est par ma faute.** Avec un complément : *C'est la faute de son frère. C'est arrivé par la faute de son frère. À qui la faute ?* Mais *c'est la faute à son frère* est populaire.

On emploie aussi **de** avec *il y a, il y va* pour marquer une part de responsabilité : *Il n'y a pas de ma faute. Il y va de sa faute.*

À suivi d'un nom ou d'un pronom peut renforcer le possessif : *C'est ma faute **à moi**. Ce n'est pas tout à fait leur faute, à ces jeunes gens. Comme s'il y avait de sa faute à elle.*

2. Avec **que** ou **si** et l'indicatif après *c'est ma faute* : *C'est ma faute* (ou *c'est de ma faute*) *que ce malheur est arrivé* ou *si ce malheur est arrivé*.

3. On écrit : *un devoir **sans fautes*** (ou *sans faute*). Mais : *Il viendra **sans faute*** (certainement).

4. **Faute de** exprime un manque, une absence : *Et le combat finit, faute de combattants. Faute de mieux. Il a échoué faute d'attention.* Ne pas confondre avec l'expression contestée *une faute d'attention,* substituée à *une faute d'inattention* ou *une faute commise par inattention.* Cf. ATTEN-TION, 5.

On emploie dans le même sens (« par manque de ») *faute de* et l'infinitif, **faute que** et le subjonctif : *Faute d'avoir été prévenu à temps* (ou *faute qu'on l'ait prévenu à temps*), *il n'a pu nous rejoindre. — Ce n'est pas faute que le Corps expéditionnaire français ait prodigué ses peines et remporté des succès* (Ch. de Gaulle, *L'unité,* Poche, p. 326).

Ne pas dire *faute de n'avoir pas pu,* qui signifie normalement « parce qu'il a pu », pour **faute d'avoir pu,** qui veut dire « à défaut d'avoir pu, parce qu'il n'a pas pu ».

5. On n'emploie plus *faire faute de* (omettre de) que dans **ne pas se faire faute de** + infinitif (ne pas manquer de) et dans *ne pas s'en faire faute : Ils ne se sont pas fait faute d'en parler* (ils en ont parlé). *Il m'offrait ses services, je ne m'en suis pas fait faute* (j'en ai usé largement).

Fauter, v.intr., ne se dit plus au sens général de « commettre une faute » ; il se dit familièrement, en parlant d'une femme ou d'une jeune fille, dans le sens de « se laisser séduire, perdre sa vertu » : *Elle a fauté. Elle a fauté avec Paul.*

Fauteur, n.m., vient d'un mot latin signifiant « qui favorise » et se dit péjorativement : *un fauteur de désordres, de troubles.*

Fauteuil, n.m. Cf. DANS, 5.

Fautif, adj. et n., a le sens de « qui a commis une faute » : *Je me sens fautif. C'est lui le fautif.* L'adjectif se dit aussi des choses qui renferment des fautes, des erreurs, qui constituent une faute : *Une citation fautive. Une expression fautive. — Une tendance si tenace est-elle réellement fautive ?* (A. Dauzat, *Études de linguistique française,* p. 97).

Faux. 1. Adjectif : *Un vers faux, un esprit faux, une idée fausse. Un calcul faux. Un raisonnement faux.* Mais quand on parle d'une personne ou d'une chose qui n'est pas vraiment ce qu'elle paraît être, *faux* précède le nom : *Une fausse clé, un faux ménage, des faux cheveux, un faux plafond, une fausse fenêtre, une fausse porte, de la fausse monnaie, un faux Renoir, une fausse maigre, un faux frère, un faux prophète,* etc. Cf. PRÉTEXTE.

2. **Noms composés.** Trait d'union dans *faux-bourdon* (terme de musique), *faux-filet, faux-fuyant, faux-monnayeur, faux-semblant.* Pluriel :

des faux-bourdons, faux-fuyants, etc. On écrit : *un faux plafond, une fausse clé, un faux col, une fausse fenêtre, une fausse couche,* etc.

3. **Nom masculin** : *Le faux et le vrai. C'est un faux. Faire un faux. S'inscrire en faux.*

4. **Adverbe** (invariable) : *Sonner faux. Jouer faux. Chanter faux. Penser faux. — À faux : Accuser qqn à faux. Porter à faux. Être placé en porte-à-faux.*

Fée, n.f. s'écrit au pluriel dans *conte de fées.*

Feed-back, n.m. invariable. À remplacer par **rétroaction.**

Féerique, adj., et non [*féérique*].

Feignant, adj. et n., à préférer à *faignant.*

Feindre, v.tr.dir., se conjugue comme *peindre. On feint d'être en colère.* La construction sans *de* appartient à l'époque classique, comme *feindre à* + infinitif, marquant l'hésitation.

Feinter, v.intr., c'est, en termes de sports, faire une feinte : *Il s'y reprenait à plusieurs fois, hésitant, feintant, comme s'il visait un but* (L. Estang, *Les stigmates,* Poche, p. 186). **Transitif,** il signifie « tromper » : *feinter un adversaire.*

Félicitation, n.f. On écrit en employant le pluriel : *une lettre de félicitations* (quoi que dise le TLF). *On présente ses félicitations à qqn pour qqch.* ou *à l'occasion de qqch.*

Féliciter, v.tr.dir. *On félicite qqn de qqch.* ou *pour qqch.* (vieilli : *sur qqch.*), ou *d'avoir réussi. On se félicite de qqch., d'avoir fait qqch.*

Fellagha, n.m., s'écrit aussi *fellaga.*

Femme, n.f. 1. Cf. DAME. On dit : *une femme maçon, terrassier, médecin, professeur, ingénieur, écrivain.*

2. [*Femme à journée*] n'est pas français. [*Femme d'ouvrage*] est régional en France et courant en Belgique (où il correspond au flamand) ; à proscrire.

On dit *femme de journée* (employée à la journée) ou *femme de ménage.* — *Femme de charge* a un autre sens et est d'ailleurs plutôt vieilli : domestique chargée de la surveillance d'une maison, du linge, de certains objets.

3. Ne pas dire [*la femme au lait, la femme aux œufs*] pour *la laitière, la marchande d'œufs.*

Fer-blanc, n.m. Trait d'union. *Des boîtes en fer-blanc. Des fers-blancs. Travailler dans* **la ferblanterie.**

Férir, v.tr.dir. (= frapper), n'est plus employé que dans *sans coup férir,* sans violence, sans combattre, sans difficulté (cf. Coup).

Féru, participe passé de *férir,* ne s'emploie plus que comme adjectif, rarement au sens propre *(Ce cheval a le tendon féru),* couramment au sens figuré, « épris de qqn ou de qqch. » : *Il est féru de sa voisine. Un homme féru de romans, de philosophie.*

Ferme est employé comme adv. (invariable) pour *fort, fermement, vigoureusement* avec quelques verbes : *boire, tenir, secouer, travailler, discuter, s'ennuyer, tirer, acheter, vendre,* etc. Dans le langage juridique, sans sursis : *Deux ans (de prison) ferme.*

Fermer, v.tr.dir. On ferme *une porte, une issue, un passage,* mais aussi *le gaz, l'électricité, un circuit électrique, l'eau, un robinet, un poste de radio.* À noter que, pour le non-technicien, *fermer un interrupteur,* c'est empêcher le passage du courant, tandis que pour l'électricien c'est plutôt enclencher l'interrupteur de façon à permettre le passage du courant. **Intransitif** : *Cette porte ferme mal.*

Fermette, n.f., ne se dit pas seulement d'une petite ferme, mais d'une maison rurale, qui n'est pas nécessairement petite et qui est aménagée par un citadin comme résidence secondaire.

Fermeture, n.f. Cf. ÉCLAIR.

Ferry, qui proprement évoque l'idée de transport, mais à laquelle en français on ajoute l'idée de *fer,* intervient dans plusieurs noms anglais qui ont une traduction française officielle : *Air ferry* se dit **bac aérien.** *Car ferry, ferry-boat, train ferry* se traduisent : *navire* **transbordeur** ou simplement *transbordeur.* Au Canada, **traversier.**

Festival, n.m. Pluriel : *des festivals.* On a créé **festivalier** pour désigner les habitués des festivals.

Festivités, n.f. Le nom *festivité,* est vieilli au singulier. Il s'emploie souvent au pluriel pour désigner un ensemble de fêtes, de réjouissances. Le PR a tort de dire : « souvent ironique ».

Fête, n.f., s'écrit avec une minuscule dans : *La fête de saint Nicolas, du Saint-Sacrement, des mères ; la fête nationale du 14 juillet.* On écrit : *la fête du travail* ou *du Travail, du premier mai* ou du *Premier Mai, la fête de l'Armistice.*

Fétu, n.m., voulant dire brin de paille, *fétu de paille* est redondant, mais tend à se généraliser.

Feu, adjectif, veut dire « qui est mort récemment », mais on dit plus souvent *défunt (sa défunte mère, sa mère défunte ;* plus rare : *défunte ma mère),* qui s'impose si la mort date de plus longtemps. *Feu* se place toujours devant le nom ; il reste invariable devant l'article défini ou l'adjectif possessif, il varie quand il les suit : *Feu la reine. Feu mes parents. Les feus rois. Ma feue mère.* Littré observe qu'on dit *feu la reine* s'il n'y a pas de reine vivante, et *la feue reine* si une autre l'a remplacée.

Feu, nom. 1. **Faire long feu,** au sens propre, avec pour sujet une arme à feu, évoque la combustion trop lente de la poudre dans une cartouche et donc le retard avec lequel part le coup, qui rate son but. D'où, au figuré, parfois l'idée de longue durée, beaucoup plus souvent celle d'échec.

D'après l'Académie, *une affaire qui fait long feu* traîne en longueur, *une plaisanterie qui fait long feu* ne produit pas son effet.

Ne pas faire long feu devrait logiquement exprimer la réussite. Mais l'expression, qui ne s'emploie qu'au figuré, est due à une autre métaphore : elle fait penser à une flamme qui s'éteint rapidement. D'où le sens (rare) d'échec, comme plus haut celui de *faire long feu,* mais aussi celui, qui est courant, péjoratif ou non, de brève durée : *Leur alliance n'a pas fait long feu. J'y vais, mais je n'y ferai pas long feu.*

2. **Feu vert.** Il est ridicule de vouloir condamner l'expression *donner le feu vert à qqn, à qqch.* (autoriser à faire qqch.). **Feu rouge** : *Griller un feu rouge.*

3. **Feu ouvert.** L'expression est courante en Belgique pour désigner l'ensemble, allumé ou non, où l'on brûle des bûches, à l'air libre, dans une cheminée. L'expression est généralement inconnue en France, où l'on parle le plus souvent de **cheminée**, plus rarement d'**âtre**, de **foyer**, ou, lorsqu'on désigne le feu qui y brûle, de **feu de bois** ou même de **feu de cheminée**. *Faire une flambée dans la cheminée* ou *dans l'âtre. Faire un feu de bois dans la cheminée. — L'homme s'approche de la cheminée où le foyer était préparé. — Voulez-vous que nous allumions un feu de bois ? demanda-t-il — Oh, oui ! fit-elle. J'adore le feu de cheminée* (B. Clavel, *L'espion aux yeux verts,* J'ai lu, p. 135). *Ils cuisinaient encore avec le feu de cheminée* (E. Charles, *Une soupe aux herbes sauvages,* Poche, p. 210). Qui pourrait se méprendre et croire qu'il s'agit de ce qu'on appelle aussi *un feu de cheminée,* « embrasement de la suie accumulée dans une cheminée » ? *Le vieux avait l'air de s'intéresser à l'âtre, au feu de bois* (J. Romains, *Mort de quelqu'un,* p. 182). On connaît le vers de Rimbaud : *Au foyer plein d'éclairs chante gaîment le feu.* Au début de *La chute des corps,* M. Druon distingue *le foyer* qui brûle et *la cheminée* où il brûle : *Les braises du foyer projetaient des lueurs rougeoyantes (...). Puis il entendit un tison s'écrouler. Il ne remua pas davantage ; il savait que toutes les cheminées étaient pourvues de garde-feu de cuivre.* Le mot **foyer**, remplacé couramment, surtout à Paris, au XVIe siècle par **âtre**, d'après Henri Estienne, a survécu en France et est très vivant au Québec dans ce sens. Mais *cheminée* est tout à fait courant en France. On parle de *chenêts de cheminée* ou de *chenêts d'âtre.*

4. *Les feux d'un diamant. Une soie rouge feu, couleur de feu.*

FEUILLE

Feuille, n.f., **feuillé, feuillu,** adj. Littré recommandait de prononcer des *l* mouillés dans *feuille* et ses dérivés ; on prononce aujourd'hui *euille* comme dans *seuil*. Bien que les dictionnaires donnent *feuillé* et *feuillu* comme synonymes en parlant des arbres, le premier adjectif dit moins que le second, qui implique davantage une idée d'abondance de feuilles : *Les charmes et les chênes encore feuillés* (B. Clavel, *La saison des loups*, p. 124). *Les arbres sont déjà tout feuillus.* Cependant, *feuillé* devient plus rare et *feuillu* prend donc son sens. **Composé** : *Des rubans feuille-morte.*

Feuilleté, adj. et n.m., **feuilleter,** v.tr.dir. *Je feuillète* (Ac., 1975). *De la pâte feuilletée. Une pâtisserie feuilletée. Un feuilleté aux amandes.*

Feuilletoniste, n. Un seul *n,* comme dans **feuilletonesque.**

Fiable, adj., **fiabilité,** n.f., peuvent se dire non seulement d'un matériel mais d'une personne ou en général de ce à quoi on peut se fier.

Fiancer, v.tr.dir. *On fiance Paul à Louise* (ou *avec Louise*). *Paul est fiancé* (ou *se fiance*) *à* ou *avec Louise. On annonce les fiançailles de Paul avec Louise* ou *de Paul et de Louise.*

Fiasco (= échec), n.m. *Des fiascos.*

Fibranne, n.f. Deux *n.* Mais on écrit aussi *fibrane.*

Fibrome, n.m. : *Un fibrome ;* pas d'accent circonflexe.

Ficelle, n.f., vieillit comme adj. invariable (et familier) dans le sens de « rusé, retors ».

Ficher, v.tr.dir. 1. Enfoncer par la pointe : *Ficher un pieu en terre, un clou dans un mur.*

2. Mettre sur fiche : *Ficher un renseignement, un individu.*

3. Avec comme autre forme courante de l'infinitif *fiche* et *fichu* comme part. passé, emploi très familier (ou même populaire) au lieu de *foutre,* populaire, dans les sens de « faire, mettre, renverser, jeter, donner », etc. et dans *ficher* (ou *fiche*) *le camp : Il n'a rien fichu. Il en fichera le moins possible. Qu'est-ce que tu fiches ? Va te faire fiche. Il m'a fichu dedans. Le gouvernement a été fichu par terre. Cela nous a fichus dedans. Il va se faire fiche dedans. Il faudra en ficher un coup* (faire un gros effort). *Fiche-nous la paix. Il a fichu le camp.* Pronominal, **se ficher** (ou *se fiche*), se jeter, se moquer : *Il vient de se fiche à l'eau. Se ficher par terre. Il s'est fichu* (moqué) *de moi. Il se fichait bien de tout ça.* Éviter : *Je ne suis pas fichu de m'en souvenir.* Dire : *Je ne parviens pas à...*

Fier (se) : *On se fie à qqn, à qqch. Fiez-vous-y.* On ne dit plus : *se fier sur, se fier en, se fier de.*

Fier-à-bras, n.m., matamore (originairement, croit-on, nom propre d'un géant sarrasin des chansons de geste, *Fierabras*). *Des fier-à-bras* ou *des fiers-à-bras.*

Fièvre, n.f. *Avoir de la fièvre, un accès, une poussée de fièvre, un peu de fièvre, une fièvre de cheval.*

Fifty-fifty, loc. adv. Dire : *moitié-moitié.*

Figure, n.f., reste invariable dans *faire belle* ou *triste figure, faire grande figure, bonne figure,* etc., *faire figure de.*

Fil, n.m. On dit : *donner, passer, recevoir un coup de fil* (un coup de téléphone), *avoir qqn au bout du fil.* — *De fil en aiguille,* de propos en propos, en passant naturellement d'une chose à l'autre. *Avoir du fil à retordre. Être cousu de fil blanc.*

File, n.f. On peut parler non seulement d'*une file de voitures,* mais d'*une file de clients, d'acheteurs.* On dira d'eux, avec *faire,* non pas comme en Belgique qu'ils font la file, mais qu'ils **font la queue** ; telle est l'expression française. *Prendre la file,* c'est se placer à la fin d'une file d'attente. *À la file* ou *en file :* l'un derrière l'autre.

Filer, v.intr., est familier mais courant dans le sens de « s'en aller rapidement ». **Auxiliaire** *avoir : Tu as filé sans me prévenir* (H. Troyat, *La tête sur les épaules,* Poche, p. 232). *Mais elle a filé* (N. Sarraute, *Portrait d'un inconnu,* 10-18, p. 35). **Transitif** : *Filer une personne* (ou la prendre en filature), c'est la suivre pour la surveiller.

Filet, n.m. Quand les filets à bagages, dans un train, étaient en cordes tressées, il était naturel de dire : *Mettre sa valise dans le filet : Les colis qui dormaient dans le filet* (J. Romains, *Mort de quelqu'un,* p. 125). Aujourd'hui qu'ils sont en métal et qu'ils gardent le même nom, on continue par habitude à dire *dans* (et c'est courant), mais *sur* paraît plus logique : *Installant sa valise sur le filet* (R. Sabatier, *Les noisettes sauvages,* p. 10).

Filial, adj. Pluriel : *filiaux.*

Filiation, filière, n.f. **Filiation** implique une succession de personnes ou de choses issues les unes des autres : *Filiation légitime, naturelle, paternelle, maternelle. Filiation des mots* (étymologie), *des sens.*
     Filière évoque l'idée de succession de lieux, de degrés à franchir, de formalités à accomplir : *Suivre la filière administrative. La filière de la drogue.*

Filigrane, n.m. *Un filigrane. En filigrane* et non [*en filigramme*].

Fille, n.f., s'est dit en France comme en Belgique pour *servante*, mais ne se dit plus qu'avec un complément déterminatif précisant la fonction : *fille d'auberge, de cuisine, de ferme, de salle, de service.* L'Académie donne encore *fille de magasin, de boutique.* On dit plutôt *vendeuse, demoiselle de magasin.*

Fin, n.f. 1. *Une fin de non-recevoir, des fins de non-recevoir. Prendre fin. Tirer à sa fin. N'avoir ni fin ni cesse,* ne jamais finir.

2. **À la fin de** et **en fin de** = dans les dernières parties ou les derniers moments de qqch., à l'endroit où se termine qqch. : *J'irai à la fin de la semaine prochaine. Payer à la fin du mois. En fin de parcours. En fin de compte.* Il sera utile de distinguer *à la fin de la séance* et *après la séance.* En style commercial, *payable à la fin du mois (courant)* peut se dire : *payable fin courant.* On trouve même *fin prochain* pour *à la fin du mois prochain.* On trouve : *En fin septembre* (A. t'Serstevens, *L'amour autour de la maison,* Poche, p. 208). Mais on dit plutôt : *fin septembre,* ou *à la fin de septembre. Si Jeanne avait été conçue à la fin septembre, (...) elle serait née à la fin de juin* (J. Romains, *Les amours enfantines,* Poche, p. 117). *C'était fin mai.* (G. Borgeaud, *Le voyage à l'étranger,* p. 10). *Ces belles soirées de la fin mai* (Aragon, *Aurélien,* p. 431). *Une fin de semaine,* un week-end. *Fin de mois.*

3. **À toutes fins** (écrit parfois *à toute fin*), expression classique, est couramment remplacé par **à toutes fins utiles** (au pluriel).

À seule fin de est suivi d'un infinitif : « dans l'unique intention de ». Avec *que* et le subjonctif : *À seule fin qu'il s'en rende compte.*

4. L'**adjectif** *fin,* **pris adverbialement** (= tout à fait) devant un adjectif, est invariable : *Elle est fin seule. Elle est fin prête.* Mais on trouve encore l'accord de *fin* selon l'ancien usage.

En termes de billard : *Jouer fin, prendre la bille fin, trop fin* ou *prendre la bille fine, trop fine* (on l'effleure à peine).

Final, adj. Masculin pluriel : *finals* ou *finaux.*

Finale, n.m. (différent de *une finale*), le dernier mouvement d'ensemble d'un morceau de musique. Parfois, dans ce sens, *le final* ; pluriel *des finals.*

Finale, n.f., dernier élément (syllabe ou lettre ou son) d'un mot, note (ou phrase musicale) finale d'un air, figure finale d'une danse, dernière épreuve d'une compétition sportive. *En finale,* pour terminer, au terme d'une compétition.

Finance(s), n.f. **Moyennant finance** garde le singulier *finance* dans son ancien sens d'« argent comptant ». Mais on trouve *moyennant finances.*

On écrit : *finances publiques, loi de finances, être employé aux finances, ses finances vont mal.* Mais : *un homme de finance* (qui est dans *la finance,* dans les activités bancaires, boursières).

Finir, v.tr.dir. et intr. 1. Par extension des emplois comme *finir un travail, son assiette, une bouteille, un paquet de cigarettes,* on dit très familièrement *finir qqn* pour **en finir avec lui,** dans le sens de « cesser de s'occuper de lui » : *Je finis quelqu'un, dit-elle, j'en ai pour une minute* (A. Blondin, *Quat'saisons,* Éd. Rombaldi, p. 153).

2. **En finir avec, finir par, finir de.** On dit fort bien avec *en* (cf. 1) : *en finir avec qqch.* ou *qqn* : *On n'en finira jamais avec cette querelle* ou *avec lui* (on n'en viendra jamais à bout). Mais en dehors de cet emploi on dit *finir par* pour marquer le résultat final : *Il a fini par me persuader. Tout finit par s'arranger.* Étape finale : *Il finit par où il a commencé. Tout finit par des chansons.* — **Finir de** : *As-tu fini de te plaindre ?* (cesser de).

3. **En finir** : *Il faut en finir. Il faut en finir avec cette affaire, avec ce gêneur. Cela n'en finit pas. Nous n'en finirions pas d'énumérer ses titres. Des discussions à n'en plus finir. C'en est fini de vos questions ?* — **Finir en** : *Cela a fini en queue de poisson. Un mot qui finit en « ant ».*

4. On n'emploie *être* qu'au passif et avec l'adj. **fini** : *La fête est finie.* **Finies les vacances** (les vacances sont finies) ou moins souvent *fini les vacances* (c'est fini, les vacances). Cf. PARTICIPE PASSÉ, A, *Cas particuliers,* 2, p. 674.

Finish, n.m. L'expression *au finish* se dit en sport et ailleurs de la victoire arrachée à l'adversaire par sa défaite ou son abandon. On peut dire : *l'emporter à l'arraché.* On dit d'un sportif qu'*il a du finish* quand il est capable de bien terminer. *Travailler au finish,* jusqu'à un accord, jusqu'à un résultat définitif.

Finition, n.f., est très souvent synonyme de **finissage** (idée de soin final), n.m.

Fion, n.m. en rapport possible avec *fignoler,* se dit en français populaire, dans un sens favorable, de la dernière main qu'on donne à qqch. *(donner le coup de fion).* Ne pas confondre avec *fion,* n.m. aussi, régional dans une partie de la Wallonie, de la France et en Suisse dans le sens de « propos désobligeant adressé à qqn », « pique ».

Firme, n.f., raison sociale d'une entreprise industrielle ou commerciale, cette entreprise elle-même : *Avoir des actions dans une firme. Les principales firmes du pays.* On entend *papier à firme* pour papier à en-tête de la firme.

Fiston, n.m., diminutif de *fils,* familier, s'adresse à plus jeune que soi.

Fixer qqn ou **qqch.** a été longtemps blâmé, à tort, dans le sens de regarder fixement. On peut dire : *fixer les yeux* (ou *les regards*) *sur qqn* ou sur *qqch.* Mais aussi : *Il fixait cette dame, il la fixait du regard ; il la fixait droit dans les yeux ; ne pas fixer le soleil.*

On s'étonne que Dupré (p. 1076), acceptant cet emploi, regrette que ce problème ait fait perdre de vue « les véritables abus dans l'emploi de ce verbe à notre époque » : *fixer son choix, se fixer sur, fixer qqn* (le renseigner), *lui fixer les idées, fixer sa résidence* (s'établir), *fixer sur la pellicule* (photographier, filmer). Aucun de ces emplois n'est pourtant condamnable. On peut seulement remarquer, à propos du dernier, qu'il ne se confond pas avec *fixer un cliché, un dessin* (les rendre inaltérables, comme *fixer une couleur, une teinture*). On dira donc sans hésiter : *Il a fixé son choix sur une aquarelle. Son choix s'est fixé sur l'un de vous, sur une eau-forte. Il m'a enfin fixé sur ses intentions. Me voilà fixé. Fixer les idées de qqn sur qqch. Fixer qqn sur qqch. Je suis maintenant fixé sur lui* ou *sur son compte* ou *sur ses possibilités. Je ne suis pas encore bien fixé. Il a fixé sa résidence en province. Il s'est fixé à l'étranger. Je me suis fixé un but. Nous avons fixé la date de notre prochaine réunion.*

Fjord, n.m., mot norvégien, peut s'écrire **fiord.** La prononciation du *d* est facultative.

Flache, n.f. et adj., est un vieux mot français vieilli et dialectal, soit comme adjectif (mou, flasque), soit comme nom désignant une flaque d'eau dans un creux du sol. Le laisser aux dialectes.

Flagrance, n.f., caractère de ce qui est flagrant, évident. Ne pas confondre avec **fragrance,** odeur agréable.

Flamandisation, n.f., **flamandiser,** v.tr. : belgicismes limpides.

Flambant neuf et **battant neuf.** Il y a une grande hésitation chez les grammairiens comme chez les écrivains sur la façon de traiter ces expressions quand elles se rapportent à un nom féminin ou pluriel. On peut toujours laisser les deux mots invariables.
Au **masculin pluriel,** *battant* et *flambant* sont le plus souvent considérés comme des participes présents et restent invariables, même quand *neuf* varie, ce qui est fréquent. On trouve donc : *des vêtements flambant neufs* ou, moins souvent, *flambants neufs* ou *flambant neuf.*
Au **féminin,** on laisse le plus souvent invariables les deux mots de l'expression (*une façade battant neuf, une villa flambant neuf. Des affiches flambant neuf* (Aragon, *La mise à mort,* p. 352), mais on trouve : *Deux grandes valises semblables, flambant neuves* (Michel Butor, *La modification,* 10-18, p. 2) ; l'accord des deux mots (*une maison flambante neuve*) est exceptionnel. L'accord de *tout* ne devrait se faire que lorsque *battant* et *flambant* varient, mais on trouve *toute flambant neuve.* Une grande latitude est donc laissée ; on peut conseiller de laisser *battant* et *flambant* invariables, même si *neuf* varie : *Des vêtements flambant neuf* ou *flambant neufs. Une maison flambant neuf* ou *neuve* ou *tout flambant neuf* ou *toute flambante neuve.*

Flambé, adj. On ne parle pas seulement d'une *aiguille flambée* (passée à la flamme) ou d'un *mets flambé*, mais, figurément et familièrement, d'une *chose flambée* (ruinée, perdue), d'une *affaire flambée* ou d'*un homme flambé* (gravement atteint dans sa santé, sa position, ses possibilités).

Flamiche, n.f., désigne, dans la région picarde, une tarte aux poireaux.

Flamingant, adj. et n., qui a d'abord signifié « parlant flamand, relatif au flamand », a pris comme nom ou adjectif, à partir de la Belgique, un sens nettement péjoratif caractérisant un certain radicalisme flamand en matière de politique ou d'emploi des langues. D'où : **flamingantisme,** n.m., doctrine et attitude des flamingants.

Flamme, n.f. *Jeter feu et flamme* (parfois *et flammes*). Toujours *Jeter aux flammes. Un avion tombe en flammes. Être tout feu tout flamme. Retour de flamme. Une lampe flamme.*

Flâner, v.intr., **flâneur.** Accent circonflexe.

Flash (pluriel : *des flashes ; sh* se prononce *ch*), n.m., est solidement installé dans le langage de la photographie, du cinéma (pour un plan de courte durée), de la presse (où *nouvelle-éclair* ne réussit pas à s'imposer, pas plus qu'*annonce-éclair*).

    Flash-back doit être remplacé par *retour en arrière* (dans le déroulement d'un film).

[**Flat**], *t* étant prononcé, n.m., est employé en Belgique pour *studio*, appartement servant à la fois de salon, de salle à manger et de chambre à coucher, avec cuisine et salle de bains attenantes.

[**Flatte**], n.f., désigne en Wallonie, en français dialectal, de la bouse de vache.

Flatté, part.pass. *Il est flatté des égards qu'on a pour lui. Il est flatté d'être invité* ou *qu'on l'ait invité.*

Flatter (se). *Elle s'est flattée de sa naissance, de n'avoir plus besoin de nous. Il se flatte qu'on l'applaudira. Je ne me flatte pas qu'on ait besoin de moi.*

Flemme, n.f., est français mais familier : *Avoir la flemme.*

Fleur, n.f., s'écrit au pluriel dans : *Un vase, un bouquet, une couronne, un parterre, un pot de fleurs. Un tissu, un papier, une assiette à fleurs.* Mais on écrit indifféremment : *un arbre en fleurs* ou *un arbre en fleur.* Au figuré : *une jeunesse en fleur.* — Familièrement : *comme une fleur* (très facilement : *Il est arrivé premier comme une fleur*). *Faire une fleur à qqn* (lui accorder une amabilité, un avantage).

Fleurdelisé, adj., s'écrit toujours avec *i ;* la graphie *lis* est d'ailleurs préférable à *lys* dans le nom de la fleur.

Fleurir, v., a deux formes à l'indicatif imparfait, au participe présent et à l'adjectif verbal. En dehors de ces trois cas, on dit toujours ; *elle fleurit, elle fleurira, elle a fleuri, qu'elle fleurisse,* même si le sens est « s'épanouir, prospérer ».

Au sens propre, « produire des fleurs, être en fleurs », et dans l'emploi transitif : « orner de fleurs ou d'une fleur », on doit dire **fleurissait, fleurissant** : *Les arbres fleurissaient. J'admirais ces arbres fleurissant dans le jardin. Les prés fleurissants. Il fleurissait sa boutonnière. Elle fleurissait volontiers sa table.* Au sens figuré : *Il fleurissait son style.*

Si l'on parle au figuré d'un sourire qui s'épanouit comme une fleur : *Un petit homme obèse sur les lèvres de qui fleurissait un perpétuel sourire* (G. Duhamel, *La passion de Joseph Pasquier,* p. 148).

Aux sens figurés de « prospérer, être en honneur », on dit le plus souvent **florissait** (de l'ancien verbe *florir*) et parfois *fleurissait* ; au participe présent, presque toujours **florissant** ; l'adjectif verbal est toujours *florissant* : *Les sciences et les beaux-arts florissaient* (ou *fleurissaient*) *sous le règne de ce prince. Athènes alors florissait. Son commerce florissait. Une santé florissante.*

Floraison se dit au propre comme au figuré. On trouve cependant *fleuraison* chez des écrivains.

Fleuriste, n., se dit non seulement d'une personne qui s'occupe de la culture ou de la vente des fleurs, mais aussi de celui ou de celle qui vend des fleurs artificielles. On emploie parfois le mot comme adjectif, appliqué à un jardin où l'on cultive des fleurs : *Le jardin fleuriste* (J. Green, *Devant la porte sombre,* p. 18).

Flic flac, interj., s'écrit sans trait d'union : *Faire flic flac.* On a dit autrefois *un flic-flac* (invariable, avec trait d'union) pour un pas de danse.

Floche, n.f., désignait abusivement le **gland** de l'ancien bonnet de police des militaires belges et s'emploie encore improprement en Belgique pour les glands des rideaux, des coussins, pour une sorte de **boucle** prolongeant certains nœuds, notamment de lacets, et pour une fausse note.

Floche peut désigner une petite houppe ou un petit amas floconneux. Comme **adjectif,** il signifie « mou, flasque » ou « à faible torsion ».

Floral, adj. *Des jeux floraux.*

Flotte, n.f., est familier pour *pluie.*

Flotter, v.intr. On dit qu'une monnaie *flotte* ou *est flottante* quand sa valeur varie selon l'offre et la demande. On a parlé dans ce sens de *flottation,* heureusement éliminé, et aussi de *flottaison,* mais l'Académie a judicieusement recommandé **flottement** en 1973. Elle a observé que *fluctuation* et *fluctuer* sont réservés par l'usage à des mouvements de plus faible amplitude et généralement alternés.

Flottille, n.f., a deux *t* comme *flotte, flotter.*

Fluide, adj., ne se dit pas seulement de ce qui, au propre ou au figuré, coule facilement *(une encre trop fluide, un style fluide, une circulation fluide),* mais de ce qui est difficile à saisir, à apprécier *(une pensée fluide, une situation fluide).*

Flûter a vieilli (sauf en Belgique) dans son emploi transitif et familier pour *boire : flûter un verre.*

Foehn (vent des Alpes, sec et chaud) s'écrit aussi *föhn,* n.m. En Suisse romande, *foehn* se dit pour sèche-cheveux.

Foi, n.f. *On agit de bonne foi, de la meilleure foi du monde, en toute bonne foi, on est de bonne* ou *de mauvaise foi. On abuse de la bonne foi de qqn.*
   En dehors de ces expressions figées, on emploie *avec : Agir avec bonne foi, avec mauvaise foi, avec une entière bonne foi.* Expression fautive : *se tromper d'une entière bonne foi* (R. Floriot, *Les erreurs judiciaires,* p. 148). *Faire foi. Sur la foi de. Ma foi. En foi de quoi.*

Foie, n.m. Si l'on dit, en souvenir du mythe de Prométhée, *se manger* (ou *se ronger) les foies,* se faire beaucoup de soucis, *avoir les foies* (avoir très peur) est nettement populaire.

Foire, n.f., se dit aussi bien de certaines fêtes foraines que de certaines expositions commerciales ou de certains marchés publics.

Fois, n.f. 1. Il faut absolument éviter de substituer **une fois** à *donc* ou *un peu,* comme si on traduisait le flamand *eens,* et de dire : [*Venez une fois chez nous*]. On aurait l'air de dire : une fois et pas deux. C'est un germanisme. On doit dire : *Dites donc. Venez un peu. Donnez-moi donc ce livre* et non pas [*Vide une fois ton verre*].
   Mais *une fois* est régulier dans *Il était une fois* (un jour), *Une fois que je bêchais mon jardin* (un jour où) et pour exprimer l'unicité : *Je l'ai rencontré une fois, une seule fois. C'est bon pour une fois. Pour une fois, faites-moi confiance.*
   Une fois que veut dire « quand, un jour où, aussitôt que, dès que » : *Une fois que nous l'interrogions* (un jour où). *Une fois qu'il s'est mis quelque chose en tête, il n'en démord pas* (dès que ou quand). Elliptiquement : *Une fois parti, je ne reviendrai plus. Une fois rassurés, nous pourrons partir. Il reviendra une fois fortune faite. Une fois en mouvement, il ne s'arrête plus.*
   2. **Des fois** se substitue en français plutôt populaire à *parfois* ou *à par hasard : Je suis des fois obligé de le gronder. Des fois je lis, des fois j'écoute la radio pour me distraire. Si des fois vous le rencontrez.*
   Des fois que est populaire avec un conditionnel au sens de « pour le cas où » : *Téléphonons tout de suite, des fois qu'il serait encore chez lui.*

Les fois où (ou **que**). On condamne parfois l'emploi de l'article défini immédiatement devant *fois* (sauf après *toutes*) : *Les fois où je l'ai rencontré* (ou *Les fois que je l'ai rencontré*). Il est vrai qu'on dit plus souvent : *Toutes les fois que, Chaque fois que*. Mais il n'y a rien d'incorrect à dire : *Les fois où ils viennent, c'est une fête chez nous*, comme on dit : *La fois où il est venu* (cf. 5). En langage soigné, on dit plutôt, cependant : *Lorsqu'ils viennent*.

3. **Comparaison** et **multiplication** : a) **Le double, la moitié**. B (4 m) est le double de A (2 m). On dit généralement : **B est deux fois** *plus* **grand** (ou *deux fois* ***aussi*** *grand*) *que A. A est deux fois plus petit* (ou *deux fois moins grand que B*). Notons que [*deux fois aussi petit*] serait un non-sens.

On dit aussi, avec *une fois : Ce corps est* **une fois** *plus* *long que l'autre* (Littré). *B est une fois plus grand que A*. Mais *une fois aussi* et *une fois moins*, employés dans ce cas, avec *une*, sont rares.

Avec un autre verbe que *être*, on dit : *vaut* (*coûte, gagne*, etc.) *deux fois plus* ou *deux fois autant* ou *une fois plus* ou *deux fois moins*. Cf. AUTANT, 4.

b) **Une fois et demie**. Grevisse (*B.U.*, n° 761), après avoir noté qu'*une fois plus grand* signifie le double, déconseille *une fois et demie plus grand*. Il trouve la formule équivoque ; si A a 2 m, *être une fois et demie plus grand* pourrait, dit-il, signifier : avoir 3 m ou 5 m. Normalement, il est impossible qu'*une fois et demie plus grand* dise moins qu'*une fois plus grand*, qui signifie clairement 4 m. *Une fois et demie*, dans ce cas, ne peut donc signifier que 5 m. Cela dit, je conseille, moi aussi : *deux fois et demie plus grand*.

c) **Le triple, le tiers**. On dit : *trois fois plus grand* (ou *trois fois aussi grand*), *trois fois moins*, etc.

d) **Trois fois rien** a le même sens que *moins que rien*. *Après avoir mangé trois fois rien* (J.-L. Bory, *Mon village à l'heure allemande*, J'ai lu, p. 147). *J'ai acheté ce lot de livres pour trois fois rien* (GLLF ; pour un prix insignifiant). On dit donc normalement sans négation : *C'est trois fois rien*, alors qu'on dit : *Ce n'est rien*. Il arrive cependant qu'on trouve : *On me rassura très vite ; on me dit, à mots couverts, que ce n'était six fois rien* (H. Bazin, *Le matrimoine*, Poche, pp. 105-106).

4. **Chaque fois, chaque fois que** sont parfois remplacés par *à chaque fois, à chaque fois que*. On dit aussi : *Toutes les fois que*, mais on ne dit plus [*à toutes les fois que*]. Cf. 2.

5. **Quelques expressions** : *Une fois par an* (ou *une fois l'an*). *La première fois* (*la dernière fois*) *que je l'ai vu. Il a payé en six fois. Une bonnne fois, une fois pour toutes* et non [*une fois pour tout*]. *La fois où il m'a parlé. La fois suivante, c'est lui qui m'a salué. Je le lui ai dit trois fois, par trois fois. S'y prendre* (ou *s'y reprendre*) *à deux fois* ou *par deux fois. Y regarder à deux fois. Cette fois* (plus vivant que *à cette fois*), *tout s'est bien passé.*

6. À la fois. Attention au sens et à la construction. *À la fois* ajoute à l'idée d'*en même temps* celle d'*ensemble* (voir plus loin, b et c). Il suit généralement l'ensemble sur lequel il porte : *Ne parlez pas **tous à la fois**. Tous à la fois ont applaudi* ou *Ils ont applaudi tous à la fois. Il ne faut pas courir deux lièvres à la fois.* Si les éléments réunis en un ensemble sont énoncés distinctement, soit comme des compléments, soit comme des qualités, *à la fois* peut précéder ou suivre l'ensemble : *On peut **à la fois** s'instruire et s'amuser* ou *on peut s'instruire et s'amuser à la fois. Il ne faut pas faire à la fois ceci et cela* ou *faire ceci et cela à la fois. Cette explication est **à la fois fausse et tendancieuse*** ou *est **fausse et tendancieuse à la fois**. Cette amélioration est voulue à la fois par le gouvernement et par les syndicats. Il nous aide à la fois avec zèle et discrétion* ou *avec à la fois zèle et discrétion* ou *avec zèle et discrétion à la fois.*

Mais il est aujourd'hui anormal de mettre *à la fois* après le premier élément, devant *et* : *Jacqueline ne montrait point l'air absent à la fois et concentré qu'il lui remarquait les autres années* (M. Druon, *La chute des corps*, Poche, p. 299). *Carmela fut rassurée à la fois et déçue* (Id., *La volupté d'être*, Poche, p. 80). On verra plus loin (c) que la langue classique construisait ainsi *ensemble et*.

On pourrait s'étonner de voir *à la fois* porter sur un seul être ou un seul objet : *Il monte une seule marche à la fois. Je ne recevrai qu'une personne à la fois.* L'emploi, nécessaire dans ce cas, de *seul* ou de *ne...que* établit une opposition implicite, suggérée par *à la fois,* avec deux marches ou deux personnes.

Ajoutons cinq **remarques** sur l'emploi d'*à la fois* :

a) Je lis dans un journal du 20 mars 1978 : *Cette association (...) était à la fois une réponse neuve et adéquate aux exigences économiques du monde moderne.* On attendrait : *était à la fois une réponse... et* (par exemple) *une garantie,* car *à la fois* doit être suivi de deux termes qui se correspondent. Il est clair qu'ici on aurait dû écrire : *était une réponse à la fois neuve et adéquate...*

b) Avec *en même temps,* on pourrait avoir une troisième construction ajoutée aux deux qui ont été signalées plus haut : *Cette explication est fausse **et en même temps tendancieuse**.* Mais *à la fois* disant plus qu'*en même temps,* il serait anormal de le placer dans cette position, où il ne serait suivi que d'un seul des éléments qu'il a mission d'associer.

c) Il y a sans doute dans cette dernière construction une analogie avec le tour classique *et ensemble,* devenu archaïque : *Des calomnies atroces **et ensemble** si manifestes* (Bossuet). *Et ensemble* signifiait là : *et en même temps.* La langue classique employait aussi *ensemble et* dans le sens de « en même temps que » : *J'ai votre fille ensemble et ma gloire à défendre* (Racine). *Ta demande m'étonne ensemble et m'embarrasse* (Corneille). Avec *à la fois,* nous dirions : *J'ai à la fois votre fille et ma gloire à défendre. Ta demande m'étonne et m'embarrasse à la fois* ou *J'ai à défendre à la fois votre fille et ma gloire* ou *J'ai à défendre votre fille et ma gloire à la fois. Ta demande à la fois m'étonne et m'embarrasse.* Cf. ENSEMBLE.

d) Une autre confusion, qui aboutit à un non-sens, substitue *à la fois... mais (aussi)* à *non seulement... mais (aussi).* Cette dernière expression additionne deux éléments distincts mais complémentaires ; elle souligne la disjonction et l'accentue par *mais : Cela est non seulement vraisemblable, mais exact.* Au contraire, *à la fois* associe en un ensemble des éléments parfois opposés mais toujours conciliables : *Cela est à la fois vrai et faux* (il y a en cela une part de vérité et une part d'erreur à la fois).

En substituant *mais* à *et* après le premier élément qui suit *à la fois,* on brise la cohésion de cet ensemble, d'où est exclue l'idée de gradation exprimée par *non seulement...mais.*

Le 20 mars 1978, plusieurs journaux ont fait dire à Jacques Chirac, après les élections législatives : *des réformes profondes, aujourd'hui exigées à la fois par la situation de la France, mais aussi par le peuple français* et... *une nouvelle politique sociale, à la fois plus généreuse, mais aussi permettant de mettre en œuvre l'indispensable participation.* Il fallait supprimer *à la fois* ou dire : *exigées à la fois par la situation de la France et par le peuple français* et *à la fois plus généreuse et permettant...* (*à la fois* précédant les deux déterminants).

e) Enfin, on se gardera de répéter *à la fois* devant le second élément : *Il est à la fois impatient de vous revoir et [à la fois] un peu inquiet.* La faute est fréquente, même chez des intellectuels soucieux de bien parler. C'est contraire au sens de *à la fois.*

Foisonner, v.intr. : *Le gibier foisonne* (il y en a *à foison*). *Les idées foisonnent.* Avec *en* ou *de : Ce devoir foisonne **de** fautes* ou **en** *fautes.*

Foliole, n.f. : *Une foliole* (division d'une feuille ou d'une corolle).

Folle-avoine, n.f. Privilégier le trait d'union.

Fonction, n.f. 1. **En fonction de** ou **fonction de**. Avec *être,* une quantité ou une chose en général *est en fonction d'une autre,* ou couramment, *est fonction d'une autre,* quand sa valeur dépend de celle-ci et de ses variations : *Le transport (...) est donc fonction du tonnage* (Ch. de Gaulle, *Le salut,* Poche, p. 352). Avec un autre verbe, on emploie *en fonction de : Nous ne l'intéressons qu'en fonction de notre crédit. Considérer une chose en fonction d'une autre* (par rapport à).

2. Noter le pluriel ou le singulier de *fonction* dans certaines expressions : *Remplir* ou *occuper la fonction* ou *les fonctions d'une charge. Être, entrer* ou *rester en fonction* (ou *en fonctions*). *Remplir une fonction en titre* ou *par intérim. Faire fonction de directeur. Le faisant fonction de directeur. Cesser ses fonctions. Se démettre de ses fonctions.*

Fonctionnel, adj., se dit des fonctions organiques *(troubles fonctionnels),* mais aussi d'un appartement, d'un mobilier, d'un équipement bien adapté à sa fonction, etc.

Fonctionner, v.intr., se dit aussi des personnes et non seulement des choses.

Fond, fonds, n.m., **fonts,** n.m.pl. 1. L'Académie a autorisé au profit de *fond,* en 1975, la suppression de la distinction entre *fonds* (en parlant de commerce, de terrain, d'argent, de santé, etc.) et *fond* (d'une bouteille, du cœur, d'une affaire, etc.) Elle recommande d'écrire toujours *fond* et *tréfond.* Elle ne dit rien de *bien-fonds.* Il semble normal d'écrire **bien-fond** au singulier. Dans *être en fonds,* on a le pluriel : *Avoir des fonds.*
On écrit : *les fonts baptismaux.*

2. Dans le langage juridique, on a dénoncé *juger sur le fond* comme un belgicisme. L'usage français dit pourtant, dans ce sens, *au fond* ou *sur le fond : Juger sur le fond* (GLLF). *Plaider au fond* (PR). *Plaider au fond* (TLF). *Statuer sur le fond* (TLF). *On peut vous répondre sur le fond, pour employer votre langue* (H. Bazin, *Le matrimoine,* Poche, p. 315 ; paroles adressées à un avocat d'Angers). *Juger, plaider, statuer au fond* ou *sur le fond* (Lexis).

Fondé, part. passé. **Fondé de pouvoir,** n.m. Cf. POUVOIR, p. 748.

Fondre. Auxiliaire du v.intr. : *Le pauvre petit avait fondu pendant sa maladie* (N. Sarraute, *Le Planétarium,* p. 78). *La glace a fondu. La glace est maintenant fondue.*

Fondu, fondue. 1. **Fondu,** n.m., remplace, dans le langage de la photographie et du cinéma, *fading* (apparition ou disparition progressive de l'image). **Fondu enchaîné** désigne l'effet obtenu par la substitution progressive d'une image à une autre. On parle d'*ouverture* (en fondu) pour l'apparition progressive et de *fermeture* (en fondu) ou de *fondu au noir* pour la disparition. *Fondu* se dit aussi pour l'abaissement progressif du son.

2. On connaît **la fondue** *suisse* et *la fondue bourguignonne.* Mais les dictionnaires ne signalent pas un autre mets servi comme entrée et qui s'appelle en France des **fondues au fromage** (ou au chester) et à tort en Belgique des *fondus au parmesan* ; cette fondue au fromage se présente en entrée sous la forme de petits rectangles de pâte au fromage, couverts de chapelure et servis avec du persil frit. *Fondue au fromage* est attesté dans des livres de cuisine, parfois avec un autre sens.

Footing, n.m. Cet anglicisme est d'autant plus ridicule que le mot anglais y est détourné de son sens (base, etc.) Il faut dire *une marche, une promenade hygiénique.*

For, n.m. Proprement, *le for intérieur,* c'est le tribunal (latin *forum*) de la conscience. *En* ou *dans mon (ton,* etc.) *for intérieur* = au fond de ma (ta, etc.) conscience.

Force, n.f. *Il a réussi* **à force de** *travail* ou *à force de travailler,* mais non [*à force qu'il a travaillé*]. — *À force,* vieilli dans le sens de « beaucoup », se dit elliptiquement, en emploi adverbial, dans le sens de « à la longue » : *Les paysans qui reviennent de la foire s'entassent* **à force,** *là-dedans, avec leurs ballots et leurs gosses* (G. Duhamel, *Le bestiaire et l'herbier,* p. 104). *À force, comme cela peu à peu, les choses changent (...). À force, me semblait-il, tout cela s'effaçait* (Aragon, *La mise à mort,* pp. 300, 303). *Les pas des hommes, à force, les avaient creusées en leur milieu* (H. Juin, *Les hameaux,* Marabout, p. 131). *Ils* (mes parents) *avaient toujours peur pour moi (...). À force, je finissais par avoir peur moi-même* (B. Vian, *L'herbe rouge,* Poche, p. 79).

À toute force reste au singulier : *Il a voulu à toute force m'inviter. Force lui est de choisir :* il ne peut éviter de choisir.

Force, suivi d'un nom pluriel, est littéraire et signifie « beaucoup » : *J'ai dévoré* **force moutons** (La Fontaine).

Forcer. 1. **V.tr.dir.** Devant un infinitif, hésitation entre **à** et **de**. On peut seulement observer une certaine préférence de l'usage pour *à* ainsi qu'après *se forcer,* mais *de* n'est pas rare : *On force qqn à faire qqch. Il* **se force** *à ne pas se plaindre.* On dit plus souvent **s'efforcer de.** C'est parfois l'euphonie qui peut appeler *de : Il se força* **de** *sourire. On le força de partir.* On trouve aussi *se forcer* **pour,** faire un effort sur soi-même pour : *Il doit se forcer* **pour** *nous faire rire.*

Hésitation aussi au passif et avec l'adjectif **forcé.** On emploie de préférence *de : Je suis forcé de vous le dire. Je me vois forcé de vous le refuser.* Mais si le verbe a un complément d'agent, on emploie *à : Je suis forcé par les circonstances à m'absenter.*

2. **V.intr. :** *Travailler sans forcer.* **Forcer sur :** les dictionnaires donnent *forcer sur les avirons,* les manœuvrer le plus vigoureusement possible. Mais *forcer sur le sherry* (abuser de) est populaire. *À la vérité, il force un peu sur le sublime* (Sartre, *Les mots,* p. 15).

Forcing, n.m. Cet anglicisme s'est appliqué non seulement à la boxe, mais à divers sports, à toute tactique de harcèlement, à un entraînement intensif, etc. On peut parler d'*attaque à outrance,* de *développement* (ou d'*entraînement*) *intensif,* de *rythme accéléré,* etc.

Forcir, v.intr. On ne peut plus affirmer que ce verbe est populaire et qu'il ne se dit que des enfants dans le sens de « grandir, devenir plus fort ». Il est aujourd'hui familier et se dit pour *grossir* en parlant de toute personne : *Elle a forci.*

Forclore, v.tr.dir., ne s'emploie guère qu'à l'infinitif présent, aux temps composés et au participe passé, surtout s'il s'agit d'un droit : *Il est* **forclos** *de ce droit. Il s'est laissé forclore* (il est privé de ce droit, parce qu'il ne l'a pas exercé dans les délais).

Foresterie, n.f., désignait autrefois l'administration chargée de surveiller les forêts. Le mot a refait surface, dans un sens plus large que celui de *sylviculture*, au Québec puis en France : ensemble des activités qui ont pour objet l'exploitation des forêts et le renouvellement de leurs ressources.

Forfaire, v. aujourd'hui tr.ind., ne s'emploie qu'au singulier de l'indicatif présent, aux temps composés et au participe passé, employé aussi comme nom : *Il a forfait à l'honneur.* **Forfait,** n.m. *Il a déclaré forfait* (il a renoncé à participer à l'épreuve à la compétition, il s'est retiré).

Formaliser (se). *Il se formalise d'une chose, de n'avoir pas été invité, que* (ou *de ce que*) *l'invitation soit arrivée trop tard.*

Format, n.m., se dit des dimensions d'un livre, d'une feuille de papier, d'une gravure, d'une photo, etc. Abusivement appliqué à une personne au lieu d'*envergure,* d'*importance,* de *valeur : Un patron de grand format.*

Forme, n.f. *Un contrat est en bonne forme, en bonne et due forme. Sans autre forme de procès. Il a mis des formes* (il a usé de ménagements) *pour m'interroger. On fait qqch. dans les formes, dans la forme prescrite. Cet athlète est en forme, il a retrouvé sa forme. Je me sens en forme, en pleine forme.*

Formidable, adj., ayant perdu généralement son sens premier, « redoutable », peut se dire pour « très grand » *(Il a un culot formidable),* mais s'emploie avec une facilité vraiment abusive, dans la langue familière, pour qualifier une personne ou une chose qu'on admire (un homme, des cheveux, un livre, un paysage, etc.) ou ce qui étonne, déconcerte *(C'est formidable. Je l'avais mis là et je ne l'y retrouve plus).*

Formulaire, n.m. La langue française a longtemps manqué d'un mot officiel pour désigner le papier où l'on est invité à inscrire certains renseignements en face de rubriques imprimées. **Formule,** « forme déterminée suivant laquelle on est convenu d'exprimer une chose », ne semblait pas convenir, ni non plus **formulaire** ; il n'avait pas exactement ce sens d'après les dictionnaires, qui le définissaient plutôt « recueil de formules ».

L'usage belge avait tranché en faveur de *formulaire* : l'usage français penchait plutôt pour *formule.* Je notais en 1949 que l'Office parisien de la langue française, consulté dix ans plus tôt par la Chancellerie du gouvernement suisse, avait opté pour *formule.* Je plaidais cependant pour *formulaire.*

Depuis lors, si la douane canadienne emploie *formule* dans ce sens, c'est *formulaire* qui s'est imposé en France. Je l'ai trouvé dans des documents administratifs, dans des journaux, dans le Guide Michelin, chez plusieurs écrivains de qualité. Il est entré avec cette nouvelle acception dans des dictionnaires récents. *On remplit un formulaire.* C'est ce mot, et non *formule,* qui est retenu pour cet emploi dans le *Vocabulaire de l'administration* publié en 1972 par le Conseil international de la langue française.

Formuler, v.tr.dir. *On formule une ordonnance médicale, un théorème, un décret, un acte notarié,* mais aussi, dans le sens d'« énoncer, exprimer », *une demande, une plainte, une réclamation, une prière, une objection* et même (à côté de *former) des vœux.* L'idée de *formule,* de forme déterminée, précise et nette, est donc souvent abandonnée.

Fors (latin *foris,* dehors), prép., ne s'emploie guère que dans : *Tout est perdu, fors l'honneur* (excepté l'honneur).

Forsythia, n.m. d'un arbrisseau, vient du nom d'un horticulteur écossais *Forsyth.* D'où l'orthographe difficile.

Fort. 1. Adjectif. *Fort* varie dans **(être) fort de** qqch., puiser sa force, sa confiance dans qqch. *(Forte de notre approbation, elle ne s'est pas laissé faire),* mais reste habituellement invariable dans les expressions **se faire fort de** (s'engager à, se déclarer capable de ; généralement suivi d'un infinitif ; ne signifie pas « tirer sa force de ») et **se porter fort pour qqn** (répondre de son consentement, se porter garant ou garante pour lui). L'invariabilité en genre et en nombre résulte de l'invariabilité en genre de *fort,* à une époque très lointaine, à cause de la forme unique du latin *fortis* pour le masculin et le féminin. L'usage s'est établi de laisser *fort* invariable dans les deux expressions et même d'y laisser invariable le participe *fait : **Elle se fait fort** d'obtenir la signature de son mari* (Ac.). *Ils se faisaient fort d'une chose qui ne dépendait pas d'eux* (Ac.). ***Elle s'est fait fort** de la convaincre. Elles se sont portées fort pour nous* (Grevisse, *B.U.,* n° 733).

Littré n'avait pas tort de protester contre cette invariabilité ; mais elle se maintient en dépit de rares écrivains qui font l'accord malgré l'usage général.

Parmi les sens nombreux de *fort (fort en thème, une forte impression, une forte tête, de la colle forte, une plaisanterie un peu forte,* etc.), notons seulement ceux qu'on trouve dans *une odeur forte, un tabac fort, un café fort.* On peut dire : *C'est **un peu fort de café** pour c'est exagéré.*

2. Adv. a) Avec un verbe, *fort* est courant comme adverbe de **manière** : « en déployant une grande force » *(frapper fort, très fort, serrer fort, lancer la balle plus fort, de plus en plus fort),* « avec une grande intensité » *(Son cœur bat très fort. Cette fleur sent fort).*

b) Son emploi **avec un verbe** est plus limité en France, surtout à Paris, au sens de « beaucoup, extrêmement » (adverbe de **quantité**), du moins dans la langue parlée ; mais, courant en Belgique, il n'est pas rare en France et il est excessif de le déclarer archaïque ou littéraire. *Fort* peut certainement être lui-même modifié par un autre adverbe de quantité *(très, trop, si)* : *Cela me déplaît fort, très fort. J'en doute fort, très fort. Il crie fort. Je le soupçonne fort de m'avoir menti. Il aura fort à faire pour obtenir satisfaction. Cela lui tient fort à cœur. Il s'y intéresse très fort.*

Belgicisme : [*Ils crient tous au plus fort*] pour : *Ils crient tous plus fort les uns que les autres.*

c) **Devant un adjectif** (ou une expression ayant valeur d'adjectif) ou un autre adverbe, *fort* (= très) est moins courant et paraît parfois plus littéraire en France (surtout à Paris) qu'en Belgique, mais se dit et s'écrit très bien, en parlant des personnes comme des choses : *Le garçon, grand et fort mince* (M. Druon, *Rendez-vous aux enfers*, Poche, p. 21). *Il a été fort surpris* (Ac.). *Un homme fort riche. Il a fort mauvais caractère. Être de fort bonne humeur. Arriver de fort bonne heure. C'est fort possible. Fort bien. Fort heureusement. Fort longtemps. Fort loin.*

3. **Nom.** Il suffit de noter les expressions *ce n'est pas mon fort, au plus fort de (au plus fort de l'hiver, de la discussion)* et de mettre en garde contre le wallonisme [*de tous ses plus forts*] substitué à *de toutes ses forces : il criait (tirait, frappait, etc.) de toutes ses forces.*

Forte (pron. « té »), terme musical, adv. ou n.m. invariable, n'a pas d'accent.

Fortiori. Cf., à son rang alphabétique, A PRIORI : *Un raisonnement a fortiori.*

Fortuné, adj., vieillit dans le sens de « favorisé par le sort » (*Amants fortunés,* Ac. *Ô fortuné séjour,* Boileau) et signifie couramment « riche, qui a de la fortune » : *C'est la famille la plus fortunée du pays* (Ac.).

Forum, n.m. *(Un forum, des forums),* peut se dire d'un lieu où l'on discute des affaires publiques *(l'éloquence du forum)* mais s'emploie aussi pour toute réunion, tout colloque où l'on discute *(tenir un forum sur telle question).*

Fou, fol, adj. Cf. BEAU. On trouve avec étonnement, au lieu d'*un désir fou, un fol désir de raconter* (R. Héron de Villefosse, *Histoire de Paris,* Avertissement).

Foudre. Masculin : l'attribut de Jupiter ou *un foudre de guerre, un foudre de vin.* **Féminin** : la décharge électrique accompagnant le tonnerre, ce qui atteint soudainement *(un coup de foudre)* ; au figuré, des coups redoutables, des condamnations *(les foudres de l'Église, les foudres romaines).*

Foulée, n.f. On parle des foulées d'un animal (ses traces), de la foulée d'un coureur (son enjambée). Au figuré, **dans la foulée de qqn, de qqch.** On reste dans la foulée d'un coureur (on le suit de près, à la même allure). Une chose se fait dans la foulée (dans le prolongement) d'un évènement, en profitant de l'élan.

Foultitude (grand nombre), n.f., est plaisant et familier, et d'ailleurs déjà vieilli.

Fourche, n.f. Ainsi s'appelle en Belgique le creux d'une heure ou deux dans l'horaire d'un professeur ou d'un étudiant. En France on ne dit pas *une fourche*, mais *un creux, une heure creuse, un trou, un battement.* En Suisse, certains disent *une heure blanche.* À distinguer d'*un interclasse,* court intervalle entre deux classes, pendant lequel les élèves ne quittent pas la classe. — *Passer sous les fourches caudines* (noter les minuscules), par allusion au *défilé des Fourches Caudines* (noter les majuscules).

Fourchette, n.f., en termes de statistique désigne l'écart entre deux valeurs extrêmes d'une évaluation.

Fournée, n.f. On ne parle pas seulement d'*une fournée de pains* ou *de tuiles,* mais d'une fournée *de touristes, de visiteurs, de candidats.*

Fournil, n.m. On ne prononce pas *l.*

Fournir, v.tr.dir. **Fournir qqch. à qqn** ou **à qqch.** : *Fournir du travail à des chômeurs. Fournir à qqn le vivre et le couvert* (cf. Couvert). *Fournir du courant à une usine.*

    Fournir qqn (ou qqch.) en qqch. : *C'est lui qui fournit ma mère en légumes. Cette centrale fournit la région en électricité.* Beaucoup moins courant : **Fournir qqn (ou qqch.) de qqch.** : *C'est lui qui fournit de vin ce restaurant. Il a fourni de cravates ce commerçant.*

    Se fournir : *Je me fournis chez lui. Je me fournis chez lui en légumes* (ou *de légumes*).

Foutre, v.tr.dir., est populaire, souvent grossier, comme *se foutre de qqch.*

Foutu, part. passé de *foutre* et adj., est aussi considéré comme populaire mais est mieux accepté. Cf. *Fichu,* à Ficher.

Fox-trot, n.m., est invariable : *Des fox-trot.*

Fractions. Cf. Verbe, *Accord,* A, 4, p. 970.

Frai, fraie n. On ne dit plus *la fraie* mais *le frai* pour la ponte ou la fécondation des œufs de poissons (verbe *frayer*).

Frais, *fraîche* (accent circonflexe), adj. et adv. L'**adverbe** *frais,* devant un participe passé, signifie « depuis peu » ; il n'est pas suivi d'un trait d'union et généralement il s'accorde comme le participe : *Des roses fraîches écloses. Des bêtes fraîches tuées.* De bons écrivains laissent *frais* invariable dans ce cas. L'usage courant dit : *fraîchement.* Cf. Adjectifs composés, 2, p. 33.

Frais, nom appliqué aux dépenses, ne s'emploie qu'au pluriel : *Faire des frais ; Se mettre en frais. Sans aucuns frais. À moindres frais. À peu de frais* et non [*avec peu de frais*].

Franc, n.m. On écrit 10,50 F et on lit *10 francs cinquante.*

Franc, franche, adj. *Un franc scélérat* (accompli en son genre). *Un homme franc* est un homme sincère, sans artifice, et non un homme hardi, effronté.
Adverbe : *Ils ont parlé franc et net. Ils l'ont dit tout franc.*
Franc de port (qui tend à être remplacé par *franco de port* ou *franco,* invariables) peut varier ou non. Souvent, s'il suit le verbe il est considéré comme se rapportant à celui-ci et il reste invariable ; s'il suit le nom, on le considère plutôt comme se rapportant à celui-ci et il varie : *Recevoir franc de port une caisse. Recevoir une caisse franche de port.*
Composés : *la franc-maçonnerie, les influences franc-maçonnes* ou *franc-maçonniques, des francs-maçons ; des francs-tireurs, avoir son franc-parler, ils étaient franc-jeu* (cf. FAIR-PLAY) ; *jouer franc jeu, un franc-tireur, des francs-tireurs. Franc-comtois :* cf. ADJECTIFS COMPOSÉS, 1, N.B., b, p. 33.

Français. Cf. ACHETER, PARLER, MAJUSCULES, 1.

Franco reste invariable comme premier élément d'un composé *(des accords franco-belges)* et dans *des envois franco.* Cf. FRANC.

Franc-or, franc-papier : *Des francs-or, des francs-papier.*

Frangipane, n.f. Une pâtisserie *à la frangipane.*
Une frangipane (la crème ou le gâteau lui-même).

Franquette, n.f. *À la bonne franquette* et non [*flanquette*] comme dans plusieurs dialectes.

Fransquillon, n.m., péjoratif, a désigné en Flandre ceux qui optaient pour le français et s'y est appliqué par extension à ceux qui parlent le français avec affectation, qui **fransquillonnent.**

Frapper peut s'employer absolument *(On frappe)* au lieu de *On frappe à la porte.*

Frayon, n.m. On utilise en Wallonie le mot dialectal *froyon* pour désigner des irritations entre les cuisses, éprouvées par des cavaliers, des cyclistes, des piétons. Ce mot avait pour équivalents, selon Littré et le *Larousse du XXᵉ siècle, frayon* (même origine, *frayer,* sens vieilli de *frotter)* et *entrefesson.* On s'étonne que les meilleurs dictionnaires ignorent maintenant *frayon* et *entrefesson* et ne donnent plus que *frayement,* en le réservant au frottement chez les animaux.

Fredaine, n.f., ne veut pas dire « espièglerie », mais *léger écart de conduite, frasque.*

Free-tax (boutique) a comme équivalent français *boutique franche.*

Freezer, n.m. Anglicisme à remplacer par **congélateur.**

Freiner, v.tr.dir. et intr., s'écrit avec *ei* comme *frein.* Mais on écrit **effréné.**

Fréquenter, v.tr.dir. *Fréquenter qqn, le monde, un endroit.* L'emploi intransitif *(fréquenter chez qqn, dans un endroit ; l'endroit où l'on fréquente)* est vieilli, malgré certains emplois récents : *Cette maison où il fréquentait souvent* (R. Floriot, *Les erreurs judiciaires*, p. 44).

Dans certaines régions de France et en Wallonie, *fréquenter* s'emploie transitivement, surtout avec un sujet masculin, pour *courtiser* (une jeune fille) ; d'où : [*elle est fréquentée par un tel*] ou intransitivement pour « sortir avec un garçon ou une fille, être fiancé », soit absolument [*Il ou elle fréquente*], soit avec un complément introduit par *avec* [*Il fréquente avec cette jeune fille. Elle fréquente avec ce garçon*]. À éviter.

Fréter, v.tr.dir. Cf. AFFRÉTER.

Fricadelle (boulette de viande hachée), n.f., est devenu régional (Belgique, Lorraine) et n'est plus accueilli par les dictionnaires.

Fricassée, n.f., en français désigne un ragoût fait de morceaux de viande qui ont mijoté dans une sauce. Au pays de Liège, omelette au lard.

Fricoter, v.tr.dir. ou intr., est familier, comme *fricoteur.*

Frigidaire, n.m. d'un réfrigérateur d'une marque déposée, a désigné abusivement tout réfrigérateur et s'emploie (avec ou sans majuscule), au figuré : *Les rapports franco-britanniques étaient restés au Frigidaire* (Ch. de Gaulle, *L'unité*, Poche, p. 32) comme au propre : *Elle ouvre le frigidaire* (M. Butor, *Passage de Milan*, coll. 10/18, p. 140). En Belgique, on dirait couramment dans les deux sens **frigo,** n.m., plus répandu qu'en France dans le sens de *frigidaire* ou de *réfrigérateur (mettre au frigo)* et ignoré dans son emploi populaire français comme adjectif dans le sens de « froid » : *Il fait frigo* (GLLF).

Frigide, adj., et **frigidité,** n.f., s'appliquent spécialement à la femme.

Fringale, n.f., est français : faim pressante, au propre et au figuré.

Frire, v.tr.dir., ne s'emploie qu'à l'infinitif, au singulier de l'indicatif présent *(Je fris, tu fris, il frit),* aux temps composés et au participe passé *(frit).* On remplace les autres formes par *faire frire : Une poêle à frire. Frire une carpe, des saucisses. Il faisait frire du poisson.* Au figuré, *être frit,* familier, veut dire : être perdu, fichu.

Frisbee, n.m. d'une sorte de soucoupe volante avec laquelle on joue et nom du jeu lui-même, est un nom de marque. À remplacer par *soucoupe volante* (ou *soucoupe*) ou *disque volant.*

Friselis (pron. *s* comme *z*), n.m. désignant un faible frémissement, s'écrit avec un seul *s.* La graphie exceptionnelle et fautive *frisselis* est due à une mauvaise prononciation et à *frisson.*

Friser, v.tr.dir. *(friser les cheveux, une étoffe, les toits, l'abus de confiance, l'hérésie, la cinquantaine ; des cheveux frisés, du velours frisé, de la salade frisée)* ou **intr.** *(Cet enfant frise naturellement, des cheveux qui frisent).*

Friterie, friture, n.f. Le français distingue nettement les deux mots. **Friture** désigne l'action de *frire,* la matière grasse qui sert à frire, l'aliment frit (dans *une friteuse).* Au figuré, *un bruit de friture* ou *une friture :* sorte de grésillement qui se produit par moments dans un appareil de téléphone ou de radio.

Une **friterie** est une installation pour la friture. C'est à tort qu'en Belgique et dans les régions françaises limitrophes on appelle *friture* un établissement spécialisé dans la préparation des fritures ou des frites ou une baraque à frites. Il faut dire, et le mot se répand en Belgique : *friterie.*

Friturerie a été employé en France dans ce sens au XIXe siècle.

Froebel, froebelien, adj. On a parlé longtemps en Belgique d'*école froebel* (du nom d'un pédagogue allemand), d'*institutrice froebelienne,* et l'on parle encore d'**école gardienne** (sous l'influence du néerlandais), d'*enseignement gardien,* alors que l'usage français ne connaît que *garderie, crèche, garderie d'enfants, classe enfantine, école maternelle* ou *la maternelle.*

Froid, n.m. On dit en français : *prendre* ou *attraper froid* (un refroidissement) mais non, comme en Belgique *un froid* pour *un rhume.* On doit dire avec *un : attraper un rhume.*

Froisser, v.tr.dir. *Nous l'avons froissée. Elle est froissée qu'on ne l'ait pas invitée, de ce qu'on ne l'a pas* (ou *ne l'ait pas) invitée, de n'avoir pas été invitée.*

Frontalier, n. et adj., se dit des habitants d'une région frontière.

Frontière, n.f., s'emploie en apposition avec valeur d'adjectif et est variable après des noms comme *borne, garde, place, poste, province, région, ville, zone : Des zones frontières.*

Frotter, v.tr.dir. [*Un frotte-manche*], [*frotter la manche*] et [*frotteur de manche*] s'appliquent en Wallonie à un flatteur intéressé, à un flagorneur. Le français populaire dit : *lécher les bottes à qqn, un lécheur de bottes* et même, bravant l'honnêteté, *un lèche-cul.*

Froufrou, n.m., s'écrit sans trait d'union : *Des froufrous.* Cette onomatopée désigne le bruit léger du froissement des feuilles, des étoffes (qui *froufroutent).* En Belgique, petit biscuit formé de deux gaufrettes et fourré de crème.

Frugal, adj. Pluriel : *frugaux.*

Fruitier, n.m., ne se dit plus pour *coupe à fruits,* mais se dit du local ou de l'étagère où l'on garde les fruits et du marchand ou de la marchande *(la fruitière)* qui tient *une fruiterie,* où l'on vend des fruits.

Fruste, adj. L'Académie a refusé d'admettre le sens aujourd'hui courant et adopté par tous les dictionnaires et par d'excellents écrivains : « dont le relief est resté rude, grossier ; au figuré : rude, élémentaire, inculte, sans finesse, sans raffinement, sans élégance, grossier ». Il est vrai qu'il y a là contradiction avec le sens premier : usé par le frottement, et qu'il est anormal, si on pense à ce sens originel, de dire qu'*un marbre est encore fruste* parce que son relief est encore rude. Mais il ne faut pas perdre de vue que *fruste,* à cause de son sens premier, « usé par le frottement », appliqué par exemple à de vieilles monnaies, à de vieilles pierres, a signifié aussi « vieux, primitif, rudimentaire », ce qui justifie les emplois abusivement condamnés et l'application déjà ancienne de l'adjectif *fruste* à bien des choses plus ou moins grossières ou rudes, une personne, un esprit, une technique, des manières, un style, une poésie, un jugement.
Cette évolution sémantique doit être admise. Elle a été influencée par le rapprochement avec *rustre* (grossier), au point que bien des gens et même des écrivains substituent abusivement [*frustre*] à *fruste.*

Fuchsia, n.m. formé sur le nom d'un savant allemand, Fuchs, se prononce avec parfois *ou* + *ksya* chez les botanistes, mais couramment avec *u* + *ksya* (ou aussi *u* + *kchya*).

Fuel (prononcé « fioul »), n.m., est plus courant que *fuel-oil.* À remplacer par *mazout.*

Full-time, n.m. ou adv. Dire : *à plein temps.* Cf. Temps.

Fume-cigare, fume-cigarette, n.m., cf. Noms composés, B, 5, p. 626.

Fumeronner, v.intr., dégager de la fumée comme un *fumeron,* morceau de bois et, par extension, tout ce qui est insuffisamment carbonisé et fume encore : *Une cigarette mal éteinte qui fumeronne* (GLLF).

Funèbre, adj., se dit d'un éloge, d'un discours, d'un convoi, d'un cortège, d'une cérémonie, des honneurs, d'un air, d'une veillée, d'un silence, d'une marche, d'un repos, etc., mais non d'un article ou d'une notice *nécrologique* ni d'une couronne *funéraire.*

Fur, n.m. L'ancienne expression *au fur* (= à proportion), quand on ne l'a plus comprise, a été remplacée, sous l'influence d'*à mesure,* par *à fur et à mesure* (qui ne se dit plus) et **au fur et à mesure,** seule expression aujourd'hui admise : *Nous vendrons ces objets au fur et à mesure* ou *au fur et à mesure de nos besoins* ou *au fur et à mesure que nous aurons besoin d'argent.*

Furax, adj. familier, furieux. Invariable : *Elle est furax.*

Fusil-mitrailleur, n.m. *Des fusils-mitrailleurs.*

Fusilier, n.m. Distinguer de **fusiller,** v.tr.dir.

Furieux, adj., *Il est furieux de son échec* ou *d'avoir échoué. Être furieux contre qqn (après qqn* est populaire).

Fusion, n.f. Cf. AMALGAME.

Futaie, n.f., s'écrit sans accent circonflexe et se dit d'un groupe d'arbres de haut fût (accent circonflexe) ; **futaille,** « tonneau, barrique », peut être synonyme de *fût* dans ce sens de tonneau.

Fût-ce, fut-ce, fusse. Cf. ÊTRE, 1, p. 389.

Futé, adj. et n. Pas d'accent circonflexe. L'adjectif vient de l'ancien verbe *se futer*, échapper aux filets et donc au chasseur, en rapport avec *fuite*. D'où : malin, rusé, etc.

Futur, n.m. 1. L'adjectif s'emploie substantivement *(le futur, la future)* pour désigner celui, celle qui va se marier.

2. Traditionnel pour désigner dans la conjugaison le temps à venir, le nom *futur* concurrence fortement *avenir* dans l'emploi courant de celui-ci *(préparer l'avenir, craindre l'avenir),* surtout lorsqu'il désigne l'avenir dans ce qu'il a de conjectural, d'inventé et quand il s'oppose à *passé, présent : Vivre dans le futur. Un futur d'anticipation.*

3. **Temps verbal. Formes.** À côté du futur simple *(il dira),* du futur antérieur *(il aura dit)* et du futur du passé (cf. CONDITIONNEL), la langue parlée emploie un futur antérieur surcomposé : *Quand il aura eu fini.*

Emplois. Impossibilité de l'emploi du futur après *si* conditionnel, cf. SI, conj., p. 859. Après un *si* non conditionnel, pp. 861-862.

Il suffit de noter que, situant le procès dans le temps à venir, le futur peut exprimer l'ordre ou la défense *(Vous lui écrirez. Vous ne partirez pas)* ou une protestation *(On aura tout vu ! — Quoi ? je permettrai qu'il manque à sa parole ?* envisage plus la réalité que le conditionnel). Précisons seulement l'emploi pour l'atténuation et la probabilité.

Atténuation (futur de politesse). Le futur est substitué à un présent : *Je ne vous cacherai pas que je suis mécontent. J'en ai assez, je vous demanderai de vous taire. Je vous avouerai que vous m'étonnez.* C'est comme si on n'avait encore que l'intention de faire ce qu'on fait réellement.

On ne pourrait normalement dans ces phrases employer le conditionnel d'atténuation (cf. CONDITIONNEL), comme on le ferait en disant : *Je voudrais vous demander.* On le fait trop souvent, non seulement dans la langue parlée (aux personnes où la terminaison n'est pas *-ais,* prononcé généralement en France comme *-ai),* mais aussi dans la langue écrite, qui montre une hésitation dans certains cas : *Je vois chacun de mes héros, vous l'avouerais-je, orphelin, fils unique (...). Oserais-je bien vous faire* *remarquer que...* (A. Gide, *Journal des faux-monnayeurs*, pp. 65 et 73). *Je vous avouerai que vous m'étonnez* ne me paraît pas normalement transposable au conditionnel.

C'est aussi une sorte de futur d'atténuation qu'on trouve dans des phrases de ce genre, prononcées chez le commerçant : *Cela fera dix francs. Ce sera tout. Ça ira comme ça ?* Il reste dans ces emplois quelque chose de l'avenir : *Avec votre accord, quand vous aurez vérifié, cela fera dix francs. Ce sera tout si...*

Probabilité. Le futur peut exprimer non pas un on-dit comme le conditionnel, mais une hypothèse personnelle et provisoirement vraisemblable ; *On sonne ; ce sera mon ami.* Avec le futur antérieur : *Ne vous inquiétez pas, une affaire l'aura sans doute retenu. Je n'ai pas mes clés, je les aurai oubliées.*

4. **Dérivés** de *futur : futurisme, futuriste, futurologie, futurologue.*

Fuyard, adj., a vieilli et est généralement remplacé par *fugitif.* Comme **nom,** il se dit spécialement du soldat qui fuit devant l'ennemi.

G

Gabegie, n.f., ne signifie plus « fraude, fourberie », mais « désordre provenant d'une mauvaise administration, gestion financière désordonnée qui peut favoriser la fraude » : *Il y a de la gabegie dans cette administration* (Ac.).

Gabelou, n.m. Cf. ACCISIEN.

Gâchette, n.f. Les dictionnaires enregistrent, en y dénonçant un emploi abusif, « appuyer sur la gâchette », « le doigt sur la gâchette ». C'est sur la **détente** qu'on appuie, c'est elle qui, en agissant sur la gâchette, pièce intérieure de l'arme à feu, permet de faire partir le coup. Cf. DÉTENTE.

Gâchis, n.m. Accent circonflexe comme sur *gâcher.*

Gadget (on prononce *è + t*), n.m., désigne maintenant, surtout dans le domaine de l'automobile et de l'électroménager, tout petit objet pratique, original, amusant par sa nouveauté. Aucun mot français (*machin, truc, bidule, bricole, babiole*, etc.) ne peut remplacer vraiment ce mot américain.

Gaffe, n.f., **gaffer,** v.tr.dir. ou intr. Distinguer *gaffer un poisson* (l'accrocher), *faire une gaffe* (maladresse, bévue) ou *gaffer* et, dans le langage populaire, *faire gaffe* ou *gaffer* (faire attention).

Gagne-pain, gagne-petit, n.m. invariables.

Gagner, v.tr.dir., peut s'employer absolument ou intransitivement. Il implique toujours un profit, un avantage, mais qui peut être obtenu par le travail, par le jeu, par le hasard, etc. : *Gagner son pain, une course, le ciel, une pomme, un prix, un gros lot, du temps, sa vie, l'estime, une partie de cartes, un procès, du terrain. Les cent francs qu'il a gagnés. On gagne une bataille* ou *la guerre*, mais *on remporte la victoire.* Dans un sens ironique : *Gagner un bon rhume. Depuis lors, il m'en veut ; c'est tout ce que* *j'y ai gagné.* Autres sens : *Gagner la porte, la sortie, sa place. La foule gagnait les rues voisines. Son enthousiasme nous a gagnés. Il nous a gagnés à sa cause. Gagner qqn de vitesse,* le devancer au but. Mais *gagner qqn,* le vaincre au jeu ou dans une compétition, est vieilli. — *Il a gagné. Gagner au change. Vous y gagnerez. Vous gagnerez à ce qu'on ne sache rien. Cet homme gagne à être connu.*

Gaiement, adv., **gaieté,** n.f., s'écrivent aujourd'hui avec *ie* et non avec *ï.*

Gaillette, n.f. (pron. « gayette ») est un mot wallon devenu français, mais qui n'est pas encore enregistré par tous les dictionnaires : morceau de houille d'une grosseur moyenne.

Gaine, n.f., **gainer,** v.tr.dir., **gainage,** n.m. Pas d'accent circonflexe.

[**Galafe** ou **galafre, goulafe** ou **goulafre**], adj. et n., sont des wallonismes pour *gourmand, glouton, goinfre.*

Galant, adj. La distinction subsiste, mais tend à s'affaiblir, entre *un galant homme* (un homme d'honneur aux procédés délicats) et *un homme galant* (empressé auprès des femmes). *Une femme galante* (toujours péjoratif) désigne une femme de mœurs légères.

Galette, n.f. En France, la galette est un gâteau de forme aplatie, qui peut différer fortement selon les régions et les recettes ; c'est aussi le nom de crêpes faites avec de la farine de sarrasin.

En Belgique, *galette* a d'autres sens régionaux et désigne notamment une sorte de gaufre (on parle en France de la *gaufre liégeoise,* distincte de la *gaufre flamande*), faite avec un moule de deux plaques appelé *gaufrier.* On dit couramment en Belgique, en distinguant les moules, *fer à galettes* et *fer à gaufres.*

Dans le sens de « argent, fortune » par analogie avec la forme ronde et plate de la galette et les pièces de monnaie, le mot est populaire.

Galoche, n.f., se dit en français d'une chaussure de cuir à semelle de bois. On dit : *menton en galoche* (long et relevé vers l'avant). En Belgique, on emploie abusivement *galoches* pour *caoutchoucs* en parlant de chaussures.

Galoper est généralement intransitif. On trouve encore de très rares emplois transitifs comme *galoper un cheval* (le faire aller au galop), *galoper un espace* (le parcourir au galop) : *Des espaces qu'il n'avait jamais galopés* (J. Peyré, *Croix du Sud,* Poche, p. 53).

Gamin, gamine, n., courants et familiers dans le sens de *fils* ou *fille* en bas âge : *Ils ont une gamine de six ans. Le papa viendra avec son gamin.* Ces mots désignent un petit garçon ou une petite fille en général, parfois avec l'idée d'espièglerie.

Gangrène, n.f. *Gangrener,* v.tr.dir., *gangreneux,* adj.

Gant de toilette est français. On dit aussi *main* ou *main de toilette*. Au Canada on utilise un carré de tissu-éponge appelé joliment *débarbouillette*.

Se donner les gants de qqch. a deux sens : 1) s'attribuer le mérite de ce qu'on n'est pas, de ce qu'on n'a pas : *Les femmes sont des femmes, même quand elles se donnent les gants d'être des anges* (Anouilh, cité par Lexis) ; 2) se donner l'avantage facile de, avoir l'effronterie de : *Je ne me donnerai pas les gants de vous presser sur ce point, ni de vous mettre le nez dans l'absurdité essentielle de tels propos, car il apparaît bien que vous n'y attachez vous-même aucune importance* (Fr. Mauriac, *Le Figaro*, 12 septembre 1950).

Garant, adj. et n., appliqué à des **personnes** ou des États, des puissances, des sociétés, varie soit dans **être garant**, soit dans **se porter garant, se rendre garant, offrir pour garant** : *Ces témoins sont les seuls garants que nous ayons. Cette puissance s'est rendue garante au traité* (Ac.). *Ils sont (ils se portent) garants que nous le ferons. Ils se sont portés garants de nos promesses. Cette dame est ma garante. Je vous offre mon associée pour garante de l'exécution du contrat.*

Appliqué à des **choses**, garant est perçu comme nom masculin et généralement précédé d'un article : *Sa conduite passée est **un sûr garant** de sa fidélité pour l'avenir.*

Prendre à garant (où *garant* restait invariable) signifiait « prendre en garantie » ou « rendre responsable », mais ne se dit plus.

Garantir, v.tr.dir. *Je garantis qu'il le fera. Je ne garantis pas qu'il le fasse* (ou *qu'il le fera*).

Garde dans les noms composés. La règle traditionnelle, hésitante pour l'accord du second élément, laisse *garde* invariable quand le composé désigne une chose et le fait varier s'il s'agit d'une personne. Cette distinction peut être observée encore, mais le CILF et les lexicographes consultés ont résolu de ne plus la respecter et d'appliquer à ces composés de *garde*, quand ils contiennent un trait d'union et un nom complément d'objet direct, la règle générale appliquée à ce genre de composés : invariabilité de *garde* dans tous les cas, accord du complément au pluriel seulement : *un garde-chasse, garde-boue, garde-barrière, garde-chiourme ; des garde-chasses, garde-boues, garde-barrières, garde-chiourmes.* Cf. NOMS COMPOSÉS, B, 5.

On écrit : *un* ou *des garde-à-vous, un garde champêtre, un garde forestier, un garde française* (soldat de l'ancien régiment des gardes françaises), *des gardes champêtres, des gardes forestiers, des gardes françaises.* Si l'on suit la règle traditionnelle : *des gardes-barrière(s), des garde-boue, des garde-manger, des gardes-chasse(s), des gardes-côtes* (surveillants), *des garde-côtes* (bateaux), *un* ou *des garde-feu, un* ou *une garde-malade, des gardes-malades.*

On distingue *un garde du corps, des gardes du corps* et *un* ou *des garde-corps* (barrière).

Garde, chef-garde, n.m., belgicismes officiels pour *contrôleur, chef de train.*

Garder, v.tr., **se garder, prendre garde,** etc. **devant un infinitif** ou « **que** ».

1. **Garder** (qqn ou qqch.) **de** + *infinitif* est vieilli et littéraire ; il ne se dit plus guère qu'en invoquant Dieu : *Dieu nous garde de le rencontrer.*

Garder que + *subjonctif* avec ou sans *ne,* s'employait dans la langue classique dans le sens de « tâcher d'éviter », donc « prendre soin qu'une chose ne se fasse pas » : *Garde bien qu'on te voie* (Corneille). *Gardez qu'avant le coup votre dessein n'éclate* (Racine). Certains auteurs restent fidèles à ce tour en employant **avoir garde :** *J'avais garde de l'interrompre (...). J'avais garde de rompre le silence* (H. Bosco, *L'antiquaire,* Folio, pp. 52, 391). On dit généralement aujourd'hui : *prendre garde que... ne* (cf. 5) ou *Je n'avais garde de rompre le silence. J'avais soin de ne pas rompre...* ou *Je me gardais de...*

2. **Se garder de,** suivi d'un nom, signifie « se tenir en garde contre, se défier de » : *Il faut se garder des flatteurs, de la flatterie.*
Suivi d'un infinitif, il signifie « s'abstenir de, éviter de » : *Gardez-vous de lui répliquer. Je me garderai bien de la questionner.*

3. **Prendre garde à** + *infinitif* signifie toujours « veiller à », mais est vieilli : *Prenez bien garde à vous déhancher comme il faut* (Molière). *Prenez garde à éviter les cahots* (M. Druon, *Les grandes familles,* Poche, p. 277). *Elle prenait garde, le matin, à se lever la première* (P. Lainé, *La dentellière,* Bibliothèque du temps présent, p. 77).
Suivi de *ne pas,* mais toujours dans un emploi vieilli et avec le sens de « veiller à » : *Prenez garde à ne pas trop vous engager* (Ac.). On dit plutôt *prendre garde de,* qui peut cependant être équivoque.

4. **Prendre garde de** + *infinitif* a deux sens possibles : « veiller à ne pas, éviter » (*Prenez garde de tomber,* Ac.), « avoir soin de » (*Prenez garde de bien écrire*), selon que l'on se réfère à l'idée de « précaution contre » ou de « soin en faveur de qqch. ». La langue s'en accommode quand le sens est clair, elle admet même qu'on dise avec pratiquement le même sens : *Prenez garde de tomber* et *Prenez garde de ne pas tomber.*
Mais on évitera l'équivoque : *Prenez garde de lui parler de son accident* peut être compris de deux façons. On dira, selon le sens : *Ayez soin* ou *Évitez.* Le tour avec *ne pas* se répand, parce qu'il est clair. *Prenez garde de ne pas lui parler...* (Ayez soin).

5. **Prendre garde que** + *subjonctif* veut dire « éviter » et est suivi de *ne. Prenez garde qu'on ne vous surprenne* (Ac.). Même sens, mais emploi plus familier : *Prenez garde qu'on ne vous surprenne pas.* On dit aussi *prendre garde à ce que* suivi du subjonctif avec *ne* ou *ne pas.*

On emploie l'indicatif ou le conditionnel si le sens est « être attentif à, remarquer, observer » : *Prenez garde **qu'il va revenir**. Prenez garde que cela a déjà été dit. Prenez garde **qu'on s'étonnerait** de votre refus.*

6. *Se donner garde de* ou *que, se donner de garde de* ou *que* sont vieillis : *Donnez-vous garde qu'on ne vous attaque* (Ac.). On dit : *éviter*.

7. **N'avoir garde de**. Cf. AVOIR, 13, p. 146.

Gardienne (école —). Cf. FROEBEL.

Gare, interjection : *Gare ! — Gare aux conséquences !*

Gargote, n.f., est péjoratif.

Garnisseur, n.m., a en Belgique, du moins dans l'expression courante *tapissier-garnisseur*, un sens abusif. Les dictionnaires français donnent l'expression **tapissier-décorateur**. Ils définissent en effet *garnisseur* : ouvrier qui pose des garnitures (ce qui sert à garnir une chose pour la compléter ou l'orner), ou, d'une façon plus restrictive, « ouvrier préposé à la coupe, à la confection, à la pose des pièces de garniture d'une carrosserie » (GLLF).

Le *décorateur* n'est pas seulement l'artiste qui conçoit le « décor » (ce qui sert à orner un lieu) d'un appartement, d'une salle, d'un spectacle, mais aussi celui qui exécute des travaux de décoration. Dans la mesure où il se contente de placer les étoffes ou les papiers peints, le *tapissier* n'a pas besoin d'un autre nom. Mais s'il en mérite un, *tapissier-décorateur* doit être recommandé.

Garrot, n.m. Deux *r. Garrotter*, deux *r*, deux *t*.

Gasoil, n.m. ou, ce qui vaut mieux, *le gazole*.

Gâte et les **composés**. *Gâte* reste invariable. Le second élément peut prendre *s* au pluriel : *Un gâte-ménage, des gâte-ménage(s). Un gâte-métier, des gâte-métier(s). Un gâte-sauce, des gâte-sauce(s).* Cf. NOMS COMPOSÉS, B, 5.

Gâté, adj. On parle d'un *enfant gâté* ; mais c'est un régionalisme de faire de *gâté, gâtée* un nom dans ce sens.

Gauchisant, adj. et n., ne vient pas du verbe *gauchir* (qui donne *gauchissant* et a un sens général et non politique), il est formé de *gauche* avec le suffixe *isant* et veut dire : qui a de la sympathie pour la gauche ; *gauchisme* et *gauchiste* s'appliquent à ceux qui veulent une gauche plus extrémiste et plus révolutionnaire.

Gaullien, adj., qui se rapporte à la personne, à la pensée politique et à l'action du général de Gaulle ; **gaulliste**, partisan du général, élargit son sens au détriment de *gaullien*.

Gavial, n.m. de reptile. *Les gavials du Gange.*

Gavotte, n.f. Deux *t.*

Gazette, n.f., a vieilli et est devenu régional, excepté dans des titres de journaux. On dit couramment : *journal,* sauf dans l'emploi familier *la gazette du quartier.*

Gazoduc, n.m., canalisation pour le transport du gaz.

Gazon, n.m. Deux *n* dans les dérivés.

Geai, n.m. d'oiseau. Ne pas confondre avec *jais,* variété de lignite (*des cheveux noirs comme jais*).

Geindre, v.intr., se conjugue comme *atteindre.*

Geisha, n.f., s'écrit aussi *ghesha.*

Gelée, n.f. : *Gelée de groseille,* etc. ou *de groseilles,* etc. Mais *gelée de fruits.*

Geler, v.tr.dir., et intr. *Le froid a gelé les bourgeons. Je suis gelé* ou *Je suis gelé de froid* (Ac.). *Cette chambre est si froide qu'on y gèle* (Ac.). *Je gèle. La rivière a gelé* (Ac.). *Les pieds lui ont gelé* (Ac.). Au passif ou avec l'adjectif *gelé : La rivière est gelée* (Ac.). *Tous les poiriers ont été gelés* (Ac.). *L'huile se gèle dans la bouteille* (Ac.).

Gélinotte, n.f., d'une sorte d'oiseau qui glousse. L'Académie met un accent aigu sur le premier *e* depuis 1975.

Gencives, n.f.pl., se dit en langage populaire pour la mâchoire, les dents : *Recevoir un direct dans les gencives.*

Gendelettre, n.m., est substitué familièrement et ironiquement à *gens de lettres* et peut s'appliquer à une femme : *C'est un pur gendelettre. Elle est tout à fait gendelettre.*

Gêner, v.tr.dir. *Les travaux gênent la circulation. Sa conduite me gêne. Cette dépense me gêne. Je ne suis pas gêné de l'avouer.*
   Se gêner : *Ne vous gênez pas* ou *Ne vous gênez pas avec moi* ou *pour moi. Elle ne s'est pas gênée **pour** avouer sa méprise.*

Générer, v.tr.dir., se répand dans le sens de « produire, engendrer ».

Genèse, n.f., dans les noms composés, devrait et peut toujours rester tel quel. Mais, sous l'influence de *génétique,* on remplace parfois e par *é : parthénogenèse* est ainsi écrit à tort par l'Ac. et certains dictionnaires *parthénogénèse.*

Genou, n.m. *Se mettre à genoux. Tomber à genoux.*

Genre des noms. Voir à leur rang alphabétique les noms sur le genre desquels on hésite.

    A. *Titres de* **fonctions et professions féminines.** Problèmes de *genre* et d'*accord.*

    Genre. Dans certains pays, des dispositions légales interdisent toute discrimination entre hommes et femmes dans la plupart des offres d'emplois ; le problème, quand il ne peut être résolu par l'existence d'un nom féminin spécial, peut l'être par l'emploi de *un(e)* quand le nom de la profession est masculin ou féminin, ou par H. ou F. (ou M. F.) : *On demande un(e) comptable, un(e) concierge,* **un ingénieur** (ou *un peintre*) **homme ou femme (H. ou F.),** etc. Certains titres ou noms de professions ont une forme féminine courante à côté de la forme masculine : *actrice, collaboratrice, romancière, couturière, rédactrice, directrice, animatrice, traductrice, présidente, infirmière, institutrice, inspectrice, attachée de cabinet, conseillère, vérificatrice, pharmacienne, laborantine, doctoresse, avocate, vendeuse, receveuse, abbesse, prieure,* etc. L'Académie, après Littré, donne *factrice* comme féminin de *facteur* distribuant le courrier. L'usage n'a pas suivi.

    Certains féminins sont d'ailleurs boudés par les femmes elles-mêmes. On les voit préférer s'appeler **Maître Louise Dupont, avocat** ou *Madame X, docteur en médecine* ou *chirurgien* ou *conservateur de tel musée,* ou *directeur de...* Elles devraient au contraire ne pas hésiter à s'appeler et à se faire appeler *Madame la Directrice* ou *Madame la Présidente* quand elles sont à la tête d'une institution officielle pour laquelle on n'a prévu que le titre masculin.

    Au Québec, on n'hésite pas à dire : *une chirurgienne, une architecte* et même *une députée, une ministre, Madame la Ministre.* En Europe, on s'en tient à **Madame le député,** *le sénateur, le juge, le ministre, le docteur, le maire, le bourgmestre,* etc.

    Il ne devrait y avoir aucune hésitation pour les noms qui, comme *enfant, élève, aide-comptable, comptable, garde-malade, kinésithérapeute, bibliothécaire, pédicure, collègue, concierge, locataire, téléphoniste, archiviste, journaliste, libraire, dentiste, éclairagiste, secrétaire,* etc., s'emploient au féminin comme au masculin. De même pour *sténodactylo* et *dactylo,* bien qu'ils soient rares au masculin.

    On ne devrait pas hésiter non plus, lorsqu'il s'agit d'une offre d'emploi, à recourir au parallélisme *garçon, fille,* le nom étant suivi d'un complément déterminatif.

    Tout évoluerait plus vite si les femmes le voulaient ou seulement y consentaient ! Mais on n'en est pas encore à donner un féminin à des noms comme *chef, écrivain, ingénieur, auteur,* etc. On dit donc : **une femme auteur,** *une femme écrivain, une femme ingénieur, une femme chef d'entreprise, une femme magistrat,* etc.

    Il arrive que le nom féminin désigne la femme de celui qui porte le titre : **Madame l'amirale,** *la maréchale, la colonnelle, l'ambassadrice, la* *préfète*. D'où l'hésitation à donner ce nom à la femme qui exerce la fonction d'ambassadeur. En Belgique, il faut dire : *Madame la Préfète* (d'un lycée).

Quant aux titres universitaires reconnus par la loi, **licencié**, **docteur**, **agrégé**, etc., ils le sont actuellement sous la forme masculine ou neutralisée. Une dame est donc promue *licencié*, c'est le titre officiel, mais elle peut fort bien écrire qu'elle est *licenciée en droit*. Le féminin de *maître-assistant* est *maître-assistante*.

Notons qu'une femme est nommée **chevalier** ou **officier** ou *commandeur* de tel ordre. Et enfin que, si l'on dit fort bien : *Maître Louise Dupont est **une excellente avocate** ou est **un excellent avocat***, on dira : *Maître Louise Dupont est **inscrite** au barreau de Bruxelles*. Et l'on devra dire qu'elle est **un des meilleurs avocats** de sa génération si la comparaison porte sur les hommes comme sur les femmes.

Problèmes d'accord *concernant les titres et l'appellatif « Madame »*.

1. De même qu'on dit : *Madame Dupont est **satisfaite***, on dit : *Madame Soleil est satisfaite, Madame Soleil que j'ai consultée* (cf. 4).

2. Les titres *Sa Majesté, Son Excellence*, etc., employés seuls, commandent l'accord de l'adjectif ou du participe et sont repris éventuellement par un pronom féminin : *Sa Majesté est **absente** ; elle est à l'étranger ; je l'ai vue avant son départ. Son Excellence a été reçue par le roi ; elle était accompagnée du conseiller culturel. Votre Altesse est trop bonne. Sa Sainteté est souffrante, elle a annulé ses audiences*.

Mais le nom attribut ou apposé est au masculin s'il s'agit d'un homme, au féminin s'il s'agit d'une femme : *Sa Majesté est **le père des arts**. Sa Majesté, bienfaitrice des pauvres, est aussi **la mère des arts***.

3. Si un tel titre est suivi d'un nom avec lequel il fait corps, c'est ce nom qui détermine logiquement l'accord : *Sa Majesté le roi est **absent** ; il est à l'étranger. Sa Sainteté le pape est souffrant, il a annulé ses audiences. Son Excellence l'ambassadeur est absent*.

4. **Madame le professeur, le juge**, etc. On dit sans hésiter : *Cette dame* (ou *Madame Dupont*) *est un des professeurs du lycée* ou *est le professeur de ma fille* ou *est un excellent professeur* ou *est le meilleur professeur du lycée*. Si Madame Dupont est absente, une élève dira : *Un de nos professeurs est absent* ou *Mon professeur de français est absent*.

Si l'on vient de dire : *Madame Dupont est **un excellent professeur***, on ajoutera : ***Elle** va malheureusement nous quitter* ; on dira moins souvent, renvoyant à l'attribut *un professeur* : *Il va malheureusement nous quitter*. Cet emploi d'un pronom masculin deviendrait d'ailleurs ridicule si l'on disait : *Il est aussi intelligent que beau* ou si, s'agissant de Mlle Dupont, on déclarait : *Il va nous quitter pour épouser M. Durand !*

Quand on a employé *Madame le professeur, Madame le juge*, etc., on peut régler l'accord ou l'emploi du pronom sur le nom qui suit *Madame* : *Madame le professeur est absent ; il rentrera la semaine prochaine*. Mais le féminin est aussi naturel qu'après *Madame Dupont*, où *Dupont* est indifférencié comme l'est le nom de la profession dans ce cas. Je dirais : *Madame le Ministre est **occupée** pour l'instant ; **elle** vous recevra dans deux minutes. Madame le juge s'**est plainte** ; je l'ai entendue.*

B. *Noms propres de* **villes.** Aucune difficulté s'ils contiennent un article : *Le Caire* est masculin, *La Rochelle* est féminin. En dehors de cela, il n'y a pas de règle ; parfois le même auteur se contredit dans un même article. Une terminaison masculine peut favoriser le masculin ; un *e* muet dans la syllabe finale peut favoriser le féminin ; mais les exceptions sont nombreuses, et le masculin semble prévaloir.

On trouve sous d'excellentes plumes *Rome est **bâtie*** ou *Rome est **bâti**, Lyon est occupé* ou *Lyon est occupée*. On dit toujours : **le** *Bruxelles de 1830*, comme on dit *le vieux Bruxelles, le grand Bruxelles*, comme *le grand Paris*, bien qu'on trouve parfois au féminin des adjectifs ou des participes se rapportant à Paris. C'est qu'on sous-entend : *la ville*.

S'il est question de clubs sportifs, on emploie le masculin : *Nice a été* ***battu.***

Si l'on désigne non pas le lieu géographique, mais le groupe humain qui y réside, il est normal de préférer le masculin. Cela se produit notamment avec *tout* : ***Tout** Genève s'intéresse au débat. Le Tout-Paris.*

C. **Noms supposant une ellipse.**

1. En principe, on donne à ces noms le genre du nom sous-entendu : *du hollande* (fromage), *du bourgogne, du semois* (tabac), *un havane* (cigare), *un Rosa Bonheur* (tableau), *une lévite* (robe), *le Marie-Claire de cette semaine* (le périodique), *un terre-neuve* (chien).

On dit de même généralement, en pensant à des masculins comme *papier, objet, vase,* etc. et en faisant de ces appellations des noms communs variables : *du japon, de vieux saxes, un chine.*

2. Pour les **ballons,** en vertu de cette règle, on a sous-entendu *ballon* et dit : *Le Patrie, le ville de Paris.* On dit : *une Montgolfière.*

3. Pour les noms de **bateaux,** la tradition des marins a été d'accorder l'article avec le nom du navire : *la Jeanne d'Arc, la Patrie, la Provence, le Vercingétorix.* Mais depuis une cinquantaine d'années l'usage hésite et l'on a beaucoup discuté. Certains restent fidèles à la tradition, confirmée par l'Académie française et par l'Académie de marine. D'autres appliquent la règle générale et disent *le* ou *la* selon qu'il s'agit d'un navire, d'un cuirassé, d'un paquebot ou d'une chaloupe, d'une canonnière. D'autres, surtout les écrivains et les journalistes, généralisent plutôt *le* et on peut lire souvent dans la presse ou les réclames des compagnies : *le Queen Elisabeth II, le Renaissance, le Daphné,* etc. D'autres encore, et qui deviennent d'autant plus nombreux que l'usage et les grammairiens hésitent, suppriment l'article et considèrent le nom comme masculin. Ce dernier usage, condamné par l'Office de la langue française en 1938,

semble avoir gagné du terrain au moment de la mise en vente du *France* ou de *France*, bien qu'on ait écrit couramment : *le France* ou *le « France »*. **Sans article,** le bateau s'appelle *France, Normandie, Bretagne, Dunkerque, Marseillaise, Gascogne,* etc. Pour éviter de dire que *La France* a été vendue à un étranger, on écrit « *Le France* (ou le « France ») a été vendu » ou, afin d'échapper à toute discussion, « *France* (ou « France ») a été vendu ».

4. **Avions.** Si l'usage s'est prononcé en faveur d'*une caravelle*, des hésitations subsistent pour *Concorde*. Un article du *Figaro* (12.3.1976), donne dans le titre : « *Concorde* » *interdit six mois à New York* et dans le texte : *L'aventure du « Concorde »* (...), *le « Concorde »* (...), *la venue du « Concorde »* (...), *l'atterrissage du « Concorde »*. Le féminin *la Concorde* est très rare ; on sous-entend l'avion ou le supersonique.

5. *Noms de* **fruits.** L'Académie comme Littré disent *une calville* pour cette pomme qui doit son nom à Calville, commune de Normandie, et *un doyenné* pour une variété de poire. On dit toujours aujourd'hui *une calville* et généralement *une doyenné*. Comme *une bergamote*. Mais : *un beurré, un beurré Hardy, un bon-chrétien, une Louise-bonne* (ou, sans majuscule, *une louise-bonne, des louises-bonnes), une belle Angevine*, etc. En cas d'hésitation, on a toujours la ressource de dire : *une poire bon-chrétien, une poire belle Angevine*, etc.

D. *Noms d'***animaux.** Beaucoup de noms d'animaux n'ont qu'un genre : un éléphant, un crocodile, une perdrix, une hyène. Ce sont des noms épicènes. On dit alors, s'il faut préciser le sexe : *un éléphant* **mâle,** *un crocodile* **femelle,** *le mâle de l'hyène*.

E. **Noms étrangers** *employés dans un contexte français*, par exemple *Zeitung, Partei,* qui sont féminins. On leur laisse leur genre d'origine ou beaucoup plus souvent, on leur prête le genre du nom français correspondant (gazette, journal, parti) : *Le New-Tribune, la Westminster Gazette, le Neue Zeit*.

F. **Noms de fêtes.** Le féminin s'impose dans *la Noël, la Saint-Jean,* etc. Pour *Pâques,* cf. ce mot. Littré disait : *le Laetare* (*le dimanche de Laetare*) bien qu'il adoptât *la Quasimodo*. Rien n'empêche de dire : *la Laetare,* comme en Belgique, si l'on sous-entend « fête ». Du moins à mon sens.

G. On dit, avec l'article partitif masculin : *J'ai lu* **du Montaigne,** *du George Sand, du Colette*.

H. Cf. CONSONNES.

Gens, gent, n. 1. **Emploi.** *La gent* (du latin *gens, gentis,* nation, peuple, race) est un collectif féminin : *la gent ailée*. Il n'a pas de pluriel dans l'usage actuel. Son ancien pluriel est *les* (ou *des*) *gens,* qui a pris très tôt le sens général d'hommes et ne se dit plus guère que d'un nombre indéterminé de personnes : *J'ai vu mille gens sur la place* (Littré). *Il y a* **cent**

gens qui l'ont vu. On dit aussi : *quelques gens.* Mais *l'un de ces gens* ne se dit guère et l'on n'emploie *deux, trois* etc., aujourd'hui, que si *gens* est précédé d'un adjectif. Exemples de l'Académie : *Il y vint trois pauvres gens. Nous étions dix honnêtes gens. Ces quatre frères étaient quatre braves gens.* On peut dire : *Dix jeunes gens. Un de ces jeunes gens.*

Genre. Nous venons de voir que *la gent* est féminin singulier. Quant à *gens*, à cause de son sens (hommes en général), dès le moyen âge on a mis souvent au masculin les adjectifs et les pronoms qui le suivaient : *Ces gens deviennent jaloux.* D'où la règle moderne qui aboutit à des discordances regrettables : *gens* est masculin, mais lorsqu'il est immédiatement précédé d'un adjectif dont la forme féminine diffère de la forme masculine et lorsqu'il n'est pas suivi d'un complément, cet adjectif et tous ceux qui le précèdent autrement que par inversion se mettent au féminin. Le participe qui suit est toujours au masculin. Quant au pronom personnel, il se met au masculin, même s'il précède : *Certains de ces gens. Tous les gens. Quels honnêtes gens ! Qu'est-ce qu'ils diraient, toutes ces bonnes gens ? Instruits par l'expérience, les vieilles gens sont soupçonneux* (Ac.). *Certains gens de robe. De nombreux gens de lettres* (Ac.).

Cette règle est généralement suivie (à moins qu'on ne préfère dire : *hommes* ou *personnes*). C'est un fait que l'oreille ne semble pas pouvoir accepter *bons gens, vieux gens.* Il serait si simple que l'Académie et les écrivains acceptent de considérer que *gens*, même lorsqu'il a un complément dans des expressions comme *gens de robe, gens d'honneur,* est toujours féminin et que tous les adjectifs, participes et pronoms qui se rapportent à ce nom se mettent au féminin. En attendant, il faut suivre la règle, si déconcertante qu'elle soit, et écrire : *Quelles gens avez-vous rencontrés ? Ces vieilles gens sont arrivés.*

2. **Exception** à cette règle : *Tous* reste généralement au masculin, immédiatement devant *gens*, quand celui-ci est ensuite déterminé. *Tous gens bien connus* (Ac.). *Ce sont tous gens malins. Tous gens d'esprit et de mérite* (Ac.). Mais : *Il faut savoir s'accommoder de toutes gens* (Ac.). Noter que dans ce cas l's de *tous* ne se prononce pas.

3. Rares et exceptionnels aujourd'hui des tours au superlatif comme *les plus gens de bien* (Bossuet).

4. Cf. GENDELETTRE.

Gentiane, n.f. Pron. : s (et non t).

Gentil, adj. On dit fort bien : *C'est gentil de m'accompagner. Vous êtes trop gentil.* Appliqué aux personnes, *gentil* ne signifie plus « noble » ; il évoque surtout des qualités morales (comme *gentillesse*) : amabilité, délicatesse. On ne dit plus guère, comme autrefois, qu'une personne est *gentille* dans le sens de *gracieuse.* Mais on parlera encore d'un *minois gentil*, d'un *gentil visage* (qui plaît, qui est agréable à regarder). Cf. CE, 7. : *C'est gentil à vous de ...* — Attention à l'adverbe : **gentiment.**

Gentilhomme (pron. : ti-yo), n.m. : *Des gentilshommes* (pron. : ti-zo).

Geôle, n.f., **geôlier**, n.m. Pron. : jô.

Germain, n.m. L'Académie laisse *germain* invariable dans : *Cousin issu de germain. Ils sont issus de germain. Elles sont issues de germain.* Les dictionnaires écrivent plutôt dans ces cas : *de germains* et c'est normal, les parents étant cousins germains.

Gérondif. La forme invariable du participe présent, précédée de la préposition *en*, constitue le gérondif, qui exprime une circonstance accompagnant l'action du verbe auquel il se rapporte. Il s'agit donc d'un complément circonstanciel marquant le temps, surtout la simultanéité (*Il a été surpris en me voyant*), la condition (*En cherchant bien, vous trouverez*), la manière (*C'est en forgeant qu'on devient forgeron*), la cause (*Je l'ai fâché en disant cela*). Il se rapporte généralement aujourd'hui au sujet du verbe dont il dépend, sauf dans des cas exceptionnels qui ne se sont maintenus que parce qu'il n'y a pas d'ambiguïté : (*L'appétit vient en mangeant. Soit dit en passant*). C'est aussi par archaïsme qu'il peut se passer de *en* dans certains tours, notamment avec *aller* (cf. ALLER, 8) : *Ils allaient criant par les rues. Chemin faisant. Tambour battant. Généralement parlant. Ce disant. Ce faisant.* Cf. COMPTANT. *Ils partirent côte à côte, souriant et causant* (H. Troyat, *Les Eyglelière*, J'ai lu, p. 206). Dans cette dernière phrase, si *souriant* était seul on pourrait le considérer comme un adjectif : *Ils partirent côte à côte, souriants.* Parfois, quand il s'agit simplement de marquer la concomitance, on emploie le participe présent : *Nous voyant venir, ils accoururent.* Le gérondif souligne l'idée de cause.

Cette préposition, dans une suite de gérondifs, **se répète** généralement : *En entrant et en sortant.* Toutefois on dit : *En allant et venant.* On peut ne pas répéter *en* quand le second verbe (avec éventuellement le même complément) ne fait que renforcer le premier, dont il est proche par le sens : *En disant et répétant qu'il ne la connaissait pas. En expliquant et développant cette idée.*

N.B. *En*, lorsqu'il signifie « à la manière de », ne constitue pas un gérondif. La forme en — *ant* est alors un adjectif verbal pris substantivement : *Ils ont agi en conquérants* (comparer : en despotes, en jaloux).

Gésir, verbe défectif. Notons : *Il gît, ci-gît* (accent circonflexe), *il gisait, gisant.*

Gibelotte, n.f. Deux *t.*

Gigogne, n.f. *Une mère Gigogne, des mères Gigogne* (Gigogne, altération probable de *cigogne*, était un personnage de théâtre, femme géante des jupes de laquelle sortaient beaucoup d'enfants) ; *une table gigogne, des tables gigognes.*

Gilde, n.f. Cf. GUILDE.

Giorno (à). On écrit : *un éclairage à giorno.*

Girofle, n.m. *Un mets épicé au girofle.*

Gîte, n. À côté du masculin (*Un lièvre en son gîte songeait,* La Fontaine ; et en termes de boucherie), notons le féminin en parlant de l'inclinaison d'un bateau (*il donne de la gîte,* de la bande), du lieu où il est échoué et, dans le langage de la construction, au sens de *lambourde,* dont l'ensemble forme **le gîtage** soutenant le parquet. Ce dernier emploi tend à vieillir en France mais est resté vivant en Belgique et en Picardie, comme *gîtage.*

Glace, n.f. Ce qu'on appelle en France, et d'ailleurs aussi en Belgique, *une crème glacée* ou plus couramment *une glace* s'appelle également à tort, en Belgique. [*une crème glace*] ou [*une crème à la glace*].

Glacial, adj. Pluriel masculin, rare et hésitant ; *glacials* ou *glaciaux.*

Glacière, n.f. On peut parler d'une *glacière de boucher* ou d'une *glacière portative,* où l'on entretient le froid par des blocs de glace. Mais il est abusif d'employer *glacière* pour *réfrigérateur* (ou *frigo* ; cf. ce mot).

Glauque, adj., signifie « du vert blanchâtre ou bleuâtre de la mer » et non « trouble ».

Glisser, v.intr. **Auxiliaire** *avoir* : *Il a glissé sur une peau de banane. Son pied a glissé. La clé lui a glissé des mains.* — *Être* marque avec *glissé* un état résultant d'une action passée : *Des circulaires étaient glissées parmi les livres.*

Globe-trotter, n.m. *Des globe-trotters.*

Gloria, n.m. Invariable : *Chanter un* ou *des gloria.*

Gloriette, n.f., n'est pas un belgicisme et peut se dire dans le sens de *tonnelle.*

Glorifier (se). *On se glorifie de qqn* ou *de qqch., d'avoir dit qqch.*

[Glou], vieux mot français, est resté vivant en wallon, sauf à l'Est, et est parfois employé en français régional avec le sens de : qui est difficile en ce qui concerne la nourriture.

Glucose, n., féminin pour l'Académie, est aujourd'hui masculin.

Glycérine, n.f. Noter *y* et *é.*

Gnangnan n. et adj. familier, est invariable : *C'est une gnangnan. Elles sont un peu gnangnan. Ce sont des gnangnan.*

Gnocchi, n.m.pl. Pas d'*s.* Prononcer *gn* comme dans *campagnard* et *cchi* comme « ki ».

Gnognotte ou *gnognote*, n.f., est populaire et se dit d'une chose de très peu de valeur. *C'est de la gnognotte.*

Gnome (pron. *g + n*), n.m. Pas d'accent circonflexe.

Gnon (prononcer *gnon* comme dans *compagnon*), n.m. populaire : *Donner, recevoir des gnons* (des coups).

Goal, n.m., est couramment remplacé par *but* ou *gardien de but*.
    Goal average ou goal-average, masculin. Pluriel : *des goal-averages.* Ce terme anglais signifie « moyenne des buts ». Il désigne le décompte des buts et des points d'une équipe au cours de plusieurs matchs, afin de départager deux équipes ex aequo.

Gobe-mouche, n.m. : *Un gobe-mouche, des gobe-mouches.* Cf. Noms composés, B, 5, p. 626.

Gober, v.tr. *On gobe un œuf, une huître.* Familièrement, *gober qqch.*, c'est croire naïvement, *gober qqn*, c'est avoir pour lui une vive sympathie, en être dupe ; **se gober**, c'est avoir une trop haute opinion de soi. **Gobeur** est familier : qui croit tout ce qu'on dit.

Godasse, n.f. (chaussure), est populaire.

Godiche, adj. familier : niais, très maladroit. *Il a l'air godiche. Il est un peu godiche.* Nom féminin : *C'est une godiche.*

Gogo, n.m. familier : *Un gogo* (un naïf, confiant à l'excès). *Avoir tout à gogo,* à souhait, en abondance.

Goitre, n.m. Pas d'accent circonflexe.

Gommette, n.f. Petit morceau de papier *gommé*, c.-à-d. recouvert d'une couche de gomme adhésive sèche.

Gong, n.m. On prononce le *g* final.

Gorge, n.f. Cf. Porte-seaux, Couteau.
    Gorge est plutôt littéraire dans le sens de « seins d'une femme ». Quelques expressions : *Crier ou rire à pleine gorge* ou *à gorge déployée. Faire rentrer à qqn ses paroles dans la gorge. Faire des gorges chaudes* (se moquer avec malveillance) *de qqn* ou *de qqch. Avoir un chat dans la gorge. Rendre gorge,* restituer par force ce qu'on pris. *Avoir le couteau sur* (ou *sous*) *la gorge.*

[Goria]. Cf. Porte-seaux.

Gorille, n.m. Pron. *ille* comme dans *fille.*

Gosette, n.f., appartient au wallon et au français régional courant de Wallonie. Comme ce n'est pas une spécialité régionale, mieux vaut employer, en Belgique comme ailleurs, le nom français *chausson* ; on précise s'il y a lieu : *chausson aux pommes, aux prunes*, etc.

Goulash, n.m. emprunté au hongrois ; sorte de ragoût. On écrit aussi *goulache*.

Goulet et **goulot,** n.m., ont en commun l'idée de passage étroit. *Goulet* se dit spécialement à propos de montagnes, de rochers ou d'un port de mer ; *goulot*, d'un vase, d'une bouteille (populairement, gosier). Pour l'entrée (ou la sortie) étroite d'une avenue, il convient plutôt, par analogie avec un port, de dire *goulet* (mais *goulot*, à la rigueur, peut se défendre). En termes d'économie politique, on dit avec un pléonasme, pour une difficulté dans l'écoulement : *goulet d'étranglement* ou *goulot d'étranglement*, qui tend à l'emporter (employé par Ch. de Gaulle, *Le salut*, Poche, p. 146).

Goulûment, adv. Accent circonflexe.

Gourer (se). *Se gourer* (se tromper) est populaire.

Gourou, n.m. On écrit aussi *guru*.

Goût, n.m. *Un aliment a du goût, a bon goût, a mauvais goût, n'a pas de goût, a un goût amer* (cf. GOÛTER). *Avoir un mauvais goût dans la bouche. Cette personne s'habille avec goût. Cela est à mon goût* (moins souvent : *de mon goût*). *Il a du goût pour la musique.*

Goûter, v.tr.dir. et intr. *On goûte* **qqch.,** une sauce, une cigarette, un fruit, un plaisir, un poème, un auteur, etc. (on le savoure, on l'apprécie). On goûte **à qqch.,** à un plat, aux plaisirs (on en prend un peu, on en vérifie la saveur, on en fait l'expérience). On goûte **de qqch.,** on en mange (ou boit) pour la première fois, on en fait l'épreuve.

Le verbe *goûter* a donc pour sujet un nom de personne et ne se dit pas, comme en Belgique et régionalement en France, dans le sens de « avoir la saveur, le goût de, plaire par sa saveur ». Au lieu de [*Est-ce que cela vous goûte ? Ce vin goûte le bouchon. Cette confiture goûte le moisi, Rien ne lui goûte*], il faut dire : *Cela vous plaît-il ? Ce plat est-il à votre goût ? Le goûtez-vous ? Ce vin a un goût de bouchon* ou *sent le bouchon. Cette confiture a un goût de moisi* ou *sent le moisi. Il n'a envie de rien, il n'aime rien.*

Verbe intransitif, *goûter* signifie : prendre le goûter (le repas de l'après-midi). Il ne peut se dire, comme en Belgique, pour « goûter à qqch., goûter de qqch. » : *Cette liqueur me semble bonne.* [*Tu veux goûter ?*] Dire : *Tu veux en goûter ?* ou *Tu veux la goûter ?.*

Goutte, n.f. On peut prendre **une goutte de vin**, *d'alccol* (une petite quantité). Mais **une goutte** pour *un verre d'alcool, de genièvre* est dialectal. — Cf. COMME (*comme deux gouttes d'eau*).

N'y voir goutte, n'y entendre goutte, c'est ne rien y voir, n'y comprendre rien. *Y* ne s'emploie pas en même temps qu'un autre complément circonstanciel de lieu : *Il n'y voit goutte. C'est un homme qui ne voit goutte dans ses affaires.*

Goutter, v.intr. *Les toits gouttent. L'eau goutte du robinet.*

Gouvernante, n.f., s'est dit d'une princesse chargée du gouvernement d'un territoire ou de la femme d'un gouverneur de province. Il se dit aujourd'hui de la femme à qui on confie la garde et l'éducation d'un ou de plusieurs enfants et de la femme chargée de tenir la maison d'un homme seul.

Grâce, n.f. **Grâce à** ne se dit qu'à propos d'un résultat heureux, à moins qu'on n'ironise. Sinon, on dit : *par suite de, à cause de.* — On dit : *avoir* **mauvaise grâce** *à* (ou *de*) *faire qqch.* On écrit : **rendre grâce** ou *rendre grâces, action de grâce* ou *action de grâces.* On rend grâce(s) à qqn *d'*un bienfait, *pour* un bienfait, *d'avoir* fait telle chose. On écrit : *une action de grâce(s), rentre en grâce, rentrer dans les bonnes grâces de qqn. Accepter de bonne* ou *de mauvaise grâce. Être en état de grâce.*

Gracier, gracieux, disgracier, disgracieux n'ont pas l'accent circonflexe de *grâce* et de *disgrâce.*

Gracile et **grêle,** adj., n'ont pas le même sens. Tous deux évoquent une idée de minceur, mais *gracile,* qui semble avoir subi l'influence de *gracieux,* ajoute à l'idée de fragilité celle de délicatesse, de grâce, de beauté : *Cette jeune fille a un corps gracile. Une voix grêle,* aigüe et faible.

Grade, n.m. On emploie en Belgique, à l'Université, *grade* pour *mention.* En France, le grade est celui de bachelier, de licencié, de docteur, etc. (en Belgique, le grade inférieur est celui de candidat) ; on l'obtient avec une mention ; en Belgique, d'une manière satisfaisante, avec distinction, grande distinction, la plus grande distinction.
À l'armée, bien que les grades aillent de caporal à général, **un gradé** a un grade inférieur à celui d'officier.

Graduat, n.m., est un titre qui sanctionne en Belgique certaines études supérieures qui aboutissent au titre de **gradué.** Ce dernier mot s'est dit autrefois, en français, de celui qui avait obtenu certains grades universitaires. Il s'emploie aujourd'hui comme adjectif : *Des exercices gradués* (progressifs), *une règle graduée, un thermomètre gradué.*

Graffiti, n.m., est proprement un pluriel (*des graffiti*), mais on l'emploie de plus en plus au singulier, *un graffiti,* plutôt que de dire un *graffito* ; on incline à refaire un pluriel en *s* comme on l'a fait pour *confetti,* mais cela reste encore suspect.

Grain, n.m. C'est peut-être à cause des grêlons que *grain* a désigné un vent violent, subit, accompagné de pluie, de grêle, d'un orage. **Veiller au grain,** c'est être sur ses gardes comme un marin qui voudrait prendre ses précautions contre un grain éventuel.

Grain s'est dit autrefois non seulement du fruit et de la semence du blé, mais du blé en général. Il a gardé ce sens en Belgique. Ce sens collectif se retrouve d'ailleurs dans certaines expressions : *battre* ou *moudre le grain* (au lieu de battre ou moudre le blé), *poulet de grain, l'ivraie et le bon grain.*

Grand. 1. *Grand,* **adjectif,** qui précède généralement le nom (*Un grand peuple, un grand vent, un grand débat, un grand chagrin, un grand appartement,* etc.), se met parfois devant un adjectif pris substantivement, pour marquer un degré dans la qualité : *Un grand malade, un grand buveur, une grande bavarde, un grand joueur. Ils sont grands amis. Les grands malades. Les grands mutilés. Les grands blessés.* Cf. Blessé.

2. Grand est **adverbe** dans *voir, chausser, faire grand.* Plus rare : *L'ecclésiastique (...) ouvre la porte à glissière, un peu plus grand* (M. Butor, *La modification,* 10-18, p. 88). On pourrait dire : *encore un peu plus.*

Loc. adv., *en grand : faire de l'élevage en grand.*

3. **Grand ouvert** (ou *large ouvert*) : *La portière qui était restée grande ouverte* (M. Butor, *La modification,* 10-18, p. 22). Tel est l'accord habituel. Mieux vaut donc écrire : *les yeux grands ouverts* ou *larges ouverts.*

Mais certains auteurs laissent *grand* invariable. Tel Bernard Clavel : *La fenêtre grand ouverte* (*Le voyage du père,* J'ai lu, p. 157). *Les yeux grand ouverts* (*L'Espagnol,* J'ai lu, p. 39 ; cf. aussi pp. 102, 106, 180, 193, 237). Pas de trait d'union ni d'apostrophe.

4. **Composés : orthographe et pluriel.**

Grand, dans l'ancienne langue, n'avait qu'une forme, comme en latin, pour le masculin et le féminin. Après que l'*e* du féminin s'est étendu par analogie à *grand,* on a cru qu'il fallait marquer son absence par une apostrophe dans les composés féminins où l'on disait et écrivait *grand.* Quand, en 1932, l'Académie française a décidé de supprimer l'apostrophe dans ces noms féminins et de la remplacer par le même trait d'union que dans les noms masculins, elle a eu raison ; l'usage a mis du temps à la suivre, mais c'est fait aujourd'hui. On doit écrire : *Grand-mère, grand-tante, grand-messe, grand-place, grand-rue, grand-chose, grand-croix, à grand-peine, avoir grand-faim, grand-soif ;* on écrit (et on dit) plus souvent *grand-route* que *grande route.*

Malheureusement, l'Académie a été imprécise ou s'est contredite pour le **pluriel** de *grand* dans les noms féminins. Sa grammaire écrit : *des grands-mères* (ce qui est logique, puisqu'on écrit : *des grands-pères* et que l'apostrophe a été supprimée dans *grand-mère*) ; mais son Dictionnaire semble opter pour le maintien de l'invariabilité de *grand* comme au temps de l'apostrophe : *des grand-mères.*

Les grammairiens, les dictionnaires et les écrivains sont en faveur de l'un ou de l'autre usage. On peut certes, avec le plus grand nombre, écrire *des **grand-mères**,* mais je conseille plutôt *des **grands-mères**.*

L'ancienne forme *mère-grand* fait au pluriel *des mères-grand.*

Grand-croix est féminin quand il désigne la dignité et masculin quand il désigne celui qui en est revêtu. Pluriel : *des grands-croix* ou des *grand-croix* (comme *grand-mère, grand-messe,* etc.).

On écrit : *un grand-duc,* (mais pour l'oiseau *un grand duc), une grande-duchesse, des grandes-duchesses ; grand-ducal, grand-ducaux ; un objectif grand-angulaire, des objectifs grand-angulaires ; du Grand-Guignol, des spectacles grand-guignolesques.*

Grandir, v.intr. Auxiliaire, cf. Changer, 1.

[**Grandiveux**] est un mot wallon qui signifie *vaniteux.*

Grand-livre, n.m., registre de commerce : *le grand-livre.* Mais *Le Grand Livre de la dette publique.*

Grand teint, adj. invariable : *Des tissus grand teint.*

Grapefruit, n.m.invariable d'une espèce de pamplemousse. Un seul *p.*

Gras, adj. et adv. *Elle parle gras,* elle grasseye. Wallonisme : [*Il fait gras*] pour : *Il fait lourd.* En termes d'imprimerie : *en lettres grasses, en caractères gras.* N.m., *en gras.*

Gratis, adv. On prononce *s.*

Gratte, n.f., employé pour *égratignure,* est un wallonisme.

Gratter, v.tr.dir., se dit en Wallonie pour *griffer, égratigner, démanger,* — Familier : *Gratter toutes les voitures dans les côtes* (les dépasser). **Composés.** Cf. Noms composés, B, 5, p. 626.

Gratuitement, adv. En définissant cet adverbe : « sans avoir rien à payer », on risque de le détourner de son sens. Il veut dire : sans contrepartie, sans paiement en échange. Une banque a tort d'annoncer : *Vous pouvez gratuitement nous confier la garde de vos titres.* Le client qui lui confie ses titres n'attend pas en retour une rétribution. La banque doit dire : *Vous pouvez sans frais nous confier....* ou *Nous assurons gratuitement la garde de vos titres.* On dira donc : *Donner ses soins gratuitement, recevoir gratuitement un billet d'entrée à un spectacle.* Mais on en arrive à dire : *Aller au spectacle gratuitement.* La nuance est en train de se perdre.

L'idée de contrepartie s'est élargie jusqu'au sens de « sans preuve, sans motif, sans fondement » ; *Accabler qqn gratuitement.*

Gravillon, n.m., fin gravier. *Répandre du gravillon* (ou *des gravillons) sur une route.* **Dérivés :** deux *n.*

Gré, n.m. *Savoir gré à qqn de qqch., d'avoir fait qqch. De gré à gré. Bon gré mal gré. De gré ou de force.*

Grec, grecque, Le nom du biscuit vendu en Belgique sous le nom de *pain à la grecque* semble avoir une étymologie populaire franco-flamande et provenir du nom de la rue (*van de Gracht,* du Fossé) où il était d'abord confectionné à Bruxelles.

Grêlon, n.m., a comme **grêle** et **grêler** un accent circonflexe. Pron. *ê.*

Grelotter, v.intr. Deux *t. On grelotte de froid, de peur, de fièvre.*

Greluchon, n.m., n'a rien de commun avec l'adjectif *grêle.* Le mot a vieilli : amant de cœur d'une femme entretenue.

Grenaille, n.f., d'après le GLLF, ne se dit pas seulement de la graine de rebut ou d'un métal réduit en grains, mais aussi d'un « gravillon dont les dimensions sont inférieures à 10 mm ». Ce sens ne semble pas courant, même dans les milieux spécialisés, et ne justifie en tout cas pas l'inscription « grenailles errantes » qui est apparue un moment le long des routes belges, au lieu de *gravier roulant* ou *gravillon roulant.*

Grésil, n.m. On prononce généralement *l.*

Grenouillage, n.f., **grenouiller,** v.intr., se disent familièrement à propos de combines louches, de tractations immorales.

Grièvement, adv., ne s'emploie, au lieu de *gravement,* qu'avec des verbes comme *blesser, toucher.* Mais on est *gravement malade, compromis, offensé.*

Griffe, n.f. Une griffe n'est ni un paraphe, ni une égratignure ou griffure. On parle de la griffe pour un animal ou pour la marque servant à authentifier un ouvrage ou pour le signe de la personnalité de qqn. Cf. COUP. **Griffer** se dit pour marquer d'un coup de griffe ou d'ongle.

Griffonnage, n.m., **griffonner,** v. Deux *n.*

Grigri, n.m., d'origine inconnue, désigne une amulette. Orthographe hésitante : parfois *gri-gri.* Au pluriel, *des grigris* ou *des gri-gri.*

Gril, n.m. Prononciation facultative de *l.*

Grillager, griller, v.tr.dir., renvoient chacun proprement au nom correspondant : *griller,* c'est faire cuire sur un gril, chauffer, etc., ou protéger (une fenêtre, un vitrail) par une grille ; *grillager,* c'est munir (une fenêtre, une cour, un guichet) d'un grillage, d'un treillis.

Grille-pain, n.m. : *Un grille-pain, des grille-pains.*

Grimper, v.intr. **Auxiliaire** : généralement *avoir*. *Ils* ***ont*** *grimpé au sommet*. On trouve *être*, pour marquer l'état où l'on est après avoir grimpé ou, plus rarement l'action passée de grimper : ***J'étais grimpé*** *dans l'acacia et j'ai tout vu* (M. Pagnol, *L'eau des collines*, t. I., p. 41). *Il avait filé (...) et était grimpé dans un arbre* (M. Bataille, *Les jours meilleurs*, p. 148).

Grincer, v.intr. On grince *des* dents.

Griotte, n.f. d'une sorte de cerise.

Grippe-sou, n.m. *Un grippe-sou, des grippe-sous.*

Grizzli, n.m., espèce d'ours. On écrit aussi *grizzly*.

Groggy, étourdi (par les coups), adj. Pluriel : *groggys*.

Grognon, comme nom, s'emploie pour le féminin comme pour le masculin : *Quelle grognon !* Apposé : *C'est une vraie mère grognon* (Ac.). L'adjectif peut, au féminin, garder la forme *grognon* ou devenir *grognonne* : *Une femme* (*une humeur, une moue*) *grognon* ou *grognonne*.

Gros, adj., s'emploie comme adv. dans les expressions où il évoque de gros caractères ou une idée d'abondance : *Écrire gros. Gagner, jouer, risquer, parier gros. En avoir gros sur le cœur. Je donnerais gros pour savoir ce qu'il veut.*

Groseille, n.f. *Sirop* (*confiture*, etc.) *de groseille* ou *de groseilles*. **Groseillier,** finale *-ier* comme dans *pommier, poirier* etc.

Grossir, v.intr. Auxiliaire *avoir* : cf. CHANGER, ÉPAISSIR.

Grosso modo. Pas de trait d'union : *Voici grosso modo de quoi il s'agit.*

Grouiller, v.intr. *La foule grouillait sur la place. La place grouillait* (ou *était grouillante*) *de monde.* — **Se grouiller,** vieilli au sens de « se remuer », est populaire dans celui de « se hâter ».

Groupuscule, n.m., est français : *Un groupuscule.*

Gruyère se prononce en France généralement « gru-yère », parfois « grui-yère ».

Guère (pas d's), adv., s'emploie avec *ne* (*ne pas* est dans ce cas régional et fautif) et, ainsi nié, signifie « pas beaucoup, pas très » ou « pas long-temps, pas souvent » : *Il n'a guère d'argent, de temps, de clients. Cela ne sera guère difficile. Cela ne se dit guère. Il ne va guère mieux. Il ne voit plus guère. Il n'est guère en fonds. Il n'est guère venu de visiteurs. Je n'y resterai guère. Je ne vais guère au cinéma.*

Avec **ne... que** : *Cela ne se dit guère qu'à Paris* (cela se dit presque uniquement à Paris). *Il n'y a guère que cinq jours qu'il est parti* (il y a tout au plus cinq jours). Dans un autre sens, avec *falloir* : *Il ne s'en faut guère que tout le monde soit content*, presque tout le monde est content.

Sans *ne*, avec ellipse du verbe : *La ville avait vingt mille habitants, ou guère moins* (ou *guère plus*). Dans une réponse : *Êtes-vous content ? — Guère.*

Guérir, v.tr.dir. et intr. *Le docteur guérit qqn d'une maladie. On guérit un enfant de sa timidité. Il est guéri* (ou *s'est guéri*) *de sa timidité. Un rhume qui ne guérit pas. Son rhume n'a pas guéri facilement. Il est guéri de sa grippe.*

Guerre, n.f. 1. On doit dire : *La guerre de 70, de 14.* On écrit : *la guerre de Trente ans, la Grande Guerre, la Première Guerre mondiale. Une guerre éclair, des guerres éclair.*

2. **De guerre lasse,** bien que le sens soit « las de la guerre », garde son adjectif au féminin : *De guerre lasse* (renonçant à lutter ou à attendre), *ils les ont laissé partir.* On se demande si cet accord étrange, mais entré dans le meilleur usage, n'est pas dû à une ancienne prononciation de *las*.

3. On écrit : **l'après-guerre,** n.m., *l'entre-deux-guerres,* mais on emploie l'article dans : *après la guerre.*

Guet-apens, n.m. Pluriel : *des guets-apens* (les *s* ne se prononcent pas).

Guêtres, n.f. [*Avoir qqch. (ça) à ses guêtres*] est un wallonisme signifiant « avoir à sa charge ».

Gueulard, adj. et n., est populaire dans le sens de : *qui gueule* (pop.), qui crie très fort.

Gueuleton, n.m., est familier.

Guibole ou **guibolle,** n.f. populaire, jambe.

Guide, n.m. On dit : *un indicateur des chemins de fer, un annuaire du téléphone* et non, dans ces emplois, comme en Belgique et dans le nord de la France, *un guide.* Mais on parle d'*un guide touristique*, d'*un guide des rues de Paris*, etc. Désignant une personne qui guide, le mot reste au masculin s'il désigne une femme : *Cette jeune fille est un excellent guide.* Il n'est féminin qu'en parlant des jeunes filles appartenant à un mouvement féminin de scoutisme.

Guilde, n.f. On écrit régionalement *gilde.*

Guindaille, n.f., et ses dérivés *guindailler, guindailleur* sont belges. Dans le langage étudiant, *une guindaille* est un sortie joyeuse, surtout une beuverie, de *guindailleurs.* En dehors de ce monde universitaire, *guindaille* peut désigner un gueuleton bien arrosé. À Louvain, chez les étudiants wallons, *guindaille* peut désigner le texte satirique débité, au cours d'une soirée bien arrosée, par un *guindailleur* raillant un condisciple, *le guindaillé*.

Guingois (de), loc.adv. *S'en aller de guingois.*

Guise, n.f. **En guise de** *canne, de cravate, de consolation*, etc. ; le complément d'*en guise de* s'emploie sans article, tandis qu'on dirait dans le même sens : *à la place d'une canne, d'une cravate.*

Dans *en guise de consolation* on a le sens de : « pour servir de ».

H

H aspiré ou **muet.** L'**h** dit aspiré ne s'entend pas (sauf dans certaines onomatopées), mais il interdit la liaison et l'élision (voir ce mot). Notons seulement quelques cas :

Noms propres et prénoms. L'*h* est aujourd'hui muet dans *Haïti, Haïtien, Hamlet, Harpagon, Hector, Héloïse, Hernani, Horace, Hortense, Hugues, Huguette.* Il est généralement muet dans *Henri* et toujours dans *Henriette.*

L'*h* est aspiré dans les noms propres composés dont le premier élément est *Haut* ou *Haute* suivi d'un trait d'union : *Haut-Brion, Haut-Rhin, Haute-Garonne,* etc. et dans *la Hanse, la Henriade, le Hainaut, Huy, La Havane, Hollande, Hongrie, Hottentot, Hoyoux, Hun, Huron, Habsbourg, Hanovre, Homais* et leurs dérivés éventuels (sauf *hanséatique*).

Hésitation pour *Hegel, Heredia, Hitler, Hugo.* Mais on dit presque toujours *l'hitlérisme.* On n'hésite plus guère pour *Hubert* où *h* est généralement muet.

Même quand l'*h* d'un nom de personne est muet, on ne fait pas la liaison avec *chez* ni dans l'emploi au pluriel.

Noms communs. Notons seulement ici : *la halte, l'hameçon, le hangar, le hareng, la hernie, le héros* mais *l'héroïsme, l'héroïne, l'héroïque défenseur* ; *le hors-d'œuvre, le huis-clos,* mais *frapper à l'huis, l'huissier* ; *l'hyène* (parfois *la hyène*), *le harnais, l'hiatus, le handicap, le héraut, le hasard, le haricot.* Il est étonnant de trouver *le hiatus* chez quelques écrivains.

Autres mots ; L'*h* est aspiré dans *harnacher, honteux, hors, handicapé* (dont l'*h* est souvent considéré comme muet malgré *le handicap*), *ho !*

Huit a un h aspiré (*le huit juin, le huitième, chapitre huit, il est plus de huit heures, au nombre de huit*). On ne fait pas entendre l'*e* de *page* ni la consonne finale d'un verbe devant *huit : page huit, nous serons huit.* Il y a liaison quand *huit* n'est pas l'élément initial du nombre (*dix-huit, vingt-huit, mille huit*), sauf dans *quatre-vingt-huit* et *cent huit.* Cf. Huit, Un.

Ha ! Cf. Ah !

Habillé, adj., a élargi son sens jusqu'à « dans une tenue où l'on peut être vu » ou « dans une tenue élégante, une tenue de soirée ou qui convient à telle circonstance » : *Elle ne peut vous recevoir parce qu'elle n'est pas habillée. Ils sont habillés pour le dîner. Une robe habillée. Un tissu qui fait habillé.*

Ne pas dire, comme Giono, *être habillé du dimanche* (*L'oiseau bagué*, Folio, p. 48) pour *être endimanché. On est habillé* ou *on s'habille de noir* (ou *en noir*), *de laine* ou *en laine. Habillé en flanelle frise* (Camus, *L'étranger*, 2ᵉ éd., p. 121).

Habitat, n.m., ne peut s'employer pour *habitation, logement,* mais peut se dire pour un territoire, pour l'ensemble des conditions d'habitation et de logement et dans le langage des sciences naturelles. H. Bosco, parlant d'un quartier aux ruelles étroites, aux maisons noires, sans jardins, déclare : *C'était bien le plus mélancolique habitat du monde* (*L'âne culotte*, Folio, p. 81).

Habiter, v.tr.dir. et intr. : *On habite Paris, la campagne, la France, une rue, une villa* ou *à Paris, à la campagne, en France, en ville, dans une rue, dans une ville.* Mais : *J'habite rue de la Gare* (quand on indique le domicile). Cf. DANS, 7. — *La villa que j'habite. La villa où j'habite.*

Habitude, n.f. *On a l'habitude de qqch., de faire qqch.* Cf. ACCOUTUMÉE.

Habituer, v.tr.dir., **s'habituer.** *Habituer qqn* (ou *s'habituer*) *à qqch., à faire qqch. Il est habitué à me voir chaque semaine* (*de me voir* est archaïque) *Il s'est habitué à ce que je vienne le voir chaque semaine.*

Comme nom, **habitué** se construit avec *de* : *Les habitués de ce café.*

Hâbleur (*h* aspiré, accent circonflexe), adj. et n. (féminin : *hâbleuse*), qui a l'habitude de parler avec exagération, avec suffisance, pour se faire valoir. *Hâblerie,* n.f.

Haché, adj. et n.m., **hachis,** n.m. On peut dire *du haché, un steak haché* ou *un biftek haché, de la viande hachée.* Parce que *du haché,* quoique français, se dit beaucoup moins en France qu'en Belgique dans ce dernier sens, on a prétendu qu'il fallait dire : *du hachis.* C'est une erreur : **le hachis** est une préparation culinaire de viande, de poisson, de volaille, de légumes finement hachés : *Farcir une tomate avec du hachis.*

Hachurer, v.tr.dir. (*h* aspiré) : couvrir de hachures.

Hainaut. *Le Hainaut.* Cf. HENNUYER, PROVINCE.

Haine, n.f. *On s'attire la haine de qqn. On a* (ou *on éprouve*) *de la haine pour qqn* ou *contre qqn. On a la haine du mensonge, de la haine pour le mensonge. On agit en haine de qqn* ou *de qqch.* ou *par haine de qqn* ou *de qqch.*

Haïr (*h* aspiré), v.tr.dir. *Je hais, il hait, nous haïssons.* Passé simple : *je haïs, nous haïmes.* Futur : *Je haïrai.* Impératif prés. : *hais, haïssons, haïssez.* Subj. prés. : *que je haïsse, qu'il haïsse.* Subj. imp. : *que je haïsse, qu'il haït. Haïssant. Haï.* Le tréma exclut l'accent circonflexe. **Construction.** *Haïr qqn* ou *qqch. Haïr qqn de qqch.* (lui en vouloir à cause de) est vieilli. On dit : *à cause de qqch.* On entend *haïr de* suivi d'un infinitif : *Il nous hait de l'avoir évincé.* On dira plutôt : *parce que nous l'avons évincé.* — *On hait* (comme on déteste) *faire qqch.* ou *de faire qqch.* (*Haïr à* ne se dit plus). — Avec **que** et le subjonctif : *Il ne hait pas que nous nous occupions de lui.*

Haïti, haïtien. *H* muet : *d'Haïti, à Haïti. Haïtien* se prononce généralement avec *s*.

Haler, hâler, v.tr.dir. (*h* aspiré). *On hale un bateau, on a le teint* **hâlé.**

Halage, n.m., action de haler. *H* aspiré. Un seul *l. Un chemin de halage.*

Hallali, n.m. *L'hallali.*

Haltère, n.m. : *Un haltère* (h muet).

Hamac, n.m. *H* aspiré. On prononce *c.*

Hamburger, n.m. *Un hamburger* (*h* aspiré ; pron. *g + e + r*) est un steak haché de forme ronde. *Des hamburgers.*

Handball ou **hand-ball,** n.m. H aspiré.

Handicap, n.m. *H* aspiré. Cf. H.

Happening, n.m. Cet américanisme qui signifie « évènement » et vient de *to happen,* arriver par hasard, survenir, désigne un spectacle ou un évènement collectif ou une méthode de psychologie de groupe où la place essentielle est volontairement laissée à l'imprévu, à la spontanéité. Il est vain de vouloir le remplacer par *évènement.*

Happy end, n.m. ou f., sans trait d'union : une fin heureuse.

Hara-kiri, n.m. *Des hara-kiris* (*h* aspiré).

Haras, n.m. *H* aspiré. On ne prononce pas *s.*

Harassant, adj., **harasser,** v.tr.dir. *H* aspiré. Un seul *r.* Faute : *En dépit* [*d'harassantes*] *tentatives* (L. Faure, *Mardi à l'aube,* J'ai lu, p. 120).

Hardes, n.f. pluriel, ne désigne plus l'ensemble des vêtements et effets personnels, mais des vêtements misérables et usagés. On a pu dire : *De vieilles hardes.* L'adjectif est devenu inutile dans l'usage courant.

Hardware, n.m. Américanisme à remplacer par *matériel,* n.m.

Harmonica, n.m.. ne signifie pas en français, comme dans certains dialectes et en français régional, accordéon, mais ce qu'on appelle parfois un *harmonica à bouche* et aussi, en Belgique, une musique à bouche.

Harpie, n.f. *H* aspiré.

Hasardé et **hasardeux,** adj.. impliquant tous deux l'idée de risque, peuvent devenir synonymes quand on parle de choses comme une entreprise, une démarche ; on dit plus souvent *hasardeux*.

Hasarder, v.tr.dir. On hasarde *une démarche, une plaisanterie, une question.* On ne dit plus guère : *On hasarde de perdre* ni *on se hasarde de perdre.* On emploie *risquer* (*on risque de perdre*) ou, dans un autre sens, **se hasarder à** : *on se hasarde à poser une question* (on ose, en prenant un risque).

Haschisch, n.m., (*h* aspiré), s'écrit aussi *haschich, hachisch* et *hachich*.

Hâte, n.f.. **se hâter.** *On met de la hâte à terminer un travail. On a hâte, grande hâte d'en finir. On se hâte de faire qqch. On fait qqch. en hâte, en toute hâte, à la hâte, sans hâte. On reproche à qqn son travail hâtif, sa hâte à faire qqch.*

Hâtif, adj.. ne se dit pas seulement de fruits, d'une croissance, mais d'un travail fait trop rapidement.

Hausser, v.intr., se dit de la température, des prix, etc. : *Les prix ont haussé.* **V.tr.** *Hausser un mur, les épaules, la voix, le ton, le coude.*

Haut, adj.. adv. et n.m. 1. *Haut* reste invariable dans : *dire bien haut, placer haut, pendre haut et court, haut la tête, haut les cœurs, l'emporter haut la main, penser tout haut, voler haut, haut placé,* etc.

2. On peut dire : *monter plus haut* (ou *bien haut,* ou *là-haut*), mais on évitera le pléonasme *monter en haut.* On dira : *Je vais monter* (ou on précisera : *au premier étage*).

3. **En haut, le haut, dans le haut, de haut en bas, du haut en bas,** etc. : *Aller en haut. Habiter en haut. Venir d'en haut. Regarder en haut. Regarder de haut en bas. Regarder de haut* (avec arrogance). *Contourner le village par en haut. Visiter le haut. Visiter une maison de haut en bas* (ou *du haut en bas*). *Il est tombé du haut de l'escalier* ou *du haut en bas de l'escalier* (on doit employer *du* si l'expression a un complément). *Traiter quelqu'un du haut en bas, de haut en bas* (Ac.).

4. **Composés** : *Un haut-de-chausse(s), des hauts-de-chausse(s), des hauts-commissaires, des hauts-de-forme* (mais, comme adjectif, *des chapeaux hauts de forme* est normal), *des chaînes haute-fidélité, des haut-le-cœur, des haut-le-corps, des haut-parleurs, des hautes-tiges, des hauts-fonds, des hauts-reliefs,* mais *une locomotive haut le pied* (à laquelle on n'a pas attaché de wagon ; *un haut-le-pied* se disait d'un cheval qui n'était pas attelé).

Haut fourneau, haut lieu, Haute Cour : pas de trait d'union. *Le haut allemand, des formes haut allemandes* : cf. BAS, 5, H *aspiré ou muet.*

Hautbois, n.m. (*h* aspiré). Un joueur de hautbois s'appelle *un* **hautboïste** ou *un hautbois.*

Hauteur, n.f. **À la hauteur** se dit de qqn qui a les capacités voulues : *Il est à la hauteur. Un type à la hauteur.* **À la hauteur de** s'emploie au figuré : *Il est à la hauteur de son emploi, de la situation, des circonstances, de sa tâche* (il est au niveau intellectuel ou moral requis). Mais c'est un flandricisme de dire : [*Mettre qqn à la hauteur de la situation*] pour *le mettre au courant.*

Hâve, adj., pâle et maigre. *H* aspiré, accent circonflexe.

Havre, n.m. Pas d'accent circonflexe (*h* aspiré).

Hawaïen, adj. et n., s'écrit avec *ï* comme *Hawaï.*

Hayon (pron. « è-yon »), n.m., signifie, en français régional, « claie formant abri dans les champs » ; en français généralisé : panneau amovible à l'avant et à l'arrière d'une charrette, ou, comme néologisme, partie mobile servant de porte à l'arrière d'une camionnette, d'une voiture de tourisme.

Hé !, interjection, sert à appeler, à donner un avertissement, à exprimer un sentiment, une appréciation, mais ne s'emploie plus avec *bien* (cf. EH BIEN !) : *Hé ! Vous venez ? Hé vous, là-bas, que faites-vous ? Hé oui ! Hé ! Hé ! je ne dis pas non. Hé, hé, pourquoi pas ?*

Hébraïque, adj., **hébreu,** n. et adj.m., **juif,** etc. L'adjectif *hébraïque,* qui est des deux genres, sert de féminin à *hébreu* quand il s'agit de choses, de langue, de civilisation : *Alphabet hébreu* ou *hébraïque. La langue hébraïque* (ou *l'hébreu*). *Un texte hébreu. Les études hébraïques. L'université hébraïque.* Pour les personnes, on parle du *peuple hébreu,* des *Hébreux* d'autrefois, des *Juifs* ou des **Israélites.** *Juive* et parfois *israélite* servent de féminin à *hébreu* en parlant de la religion, des coutumes, des institutions ; les citoyens de l'État d'Israël sont des **Israéliens.**

Hécatombe, n.f., qui a signifié à l'origine « sacrifice de cent bœufs », signifie aujourd'hui « massacre d'un grand nombre d'hommes, d'animaux » : *Une hécatombe de soldats, de lapins.* Ce nombre peut n'être grand que relativement et le « massacre » n'être qu'une « élimination ». *L'hécatombe des têtes de série (sept au total) continue à Wimbledon* (*Le Monde,* 27 juin 1981, p. 25). On parle même d'hécatombe pour un grand nombre de refusés à un concours, à un examen et plus audacieusement pour un grand nombre de choses saccagées : *Une hécatombe de jouets* (GLLF).

Hein, interj., est familier et choque souvent quand il est employé seul (au lieu de *Pardon ?*, *Plaît-il ?*, *Comment ?*) pour faire répéter. On tend à en abuser dans tous les sens.

Héliotrope, n.m. : *Un héliotrope* (*H* muet).

Héliport, n.m., aéroport pour hélicoptère.

Hémérothèque, n.f., proposé en 1900 par les bibliothécaires pour désigner une bibliothèque de journaux (grec *hemera*, jour) et périodiques, ne s'est pas imposé, mais reparaît de nos jours.

Hémicycle, n.m. : *Un hémicycle bondé.*

Hémisphère. *Un hémisphère.* Il ne faut pas s'étonner de ce genre masculin, car ce n'est pas un composé français venant de *sphère*, mais un dérivé d'un neutre latin signifiant : moitié de sphère.

Hémistiche, n.m. : *Un hémistiche* (moitié d'un vers, d'un alexandrin).

Hendéca-, au début de *hendécagone*, *hendécasyllabe*, se prononce généralement « andéca » (cf. Martinet) ; on a tort de vouloir imposer « in », qui est admis et répandu.

Hennuyer (*h* muet ; pron. *è* + *n*) adj. et n., désigne couramment en Belgique les habitants du Hainaut ; il n'y a aucune raison de le remplacer par *Hainuyer*, qu'on trouve en France à côté de *Hennuyer*.

Herbu, adj., ajoute à **herbeux** l'idée d'abondance.

Hériter, v.tr.dir. et tr.ind. **Construction** : 1. Le complément de **personne** réclame toujours **de** : *Il a hérité de son oncle.*

2. Si le complément de **chose** est seul, il se construit avec ou sans *de* : *Il a hérité d'une maison* ou *une maison. Il pensait avec humeur que celui qui héritait d'un trône eût bien dû hériter aussi la force de s'y tenir droit* (M. Druon, *Les rois maudits*, t. II, ch. IV). *Sylviane avait hérité une fortune assez considérable* (L. Faure, *Mardi à l'aube*, J'ai lu, p. 113).

3. S'il y a à la fois complément de personne et complément de chose, on dit plutôt : *hériter qqch. de qqn*, pour éviter la répétition de *de* dans le tour *hériter de qqch. de qqn*, qui déplaît à l'oreille et peut être ambigu. On dit donc : *hériter de mon oncle une maison* ; *la maison héritée de mon oncle*. Mais si l'un des compléments est **dont** ou **en**, le tour n'a plus rien de déplaisant : *La maison dont il a hérité de son oncle. Il en a hérité de son oncle*, à côté de *qu'il a héritée* (et de *Il l'a héritée*) *de son oncle*.

Hésiter, v.intr. **Construction** : *On hésite. On hésite sur qqch., sur la réponse à faire, entre deux choses, entre une chose et une autre.* Devant un infinitif, *hésiter de* est plus littéraire que courant. Le tour usuel est **hésiter à** : *J'hésite à y aller.* — **Hésiter si** est littéraire. Il est suivi de l'indicatif ou du conditionnel : *J'hésite si je le ferai* (je m'interroge pour savoir si).

Hétéroclite, adj., qui signifie proprement « qui s'écarte des règles », se dit aujourd'hui couramment (dans le sens d'**hétérogène**) de ce qui est fait de parties disparates, d'objets qui étonnent par leur variété inattendue : *Un édifice hétéroclite, une population hétéroclite, des matériaux hétéroclites, des meubles hétéroclites.* D'où l'atténuation de son sens péjoratif.

Heur, n.m., ne s'emploie plus que dans quelques expressions : *Je n'ai pas eu l'heur* (= le bonheur) *de lui plaire.*

Heure, n.f. 1. **Paiement et vitesse.** *On gagne* (ou *on est payé à*) *trente francs l'heure* ou *trente francs par heure* (on entend : *à l'heure*). Plus familièrement mais couramment : *trente francs de l'heure.* Notons qu'on dit de même, avec *kilo* : *dix francs le kilo* (ou *au kilo*) ou *par kilo* (familièrement *du kilo*).

Une vitesse de 110 kilomètres à l'heure (beaucoup moins couramment : *par heure*). On dit aussi : *une vitesse de 110 kilomètres-heure.* Noter le trait d'union et la formule avec symboles : « 110 km/h ». *Faire du cent à l'heure. Faire du cent.*

On dit : *gagner tant par jour, par semaine.*

2. **Indication de l'heure.** On doit dire : *Quelle heure est-il ? Il est onze heures* et non *C'est onze heures,* qu'on entend notamment dans le Midi : *On démarra. C'était six heures du soir* (M. Duras, *Le marin de Gibraltar,* J'ai lu, p. 7). *C'est onze heures* peut s'employer seulement si l'on répond à une question posée avec *ce* (*Quelle heure est-ce ?*) pendant que l'heure sonne.

Pour être clair, je marque la progression de l'heure à partir de onze heures du matin, en donnant les tours qui suivent *il est* : *Onze heures, onze heures précises, onze heures sonnantes* (cf. 3) ou *tapantes* ou *sonnant* ou *tapant* ou *juste, onze heures passées* ou *passé onze heures, onze heures une, dix, onze heures quinze* ou *onze heures et quart* (*onze heures et quart précises*) ou *onze heures un quart* (beaucoup plus fréquents que *onze heures et un quart*) ou *le quart après onze heures* ou *le quart de onze heures* (cette formule ne s'emploie que pour le quart suivant l'heure ; de même pour la demie), *onze heures trente* ou *onze heures et demie* ou *la demie de onze heures, onze heures trente et une* (*un* ne s'entend que dans les nombres composés 21, 31, etc. et même là est plus rare), *onze heures trente-cinq* (ou, à partir de la seconde demi-heure, *midi moins vingt-cinq*), *onze heures quarante-cinq* ou *onze heures trois quarts* ou *midi moins le quart* ou *midi moins un quart* ou *le quart avant midi, midi, midi précis, midi passé, midi dix précis, midi et demi* ou *midi et demie* (cf. DEMI), *midi et demi précis, midi et demie précis* (ou *passé*), *quatre heures* ou *seize heures* ou *quatre heures après midi, huit heures* (*du soir*), *minuit* (on dit parfois *0 heure*), *minuit précis, minuit et demi* ou *minuit et demie.*

On ne dit plus guère avec **et** : *onze heures et dix minutes* et on n'entend plus : *onze heures et dix.* Avec **vers** : *Il est venu vers onze heures* ou *vers les onze heures, vers midi* ou *vers les midi, vers une heure* ou *vers les une heure.*

Régionalismes belges : [*Il est onze heures quart,* ou, pour 11 h 45, *midi moins quart, le quart de midi, le quart pour midi, il est moins quart*].

On écrit en abrégé avec des **chiffres** : *Il est 10 h 8, 10 h 8 min 30 s.* Cf. ABRÉVIATIONS.

3. **Sonnerie.** Noter la façon de faire l'**accord** : *Onze heures sonnent, ont sonné* ou *sont sonnées, le quart de onze heures sonne, onze heures et demie sonnent, la demie a sonné* ou *est sonnée* (cf. SONNER), *midi sonne, une heure sonne, une heure et demie sonne.* Le premier élément commande l'accord.

À sept heures sonnantes ou *sonnant. Il est sept heures sonnées. À midi sonnant. Au coup de midi, de trois heures.*

4. On dit fort bien : *Nous sommes à trois heures de Paris. En avion, Nice n'est qu'à une heure de Paris. Je le verrai dans les prochaines vingt-quatre heures* (cf. DERNIER, 1 et NOMS DE NOMBRE, p. 628).

5. **À cette heure** s'est dit, dans la langue classique pour « maintenant ». L'expression est accueillie sans réserves par l'Académie : *À cette heure, vous pouvez entrer.* Mais elle a vieilli. Elle reste vivante cependant à la campagne, et au Canada comme en Belgique : *À cette (ct') heure, parlons d'autre chose.* Cela n'autorise pas à dire : *Les jeunes gens* [*d'à cette heure*].

6. **À l'heure de** (*À l'heure des réformes*) est une expression correcte mais qui est devenue un cliché journalistique (*À l'heure de l'Afrique du Nord, à l'heure de Molotov* ; cités par R. Le Bidois, *Les mots trompeurs*). On dit : *À l'heure qu'il est,* mais : *à l'heure où vous êtes arrivés.*

7. **De bonne heure** : *Il s'est levé de bonne heure, de trop bonne heure, de meilleure heure qu'hier.*

8. *Son quatre heures.* Cf. QUATRE.

Heureux, adj.. **heureusement que. Modes** : L'impersonnel *il est heureux que* est suivi du subjonctif : *Il est heureux que vous soyez arrivés.* Après l'expression elliptique **heureusement que,** on emploie l'indicatif ou le conditionnel : *Heureusement qu'il est arrivé. Heureusement qu'on ne vous le permettrait pas.*

Je suis heureux que est suivi du subjonctif : *Je suis heureux qu'il soit arrivé.* **Je suis heureux de ce que,** employé dans le même sens assez lourdement et tout à fait inutilement, est suivi de l'indicatif ou du subjonctif : *Je suis heureux de ce qu'il est* (ou *soit*) *guéri.* À ne pas confondre avec le tour : *Je suis heureux de ce que vous m'avez dit* (de cette chose que vous m'avez dite).

2. On est heureux *au jeu, en affaires, dans ses démarches.* On est heureux *de vivre* (on ne dit plus *heureux à* devant un infinitif).

Heuristique, n.f. On écrit aussi *euristique.*

Heurter (*h* aspiré), v.tr.dir. **Construction.** *On heurte un obstacle, le trottoir* ; au figuré, *on heurte qqn, ses sentiments, on le heurte de front. On heurte (du front) contre un poteau* (rarement *sur*). *On se heurte à qqn, à ou contre qqch.* ; au figuré, *on se heurte à qqch., à une difficulté, à une opposition, à un refus. Des couleurs qui se heurtent.*

Hexagone, n.m., se prononce généralement avec un *o* ouvert.

Hiatus, n.m. *H* muet ; on dit : *l'hiatus, cet hiatus* ; c'est à tort que des auteurs écrivent : [*ce hiatus*]. Le mot signifie, au figuré, « manque de continuité, interruption, coupure », mais non « opposition ».

Hiberner, hiverner, v.intr. **Hiverner,** c'est passer à l'abri l'hiver ou la mauvaise saison. **Hiberner** se dit de certains animaux passant l'hiver dans un état d'engourdissement. Le substantif **hibernation** s'applique à cet état ou à un ralentissement artificiel de la vie, mais aussi à un état prolongé d'inactivité, d'attente. **Hibernal,** relatif à l'hibernation (ou qui a lieu pendant l'hiver) ; **hivernal,** qui appartient, qui est propre à l'hiver (se dit de la température, d'une station de sports d'hiver). **Hivernage** est en rapport avec *hiverner.*

Hibou (*h* aspiré), n.m. *Des hiboux.*

Hier, adv. *H* est muet ; la liaison se fait couramment dans *avant-hier* et l'élision dans *d'hier.* On dit : *hier soir* ou *hier au soir.* Cf. JUSQUE, 1.

Hiéroglyphe, n.m. : *Un hiéroglyphe* (*h* muet, liaison).

Hindou, indien, adj. et n. **Indien** se dit des habitants de l'Inde (on a parlé du conflit indo-pakistanais, on parle du problème indien, de l'intervention indienne) mais s'applique aussi aux Indiens d'Amérique ou **Amérindiens.** Sans majuscule, **hindou** se dit en parlant de spiritualité hindouiste, de religion, de civilisation brahmanique : *Tous les Indiens ne sont pas des hindous.*

Hippie, adj. et **hippy** (*h* aspiré), n. : *Un hippy* ou *un hippie,* mais *des hippies. La mode hippie.*

Histoire, n.f. 1. Tandis qu'on emploie l'article défini devant le complément formé d'un nom géographique masculin (*Histoire du Brésil, des États-Unis*) et parfois devant un nom féminin (*Histoire de la Wallonie, de la Bourgogne, de la Chine, de la Gaule*), on dit : *Histoire de France, Histoire d'Angleterre* ; mais : *Histoire littéraire de la France, Histoire de la France au XVIIIᵉ siècle.*

2. Le PR note qu'*histoire* se dit familièrement pour « chose, objet quelconque » au lieu de *affaire, machin* : *Qu'est-ce que c'est que cette histoire ?* — *Mes histoires,* mes problèmes particuliers.
3. *Histoire de* suivi d'un infinitif signifie « pour, afin de » : *Il a dit cela, histoire de rire.*

Hit-parade, n.m. (*h* aspiré), peut se traduire par *palmarès.*

H.L.M. Ce sigle, signifiant « habitation à loyer modéré », s'écrit avec majuscules et points. On doit dire normalement *une H.L.M.* puisqu'il s'agit d'une habitation. Mais parce qu'il s'agit d'un bâtiment ou d'un immeuble, le genre devient souvent masculin. *H* est muet.

Ho !, interj., s'emploie pour appeler ou (et alors on écrit plus souvent *Oh !*) pour exprimer l'étonnement, l'indignation.

Hobby, n.m. (*h* aspiré), peut se traduire par *passe-temps, violon d'Ingres.* Pluriel : *des hobbies.*

Hochequeue, n.m., s'écrit de préférence en un mot : *des hochequeues.*

Holà, interj. Accent grave. *H* aspiré.

Holding, n.m. *Un holding* (ou *société de portefeuille*) n'est pas proprement un trust, mais une société financière qui contrôle plusieurs entreprises de même nature. *H* aspiré.

Hold-up, n.m. (*h* aspiré), est invariable : *des hold-up.* On a beaucoup parlé en Belgique, en 1979, de [*holdupeur*] ! Dire : *auteur de hold-up.*

Holocauste, n.m. : *Un holocauste* (*h* muet) évoque l'idée d'un sacrifice où la victime était entièrement consumée et, au figuré, d'un sacrifice total et volontaire.

Holographe, adj., doit normalement s'écrire avec *h* (grec *holos,* entier ; un testament holographe est entièrement écrit de la main du testateur) ; mais **olographe** est devenu courant, correct et recommandable.

Homard à l'américaine est admis et courant à côté de *homard à l'armoricaine,* qui est un pédantisme et, en fait, ne désigne pas la même préparation.

Home, n.m. Pas d'accent circonflexe. *H* aspiré. Ce mot a en français un sens général (domicile considéré sous son aspect intime, familial), mais est appliqué aussi, comme en Belgique, à des établissements pour enfants, vieillards ou malades mentaux, à des maisons d'accueil soucieuses d'apporter une aide psychologique, médicale et sociale.

Hommage, n.m. *On rend hommage à qqn, à son dévouement* (tour vieillissant : *rendre hommage à qqn de son dévouement,* au lieu de *pour son dévouement*). Au pluriel dans une formule de politesse où le sens est très affaibli : *présenter ses hommages à une dame.*

Hommasse, adj., est péjoratif. Deux *m,* deux *s.*

Homme, n.m. 1. On écrit *homme, bonhomme,* mais *homicide.*

2. Il est ridicule de vouloir substituer *Un bon averti en vaut deux* à *Un homme averti en vaut deux.*

3. **Composés.** Les deux termes varient au pluriel dans : *Des hommes-grenouilles, des hommes-orchestres, des hommes-sandwichs* (ou *sandwiches*).

Homologue s'est imposé comme nom (jusqu'à l'abus) pour désigner utilement celui qui, sans faire partie d'un même ensemble (et ne pouvant donc s'appeler collègue), a des fonctions équivalentes : *Le ministre français des Finances a rencontré son homologue allemand.*

Homologuer, v.tr.dir. On homologue (on reconnaît, on approuve officiellement) un accord, une décision, des prix, un tarif, un record. En Belgique, on étend l'usage de ce verbe comme celui d'*entériner :* on homologue ou on entérine des certificats d'études, des diplômes.

Homoncule, n.m., s'écrit aussi *homuncule* (on prononce *on*).

Honnête, adj., est vieilli en français généralisé (ou est même devenu ironique) dans le sens de « aimable » : *Vous êtes bien honnête.*

L'honnête homme se dit encore pour exprimer l'idéal de la société cultivée du XVIIᵉ siècle. En dehors de cet emploi, on dit aujourd'hui, en pensant à la probité, à la vertu : *un honnête homme* ou *un homme honnête.* Pour les femmes, *honnête* évoque généralement l'idée de bonnes mœurs : *une honnête femme* ou plus souvent *une femme honnête.*

On dit : *D'honnêtes gens* ou *des honnêtes gens* (Ac.). *Une honnête moyenne, un prix honnête, des résultats honnêtes, une honnête récompense, un repas honnête,* dans les sens de « correct, satisfaisant, moyen, convenable, passable ».

Honneur, n.m., **honorer,** v.tr.dir. **Orthographe.** Les mots commençant par *honor-* et leurs composés n'ont qu'un *n : honorer, déshonorer, honorable, honoraire,* etc.

On fait honneur à qqn, à qqch. On fait qqch. sur l'honneur. On met son honneur à faire qqch. À vous l'honneur ! Avoir l'honneur de faire qqch. On tient à (l') honneur de faire qqch. En l'honneur de qui donne-t-on cette réception ?

Honorer. *On honore une lettre de change* (on paye la somme), *un ticket de ravitaillement* (on délivre la marchandise à laquelle il donne droit), *sa signature* (on tient un engagement). *On honore qqn de sa confiance, d'une haute distinction. Honoré de* ou *par :* cf. DE, 7, p. 302.

Honoraires, n.m.pl. *Un état d'honoraires, des honoraires excessifs.*

Honte, n.f. *Faire honte à qqn. Avoir honte de qqn, de qqch., n'avoir pas honte de qqch., de faire qqch. Il n'y a pas de honte à reconnaître ses torts.*

Hôpital, n.m. Accent circonflexe remplaçant l'*s* qui apparaît dans *hospitalier, hospitaliser.*

Horaire, n.m. *Avoir le même horaire. Être en retard sur l'horaire.*

Horizon, n.m. On a voulu condamner **ouvrir des horizons ;** on recommandait *ouvrir des perspectives* en déclarant qu'au sens étymologique l'horizon est ce qui borne, ce qui limite. Mais le meilleur usage admet cette expression au sens figuré : *on ouvre des horizons* ou *des horizons nouveaux* ou *de nouveaux horizons (sur qqch.),* aussi bien qu'*on élargit son horizon* ou qu'*on découvre de nouveaux horizons.* — *Faire un tour d'horizon.*

Horloge, n.f., a été autrefois masculin.

Hormis (sauf, excepté), prép., et surtout *hormis que* sont vieillis ou littéraires.

Hormone, n.f. Les deux *o* sont brefs et ouverts. *H* muet.

Horoscope, n.m. *Un horoscope.*

Horreur, n.f. *Avoir* ou *éprouver de l'horreur pour un monstre, pour un crime. L'horreur qu'on a pour qqn* ou *qqch. Avoir horreur de qqch., de faire qqch. Avoir qqn* ou *qqch. en horreur. Inspirer à qqn l'horreur de qqch.* ou *de l'horreur pour qqch.*

Hors, prép., **hors de,** loc. prép. 1. *Hors* ne s'emploie plus comme préposition au sens de « à l'extérieur » que dans quelques expressions figées exprimant l'exclusion par rapport à un ensemble : *Saint-Paul-hors-les-murs, hors banque, hors cadre(s), hors champ* (en radio), *être hors classe, hors commerce, hors concours, hors jeu, hors ligne, hors la loi, hors rang, hors série, hors texte.* On dit : *hors pair* ou *hors de pair* (*hors du pair* ne se dit plus). On doit dire : *hors de cause, de combat, de doute, de Paris, de prix, de question, de saison, de chez lui,* etc.

    Hors est vieilli et peu courant dans le sens d'« excepté » : *Hors deux ou trois. Nul n'aura de l'esprit hors nous et nos amis* (Molière). *Elle était épuisée, vidée de tout, hors sa volonté de tenir* (R. Gary, *Les racines du ciel,* Folio, p. 451). **Tours littéraires** : *hors que* (suivi de l'indicatif ou du conditionnel) et *hors de* suivi d'un infinitif : *Hors de le battre, il ne pouvait le traiter plus mal* (Ac.). On dira plutôt : *sauf* (ou *excepté*) *qu'il ne le battait pas,...*

    2. **Noms composés.** Ils sont invariables : *un* ou *des hors-bord, hors-concours, hors-d'œuvre, hors-jeu, hors-la-loi, hors-ligne, hors-texte.* Mais en dehors de cet emploi comme nom, on écrit sans trait d'union : *Une gra-*

vure hors texte. Ces figures sont placées hors d'œuvre dans le tableau. On l'a classé hors concours. Un tireur hors concours. Il est hors jeu, hors la loi. Un candidat hors ligne, etc.

Hosanna (*h* muet), n.m. *Des hosannas.*

Hospice, n.m., se dit de moins en moins. *Un hospice de vieillards, d'invalides.*

Hostile, adj., **hostilité,** n.f. Construction : *On est **hostile** à qqn, à qqch. On éprouve* (on *montre,* on *marque*) *de **l'hostilité** à qqn, à qqch.* ou ***contre,** envers qqn, qqch.*

Hot dog (*h* aspiré), n.m. *Des hot dogs.*

Hôte, hôtesse, n. La femme qui reçoit chez elle est l'hôtesse, comme celle qui est chargée de l'accueil ; *une hôtesse de l'air.* Celle qui est reçue est *une hôte* : on dit plus souvent : *une invitée.*

Hôtel-Dieu, n.m. : *Un hôtel-Dieu, des hôtels-Dieu.*

Hôtelier, n. : *Un hôtelier, une hôtelière.* Un seul *l,* mais : *une* **hôtellerie.**

Houppe, n.f., et composés : deux *p.*

Hourra, interj. et n.m. *Des hourras.*

Hovercraft, n.m. d'une marque enregistrée. À remplacer par *aéroglisseur.* À distinguer de l'*hydroptère,* (à ailettes), n.m., *jetfoil.*

Hugo. Cf. H. L'adjectif est *hugolien ;* péjoratifs ; *hugolesque, hugolâtre ; h* muet.

Huis clos s'écrit toujours sans trait d'union : *délibérer à huis clos, ordonner le huis clos* (noter *le,* bien qu'on dise *l'huis*).

Huit, adj. numér. et n.m. invar. **Prononciation** : le *t* ne se prononce normalement que devant une pause, une voyelle ou un *h* muet. On ne doit pas se croire obligé de le prononcer devant une consonne dans les dates. Cf. Cinq, Date, 1 ; H, *Autres mots.*

Huitante (quatre-vingts), adj. numér., ne s'emploie guère que dans une partie de la Suisse romande, dans le canton de Vaud.

Huître, n.f., et dérivés : accent circonflexe.

Humanités, n.f.pl., s'est conservé en Belgique et au Canada, jusqu'aux récentes réformes scolaires, pour désigner le cycle, non seulement supérieur mais complet, de l'enseignement secondaire s'étendant sur six ans.

Hululer, v.intr., a un *h* aspiré. On écrit aussi *ululer, ululement* (Ac.).

Humeur, n.f. *Être de bonne humeur. Être d'humeur à faire qqch.* est plus courant que *être en humeur de.*

Humilier, v.tr.dir. On est humilié *par qqn, par* (ou moins souvent *de*) *qqch.* (cf. DE, 7), on est humilié *d'avoir fait qqch.*, on est humilié *que les autres n'aient pas compris.*

Hurluberlu, (*h* muet) adj. et n. Féminin : *hurluberlue.*

Huron, (*h* aspiré) n.m. et adj. Féminin : *huronne.*

Hussard, n.m. *H* aspiré.

Hyacinthe, n.f., ancien nom de la jacinthe, est le nom d'une pierre précieuse d'une couleur jaune rougeâtre et, par extension, d'une étoffe de cette couleur. Comme adjectif désignant cette couleur, *hyacinthe* peut rester invariable.

Hydre, n.f. *H* muet.

Hydr(o)-, préfixe. *H* muet. Cf. HOVERCRAFT. On écrit *hydroélectrique* (parfois *hydro-électrique*).

Hyène, n.f. *H* muet (malgré quelques écrivains) : *l'hyène.*

Hymen et **hyménée,** n.m. (*h* muet), sont poétiques et rares dans le sens de *mariage.*

Hymne, n.m. *Un hymne,* sauf s'il s'agit d'un cantique latin (*une hymne sacrée*).

Hypallage, n.f. *Une hypallage* est une figure de style par laquelle on attribue à certains mots d'une phrase ce qui convient à d'autres mots de la même phrase : *Ce marchand accoudé sur son comptoir avide.* Le masculin se répand, mais est à proscrire.

Hyper et **hypo,** employés comme préfixes, forment de très nombreux composés sans jamais être suivis d'un trait d'union.

Hypermarché, n.m. Par convention, on distingue, dans les magasins exploités en libre-service, les *hypermarchés,* ayant une superficie de vente de plus de 2.500 m^2 et les *supermarchés,* dont la superficie est comprise entre 400 et 2.500 m^2. La *supérette* a entre 120 et 400 m^2. En fait, on constate qu'*hypermarché* est courant dans le nord de la France et en Suisse et *supermarché* dans le Midi et en Belgique.

Hypogée, n.m., tombeau souterrain : *Un hypogée.*

Hypoténuse, n.f. Pas d'*h* après *t* ; penser au sens : côté qui se *tend* en face de l'angle droit dans un triangle rectangle.

Hypothèque, n.f., se dit figurément d'un obstacle qui entrave l'accomplissement de qqch. C'est ainsi qu'une maladie peut devenir pour quelqu'un une hypothèque et que la guérison *lève l'hypothèque*.

Prendre une hypothèque sur l'avenir, « engager l'avenir en fonction d'une chose que l'on espère pouvoir acquérir » (TLF) ou « disposer d'une chose avant de la posséder » (GLLF). *Hypothéquer l'avenir*, c'est prendre des engagements ou des dispositions qui empêcheront ensuite d'agir librement.

Hypothèse, n.f. *Dans l'hypothèse où* est suivi du conditionnel : *Dans* (ou *pour*) *l'hypothèse où vous changeriez d'avis.* Cf. CAS, 3.

I

Iambe, n.m. Le tréma que l'Académie et des dictionnaires (dont le TLF) se sont obstinés à maintenir sur *i* dans *iambe* doit disparaître. On écrit : *iambe, iambique.* On ne prononce d'ailleurs pas un *i* mais une semi-voyelle (comme dans *yaourt*).

Ibidem, adv. : au même endroit. Abréviation : *ibid.*

Ichtyo- a remplacé l'ancienne graphie *ichthyo* comme préfixe. *Ichtyosaure.*

Ici, adv. 1. *Ici* s'oppose proprement à *là* ; il est cependant souvent remplacé par *là* dans l'usage familier, quand on ne marque aucune opposition : *Je suis là.* Notons qu'au téléphone, pour donner son nom on dit toujours : *Ici, Un Tel.*

2. Il est inutile de doubler *à côté* ou *en face* par un *ici* qui les précède. On dira : *Veuillez signer ici,* en montrant l'endroit.

3. On écrit *ici-bas,* mais *ici dedans, ici dessus, ici même.*

4. **C'est ici que** a remplacé le tour classique *c'est ici où : C'est ici que je l'attends.*

5. **D'ici** ; *Je ne suis pas d'ici. Je vois cela d'ici* (peut signifier familièrement : *Je l'imagine aisément*). Après un complément : *À une semaine d'ici. À quatre pas d'ici.*

6. **D'ici (à).** Qu'il s'agisse de temps ou de distance, *à* s'emploie parfois devant le point d'aboutissement. Il est très souvent omis ; il l'est toujours devant *là* et souvent devant *peu : D'ici une heure. D'ici huit jours. D'ici à Paris* ou *d'ici Paris. D'ici (à) la fin du mois. D'ici là. D'ici peu de temps.*

7. **D'ici que** et **d'ici à ce que** énoncent un terme simplement envisagé et sont suivis du subjonctif : *D'ici que tu **sois** revenu* ou *D'ici à ce que tu sois revenu.*

Icône, n.f., a un accent circonflexe (l'*o* étant fermé). Mais il n'y en a pas dans les autres mots commençant par *icon-* : **iconographie, iconoclaste,** etc., où d'ailleurs *o* est prononcé ouvert.

Idéal, n.m. ou adj. Le pluriel *idéaux* tend nettement à l'emporter sur *idéals*. C'est incontestable pour l'adjectif. Quant au substantif, la distinction faite par l'Académie (*idéaux* employé plutôt dans la langue technique de la philosophie et des mathématiques ; *idéals* dans le langage de la littérature, de la morale et des beaux-arts) ne semble pas respectée par l'usage littéraire ou courant, qui emploie *idéals* ou *idéaux* quel que soit le sens, quand il n'évite pas le pluriel.

Idée, n.f. **A. L'idée que.** Emploi du mode. On peut s'inspirer des observations faites à propos de *le fait que* (cf. FAIT, nom, 1), mais en ne perdant pas de vue qu'à cause de la différence de sens entre un fait et une idée, le subjonctif, assez largement généralisé jusqu'à une certaine mécanisation après *le fait que,* peut s'accommoder de la réalité bien reconnue du fait ; tandis que, s'il s'agit simplement d'une idée, l'opposition indicatif-conditionnel-subjonctif marquera mieux l'opposition entre la réalité, l'éventualité ou la potentialité de ce qui est en cause : *L'idée qu'ils n'ont peut-être pas été avertis me rend hésitant. L'idée qu'il a risqué sa vie pour moi m'a bouleversé. L'idée qu'il puisse risquer sa vie pour moi me bouleverse. L'idée que j'aille le voir ne lui déplaît pas. L'idée qu'il risquerait sa vie pour moi, s'il le fallait, me bouleverse. L'idée qu'il est arrivé en retard me poursuit. L'idée qu'il pourrait arriver en retard m'est pénible. L'idée qu'il puisse arriver en retard m'est pénible. L'idée me vient qu'il n'a peut-être pas été averti, qu'il a pu ne pas être averti, qu'il pourrait n'avoir pas été averti ;* après *l'idée me vient* (*m'est venue*), le subjonctif est exclu. *L'idée ne m'est pas venue qu'il pourrait être en retard* ou *qu'il pût être en retard* (comme après *je ne pensais pas que*). *Je ne puis me faire à l'idée qu'il m'a trompé, que vous êtes médecin* (le fait est présenté comme une réalité), *qu'il m'aurait trompé* (éventualité peu vraisemblable), *qu'il m'ait trompé* (on peut marquer son désir de rejeter le fait en dehors de la réalité).

Il n'y a évidemment aucun problème dans une phrase comme celle-ci : *On ne m'ôtera pas de l'idée qu'il a voulu nous mettre à l'épreuve ;* le groupe *l'idée que* est d'un tout autre ordre et accidentel ; *l'idée* est mis pour *l'esprit* et *que* n'introduit pas une explicitation de *l'idée* mais le complément de *ôter.*

B. On ne peut dire, comme à Liège : [*J'ai idée de faire cela*] dans le sens de *J'ai envie* (ni d'ailleurs non plus dans le sens de *J'ai l'intention ;* on pourra dire alors : *J'ai dans l'idée de faire cela*) ni [*Cette cravate n'est pas à son idée*] pour « à son goût ».

C. Notons quelques expressions avec *avoir.*

1. **Avoir idée que** : être porté à croire que, avoir l'impression que : *J'ai idée que c'est lui qui l'emportera. J'ai idée que c'est à lui que vous faites allusion.*

2. **Avoir dans l'idée que** = croire que : *J'ai dans l'idée qu'il viendra, qu'il est déjà parti.* **Avoir dans l'idée de** = avoir l'intention de (cf. B) : *J'ai dans l'idée d'aller à Paris.*

3. **Avoir l'idée de**, suivi d'un infinitif = concevoir le projet de, penser à : *J'ai l'idée d'aller à Paris. Je n'ai jamais eu l'idée de vous froisser. Aura-t-il l'idée de nous écrire ?*

4. **Avoir une idée de**, suivi d'un nom ou de *ce que* = se représenter, se faire une idée de, imaginer : *J'ai une idée* (ou *je n'ai pas une idée, je n'ai aucune idée, je n'ai pas la moindre idée) des difficultés qui nous attendent. As-tu une idée de ce qu'il veut faire ?* Ou « avoir une opinion sur » : *As-tu une idée de l'endroit où nous sommes ?*

5. **Avoir idée de** est rare à la forme affirmative : *J'ai idée des difficultés que vous avez rencontrées* (DFC), j'imagine aisément... Le tour s'emploie surtout à la forme négative ou interrogative, dans le sens d'*avoir une idée de* (4) : ***Vous n'avez pas idée des** difficultés que cela présente. Avez-vous idée de ce qui vous attend ? Je n'en ai aucune idée.*

Mais avec **on**, le même tour négatif, exclamatif ou interrogatif peut signifier : « Comment peut-on même imaginer ? » : *On n'a pas idée de cela. A-t-on idée de venir si tard ?* Absolument : *A-t-on idée ?* est-ce possible ?

D. Notons encore avec **avoir** : *Avoir une idée, une bonne idée, des idées, beaucoup d'idées. Avoir son idée sur qqn* ou *qqch. Faire à son idée* (à sa guise) *ou à celle d'un autre. J'ai mon idée, je sais ce que je veux. — Se faire une idée de qqn, de qqch. À l'idée que...* Ordre **d'idées** : *Cette réflexion est étrangère à la question, elle appartient à un autre ordre d'idées* (Ac.). *Se faire des idées. Une idée fixe. Une idée-force, des idées-forces.*

E. Quoi qu'on ait prétendu, on peut dire : *L'idée* (ou *la fantaisie*) **lui** a pris de venir nous voir.

Identifier, v.tr.dir., **identique**, adj., **identité**, n.f. *Une chose est identique à une autre. Elles sont identiques.* **Identifier** et **s'identifier** se construisent avec **à** ou **avec** : On identifie une chose *à* une autre ou *avec* une autre, un auteur *à* ou *avec* un de ses personnages. L'auteur refuse de *s'identifier à* (ou *avec*) ses héros. On établit **l'identité** *d'une chose avec une autre* ou *l'identité de deux choses entre elles*, ou *l'identité de A et de B.* Mais ce dernier emploi peut être équivoque, car l'identité d'une personne, cela peut être sa personnalité civile (comme dans *une carte d'identité*).

Identifier qqn, sans autre complément, c'est le reconnaître, dire qui il est ; *identifier qqch.*, un objet, un bruit, c'est reconnaître que cette chose appartient à une espèce précise.

Idiome, n.m., se prononce avec un *o* fermé, mais n'a pas d'accent circonflexe. *Idiomatique*, adj., *o* ouvert.

Idiotie, n.f. et **idiotisme,** n.m., ont aujourd'hui deux sens bien distincts. *L'idiotie* est une forme grave d'arriération mentale, ou une action, une parole dignes d'un idiot ; *un idiotisme* est une manière de parler propre à un idiome, à une langue (*gallicisme* par exemple).

Idole, n.f. : *Ce chanteur est une idole pour ses fans.* **Dérivés** : *idolâtre, idolâtrie,* etc., accent circonflexe sur *a.*

Idylle, n.f., **idyllique,** adj. Attention à *dy.*

Igame, n.m. Sigle formé des premières lettres de : Inspecteur régional de l'administration en mission extraordinaire ; se dit d'un préfet itinérant et coordonnateur ou d'un préfet régional.

Iglou ou **igloo,** n.m. *Les iglous des Esquimaux.*

Igné, ignifugé, adj. On prétend qu'il faut prononcer *g* + *n.* En fait la prononciation est hésitante et l'on peut prononcer *gn* comme dans *campagne.*

Ignorant, adj. *Être ignorant des usages, ignorant en chimie.*

Ignorer, v.tr.dir. 1. **Devant un infinitif.** Emploi peu courant : *J'ignorais l'avoir déçu. Il ignore vous avoir fait de la peine.* On emploie plutôt *ignorer que.*

2. **Ignorer que.** Grammaires et dictionnaires, plus fidèles à un ancien usage qu'à celui d'aujourd'hui, laissent encore volontiers croire que le subjonctif est le mode habituel après *ignorer que.* C'était vrai autrefois, mais l'usage actuel reflète une manière plus logique de voir les faits. L'objet de l'ignorance ne peut être qu'un fait qui existe ou a existé ; l'indicatif qui suit *ignorer* est donc toujours normal et permis ; l'affirmation de l'ignorance ou de la non-ignorance s'accompagne en effet toujours de l'affirmation de l'existence d'une réalité ignorée : *Vous ignorez* (ou *vous n'ignorez pas*) *qu'il était là.* Il est donc faux de prétendre que l'indicatif n'intervient que si l'on affirme le fait comme réel. Il est toujours présenté comme tel, sauf si on se place, quand le verbe *ignorer* est au passé ou au futur, dans l'état où le sujet était ou sera avant toute vérification. Nous verrons plus loin (3) le cas de *ignorer si.*

Voici l'usage actuel, établi par une vaste enquête. Après *ignorer* **au présent,** qu'il soit affirmatif, négatif ou interrogatif, on emploie presque toujours — et il faut le recommander — l'indicatif (ou le conditionnel s'il y a éventualité) : *Vous ignorez* (ou *vous n'ignorez pas*) *qu'il a été arrêté* (ou *qu'on l'aurait arrêté*). *Ignorez-vous qu'il était là* ou *qu'on aurait pu vous voir ?*

Après *ignorer* **au futur,** on peut employer l'indicatif ou le subjonctif ; celui-ci se justifie par le fait que le locuteur se place au point de vue du sujet d'*ignorer,* avant toute vérification, ou dans la fiction imaginée : *Jusqu'à l'instant du bal, le comte ignorera que vous soyez au château*

(Beaumarchais, *Le mariage de Figaro*, II, 5). La comtesse, parlant à Chérubin, sait que celui-ci sera au château, mais elle se place au point de vue du comte pour qui cette présence ne sera pas une réalité. Elle pourrait dire : *Il ignorera que vous **serez** au château.* De même : *Il ignorera toujours que vous **avez** été son concurrent.*

Après *ignorer* **au passé**, l'indicatif l'emporte nettement, mais il est concurrencé assez fortement par le subjonctif si *ignorer* est affirmatif, beaucoup moins s'il est interrogatif et moins encore s'il est négatif : *J'ignorais qu'il **était*** (ou *qu'il **fût***) *dans la pièce voisine. Pouvais-je ignorer qu'il **était** là ?* (assez rare : *qu'il fût là ?*). *Je n'ignorais pas qu'il **était** là* (rare : *qu'il fût là*).

Les exemples suivants attestent simplement l'emploi des deux ou trois modes, sans prétendre refléter leur fréquence, qui vient d'être indiquée : *J'ignorais, en me fixant cette règle, que, dans un ouvrage décisif, Karl A. Popper **avait** établi que...* (R. Caillois, *Discours de réception à l'Académie française*). *J'ignorais qu'il y **eût** un orage* (H. Thomas, *Le parjure*, p. 140). *À l'époque où il ignorait que son père **fût** un meurtrier* (H. Troyat, *Le vivier*, Poche, p. 85). *J'ignorais qu'il **eût** ce pouvoir* (H. Bosco, *Le mas Théotime*, Poche, p. 192). *Ignorait-il que la dame **fût** sourde ?* (G. Bernanos, *Un crime*, Poche, p. 122). *Nul n'ignorait que l'alcool **déliait** la langue de Mathurin* (Id., *Ibid.*, p. 82). *Les parents ne pouvaient ignorer qu'elle **venait** fréquemment chez lui* (H. de Montherlant, *Pitié pour les femmes*, p. 100). *Il n'ignorait pas que, le cas échéant, malgré son affabilité, Sun n'**hésiterait** pas à l'abandonner* (A. Malraux, *Les conquérants*, Poche, p. 71).

3. **Ignorer si** est toujours suivi de l'indicatif ou du conditionnel : *J'ignore s'il l'a fait, s'il **est** ou s'il **serait** capable de le faire. J'ignorais si on l'avait dit.*

De même *ignorer pourquoi, comment, qui*, etc. (interrogations indirectes).

4. **Ne pas ignorer de** est un tour vieilli, qui survit seulement avec *rien (n'ignorer rien de qqch.)* et dans *pour* (ou *afin*) *que nul n'en ignore* (afin que tout le monde le sache).

5. [*Vous n'êtes pas sans ignorer*], qui veut dire proprement, parce que les deux négations se détruisent : « Vous ignorez », ne peut être substitué à **Vous n'êtes pas sans savoir**, vous savez certainement. Faute courante et à éviter rigoureusement.

6. *Ignorer* a pris depuis longtemps par extension les sens de « manifester de l'indifférence à l'égard de qqn », « feindre de ne pas connaître qqn », « ne pas tenir compte de ».

Il, pr. pers. 1. **Prononciation**. Il convient de prononcer *l*, même devant une consonne. La prononciation *i* dans ce cas est relâchée, mais courante dans la conversation.

2. *Il* **neutre**. En dehors de son emploi dans les formes impersonnelles (*il est vrai, il se peut,* etc.), *il* n'apparaît comme sujet, avec la valeur de *ce, ceci, cela* ou pour représenter un pronom neutre (*ce, ceci, cela, ce qui, ce que, tout,* etc.), que par archaïsme, comme le faisait la langue classique : *Ce que tu m'as dicté, Je veux de point en point qu'il soit exécuté* (Racine). Cf. Ce, 5, p. 204.

3. *Ce qu'il* et *ce qui*. Cf. Ce qui, p. 213.

4. **Il est** pour *il y a* est littéraire ou archaïque et d'un emploi limité (jamais pour marquer le temps, la distance) ; *Il y a huit jours. Il y a dix kilomètres. S'il est des jours amers, il en est de si doux !* (Musset). *Il est des parfums frais comme des chairs d'enfants* (Baudelaire). *Il n'est pire sourd que celui qui ne veut pas entendre.*

Il n'est que de, devant un infinitif, signifie comme autrefois « le mieux est de, il n'y a rien de tel que de » (*Il n'est que de jouer d'adresse en ce monde*, Molière), mais aussi tout simplement « il suffit de, il n'y a qu'à » : *Si vous doutez, il n'est que de vous informer.*

5. **Il n'y a que, Il n'y a pas que** : *Il n'y a qu'eux qui puissent vous renseigner.* Le contraire est : *Il n'y a pas qu'eux qui puissent vous renseigner* (D'autres peuvent...). L'indicatif, dans les deux cas, insisterait sur la réalité : ils peuvent vous renseigner.

6. **Il n'est pas** (ou *il n'y a pas*) **jusqu'à** est normalement suivi du subjonctif avec *ne* employé seul : *Il n'est pas jusqu'au domaine de la vie moderne où elle* (la technique) *ne se puisse prévaloir de ses services* (J. Rostand, *Réception de Louis Armand à l'Académie française*). Les deux négations se détruisent : même dans le domaine de la vie moderne, elle peut se prévaloir.

7. *Il n'y a de bon que, tout ce qu'il y a de, il n'y a pas plus...que, ce qu'a de :* accord de l'adjectif, cf. Adjectifs qualificatifs, 12-15, pp. 44-45.

8. **Ils**, employé comme indéfini (au lieu de *on, ces gens,* etc.) dans la langue familière, paraît souvent méprisant : *L'autorité ! ils n'ont que ce mot* (Diderot). *Qu'ils y viennent, maintenant !* — *Il faut, dit-il, que je passe à la Chambre, je ne sais pas ce qu'ils ont fait aujourd'hui* (A. France, *L'anneau d'améthyste*, p. 365).

Illusionner, v.tr.dir., **illusionnisme, illusionniste.** Deux *n*. *Illusionner qqn* est beaucoup plus rare que **s'illusionner**. Absolument : *Je m'illusionne peut-être*. Avec *sur* : *S'illusionner* **sur** *qqn* ou *qqch. : Il s'illusionne sur ses capacités.*

Ilote, n.m., ne peut plus s'écrire avec *h*. Pas d'accent circonflexe.

Imaginer, v.tr.dir., **s'imaginer. Construction et accord** *Il imagine de se présenter à ce concours* (il a l'idée de) *J'imagine* (je suppose, je me doute, en plaçant cela sur le plan des choses réelles) *que vous ne* **souhaitez** *pas qu'on* *vous réponde. Imaginons* (supposons) *qu'on veuille nous consulter. Je n'imagine pas qu'il se soit dérangé pour rien. Je n'imaginais pas que cela fût interdit. Elle n'imaginait pas qu'on pût lui en vouloir ;* l'indicatif, *qu'on pouvait,* soulignerait la réalité du fait subordonné (elle ne se doutait pas que...). Mais, si une latitude existe dans l'emploi du mode, on ne fait pas normalement se succéder les deux modes en dépendance d'un même verbe : *Pas un habitant (...) n'imaginait que Brasc-le-Noir était un homme et qu'il fût mort* (M. Gallo, *Que sont les siècles pour la mer,* Poche, p. 61).

— **S'imaginer** : *Il s'imagine* (il croit sans fondement) *avoir tous les droits* ou *qu'il a tous les droits. Il s'imagine qu'on le laisserait faire. Il s'imagine qu'on lui en veut. Vous imaginez-vous que je vais tolérer cela ? N'allez pas vous imaginer qu'on vous en veuille* ou *qu'on vous en veut.* — *Elle s'est imaginé qu'on lui en voulait. Elle s'est imaginée riche, gracieuse. Elle s'est imaginée (s'est vue) à soixante ans. Je me la suis imaginée autrement.* Cf. Participe passé, verbes pronominaux, p. 686.

Imbécile, adj. et n., a un sens beaucoup plus fort que dans la langue classique.

Imbécilité, n.f., peut s'écrire avec un seul *l* (Ac., 1975).

Imbroglio, n.m. On peut franciser le mot en prononçant le *g. Des imbroglios.*

Imiter, v.tr.dir. *Imiter qqn. Imiter l'exemple, la conduite de qqn* (Ac.).

Immature (sans accent), adj. : qui n'a pas atteint sa maturité. Emprunté au latin mais influencé par l'anglais.

Immensurable, adj., qui ne peut être mesuré parce que trop grand. « On dit souvent dans le même sens *incommensurable* » (Ac.). Cf. ce mot.

Imminence, n.f., et **imminent,** adj., peuvent aujourd'hui s'employer sans qu'il soit question de menace, de danger ; l'idée de *proche* l'emporte : *Le départ imminent du train. L'imminence du sommeil* (TLF).

Immiscer (s'), s'introduire indûment ou indiscrètement dans des choses qui sont de la compétence d'autrui (non pas dans des papiers, dans un groupe) : *S'immiscer dans les affaires d'autrui.*

Immixtion, n.f. Prononcer *k + s + y.* Attention à *xt.*

Immondices, n.f.pl., ne s'emploie plus guère au singulier. *Les immondices ont été enlevées.*

Immuabilité et **immutabilité,** n.f., synonymes, correspondent au seul adjectif **immuable.**

Impact, n.m., est un « mot dans le vent ». Proprement, il désigne le choc d'un projectile *(point d'impact) ;* d'où : le trou, la trace qu'il laisse à l'endroit qu'il a heurté violemment. Au figuré : l'effet de surprise, de choc. L'Académie souhaite avec raison qu'on ne dépasse pas ce sens, où apparaît encore l'idée d'une action forte, brutale. Mais le mot est pris couramment dans le sens, même affaibli et favorable, d'influence, de conséquence. Ce n'est pas une raison pour en faire un féminin !

Imparfait de l'indicatif.

Prononciation. Lorsque la terminaison *-ions, -iez* s'ajoute à un radical verbal où l'on entend pour finir *i* ou la semi-voyelle *y* (yod), l'usage courant français ne marque pas la différence entre le présent *(nous sourions, nous essayons, nous travaillons)* et l'imparfait *(nous souriions, nous essayions, nous travaillions)*. Il n'est certes pas incorrect de marquer la différence par un double yod ; c'est même souvent utile.

Emploi. A. Le fait est passé. La valeur fondamentale de l'imparfait est une valeur d'aspect : le fait passé est saisi dans son aspect de durée, d'inachevé, comme en train de se dérouler, en dehors de son commencement et de sa fin. On dit parfois que c'est le présent du passé ; mais plusieurs temps passés expriment certains aspects du présent. L'imparfait s'oppose au passé simple et au passé composé (voir ces temps) et, grâce à sa valeur fondamentale exprimant une portion imprécise de la durée et aussi grâce au contexte, il indique notamment à un moment du passé :

1. **La durée, l'accomplissement en cours** : *En juillet, j'étais à la campagne. Je lisais pour passer le temps.* Notons qu'il suffit d'ajouter une précision temporelle pour que, le procès n'étant plus saisi dans une partie seulement de sa durée mais dans la totalité de celle-ci, l'imparfait ne soit plus justifié : *J'ai lu toute la journée. Il marcha trente jours, il marcha trente nuits. Il allait muet, pâle et frémissant aux bruits* (V. Hugo, *La conscience*).

Au lieu d'employer le passé simple ou le passé composé, on peut aussi (et des écrivains le font volontiers) présenter l'action, même si elle n'était qu'instantanée, sous un jour descriptif, comme si elle avait une certaine durée. C'est l'**imparfait narratif** ou pittoresque : *Il entra à l'hôpital le 15 ; huit jours après, il en sortait guéri.*

C'est à tort qu'on attribue à l'imparfait une valeur de cause ou d'explication due au contexte : *Il pleuvait ; j'ai lu toute la journée. Il entendit un cri : une femme l'appelait.* C'est le rapprochement des verbes qui, grâce à leur sens, marque la cause ou donne l'explication ; l'imparfait n'exprime que la durée, saisie dans une portion imprécise. Comparez : *Elle s'évanouissait, on la porta devant la fenêtre* et *Elle s'évanouit, on la porta devant la fenêtre.* Dans cette dernière phrase, le rapport de cause à effet n'est pas moins certain, mais les deux procès, mis au passé simple, sont présentés dans leur succession ponctuelle. *Toute la salle fut émue : les tribunes pleuraient* (Michelet) ; si l'on remplace les deux points par une virgule et si l'on emploie deux passés simples, on ne donne plus un exemple de l'émotion mais un nouveau fait, on établit une progression dans le récit. Ce qu'on appelle l'imparfait de simultanéité exprime aussi la durée imprécise. On peut le trouver dans la proposition principale (base de la phrase) : *Il téléphonait quand je suis arrivé* (il était en train de téléphoner). Ou après une conjonction impliquant une certaine durée *(comme, tandis que, pendant que, alors que) : Comme on lui demandait ce qu'il pensait, il répondit... Tandis que je me promenais, il alla voir son ami.*

2. **La répétition régulière mais indéfinie, ou l'habitude.** Encore une fois, c'est l'aspect duratif (une portion de la durée) qui est marqué, joint d'ailleurs à l'aspect itératif : *Elle s'habillait à la dernière mode. À cette époque, elle s'habillait à la dernière mode.* Mais si la période devient plus précise et est mieux délimitée, la raison d'employer l'imparfait disparaît. Comparez : *À partir de son mariage, elle s'habilla* (ou *elle s'est habillée*) *à la dernière mode. Pendant deux ans, elle s'habilla à la dernière mode.* Le procès à l'imparfait est considéré dans sa durée indéfinie comme sur une ligne de durée ; chaque fois qu'il s'accomplit, on en saisit une tranche, qui est elle-même de durée indéfinie : *Chaque année, il allait à la mer.* Comparez : *Pendant cinq ans, il a passé chaque été à la mer.*

3. **L'inachèvement ou l'interruption ou l'imminence contrariée.** L'action se déroulait mais a été interrompue par une autre, ou allait avoir lieu si une autre ne s'était pas produite : *Il lisait quand je suis entré ;* on voit que l'action interrompue est saisie dans sa durée, inachevée. *Il était temps ; un moment après elle partait* (= elle allait partir ; un moment après elle serait partie). Employé ainsi au lieu du conditionnel passé, l'imparfait peut exprimer un fait brusque, frappant, définitif qui ne s'est pas produit mais qui se serait produit si une condition avait été réalisée ; l'emploi de l'indicatif souligne la certitude : *S'il était venu plus tôt, je refusais de le voir. Il serait venu plus tard, je le recevais. Un peu plus, (et) il nous renversait. Avec six drachmes, j'achetais ce matin le marché aux poissons* (M. Schwob, *La lampe de Psyché,* p. 12). *J'aurais discuté, j'obtenais deux mille francs* (J. Dutourd, *Pluche,* Poche, p. 30). *Sans son aide, je tombais.* Cf. Si, conj., 3. Avec les verbes **devoir, falloir, pouvoir** et l'impersonnel **valoir mieux,** suivis d'un infinitif, ce n'est pas une conséquence infaillible qu'on exprime à l'imparfait au lieu du conditionnel passé ; aucune condition n'est d'ailleurs exprimée ni sous-entendue. *Il ne fallait pas le dire* (= Vous n'auriez pas dû le dire). *Il fallait y penser. Tu devais y penser. Mieux valait m'avertir. Vous deviez normalement gagner.* On notera que *devais,* suivi d'un infinitif, peut aussi exprimer un futur du passé : *Ils le quittèrent. Ils ne devaient plus le revoir* (= Ils ne le reverraient plus). Cf. Devoir.

B. Parce que l'imparfait marque que l'action est vue du passé, il intervient, après un temps passé, dans le **discours indirect** et dans le discours indirect libre pour traduire un indicatif présent, sans qu'on se soucie de la durée, de la répétition, etc. Il s'agit en fait d'une concordance des temps, qui ne s'impose pas seulement dans la transposition du discours direct en discours indirect, mais après tout verbe principal au passé. Dans *Je savais* (ou *je croyais*) *qu'il était malade,* la subordonnée exprime bien un passé, comme en A. Tandis que dans *On m'a dit qu'il était à l'hôpital et je vais lui faire une visite,* l'imparfait *il était* traduit « il est » du discours direct et exprime même une présence encore actuelle à l'hôpital. Discours indirect libre : *Il protesta. Pour qui le prenait-on ?* (« Pour qui me prend-on ? »).

Observons ici que si le fait rapporté est encore actuel, on peut le mettre au présent ou à l'imparfait : *On a dit que l'argent ne **fait** (ou ne **faisait**) pas le bonheur* (citation d'un proverbe). *On m'a dit qu'il **est** (ou **était**) à l'hôpital.* On emploie plus souvent l'imparfait, surtout après une forme en *-ait* ou en *-rait* : *Je ne savais pas que c'était lui le responsable. Je n'aurais jamais cru que c'était à lui qu'il fallait s'adresser* (ou *que c'est à lui qu'il faut s'adresser*).

C. **Emplois stylistiques** utilisant, pour des effets particuliers, la valeur temporelle de l'imparfait. À celui que nous avons déjà noté (A, 3 : *Sans son aide, je tombais* au lieu de *je serais tombé*), ajoutons celui-ci, où l'imparfait marque l'**atténuation** avec quelques verbes : *Je voulais vous demander si vous êtes d'accord. Je voulais vous dire, à ce propos, qu'il ne faut pas compter sur moi. Je venais vous prier de le recevoir. Je pensais que vous feriez peut-être bien de lui écrire.* Le recul apparent dans le passé, alors qu'on est en train de faire ce qu'on exprime au passé, traduit un certain recul de déférence à l'égard de l'interlocuteur.

D. **Système conditionnel.** Quand le verbe principal est au conditionnel, on exprime à l'imparfait, après *si,* un fait présent ou futur ; *Si j'étais libre, je vous accompagnerais. Si vous assistiez demain à notre réunion, vous ne le regretteriez pas.*

C'est dans le même sens qu'on emploie l'imparfait après *si* (sans énoncer un conditionnel) dans une exclamation exprimant un souhait, un regret : *Si je pouvais me rendre libre ! Si jeunesse savait !*

Imparfait du subjonctif. Cf. SUBJONCTIF et CONCORDANCE.

Impartir, v.tr.dir. (se conjugue comme *finir*), c'est donner en partage, attribuer *(Les dons que la nature lui a impartis ; la tâche qui m'a été impartie)* ou, en droit, accorder (presque toujours un laps de temps) : *La loi lui impartit un délai de deux mois.* Mais on n'impartit pas des instructions, des ordres !

Impassible, impavide, adj. En donnant ces deux adjectifs comme synonymes, les dictionnaires favorisent une confusion à éviter. Celui qui est *impassible* ne montre ou n'éprouve aucune émotion, aucune souffrance (du latin *pati,* souffrir). *Impavide,* d'un sens moins large, renvoie au mot latin *pavor,* peur, et se dit de celui qui ne montre ou n'éprouve aucune peur.

Impatience, n.f., **impatient,** adj. On ne dit plus *avoir impatience de.* On dit : *être impatient* (ou *être dans l'impatience*) *de faire qqch. J'ai tâché de calmer son impatience de vous voir. On s'impatiente de qqch.* **Impatient que,** suivi du subjonctif, est un tour classique, aujourd'hui peu courant : *Je suis impatient qu'il revienne,* j'attends avec impatience que...

Impeccable, adj., ne se dit plus guère, en parlant des personnes, dans le sens de « qui ne peut pécher, faire une faute, se tromper » *(un poète impeccable).* Il se dit au contraire couramment des choses qui n'ont aucune irrégularité, aucun défaut : une conduite, une tenue, une toilette, un vers, une expression, un raisonnement, une façon d'agir, etc.

Impensable, adj., s'est imposé, malgré les puristes, dans le sens de « inimaginable, incroyable », mais il ne signifie pas « impossible, inadmissible » ; il implique souvent un jugement sévère.

Impératif présent. 1. Conjugaison. Sauf pour *avoir, être, savoir, vouloir,* l'impératif présent reproduit les formes correspondantes de l'indicatif présent ; mais la 2e personne du singulier ne se termine pas par *es* ni *as,* sauf devant les pronoms *en* et *y* non suivis d'un infinitif : *Chante ; va ; donnes-en une ; prenez-en ; pensez-y ; vas-y. Va en Amérique (en* est préposition). *Va en chercher (en* est suivi d'un infinitif).

2. **Forme et place des pronoms compléments.**

A. Il n'y a qu'**un pronom complément.** Il peut être sujet de l'infinitif. Cf. INFINITIF, 2.

a) Il suit l'impératif **affirmatif** sous la forme *moi, toi, le, la, lui, nous, vous, les, leur (moi* et *toi* peuvent être compléments directs ou indirects). *Écoute-moi. Dis-moi. Écoute-la chanter. Lave-toi. Laisse-le venir. Parle-lui.* Trait d'union.

b) Si l'impératif est **négatif,** le pronom précède : *Ne te lave pas. Ne me parle pas. Ne les laisse pas venir.*

c) Si ce pronom unique est complément de l'infinitif, mêmes constructions après les verbes transitifs *écouter, entendre, faire, laisser, mener, sentir, voir,* etc. ; mais le trait d'union est omis après un intransitif comme *aller, courir, venir* et après *vouloir : Faites-le enlever. Fais-moi appeler. Ne me fais pas appeler. — Va (cours) le prévenir. Viens me voir. Veuillez m'excuser.*

d) *Le, la, les* ne s'élident ni ne se lient après l'impératif : *Laisse-le aboyer. Fais-le abattre. Envoie-la annoncer la nouvelle. Jette-les à l'égout.* Notons tout de suite (cf. B) qu'ils le font devant *en* ou *y (Attache-l'y. Instruisez-l'en)* et que, dans la même position, au lieu de *toi* et *moi* on a *m'* et *t' : Donne-m'en. Menez-m'y.*

B. Il y a **deux compléments** (pronoms personnels, *en, y*).

a) On évite aujourd'hui la succession de *en* et de *y* ou de *y* et de *en.* Littré préconisait : *Mettez-y-en. Expédiez-y-en.* Cela ne se dit plus ; on tourne la phrase autrement : *Mettez-y un peu de bonne volonté. Expédiez-en à tel endroit. Mettez-en dans le placard.*

b) *En* ou *y* suit les pronoms personnels. ***Fiez-vous-y. Menez-nous-y. Prenez-l'y. Abstenez-vous-en. Parlez-lui-en.*** Deux traits d'union s'il n'y a pas d'apostrophe. Mais on hésite souvent à accepter dans ce cas les deux formes *m'y, t'y,* qui sont pourtant correctes : *Menez-m'y. Fie-t'y. Prends-t'y adroitement. Rends-t'y tout de suite. Rends-t'en compte.* Certains préfèrent à tort : *Mènes-y-moi. Fies-y-toi.* Mais généralement on tourne la phrase autrement : *Veux-tu m'y mener ? Tu peux t'y fier.* Si les deux pronoms ne dépendent pas de l'impératif, on dit fort bien : *Va m'y attendre.* La langue populaire dit : [*Menez-moi-z-y. Donnez-lui-z-en. Abstiens-toi-z-en*]. À éviter.

Si l'impératif est négatif : *Ne t'y fie pas. Ne l'y mène pas. Ne vous y fiez pas. Ne t'en vante pas.*

c) Après un impératif affirmatif, le complément direct précède généralement le complément indirect : ***Rends-le-moi.*** *Tiens-le-toi pour dit. Accordez-les-lui. Envoyez-les-leur.* Deux traits d'union.

Mais on trouve l'ordre inverse, surtout dans la langue parlée : *Accorde-toi-les.* On dit plutôt cependant : *Accorde-les-toi.* Avec *le,* il y a encore moins d'hésitation ; on ne le place guère après un autre pronom, surtout en fin de phrase ; on dit : *Accorde-le-toi.*

Dans **se le tenir pour dit,** on dit généralement : ***Tiens-le-toi pour dit*** plutôt que *tiens-toi-le pour dit.* Cette dernière construction est au contraire courante avec *nous* et *vous* : ***Tenez-vous-le*** *pour dit,* mais on peut dire : ***Tenez-le-vous*** *pour dit.*

d) Si l'on a un complément de l'impératif (qui peut être sujet de l'infinitif ; cf. INFINITIF, 2, d) et un complément direct de l'infinitif, on place d'abord le sujet de l'infinitif, même s'il est au datif. Toutefois, *le, la, les* précèdent *lui, leur : Regarde-la nous imiter* (noter qu'il n'y a pas de trait d'union entre les deux pronoms). *Écoutez-les vous applaudir. Écoutez-la les applaudir. Écoutez-moi l'expliquer* (c'est moi qui explique). *Écoutez-le m'expliquer la chose. Laisse-moi t'en parler. Laissez-moi le répéter. Laissez-les le répéter. Laisse-le-leur faire. Laissez-le-leur répéter.* On remarque dans ces deux dernières phrases, où peut se glisser une équivoque, deux traits d'union, parce que le second pronom est sujet de l'infinitif ; si on marquait une pause, on supprimerait le trait d'union, mais le sens ne serait plus le même : *Laisse-le leur répéter qu'ils ont tort.*

Il n'y a pas lieu d'hésiter après *faire : le, la, les* sont en première position : *Faites-la-leur envoyer. Fais-le-moi savoir. Faites-le-lui comprendre.* On met un second trait d'union parce que les deux pronoms forment avec l'impératif un seul groupe phonétique.

3. **Trait d'union.** Nous avons, au n° 2, noté son emploi : on met un trait d'union entre les pronoms qui, après l'impératif, sont étroitement liés à celui-ci phonétiquement. Certains auteurs suppriment le second trait d'union. Mieux vaut le mettre.

4. **Apostrophe.** Nous avons vu aussi les cas où intervient l'apostrophe, excluant le trait d'union : *Va-t'en, Attache-l'y*, etc.

5. **Deux impératifs coordonnés** se construisent tous deux comme si chacun était seul : *Viens me voir. Dis-moi ce que tu penses. Viens me voir et dis-moi ce que tu penses.* Mais on recourt encore parfois, non sans affectation, à l'usage classique, qui faisait précéder de son complément le second impératif ; *Poète, prends ton luth et me donne un baiser* (Musset).

Impérieux, adj., ne veut pas dire seulement, comme **impératif**, « qui exprime un ordre ». Il suppose un ton, un caractère qui n'admet aucune résistance : *Un ton, une consigne, un geste, un air* peuvent être *impératifs* ou *impérieux*, mais on parle d'*un besoin impérieux*, d'*une obligation impérieuse,* d'*un maître impérieux*.

Impersonnels (verbes). On trouve, beaucoup moins qu'autrefois, chez de bons écrivains des tours impersonnels qu'il faut leur laisser comme des raffinements de style, bien qu'on les entende parfois dans le langage parlé : *Il s'endormit un adolescent au premier. Il s'endormit une femme au second* (J. Romains, *Mort de quelqu'un*, p. 114). L'auteur accorde beaucoup moins d'attention et d'importance à l'identité des personnes qui s'endorment qu'à la progression du sommeil, d'un étage à l'autre. Il ajoute d'ailleurs : *Alors le sommeil fut dans tout l'étage*, et il a dit plus haut : *On eut sommeil sous les combles.* Mais parfois on chercherait en vain une telle justification stylistique : *Il allait commencer pour moi une dure période de persécution permanente* (E. Triolet, *Le premier accroc...,* Folio, p. 26). *Entre des nuages très gris, il parut des morceaux de ciel infiniment purs et décolorés* (J. Romains, *Mort de quelqu'un*, p. 193). *Il ruisselle des chevelures merveilleuses dont l'or s'altère* (H. de Régnier, *Poèmes,* 1887-1982, p. 91). *Il circulait des marchands de poivre* (B. Vian, *L'herbe rouge*, Poche, p. 94). *Il s'ouvre des rues tranquilles, clandestines* (J. Romains, *Éros de Paris*, p. 168). Le tour devient plus étrange encore, plus littéraire, si le nom qui suit le verbe impersonnel est un nom propre ou s'il est précédé de l'article défini. Damourette et Pichon citent plusieurs exemples (t. IV, ch. XVIII) : *Il vous arrivera Mademoiselle Flore Brazier* (H. de Balzac ; réponse à une demande : *Qu'arrivera-t-il de tout ceci ?*). *Il partit la moitié du corps saxon* (Thiers). *Il nous monta aussitôt l'arôme exquis de ces pâtés de ménage que l'on ne sait faire qu'en province* (A. France). Gaatone, dans *Le français moderne*, octobre 1970, p. 398, cite : *Il lui venait la sueur au front* (J. Romains).

Il est délicat de fixer, dans l'usage courant, les limites précises de ce passage à l'impersonnel. Il est certain qu'avec quelques verbes *(il y a, il faut, il manque, il reste),* cet emploi impersonnel peut être suivi d'un nom propre ou d'un nom déterminé, d'un nom précédé de l'article défini ou indéfini ou partitif : *Il y a là Paul Dupont, le pavillon de chasse. Il y a un bosquet, du verglas, d'autres sentiers, quelques arbres. Il y a dix jours. Pour*

résoudre cette difficulté, il faudrait Paul Dupont, le professeur, un diction-
naire, du temps. Il manque l'essentiel, quelques francs, la clé.

D'autres verbes comme *il est, il existe* et ceux qui expriment une
situation qu'on décrit ou qui est en train de se produire ou qqch. qui
survient, comme *il neige, il passe, il pleut, il nage, il tombe, il souffle, il
règne, il s'élève, il arrive, il vient, il naît,* etc., se construisent facilement
avec un nom précédé de l'article indéfini : *Il fut un temps. Il était une fois
une fille de roi. Il existe une solution. Il neige de fines paillettes. Il pleut
des fleurs. Il nage une pomme de terre dans la sauce. S'il passe une voiture.
Il tombe une neige fine. Il souffle un vent de tempête. Il régnait une fraîcheur de cave chez sa grand-mère* (Fr. Mauriac, *Destins,* Poche ; pp. 60-
61). *Il s'élève une brise légère. Il arrivera un malheur. Il vient un temps où
l'on perd patience. Il m'est venu une idée. Il naît et il meurt des astres.* Tout
cela paraît normal. Plus étranges, plus littéraires : *Il naquit sur la terre un
ange* (Vigny, *Eloa,* début). *Bientôt, au bord du chemin, il apparut une
maison* (E. Triolet, *Le premier accroc...,* Folio, p. 35). Avec l'article défini,
le tour est infiniment plus rare : *La matinée était très douce ; et il venait
vers nous des hauts quartiers de Micolombe (...) les parfums de la lavande et
de l'hysope* (H. Bosco, *Le mas Théotime,* Folio, p. 289).

Impétrant, n.m. (du verbe *impétrer,* du latin *impetrare,* obtenir), se dit de
celui qui a obtenu une charge, un titre, un diplôme, et non du postulant
ou du candidat qui sollicite quelque chose.

Implanter v.tr.dir., et **s'implanter** se disent, au figuré, de ce qui est introduit de façon durable, établi solidement.

Impliquer, v.tr.dir., en dehors du sens, appliqué aux **choses,** de « contenir en
soi, comporter avec ses conséquences sans que cela soit exprimé formellement » *(Ce mot implique telle idée. Cela implique une contradiction. Votre
présence implique que vous étiez au courant),* ne se dit pour les **personnes**
que d'une affaire fâcheuse, d'une accusation *(Impliquer qqn dans un
procès, dans un scandale).* On n'est impliqué dans un accident que si on
en est responsable. Sinon, on est *pris* dans un accident.

Impliquer que est suivi de l'indicatif ou du subjonctif, selon que le fait
subordonné est réel ou simplement supposé : *Cela implique qu'il a tort. —
L'idée qu'elle aurait pu devenir riche en économisant, en plaçant son argent,
impliquait qu'elle tirât parti de possibles avantages de sa condition*
(P. Lainé, *La dentellière,* éd. Rombaldi, p. 54).

Import, n.m., dans l'opposition **import-export,** peut sembler une abréviation
d'*importation* et désigne le commerce de produits importés. Mais on
l'emploie à tort en Belgique dans le sens d'*un montant* en parlant d'une
facture [*d'un import de mille francs*].

Important, adj. et n.m. Cf. ESSENTIEL. *L'important est qu'il ne le sache pas*
ou, si l'on souligne la réalité, *qu'il ne le sait pas.*

Importer, dans son emploi impers. : *Il importe de dire* ou *que vous disiez.* Après *ce que,* devant *de* et un infinitif ou devant *que* (suivi du subjonctif), on emploie *il importe* : *Voilà ce qu'il importe de faire. Voilà ce qu'il importe que vous fassiez.* Mais : *Voilà ce qui importe. Ce qui importe, c'est que vous compreniez.*

Qu'importe, peu importe, n'importe ; cf. Verbe, *Accord,* C, Cas spéciaux, III, p. 989.

Imposer, v.tr.ind., et **en imposer** peuvent l'un et l'autre, quoi qu'on dise, signifier « inspirer du respect, de l'admiration » ou « faire illusion, tromper, en faire accroire » : *Il imposait par la taille* (Bossuet). *Les bourgeoises n'excitent pas Chamard (...) ; elles lui imposent. Il leur préfère les femmes du peuple ; il se met à l'aise en face de celles-ci* (L. Estang, *Les stigmates,* Poche, p. 139). *Le fourbe qui longtemps a pu vous imposer* (Molière). Correct, mais vieilli ou littéraire dans ces trois phrases, *imposer* serait généralement remplacé par *en imposer* dans l'usage actuel.

Impossible. 1. **Adj.** Sens. Il ne signifie pas seulement « qui ne peut se faire, qui ne peut être » *(Rien ne lui est impossible. Pour lui, rien n'est impossible).* Il a depuis longtemps d'autres sens, par extension : « qui ne peut pas avoir d'issue, de solution » *(Une situation impossible),* « qui est très difficile à faire, à supporter, etc. » et dans ce sens il peut se mettre au comparatif ou au superlatif *(Rien n'est plus impossible que cela,* Pascal. *Il faut se persuader qu'il n'y a rien de plus impossible,* Mme de Sévigné), « qui semble ne pas pouvoir exister » *(Un vert impossible),* « bizarre, extravagant, insupportable » *(Un caractère impossible. Cet homme devient impossible).*

On dit avec **à** : *Un homme impossible à émouvoir. Une chose impossible à admettre. Une quantité impossible à évaluer.* Avec **il y a** : *Il n'y a là rien d'impossible à faire.* Avec **à ce que** et le subjonctif : *Il n'y a rien d'impossible à ce qu'il réussisse.* On peut sous-entendre *il y a* : *Rien d'impossible à ce qu'il vienne. Quoi d'impossible à ce qu'il vienne ?*

Avec **il est impossible** on emploie **de** devant l'infinitif : *Il est impossible de faire mieux.* Avec ellipse : *Impossible de faire mieux.* On emploie **que** et le subjonctif : *Il est impossible qu'il soit à l'heure. Il n'est pas impossible qu'il soit à l'heure* (ne pas employer *ne* dans la subordonnée). *Il est impossible qu'on ne l'ait pas averti.*

2. Comme **nom** : *À l'impossible nul n'est tenu.* Dans le sens de « tout ce qui est possible » : *Il fait l'impossible pour nous contenter.*

Imposteur, n.m., n'a pas de féminin : *Cette femme est un imposteur. Une femme imposteur.* Certains écrivains ont risqué sans succès *impostrice.*

Imprégner, v.tr.dir. *Imprégner d'eau une éponge. Il est imprégné de préjugés. Une impasse imprégnée d'odeurs de cuisine. Le brouillard imprègne toute la ville. Ce discours est imprégné de pessimisme. Elle s'est imprégnée de votre enseignement.*

Impresario, mot italien, s'écrit avec un seul *s*, sans accent et se prononce avec *s* et non avec *z*. Le pluriel courant *(des impresarios)* montre que le mot s'est francisé ; certains prononcent même *z*. On essaie de pousser parfois la francisation jusqu'à écrire *é : des imprésarios.*

Impression, n.f. *Procurer une impression de bien-être. Faire une bonne* ou *une mauvaise impression. Avoir l'impression d'être indiscret* ou *qu'on est indiscret.*

Impressionnant, adj., **impressionner,** v.tr.dir., etc. Deux *n. Ce spectacle était impressionnant. Sa mort m'a impressionné.*

Imprimatur, n.m., est invariable. *Des imprimatur.*

Imprimer, v.tr.dir. *Imprimer un mouvement à une machine, imprimer une direction, une impulsion, une tendance, une conviction, imprimer un livre, un roman, un auteur.*

Impromptu (on prononce *p* + *t*), comme **adverbe** *(Parler impromptu),* a vieilli et est remplacé par *à l'impromptu* (rare et littéraire), à l'improviste, sans préparation. Comme **nom,** *impromptu* a un sens très large pour désigner ce qu'on improvise ; **pluriel** : *des impromptus.* L'Académie déclare l'**adjectif** invariable mais accepte : *Des vers impromptus.* Il est vrai que l'usage évite souvent le féminin : *La visite impromptu de MM. Dubceck et Cernik à Moscou* (Titre dans *Le Monde,* 5 et 6 mai 1968). Mais rien n'empêche de suivre l'exemple de nombreux auteurs et d'écrire : *Une visite impromptue.*

Impulsif, adj. et nom : *Une force impulsive, un caractère impulsif, un impulsif.*

Impunément, adv., ne signifie plus, comme dans la langue classique, « sans punir » (*Néron impunément ne sera pas jaloux,* Racine). Il veut dire : « sans être puni » et, par extension, « sans risque, sans s'exposer à des inconvénients » : *On ne l'offense pas impunément. Le malade ne saurait sortir impunément.* Éviter de lui donner le sens de « sans résultats », « en vain », l'idée de punition étant encore associée à cet adverbe.

Imputer, v.tr.dir., a pu se dire dans le sens général d'*attribuer* (*Chacun impute son bonheur à son industrie,* La Fontaine). Cet emploi, devenu archaïque, se rencontre encore chez des juristes belges : *(imputer une indemnité).* Mais normalement *imputer* ne se dit plus que d'une chose blâmable ou regrettable ou de la responsabilité dans cette chose : *Imputer un crime, une erreur à qqn. Imputer son échec à la malchance.* En économie, *imputer* a gardé son sens premier et se dit pour « porter en compte » : *Imputer telle somme à tel budget* ou *sur tel budget.* Mêmes remarques pour **imputable** : *Une faute imputable à la négligence. Une somme imputable sur le crédit affecté à ces dépenses.* Le tour classique *imputer à* (ou *pour*), suivi d'un nom sans article, est vieux et littéraire : *Imputer à qqn qqch. à crime, à grief, à négligence,* etc. : le lui attribuer comme un crime, etc.

In. 1. **In,** mot anglais (pron. *i + n*) devenu adjectif, opposé à *out* ou *off,* peut facilement être remplacé par *dans le vent* ou *à la mode* et, dans langage du cinéma et de la télévision, par *(voix) dans le champ,* opposé à *hors champ.*

2. Dans les indications de **format** (in-8°, in-12, etc.), la tendance actuelle est de prononcer *i (+ n)* non seulement devant une voyelle *(in-octavo),* mais dans tous les composés *(in-folio, in-quarto, in-douze, in-seize).*

Pluriel : Précédées d'un nom, ces indications de format restent invariables : *douze volumes in-octavo.* Si elles deviennent des noms : *des in-octavo, des in-quarto, des in-folio* (parfois *des in-octavos, des in-quartos, des in-folios*). Mais toujours : *des in-douze, des in-seize.*

Inatteignable et **inatteignible,** adj., sont des néologismes rares et inutiles. **Inaccessible** suffit.

Inattention. n.f. Cf. FAUTE.

Incapacité, n.f. On est *dans l'incapacité de faire qqch.,* mais on parle d'*une incapacité à faire qqch.* ou de *l'incapacité de qqn* (ou *de son incapacité*) *à faire qqch. : J'avoue franchement mon incapacité à comprendre* (R. Mallet, *Une mort ambiguë,* p. 71). *Il y a peut-être chez elle (...) une incapacité pure et simple à dialoguer (...). Son incapacité à s'exprimer* (P. Lainé, *La dentellière,* éd. Rombaldi, pp. 8 et 9).

Incessamment, adv., a signifié à l'époque classique « sans arrêt » ; mais le sens le plus vivant aujourd'hui est celui, très ancien aussi, de « sans délai, bientôt » : *Venez me voir incessamment.*

Inchoatif, adj., se dit des verbes qui marquent le début d'une action. — *Ch* se prononce *k.*

Inciter (pousser), v.tr.dir. *Inciter qqn à qqch.,* à la désobéissance, à désobéir. *Une incitation à la révolte.*

Incivique, vieil adjectif français signifiant « qui manque de civisme », est devenu en Belgique un nom désignant ceux qui ont collaboré avec l'ennemi (les collaborateurs).

Inclinaison, inclination, n.f. Quelque fondée qu'elle soit sur un long usage, la distinction se perd qui réservait *inclinaison* à l'état *(l'inclinaison du corps, d'un terrain, d'un toit, d'une trajectoire)* et *inclination* à un mouvement, au propre ou au figuré *(faire une inclination de la tête, du buste, du corps, avoir une inclination pour qqn ou pour qqch.).* Dans l'usage actuel, même chez d'excellents écrivains et dans les milieux cultivés, *inclinaison* se substitue parfois à *inclination* pour la tête ou le corps et l'on dit : *une inclinaison de tête, du buste.* Il faut dire : *une inclination de tête,* comme *une inclination au mensonge. Avoir une inclination à mentir.*

Inclure, v.tr.dir. Participe passé : *inclus, incluse.* — *Inclure une chose dans une autre. Une chose en inclut une autre. Ci-inclus la note que vous m'avez demandée. Vous trouverez sa réponse ci-incluse.*

Incognito, adv. et invariable : *Ils voyagent incognito.* Nom : *Ils gardent l'incognito. De tels incognitos ne trompent personne.*

Incommensurable, adj., se dit très bien d'une chose qui ne peut être mesurée, évaluée, qui est très grande : *Une rage incommensurable. Un espace incommensurable* (Ac.). Dans le sens de « qui n'a pas de commune mesure » : *Deux grandeurs incommensurables. Une valeur incommensurable avec une autre.*

Inconnu, adj. On a voulu opposer *connu de tous* et *inconnu à tous.* Or on dit aussi bien (et même plus souvent) *être inconnu des habitants* qu'*être inconnu aux habitants.* On dit souvent, avec un pronom : *qui lui* (*nous,* etc.) *est inconnu,* mais on dit très bien : *qui est inconnu de lui, de nous.* S'il s'agit d'un complément de lieu, on emploie *à : Il est inconnu à la mairie, à l'adresse indiquée.*

Incontinent, adv., n'a pas la même étymologie que l'adjectif *incontinent* et signifie « tout de suite » : *Elles sont parties incontinent.*

Inconvénient, n.m. *Cela n'ira pas sans inconvénients. Voir des inconvénients à qqch. Les inconvénients d'une chose. L'inconvénient de faire qqch. Il y a un inconvénient à faire cela. Je ne vois pas d'inconvénient à ce qu'il parte* (subjonctif).

[Indaguer], v.intr., courant surtout dans le langage des tribunaux belges *(Le parquet indague)* a été formé sur le latin *indagare,* suivre la piste, rechercher avec soin. Des dictionnaires français ont autrefois enregistré *indagation,* signifiant « investigation, recherche », mais non *indaguer,* qui s'est aussi employé en France il y a très longtemps. Il faut dire *informer* (intransitivement), *enquêter, faire une enquête.*

Indemne, adj., **indemniser,** v.tr.dir., **indemnité,** n.f. Prononcer *è + m + n.*

Index, n.m. 1. Désignant une table des noms cités, des exemples, des sujets traités dans un livre, etc., un index est toujours alphabétique ; il faut donc éviter de parler d'[*index alphabétique*]. On peut évidemment parler d'un *index analytique.*

2. Avec une majuscule, *Index* désigne le catalogue des livres condamnés par le Saint-Siège : *Tel livre était à l'Index.* Avec minuscule, au figuré : *mettre qqn à l'index.*

3. Par analogie avec l'index de la main, *index* désigne en mécanique un objet mobile sur un cadran.

4. En Belgique, on emploie couramment *index*, mais à tort, pour ce qu'en France on appelle **l'indice** (n.m.) *des prix* ou, si le sens est clair, *l'indice*. Par exemple (*Le Monde*, 2 février 1977), p. 29, sous le titre *L'indice des prix*, emploie plusieurs fois *l'indice*, sans complément : *La querelle de l'indice n'est pas une mince affaire*. On parle aussi, dans le même sens, du *nombre indice* et, dans un sens voisin, de *l'indice du coût de la vie*.

On ne peut dire qu'*index* soit inconnu et incompris dans ce sens en France, où l'on est forcé d'ailleurs d'employer le verbe **indexer** et le nom **indexation** : *Un loyer indexé sur le coût de la vie. L'indexation des loyers.*

Indien. Cf. Hindou.

Indifférence, n.f., **indifférent,** adj. et n. On montre, on témoigne de l'indifférence *à qqn, à son sort*. L'indifférence de qqn *à qqch., envers qqch., pour* qqch. ou *à l'égard de* qqn, *envers* qqn, *pour* qqn. On est *indifférent à qqn, à qqch.* Notons qu'**indifférent à qqn** peut (sauf si le complément est un pronom personnel qui précède) avoir deux sens quand le sujet est une personne : *Mon frère est indifférent à ces personnes*, « elles ne l'intéressent pas, il n'a pour elles qu'indifférence » ou (sens courant) « elles ne s'intéressent pas à lui, elles n'ont pour lui qu'indifférence ». *Cet homme nous est indifférent* n'a que le second sens : nous ne nous intéressons pas à lui. **Il m'est indifférent que** est suivi du subjonctif.

Indifférer, v.tr.dir., néologisme inutile et qui continue à étonner, ne s'emploie guère qu'avec un pronom complément : *Cela m'indiffère.* Mieux vaut dire : *Cela me laisse indifférent.*

Indigène, adj. et n., s'emploie beaucoup plus rarement depuis la décolonisation. On lui préfère *autochtone*.

Indigner, v.tr.dir., **s'indigner.** *On est indigné de* ou *par qqch.* (cf. p. 303). On est indigné *que qqn ait agi de cette façon* (subjonctif). *On s'indigne de qqch.* ou *de voir qqch.* ou *que qqn ait fait cela* ou *de ce que qqn ait fait* (ou *a fait*) *cela. On s'indigne contre qqn.*

Indigo, n. et adj., est variable comme nom mais invariable quand il est employé comme adjectif : *Des tissus bleu indigo. Des soies indigo.*

Indiquer, v.tr.dir. Il n'y a pas lieu de forger le verbe pronominal impersonnel *il s'indique* (*de faire* ou *que l'on fasse*). On dit ; il *est indiqué, il convient, il y a lieu, il est nécessaire*, etc. *Tout indique* (montre clairement) *qu'il a menti. Rien n'indique qu'il ait menti* ou *qu'il a menti.* Cf. Montrer.

Indispensable, adj. *Un livre indispensable à tous* dit plus que *nécessaire à tous*. Malgré son sens : « dont on ne peut se passer, à quoi on ne peut se soustraire » *(un objet indispensable, une condition indispensable)*, il arrive qu'on mette *indispensable* au superlatif : *Les choses les plus indispensables ;* on semble faire une sélection entre les diverses choses indispensables.

Individu, n.m.. prend facilement un sens péjoratif quand il s'applique à une personne (toujours un homme) qu'on ne peut ou ne veut nommer : *Un individu m'a interrogé. J'ai rencontré quelques individus.*

Indoor, anglicisme inutile. Dire : *(une compétition) en salle.*

Indou, autre graphie d'*hindou* (voir ce mot) : *Puant comme un bûcher d'Indou* (Giono. *Noé,* Poche. p. 100).

Indu, adj.. s'écrit en un mot sans accent circonflexe. Mais : **indûment** (adverbe).

Industrie, n.f. L'expression *chevalier d'industrie* a toujours un sens péjoratif (escroc) ; *capitaine d'industrie* désigne le chef d'une grande entreprise ; le mot a souvent (pas toujours) un sens péjoratif.

Industriel, adj.. **industrieux,** adj. *Une ville industrielle. Des mains industrieuses,* très habiles. *Un délégué industrieux,* très actif.

Inénarrable, adj.. est vieilli dans son sens premier, « qui ne peut être raconté ». et se dit de ce qui est d'un comique difficile à rendre.

Inexistant (qui n'existe pas), adj.. se prend familièrement, par exagération, dans le sens de « sans valeur, sans importance, inefficace » : *Un collaborateur inexistant. Un pauvre type tout à fait inexistant.*

Infâme, adj. Accent circonflexe. Mais **infamant, infamie**.

Infantile, adj. Bien que l'usage admette (aussi bien que **maladie infantile**) **médecine infantile, psychiatrie infantile,** il faut encourager les spécialistes qui préfèrent **neurologie pédiatrique, chirurgie pédiatrique,** pour éviter le sens que prend couramment **infantile (un comportement infantile, une réaction infantile)** et qu'a toujours, en médecine, **infantilisme**.

Infarctus, n.m. Sans doute. *c* est-il par erreur dans ce mot, qui devrait s'écrire *infartus* (participe passé de *infarcire,* farcir, remplir) : mais cet usage étant admis. il ne faut pas créer une deuxième erreur en inversant *a* et *r* [*infractus*] comme s'il y avait un rapport avec fracture !

Infatué, adj.. **s'infatuer.** *On est infatué* (ou on *s'infatue*) *de qqn, de qqch.. de soi, de sa personne.*

Infecter, infester. À ne pas confondre. **Infecter,** tr.dir. ou intr., est associé à l'idée d'*infect,* de souillure. de mauvaise odeur, de corruption, de contamination. **Infester,** tr.dir., se dit surtout de ce qui est animé et est associé à une idée d'attaque, de ravage, de violence : *Une usine infecte le voisinage. Ces marais infectent. On s'infecte le doigt. Une place s'infecte*, etc. — *Des brigands, des serpents, des moustiques infestent une région. Une forêt infestée de bêtes sauvages.*

Inférieur, adj., exprimant une idée de comparaison *(Le résultat est inférieur à ce que j'attendais)*, ne s'emploie pas au comparatif, mais on peut dire au superlatif : *Il est très inférieur à ce que j'attendais. La plus inférieure de ces couches géologiques.*

Infime, adj., est proprement un superlatif : le plus bas, le dernier. Mais, ayant pris le sens de « tout petit » *(des détails infimes, une dose infime)*, il s'emploie parfois avec *très* ou *le plus* et surtout avec *aussi, plus, moins.*

Infinitif. 1. Omission du sujet.
a) Il suffit de mentionner parmi d'autres les cas où, dans des phrases exclamatives ou interrogatives ou dans des maximes ou quand il s'agit d'une prescription, d'un ordre, d'une défense, le sujet de l'infinitif n'est pas exprimé : *Me parler ainsi ! Me reprocher ma faiblesse ! Pourquoi ne pas l'avoir avoué ? Bien faire et laisser dire. Prendre un comprimé avant le repas. Ne pas se pencher à la portière.*
b) Ce qu'il convient de noter, au moins sommairement, c'est que l'infinitif complément ou dépendant d'un autre verbe s'exprime sans sujet si celui-ci est en même temps le sujet du verbe principal *(Je vais lui faire visite. Il est parti sans nous avertir. Je veux lui parler. Je n'ai plus rien à faire)* ou s'il est implicitement représenté par l'adjectif possessif qui précède *(Je n'oublie pas sa promesse de nous écrire)* ou s'il est général, imprécis ou indéterminé, ou suggéré par le contexte sans équivoque possible *(C'est facile à dire. Il n'y a pas de quoi fouetter un chat. Il est inutile de se fâcher. Cela fait sourire. Il faut partir. Il s'est entendu reprocher sa conduite. On l'a fait arrêter. Ils ont fait raser la pelouse. Prêt à porter).* Cf. POUR, 6.
Concurrence entre l'infinitif et une proposition subordonnée introduite par *que.* Avec quelques verbes déclaratifs ou d'opinion, l'emploi de l'infinitif peut, dans certains cas, être concurrencé par celui de *que* et de l'indicatif quand le sujet des verbes est identique : *Il déclare **l'avoir dit** ou **qu'il l'a dit.** Il espère pouvoir venir* ou *qu'il pourra venir. Il avoue s'être trompé* ou *qu'il s'est trompé. Il promet de venir demain* ou *qu'il viendra demain. Je savais le trouver là* ou *que je le trouverais là.* (Mais l'infinitif s'impose si *savoir* marque une capacité : *Il sait nager). J'ignorais avoir tant de souvenirs* ou *que j'avais tant de souvenirs.*
C'est l'infinitif qui s'impose, lorsque le sujet est identique, avec des verbes comme *aimer (à* ou *de), renoncer à, souffrir*, etc. et tous ceux qui se construisent, sans objet indirect désignant la personne, avec le subjonctif : *Il aime le faire. Il apprend à le faire. Il renonce à le faire. Il souffre de l'avoir fait. Il veut nous accompagner. Je désire m'en aller.* Voir plus loin, c : *J'ai ordonné aux témoins de parler. Il nous demande de le recevoir.*

c) Avec beaucoup de verbes (notamment de perception ou de volonté), le sujet de l'infinitif n'est pas exprimé parce qu'il est énoncé comme complément direct ou indirect du verbe principal : *J'ai vu ces jeunes filles s'approcher du guichet. J'ai entendu s'élever une plainte. J'ai ordonné aux témoins de parler. Elle se prépare à sortir. Je les ai décidés à nous accompagner.*

Dans les deux premières phrases, on pourrait remplacer l'infinitif par une relative : *J'ai vu ces jeunes filles qui s'approchaient... J'ai entendu une plainte qui s'élevait* (ou *Je les ai vues qui s'approchaient*, etc.) Dans la 3ᵉ on pourrait dire : *J'ai ordonné aux témoins qu'ils parlent.* S'il s'agit d'une demande (cf. b), *que* n'est possible que si le complément d'objet indirect du verbe principal est un nom : *J'ai demandé au directeur de me recevoir* ou *qu'il me reçoive.* Mais : *Je lui ai demandé de me recevoir.*

d) **Place du pronom complément de l'infinitif sans sujet exprimé.** Le pronom personnel ou réfléchi et *en* ou *y* se placent devant cet infinitif : *Je peux le faire, lui parler, m'en occuper, y penser. Cela peut se faire. Il me faut vous en parler. Il faut venir me voir.*

Tel est l'usage dans la langue parlée et aussi, très largement, dans la langue écrite. Mais celle-ci n'a pas renoncé à l'ancien ordre des mots : *Je le peux faire.* Il peut donc encore être justifié par un certain usage littéraire, qui est de qualité. À condition toutefois que le verbe principal et l'infinitif soient proches l'un de l'autre et que, s'il y a plusieurs infinitifs coordonnés, le pronom complément ne se rapporte pas seulement au premier. On trouve cette construction particulièrement (mais elle ne s'impose jamais) avec *aller, devoir, falloir, pouvoir, savoir, venir, vouloir ;* moins souvent avec *croire, oser, penser,* rarement avec *compter, désirer faillir, paraître, sembler,* a noté André Goosse dans la *Revue des langues vivantes,* 1952, pp. 258-275 : *Cela se peut faire* (Ac.). *On n'y peut pas tenir* (Ac.). *En faut-il conclure ?* (M. Schöne, *Revue universitaire,* 1937, p. 207). *Il le faut croire* (Colette, *O.C.,* t. XIV, p. 19). *Le temps de me venir voir* (Id., *ibid.,* p. 110). *Pour s'aller coucher sans attendre* (Vercors, *Les armes de la nuit,* p. 50). *Ce qu'il désirait s'allait donc réaliser* (G. Duhamel, *Le voyage de Patrice Périot,* p. 199). *Comme si quelqu'un y venait d'entrer* (Fr. Mauriac, *O.C.,* t. III, p. 194).

Y reste soudé à *avoir* dans l'impersonnel *y avoir : Il doit y avoir là une erreur.* Il ne se joint pas à *lui.* C'est ainsi qu'on peut dire avec *falloir : Il me fallait y pénétrer* ou *Il m'y fallait pénétrer,* mais qu'on doit dire : *Il lui fallait y pénétrer.*

Il arrive que, par une fidélité à un ancien usage devenu désuet, on place entre le pronom et l'infinitif les pronoms *tout* et *rien* et certains adverbes monosyllabiques, notamment *bien, mal, mieux, tant, trop : Il fallut bien alors lui tout dire* (Zola). Tour normal : ***tout lui dire.***

Avec *rien,* si le pronom est *en* ou *y : Sans songer à **en rien** retirer* ou *à **rien en** retirer. Pour n'y **rien** voir* ou *pour ne **rien** y voir. On n'en put rien percevoir du dehors* (Th. Owen, *Les maisons suspectes,* Marabout, p. 124) ou *On ne put rien en percevoir du dehors.*

Ce tour est plus fréquent avec les adverbes : *Sans la trop serrer* (Colette, *O.C.*, t. III, p. 187). *Afin de le mieux voir* (Id., *ibid.*, t. II, p. 483). Mais l'adverbe précède couramment le pronom.

Dans le cas d'un infinitif dépendant d'un autre infinitif, on peut avoir des combinaisons comme celles-ci : *Pour mieux le lui faire avouer* ou *pour le lui mieux faire avouer* ou *pour le lui faire mieux avouer* et même pour *le lui faire avouer mieux. Pour bien le lui entendre dire* ou *pour le lui bien entendre dire. — Exaspéré de ne rien pouvoir lui dire* (H. Bazin, *Le matrimoine*, Poche, p. 379) ou *Exaspéré de ne pouvoir rien lui dire.*

Notons que le pronom réfléchi se place souvent en seconde position, après l'adverbe, dans de telles expressions. On dit généralement : *pour mieux se porter.*

2. **Le sujet de l'infinitif est exprimé ou il s'identifie au complément du verbe principal** (cf. 1, c). Il peut s'exprimer aussi avec *par : Il regarde sommeiller l'enfant. Je le laisse* (ou *lui laisse*) *faire ce qu'il veut. Je laisse faire à chacun* (ou *par chacun*) *ce qu'il veut. J'ai entendu les enfants pousser des cris* ou *j'ai entendu pousser des cris par les enfants.*

En dehors de l'emploi de *par*, le sujet de l'infinitif peut prendre la forme d'un complément d'objet direct ; pour abréger, nous dirons que c'est le **tour direct** ou que le complément est alors à l'**accusatif** : nom sans préposition ou *le, la, les, que*. Il peut au contraire prendre parfois la forme d'un complément d'objet indirect ; c'est ce que nous appellerons le **tour indirect** ou la forme du **datif** : nom avec la préposition *à* ou *lui, leur, à qui*. Les pronoms *me, te, nous, vous, se* ont la même forme pour l'accusatif et le datif.

Les verbes qui ont une proposition infinitive comme complément d'objet sont *laisser, faire, voir, regarder, écouter, entendre, sentir* et beaucoup plus rarement des synonymes de *voir : apercevoir, distinguer,* et *voici* (surtout *voici venir*).

Pour la commodité, nous plaçons ici le cas de *faire : Je ferai couper mes cheveux. Je ferai venir les enfants.* Dans la 1re phrase, on ne précise pas qui coupera les cheveux. Dans la 2e, ce sont les enfants qui viendront ; on ne peut dire néanmoins que *les enfants* soit le sujet de *venir* ; c'est le complément de l'expression factitive *faire venir.*

A. **Si l'infinitif n'a pas de complément direct ou est pronominal**, son sujet prend normalement la forme de l'accusatif (tour direct) : *Ma belle-sœur l'a fait s'apercevoir qu'il avait les cheveux d'une longueur démesurée* (J. Romains, *Les amours enfantines*, p. 102). *J'entends crier* (ou *se battre*) *les enfants. J'entends les enfants crier à tue-tête. J'ai vu les enfants se laver. Les enfants que j'entends crier. Je les vois s'agiter.*

Le pronom **lui** se rencontre encore fréquemment, comme dans l'ancienne langue, quand l'infinitif ayant un complément (autre que d'objet direct) dépend de **faire** ou de **laisser** : *On lui faisait parler de la mort de sa mère* (R. Sabatier, *Les allumettes suédoises*, p. 28). *Des jeunes* *filles (...) lui faisaient penser à Marie-Louise* (B. Clavel, *Le voyage du père*, J'ai lu, p. 81). *L'épousant, je lui fis renoncer au théâtre* (J. Anouilh, *La valse des toréadors*, p. 25). *Une échelle rouillée fixée à une cheminée lui fit penser à Judex (...)*. *Blanche lui faisait penser à une grosse poupée* (R. Sabatier, *Trois sucettes à la menthe*, pp. 20, 41). *De tels honneurs lui faisaient penser à ceux qui...* (M. Yourcenar, *Discours de réception à l'Académie française*). À l'imitation du vers d'*Horace* de Corneille : *Faites votre devoir et laissez faire aux dieux*, des auteurs écrivent encore, quand le sujet de l'infinitif est un nom : *Laissons faire aux poètes* (A. Gide, *Attendu que*, p. 167) ou *Et on laisse faire au soleil* (Pesquidoux, *Chez nous*, p. 197) ; mais, quand l'infinitif n'a pas de complément, on dit plutôt aujourd'hui : *Laissez faire les dieux ; on laisse faire le soleil*. Tandis que *lui faire penser à* est courant.

Mentionnons, à cause de sa fréquence, même avec un nom, le tour **faire changer de** employé avec un datif : *faire changer d'avis, d'opinion, de place, de visage, d'humeur, de conduite, de vêtement*, etc. On pourrait être tenté de mettre à part *faire changer de place*, qui se construit plutôt avec le tour direct, *faire changer qqn de place*, parce que *changer de place* signifie « déplacer » : on change un tableau de place. L'instituteur dira : *Je ne puis changer de place cet enfant tous les jours* et donc, tout naturellement : *Je ne puis faire changer de place cet enfant tous les jours* ou *Je ne puis le faire changer de place* (= le déplacer) *tous les jours*. Mais on voit le tour direct progresser à notre époque dans toutes ces locutions factitives *faire changer de*, sans éliminer le tour indirect : *Je l'ai fait changer d'avis* est beaucoup plus courant que *Je lui ai fait changer d'avis. Ce qu'il voit ne le fait pas changer d'avis* (M. Yourcenar, *Archives du Nord*, p. 256). Les dictionnaires modernes emploient *le* en définissant *retourner qqn : le faire changer totalement d'attitude, d'opinion*. Beaucoup plus rare est l'emploi de *lui* : *Un cours de Bergson leur aurait fait changer d'avis* (J. Green, *La bouteille à la mer*, p. 133). *Vous lui ferez changer de chemin* (M. Butor, *La modification*, 10-18, p. 60).

Avec un nom, le tour direct est concurrencé davantage par le tour indirect, mais cela peut dépendre de la place de ce datif dans la phrase. On dit fort bien : *Il a fait changer d'avis à son interlocuteur*. Le tour direct étonnerait ici, mais non dans : *Il a fait changer son interlocuteur d'avis*. On dira : *Il a fait changer son interlocuteur d'avis sur cette question*. Ou : *Il a fait changer d'avis son interlocuteur* (ou *à son interlocuteur*) *sur les décisions à prendre*. Autre tour similaire : *La première réaction de Roger Mortimer fut de faire changer l'ex-roi Edouard II de résidence* (M. Druon, *Les rois maudits*, éd. Famot, t.V, p. 336).

Place du sujet. Si c'est un **pronom**, il précède le verbe principal : *Je les ai vus partir. Il nous a entendus crier. Je les fais venir.*

Si c'est un **nom**, il suit généralement l'infinitif. En théorie, il peut précéder ou suivre : « l'ordre des mots est indifférent », déclare Blinkenberg (*L'ordre des mots*, t. I, p. 193). Je ne le pense pas. Certes, il ne faut pas établir en cette matière des règles trop strictes, mais on ne peut laisser croire que l'usage soit indifférent. L'ordre des mots est influencé par la mise en relief, par le sens ou l'intention et surtout par le rythme. Le substantif sujet ne précède guère l'infinitif que si celui-ci a une certaine consistance, s'il a un attribut ou un autre complément ou est suivi d'un autre infinitif coordonné et pour éviter une équivoque. On hésite facilement à dire : *Il laisse les enfants crier.* On dit plutôt : *Il laisse courir* (ou *crier*) *les enfants.* On dit : *Il laisse les enfants courir dans le jardin* ou *Il laisse courir les enfants dans le jardin. J'ai vu ces élèves réfléchir longuement. J'ai vu ces gens s'enrichir* ou *vous parler* ou *devenir de plus en plus arrogants. Je sentais son regard peser sur moi. Je voyais cet enfant hésiter et réfléchir. J'ai entendu cet homme commander* (ici, *commander cet homme* pourrait signifier que l'homme est commandé).

Si l'infinitif dépend de **faire**, on dit : *Je fais venir les enfants,* sans séparer les deux verbes. Damourette et Pichon (III, p. 534) citent sans faire aucune réserve des phrases comme celle-ci, pour le moins étrange : *Écrire, c'est, pour M. Bernanos, faire une lueur succéder à un éclat, et sur cette lueur une flamme se poser* (J. Charpentier, dans *Le Mercure de France,* 1931, p. 602). Insolite me paraît cette phrase de G. Cesbron : *La crainte de tomber fit Alain se ressaisir* (*Notre prison est un royaume,* p. 241). On dira plutôt : *faire succéder une lueur à un éclat et se poser une flamme sur cette lueur* et *fit se ressaisir Alain,* mais des raisons de style justifient cette autre phrase de Cesbron : *François poussa la porte de la cuisine d'un coup de pied qui fit trembler le vin rouge dans le verre du facteur et l'horloge hésiter* (*Ibidem,* p. 12).

B. Si **l'infinitif** (ou le groupe *faire* + infinitif) **a un complément d'objet direct autre qu'un pronom réfléchi,** le choix est moins large que ne le disent certains grammairiens.

a) Si **ni le sujet ni le complément direct de l'infinitif ne sont des pronoms personnels** (tous deux sont des noms ; ou le complément de l'infinitif est une proposition), le nom sujet se met généralement à l'accusatif après le verbe principal, sauf après *faire : Je vois ces enfants cueillir des fleurs. Je vois une main soulever le rideau. J'entends Alfred dire qu'il n'a pas été averti.* On peut aussi employer *par* devant l'agent (animé) après l'infinitif : *J'ai vu cueillir des fleurs par ces enfants. Je vois soulever le rideau par une main. J'entends dire par Alfred qu'il n'a pas été averti.* L'emploi de *à* au lieu de *par* est beaucoup plus rare et plus délicat (il peut créer une équivoque). Cependant on dira : *J'ai vu cet enfant faire bien des sottises* ou *J'ai vu faire à cet enfant* (ou *par cet enfant*) *bien des sottises.* Mais on créerait une ambiguïté en disant : *J'ai entendu raconter cette histoire à votre frère.* Est-ce le frère qui l'a racontée ou la lui a-t-on racontée ? On dira donc : *par votre frère,* à côté de *J'ai entendu votre frère raconter cette histoire.* Ou, dans l'autre sens : *J'ai entendu quelqu'un raconter cette histoire à votre frère. J'ai entendu qu'on racontait cette histoire à votre frère.*

Avec un pronom relatif, *à* est normal aussi bien que *par* : *Les enfants à qui* (ou *par qui*) *j'ai vu faire bien des sottises.* À moins qu'il n'y ait équivoque. On ne sépare pas **faire** de l'infinitif qui le suit ; généralement le groupe est suivi de son complément direct suivi lui-même de *à* ou *par* et du nom de l'agent : *Je ferai visiter le parc aux enfants* ou *par les enfants. J'ai fait ouvrir la porte par les enfants* (*aux enfants* suggérerait un autre sens). *Cela fit ouvrir les yeux à son compagnon..*

On n'imitera pas, en principe, les rares exemples, qu'offre encore la littérature actuelle, de *faire* construit comme *voir* ou *entendre* : *J'hésite depuis deux jours si je ne ferai pas Lafcadio raconter mon roman* (A. Gide, *Journal des faux-monnayeurs*, p. 9). On dirait plutôt : *si je ne ferai pas raconter mon roman par Lafcadio.*

Après **laisser**, le sujet de l'infinitif se met à l'accusatif ou parfois au datif, ou s'exprime avec *par* : *Je laisse les enfants cueillir des fleurs* ou *Je laisse cueillir des fleurs aux enfants* ou *par les enfants. J'ai laissé mon fils faire ce qu'il voulait. J'ai laissé faire à mon fils ce qu'il voulait.* On remarque que nous ne donnons pas comme un tour usuel : *Je ferai visiter aux enfants le parc* ni : *Je laisse cueillir aux enfants des fleurs.* Généralement on ne met pas après l'infinitif et immédiatement avant un nom employé seul, et qui est le complément direct de l'infinitif, le nom du sujet ou de l'agent introduit par *à*. Mais on dit : *Je laisse cueillir aux enfants toutes les fleurs qu'ils aiment. Il a voulu faire signer à son patron une déclaration inexacte. Il laisse porter à sa femme tout le poids des soucis. Cela faisait dire à notre ami qu'on l'avait trompé.* Rappelons la fréquence de *par.*

b) Si **seul le complément direct de l'infinitif est un pronom personnel**, on suit les mêmes règles : le sujet est à l'accusatif après le verbe principal (sauf après *faire* et *laisser*) ; on peut aussi employer *par* devant l'agent, après l'infinitif ; le pronom complément se place devant l'infinitif dans le premier cas, devant le verbe principal dans le second : *Ces fleurs, j'ai vu cette femme les cueillir* ou *je les ai vu cueillir par cette femme.*

On ne met jamais devant le verbe principal le pronom complément de l'infinitif, si celui-ci est introduit par une préposition. On dit : *Cette déclaration, j'ai commencé à la rédiger.* Il convient aussi d'éviter cette antéposition quand l'infinitif est un verbe pronominal ; on dira : *Il a voulu se venger.*

Avec **faire** et **laisser**, on emploie *par* ou *à* : *Ce parc, je l'ai fait* (ou *laissé*) *visiter par les enfants* ou *aux enfants. Par* s'impose parfois : *Ce geste l'a fait traiter d'impoli par son directeur ;* exigence du sens.

c) Si **le verbe principal est pronominal**, le sujet de l'infinitif se construit avec *par* (ou avec *de* ; cf. DE, 7) comme le ferait l'agent du verbe passif correspondant : *Il se laisse rejoindre par le suivant. Il se fait aimer de tous. Il se fait suivre de ses domestiques. Il se voit rejoindre* (ou *rejoint*) *par les autres. Il se sentait envahir* (ou *envahi*) *par la tristesse.* On remarque qu'avec *faire* et *laisser* il n'est pas possible de remplacer l'infinitif par un participe passé. C'est au contraire très fréquent après *se sentir.*

d) Si **seul le sujet de l'infinitif est un pronom personnel**, on a le choix, sauf s'il y a ambiguïté, entre le datif et l'accusatif : *Je le laisse* (ou *je lui laisse*) *cueillir des fleurs. Je l'ai vu* (ou *je lui ai vu*) *soulever le rideau. Je me réjouis de le voir* (ou *de lui voir*) *faire des progrès.* On évitera l'ambiguïté de : *Je lui ai entendu dire qu'on n'avait plus besoin de lui* ; la phrase a deux sens : ou bien c'est lui qui a dit cela, ou bien on le lui a dit. On dira donc dans le premier cas : *Je l'ai entendu dire* (ou *j'ai entendu qu'il disait*) *qu'on n'avait plus besoin de lui.* Dans le second : *J'ai entendu quelqu'un lui dire qu'on n'avait plus besoin de lui.*

On ne dit pas couramment *lui* pour le sujet si l'infinitif a pour complément un autre pronom personnel ou réfléchi. Plutôt que : *Je lui ai entendu se vanter stupidement,* on dira : *Je l'ai entendu se vanter stupidement.* De même : *Je me réjouis de le voir vous donner des preuves de son attachement.*

Avec **faire**, on emploie couramment *lui* : *Il lui fit vider ses poches.* On rencontre *le, la, les* : *Un cheval vagabond, dont personne ne s'occupe et que son maître a dû dételer pour le faire attendre la fin du marché* (Jean Fougère, *Étapes espagnoles,* Figaro littéraire, 6 novembre 1954, p. 8). *L'angoisse la faisait plier les genoux* (Fr. Mallet-Joris, *Les signes et les prodiges,* Poche, p. 423). *Un rêve qui la fit ébaucher un sourire douloureux* (B. Clavel, *L'hercule sur la place,* J'ai lu, p. 54). Redisons que *lui* est plus conforme à l'usage habituel.

Après le verbe principal **envoyer**, le pronom sujet de l'infinitif est généralement *le, la, les,* mais on trouve *lui, leur* : *Je les ai envoyés chercher des livres.* Si on emploie *leur,* beaucoup moins courant, le participe reste invariable : *Je leur ai envoyé chercher des livres.*

e) **Il y a deux pronoms personnels ou un pronom personnel et un pronom réfléchi,** l'un étant sujet de l'infinitif (ou complément du verbe principal), l'autre étant complément de l'infinitif. Aucune difficulté si chaque complément est mis devant son verbe : *On le voit nous suivre avec obstination. Je le laisse se fâcher. Il m'envoie vous avertir.* Mais les verbes *écouter, entendre* (sauf dans le sens de *vouloir, avoir l'intention de*), *envoyer, faire, laisser, mener, regarder, sentir, voir* appellent également devant eux, quand c'est possible, le pronom personnel ou *en* ou *y* complément de l'infinitif qui les suit : *Cette lettre, je l'ai vu écrire. Ce jardin, j'y ai fait planter des arbres.*

D'où le problème de la juxtaposition et de **l'ordre de ces pronoms.** En principe, le pronom complément du verbe principal (et sujet de l'infinitif) se place le premier. Mais seules certaines combinaisons sont permises avec *le, la, les : me le, me la, me les,* — *te le, te la, te les,* — *se le, se la, se les,* — *le lui, la lui, la leur, le leur, les leur,* — *nous le, nous la, nous les,* — *vous le, vous la, vous les.*

On voit que *me, te, se, nous, vous* précèdent *le, la, les* et que ces derniers précèdent *lui, leur. En* et *y* sont placés en dernier lieu : *On vous le voit tenter. Il te les fait avertir. Ils me l'ont entendu dire. Je le leur ai entendu dire. Ils se les ont fait envoyer. On les y a fait envoyer.*

Après un impératif, cf. IMPÉRATIF, 2, p. 488.

On dit : *Je la lui ai entendu chanter. Je le leur ai vu faire.* Mais si, pour exprimer le sujet de l'infinitif, on emploie *le, la, les,* la construction change : *Je l'ai entendu vous parler (le* est nécessaire parce que l'infinitif n'a pas de complément direct ; cf. plus haut, 2, A). *Je les ai vus le faire* (à côté de *Je le leur ai vu faire). Ces fruits, c'est moi qui l'ai envoyé vous les porter.* Observons que *lui* exprimant le sujet dans *Cette lettre, je la lui ai fait écrire à son frère,* on ne pourrait remplacer *à son frère* par *lui.* On devrait s'exprimer autrement : *Cette lettre, je l'ai prié* (ou *chargé) de la lui écrire.*

Les pronoms compléments *me, te, se, nous, vous, lui, leur* ne peuvent, l'un près de l'autre, ni se répéter ni s'associer, à moins qu'un des pronoms de la 1re ou de la 2e personne ne soit un pronom expressif d'intérêt atténué (*je vais te lui faire un de ces compliments !* Cf. PRONOMS PERSON-NELS, 2). D'où la nécessité, dans certains cas, de placer chaque pronom devant le verbe dont il dépend et de mettre à l'accusatif (*le, la, les*) le pronom sujet de l'infinitif quand il est de la 3e personne et que le complément est *me, te, se, nous, vous : Je l'ai laissé me suivre. Il m'a vu te menacer. J'espère que vous accepterez ce cadeau en raison de l'intention qui me fait vous l'offrir.* On dit, si l'infinitif est un verbe pronominal : *Je l'ai entendu se lever. On les a vus s'enfuir.* Cf. FAIRE, 7.

On dit en vertu des règles générales : *Mon maître ne me laisserait pas vous trahir, ne me les laisserait pas trahir.* Mais dans la phrase suivante, où des infinitifs se suivent et où *il,* sujet de *doit, d'accepter* et de *voir,* est aussi complément (*le*) de *quitter,* tandis que *nous* est complément de *voir* et sujet de *quitter,* la place des pronoms est déterminée par la clarté de la phrase : *Il sait trop ce qu'il nous doit pour accepter sans regret de nous voir le quitter.* Il est d'ailleurs facile d'être moins lourd et plus clair : *pour accepter que nous le quittions.*

Remarque : En dehors de ces divers cas, on a souvent la faculté de placer le pronom complément devant l'infinitif si celui-ci a un pronom pour sujet, surtout si le verbe principal est *mener* ou *envoyer : Il me l'a vu faire* ou *Il m'a vu le faire. Il me les a envoyé chercher* ou *Il m'a envoyé les chercher. Son malheur me la fait plaindre* ou *me fait la plaindre. Il me l'a mené voir* ou *Il m'a mené la voir. Je me le vois faire* ou *Je me vois le faire.*

Avec **se sentir,** les deux pronoms ne peuvent se placer tous deux devant le verbe principal. On dit : *Je me sens l'aimer de plus en plus.*

3. **Infinitif dit « de narration ».** *Et chacun d'applaudir.* Dans des propositions affirmatives, un fait passé peut être exprimé à l'infinitif présent, au lieu de l'être à l'indicatif présent « historique », pour une action qui se déclenche vivement après une autre et en est la conséquence. La phrase (ou la proposition) commence par *et* : puis on énonce le sujet, comme on le ferait avec un verbe à un mode personnel, et on emploie *de*

devant l'infinitif. C'est à tort que de bons journalistes québécois placent le sujet après cet infinitif ou emploient ce tour en incise : *Et, d'ajouter X...*
4. Après *pour* : [*Pour moi lire*]. Cf. Pour, 6.
5. Construction de l'infinitif après *c'est* et un attribut : cf. Ce, 7, p. 205.

Inflammation, n.f., et non [*enflammation*], bien que le verbe soit *enflammer.* De même : *inflammable, inflammatoire.*

Inflatoire, adj., tend à concurrencer *inflationniste* pour désigner une politique.

Influant, participe. **Influent,** adjectif. **Influence,** n.f.

Influenza, n.f., synonyme vieilli de *grippe* : *Une influenza.*

Influer, v., aujourd'hui tr.ind., s'emploie avec *sur* : *Influer sur qqn* ou, plus souvent, *sur qqch.*

In-folio, etc. Cf. In, 2.

Infondé, adj., admis par plusieurs dictionnaires, reste rare, suspect et inutile. On dit plutôt : *non fondé.*

Informel, adj., s'employait dans le vocabulaire des arts, où il avait un sens étymologiquement normal : un art qui refuse de représenter des formes reconnaissables et classables. Sous l'influence de l'anglais *informal,* qui signifie « officieux, sans cérémonie », *informel* a pris le sens d'**officieux,** mais nuancé par une référence à *forme* et *formel.* Il se dit d'une réunion, d'un entretien, d'une convention d'un accord qui reste *officieux* (opposé à *officiel*) parce que, délibérément, on n'a pas respecté les formes requises, les règles, les conventions formelles qui auraient conféré à la réunion, à la convention un caractère officiel.

Informer *qqn* **de** *qqch. Informer qqn qu'on a pris telle décision.* Inutile de dire : *informer de ce qu'on a pris...* — **S'informer** *de qqch. (auprès de qqn),* se mettre au courant, *s'informer si une chose est faite. S'informer sur qqn* ou *sur qqch.,* prendre des renseignements sur...

Infra. *Infrastructure, infrarouge, infra-acoustique,* mais *infrason* ou *infra-son.*

Infusoir, n.m. (instrument dans lequel on fait des infusions), ne peut être confondu avec *infusoire,* n.m., animal unicellulaire.

Ingambe (de l'italien *in gamba,* en jambe, alerte), adj., signifie « qui a les jambes lestes, qui est alerte ».

Ingénierie (pron. ingéniri), n.f., remplace l'anglais *engineering* pour désigner l'étude globale d'un projet par un bureau d'études.

Ingénument, adv. Pas d'accent circonflexe.

Ingérence, n.f., immixtion, action de s'ingérer, de s'immiscer.

Ingrédient, n.m. On prononce *en* à la finale.

Ingrès, latinisme (*ingressus,* entrée) que Littré déclarait inusité, est très vivant au Grand-Duché de Luxembourg dans le sens de *début* (d'un discours, d'une séance).

Inhérence, n.f., **inhérent,** adj., s'écrivent avec *en.*

Inhiber, v.tr.dir., **inhibition,** n.f., s'écrivent avec *h* après le préfixe.

Inimaginable, adj. La possibilité d'employer l'indicatif (et donc le conditionnel) après *ne pas imaginer* (cf. ce mot) explique l'emploi insolite du conditionnel dans cette phrase, alors qu'on pourrait attendre un subjonctif à cause de la forme impersonnelle : *Il serait inimaginable que (...) les alliés admettraient la restauration de la puissance française sur des terres où nous n'aurions pris aucune part à la lutte mondiale* (Ch. de Gaulle, *L'unité,* Poche, p. 349).

Initial, adj. *Les pourparlers initiaux.*

Initiateur, initiatrice, adj. et n., se dit de celui ou de celle qui initie qqn, qui est le premier à lui enseigner qqch. ou qui ouvre une voie nouvelle : *Il a été mon initiateur à l'art. Ils ont été les initiateurs de la révolte.* Il devient donc synonyme de *promoteur, précurseur.*

Initiative, n.f., 1. On peut s'étonner qu'on laisse généralement *initiative* au singulier dans **Syndicat d'initiative** alors qu'il s'agit apparemment de grouper des initiatives dispersées. « *Syndicat d'initiative* est irréprochable. Le singulier y est évidemment plus abstrait, car il exprime en général l'espoir des réformes ou des améliorations que le Syndicat veut apporter au tourisme, à l'urbanisme, etc., et non pas, en détail, ces améliorations ou réformes même » (A. Thérive, *Clinique du langage,* p. 200). *Les dépliants des syndicats d'initiative* (M. Genevoix, *Un jour,* p. 32).

2. *Quelque chose est fait* **sur** *l'initiative de qqn.* Par analogie avec *à l'intigation de,* on emploie souvent *à l'initiative de,* qui reste suspect, mais est admis notamment par le Lexis.

Qqn agit de sa propre initiative. On prend (ou on a) *l'initiative* **de** *qqch.,* *de faire qqch.*

Inlassable, adj., est correct et, en raison de l'usage, préférable à *illassable* (formé cependant sur le modèle *illogique, illisible*).

Innommé, adj., peut depuis 1975 s'écrire avec deux *m,* comme le faisait déjà *innommable.*

Innovateur, n.m. et adj. Synonyme de *novateur.*

Inouï, adj., sans perdre les sens de « qui n'a jamais été entendu », « dont on n'a jamais entendu parler auparavant », signifie plus souvent « extraordinaire, surprenant » et se dit par extension de ce qui peut être perçu par un autre sens que l'ouïe : *Une violence inouïe. Son sans-gêne est inouï.*

Inquiet, adj. (féminin : *inquiète*), peut marquer le souci, la crainte ou la préoccupation. *De* **devant un infinitif** exprime la cause : *Elle est inquiète de ne point recevoir de nouvelles* (Ac.). **Devant un nom,** on emploie *de, sur* ou *pour,* selon les cas : *Je suis inquiet de son sort, pour son sort, sur son sort. Je suis inquiet pour lui.* On dit aussi : *Je suis inquiet à son sujet. Je suis inquiet touchant cette affaire* (Ac.).

Inquiéter (s'). *De quoi s'est-elle inquiétée ? Il s'inquiète à votre sujet. Il s'inquiète de votre santé* (deux sens : il se préoccupe, il s'informe). *Il s'inquiète de savoir s'il est invité. Je m'inquiète de son absence, de le voir s'absenter si souvent.* Avec **de ce que** et l'indicatif ou le subjonctif : *Je m'inquiétais de ce que toujours la colère débordait* (Fr. Mauriac, *La robe prétexte,* p. 32). *Il s'inquiétait de ce qu'au mois de novembre l'air fût si doux* (M. Bedel, *Jérôme 60° lat. Nord,* p. 21). Littéraires et rares : *Il s'inquiète comment et pourquoi cela s'est fait. Il s'inquiète si on l'invitera.*

Inracontable, adj. Cf. IRRACONTABLE.

Insigne, n.m. : *De beaux insignes.*

Insincérité, n.f., est surtout littéraire. Courant : *non-sincérité.*

Insister, v.intr. *On insiste sur qqch. On insiste pour faire qqch., pour que qqn fasse qqch.*

Insomniaque, insomnieux, adj., semblent répartir comme suit leurs emplois : on dit d'une personne qu'elle est *insomniaque* ou *insomnieuse* ; mais en parlant de choses, on emploie *insomnieux* : *Des nuits insomnieuses. Une fatigue insomnieuse.*

Insouciant, insoucieux, adj., peuvent tous deux s'employer avec ou sans complément. *On est insouciant* ou *insoucieux du lendemain, du danger.* L'emploi avec *que* et le subjonctif est rare et se rencontre plutôt avec *insoucieux : Il était depuis longtemps insoucieux qu'Odette l'eût trompé et le trompât encore* (Proust, cité par GLLF). Seul *insouciant* peut être un nom.

Installer, v.tr.dir. *On installe un évêque* (solennellement), *un juge* (officiellement), *qqn dans son nouvel appartement, dans un fauteuil, dans son lit, sur un brancard. On installe un fauteuil sur la terrasse, des meubles, une salle de bains, le téléphone, le gaz, un bureau. On s'installe dans un fauteuil, sur une terrasse, à la terrasse d'un café, dans un nouvel appartement, dans la médiocrité, à son travail.*

Instance, n.f., dans le sens de « sollicitation pressante », s'emploie dans *avec instance* : *Demander avec instance* et au pluriel : *Sur les instances de ses proches. Devant leurs instances. Céder aux instances de qqn.* En termes de justice, de procédure, autre sens : *Introduire* ou *engager une instance contre qqn.* D'où : *Être en instance de divorce. Une instance en divorce. Une affaire en instance. Un jugement en première instance.* Dans le sens de « sur le point de » : *Être en instance de départ.* Par extension, surtout au pluriel, nouveau sens, critiqué mais courant, même chez d'excellents auteurs : autorité, organisme, personnes ayant un pouvoir de décision : *Les instances politiques d'un pays. Les instances internationales. Les instances officielles. Les plus hautes instances d'un parti, d'un État, de l'Église. L'instance suprême de l'Église.*

Instant, n.m. On écrit généralement **par instants,** mais on trouve *par instant* (M. Genevoix, *Rroû,* Poche, p. 9). Cf. PAR.

Instar de (à l'), loc.prép., à l'exemple de, à la manière de. La locution exige un complément avec *de* ; on ne dit donc pas [*à son instar*].

Instiguer, v.tr.dir., est resté beaucoup plus vivant en Belgique qu'en France, où *instigation* est pourtant bien vivant (*On agit à l'instigation de qqn*). Il a comme complément un nom de personne : *On instigue qqn à la révolte, à se révolter, à refuser qqch.* Le verbe se prend surtout en mauvaise part.

Institutionnaliser, v.tr.dir., a deux *n,* comme *institutionnel.*

Instruire, v.tr.dir. *Le juge instruit une affaire. On instruit le procès de qqn. On instruit qqn de qqch.* (on l'informe de qqch., de ce qui s'est passé). On dit **informer que** plutôt qu'*instruire que.*

Insuffler, v.tr.dir. ; deux *f.*

Insulter, v.tr.dir. ou ind., à côté de son sens fort, *outrager,* où il est tr.dir., a un sens affaibli, plutôt littéraire ; *être comme un défi à qqch.* (d'abstrait) et s'emploie alors avec **à** : *Son luxe insulte à la misère des pauvres. Leur allégresse insulte à ma douleur* (Ac.).

Insupporter, v.tr.dir. [*Sa conduite m'insupporte*] est tantôt familier, tantôt prétentieux et est inutile. On dira : *Sa conduite leur est insupportable* (les excède, les irrite).

Intégral, intégrant, adj. **Intégral,** complet, entier, total : *Le renouvellement intégral d'un comité. Le paiement intégral d'une dette. Une édition intégrale* (ou *l'intégrale*). — **Intégrant** se dit des parties qui contribuent à l'intégrité d'un tout : *Faire partie intégrante de qqch. La Corse est une partie intégrante de la France.* Adverbe, **intégralement** : *Ces dépenses font intégralement partie de sa dette* (l'ensemble des dépenses, et non seulement une partie).

Intégralité, n.f., signifie « l'ensemble, la totalité » et est en rapport avec *intégral* : *L'intégralité d'un roman, d'un territoire, d'une somme.*

Intégrer, en dehors de son emploi en mathématiques et en informatique, « faire entrer dans un ensemble comme partie intégrante, bien assimilée » : *Intégrer un nouveau venu à un groupe,* **dans** *un groupe. Il s'est intégré au groupe, dans le groupe.*

Intégrité, n.f., peut avoir les sens d'*intégralité : Conserver l'intégrité du territoire, d'un dépôt, publier l'intégrité d'une correspondance.* Mais on devra parler de *l'intégrité d'un organe* non altéré (au figuré : *de la foi),* et surtout, au sens moral, en rapport avec *intègre,* de *l'intégrité d'un fonctionnaire, des mœurs, de la consicence.*

Intelligentsia, n.f., s'écrit parfois à tort *intelligentzia,* bien que la prononciation normale soit avec *s.*

Intensif, adj. se dit de ce qui est porté à un haut degré d'efficacité par un effort intense et soutenu : *Culture* **intensive.** *Préparation intensive.* Mais *un froid* **intense,** *une circulation intense.* En linguistique, « qui renforce la notion exprimée » : *préfixe intensif.* De même **intensément** *(il gèle intensément, vivre intensément, regarder intensément)* se distingue d'**intensivement** *(préparer intensivement un examen).*

Intenter, v.tr.dir. Bien qu'on dise : *intenter un procès à* ou *contre qqn,* le français ne connaît pas le substantif [*intentement*], employé en Belgique. On parle de *mise en accusation, d'engagement de poursuites,* etc.

Intentionné, adj., ne s'emploie plus qu'avec *bien (très bien, trop bien)* ou *mal* : *Être bien intentionné à l'égard de qqn,* c'est avoir de bonnes intentions envers lui. On ne dit plus : *être intentionné de faire qqch.* (avoir l'intention de).

Inter, préfixe, apparaît dans un très grand nombre de mots, noms, verbes, adjectifs et adverbes, qui s'écrivent sans trait d'union. Il est logique d'écrire avec *s* les adjectifs *interarmes, interarmées* : *Un centre d'instruction interarmes. Un commandement interarmées* (commun à plusieurs armes, à plusieurs armées). De même *interclubs* : *Une rencontre interclubs.* Mais on écrit sans *s* au sing. : *Un interclasse* (court intervalle, qui n'est pas une récréation, entre deux heures de classe), *une réunion intergroupe, une finale interzone, un interligne, un intersigne, un interrègne, une interdanse, une intersession* (cf. ce mot), bien qu'il y ait pluralité de ce qui est indiqué par le second élément.

Le sens d'*inter* est différent dans d'autres mots, où il note la réciprocité : *une intercommunication* (une communication réciproque), *une interréaction, une interrelation.*

Intercepter, v.tr.dir., ne se dit que de ce qu'on arrête, de ce qui a un mouvement, une destination : *un courrier, un message, un ballon, la lumière, les rayons du soleil* (ou *le soleil*), *un avion.*

Interconnexion, n.f., et non [*interconnection*], action d'*interconnecter,* de mettre en relation des centres de production d'énergie. Cf. CONNECTER.

Interdire, v.tr.dir. *Vous interdisez. N'interdisez pas cela. Interdire qqch., interdire un officier ministériel* (lui interdire d'exercer ses fonctions), *interdire qqch. à qqn,* lui interdire de faire qqch. ; *s'interdire qqch., de faire une chose. Il est interdit de fumer. Le règlement interdit qu'on le fasse* (subj. sans *ne* explétif).

Intéressant, adj. *Un détail intéressant à signaler. Se rendre intéressant. Un cas intéressant. Cette femme est dans une position intéressante, dans un cas intéressant* (elle est enceinte). *Un prix intéressant* (avantageux), *des conditions intéressantes.*

Intéressé, adj., **intéresser,** v.tr.dir. *Intéresser qqn à qqch. Un mensonge intéressé. Un homme intéressé. Intéresser qqn à qqch.* (lui faire prendre intérêt à). *Être intéressé par une discussion, par une affaire.* Mais l'Académie a raison de condamner *intéressé* dans le sens de *touché, affecté, atteint, concerné* par qqch., généralement de fâcheux. On évitera donc de parler des « régions intéressées par la grêle » ou de déclarer, comme un auteur, qu'on a remanié « les chapitres les plus intéressés par l'évolution récente » !

Il n'y a aucune raison de condamner l'emploi impersonnel : *Il m'intéresse de savoir...*

Intéressement, n.m. (cf. DÉSINTÉRESSÉ), a un sens particulier : système par lequel on intéresse le personnel aux bénéfices de l'entreprise.

Intérêt, n.m. *Avoir* (ou *trouver*) *(de l')* *intérêt à faire qqch.* (y trouver un avantage). *Ceci n'a pour vous aucun intérêt. Ces livres n'ont* — ou *ne présentent* — *pas tous le même intérêt* et non [*représentent*]. *Agir dans* (ou *contre*) *l'intérêt de qqn. Porter* (ou *témoigner,* ou *montrer,* ou *marquer*) *de l'intérêt* (ou *un vif intérêt*) *à qqn. Porter intérêt à qqn. Montrer* (ou *témoigner*) *de l'intérêt pour qqn. Épouser les intérêts de qqn. Avoir des intérêts dans une affaire. Avoir intérêt à ce qu'une chose se fasse.* Cf. DÉSINTÉRESSÉ.

Intérieur, adj. *Il y a une salle plus intérieure* (J. Romains, *Les hommes de bonne volonté,* t. III, p. 168). *Une poésie très intérieure.*

Intérim, n.m., désigne le temps (*Dans l'intérim, pendant l'intérim*) ou la fonction (*assurer des intérims. Être chargé de l'intérim. Faire l'intérim*). En Belgique, au lieu de l'expression francisée *par intérim,* on dit et on écrit *ad interim* (sans accent).

Intérimaire, adj., ne peut se dire que s'il y a intérim : *une fonction intéri-maire, un directeur intérimaire.* L'Académie blâme avec raison l'emploi de cet adjectif dans le sens de *provisoire* sans qu'il y ait intérim. Il est absurde en effet de parler de plans ou de rapports intérimaires !

Intérimat, n.m., donné par Littré, n'est plus usité.

Interligne, n.m. *Un interligne* est un espace entre deux lignes. Le typo-graphe, pour séparer les lignes, se sert *d'une interligne* (lame de métal).

Intermède, n.m. *Un intermède assez long.*

Intermédiaire, adj. *Une solution intermédiaire. Passer d'un sujet à l'autre sans intermédiaire* (directement). *Agir par l'intermédiaire de qqn.* En par-lant de personnes, *un* ou *une intermédiaire.* Sinon, *un intermédiaire.*

Intermittence, n.f., est employé abstraitement et reste donc au singulier dans *par intermittence,* par moments. Mais on parle des *intermittences de la fièvre,* de ses interruptions momentanées, de ses rémissions.

Interner, v.tr.dir., c'est priver de liberté un adversaire politique ou enfermer qqn dans un asile d'aliénés. Fr. Mauriac l'emploie pour « mettre dans un internat » (de collège, de lycée) : *Lui-même avait interné ses deux fils au collège diocésain* (*Destins,* Poche, p. 9).

Interpeller, v.tr.dir. *J'interpelle, j'interpellerai.* Cf. VERBE, *Conjugaison.* — *Interpeller qqn,* c'est lui adresser brusquement la parole pour le prendre à partie ou le questionner. L'interpellation parlementaire n'implique pas la brusquerie. On dit couramment, à propos des activités de la police, qu'un suspect a été *interpellé* (avant d'être arrêté).

Interprétariat, n.m., n'est pas nouveau et est bien installé dans l'usage. Il est donc vain de lui reprocher d'être mal formé ; il ne dérive pas d'un nom en *-aire* (comparer *volontaire, volontariat*).

Interpréter, v.tr.dir. Il est curieux de noter qu'*interpréter* ne se dit plus pour « traduire d'une langue dans une autre » et ne peut donc se dire de ce que fait essentiellement l'interprète. *Interpréter,* c'est expliquer, rendre clair (*interpréter un texte*), donner un sens à qqch. (*interpréter une con-duite, un ordre, un signe, un songe, un fait, un silence, mal interpréter les paroles de qqn*) ou jouer un rôle, un personnage, une œuvre musicale, d'une manière personnelle. Ce sont aussi les sens d'**interprétation** ; ils se retrouvent dans les sens élargis d'**interprète,** n.m. ou f.

Interrogation. 1. **Interrogation directe,** c'est-à-dire en proposition indépen-dante. Elle se marque :
    a) Soit uniquement par l'intonation, notée dans l'écriture par le point d'interrogation : *Tu viens ?* On construit la phrase sans inversion : *Tu*

pèses combien ? Il s'appelle comment ? Il part avec qui ? Certains de ces tours sont familiers. Cf. INVERSION. A.

b) Soit par *est-ce que* : *Est-ce que tu viens ? Combien est-ce qu'il pèse. Est-ce que Pierre sait où ça se trouve ?* Cf. EST-CE QUE. Éviter de réduire *est-ce que* à *que* : [*Combien qu'il pèse ? Quel âge qu'elle a ?*]

c) Soit par l'inversion du sujet : *Combien pèses-tu ? Avec qui part-il ? Tout a-t-il été dit ? Pierre est-il là ?* Cf. INVERSION, A.

d) Soit par l'infinitif sans sujet quand l'interrogation porte sur un seul élément de la phrase : *Comment l'avertir ?*

2. **Interrogation indirecte.** Cf. INVERSION, B.

3. **Interrogation oratoire.**

Elle présente, en l'atténuant poliment ou en lui donnant une valeur d'évidence, le contraire de ce qu'elle exprime formellement : *Est-il nécessaire que j'insiste ?* (Il n'est pas nécessaire). *Allez-vous le laisser faire ?* C'est courant avec l'interrogation négative : *Qui ne se souvient de ce jour ?* (chacun se souvient). *Ne vous l'ai-je pas dit cent fois ? Ne pensez-vous pas qu'on vous le reprochera ?* Cf. NE employé seul, 4, 5, B, 6 et NON, 6 (*si, oui, non* dans les réponses), p. 632.

4. **Le point d'interrogation** termine une interrogation directe autonome : *Le savait-il ? Je n'oserais l'affirmer. — Si j'appelais le médecin ?* (cf. SI, conj., E,a). *Je lui ai dit : « Êtes-vous sûr ? » justement parce que je savais...* (J.-L. Curtis, *La parade,* J'ai lu, p. 152). Cf. N'EST-CE PAS. Mais : *Exprimait-il un désir, on s'empressait de le satisfaire* (cf. INVERSION, C, 6). *Je me demande à qui il en a parlé* (interrogation indirecte). *En veux-tu en voilà.* Le point d'interrogation, pas plus que le point d'exclamation, ne peut être accompagné directement d'un autre point (sauf des points de suspension) ni d'une virgule : *Pourquoi dites-vous cela ? s'écria-t-il.* À la fin d'une citation qui n'est pas une question et qui est introduite par une phrase interrogative, on peut (mais l'usage hésite) ne pas mettre de point d'interrogation : *N'a-t-il pas dit : « La propriété, c'est le vol ».* Mais on peut écrire, en ne mettant pas le point d'interrogation dans la citation : *N'a-t-il pas dit : « La propriété, c'est le vol » ?* Cf. des exemples d'André Gide à CONTRE, 5. Cf. POINT, n.m., 1.

Interrogatoire, n.m. *Procéder à un interrogatoire.*

Intersession, n.f., temps qui sépare deux sessions d'une assemblée. Ne pas confondre avec *intercession* (verbe *intercéder*).

Intervenir, v.tr.dir. On fait un emploi beaucoup trop fréquent de ce verbe, en lui donnant le sens d'« arriver, se produire », à propos par exemple de fautes, de la fin d'un match ou de son résultat. Mais il est certain aussi que le sens de « survenir, agir au cours d'une action, d'une évolution » (*intervenir dans un débat, dans un procès, dans les affaires d'autrui, intervenir en faveur de qqn*), s'est très naturellement élargi et qu'on peut dire :

Un accord est intervenu, une solution interviendra prochainement, de nouveaux règlements sont intervenus, le chirurgien a dû intervenir (agir, opérer).

Interventionnisme, n.m., ne se dit que d'une certaine doctrine politique préconisant l'intervention de l'État dans les affaires privées (*une politique interventionniste*).

Interview (pron. in-ter-viou), n.f. *Accorder une interview.* Le verbe **interviewer** se prononce aujourd'hui « inter-viou-vé ».

Intestat, adj.m. et f. et n.m., voulant dire « qui n'a pas fait de testament », on dit : *Ils sont morts* **intestats.** *Elles sont mortes intestats.* S'il s'agit de ceux qui héritent ou de l'héritage lui-même, on emploie la locution d'origine latine *ab intestat* qui veut dire « sans qu'il ait été fait de testament » : *Un héritage* **ab intestat.** *Il a hérité ab intestat.* L'usage admet que l'expression s'applique à une personne intestat : *Elle est morte ab intestat.*

Intra, dans les composés, n'est suivi d'un trait d'union que devant une voyelle (*intra-utérin,* mais *intramusculaire*) et dans *intra-muros.*

Intriguant, participe, s'écrit avec *gu.* **Intrigant,** n. ou adj. *Une femme intrigante. Une intrigante.*

Introduire, v.tr.dir. Cf. Demande.

Invectiver, v.tr.ind. (*invectiver* **contre qqn**) ou tr.dir. (*invectiver* **qqn**). On a le choix.

Inventoriage, n.m., action d'*inventorier,* est nettement préférable à *inventorisation,* qui ne s'explique que par le néerlandais.

Inversement, adv., sans accent, et non [*inversément*].

Inversion du sujet. On ne peut entrer ici dans le détail de tous les cas. Cf. R. Le Bidois, *L'inversion du sujet dans la phrase contemporaine.*

Signalons seulement l'**incidente** (*C'est vrai, dit-il* ou *dit mon père*) en notant qu'on doit se garder d'étendre cet emploi à des verbes qui se substituent à *dire* sans s'associer à l'idée qu'il exprime. On dit très bien : *protesta-t-il, s'étonna-t-il, annonça-t-il, soupira-t-il,* etc. Mais non en incidente : *sourit-il, sursauta-t-il, s'étrangla-t-il, s'agitait-il,* etc.

I. **En quoi consiste l'inversion du sujet ?**

1. Aux temps simples, il se met après le verbe : *Où travaille votre frère ? Où travaille-t-il ?*

2. Aux temps composés, si c'est un nom, il se place après le participe ; si c'est un pronom personnel ou *ce* ou *on,* il se place après l'auxiliaire : *Où a travaillé votre frère ? Où a-t-il travaillé ? Où a-t-il fait fortune ?*

3. Mais à côté de l'inversion dite **simple,** il y a l'inversion dite parfois complexe, qui se rencontre avec les noms et certains pronoms, et que

nous appellerons l'**inversion du pronom de rappel** : le sujet reste devant le verbe mais est repris après celui-ci par un pronom : *Où votre frère a-t-il travaillé ? Votre frère est-il là ? Tout a-t-il été prévu ? Aussi ma sœur lui a-t-elle écrit.*

On notera que l'inversion simple du nom est seule possible dans les relatives : *La femme que ton frère a vue* ou *qu'a vue ton frère.*

4. Devant les pronoms sujets *il, elle, on,* on intercale un *t* entre deux traits d'union après un *a* ou un *e* de la 3e personne : *Aime-t-il ? Va-t-il ? Dira-t-il ?* De même après *vainc* et *convainc* : *Convainc-t-il quelqu'un ?*

À l'indicatif présent, l'inversion de *je* ne se fait guère, surtout après des monosyllabes, sauf après *ai, dis, dois, fais, puis, sais, suis, vais, veux, vois.* Qui penserait à la faire par exemple après *cours, pars, sors ?* On a toujours la faculté d'employer *est-ce que* : *Est-ce que je mens ?* Cf. Est-ce que.

Si la 1re personne se termine par *e,* l'inversion de *je* est théoriquement possible, mais exceptionnelle, qu'il s'agisse ou non d'une phrase interrogative, à condition de changer *e* en *é* (prononcé *è*). Dans l'interrogation, on recourt plutôt à *est-ce que.*

D'autres formes comme *[furent-ce]* sont rejetées. On recourt à *est-ce que.*

II. Quand fait-on l'inversion ?

A. Interrogation directe non marquée par *est-ce que.* Cf. Interrogation et Est-ce que.

I. **La phrase ne commence pas par un mot interrogatif.**

1. **Le sujet est un pronom personnel** ou *ce* ou *on.* Inversion simple : *Vient-il ? Part-on ? Est-ce possible ? N'est-ce pas ? Vous a-t-on répondu ? Lui a-t-on envoyé un mot ?*

2. **Si c'est un nom ou un autre pronom**, inversion du pronom de rappel : *Votre frère vient-il avec nous ? Chacun en est-il persuadé ? Tout a-t-il été prévu ?*

II. **La phrase ou la proposition commence par un mot interrogatif**, qui peut être précédé d'une conjonction de coordination comme *car, et, mais.*

1. Il est **sujet** ou il forme avec lui le sujet (*combien de, quel..., lequel de...*). Pas d'inversion (sauf les réserves ci-dessous) : *Qui l'a dit ? Mais qui s'en plaint ? Combien de gens l'ont vu ? Lequel de ses romans vous paraît le meilleur ? Quel témoin a vu l'accusé ? Quelle folie avait pris Clémence ?* (M. Genevoix, *Rroû,* I, ch. X). On dit : *Qui est-ce qui n'a pas compris ?* ou *Qui n'a pas compris ?*

L'inversion du pronom de rappel est cependant le tour interrogatif normal avec **combien... ne pas** et **quel... ne pas** : *Combien d'entre vous ne l'ont-ils pas fait ? Quels grondements lointains n'annoncent-ils pas l'orage ?* (J. Green, *Devant la porte sombre,* p. 47).

Même en dehors de ce cas, l'inversion du pronom de rappel est courante après **combien** et n'est pas rare après **quel** ou **lequel** : *Combien d'entre vous **l'ont fait** ou **l'ont-ils fait** ? Combien y ont pensé ? ou y ont-ils pensé ? Quelle mère, monsieur, a-t-elle reçu des mains d'un pareil messager un livre de son enfant ?* (A. Chamson, *Réception de J. Kessel à l'Académie*). *Quelles âmes emportait-on, ou bien quels morts gigantesques marchaient-ils sur les eaux ?* (M. Druon, *Rendez-vous aux enfers*, Poche, p. 216). *Quelle rage de vivre et de dominer l'avait-elle soutenue ?* (Id., *La chute des corps*, Poche, p. 227). *Mais quelle journée peut-elle être considérée avec certitude comme le faîte de la vie ?* (Id., *La volupté d'être*, Poche, p. 203). *Quel genre d'homme se cache-t-il derrière un séducteur ? (...) Quels points de contact existent-ils entre cet ouvrier de la chanson (...) et la pompe romaine ?* (Ph. Bouvard, dans *Le Figaro*, 26 février 1972, p. 21). *Quelle aventure peut-elle l'attendre à l'Opéra ?* (M. Yourcenar, *Archives du Nord*, p. 102). *Laquelle de ces deux Mathilde (...) emporte-t-elle la sympathie d'Aliénor ?* (R. Pernoud, *La femme au temps des cathédrales*, p. 158).

Si le verbe est impersonnel, le pronom *il* suit le verbe (facultativement après *semble* ou *à quoi sert de, que sert de*) ; le mot interrogatif, suivi éventuellement du nom (*quel...*), précède : *Que faut-il ? Que se passe-t-il ? Quelle heure est-il ? Que vous semble-t-il* (ou *que vous semble*) *de cette affaire ? À quoi sert-il* (ou *à quoi sert*) *de se plaindre ?*

Après **qu'est-ce que**, il n'y a pas d'inversion : *Qu'est-ce qu'il faut ?*

2. Le mot interrogatif commençant la phrase est **attribut**. Inversion simple, même si le sujet est un nom : *Qui êtes-vous ? Qui est cet homme ? Quelle est votre décision ?*

3. Le mot interrogatif est **complément d'objet direct** ou fait partie de ce complément. Il faut distinguer :

a) Après **que**, inversion simple obligatoire : *Que disent-ils ? Que veulent ces gens ? Que prouve cette lettre ?* Après **qu'est-ce que ?**, le sujet qui n'est ni un pronom personnel ni *ce* ni *on* peut suivre ou précéder le verbe : *Qu'est-ce que prouve cette lettre ?* ou *Qu'est-ce que cette lettre prouve ?*

b) Après **qui**, l'inversion simple est obligatoire si le sujet est un pronom personnel ou *on* : *Qui aime-t-elle ? Qui a-t-on consulté ?*

Si le sujet est un autre pronom ou un nom, on a le choix entre l'inversion simple et l'inversion du pronom de rappel : *Qui concerne cela ?* ou *Qui cela concerne-t-il ? Qui désignera le sort ?* ou *Qui le sort désignera-t-il ?* Mais dans certains cas, une équivoque est possible parce que *qui*, traité comme complément d'objet, est généralement perçu, quand c'est possible, comme sujet : *Qui a trompé notre ami ?* a donc deux sens. On les distinguera en disant : *Qui notre ami a-t-il trompé ?* ou *Qui est-ce qui a trompé notre ami ?*

c) Après **quel** suivi d'un substantif, inversion simple : *Quel livre avez-vous lu ? Quel livre a lu votre fils ?* Si le sujet n'est ni un pronom personnel ni *on*, l'inversion du pronom de rappel est possible : *Quel livre votre* *fils a-t-il lu ?* Elle est nécessaire s'il y a lieu d'éviter une équivoque : *Quel ami votre frère soupçonne-t-il ?* Inversion après **combien** suivi d'un complément : *Combien de livres avez-vous lus ? Combien de livres a lus cet élève ?* ou *Combien de livres cet élève a-t-il lus ?*

4. Le mot interrogatif initial est **adverbe ou complément indirect ou circonstanciel** ou il fait partie de ce complément :

a) Si le sujet est *ce, on* ou un pronom personnel, inversion simple : *Comment fait-on ? Comment serait-il si ingrat ? À combien de gens s'est-il adressé ? Quand reviendra-t-il ? Où vas-tu ? À qui a-t-on dit cela ? De quoi se mêle-t-il ?*

Si le mot interrogatif reste en tête de la phrase, la suppression de l'inversion appartient au langage populaire : [*Comment on fait ? Où tu vas ?*]. Sauf si le sujet est *ça : Comment ça va ? Comment ça se passera-t-il ? À quoi ça ressemble ?*

En plaçant le mot interrogatif là où serait son équivalent dans une phrase énonciative (*Je l'appellerai par son titre. Tu l'as rencontré hier. Il demande cent francs*), la langue familière supprime l'inversion : *Je l'appellerai comment ? Tu l'as rencontré quand ? Il demande combien ?*

b) Si le sujet est un autre pronom ou un nom, il faut placer en inversion le pronom de rappel après *pourquoi* et après un verbe accompagné d'un attribut ou d'un complément d'objet direct autre que *que, quel* ou *combien* suivis d'un nom : *Pourquoi ces gens nous regardent-ils ? Pourquoi tous ont-ils applaudi ? Comment votre ami serait-il si ingrat ? Quand celui-là nous laissera-t-il tranquilles ? À qui votre frère a-t-il prêté ce livre ?* Mais, avec inversion simple (cf. 3, c) : *Quel livre a lu votre frère ?* ou *Quel livre votre frère a-t-il lu ?*

Il manque donc un pronom de rappel (*me cause-t-elle*) dans cette phrase : *Pourquoi une chose aussi anodine que de composer sur un cadran un numéro de téléphone me cause, à moi, tant de peine et d'appréhension ?* (P. Modiano, *Rue des boutiques obscures*, p. 12).

c) Dans les autres cas, on a le choix entre les deux inversions : *Combien coûte cet objet ?* ou *Combien cet objet coûte-t-il ? À qui a écrit votre sœur ?* ou *À qui votre sœur a-t-elle écrit ? Où va ce train ?* ou *Où ce train va-t-il ?*

Avec **être**, on dira : *Où est votre guitare ?* Mais on ne dira guère : *Où votre guitare est-elle ?* On dira par contre, avec une pause après *elle* : *Où est-elle, votre guitare ?* Ce qu'il faut éviter comme populaire, c'est : [*Où elle est, votre guitare ?*] et [*Votre guitare, elle est où ?*].

d) Selon Nyrop (*Gr. h.*, VI, p. 389), le **verbe pronominal** entraîne l'inversion du pronom de rappel : *Quand les Français se sont-ils établis en Algérie ?* On dit pourtant plutôt *Comment s'appelle l'homme dont vous me parlez ?* que *Comment l'homme dont vous me parlez s'appelle-t-il ?*, qui est correct aussi. *Quand s'est faite la fortune qui nous étonne aujourd'hui ?* C'est qu'on est sensible à l'équilibre de la phrase ; on aime que le nom et le pronom qui le rappelle ne soient pas trop éloignés l'un de l'autre ; dans l'exemple de Nyrop, on met le sujet avant le verbe pour laisser le complément circonstanciel à proximité du verbe. On dirait fort bien : *Quand s'est présenté l'huissier ?* à côté de *Quand l'huissier s'est-il présenté ?*

e) La négation peut exclure l'inversion simple du sujet. On dit très bien : *Quand viendra votre frère ?* ou *Quand votre frère viendra-t-il ?* Mais on dira uniquement : *Depuis quand votre frère ne vient-il plus ?*

N.B. Avec un verbe comme *aller, pouvoir, vouloir, devoir* suivi d'un infinitif, seuls un pronom personnel, *ce* et *on* peuvent s'intercaler entre les deux en cas d'inversion : *Quand va-t-il arriver ? Où votre frère doit-il se rendre ?* ou bien *Où doit se rendre votre frère ?*

B. Interrogation indirecte, qu'elle suive ou précède le verbe principal.

1. Si le sujet est un pronom personnel ou *ce* ou *on*, pas d'inversion : *Je ne sais **où il est**, qui c'est, pour quand c'est. Qui c'est, je l'ignore.* Fautes : [*Je me demande où est-il*]. [*Je ne sais pour quand est-ce*].

2. Jamais d'inversion du pronom de rappel. Faute : [*Je me demande pourquoi cet enfant a-t-il échoué*]. Dire : *pourquoi cet enfant a échoué.*

3. L'emploi de *est-ce que* est nettement populaire dans l'interrogation indirecte. Cf. EST-CE QUE.

4. Si le sujet n'est pas *ce* ou *on* ou un pronom personnel, on peut recourir à l'inversion simple : *Je me demande souvent ce que **mon frère a dit** ou ce qu'**a dit mon frère**. Je ne sais où chacun d'eux s'est rendu* ou *je ne sais où s'est rendu chacun d'eux.* On le doit après *qui* ou *quel* en fonction d'attribut : *Je me demande **qui est** cet individu. Je ne sais quel est votre avantage.*

5. Ne pas dire [*qui c'est que, qui c'est qui*] : *Je ne sais qui* [*c'est que*] *tu as vu. Je me demande qui* [*c'est qui*] *a dit cela.*

6. On fait volontiers l'inversion simple pour éviter de placer en fin de phrase un verbe plus court que le sujet, surtout *être* : *Je ne sais **où est** cet employé. Je me demande quand le docteur viendra* ou *quand viendra le docteur.*

7. Jamais d'inversion après *si* : *Je ne sais si le docteur viendra.*

8. Jamais non plus d'inversion créant une équivoque. On évitera : *Je ne sais qui a rencontré mon frère* si mon frère est sujet. On dira : *Je ne sais qui mon frère a rencontré.*

C. En dehors de l'interrogation, nous ne pourrons retenir ici que certains cas. Observons seulement que l'inversion peut être occasionnelle, due à la recherche d'un effet stylistique ou rythmique. Notons d'autre part que l'inversion, qui n'est pas rare dans les exclamations, est surtout fréquente dans certaines propositions indépendantes ou subordonnées.

1. **Exclamations.** Cf. NE PAS, 3. Le tour interrogatif direct peut facilement devenir exclamatif : *Est-il stupide ! Quel plaisir m'a fait sa visite !* Il faut toutefois que le contexte, l'intonation et la construction empêchent de prendre une exclamation pour une interrogation. C'est pourquoi on

hésitera parfois à transposer en exclamations certaines interrogations directes avec inversion. On pourra préférer *Ah ! combien j'en ai vu qui...* à *Combien en ai-je vu qui... ! Combien de pays il a visités* à *Combien a-t-il visité de pays ! Quelle sottise il a encore faite !* à *Quelle sottise a-t-il encore faite !* Le ton ou un *que* adverbial initial peuvent exclure l'interrogation. On dira : *Que de peines cette affaire nous coûtera !* ou *nous coûtera cette affaire !*

Dans l'expression d'un souhait sans *que*, l'inversion simple est nécessaire : *Puisse-t-il arriver à temps ! Puisse mon ami être reçu à son examen !*

2. **Propositions commençant par certains adverbes ou certaines locutions.** Après *aussi* (= c'est pourquoi ; mais non après *c'est pourquoi*), *aussi bien*, *à peine* (cf. PEINE), *au moins*, *à tout le moins*, *du moins* (cf. MOINS, 4), *encore*, au sens restrictif, *et encore*, *mais encore* (même sens), *à plus forte raison*, *en vain*, *vainement*, *peut-être* (non suivi de *que*), *tout au plus*, *sans doute* (non suivi de *que*), l'inversion de *ce*, *on* ou du pronom personnel sujet est habituelle, sans être obligatoire sauf après *encore* et *tout au plus* (où d'ailleurs elle est constante) ; l'inversion du pronom de rappel peut se faire quand le sujet est un nom ou un autre pronom que ceux-là. Ces inversions sont beaucoup moins fréquentes après *rarement* : *Aussi ne l'ai-je pas écouté. Aussi sa colère est-elle vite tombée. Aussi chacun a-t-il vite compris. Aussi bien ne m'écouterait-il* (Ac.). *Aussi bien il n'en fera rien* (Ac.). *À peine il est hors de son lit* (Ac.). *À peine est-il hors de son lit* (Ac. ; l'inversion est courante). *À peine le soleil était-il levé, à peine le soleil était levé* (Ac.). *Du moins donnait-il cette raison. Au moins convient-il qu'il s'explique. Encore vaut-il mieux s'abstenir. Encore cette affaire n'a-t-elle réussi qu'à moitié.*

Insistons sur le fait que l'inversion est fautive après **peut-être que** : *Peut-être que son esprit, si frêle, si délicat, parviendra [-t-il] tout seul à tirer (...) une conclusion* (A. Bosquet, *Les bonnes intentions*, Poche, p. 203).

Ainsi signifiant « de cette façon » est généralement suivi de l'inversion simple : *Ainsi parlait mon père. Ainsi parlait-il. Ainsi ferons-nous.*

3. **Quelques cas particuliers** : *Tant va la cruche à l'eau...* (proverbe). *Tant il est vrai que... Autant en emporte le vent. Toutefois est-il que...* (en tout cas) *Si grand soit-il. Si grand qu'il soit. Si grand que soit cet homme...*

4. **Hypothèses au conditionnel.** Au lieu de *si* et un indicatif imparfait subordonnés à un conditionnel, on peut recourir à deux propositions indépendantes au conditionnel (réunies ou non par *que*, facultatif). Dans celle qui exprime la condition, on a le choix entre la construction directe et l'inversion simple du pronom personnel ou de *on* : *Il arriverait que je n'en serais pas étonné* ou *Arriverait-il que je n'en serais pas étonné.* Ou : *Il arriverait* (ou *Arriverait-il*), *je n'en serais pas étonné. Elle pourrait, le voudrait-elle, se souvenir, mais sa volonté est d'abolir tout cela* (A. Pieyre de Mandiargues, *La motocyclette*, Folio, pp. 84-85). Ici, l'inversion est obligatoire, parce que la condition est exprimée en second lieu, en incise.

— Si le sujet est un nom, on ne fait généralement pas l'inversion : *Pierre arriverait que je ne serais pas étonné.*

5. **Hypothèses en opposition** (subjonctif - conditionnel). Au lieu de *Quand il le voudrait, il ne le pourrait pas* ou de *Même s'il le voulait, il ne le pourrait pas*, on peut dire, en commençant par l'hypothèse : *Le voulût-il, il ne le pourrait pas.* On fait l'inversion simple du sujet pronom personnel ou de *on*, avec le subjonctif imparfait ou plus-que-parfait. Plus rarement, dans ce sens, le conditionnel : *Le voudrait-elle, difficilement la jeune femme pourrait s'abstraire du souvenir* (A. Pieyre de Mandiargues, *La motocyclette*, Folio, p. 114).

On a remarqué que ces phrases n'expriment pas une condition avec sa conséquence, mais une hypothèse envisagée comme irréelle ou peu probable et qui n'a aucune influence sur l'autre partie de la phrase, en opposition avec elle.

On peut réunir les deux propositions par **que** : *Du reste, eût-elle su que son cas était ainsi disséqué avec passion, qu'elle fût probablement restée indifférente* (Fr. Mallet-Joris, *Allegra*, p. 251). *Découvrirait-il un monstre qu'il ne reculerait pas* (L. Faure, *Mardi à l'aube*, J'ai lu, p. 97). Si le sujet de la première proposition est un nom ou un autre pronom qu'un pronom personnel ou *on*, on fait l'inversion du pronom de rappel : *Pierre le voulût-il, il ne le pourrait pas. Tout eût-il été tenté, il ne faut pas se décourager.*

Avec **devoir** au subjonctif, on fait généralement l'inversion simple du sujet, pronom ou nom : *Dussé-je être blâmé, je vous soutiendrai* (Littré). *Dût tout cet appareil retomber sur ma tête, il faut parler* (Racine). On pourrait dire, mais on ne dit guère : *Tout cet appareil dût-il retomber...,* sauf avec *cela* : *Cela dût-il m'être reproché.*

6. Parfois, il n'y a **pas d'opposition** et la première proposition exprime simplement une condition (= *si* et non *même si*) : *Eussent-elles été, d'avance, réunies, ces unités mécaniques (...) auraient pu porter à l'envahisseur des coups redoutables* (Ch. de Gaulle, *L'appel*, Poche, p. 41). *L'eût-elle moins aimé, Mme Eterlin fût devenue, à cet instant, son ennemie* (M. Druon, *Les grandes familles*, Poche, p. 361). *Ce jour-là, fussent-ils restés à Fort-Lamy, MM. Habib et de Vries eussent payé très cher au camionneur la mort de son chauffeur. Mais à ce moment-là, ils étaient déjà loin* (R. Gary, *Les racines du ciel*, Folio, p. 35). *Le régime alimentaire décroissant n'était pas davantage observé ; l'eût-il été, on n'aurait plus eu bientôt qu'une assemblée de squelettes* (M. Druon, *Les rois maudits*, t. IV, éd. Famot, p. 174).

7. Dans des propositions au subjonctif sans *que* et exprimant un souhait (cf. 1), une hypothèse, un moment, le verbe précède le sujet : *Puisse le ministre l'écouter ! Soit deux parallèles. Vienne l'hiver, nous retournons en ville.*

Investir, v.tr.dir. *Investir qqn d'un titre, d'un pouvoir, d'un droit.* Dans ce sens : **l'investiture** d'un candidat aux élections ou d'un chef de gouvernement. Autre sens : *investir une ville, une maison* (figurément *une personne,* dont on fait en quelque sorte le siège), cerner, entourer de tous côtés ; dans ce sens, **l'investissement** d'une ville (à distinguer de *l'envahissement*). Autre sens encore, en parlant de capitaux : *Investir des capitaux dans une entreprise,* c'est les y engager pour en permettre l'équipement, le développement : *L'investissement des réserves d'une entreprise.* Il y a donc une différence avec *placer* et *placement,* dont le sens est plus large.

Invétéré, adj. *Une haine, une habitude invétérée* (enracinée, fortifiée par le temps). *Un buveur invétéré* (endurci, incorrigible). *S'invétérer* est vieilli.

Irisé (qui a les couleurs de l'arc-en-ciel), adj., s'écrit avec un seul *r.*

Irracontable, adj., est omis ou condamné par la plupart des dictionnaires qui, s'inspirant de Littré, ne connaissent qu'*inracontable,* illustré par une citation d'Alphonse Daudet : *une foule de joies menues et inracontables* (1876). Le GLLF, mieux informé, donne *inracontable,* mais aussi *irracontable,* qu'il date du XVe siècle et qu'il illustre par une citation de Gide : *une prodigieuse vie irracontable.* On ne doit pas hésiter à employer cette dernière forme qui entre dans la série *ir + r : irresponsable, irréfutable, irrécusable,* etc.

Irradier, v.intr. *La lumière irradie (dans le ciel). Les rayons lumineux irradient* (ou *s'irradient) de tous côtés. Une douleur qui irradie* (ou *s'irradie) dans le côté gauche à partir de la hanche.* **V.tr.dir.** *La lune irradie une pâle lumière. Un sourire irradie sa face* (l'illumine). *Irradier une tumeur,* la soumettre à certaines radiations.

Irrécouvrable, adj., s'écrit avec *é,* malgré *recouvrable.*

Irréfragable, adj. *Un témoignage irréfragable,* inattaquable.

Irresponsable, adj. et n., a, sous l'influence de l'anglais, ajouté à son sens premier (qui n'est pas responsable, qui n'a pas à répondre de ses actes) celui de « qui agit légèrement, étourdiment, qui n'a pas le sentiment de sa responsabilité » : *Des intellectuels irresponsables. Une attitude d'irresponsable.*

Irréversible, adj., peut se dire de ce qui ne peut être renversé, ni fonctionner en sens inverse, ni changer d'orientation : *Un processus irréversible. Une décision irréversible. Une évolution irréversible.*

Isolationnisme, n.m. Deux *n.*

Isopet, n.m., a couramment remplacé *ysopet.*

Israël, israélien : *J'irai en Israël.* Cf. HÉBREU.

Issu, adj. *Cousins issus de germains.* Cf. G*ERMAIN.*

Isthme, n.m. *Un isthme.* Comme dans *asthme,* on ne prononce pas le *t.*

Italique, adj. et n.m., s'applique à l'écriture italique, aux caractères italiques, penchés comme l'écriture ordinaire. *Mettre un texte en italique* ou *en italiques. Un bel italique.*

Item, adv., s'emploie dans les comptes, les énumérations pour « de même, en outre » : *Réparé une table ; item, six chaises.* Comme n.m., élément (lexical, etc.) d'un ensemble organisé ; *Les noms « père, frère sœur » sont des items lexicaux ; « présent, passé » des items grammaticaux.*

Itou, adv. (aussi), ne s'emploie plus que plaisamment.

Ivoire, n.m. *Un bel ivoire.*

Ivre, adj. **Ivre mort :** pas de trait d'union ; les deux éléments varient. *Elles étaient ivres mortes.*

Ivrogne, adj. ou n., s'applique proprement à celui qui a l'habitude de s'enivrer. Féminin : *une ivrogne.* Le nom féminin *ivrognesse* est populaire.

J

Jacinthe, n.f. de fleur, ne se confond plus aujourd'hui avec l'*hyacinthe*; cf. ce mot.

Jacquemart. Cf. Jaquemart.

Jacques. Faire le jacques: se conduire stupidement.

Jade, n.m., désignant la matière **(du jade)** ou un objet sculpté dans celle-ci.

Jais, n.m., désigne la matière ou sa couleur (noire): **Des cheveux *noirs comme jais, comme du jais, noir de jais*** (= d'un noir de jais) ou, avec une nouvelle ellipse, *noir jais*.

Jalousie, n.f., **jaloux,** adj. *Être jaloux de qqn, de son bonheur. Éprouver de la jalousie à l'égard de qqn.*

Jamais, adv. 1. **Sens positif**: en un temps quelconque (passé ou futur). Emploi limité: interrogation, condition, comparaison, en dépendance d'un verbe de négation ou de doute. *A-t-on jamais vu cela? Si jamais je le rencontre. Si vous venez jamais me voir... Il est plus bête que jamais. Aujourd'hui plus que jamais. Le plus honnête homme que j'aie jamais rencontré. Je ne crois pas* (ou *je doute*) *qu'il y consente jamais.* Ne pas dire: [*Je ne crois jamais qu'il y consente*]. On pourrait dire (cf. 2): *Je ne croirai jamais qu'il puisse y consentir*; c'est que *jamais* conserve ici son acception négative. Le sens positif se retrouve dans les locutions *à jamais, à tout jamais, pour jamais* (= pour toujours).

2. **Sens négatif** avec *ne* ou *sans*: *Je ne l'ai jamais vu* (en aucun temps). *On ne sait jamais. Je ne le ferai **plus jamais*** ou *Je ne le ferai jamais plus* ou *Jamais plus je ne le ferai* ou *Plus jamais je ne le ferai. Personne n'a jamais dit cela. Cela ne fait jamais qu'un jour de plus* (= Après tout, cela ne fait qu'un jour de plus). *Sans jamais se plaindre. Ils s'occuperont de tout sans que jamais vous deviez intervenir.* Avec ellipse: *Je suis plus décidé que jamais. Jamais de la vie. C'est le moment ou jamais. Mieux vaut tard que*

jamais. Le ferez-vous encore? Jamais plus. Son style est élégant, jamais recherché (Ac.). *Quelque chose de jamais vu. Jamais, au grand jamais je ne ferai cela* (Ac.).

Jambe, n.f. *Les jambes d'un pantalon. Avoir de bonnes jambes. Avoir les jambes molles* ou *les jambes en coton* ou *avoir les jambes comme du coton. Courir à toutes jambes. En avoir plein les jambes,* être fatigué par une longue marche. *Cela ne va que d'une jambe. Cela lui a coupé bras et jambes. Cela lui fait une belle jambe! C'est un emplâtre* (ou *un cautère*) *sur une jambe de bois. Faire des ronds de jambes. Prendre ses jambes à son cou. En avoir les jambes coupées.* Fam. *Il m'a tenu la jambe,* il m'a retenu plus que je ne souhaitais par ses discours.

On a dit : *Jouer qqn **par-dessous la jambe,*** comme si, sûr de sa supériorité, on lançait la balle par-dessous la jambe, obtenir facilement un avantage sur qqn. On dit : *Traiter qqn par-dessous la jambe,* le traiter sans considération, avec mépris ou insolence. Mais comme on dit aussi : *Faire qqch. **par-dessus la jambe,*** de façon désinvolte, on dit de plus en plus : *Traiter qqn par-dessus la jambe.*

Jan. Le Bruxellois qui dit *faire de son jan* au lieu de *faire des embarras* sait qu'il emploie un prénom flamand et que l'expression n'est pas française.

Japon, n.m. Il est normal d'écrire *un japon* avec une minuscule et de le faire accorder éventuellement dans : *Un vase en vieux japon. De vieux japons. Exemplaire sur japon.* **Dérivés** de *Japon* : un seul *n.*

Jaquemart, n.m. On écrit aussi *jacquemart.*

Jardin, n.m. Le Belge [*fait son jardin*] quand il le cultive, le bêche, ou prépare les carrés, les plates-bandes. On parle d'un *jardin privatif* (dont on a la jouissance exclusive, mais non la propriété) d'un *jardin fleuriste* (voir ce mot).

Jardin d'enfants, n.m., est en concurrence avec *école maternelle* et favorise le n.f. **jardinière d'enfants** donné parfois aux éducatrices de ces écoles (si c'est un homme, on l'appelle *jardinier*). On donne le nom de *jardinière de neige* à celle qui est chargée de la surveillance et de l'éducation des enfants dans une station de ski.

Jardinerie, n.f. Magasin de grande surface où l'on vend ce qui concerne le jardin.

Jatte, n.f., désigne non pas n'importe quelle tasse (comme le croient trop de Belges), mais un bol, un récipient arrondi, évasé, sans anse, ou son contenu : *Une jatte de lait.*

Jaune, adj., ou adv. ou n. 1. *Des chaussures jaunes. Des chaussures jaune clair, des étoffes jaune citron.*

2. Dans **rire jaune** (à contrecœur, pour dissimuler son dépit), *jaune*, adverbe, est invariable. De même dans : *Ces enseignes éclairaient jaune.*

3. *Un Jaune, une Jaune,* personne de race jaune ; majuscule.

Javel est un nom de lieu (ancien village de la banlieue de Paris) et garde la majuscule : *De l'eau de Javel.* Mais : *De l'eau javellisée.*

Jean (prononcé dji + n), n.m., est une abréviation courante de *blue-jean.*

Jean-foutre, n.m. Invariable : *des jean-foutre.*

Je ne sais quoi, n.m.invariable : *Il séduit par un je ne sais quoi* ; traits d'union facultatifs (*Un je-ne-sais-quoi*). Mais en dehors de cet emploi comme nom, pas de traits d'union, pas plus que dans *je ne sais qui* : *Il a raconté je ne sais quoi.*

Jerricane, n.m., est la forme francisée et recommandée de *jerrican* ou *jerrycan.*

Jet, n.m. (prononcé *djèt*). Dire : *avion à réaction.*

Jetable, adj., est un excellent néologisme médical, traduisant un des sens de l'anglais *disposable,* pour qualifier les ustensiles médicaux, et particulièrement les aiguilles à injection, qui ne servent qu'une fois. On en a même fait un nom masculin, comme on l'avait fait d'*imperméable.*

Jeter, v.tr.dir. Depuis 1975 l'Académie accepte *je jète, je jèterai* à côté de *je jette, je jetterai.*

Jeu, n.m. On écrit : *un terrain de jeu* ou *de jeux, une maison de jeu* ou *de jeux.* On écrit : *les jeux Olympiques, les jeux Floraux. Des jeux de main* (Ac.) ou *de mains.*

Jeun (à), loc.adv., **jeûne,** n.m., **jeûner,** v.intr. *Ils sont à jeun.* Dans : *Ils font jeûne tel jour, Ils ont jeûné* (attention à l'accent circonflexe, qu'on ne trouve pas dans *déjeuner*), on prononce couramment *eû* comme *eu* dans *jeu,* mais parfois aussi comme dans l'adjectif *jeune.*

Jeune, adj., n.m. *Ils font jeune(s)* = ils ont l'air jeune. Cf. FAIRE, 36. *Jeune* est aujourd'hui très courant comme nom pour désigner une personne jeune (*un jeune*) ou la jeunesse (*les jeunes*) et n'est plus réservé de préférence, comme au siècle dernier, aux petits des animaux.

Jeune France, Jeune Belgique. Le livre de Théophile Gautier, *Les Jeunes France,* évoquait la jeune génération romantique. On n'a cessé d'hésiter, plus encore que Gautier lui-même, sur la graphie : minuscule ou majuscule à *jeune,* accord ou invariabilité, absence ou présence d'un trait d'union.

En Belgique, partant du nom de la revue *La Jeune Belgique,* on l'a appliqué au mouvement littéraire qu'elle représentait et on a alors parfois introduit dans le nom un trait d'union ; on a d'autre part, en souvenir des Jeunes France, parlé des *Jeunes Belgique*, mais avec beaucoup d'hésitations aussi dans l'écriture. J'écris : « *La Jeune Belgique*, revue des Jeunes Belgique, a donné son nom au mouvement littéraire de la Jeune Belgique ».

Jeune homme, n.m., a pour pluriel *jeunes gens* ou *jeunes*. Il est plutôt ridicule de parler d'un vieux jeune homme pour *un vieux célibataire, un vieux garçon*. À quelqu'un qui a vieilli mais a gardé un caractère jeune, un personnage de Roger Vailland dit : *Tu es un vieux jeune homme* (*Bon gré, mal gré*, Poche, p. 27). Ce n'est pas à imiter.
On parlera d'**une jeune fille** et d'*une vieille demoiselle* (péjorativement : *vieille fille*).

Jeunet, jeunette, adj., qui est bien jeune. Familier, mais moins que *jeunot, jeunotte*, un peu péjoratif (jeune et naïf).

Job, n.m. ; anglicisme admis pour « travail rémunéré ». On en a même fait en Belgique un dérivé, *jobiste*, appliqué notamment aux étudiants qui font un job.

Jobard, jobarde, adj., « naïf, crédule à l'excès, facile à duper ». **Jobarderie** ou **jobardise**.

Joindre, v.tr.dir. *Je joins, il joint, nous joignons ; je joignais, nous joignions ; je joignis ; je joindrai ; que nous joignions.* — **Ci-joint** : cf. PARTICIPE PASSÉ, A, 5, p. 674. — **Joint que,** loc.conj., est vieilli (*outre que*).
Joindre une chose **à** *une autre* (*joindre avec* est vieilli). *Joindre deux choses* (c'est un pléonasme d'ajouter : *ensemble*). *Joindre bout à bout. Joindre les deux bouts. Joindre qqn* (l'atteindre). *Se joindre à qqn, à la conversation.*

Jointoyer, rejointoyer, v.tr.dir. Proprement, on *jointoie* une première fois une façade et on la *rejointoie* quand on procède à un *rejointoiement*, à un nouveau *jointoiement*. Mais *rejointoyer* peut se dire pour un premier jointoiement. Le maçon chargé de ce travail est un *jointoyeur*.

Joli, adj. et n.m., s'emploie par antiphrase : *Elle est jolie, votre idée ! C'est du joli !* Répété, familièrement : *Ce n'est pas joli, joli*, ce n'est pas très joli. *Elle n'est pas jolie, jolie.*

Joliment (pas d'accent circonflexe) se dit familièrement pour *très, très bien, beaucoup.*

Jonc, n.m. *Une corbeille de jonc* (faite avec du jonc).

Jouer, v.tr.dir., tr.ind. ou intr. Notons seulement quelques expressions et constructions.

1. **Intransitif**: *Je ne joue plus. À vous de jouer. Ils jouent serré. Jouer gagnant ou perdant* (*Ils ont joué gagnants*). *Nos avants ont mal joué ; l'équipe adverse a joué sec* (avec brutalité). *Les circonstances ont joué contre nous. Le bois a joué sous l'effet de l'humidité. La clé joue dans la serrure. Cet acteur ne joue pas dans cette pièce. Ces musiciens ne jouent pas juste.*

2. **Jouer à**: *On joue à cache-cache.* Avec l'article défini et le nom indiquant la nature du jeu ou du sport : *jouer au soldat, au père Noël, à saint Nicolas, à la boutique, à la marelle, au tennis, au football, aux boules, aux quatre coins. Il monte sur le dos de son père pour jouer au cheval. Jouer au grand seigneur. Jouer aux cartes, au bridge.*

Flandricismes : [*jouer tennis, jouer soldat, jouer gendarme*, etc.].

3. **Jouer qqch.** ou **qqn** : *Il a encore une balle à jouer. Jouer un pion, un atout, une partie de cartes.* Wallonisme : [*jouer une part aux cartes*]. *Jouer la comédie, du Corneille, une opérette, un match, la finale d'un tournoi, une valse, une sonate, un air. Jouer un rôle, un personnage, un sentiment, la colère. Elle a encore joué la demi-sourde. Ne jouez pas les enfants de chœur* (simuler l'innocence d'un enfant de chœur). *Il nous a joués* (trompés). *Il nous a joué un tour. Il a joué une forte somme. Il a joué gros jeu. Il a joué le tout pour le tout. Il a joué sa réputation dans cette aventure.* Noter qu'on ne dit pas [*jouer le violon, le piano*] ; cf. 4.

4. **Jouer de** (notamment d'un instrument) : *Il joue de la flûte, du piano. Il joue du couteau, du revolver. Il joue des coudes ; il joue des bras et des jambes. Il joue de son autorité* (il en tire parti).

5. **Jouer avec** (et un nom de chose) : *Elle joue avec sa poupée, avec son collier. Il joue avec le feu, avec sa santé.* Belgicismes : [*Il joue avec mes pieds. Il joue avec nous*] dans le sens de « Il se moque de nous, il s'amuse à nos dépens ». [*Voulez-vous jouer avec ?*], cf. p. 139.

6. **Jouer sur** : *Jouer cent francs sur un cheval. Jouer sur la crédulité de qqn. Jouer sur les mots. Jouer sur la hausse du café.*

7. **Se jouer** : *Ne vous jouez pas de lui. Ils se sont joués de nous, des difficultés, des lois. Le match s'est joué le soir. L'affaire s'est jouée en quelques instants.*

8. **Prononciation** de *ou* : *w* devant une voyelle prononcée, comme dans *jouet, fouet.*

Jouette, n.f., se dit d'un trou moins profond qu'un terrier et que le lapin creuse comme en se jouant. En Wallonie et à Bruxelles, *jouette* s'emploie à tort comme n.f. ou comme adj. des deux genres en parlant d'un enfant ou même d'un adulte qui ne pense qu'à jouer, qui s'amuse à des bagatelles.

Joug, n.m. On prononce parfois le *g*. Cf. PORTE-SEAUX.

Jouir, v.tr.ind., ne peut se dire, sauf par ironie, que s'il s'agit de plaisir, de bénéfice, d'avantage. On ne jouit donc pas d'une mauvaise réputation, d'une santé déplorable, on en souffre ou on a une mauvaise réputation, etc.

Joujou, n.m. *Des joujoux.*

Jour, n.m. Cf. AUJOURD'HUI, DATE, 2, p. 299, METTRE, 8, p. 582.
On dit *travailler jour et nuit* aussi bien que *nuit et jour. Quel jour sommes-nous ? Nous sommes lundi* ou *le 2 mai. Ce jour, ce jour-là. Se faire jour* : *Les soupçons se sont fait jour à cette occasion. Mettre* (ou *avoir*) *ses comptes à jour. Être à jour dans sa correspondance. La mise à jour de ses comptes.*
On écrit *à contre-jour, les Cent-Jours.* Mais *un faux jour, au petit jour.*

Journal, n.m. **Dans** ou **sur** ? Cf. DANS, 1. *Journal* se dit parfois d'une publication périodique, même non quotidienne, s'attachant à l'information, mais se dit surtout d'une publication quotidienne.
Journal de classe désigne couramment en Belgique ce qu'en France on nomme *cahier de textes* ou, plus rarement *carnet de textes* : *Olivier, maintenant, fréquentait l'école. Fin septembre, sa tante lui avait fait la surprise d'un matériel tout neuf* : (...) *un pimpant carnet de textes...* (R. Sabatier, *Trois sucettes à la menthe,* V, p. 129). Cette expression ne peut être expliquée que si l'on donne à *texte* le sens d'*énoncé,* de *sujet.* Le texte d'un devoir, d'une dissertation, d'une leçon est donc ce qui en fait la matière. Vu qu'en Belgique on emploie correctement *sujet* dans ce sens, *cahier de textes* serait ambigu ou incompréhensible. *Journal de classe* a l'avantage d'être intelligible (comme carnet de bord). En fait, l'expression la meilleure serait *agenda de classe,* parallèle à *agenda de poche* ou *de bureau,* ou *agenda scolaire,* que chacun comprend ou comprendrait, partout où l'on parle français.

Journalistique, adj., n'a pas nécessairement un sens péjoratif : *style, genre, œuvre journalistique* (propre aux journaux, aux journalistes).

Journée, n.f. Cf. FEMME.

Jouxte (près de), prép., est vieilli.

Jovial. Pluriel : *jovials* ou plus souvent *joviaux.*

Jubilaire, adj., **jubilé,** n.m. *Jubilaire* est un adjectif signifiant « qui a rapport au jubilé catholique » (solennité religieuse revenant tous les cinquante ans : *année jubilaire, cérémonies jubilaires*) ou s'appliquant à une personne qui célèbre cinquante ans de vie professionnelle (*on a fêté son jubilé* ; *le professeur jubilaire*) ou d'un état (mariage, sacerdoce, etc.). Ce n'est pas proprement un nom désignant les personnes fêtées à cette occasion, mais on passe tout naturellement à la substantivation de l'adjectif. Il faut réserver *jubilé* et *jubilaire* à l'idée de 50 ans, de cinquantenaire.

Juge, n.m. On laisse généralement **juge et partie** invariable dans *être juge et partie.*

Jugement, n.m. Un jugement est *prononcé, signifié, exécuté.* Il peut être *approuvé, confirmé, réformé* ou (en cassation) *cassé.*

Jugeote, n.f. Un seul *t. Avoir de la jugeote.*

Juger, v.tr.dir. ou tr.ind. Cf. Fond, 2.

   1. *Juger **un accusé, un procès,** un candidat, un écrivain, un film. Juger les gens sur l'apparence. Il juge que c'est un piège. Il ne juge pas que je doive* (ou *dois) m'excuser.* Cf. Croire. *J'ai jugé sa présence utile. Jugez combien* (ou *si) j'ai été surpris.*

   2. *Juger **de qqch.*** ou ***de qqn** : Jugez de ma surprise. Comment, au milieu de cette brume, juger de la beauté du paysage ? Juger favorablement de ses nouveaux voisins* (GLLF). *Il avait du mal à juger de cela, mais il lui semblait que cet amour un peu fou n'était pas extraordinaire* (B. Clavel, *Le voyage du père,* J'ai lu, p. 220). *Jugez-en. Si j'en juge par ce qu'on m'a dit. Autant qu'on peut en juger. Juger de qqch. sur les apparences.*

   3. **Au jugé,** d'après une estimation approximative ; *Tirer au jugé.*

Juguler, v.tr.dir. On ne saisit plus dans ce verbe le rapport avec *gorge,* perçu peut-être encore dans **jugulaire.** *Juguler* ne signifie plus « égorger », mais « arrêter qqch., maîtriser » : *juguler une maladie, une crise, une révolte, un mouvement d'opinion.*

Jujube, n.m., qu'il désigne le fruit du jujubier ou le suc, la pâte qu'on en extrait.

Juke-box, n.m., (pluriel, *des juke-boxes*) pourrait être remplacé par *tourne-disque à sous* (parallèle à *machine à sous*), *électrophone automatique.*

Jumbo-jet, n.m., avion géant, se dit en français *gros-porteur.*

Jumeau, adj. et n. *De vrais jumeaux. De faux jumeaux. Sa sœur jumelle. Il est son jumeau.* Peut se dire de plus de deux : *Elle accoucha de trois jumeaux* (Ac.). Mais on parle plus souvent de *triplés,* de *quadruplés,* de *quintuplés.*

Jumelle, n.f., s'emploie au singulier ou au pluriel pour un seul instrument d'optique. Il n'est pas nécessaire de parler d'une paire de jumelles. Dans certaines régions, en France et en Belgique, on dit *jumelles* pour *boutons de manchettes.*

Jungle, n.f. La prononciation traditionnelle avec *on* cède de plus en plus le pas à celle avec *un.*

Junior, adj., après un nom de famille, ne se dit guère sérieusement, sauf dans le commerce, pour distinguer un fils de son père ou un cadet de ses frères aînés. En sport, *un* ou *une junior, l'équipe junior, les juniors.*

Junte, n.f., se prononce avec *on* ou avec *un.*

Juré, n.m., se dit de chacun des membres d'un jury en justice : *un juré,* qu'il s'agisse d'un homme ou d'une femme ; on peut dire : *une femme juré.*

Jurer, v.tr.dir., tr.ind. ou intr. *On jure qqch. par* ce qu'on a de plus cher, *sur* la tête de qqn, sur son honneur, sur l'Évangile, *devant* Dieu. *On ne jure que par qqn* (on approuve tout ce qu'il dit ou fait, on s'en rapporte à lui). *Jurer fidélité à qqn* (= promettre). Dans ce sens de « promettre, s'engager à », *jurer* se construit avec un nom sans article (*jurer obéissance*) ou avec *que* ou avec *de* et un infinitif : *Il jure de dire la vérité. Il jure qu'il dira la vérité.* Avec *rien* ou *en* : *Il ne faut jurer de rien. je n'en jurerais pas. Je ne jurerais pas qu'il ait tort* (ou *qu'il a tort*). *Il jure l'avoir rencontré ce jour-là* (il déclare formellement), *qu'il l'a rencontré.* — *Des couleurs qui jurent entre elles. Un détail qui jure avec un ensemble* ou *dans un ensemble. On jure contre qqn,* on s'emporte contre lui. La langue populaire emploie *après.* Dans *se jurer, se* est objet indirect : *Ils se sont juré fidélité. Ils se sont juré de réussir. Ils se sont juré qu'ils réussiraient.*

Jusque, prép., est généralement suivi d'une autre préposition, surtout de **à.** Il marque la limite, le terme qu'on ne dépasse pas, dans l'espace ou dans le temps. *E* s'élide toujours devant une voyelle.

1. S'il n'est pas suivi d'une autre préposition, *jusque* exige *à,* qui le suit immédiatement (*jusqu'à*), sauf devant certains adverbes de temps ou de lieu (*alors, ici, là, où, récemment, au-dessus, là-dedans, au-dedans, au-dessous,* notamment les locutions adverbiales commençant par une préposition) : *Payer jusqu'à concurrence de cent francs. Aller jusqu'à injurier. Pénétrer jusqu'au-dedans de la moelle. Aller jusqu'à la plage, jusque sur la plage. Jusqu'en Amérique. Jusque dans la rue. Jusque chez moi* (C'est une faute de dire : [*me traîner jusqu'à chez moi*], M. Butor, *Passage de Milan,* 10/18, p. 149). *Jusqu'à midi. Jusqu'à minuit. Jusqu'à Paris. Jusqu'à dire. Jusqu'à présent. Jusqu'à fin mars. Jusqu'à demain. Jusqu'à maintenant. Jusqu'à quand. Jusqu'alors, jusqu'ici, jusque-là* (trait d'union), *jusqu'où.* Un adverbe marquant un accroissement de la distance peut s'intercaler entre *jusque* et la préposition autre que *à : Jusque loin dans le désert. Jusque bien avant dans la soirée. Jusque tard dans la soirée. Jusque bien après son mariage.* Plus fréquente est l'intercalation d'un adverbe d'intensité (*assez, aussi, bien, fort, si, tout, très*) déterminant un adverbe de temps ou de lieu : *Jusque bien loin. Jusqu'assez tard. Jusque très tard. Jusque tout*

au-dessus. Jusque tout récemment. On notera que dans ce cas on n'emploie pas *jusqu'à.* Celui-ci s'emploie au contraire dans *jusqu'à près de midi.*

Passé étant assimilé à une préposition dans *passé minuit,* on dit : *Jusque passé minuit.*

Il est normal de dire : *Jusqu'à environ trois heures,* puisqu'*environ* est un adverbe et non une préposition. Mais on entend *jusqu'environ trois heures* ; autrefois *environ* s'employait comme préposition.

Jusqu'aujourd'hui se justifie, puisque la préposition *à* est comprise dans *au* du mot *aujourd'hui* ; mais considérant l'adverbe comme un tout, on dit fort bien, quoique moins souvent qu'autrefois : *jusqu'à aujourd'hui.*

On traite de même comme un tout, sans tenir compte qu'ils renferment une préposition, les adverbes **avant-hier, après-demain, après-midi.** Ils sont précédés de *jusqu'à,* comme **hier** ou **demain** : *Jusqu'à hier, jusqu'à avant-hier.* L'omission de *à* devant les adverbes *hier, demain, maintenant, avant-hier,* etc., est perçue comme une négligence de la langue familière.

On a le choix entre **Jusqu'à il y a six jours,** et **jusqu'il y a six jours.**

2. **Jusques,** employé à l'époque classique devant une voyelle, ne survit plus dans cet emploi que par archaïsme, en poésie, ou par affectation : *Jusques au point du jour* au lieu de *jusqu'au point du jour.* Mais on dit encore : *jusques et y compris.*

3. **Répétition de à.** On dit : *Il le suivra jusqu'à la misère et à la mort* ou *jusqu'à la misère et la mort.* Mais si *à* est présenté sous la forme de *au,* il faut répéter *à* : *Jusqu'au départ et à la séparation. Jusqu'au départ et à l'oubli.*

4. *Jusqu'à* s'emploie dans le sens de *même,* devant un sujet ou un complément d'objet : *Il aime jusqu'à ses ennemis* (Ac.). *Jusqu'à ses adversaires l'applaudissent.* Ne pas ajouter *même* à *jusqu'à* dans de telles phrases.

Devant un objet indirect introduit par *à,* le sens peut n'être pas clair et il faut éviter l'équivoque que présenterait par exemple : *Il prête jusqu'à ses valets.*

Mais on peut dire : *Il fait sa cour à tout le monde, jusqu'au chien du logis* (Ac.).

Devant un infinitif ayant le même sujet que le verbe dont il dépend : *Il en fut affligé, jusqu'à en être malade* (au point de). *Aller jusqu'à dire...* (en venir au point de).

5. **Jusqu'à... qui** s'emploie dans le sens de « même » : *Jusqu'à lui qui m'en veut !* Après *Il n'est pas jusqu'à... qui,* on emploie le subjonctif avec *ne* qui n'est pas explétif (cf. Ne *employé seul,* 5) : *Il n'est pas jusqu'aux enfants qui ne m'en veuillent* (= même les enfants m'en veulent).

6. **Jusqu'à tant que** (= jusqu'à ce que ; subjonctif) se rencontre dans la langue classique et chez de très rares écrivains modernes. L'expression

paraît aujourd'hui soit affectée, soit dialectale. La graphie *jusqu'à temps que* est nettement vieillie.

7. **Jusque-là que** (= à tel point que), suivi généralement de l'indicatif, est vieilli : *Un rien presque suffit pour le scandaliser ; Jusque-là qu'il se vint l'autre jour accuser D'avoir pris une puce en faisant sa prière* (Molière).

8. **Jusqu'à ce que** est suivi aujourd'hui couramment du subjonctif, quel que soit son sens ; non seulement quand il exprime une visée d'attente (*patientez jusqu'à ce qu'il revienne*), où l'on peut voir une finalité, une incertitude (et expliquer par là le subjonctif), mais également si le fait qu'il introduit est présenté comme réalisé, comme un simple terme, passé ou futur, indiquant simplement une limite : *Il recula un peu jusqu'à ce qu'il eût atteint le lit* (Fr. Mauriac, *Les chemins de la mer*, p. 20) ; l'intéressé ne cherche pas à atteindre le lit ; celui-ci marque seulement la limite du recul. *Les chevesnes continuaient leur flânerie circulaire, jusqu'à ce qu'une perche tigrée, tapie sous une table de roche, **bondît** au milieu d'eux et les **éparpillât*** (M. Genevoix, *Rroû*, Poche, p. 81).

Il faut reconnaître que, dans cette acception, où il n'y a aucune attente, le subjonctif ne s'explique que par l'analogie. Mais il est justifié par la fréquence de l'usage et la qualité des écrivains qui s'y conforment depuis plus d'un siècle. Un ancien usage employait alors l'indicatif. Beaucoup d'écrivains le font encore et c'est assurément correct.

Toutefois, plutôt que de conseiller, comme plusieurs grammairiens, de rester fidèle à cette survivance littéraire, on peut franchement recommander soit le subjonctif dans tous les cas, soit la distinction entre *jusqu'au moment où* et l'indicatif quand il y a simple limite, sans visée, et *jusqu'à ce que* et le subjonctif quand il y a attente, visée : *Je suis resté **jusqu'au moment où l'on m'a prié** de sortir. Vous pouvez garder ce livre jusqu'au moment* (ou *jusqu'au jour*) *où je vous le réclamerai.* Si l'on veut exprimer une attente et plus qu'une simple limite dans le temps : *Vous pouvez garder ce livre **jusqu'à ce que nous vous le réclamions.***

Juste, adj.. n.m. et adv., **justement**, adv.

1. *Juste*, **adj.**, peut se dire d'un objet qui fonctionne parfaitement, d'une balance ou d'une horloge comme d'un fusil. Mais c'est à tort qu'en Belgique on dit qu'une personne n'est pas tout à fait juste au lieu de dire qu'elle est un peu folle, un peu détraquée.

2. Une montre marque **l'heure juste**. *À **six heures juste*** (exactement).

3. *Juste*, **adverbe**, peut signifier « exactement » : *Il est six heures juste* (cf. 2). *Il avait juste neuf ans. Ces horloges vont juste. Ces attaques ont touché juste.* **Justement** avait aussi ce sens dans la langue classique. Il signifie aujourd'hui : « conformément à la justice » (*Une œuvre justement célèbre*), mais aussi « précisément », et il marque alors la concordance exacte entre deux choses et peut remplacer *exactement* ou *juste* : *C'est*

justement ce que j'allais vous dire (ou *c'est juste, c'est exactement, c'est précisément ce que j'allais vous dire*).

Juste s'emploie comme adverbe invariable dans de nombreuses locutions où il détermine un verbe : *arriver juste, calculer juste, chanter juste, compter juste, deviner juste, être chaussé un peu juste* (*ces bottines la chaussent un peu juste*, mais : *ces bottines sont un peu justes*), *la clé entre juste, frapper juste, mesurer juste, parler juste, peser juste, raisonner juste,* etc. Sens de « à peine » : *La voix était sans prétention, juste légèrement enrouée* (M. Déon, *Un parfum de jasmin*, Folio, p. 105). *C'est tout juste passable.*

4. **Il est juste que** est suivi du subjonctif.

5. **Comme de juste.** Cf. COMME, 7.

Justesse, justice, n.f. **Justesse** évoque l'idée d'adaptation, de convenance, d'exactitude : la justesse de l'oreille, du ton, de la voix, d'un tir, d'une balance, d'un mot, d'une comparaison, d'une interprétation, d'un style. **Justice** évoque l'idée de droiture, d'équité, de légalité ; on parle donc de *la justice* (et non de la justesse) *d'une cause.*

Justifier, v.tr.dir. ou tr.ind. Emplois actuels. *On justifie qqn (d'une accusation),* on l'innocente. *Se justifier (d'une accusation). Justifier une démarche, une demande, sa présence, une dépense* (faire reconnaître comme légitimes, en prouver le bien-fondé). *Justifier ce qu'on avance.*

Justifier de qqch. (en termes de droit), sans complément de personne, en apporter la preuve matérielle : *Justifier d'un paiement, d'une dépense.*

Jute, n.m. *Le jute est résistant. De la toile de jute.*

Juxta, au début des composés, n'est suivi d'un trait d'union que devant une voyelle : *juxtalinéaire, juxtaposer.*

K

Kabbale, n.f., tradition juive. Cf. CABALE.

Kafkaïen, adj. (tréma) : *La littérature kafkaïenne.*

Kaki, adj., est invariable. Cf. ADJECTIFS QUALIFICATIFS, 4, A. Le nom varie : *Les kakis militaires.*

Kamikaze, n.m. japonais : avion-suicide, pilote de cet avion, personne très téméraire. On prononce *é* à la fin du mot.

Kaolin, n.m., s'écrit avec *k* : *Le kaolin est une argile.*

Kapok, n.m. Renoncer à écrire *capok.*

Kayak, n.m., est aussi écrit *kayac.*

Kermesse, n.f., n'est pas inconnu en France pour désigner une fête populaire. Le terme généralisé dans ce sens est *fête.* En Belgique et dans le nord de la France, *kermesse* est courant et se dit pour fête (parfois de bienfaisance) accompagnée de réjouissances populaires en plein air. Cf. FANCY-FAIR.

Ketje, n.m., est un terme bruxellois, et senti comme tel, qui se dit pour *gamin, gamin de rue.*

Khâgne, n.f. *Khâgne* avec *h* et accent circonflexe est la seule graphie recommandable pour ce nom, qui désigne la classe de lycée préparant à l'École normale supérieure (section lettres). De même *khâgneux.*

Khédive, khédivat, n.m., s'écrivent avec *kh.*

Khmer, adj. ou n. Féminin : *khmère.*

Khôl, n.m. d'un fard noirâtre. Éviter les autres graphies.

Kibboutz, n.m., exploitation agricole collective en Israël. Pluriel : *des kibboutz* (pluriel hébreu *des kibboutzim* ou *kibboutsim*).

Kidnapper, v.tr.dir. Sur le verbe américain *to kidnap*, on a formé *kidnapper* et ses dérivés *kidnapping, kidnappeur, kidnappage*. Ils sont courants et admis en français avec un sens élargi : enlèvement d'une personne (et non seulement d'un enfant), généralement pour réclamer une rançon. C'est en vain que Maurice Garçon recevant Pierre Benoît à l'Académie française en 1964, a employé le néologisme *rapter : Il fit croire à la France entière qu'il avait été rapté*.

Kif-kif, adv. Familièrement : *C'est kif-kif,* c'est la même chose, c'est tout comme. Populaire : *C'est kif-kif bourricot.*

Kilo, n.m., abréviation de *kilogramme,* n'a pas de *g,* mais il y en a un dans le symbole *kg : Dix kg, dix kilos.*

Kilomètre, n.m. Symbole *km* (cf. HEURE, 1).

Kilowattheure, n.m., travail accompli en une heure par un moteur d'une puissance de 1.000 Watts. Symbole : *kwh ; dix kilowattheures.*

Kimono, n.m. *Des kimonos.* Mais l'adjectif est invariable : *Des manches kimono.*

Kinésithérapeute, n.m. Attention à l'orthographe : *k* initial ; *th* comme dans *thérapie, thérapeutique* ; *te* final. Souvent abrégé dans la conversation par les Français en *kinési,* par les Belges en *kinésiste.*

Kit, n.m. *Un kit, des kits.* On peut substituer *prêt-à-monter* (des prêts-à-monter) ou *prêt-à-emporter, prêt-à-l'emploi,* à l'anglais *kit* pour désigner ce qui, préfabriqué, n'a plus qu'à être monté ou l'emballage contenant tout ce qu'il faut pour une utilisation donnée.

Kit-bag, n.m. Dire : *sac de voyage.*

Kitchenette, n.f., doit être remplacé par **cuisinette.**

Klaxon, n.m., est un nom américain déposé, entré dans l'usage courant (*donner un coup de klaxon*), comme *klaxonner.* Les mots français correspondants sont *avertisseur* et *avertir.* En France, on prononce *o + n* dans *klaxon* ; en Belgique on prononce *on* comme dans *son.*

[Kloppe], n.f., [*klopper*], v. Cf. [CLOPPE, CLOPPER].

Knock-out, n.m. ou adj. *Mettre qqn knock-out* (mettre hors de combat). *Battre par knock-out* (par mise hors de combat). Populaire : *Il est knock-out,* assommé, sonné. Abrégé : *K.-O.* (prononcé « Kao »).

Kolkhoze, n.m., mot russe francisé. *Des kolkhozes.*

[Kot], n.m., désigne en Belgique une petite chambre louée à un étudiant : *Louer [un kot]. Vivre [en kot]* se dit aussi *[Koter]*.

Kouglof, n.m. Il existe beaucoup d'autres graphies en Alsace.

Krach, n.m. *Un krach* (débâcle des cours de la Bourse).

Kyrie, n.m. (pour *Kyrie eleison*). *Un* ou *des kyrie* (pron. *é*), généralement avec minuscule.

Kyrielle, n.f. *Une kyrielle, des kyrielles.*

Kyste, n.m. *Un kyste.*

L

La, article, cf. ARTICLE. **Pronom,** cf. LE et CELUI-CI. Cf. ÉLISION.

Là, adv. (cf. CI, adv., et ICI), s'écrit avec un accent. Il marque le lieu (*Restez là ; çà et là ; C'est là que je l'ai vu*) ou plus rarement le temps (*Nous verrons d'ici là* ou *d'ici lors*).

    Là où peut souvent être remplacé par *où* : *J'irai (là) où vous êtes allé. Allez (là) où vous voulez. (Là) où je le trouve le plus intéressant, c'est quand il raconte ses souvenirs.*

    C'est là où, c'est où, c'est là que. On dit : *C'est là où il est* (ou *c'est où il est*) *qu'il est le plus utile* : c'est à l'endroit où il est que... En supprimant *où il est* : *C'est là* (à cet endroit) *qu'il est le plus utile.*

    Là où peut aussi marquer l'opposition en signifiant *alors que, tandis que : Il se fâche là où il faudrait employer la douceur. Il est inquiet là où il devrait être confiant.*

    Trait d'union dans *celui-là, celle-là, ceux-là, celles-là, là-bas, là-dedans, là-dessus, là-devant, là-derrière* (rare), *là-dessous, là-haut, jusque-là* et dans les expressions *de-ci de-là, par-ci par-là* (où l'on trouve parfois une virgule après *ci*). On ne met pas de trait d'union dans *Deçà, delà. De là il est parti jusqu'à Rome. Il passera par là. D'ici là, là même, par là même,* ni généralement dans *là contre* (voir plus loin).

    Quand un adjectif démonstratif est séparé de *là* par un nom, il convient de mettre un trait d'union devant *là*, à condition que le démonstratif (et donc l'ensemble *ce... là*) porte sur ce nom : *Ce chien-là, cette maison-là, ces deux hommes-là. Ce M. Dupont-là.*

    On comprend que l'usage hésite dans *Ce jeudi soir là.* Mais parce que le nom est complété et que *là* ne porte pas sur le complément on ne met pas de trait d'union dans *Ce point de vue là ; ce marchand de vin là ; ces preuves de bonté là.*

    Il est normal de mettre un trait d'union dans *Ces deux-là* (cf. Martinon, p. 194).

Là **contre** est écrit généralement sans trait d'union, mais on trouve *là-contre* (cf. Contre, 3). Attestée depuis la langue classique jusqu'à nos jours, l'expression est bien française : *dire qqch. là contre, aller là contre, tenir là contre, protester là contre*, etc. Mais longtemps plus courante en Belgique qu'en France, elle a pu passer pour un belgicisme.

Label, n.m. Ce mot anglais francisé ne peut, dans son sens actuel, être remplacé par son ancien équivalent français, *étiquette*. Il signifie : marque qui garantit l'origine et la qualité d'un produit.

Laborantin, n.m. (féminin *laborantine*), personne employée à des recherches ou à des analyses dans un laboratoire.

Labouré, n.m., s'est employé en France comme nom pour terre labourée, ou labour ; il y survit en plusieurs régions, comme en Belgique.

Lâché, adj., est littéraire et peu courant dans le sens de *négligé, relâché* : *La conversation courante de plus en plus lâchée* (R. Georgin, *Pour un meilleur français,* p. 17).

Lacs, n.m. Un *lacs* (pr. lâ), était un lacet, un nœud coulant qui servait à prendre le gibier. D'où **tomber dans le lacs** (dans le piège). Mais *lacs* étant vieilli, on écrit aujourd'hui : **tomber dans le lac** (= à l'eau), échouer, *être dans le lac,* avoir échoué : *L'affaire est tombée dans le lac. Son projet est dans le lac.*

Lacunaire, adj., **lacune,** n.f., **lacuneux,** adj. On *comble* (ou on *remplit*) une lacune, on ne la complète pas ! *Lacuneux* est concurrencé très sérieusement par *lacunaire* ; si l'on emploie plutôt *lacuneux* en botanique, semble-t-il, *lacunaire* est courant au sens figuré : *une documentation lacunaire, une science lacunaire.*

Ladite, adj., s'écrit en un mot comme *ledit.*

Lady (pron. lèdi). Pluriel : *des ladies* (pron. *iz*).

Laetare, premier mot de l'introït du quatrième dimanche de carême, se retrouve dans le nom de ce dimanche (*le dimanche de Laetare*). En wallon et en français régional de Belgique, on dit *la Laetare* alors qu'en France on dit *le Laetare.* C'est que l'on sous-entend *fête* au lieu de *dimanche.* Cf. Genre, F.

Lai, adj. (qu'on trouve encore dans *frère lai, sœur laie*), a cédé la place à *laïque.*

Laïc, laïque, adj. et n. Tandis que, dans le nom, on distingue encore généralement *un laïc, une laïque,* l'adjectif est habituellement *laïque* : *un saint laïque, la vie laïque, en habit laïque.* On écrit **laïcat,** n.m.

Laie, n.f., n'a qu'une orthographe, quel que soit son sens.

Laissé-pour-compte, n.m. *Des laissés-pour-compte.*

Laisser, v.tr.dir. Cf. INFINITIF, p. 500, PARTICIPE PASSÉ, pp. 683, 685.

1. *Laissez-le venir. Laissez-le punir. Je l'ai laissé* (ou *lui ai laissé*) *faire ce qu'il voulait. Je le laisse faire* (cf. INFINITIF, 2). *Laisser qqch. à qqn. laisser qqch. à faire à qqn. Je lui laisse le courrier à signer. Je leur laisse à juger ce qu'il convient de faire.*
Se laisser *tomber. Se laisser dire, impressionner. Se laisser aller à faire qqch. Se laisser séduire par qqch.* (*à qqch.* est classique, vieilli et littéraire).

2. *Laisser* + **verbe pronominal.** On a la faculté d'omettre le pronom réfléchi (*On a laissé échapper ce prisonnier,* Ac.), à condition toutefois qu'il n'y ait pas d'équivoque. On distingue : *On l'a laissé se tuer* et *On l'a laissé tuer.*

3. *Ne pas laisser de* + **infinitif** (tour littéraire) = ne pas manquer de. *Il ne faut pas laisser d'aller votre chemin* (Ac.). *Il est pauvre, mais ne laisse pas d'être désintéressé* (Ac.). *Ne pas laisser que de* (même sens) est plus rare et plus lourd. *Cette réponse ne laisse pas que de m'étonner.*

4. Tandis qu'en néerlandais on dit littéralement « laisser construire une maison » pour « faire construire une maison », le français n'emploie *laisser* devant un infinitif que dans son sens de « permettre de, ne pas empêcher de » et distingue *Je me suis laissé prier* et *Je me suis fait prier.* Notons : *Je me suis laissé dire,* on m'a dit, mais je ne garantis pas que c'est vrai. *Cet ouvrage se laisse lire* = on le lit sans effort, sans déplaisir. *Ne vous laissez pas faire* = résistez.

5. Cf. PLAN.

Laisser-aller, laissez-passer, n.m. Dans le premier de ces noms composés invariables, *laisser* est à l'infinitif, comme dans *laisser-faire,* parce qu'on exprime une manière d'être où on se laisse aller, où on laisse faire ; dans le second, l'impératif s'explique par l'idée d'ordre, d'injonction.

Lait, n.m., **laitance, laite,** n.f. 1. [*Le lait d'un hareng*] n'a aucun sens. On dit : *la laitance* ou beaucoup moins souvent *la laite. Un hareng laité* : qui a de la laitance.

2. On distingue *le lait battu* ou *lait de beurre* ou *babeurre,* liquide qui reste dans la baratte quand le beurre est pris, et *le petit-lait* (trait d'union), liquide qui se sépare du lait caillé après la coagulation.

3. *Lait concentré* ou *condensé. Lait d'amande(s).*

Laize, n.f., **lé,** n.m., largeur d'une étoffe entre ses deux lisières. *Lé* se dit aussi de chaque partie verticale d'une jupe (*une jupe à lés, une jupe de six lés*) ou de la largeur d'une bande de papier peint.

Lamenter, v.tr.dir. *Lamenter qqch.* (déplorer) est vieilli ou littéraire. On n'emploie plus *lamenter* intransitivement ; on dit : **se lamenter,** *se lamenter sur qqch., se lamenter d'avoir fait telle chose.*

Lamper, v.tr.dir., est plutôt familier : boire d'un trait ou à grands traits : *Il a lampé cinq ou six verres de vin.*

Lampiste, n.m. *C'est le lampiste* (le subalterne) *qui paiera.*

Lance, forme verbale, dans les **composés :** cf. NOMS COMPOSÉS, B, 5.

Lancée, n.f. *Courir, continuer sur sa lancée.*

Lancement, n.m., **lancer,** v.tr.dir. Cf. ÉLANCEMENT.

Lancinant, adj. *Une douleur lancinante* (qui se fait sentir par des élancements aigus). *Un souvenir lancinant* (obsédant, tourmentant).
Lancination, n.f. ou **lancinement,** n.m.

Landau, n.m. *Des landaus.*

Lange, n.m. *Un lange blanc.*

Langue, n.f. *Prendre langue avec qqn,* prendre contact avec lui. *Langue,* suivi de traits d'union, est le premier élément de noms **composés :** *Une langue-de-chat, des langues-de-chat.* Mais : *manger de la langue de bœuf.*

Languir (se), *se languir de qqn, de qqch.,* s'emploie dans divers français régionaux, et particulièrement dans le Midi, pour « s'ennuyer, souffrir de l'absence de ».

Lapon, adj. ou n. Féminin, *Lapone* ; un seul *n.*

Laque, n., est féminin quand il désigne la matière résineuse de certains arbres d'Extrême-Orient, un produit vaporisé sur les cheveux, un vernis transparent, coloré, utilisé par exemple pour la carrosserie des voitures : *Passer une carrosserie à la laque.* Il est masculin (ou parfois féminin) au sens de « laque de Chine, du Japon », noir ou rouge. Mais il est toujours masculin quand il désigne un objet d'art enduit de ce vernis : *Un beau laque.*

Larbin (domestique), n.m., est péjoratif.

Large, adj. ou adv., est adverbe et invariable dans *chausser large, ne pas en mener large, mesurer large, calculer large, voir large.* On peut hésiter entre *Ouvrez **large** vos yeux* et *ouvrez **larges** vos yeux* où l'on perçoit *large* comme dans *Il ouvre un large bec* (La Fontaine). On hésite entre *des fenêtres **larges** ouvertes* (plus fréquent) et *des fenêtres **large** ouvertes* (cf. GRAND, 3) : *Ses yeux larges ouverts* (Colette, *O.C.,* III, p. 255). *Des livres (...), quelques-uns large ouverts* (Fr. Mauriac, *Préséances,* Poche, p. 53).

Larigot, n.m. *Boire **à tire-larigot*** est une vieille expression française ; *larigot,* ayant désigné une petite flûte, a servi de refrain à des chansons à boire. *À tire-larigot* (= énormément) s'emploie avec beaucoup de verbes.

Larron, n.m. Féminin : *larronne* (deux *n*). *Larronnesse* ne se dit plus guère.

Larvé (dont le premier sens est *masqué*, du latin *larva*, masque), adj., se dit en médecine d'une maladie, d'une fièvre dont les manifestations sont différentes de celles qu'on attend. Au figuré, « qui n'éclate pas » : *une guerre larvée.*

Lasciveté, n.f. On peut dire aussi : *lascivité.*

Lasser, v.tr.dir. *Lasser qqn. Être lassé de qqch., de faire qqch.* **Se lasser** *de qqn* ou *de qqch., de faire qqch. On se lasse de tout. Je ne me lasse pas de le lui dire* (Je le lui dis sans cesse, sans avoir envie de renoncer). *Se lasser à faire qqch.* (langue classique), se fatiguer à : *Je me lasse à vous le répéter.* Tandis que *Je me lasse de vous le répéter* signifie : J'en ai assez de vous le répéter. *Ils se sont lassés.*

Latte, n.f., est régional, notamment en Belgique, dans le sens de « règle plate graduée ».

Lavandière, n.f., désigne une femme qui lave le linge au bord d'un cours d'eau ou d'un lavoir ou une bergeronnette (hoche-queue).

Lavatory, n.m. (lieu d'aisances public avec lavabo) : *Un lavatory. Des lavatories.* On dit aussi : *les lavabos.*

Lave-main, n.m. *Un lave-main(s), des lave-mains. Un lave-vaisselle, des lave-vaisselle(s).* Cf. Noms composés, B, 5, p. 626.

Laverie, n.f., courant pour désigner une *blanchisserie* équipée de machines à laver, est régional pour *buanderie* ou, en certains endroits, *arrière-cuisine.* (On entend aussi, mais il faut l'éviter, *relaverie*).

Lavette, n.f., ne se dit pas seulement d'un gros pinceau en fil avec lequel on lave la vaisselle, mais aussi (comme on le fait couramment en Belgique) d'un morceau de linge destiné au même usage. Fam. : *Cet homme est une vraie lavette,* il est mou, sans énergie.

Lazzarone, n.m., s'écrit aussi parfois *lazarone.* Pluriel : *des lazzaroni* ou *des lazzarones* (francisé).

Lazzi, n.m., plaisanterie ou moquerie bouffonne. *Un lazzi. Des lazzi* ou *des lazzis.*

Le, la, les. 1. **Article.** Cf. Article (notamment 2, *Le plus, le moins* (p. 93), 4, *Répétition*) et Genre des noms.

   2. **Pronom.**
      A. Pronom **attribut.** 1. S'il représente un **nom** propre ou un nom déterminé par un article défini ou par un adjectif démonstratif ou possessif, le pronom attribut varie, en accord avec ce nom, du moins dans la

langue écrite : *Êtes-vous Marie ? **Je la suis.** Êtes-vous Pierre et Paul ? Nous les sommes. Êtes-vous ses enfants ? Nous les sommes. Êtes-vous la mère de ces enfants ? Je la suis.* Cette règle n'est pas observée dans la langue parlée. On dit d'ailleurs : *Oui* ou *Oui, c'est moi, c'est nous,* etc. À la phrase *Vous n'êtes pas sa sœur ?* on répond *Non* ou *Si* (plutôt que *Si, je la suis*). Certains auteurs préfèrent même employer *le* au lieu de *la* dans de tels cas, mais cela reste anormal.

Avec **c'est**, on emploie *lui, elle*(s), *eux* pour la 3ᵉ personne : *Est-ce votre voiture ? C'est elle. Sont-ce vos chevaux ? Ce sont eux* (et non plus, comme dans la langue classique : *Ce l'est, ce les sont*).

Quand il s'agit de **l'heure**, on dit : *Il n'est pas encore sept heures, mais il les sera bientôt.*

2. S'il représente un adjectif ou une locution adjective, un participe (cf. plus loin, N.B., 4), un nom sans article ou sans déterminatif (cf. 1), un nom précédé d'un article indéfini et exprimant une qualité ou accompagné d'un adjectif exprimant celle-ci, le pronom attribut, considéré comme évoquant cette qualité, a la forme neutre *le* (= cela) : *S'ils sont courageux, leur sœur l'est aussi. Vous voulez qu'ils soient à l'heure, ils le seront* (cf. Y, 5) *Ce ne sont plus des enfants, ils ne veulent plus l'être. Nous sommes des hommes libres et nous entendons le rester. Distinguons soigneusement ce qui est injure et ce qui ne l'est pas.*

On emploie souvent *en* pour représenter **un nom** précédé de l'article partitif ou de *des*. Alors qu'on oppose *les devoirs difficiles* et *ceux qui ne le sont pas, le* représentant l'adjectif *difficiles,* on dit : *Des difficultés qui n'en sont pas.* De même : *Nous cherchons de l'eau potable, nous voulons voir si celle-ci l'est* (= si cette eau est potable), mais : *il faudrait savoir si c'en est* (= si cela est de l'eau potable).

Si le nom est précédé de *un,* on emploie *en : Est-ce une voiture ? — C'en est une* (ou *Oui*).

On emploie parfois aussi *tel : Des devoirs difficiles et ceux qui ne sont pas tels.* On le doit si la présence d'un autre pronom empêche d'employer *le.* On dit : *Elle se croit jolie et elle l'est,* mais : *Elle aime à se sentir jolie et qu'on la trouve **telle.***

3. Dans les propositions comparatives introduites par *plus, moins, comme, aussi, mieux, autre,* etc., l'attribut de valeur neutre *le* peut être omis : *Il est plus orgueilleux qu'il n'était* ou *qu'il ne l'était. Je suis plus heureux que je ne l'étais l'an dernier* (ou, plus rare à cause du complément circonstanciel : *que je n'étais l'an dernier*).

N.B. 1. Le pronom neutre attribut peut aussi représenter, avec une valeur d'adjectif, un nom déterminé : *Je m'imaginais que tous les voleurs le sont à la façon de Jean Valjean* (Sandfeld, I, p. 62).

2. *Le* peut parfois avoir la valeur de l'adjectif simple après un superlatif relatif : *Nous défendons le plus précieux de nos biens, notre langue*

maternelle ; toutes les langues ne le sont pas au même degré (R. de Flers, cité par Sandfled I, p. 61). Le pronom renvoie à l'adjectif ou à « un bien précieux ». Les Le Bidois (I, p. 133) condamnent trop sévèrement cet emploi. On peut dire, je crois : *Elle aimait le beau linge et le plus fin ne le lui paraissait jamais assez* (H. de Régnier).

3. *Elles restèrent interdites. Leur père l'était moins qu'elles.* Le pronom *le* représente ici l'adjectif au masculin singulier, bien que *interdites* vienne d'être employé au féminin pluriel ; cela me paraît correct.

4. *Je le traiterai comme il mérite de l'être.* Littré condamne cette phrase parce que le verbe vient d'être employé à la forme active et que *le* le représente à la forme passive. Il a tort. On peut dire : *Je ne vous plaindrai que si vous méritez de l'être.*

5. Ne pas employer *y* pour *le*. Cf. Y, 8.

6. Cf. INFINITIF et NE *explétif.*

B. Pronom **complément**.

1. **Peut-il représenter un nom sans article formant une locution avec un verbe** (*faire confiance, tenir parole, rendre hommage, chercher fortune, avoir pitié, porter secours, avoir raison, avoir mal, demander conseil, faire justice, rendre justice, demander justice, prendre patience, faire* ou *demander grâce, avoir faim,* etc.) ? La langue classique l'acceptait : *Je prends patience comme vous la prenez* (Fénelon). *Seul je puis faire grâce, et la fais à Zamore* (Voltaire). Pas plus que les Le Bidois, je ne trouve choquants de tels tours lorsqu'ils sont clairs : *Si ce sommeil dura longtemps, je ne sais, car je n'en avais plus conscience et je ne la repris que sous l'effet d'un trouble intérieur* (H. Bosco, *Le mas Théotime,* Folio, p. 238). *Elle ne pensera jamais à mal, ni ne le commettra* (L. Estang, dans *Le Figaro littéraire* du 5 au 11 novembre 1963, p. 5). Mais l'usage actuel, quand il se surveille, les refuse. On ne dit pas : *Il a demandé grâce et il l'a obtenue.* On dit : *Il a demandé sa grâce et il l'a obtenue.* On dit avec **le** neutre (= cela) : *Je prends patience comme vous le faites.* Dans la conversation relâchée, on s'affranchit de cette règle : *Et quand par extraordinaire elles cessent d'avoir mal, on n'y coupe pas, elles vous en font* (J. Anouilh, *La valse des toréadors,* p. 74).

Certains grammairiens étendent cette règle à tous les cas où le nom apparaît sans article, dans des compléments prépositionnels ou avec *nul, tout,* etc. J'avoue n'être nullement heurté par ce vers de Racine : *Nulle paix pour l'impie. Il la cherche, elle fuit* ni par cette phrase de Barbey d'Aurevilly : *Tous les pêcheurs de truites qui les prennent au fil des cascatelles.* Mais un certain usage actuel est sourcilleux !

2. **Pronom neutre complément.** En dehors de certains gallicismes (*le prendre de haut, le prendre sur ce ton, l'emporter, le donner en cent, le disputer à qqn*), *le* renvoie à qqch. qui suit ou qui précède.

a) **Ce qui suit** peut être une proposition indépendante : *Si vous le voulez, vous pouvez y aller.* On pourrait ici supprimer *le*, mais non, sous peine de modifier le sens de *jurer*, dans : *Nous le jurons tous, tu vivras.* La proposition qui suit peut être complétive : *Je le savais bien, que vous viendriez. Je le sais, moi, comme il réagira.* Mais ce tour n'est admis que si l'on introduit une insistance.

b) Pour renvoyer à **ce qui précède**, *le* est généralement nécessaire ; il peut surtout s'omettre dans des propositions comparatives, après *autant, plus, comme,* etc. Cette omission, fréquente mais facultative, se produit particulièrement avec certains verbes comme *dire, savoir, penser, croire, falloir, pouvoir, vouloir, faire* :

Dire. *Comme vous (le) dites* renvoie d'habitude à l'expression employée par l'interlocuteur : *Si, comme vous dites, il est un peu timbré. Comme on dit* = ainsi qu'on s'exprime généralement. *Comme on le dit* = ainsi qu'on le prétend : *S'il est vrai, comme on le dit, qu'il est millionnaire.* De même : *S'il est aussi riche qu'on le dit.* Mais en dehors de cette nuance, on a le choix : *Tout s'est passé comme j'ai dit* ou *comme je l'ai dit.*

Savoir. Omission facultative : *C'est un homme exigeant, comme tu sais* ou *comme tu le sais.* De même après *si* conditionnel : *Si j'avais su* ou *si je l'avais su, je n'y serais pas allé.* Mais le pronom est obligatoire dans l'interrogation indirecte : *On l'attend ; je me demande s'il le sait.*

Penser, croire, etc. : *Il est autre que je croyais, que je ne croyais, que je ne le croyais* ou *que je le croyais.*

Omission dans des incises, comme *je crois, je pense, j'imagine, je suppose, j'espère, je vois, je t'assure* : *Vous avez pris vos précautions, j'imagine.*

Falloir : *Je l'ai traité comme il fallait* ou *comme il le fallait.* Locution figée, *comme il faut* : *C'est un homme comme il faut.* En incise : *il le faut, il le faut absolument.*

Faire. Omission facultative si *faire* remplace un autre verbe (cf. FAIRE, 3) sans être autrement complété : *Il répondit comme un autre aurait fait* ou *l'aurait fait.* (Mais : *Il vous accueillerait comme un père fait de* (ou *accueille*) *son enfant*). *J'ai souffert plus que je ne l'avais fait* (ou *que je n'avais fait*) *depuis deux mois. Il vous félicitera comme je le fais, sincèrement. Ainsi que je vous l'ai fait dire* (*faire* ne remplace pas un autre verbe).

Pouvoir, vouloir. Omission facultative, non seulement dans une proposition comparative, mais dans une temporelle ou une conditionnelle : *Je l'ai rassuré comme j'ai pu* ou *comme je l'ai pu. J'en ai fait plus que vous ne vouliez* ou *que vous ne le vouliez. Vous viendrez quand vous pourrez* ou *quand vous le pourrez ; si vous voulez* ou *si vous le voulez.*

Voir. Omission facultative après *comme* ou en incise ; *J'ai fait mon possible, comme vous voyez* ou *comme vous le voyez. Il a tort, je vois* ou *je le vois.* Cependant, *je le vois* est plus catégorique.

Si j'ose dire est courant : *Il est content, si j'ose dire.*

N.B. Réponses négatives. Omission facultative et courante dans les réponses négatives suivantes : *Je ne crois pas, je ne pense pas, je ne veux pas, je ne sais pas, je ne peux pas, je ne suppose pas, je ne vois pas* (dans le

sens de : je ne crois pas), *je ne dis pas* (dans le sens de : je ne dis pas le contraire).
Le reparaît nécessairement s'il a été employé dans la question (*Le pensez-vous ?* — *Non, je ne le pense pas*) ou s'il y a insistance.
   C. **Pronom représentant le sujet réel d'un verbe impersonnel.** Il s'accorde avec ce sujet. *Est-il sept heures ?* — *Il **les** est. Te faut-il ces livres ?* — *Il me **les** faut.*
   D. *Le* ou *lui* **sujet de l'infinitif.** Cf. INFINITIF, 2.
   Place du pronom. Cf. IMPÉRATIF et INFINITIF.
   Répétition du pronom complément. Cf. PRONOMS PERSONNELS.

Leasing, n.m., doit être remplacé par *crédit-bail* (technique de crédit où le prêteur offre à l'emprunteur la location d'un bien assortie d'une promesse de vente au terme d'une période déterminée).

Lèche-plat, n.m., se dit en Belgique pour une *raclette* de cuisine, autre belgicisme désignant un ustensile qui sert à nettoyer les plats.

Lécherie, léchette, n.f. Accent aigu, mais accent grave dans *lèchement* et **lèchefrite.** Le GLLF donne l'exemple *Une léchette de pain* (petite tranche mince). Cf. LICHETTE.

Lèche-vitrine, n.m. Cf. NOMS COMPOSÉS, B, 5. *Faire du lèche-vitrine,* s'attarder à regarder les vitrines des magasins.

Ledit, adj., s'écrit en un mot, comme *ladite, lesdits, lesdites.*

Légataire, n.m. ou f., désigne celui ou celle qui reçoit un legs.

Léger, adj. Si *blessé léger* (cf. BLESSÉ) peut se défendre, il ne faut pas aller jusqu'à dire [*construire léger*].

Legs, n.m. *Un legs.* Noter l's final. On prononce aujourd'hui « lèg ».

Légume, n.m., qui pouvait être féminin au XVIIe siècle, est aujourd'hui masculin, sauf au figuré et familièrement : *Une grosse légume.*

Légumier, adj. et n.m., se dit comme nom en français d'une pièce de vaisselle. En Anjou, il désigne un potager ; en Belgique (et on a aussi noté cet emploi en Algérie), il se dit abusivement pour « marchand de légumes ».

Leitmotiv (pron. un *f* final), n.m. L'Académie écrit au pluriel *des leitmotive,* à l'allemande ; on devrait pouvoir écrire : *un leitmotif, des leitmotifs.*

Lendemain, n.m. *Le lendemain de cet accident* ou *Au lendemain de cet accident, on a dû l'opérer. Le lendemain du jour où nous l'avons aperçu.*

Le plus, le moins. Cf. ARTICLE, 2.

Lequel, pr. ou adj. **A. Pronom relatif.** *Lequel* n'est guère courant dans cet emploi que comme **complément prépositionnel** ; il renvoie souvent à un nom d'animal ou de chose, moins souvent à un nom de personne : *auquel, duquel, à laquelle, parmi lesquels, avec lequel,* etc. Beaucoup plus rare dans l'usage courant : *en lequel* au lieu de *dans lequel, en qui.* On ne dit pas [*parmi qui*], [*dans qui*] : *La personne à laquelle* (ou *à qui*) *je me suis adressé. Une complicité sans l'aide de laquelle il n'aurait pas réussi* (on ne peut dire *de qui,* parce qu'il s'agit d'une chose, ni *dont.* Cf. DONT, 3. *Des complices sans l'aide **desquels** ou **de qui** ils n'auraient pas réussi.*

L'emploi de *lequel* comme **sujet** après une virgule, au lieu de *qui,* dans des relatives explicatives est beaucoup moins fréquent, sauf dans la langue littéraire ou juridique ; il est généralement motivé par le souci d'éviter une équivoque, même si le bon sens rend celle-ci impossible, ou par un désir de reprendre l'antécédent avec plus de force : *Un homme s'est levé au milieu de cette assemblée, **lequel** a parlé d'une manière extravagante* (Ac.). *J'ai rencontré M. Durand, lequel m'a dit...*

Emploi tout à fait exceptionnel aujourd'hui comme **complément non prépositionnel** : *Esope n'acheta que des langues, lesquelles il fit accommoder à toutes les sauces* (La Fontaine). On dira plutôt : *qu'il fit accommoder.*

B. Pronom interrogatif (cf. INTERROGATION). *Lequel* implique un choix ou une précision souhaitée entre des personnes ou des choses : *Parmi ces étoffes* (ou *ces amies*), *laquelle est la plus belle ?* ou *laquelle vous plaît le mieux ?* Ou *laquelle choisissez-vous ?* ou *à laquelle donnez-vous votre préférence ? Je ne sais laquelle choisir. Je vais vous poser une question. Laquelle ?* On demande une précision parce que plusieurs questions sont possibles. *Duquel des deux voulez-vous vous défaire ?* (Ac.).

Dans l'**interrogation indirecte**, pour une **personne** on dit souvent *celui qui, celui que,* etc. : *Choisissez lequel d'entre nous vous voulez pour compagnon* ou *celui d'entre nous que vous voulez.* On pourrait dire *qui* (cf. QUI) : *Choisissez qui d'entre nous vous voulez pour compagnon.* Pour une **chose** : *Je voudrais savoir laquelle de ces deux étoffes vous plaît le mieux* ou *celle de ces deux étoffes qui vous plaît le mieux.*

Lequel s'emploie aussi comme neutre. Il s'impose devant un complément partitif : *Lequel des deux est le plus agréable, partir ou rester ?*

Sans complément partitif, *lequel,* neutre, est courant comme sujet mais souvent remplacé par *que* comme complément dans l'interrogation directe ; il est concurrencé par *ce qui* ou *ce que* dans l'interrogation indirecte : *Partir ou rester, lequel est préférable ?* ou *lequel préférez-vous* ou *que préférez-vous ? Partir ou rester, je me demande lequel* (ou *ce qui*) *est préférable, lequel* (ou *ce que*) *je préfère.*

C. Adjectif relatif : *lesquels témoins, auquel jour, sur laquelle somme.* En dehors de la langue littéraire et surtout de la langue judiciaire ou administrative, cet emploi est aujourd'hui limité à *auquel cas : Ils vous avertiront, **auquel cas** vous me préviendrez.*

Letton, adj. et n.m. Féminin : *lettonne* (plutôt que *lettone*).

Lettre, n.f. 1. **Genre** des **noms des lettres de l'alphabet** : cf. CONSONNES. **Pluriel.** On écrit : *des a, des p, des i grecs,* ou *des y, des n.* A. Doppagne, dans les *Mélanges Grevisse,* ne craint pas d'écrire : *des ennes, des ixes.* On ne peut guère hésiter que pour les noms des lettres d'alphabets étrangers. On écrit : *des yods,* mais il y a plutôt tendance à écrire : *des iota, des delta* (pour la lettre), *des gamma,* etc.

2. L'expression **lettre close,** s'appliquant à ce qui est incompréhensible, n'est plus guère vivante. *Ses explications sont pour moi lettre close.*

3. **Lettre morte** s'emploie depuis longtemps dans le sens de *lettre close* : *Il avait comme amis des gens pour qui son art, sa foi idéaliste, ses conceptions morales étaient lettre morte, ils avaient des façons différentes d'envisager la vie* (R. Rolland, *La nouvelle journée,* éd. Cahiers de la Quinzaine, p. 213). Mais le vrai sens est différent ; l'expression se dit de ce qui n'a plus de valeur juridique et, par extension, de ce qu'on n'applique pas, de ce qui est sans effet, nul et non avenu : *Cette convention est devenue lettre morte* (Ac.). *Les reproches qu'on lui adresse sont pour lui lettre morte* (Ac.). Attention à l'équivoque !

4. On parle en Belgique d'une [*lettre de mort*] pour un *faire-part de décès,* une *lettre mortuaire.*

5. Il est normal de garder le trait d'union de *un faire-part* dans *une lettre de faire-part.* Cf. FAIRE-PART. *Lettre de part* est vieilli. — On écrit : *du papier à lettres, une lettre de condoléance* ou, plus souvent, *une lettre de condoléances, une lettre de recommandation, une lettre exprès, une lettre d'affaires, une lettre de remerciement* (Ac.) ou *de remerciements* (Lexis), *une lettre de licenciement.*

6. **Boîte aux lettres** désigne soit la boîte ou la borne installée par le service des postes pour recevoir le courrier et parfois appelée simplement *boîte* (*jeter une lettre à la boîte*), soit la boîte privée où le facteur dépose le courrier. Quand il faut l'indiquer sur l'adresse, on le fait en abrégeant en *Bte* suivi d'un nombre. À ne pas confondre avec **boîte postale** (B.P.), qui désigne une boîte louée dans un bureau de poste.
Boîte à lettres est parfois employé, même en littérature, pour *boîte aux lettres* (installée par le service des postes), mais désigne plutôt la boîte aux lettres d'un particulier ou un intermédiaire chargé d'un message clandestin : *Au mur lépreux de gauche où pendaient tant de boîtes à lettres qu'on aurait cru qu'un régiment habitait l'édifice* (Aragon, *La mise à mort,* p. 360). Cf. POSTER.

7. On écrit avec un trait d'union : *les belles-lettres.*

Leu, forme ancienne de *loup,* n.m. : *à la queue leu leu,* à la file.

Leur, adj. ou pron. 1. Distinguer *leur*, pronom invariable, pluriel de *lui*, et l'adjectif *leur, leurs* : *Je leur ai dit. Ils avaient leur amour-propre ; leurs exigences.* L'adjectif et le pronom renvoient à un pluriel.

2. Ne pas dire [*pour leur deux*] au lieu de *pour eux deux.*

3. *Il y a mis du sien* devient au pluriel : *Ils y ont mis du leur* (de leur travail, de leur argent, de leur bonne volonté, ils ont fait des concessions).

4. **Les leurs,** nom masculin pluriel, se dit sans renvoyer à un nom, pour « leurs parents, leurs amis, leurs proches » : *Ils se sont brouillés avec les leurs eux-mêmes. J'en ai souffert comme si j'avais été des leurs.*

5. Cf. ADJECTIFS POSSESSIFS, 8 (répétition ; cf. ARTICLE, 4), 9 (singulier ou pluriel), pp. 36-38.

Levé, n.m., **levée,** n.f., **lever,** n.m. Ces trois noms ont pu avoir certains sens identiques. Aujourd'hui on distingue : *Le levé d'un plan. Un levé de terrain* (on trouve encore *lever*). *Le lever du jour, d'une personne, un lever de rideau. Le lever du rideau. Une levée de séance, d'audience, d'écrou. La levée du corps. Une levée de cartes, du courrier. Une levée en masse. La levée d'une punition. Une levée de boucliers. La levée de la pâte. La levée des troupes.*

Lever, v.tr.dir., **levé,** part. pas. *Un vote par assis et levé. Le cœur lui lève. Se lever de table, de son siège. Être bien* ou *mal levé* est régional. *Il est mal levé* (de mauvaise humeur) s'entend en Normandie comme en Wallonie. *Le chien* (ou *cette intervention*) *a levé un fameux lièvre.* Et non pas [*a soulevé un lièvre*]. Cf. LIÈVRE. *Lever l'ancre, la séance, le pied, le siège, les scellés, les cartes, le courrier.*

Levreau, n.m. L'Académie, en 1975, a permis d'écrire *levreau* au lieu de *levraut.*

Lévrier, n.m. *Un lévrier, une levrette.*

Lexical adj., **lexicologie,** n.f. On peut, pour un dictionnaire comme celui-ci, parler de difficultés **lexicales** ou **lexicologiques.** La *Revue de philologie française et de littérature* a publié en 1907 des *Notes lexicologiques* de Baldensperger portant sur quelques faits comme le sens de *conséquent.* Dans *le français moderne* a paru en avril 1956 un article intitulé : *Quelques difficultés lexicologiques du français moderne.*

Une évolution du vocabulaire sépare aujourd'hui la **lexicographie,** qui se consacre à la confection des dictionnaire et la **lexicologie** qui « se consacre à l'étude des composantes lexicales de la langue, de leurs relations avec les autres composantes du langage (phonologie, syntaxe, discours) et les milieux d'élocution » (GLLF, p. 3018).

Lez, prép. ne se trouve plus que dans des noms de lieux et signifie « à côté de » : *Sart-lez-Spa, Plessy-lez-Tours.* On prononce *lé.* On trouve aussi *lès* (accent grave) avec le même sens : *Saint-Rémy-lès-Chevreuse.* Et même *les,* qui peut avoir un tout autre sens : *Aix-les-Bains* (où il y a des bains).

Liaison. La liaison de la consonne finale d'un mot avec la voyelle initiale du suivant est beaucoup moins fréquente qu'autrefois. Elle ne s'impose que si les deux mots se soudent sans qu'il soit possible d'imaginer entre eux la moindre pause : *les hommes, cinq enfants, mon ami, mes anciens amis, leurs amis, un fervent admirateur, très avare, prenez-en, dit-il, ils sont allés, nous irons, ils en ont, je suis heureux, il peut entendre, pas aujourd'hui, en avion, plus encore, quand il dit, sans arrêt, deux hommes, le deux avril.*

Notons qu'on ne lie pas un substantif singulier à l'adjectif qui le suit, sauf si la consonne finale du substantif se prononce *(parc)* : *un sujet intéressant.* Au pluriel on hésite, mais on omet généralement la liaison. On ne lie pas le *t* de *fort* ni l's de *vers* ni l'r final des verbes en *er.* Cf. ÉLISION et H.

Libelle, n.m., est généralement péjoratif.

Libération, libéralisation, n.f., *La libération* (action de libérer, de rendre libre) des prisonniers, du contingent, d'un condamné, de la femme (considérée comme asservie). *La libéralisation* (action de rendre plus libéral) d'un régime, des échanges commerciaux.

Libérateur, libératoire, adj. *Libérateur* a un sens général, « qui libère d'une contrainte, d'une servitude ». Il peut être nom. *Libératoire,* « qui libère d'une dette, d'une obligation » : *un paiement libératoire.*

Libre-échange, n.m., **libre-échangiste,** adj. Trait d'union. *Des libres-échanges.* Mais : *des théories libre-échangistes.*

Libre pensée, libre penseur. Pas de trait d'union.

Libre-service. Le nom a un trait d'union, qu'il désigne un type de service ou un magasin ou un restaurant, etc. : *Un libre-service. Une station libre-service.* Pluriel : *des libres-services.*

Libretto, n.m. Pluriel : *des libretti* ou plus souvent *des librettos.*

Libye, *libyen.* Attention à l'orthographe (*y* correspond au *u* grec).

Lice, n.f. Quand il s'agit de tapisseries, on écrit *lice, licier* ou *lisse, lissier.*

Lichette, n.f. *Une lichette* (cf. LÉCHERIE) est un petit morceau, une petite tranche d'un aliment, de beurre, de viande, de pain, de fromage. En Belgique, un petit cordon (ou une chaînette) servant à suspendre un vêtement, une serviette de cuisine. À défaut de mot français spécialisé, on peut dire *un cordon, une chaînette, une attache.* Certains risquent *une attachette.* D'autres *une accrochette* : *Tous ses torchons ont deux accrochettes : quand le bas est sale, on retourne pour se servir du haut* (H. Bazin, *Le matrimoine,* Poche, p. 421).

Licorne, n.f. *Une licorne.*

Lied, n.m. *Un lied.* Pluriel dans le langage courant : *des lieds* ; dans le langage des musiciens, *des lieder.*

Liège. Accent grave dans le nom de la ville comme dans le nom commun et dans *chêne-liège.* Mais *un Liégeois, la cité liégeoise.*

Lieu, n.m. 1. On écrit : *des noms de lieu* ou *des noms de lieux. En tous lieux.* Le nom du poisson prend *s* au pluriel.

2. **Au lieu de,** à la place de : *Employer un mot au lieu d'un autre. Au lieu de vous lamenter, il faudrait agir.*

Au lieu que se construit selon le sens avec trois modes : *Cet employé était consciencieux, au lieu que son remplaçant* **est** *négligent* (= alors que, tandis que ; le fait opposé au premier est bien réel). *Il ne songe qu'à ses plaisirs, au lieu qu'il* **devrait** *veiller à ses affaires* (éventualité). *Au lieu que chacun s'en* **soit** *aperçu, tous étaient dans l'erreur* (le fait de s'apercevoir n'a pas eu lieu ; il est présenté non pas comme une éventualité, mais comme étant seulement dans la pensée). *Au lieu que leur malentendu soit en train de se dissiper, les voilà plus entêtés encore.*

3. **Donner lieu de** appartient à la langue classique et s'emploie encore devant un infinitif ; devant un nom, on dit aujourd'hui **donner lieu à** : *Votre ressentiment me donnait lieu* **de craindre** (Molière). *Son intervention a donné lieu* **à une dispute** (a été l'occasion d'une dispute, a fait naître une dispute).

4. **Quelques expressions** : *La fête aura lieu au casino. Il a lieu d'être content. Il y a lieu de s'en réjouir. Il n'y a pas lieu de s'en étonner. Vous m'appellerez s'il y a lieu. En haut lieu. En premier lieu, en second lieu, en dernier lieu. Les lieux saints. Tenir lieu de père, de recommandation. Nous vous ferons connaître notre décision en temps et lieu.* En termes juridiques : *Agir en lieu et place de qqn* ou *au lieu et place de qqn, en son lieu et place* ou *en ses lieu et place.*

5. **Composés** : *Un lieu commun, des lieux communs. Un lieudit, des lieudits,* mais on trouve aussi *un lieu-dit, des lieux-dits.* On écrit : *Au lieu dit « Le Calvaire »,...* (à l'endroit appelé...).

Lièvre, n.m. *Ai-je eu tort de lever ce lièvre ?* (cf. LEVER). En termes de chasse, *lever un lièvre,* c'est le faire sortir de son gîte. L'expression s'emploie au figuré dans le sens de « soulever une question embarrassante » ; à cause de l'analogie avec *soulever une question,* l'usage courant et même certains auteurs substituent *soulever* à *lever* dans cet emploi figuré. À déconseiller malgré l'approbation de certains dictionnaires.

Lièvre est le nom spécifique. Si l'on distingue, on dit *un bouquin* pour le mâle, *la hase* pour la femelle et *un lièvreteau* pour un tout jeune lièvre.

Ligne, n.f., ne peut se dire, comme en Belgique, pour une raie dans les cheveux ni pour une barre de chocolat.

Lignite, n.m. *Du lignite.*

Lilas, n.m., ne désigne pas seulement une fleur, mais l'arbuste qui la produit et aussi une couleur : *Un lilas foncé.*

Limaçon, n.m., a été et est encore synonyme d'*escargot.* D'où : *un escalier en limaçon* (plus souvent : *en colimaçon* ; ce dernier mot est également synonyme d'escargot ; cf. ESCALIER). *Le limaçon de l'oreille externe. Limaçon* s'emploie à tort en Belgique pour *limace,* n.f.

Limbes, n.m. pluriel : *Le projet est resté dans les limbes.*

Limite, n.f. 1. **Limite d'âge.** Cf. ATTEINDRE.

2. **Apposé.** Cf. CAS, 5. On écrit *un cas limite,* comme *un degré limite, une zone limite, une date limite,* sans trait d'union. Les deux noms varient : *des cas limites,* etc.

3. *À la limite. Atteindre la limite d'un bois. Franchir, dépasser les limites. Sans limites* (au propre et au figuré).

Limité, adj. Un droit peut être limité, au même titre que des dépenses ou une durée. Mais on a vu la Société des chemins de fer belges annoncer « un train limité le dimanche à Bruxelles Nord ». J'ai obtenu que la formule soit modifiée : « Le train ne dépasse pas Bruxelles Nord, ne circule pas entre Bruxelles Nord et... ».

Limitrophe, adj. *Des régions limitrophes.* Avec *de* (et non *à*) : *Un pays limitrophe d'un autre.*

Limoger, v.tr.dir., se dit, depuis la première guerre mondiale (par référence aux officiers généraux qui, jugés incapables, furent envoyés loin du front, à Limoges), pour « relever de son commandement un général » ou « priver de son poste ou mettre (par sanction) à la retraite une personne haut placée ».

Limon, n.m. Trois noms d'origine différente, trois sens : « sorte de terre ou de roche », « chacun des deux brancards d'une charrette entre lesquels on attache le cheval ou partie d'un escalier », « sorte de citron ».

Limonade, n.f. Un *n. Une limonade est toujours gazeuse.*

Linceul (la finale se prononce comme *seul*), n.m., ne s'emploie plus, sauf en français régional (notamment en Wallonie) pour *drap de lit.* Se dit de la pièce de toile dans laquelle on ensevelit les morts. Par métaphore, ce qui, telle la neige, couvre comme un linceul, ce qui ensevelit le passé.

Lingual (pron. « gwal ») ; adj. Pluriel : *linguaux.*

Linguiste, n.m.. etc. Pron. « gwi ».

Linotte (deux *t*). n.f., a eu autrefois un correspondant masculin, *linot*. — *Tête de linotte* (ou simplement *linotte*), personne étourdie, agissant sans réfléchir.

Lippu, adj. Deux *p* : *Une bouche lippue. Des lèvres lippues.*

Liquette, n.f.. appartient au français populaire.

Lire, v.tr.dir. *Je lis, le lisais, je lus.* Laisser au mauvais style commercial : [*À vous lire, je vous prie d'agréer...*] et surtout [*À vous lire, agréez...*]

Lis, n.m. On écrit aussi *un lys.*

Liseré, liséré, n.m. L'Académie écrit *liséré.* La forme *liseré* (plus conforme à la prononciation usuelle) est correcte et à recommander. De même : **liserer** (verbe) doit être préféré à *lisérer.*

Listel, n.m., (moulure, banderole), a pour pluriel *listels* (ou parfois *listeaux*).

Lister, v.tr.dir., mettre en liste, passer en liste des cartes perforées, et **liste** (n.f. désignant le résultat) ou **listage** (n.m., action de lister) doivent remplacer les mots anglais *to list* et *listing.*

Lit, n.m. *Un lit de roses. Un lit de plume* (sens collectif) ou *de plumes.* On écrit : *un lit* **pliant** (sans trait d'union), mais *un lit-divan, un lit-bateau, un lit-cage* (*des lits-cages*). *Des lits jumeaux. Une chambre à deux lits. Un grand lit* et non [*un lit double*].

-Lithe, suffixe, au sens de « pierre », s'écrit avec *th.*

Litre. À côté du nom masculin, un autre mot *litre*, féminin, venu d'un ancien mot *liste*, « bordure, lisière », désigne un ornement funèbre.

Littéral, adj. Pluriel : *littéraux.*

Littéralement, adv., doit garder son sens : d'une manière littérale, mot à mot (*traduire littéralement un texte*) ou « en prenant le mot dans son sens littéral » (*Je suis littéralement décontenancé*). Que l'on prenne ce sens au figuré pour exprimer l'idée de « tout à fait » (*Je suis littéralement torturé*), soit ; mais on ne devrait pas, en langage soigné, abuser de *littéralement* pour souligner une image hyperbolique : *Je suis littéralement renversé par cette nouvelle.* Il suffit de dire : *Je suis renversé, écrasé.*

Littérateur, n.m.. n'a pas de féminin.

Littoral, n.m. *Il passe ses vacances au littoral,* sur la côte, à la mer.

Living, living-room, n.m. (pluriel : *des livings, des living-rooms*) doivent se traduire par *salle de séjour* (on dit aussi, elliptiquement : *un séjour*). Les Canadiens français disent : *un vivoir.*

Livrer, v.tr.dir. *Livrer son âme au diable. Livrer un secret. Livrer un assaut, une bataille. Livrer bataille.* On livre des marchandises, des objets : *On nous a livré un canapé. Livrer une personne,* c'est la remettre au pouvoir de qqn : *Oreste exige qu'Astyanax lui soit livré. On livre un coupable à la justice. On livre qqn au supplice, à la mort.* Mais il est abusif de dire *livrer qqn* dans le sens de « lui livrer par commande » : [*On vous livrera* (ou *vous serez livré*) *dans huit jours*]. À éviter, malgré la fréquence et certaines cautions.

Se livrer *à qqn,* c'est se mettre entre ses mains ou se confier à lui. *Se livrer à qqch.* implique l'idée de s'abandonner, de se laisser aller, de se consacrer à cette chose : *Se livrer à des folies, à des excès, à un travail, à une étude, à un sport, à un exercice.* On dira donc : *se livrer au jeu, à la danse, à son sport favori.* Mais on ne dira pas qu'une équipe s'est livrée à un match ; elle l'a disputé, elle l'a livré.

Livraison, n.f. *La livraison des marchandises, des otages.* En termes de librairie, chaque partie d'une revue ou d'un ouvrage qu'on publie en fascicules livrables périodiquement : *Il me manque une livraison de la revue* (Ac.). *Dictionnaire publié en vingt livraisons.*

Livret [de mariage] se dit en Belgique du carnet remis aux jeunes mariés et qui s'appelle en France *livret de famille.*

Loger, v.intr., implique proprement la référence à un séjour, à une habitation occupée en permanence ou pour quelque durée. On loge chez des amis, en garni, à la belle étoile (on dort en plein air, on n'a pas de domicile). Mais on comprend le glissement vers une durée plus brève : *Il loge à l'hôtel.*

Logiciel, n.m., doit remplacer *software.*

Loi, n.m., reste au singulier dans *Des hommes de loi.* **Composés.** *Un* ou *des hors-la-loi. Un décret-loi. Une loi-cadre. Une loi-programme. Des lois-cadres, des lois-programmes.*

Loin, adv. 1. **Au loin** ou *dans le lointain.*

2. **Loin de** : *loin de sa famille, loin l'un de l'autre, loin de là, être loin du compte* ou *loin de compte, être loin de se réjouir.*

3. **Loin que** (*bien loin que*) est suivi du subjonctif : *Bien loin qu'il se repente, il s'obstine dans sa rébellion* (Ac.).

4. **Aussi loin que, si loin que, d'aussi loin que, de si loin que, au plus loin que, du plus loin que** se construisent, selon le sens, avec l'indicatif, le conditionnel ou le subjonctif : *Aussi loin que la vue peut s'étendre. D'aussi loin qu'il m'aperçut. Du plus loin qu'il les vit, il courut vers eux.* On marque seulement la distance spatiale. On voit que *de* se justifie là où le sens est : à partir de. *Nous ne trouverions rien à lui reprocher, aussi loin que nous remonterions. Vous pouvez en être certains ; d'aussi loin qu'il vous*

verrait, il accourrait vers nous. Éventualité. — *Aussi loin* (ou *d'aussi loin*) **qu'il m'en souvienne** ou **qu'il me souvienne** ou *que je me souvienne* ou *Du plus loin qu'il me souvienne* ou *du plus loin qu'il m'en souvienne* (à partir du moment le plus lointain), *je n'ai rien à lui reprocher. Au plus loin que la vue puisse s'étendre, je n'aperçois rien* (Ac.) ; fait simplement envisagé ; idée d'opposition : j'ai beau chercher, pousser la recherche très loin, je ne vois rien. L'emploi du subjonctif est surtout fréquent lorsqu'il s'agit d'une indication temporelle.

5. **Aller loin** s'emploie au figuré en parlant d'une personne. **Aller trop loin**, c'est dépasser la mesure, exagérer. Expression récente : *savoir jusqu'où on peut aller trop loin*, savoir jusqu'où on peut pousser l'audace, l'exagération, sans trop dépasser la mesure. On entend et on lit d'autres tours similaires : *savoir jusqu'où on ne peut pas aller trop loin* ou *savoir jusqu'où ne pas aller trop loin*, savoir où est la limite à ne pas dépasser.

6. **De loin** marque la distance dans l'espace (*Il revient de loin*) ou dans le temps (*Je ne sais point prévoir les malheurs de si loin*, Racine). Dans les deux sens : *De loin en loin.* — Mais il peut aussi, quoi qu'on dise, s'employer pour *de beaucoup* : *C'est de loin son meilleur livre. Je le préfère de loin à son frère.*

7. [*Loin s'en faut*]. Cf. FALLOIR, 4.

8. *Avoir loin... à* ou *pour*. Cf. AVOIR, 18, p. 147.

Lointain, n.m. On dit : *au loin* ou *dans le lointain*, mais non [*au lointain*].

Long, adj., n.m. ou adv. Féminin de l'adjectif : *longue.*

1. On écrit : *longtemps* mais *un long temps.*

2. [*Avoir plus long*] ne peut se dire, bien qu'on dise *avoir plus court.* Cf. COURT, 5.

3. **Avoir les dents longues** signifie encore parfois « avoir très faim », mais le plus souvent « avoir un grand appétit d'argent ou d'honneurs ». Employé à tort en français régional de Belgique, pour avoir les dents irritées, agacées (par un citron, par exemple).

4. Cf. FEU nom, 1, p. 417 : **faire long feu.**

5. **De longue main,** locution adv., « depuis longtemps ». *Je le connais de longue main* (Ac.), de longue date.

6. *Long* reste invariable dans *des long-courriers.*

7. **Adverbe** dans : *Être long vêtue, être habillée trop long. En dire long, en savoir long.*

8. **Nom** (et loc. adverbiales ou prépositives) : *Quatre mètres de long. Le long des rues. En long et en large* (alternativement en longueur et en largeur), *de long en long* (dans le sens de la longueur), *tout de son long* ou plus souvent *de tout son* (ou *mon,* etc.) *long, au long (de), tout au long (de), tout du long (de).*

Longitudinal, adj., **longitudinalement,** adv., dans le sens de la longueur.

Longtemps, adv. Flandricisme : [*Il est longtemps ici*] pour *Il est ici depuis longtemps. Il y a longtemps qu'il est ici.*

Loquace, adj. On prononce *kwa* ou *ka.*

Loque, n.f., substitué à *torchon,* à *chiffon,* s'entend couramment en Belgique et dans le nord de la France, mais parfois aussi dans d'autres régions. Cf. POUSSIÈRE. D'autres mots s'entendent en certaines régions françaises, comme *la sinse, la wassingue, la serpillière. Loque* désigne proprement un chiffon, un vieux morceau de tissu. On n'emploiera donc pas *loque* pour un tissu, qui n'est pas nécessairement vieux, à épousseter ; on parlera d'un *chiffon* (à poussière, à meubles) ou d'un *torchon* (qui s'emploie pour essuyer la vaisselle ou une table) : *on passe le torchon.* Et l'on se gardera de parler de [*loque à reloqueter* ou *à loqueter* ou à *reloquer*] pour une serpillière. Au pluriel, *loques* s'emploie en français dans *être en loques, tomber en loques,* et s'applique à de vieux vêtements, usés, déchirés ou de mauvaise apparence. Dans certaines régions wallonnes on va jusqu'à oublier ce sens péjoratif et à dire que quelqu'un a mis [ses belles loques] (ses beaux vêtements). On évitera le remplacement de *chiffonnier* ou *marchand de chiffons* par le belge [*marchand de loques*].
Au figuré, *une loque* se dit d'un individu sans énergie, qui a perdu tout ressort. En Belgique, [*il a une loque*] se dit parfois pour *il est soûl.*

Lorgnette, n.f. Comment **regarder** (considérer) **les choses par le petit bout de la lorgnette** peut-il signifier « ne voir que le petit côté et même le côté mesquin », alors que les choses vues sont agrandies, grossies ? C'est que le champ est rétréci ; d'où cette idée, au figuré : ne voir qu'un aspect des choses, un détail, qu'on peut grossir excessivement, mesquinement, en en exagérant l'importance, au point de négliger l'ensemble. Beaucoup plus rare, l'expression *regarder les choses par le gros bout de la lorgnette* signifie : les voir de très loin, en petit, d'où avec indifférence ou mépris.

Lorgnon, n.m. On dit : *son lorgnon* ou *ses lorgnons.*

Lors, adv. On n'emploie plus guère *lors* seul (= alors) ni *pour lors* (= à ce moment-là, en ce cas-là). Mais on dit couramment : *depuis lors, dès lors, dès lors que, lors de, lors même que.* Cette dernière locution conjonctive s'emploie parfois avec l'indicatif dans le sens de « même au moment où » ; elle se construit plus souvent avec le conditionnel, dans le sens de « quand même » : **Lors même que** *vous ne le* **voudriez** *pas.*

Lotte, n.f. de poisson, doit s'écrire avec deux *t.*

[Louageur], formé sur *louage,* ne peut remplacer *loueur* (de chevaux, de voitures, de chaises, etc.).

Loubard, n.m. est défini par le Petit Robert, qui l'écrit aussi *loubar* : « Fam. Jeune homme vivant dans une banlieue, une zone urbaine, appartenant à une bande et affectant un comportement asocial. » Ce dictionnaire fait dériver *loubard* (ou *loubar*) d'un des sens récents de *loulou*, « mauvais garçon », avec un suffixe argotique tiré peut-être de *banlieusard*.

Louer, v.tr.dir., au sens de « faire l'éloge » : *On loue qqn du choix qu'il a fait, d'avoir bien choisi. On se loue de qqn, du succès d'une démarche, d'avoir pris une initiative. Elle s'est louée de son initiative.* On entend aussi : *louer qqn pour qqch., pour avoir fait qqch.*

Loufoque, adj., a un équivalent populaire : *louftingue.*

Loup, n.m. Féminin *louve. Marcher à pas de loup* (le complément *loup* reste au singulier). *Un loup-garou, des loups-garous. Un loup-cervier, des loups-cerviers.* On dit moins *une loup-cerve* (*des loups-cerves*) qu'*un loup-cervier femelle.*

Louper, v.tr.dir., est familier (et considéré parfois comme populaire) : *louper* (rater) *le coche, un train, une occasion, une affaire, un examen, son entrée.*

Lourd, adj. On peut dire : *Le temps est lourd. Il fait un temps lourd. Il fait lourd.*

Lubrifier, v.tr.dir., et non [*lubréfier*].

Lui, elle, eux, elles s'emploient généralement, comme compléments, pour renvoyer à des personnes : *Je connais sa sœur, nous avons encore été invités chez elle la semaine dernière.* Des grammairiens condamnent nettement des phrases comme les suivantes où le pronom renvoie à des noms de choses : *Elle avait enlevé son collier et jouait avec lui. Ses vêtements étaient restés dehors et la pluie tombait sur eux* (Marouzeau, *Notre langue,* p. 163). Sandfeld (*Les pronoms,* pp. 75 et suiv.), après avoir admis que « dès qu'il n'est pas question de personnes (ou d'être vivants), on évite d'une façon générale d'employer ces pronoms, en ayant recours à d'autres constructions », cite de très nombreux exemples d'écrivains utilisant ces pronoms pour renvoyer à des noms de choses (comme *souvenirs, renommée, nourriture, mariage, tableau, barrique de vin, pipe, voix, rue,* etc.) et il note même que cet emploi appartient à la langue littéraire. Il n'y a donc pas lieu de proscrire systématiquement ces emplois. Mais dans bien des cas, on emploiera *dessus* au lieu de *sur eux* (voir l'exemple de Marouzeau), *dessous* au lieu de *sous lui, y* au lieu de *à lui, en* au lieu de *de lui.* On ne dit pas [*dans lui*] mais *dedans* ou *en lui.* On emploie toujours *à* et donc *lui* en parlant d'animaux, avec des verbes comme *donner, demander : Il caressa le cheval et lui donna un morceau de sucre.* Cf. Pro-NOMS PERSONNELS, IMPÉRATIF PRÉSENT, 2, INFINITIF, 2, SOI.

Luire, v.intr., se conjugue comme *nuire.* On rencontre chez d'excellents écrivains, au passé simple, au lieu des formes normales *luisit, luisirent,* peu usitées, les formes anciennes *luit, luirent.* À éviter.

Lombago, n.m., s'écrit parfois *lumbago,* mais il faut préférer la graphie *om,* conforme à la prononciation.

Lumière, n.f. *On donne* (*on fait*) *de la lumière. On ouvre* (*on ferme*) *la lumière. On allume la lumière* Cf. ALLUMER. Mais on s'abstiendra de dire : *Avant de sortir, en atteignant la porte, je tournai la lumière* (P. Fisson, *Voyage aux horizons,* p. 144). Faute due à *tourner un interrupteur.* Cf. ANNÉE.

L'un et **un.** 1. Devant *de* introduisant le complément désignant l'ensemble, on a le choix entre *un* ou *l'un* mais non dans les expressions où *de deux* précède : *De deux choses l'une, de deux jours l'un. L'un de nous* ou *un de nous. L'un d'eux* ou *un d'eux.* Mais : *un sur trois.* Cf. UN, 2.

Après *en* on doit dire *un* : *Il en est venu un. En voici une.*

En l'absence d'un complément de la totalité et en relation avec *l'autre, un* est possible, mais plus rare que *l'un* : *Il se chauffait les mains, une après l'autre. Puis les pieds, un après l'autre* (Giono, *Que ma joie demeure,* Poche, p. 68). On écrit : *Vous passerez l'un après l'autre* (Ac.). *Ils sont les uns derrière les autres* (ou, plus rare) : *Ils sont derrière les uns les autres* (Littré, à *File*).

2. *L'un* ne peut plus, comme il le faisait jusqu'au XVIe siècle et comme on le ferait en traduisant littéralement le néerlandais, être employé adjectivement devant un nom qui le suit immédiatement. On dit : *Passer d'une page à l'autre. Une solution est aussi hasardeuse que l'autre.* Mais on emploie de la sorte *l'un et l'autre, l'un ou l'autre, ni l'un ni l'autre, de l'un à l'autre, l'un comme l'autre,* etc., suivis d'un nom au singulier (parfois au pluriel après *l'un et l'autre*) : *L'un et l'autre parti m'inquiète* (ou *l'un et l'autre partis m'inquiètent*). *Dans l'un ou l'autre parti* (pour le sens, cf. 4). *Il passe de l'une à l'autre pièce. Entre l'une et l'autre guerre. Faire glisser qqch. de l'une dans l'autre assiette. Dans l'un comme dans l'autre camp.* Cf. VERBE, *Accord,* B, XII, p. 985.

3. Généralement, *l'un* s'emploie en opposition ou en corrélation avec *l'autre* (s'il y a deux termes) ou avec *un autre* (s'il y a plus de deux termes). De même *les uns* en rapport avec *les autres* ou *d'autres* : *Le malheur de l'un* (ou *des uns*) *ne fait pas le bonheur de l'autre* (ou *des autres*).

Lorsque *l'un* est combiné avec *l'autre* pour renvoyer à un élément qui précède, il renvoie généralement au premier ; il reste invariable s'il renvoie à un adjectif, un verbe ou une proposition ou s'il est pris au sens neutre ; il se met au féminin, généralement, si les deux noms auxquels on renvoie sont féminins ; s'ils sont de genres différents, on dit généralement *l'un... l'autre ; un* est censé renvoyer au masculin : *On lui a demandé son passeport ou sa carte d'identité ; il avait l'un et l'autre. Est-elle coquette ou dédaigneuse ? Ni l'un ni l'autre. Ont-elles menti ou se sont-elles trompées ? L'un ou l'autre. Êtes-vous sa sœur ou sa cousine ? Ni l'une ni l'autre. Est-ce de l'amitié ou de l'amour ? Exactement ni l'un ni l'autre. Entre la réalité et le songe, il m'arrive de ne plus pouvoir distinguer l'un de l'autre* (H. Bosco, *Antonin*, p. 286). *Est-ce une habitude qu'ils ont prise eux-mêmes ou une appellation qu'on leur a donnée ? L'un et l'autre sans doute* (c'est l'un et l'autre ; sens neutre) ou *l'une et l'autre*.

4. **L'un ou l'autre, un (+ nom) ou l'autre.** Faut-il réserver cette expression à un choix entre deux êtres ou deux choses ? C'est évidemment le sens traditionnel, disjonctif : *L'un ou l'autre de ces raisonnements est nécessairement faux.* Cependant il est hors de doute que le bon usage actuel a élargi le sens jusqu'à « tel ou tel entre plus de deux êtres ou choses » : *Un jour ou l'autre, vous vous ferez écraser. — En levant la main, en ouvrant les yeux, en allumant une lampe, en accomplissant l'un ou l'autre des rites de notre profession...* (G. Duhamel, *Paroles de médecin*, p. 294). *À un moment ou l'autre de sa vie, chacun peut devenir notre client par occasion* (J. Romains, *Knock*, II, 3). *Elle ne cessait de nous accabler, Mathilde et moi, d'une surveillance dont nous arrivions à nous débarrasser, la pauvre fille étant souvent appelée dans l'une ou l'autre maison de la paroisse* (Fr. Mauriac, *Les anges noirs*, Prologue). « *Être toujours chez l'un ou chez l'autre*. Être souvent en visite chez les diverses personnes que l'on connaît » (Ac.).

5. La **réciprocité** est marquée par *l'un l'autre, les uns les autres, l'un à l'autre, l'un contre l'autre, l'un de l'autre*, etc. : *Ils se congratulent l'un l'autre. Ils se méfient l'un de l'autre. Ils se rappelaient l'un à l'autre des souvenirs d'enfance. Ils sont jaloux les uns des autres. Ils sont tombés dans les bras l'un de l'autre. Ils demeurent loin l'un de l'autre.* On évitera ce tour lorsqu'il forme un pléonasme trop flagrant : *Ils se sont parlé l'un à l'autre pendant une demi-heure.*

On a remarqué qu'on scinde généralement les éléments d'une locution prépositionnelle dont le dernier élément est *de* : *loin l'un de l'autre.* Mais *à côté de, auprès de, en face de, vis-à-vis de, près de, autour de, au-dessus de, au-dessous de,* s'ils peuvent aussi être scindés, sont plus souvent placés en bloc entre *l'un et l'autre : Ils sont assis l'un à côté de l'autre* (ou *à côté l'un de l'autre*). *Ils se tiennent l'un en face de l'autre* (ou *en face l'un de l'autre*).

L'un et l'autre et **ni l'un ni l'autre** ne marquent jamais la réciprocité : *Ils se plaignent l'un et l'autre* (= tous deux). *Ils ne se plaignent ni l'un ni l'autre* (aucun des deux).

6. Avec un **comparatif**, on n'emploiera pas *les uns* quand c'est inutile : *Il y en a de meilleurs [les uns] que les autres.* Mais on dira : *Ils sont tous plus sots les uns que les autres.*

7. Ne pas employer [*l'un parmi l'autre*] au lieu de **l'un dans l'autre**
pour indiquer une moyenne : *Ces livres-là me reviennent à tant l'un dans
l'autre* (Ac.).

8. **Répétition de la préposition devant** *l'autre*. La préposition employée
devant *l'un* se répète devant *l'autre* dans *l'un ou l'autre, ni l'un ni l'autre,
l'un comme l'autre* : *Être toujours* **chez l'un ou chez l'autre** (Ac.). *Je n'irai
ni chez l'un ni chez l'autre.* La disjonction est moins marquée dans *l'un et
l'autre* ; on peut penser les deux globalement, comme si l'on disait *les
deux, tous deux,* et ne pas répéter la préposition : **Dans l'une et l'autre rue**
(ou *dans l'une et dans l'autre rue*). — *Entre* ne se répète jamais : *Il y a une
grande différence* **entre l'un et l'autre** (Ac.).

Lune, n.f. On écrit : *Atterrir* **sur la Lune,** *marcher* **sur la Lune** mais (sens
figuré) : *être* **dans la lune.**

Lunette, n.f. *Une lunette d'approche* ou *une lunette. Lire sans lunettes.
Mettre* (familièrement : *chausser*) *ses lunettes.*

Lurette, n.f. *Il y a belle lurette* (il y a bien longtemps) est une déformation
de l'expression dialectale *il y a belle heurette.*

Lustral, adj. Pluriel : *lustraux.*

Lustre, n.m. Pléonasme : [*un lustre de cinq années*].

Luthéranisme, n.m., est formé sur Luther. Ne pas dire [*luthérianisme*] par
analogie avec *christianisme.*

Lutin, n.m. ou adj., a pour féminin *lutine* comme adjectif (vif, malicieux,
taquin). Le nom n'a pas de féminin : *Quel gentil lutin !* se dit d'une petite
fille comme d'un petit garçon.

Lycée, n.m. Cf. Athénée.

Lynch est un nom propre. On parle de *la loi* **de Lynch,** mais du *lynchage,* de
la loi **du lynchage.**

Lyophilisé, adj. : *Du café lyophilisé.*

Lys, n.m. Autre graphie de *lis.*

M

Maboul, maboule, adj. et n., très familier, signifie *fou*.

Macaroni, n.m. *Manger du macaroni* ou *des macaronis*.

Machaon, n.m. d'un papillon. *Ch* se prononce « k ».

Mâcher, v.tr.dir. *Mâcher ses mots, son frein. Mâcher la besogne à qqn.*

Machiniste, n.m., employé couramment en Belgique pour désigner le conducteur d'une locomotive (en France, *mécanicien*), s'est dit officiellement en France d'un conducteur d'autobus ou de métro. On dit plutôt *conducteur*.

Machurer, v.tr.dir., signifie aujourd'hui « barbouiller de noir ».

Macro, premier élément d'un mot, n'est suivi d'un trait d'union que devant *i*.

Madame. Cf. DAME. **Abréviation** : *Mme* (plutôt que *Mme*). Pluriel : *Mmes* (ou *Mmes*). Au lieu de [*Ma chère Madame*], dire : *Chère Madame* (cf. ADJECTIFS POSSESSIFS). — *Madame le professeur, Madame la directrice,* cf. GENRE. — Pluriel : *Mesdames.* Employé familièrement avec un article, *Madame* fait parfois au pluriel *madames* (*de belles madames, elles font les madames*) ou reste invariable (comme dans *jouer à la madame*) s'il s'agit de plusieurs personnes à qui on applique le nom d'une dame déterminée : *des madame Marneffe.* Cf. MESSIEURS.

Majuscule ou minuscule dans *Madame, Mademoiselle* et *Monsieur.* On met la majuscule dans les adresses ou quand on s'adresse à la personne elle-même, toujours dans une lettre, parfois dans un dialogue écrit : *Monsieur Louis Dupont/12, rue de la Chasse/1170 Bruxelles. Cher Monsieur. Monsieur le Directeur. Veuillez agréer, Madame, mes hommages respectueux. Entrez donc, madame* ou *Madame. Je voudrais, Monsieur le Directeur, vous demander un conseil.* Mais : *J'ai appris par monsieur* (ou *par M.*) *le directeur que..., par Madame* (ou *madame*) *Dubois que...*

Majuscule si c'est un domestique qui parle à ses maîtres ou de ses maîtres ou à un visiteur, si c'est un visiteur qui parle du maître de maison ou un vendeur qui s'adresse au client ou un client au serveur en désignant une personne : *Puis-je rappeler à Monsieur que... Madame est servie. Si Monsieur veut bien entrer... Est-ce que Monsieur peut me recevoir ? Est-ce que Madame veut autre chose ? Le café est pour Mademoiselle.*
Après un article ou un déterminatif, on met la minuscule : *Un monsieur est venu. Ce monsieur vous a demandé.*

Mademoiselle, Abréviation, *Mlle* (ou *Mlle*). Pluriel : *Mesdemoiselles.* Parfois, très familièrement : *des mademoiselles.* Majuscule ou minuscule : cf. MADAME.

Mafia (ou **maffia**), n.f. *Des mafias* (ou *maffias*). Un *mafioso* (ou un *maffioso*). *Des mafiosi. La Mafia.*

Magasinage, n.m. *Droits de magasinage,* droits que l'on paie pour laisser en magasin des marchandises (qu'on a *emmagasinées*).

Maghreb, n.m. Adj. et n., *maghrébin.*

Magnificat (*t* se prononce), n.m., est invariable : *Des magnificat.*

Magnum (on prononce *g* + *n* + *o*), n.m., grosse bouteille : *Des magnums.*

Maharadjah. On écrit aussi *maharaja.*

Maie, n.f. *Une maie* se dit encore dans des dialectes et des français régionaux, en France et en Belgique, pour *pétrin.*

Maïeur (ou **mayeur**), n.m., nom aujourd'hui familier (non officiel), et senti comme dialectal, du *bourgmestre* en Wallonie, sauf en Gaume, où l'on emploie *maire.* Dérivés appartenant au français régional, sans cette connotation familière : **maïorat** ou **mayorat,** fonction de bourgmestre (*son accession au mayorat*), et **maïoral** ou **mayoral,** adj., « relatif au bourgmestre » (*fonctions maïorales, responsabilités mayorales*).

Maigrelet, maigriot et **maigrichon,** adj., un peu trop maigre. Féminin : *maigrelette, maigriotte, maigrichonne.*

Maigrir, v.intr. Auxiliaire : *avoir* l'emporte nettement (cf. AUXILIAIRES). *Il a maigri.*

Mail, n.m., rime avec *travail.*

Maillot de corps : sous-vêtement d'homme, couvrant le torse.

Main, n.f. *Tenir qqch. **en main** ou **à la main.** Avoir qqch. **sous la main,** à portée de la main. Saisir qqch. **à pleine(s) main(s).** Prendre **en main(s).** Preuve **en main.** Remettre une lettre **en main(s) propre(s).** En mains sûres. Être à main. De la main de. Travail fait à la main ou fait main. Travailler* *de ses mains. Tomber aux mains* (ou *dans les mains*) *de qqn. Une poignée de main. Des poignées de main(s). Des jeux de main(s). En un tour de main* (*en un tournemain* tend à vieillir). *Je lui ai mis le marché en main. Avoir la situation bien en main. Acheter qqch. de première main. Faire qqch. sous main* ou *en sous-main* (cf. Sous-main). *J'ai son accord en main(s). Un frein à main. Mettre la dernière main à qqch. Gagner haut la main. Haut les mains ! Un objet qui change de main(s). Se passer qqch. de main en main. Circuler de mains en mains. Un sac à main. Une attaque à main armée. Un homme à toutes mains. Ne pas y aller de main morte. Prêter main-forte. Une main-d'œuvre, des mains-d'œuvre. Une main courante. Un coup de main, des coups de main. Un vote à main levée.*

L'expression **bonne main** signifiant pourboire (*la coutume de la bonne main, faire une bonne main à qqn*) a disparu de l'usage général mais est restée vivante dans certaines régions, notamment en Suisse.

Mainate, n.m. d'oiseau : *Un mainate.*

Mainmise, n.f. *La mainmise sur qqch.*

Maint, adj., s'emploie surtout, au singulier ou plus souvent au pluriel, devant un nom : *En maint endroit. Maintes fois. À maintes reprises.* Si l'on emploie *maint et maint* au singulier, il est normal de laisser au singulier le nom qui suit : *À mainte et mainte occasion.* Mais : *À maintes et maintes reprises.*

L'emploi comme **pronom** (*Maints le disent*) est nettement vieilli mais se trouve encore chez des écrivains, surtout devant un complément (sens de *plusieurs*) : *Maints d'entre eux l'ont déclaré. Maints de nos étudiants se plaignent.*

Maire, n.m., **mairie,** n.f., courants et officiels en France, ne s'entendent en Belgique que dans certaines communes proches de la frontière française. Cf. Bourgmestre, Communal, Maïeur. On dit : *Madame le maire.*

Mais, adv. **N'en pouvoir mais** (où *mais* a encore le sens étymologique du latin *magis,* davantage), peut encore signifier « ne pas être responsable », mais veut dire surtout « n'y pouvoir rien, ne pouvoir rien faire à qqch. ».

Conj., se lie. **Mais bien** souligne l'opposition après une expression négative : *Ce n'est pas un malheur, mais bien un contretemps.*

Maison, n.f. *Une maison de maître* ou *de rentier* ne s'appelle pas une « maison fermée ». *Maison close* a pour synonymes *maison de passe, maison de tolérance.* On écrit *maison de jeux. — De la pâtisserie maison* (faite sur place).

Maître (accent circonflexe), n.m., a pour féminin *maîtresse* comme adj. et dans certains cas seulement comme nom (*maîtresse de maison, d'école, de pension, d'étude, de piano, de ballet*). Mais on dit *Maître* s'il s'agit d'un titre donné à une femme écrivain ou membre du barreau. *La maîtresse de qqn* est aujourd'hui la femme qui se donne à lui sans être son épouse.

Il faut distinguer **maître de l'œuvre** et **maître de l'ouvrage**. Le **maître de l'œuvre** (ou le **maître d'œuvre**) est le responsable de l'exécution d'un programme (c'est le cas par exemple de l'architecte). Le **maître de l'ouvrage** (ou le **maître d'ouvrage**) est celui qui fait faire le travail et en assure le paiement. — Cf. ASSISTANT.

Majestatif, adj., est employé par Damourette et Pichon (IV, p. 425). On dit plutôt : *pluriel de majesté.*

Majoration, n.f., **majorer,** v.tr.dir., sont courants. Cf. MINIMUM.

Majuscules. L'usage est particulièrement hésitant aujourd'hui. On a abusé des majuscules. D'autre part des éditeurs les suppriment dans les titres avec désinvolture. Il est possible de dégager cependant quelques principes. On trouvera ci-dessous des indications sur des cas particuliers qui ne sont pas traités à leur rang alphabétique. Pour le reste, on s'inspirera des exemples suivants ; pour des règles plus détaillées, on consultera M. Grevisse, *B.U.,* n°s 244-248, A. Doppagne, *Majuscules, abréviations, symboles et sigles,* ou J. Girodet, *Dictionnaire du bon français.*

   Le bon Dieu, le Tout-Puissant (trait d'union), *le Saint-Esprit, la Sainte Vierge, Raymond Queneau, Pline le Jeune, la Callas, Alfred de Musset, Du Bellay* (la particule est contractée avec l'article pour former le nom propre, mais on trouve *du Bellay* comme dans *Joachim du Bellay*), *un Renoir, le duc de La Rochefoucauld, Mécène, un mécène, les Furies, Sa Majesté, Son Altesse, Son Excellence, Philippe le Bel, Louis le Pieux, Jean sans Terre, Le Havre, la Bourse* (édifice), *le Grand Palais, le « Normandie »,* la *rue Haute, la place de l'Étoile, l'arc de triomphe de l'Étoile,* mais *l'Arc de triomphe, le boulevard des Invalides, la rue du Bac, la tour de l'Horloge, le théâtre des Ambassadeurs, la Grande-Bretagne, le département de la Loire-Atlantique* ou *des Pyrénées-Orientales* (remarquer les traits d'union), mais *les Pyrénées orientales, les États-Unis, les Pays-Bas, le Nouveau Monde, la mer Méditerranée, la mer Morte, l'océan Indien, le tunnel du Mont-Blanc, l'Europe centrale, l'État français, le Marché commun, la Communauté économique européenne, la Légion d'honneur, l'ordre de la Légion d'honneur, l'Université de Strasbourg* (ou *l'université de Strasbourg), le Sénat, l'Assemblée nationale, la Croix-Rouge, la cour d'appel, la cour d'assises, la Renaissance, la Réforme, le Moyen Âge* ou *le Moyen-Âge* ou *le moyen âge* ou *le moyen-âge, la Révolution française* (ou *la Révolution),* mais *la révolution de 1848, un conseil d'administration, le Conseil d'État, l'École normale supérieure, l'École normale de Mons, le Ministère* (mais *le ministre) de l'Intérieur, de l'Éducation nationale, de la Santé publique et de la Famille, l'Académie française, l'Académie royale de langue et de littérature françaises, la Société nationale des chemins de fer français, le Service social des postes, l'Institut technique supérieur Jean Dupont.*

1. **Français, français.** On ne met la majuscule qu'au nom indiquant la nationalité ou l'appartenance à une région ou à une race : *La nationalité française. Le peuple français. Un citoyen français. Le français élémentaire. Les Wallons, les Bruxellois. Les francophones et les Flamands. Ils ont perdu la qualité de Belge. Il est Belge* (J. Green, *Journal*, 24 juin 1926). *Charles Thibault, Champenois comme lui* (A. Billy, *Propos du samedi*, Le Figaro littéraire, 6 juin 1953). *Je choisis de rester Français (...) Je suis Français comme vous (...). Le chauffeur est un Français. Les piétons sont des Français. Les Français sont incorrigiblement des Français* (G. Duhamel, *Cri des profondeurs*, pp. 97,105,106). *Un Blanc, un Noir.* On écrit : *le Théâtre français* ou (avec un trait d'union et deux majuscules) *la Comédie-Française.*

2. **Saint** ne prend pas la majuscule quand on désigne le saint lui-même : *l'Évangile selon saint Jean, le martyre de saint Pierre, la fête de saint Nicolas.* De même pour désigner une statue : *Au-dessus du saint Antoine* (M. Butor, *La modification*, 10-18, p. 54). Ou bien quand il qualifie simplement un nom sans former avec lui un véritable nom propre : *la sainte messe, la sainte table, l'Histoire sainte, la sainte Bible, la sainte Église catholique, les saintes Écritures, les saintes Marie* (ou *les saintes Maries*), *le vendredi saint* (ou *la Semaine sainte*), *la sainte Famille* (on trouve : *la Sainte Famille*).
Saint prend la majuscule quand, avec le nom qu'il accompagne, il forme un véritable nom propre désignant une personne, une famille, un État, une institution, une localité, une rue, une place, une église, un monument, une fête, etc. : *le duc de Saint-Simon, le Saint-Père, Très Saint-Père, le Saint-Siège, le Saint-Esprit, l'Esprit-Saint, la Sainte-Trinité, le Saint-Empire, la Sainte-Alliance, la ville de Saint-Nicolas, loger à Saint-Hubert, se rendre à Saint-Quentin, à Saint-Cloud, l'église Saint-Marc, boulevard Saint-Michel, rue Saint-Honoré, une coquille Saint-Jacques.* Noter les traits d'union. Pas de trait d'union dans *la Sainte Vierge.*
André Frossard, dans ses dialogues avec Jean-Paul II (1982), écrit toujours *le saint-père ;* au vocatif : *Saint-Père.*
Les abréviations *St, Ste* (ou *S., SS.*) prennent toujours la majuscule.
Il est normal d'écrire avec une minuscule : *un vrai saint-bernard, du saint-émilion,* comme *un saint-benoît* (fromage).

3. **Jours et mois.** Les noms des jours et des mois ne prennent pas la majuscule dans le corps de la phrase : *Je viendrai le premier lundi de février. Le 15 mars.*

4. **Titres et fonctions.** *Le roi des Belges. Il a été reçu par le roi* (ou *par le Roi*). *Le président du Conseil* (*des ministres*). *Le Premier ministre. Le ministre de l'Intérieur. Le chef de cabinet adjoint du ministre des Finances. Le professeur Dupont. Le directeur général des contributions.* C'est aussi avec une minuscule que s'écrit, au bas d'une lettre ou d'une circulaire, le nom du titre précédant la signature : *Le président. Le directeur général.*

L'Académie écrit : *La révérende mère supérieure* et *Le révérend père un tel.* On écrit pourtant souvent : *Le Père Denis ;* l'abréviation *P.* pour *père* prend toujours la majuscule : *le P. François.* On écrit : *l'abbé Durand.*

On écrit souvent : *les jésuites,* à moins qu'on ne désigne par là l'ordre lui-même : *L'ordre des Jésuites, les Jésuites.* Mais : *De l'école des frères, je suis passé à un collège des jésuites* (J.-M. Domenach, *Ce que je crois,* p. 63).

On met toujours la majuscule quand on s'adresse à la personne : *Monsieur le Professeur. Monsieur le Directeur. Monsieur l'Abbé.* On écrit *Mon cher collègue* ou *Mon cher Collègue.* Cf. MADAME.

5. **Points cardinaux.** Majuscules aux noms géographiques d'une région déterminée : *Cet homme est du Midi. Il est né dans le Nord. Le département du Nord. L'aiguille du Midi.* Pas de majuscule quand le point cardinal exprime seulement une direction : *Le soleil se lève à l'est. Le vent du nord. Ma chambre est au nord. Ce pays est borné au nord par...* En dehors de cela, hésitation : *Il a une propriété dans le midi de la France* (Ac.). *Faire une tournée dans l'Ouest de la France* (Ac.). *La frontière de l'Est* ou *de l'est.*

6. **Titres d'ouvrages.** Hésitation quand on les cite ; l'usage actuel tend vers une simplification. On peut ne mettre la majuscule qu'au premier mot seulement (et aux noms propres qui interviennent dans le titre) : *La pensée et la langue. Le bon usage. Les voix intérieures. Les femmes savantes. Le barbier de Séville. Une représentation du « Barbier de Séville ». Du sang, de la volupté et de la mort. L'ours et les deux compagnons. La belle Nivernaise. Mon oncle Benjamin. Le mariage de Figaro. Au début des « Femmes savantes ».* Mais *Les Glaneuses de Millet. La Divine Comédie. La Croix du Sud* (nom d'une constellation). Pour les journaux, on emploie la majuscule : *Le Soir, Le Monde.*

Mal. Cf. ADJECTIFS POSSESSIFS, FAIRE, 2 *(faire mal de),* LEVÉ, PARLER, PAS MAL, POUVOIR. *Le malade va plus mal. Cette personne s'est trouvée mal. Elle n'est pas mal. Être en mal de copie, d'inspiration.*

Composés. On écrit : *mal bâti* (plutôt que *malbâti*), *malaisé, malappris, malavisé, malchance, malchanceux, malcommode, malfaisant, malhabile, malintentionné, malodorant, malpoli, malpropre, malsonnant, malséant, mal famé* (et non *malfamé*), *mal fait, mal payé, mal embouché, mal venu (vous seriez mal venu de* — ou *à* — *vous plaindre).* Avec trait d'union : *mal-aimé,* adjectif et nom, *le mal-jugé* (jugement défectueux). *Être mal en point* (les traits d'union ne s'imposent pas). *Mal pensant* (qui a des idées sociales ou politiques subversives) ne prend un trait d'union que comme nom : *les gens mal pensants, les mal-pensants.* On écrit : *les malentendants.*

Malade. En Wallonie, [*il fait malade*] se dit pour *Il fait lourd ; le temps est étouffant.*

Malgré, prép. *Il est parti malgré moi, malgré mes ordres.* **Malgré que,** loc. conj., a été condamné avec obstination par les puristes mais est incontestablement devenu correct au sens de *bien que, quoique* et doit normalement être suivi du subjonctif. Cf. BIEN QUE, 1.

L'expression **malgré que j'en aie**, *malgré qu'il en ait* s'explique par l'ancien sens de *malgré* (mauvais gré) : quelque mauvais gré (en dépit) que j'en aie, malgré sa volonté, ses réserves.

Malheur, n.m. *Le malheur était* (ou *a voulu*) *que.* Cf. VOULOIR, p. 1005.

[Mali], n.m., est belge. Le contraire d'*un boni* est *un déficit.*

Malin, adj., a souvent un sens plutôt péjoratif (*un malin plaisir*, un plaisir malveillant, *une tumeur maligne*) ou évoque au moins la ruse, l'astuce, l'espièglerie (*sourire d'un air malin, un regard malin*), mais glisse facilement vers le sens de fin, d'intelligent : *Ils sont vraiment malins, vous savez (...). Ils sont vraiment intelligents* (Kessel, cité par GLLF). *Il n'est pas très malin* = Il n'est pas très fin, très intelligent. — Le féminin est toujours *maligne.*

Mallette, n.f., se dit d'une petite valise rigide, d'un petit coffre, mais non, comme en Belgique, d'une serviette d'écolier ou d'un cartable.

Malnutrition, n.f., alimentation mal équilibrée.

Mal venu. Cf. MAL.

Malversation, n.f., détournement de fonds dans l'exercice d'une charge.

Management, n.m., est un mot anglais francisé, qui désigne l'ensemble des techniques d'organisation et de gestion, de direction d'une entreprise. Le verbe **manager** signifie : organiser la direction, la gestion d'une entreprise. En langage sportif, on devrait parler d'*entraîner* et d'*un entraîneur.* Le nom **un manager** désigne celui qui s'occupe de l'organisation de spectacles ou de rencontres sportives ou un dirigeant d'entreprise (pron. *djeur* ou *jeur*).

Manche, n.f. Cf. FROTTER, BRAS. [*Manche-à-balles*], n.m., dans l'argot des étudiants belges, désigne celui qui étudie avec un zèle jugé excessif.

Manchot, adj. Féminin : *manchote.* Un seul *t.*

Mander, v.tr.dir. On mande *qqn*, on mande *qqch. à qqn* ; *mander que* est vieilli. Ne pas confondre avec *mandater qqn pour qqch.* (lui donner mandat et pouvoir). *Mandater une somme* = la payer par mandat.

Mânes, n.m.pl. *Leurs mânes sont contents.*

Manger, v.tr.dir. 1. *Manger la soupe* se dit dans certaines provinces françaises et wallonnes pour *manger, prendre un repas.*

2. *Mangé **aux** mites, aux vers.* Mais on peut dire : *mangé **des** mites, des vers, **par les** mites, par les vers.*

Mangeur, n.m. On dit : *Un gros mangeur, un grand mangeur, un petit mangeur.*

Mangeure, n.f., endroit mangé d'une étoffe ; on prononce « ju », on peut écrire *mangeüre* (Ac., 1975).

Mange-tout, n.m. *Des mange-tout.*

[**Manicure, manicurer**] ne peuvent remplacer *manucure, manucurer.*

Manière, n.f. 1. *De manière que, de manière à ce que.* Cf. FAÇON. — 2. On peut dire familièrement : *Il fait des manières* (il agit, il parle sans simplicité, il se fait prier). — 3. On dit : *En quelque manière, en aucune manière, en toute manière* (classique ; dans tous les cas), *en manière de conclusion. De toute manière* (en tout cas), *d'une manière générale, d'une manière ou d'une autre* (parfois *de manière ou d'autre*), *d'une certaine manière, de cette manière. La manière dont il m'a répondu. Écrire à la manière de (qqn).*

Manque, n.m. **Le manque** : *Un manque de soin* (Ac.). *Rater un travail par manque de soin* ou *le rater manque de soin. Je n'ai pu acheter ce livre, manque d'argent. Un manque à gagner, des manques à gagner.*
   Expression vieillie : *J'ai trouvé cent francs de manque dans ce sac.* On dit : *Il manquait cent francs.*
   Fam. **À la manque** : *Une conspiration à la manque,* ratée. *Un Richelieu à la manque.*

Manquer, v.intr., tr.ind. ou tr.dir. 1. **Intr.** Sens de « faire défaut » : *Les vivres vinrent à manquer. Cet article manque au magasin. Ce n'est pas la bonne volonté qui manque. Deux soldats manquent à l'appel.* **Impersonnel** : *Il ne manquait plus que cela ! Il ne manquerait plus que cela. Il ne manquait plus que de le rencontrer. Il ne manquait plus qu'il soit là avant nous* (pour « que qu'il soit »).
   2. **Tr.ind.** Avec **de,** être privé de : *Il manque de patience. Ne manquer de rien. Ne pas manquer de toupet.*
   Avec **à,** faire défaut : *Le courage lui a manqué. Le cœur (la voix) lui a manqué.* **Impersonnel** : *Il lui manque un bras. Il lui manque dix francs.*
   Sens de « se soustraire à » : *Il manque à tous ses devoirs. Je n'y manquerai pas.* Tour vieilli : *manquer à faire qqch.,* négliger, s'abstenir de faire cette chose (*Il a manqué à remplir ses devoirs*).
   Aujourd'hui, **devant un infinitif,** les tours courants sont *manquer* ou plus souvent *manquer de* (faillir, être sur le point de) : *Une affaire qui manqua **constituer** une erreur judiciaire* (R. Floriot, *Les erreurs judiciaires,* p. 157). *Elle manquait se noyer* (S. de Beauvoir, *Mémoires d'une jeune fille*

rangée. Poche, p. 9). *Il a manqué d'être tué* (Ac.). *Il a manqué de se noyer. Il avait manqué de se tromper.*

Tour négatif, courant avec *de* devant un infinitif : *Il n'a pas manqué de nous écrire,* il n'a pas omis, négligé de. *Cela ne manquera pas de le surprendre.* cela le surprendra certainement. *Ça ne manquera pas d'arriver.*

3. **Tr.dir.** *Manquer l'école, un cours, la messe, une occasion.* Ne pas dire : [*manquer à l'école*]. *Manquer le train. Manquer son coup, la balle. Je vous ai manqué de peu* (j'ai failli vous rencontrer). *Vous n'avez rien manqué* (vous n'avez rien perdu ou pas grand-chose).

4. Le pronominal **se manquer** a vieilli. *Il s'en manque beaucoup* ou *bien* ou *de beaucoup* est beaucoup moins vivant que *Il s'en faut de beaucoup.*

5. On écrit : *Nous l'avons manqué belle.* Cf. ÉCHAPPER.

Manuscrit, adj. et n.m. Comme adjectif, *manuscrit* signifie toujours « écrit à la main ». Comme nom, il se dit d'un texte écrit à la main et, par extension, d'un texte original dactylographié (qu'on peut appeler une *copie*) destiné à l'impression.

Mappemonde, n.f., proprement « nappe du monde », désigne une carte plane représentant le globe terrestre, c.-à-d. *un planisphère.* L'Académie et le meilleur usage refusent d'admettre le sens courant, toujours suspect mais qu'on trouve chez d'excellents écrivains, de « globe représentant la sphère terrestre et monté sur un pied ».

[**Maquée**], n.f. wallon, *fromage blanc, caillebotte.*

[**Maquer**], v.tr.dir. wallon, *frapper, abattre, assommer.*

Marc, n.m. Les dictionnaires donnent la même prononciation (mar) pour tous les sens : résidu des fruits que l'on a pressés, eau-de-vie, résidu de certaines substances que l'on a fait bouillir ou infuser (*marc de café*), ou poids de métal précieux (ancienne mesure), monnaie d'or ou d'argent. Dans ces deux derniers sens, on prononce pourtant plutôt, aujourd'hui, « mark », comme en parlant du *mark* des pays germaniques. On continue cependant à prononcer « mar », dans la vieille expression juridique *au marc le franc,* au prorata des créances.

Quant au prénom *Marc,* il se prononce « mark », sauf par archaïsme quand on parle de *la place Saint-Marc,* de *la basilique Saint-Marc* ou du *lion de Saint-Marc,* de Venise. Ne pas confondre *Marc* avec *Mard* (localité de Saint-Mard), forme populaire de Médard.

Marché, n.m. 1. *Acheter, vendre, avoir un objet* **bon marché** ou *à* **bon marché.** *Vendre meilleur marché* ou *à meilleur marché.* Au figuré, toujours *à bon marché : Je m'en suis tiré à bon marché.* On dit : *Payer bon marché. Des articles bon marché* (invariable). *Une édition à bon marché. Des articles* *meilleur marché* (invariable). *La robe **la meilleur marché**. Des objets choisis parmi les meilleur marché.* L'invariabilité de *meilleur* s'explique comme celle de *bon* : l'adjectif se rapporte à *marché*.

2. *Supermarché* et *Hypermarché,* n.m., s'écrivent sans trait d'union. Cf. HYPERMARCHÉ.

Marchéage, n.m., se répand pour désigner soit le marketing en général et la *stratégie commerciale,* soit les techniques d'application pratique de la vente. Cf. MARKETING.

Marchepied, n.m., s'écrit en un mot.

Marcher, v.intr. 1. Il y a longtemps que **marcher à pied** et conséquemment *la marche à pied* ne sont plus considérés comme des pléonasmes. Sans doute à cause des sens variés de *marcher,* notés ci-dessous.

Marcher ne peut être suivi comme en anglais d'un complément de distance. On dit : *J'ai marché toute la matinée. Ma voiture marche à 110 km à l'heure.* Mais : *Je **fais** trois kilomètres tous les matins.*

2. Sens figuré de *marcher. Il marche (il va) **sur ses quatre ans,** sur quatre ans. Cette auto (ou cette montre) marche bien. On a fait marcher la sonnerie. Les affaires marchent. Il marche sur la tête, sur les mains, sur les genoux. Il ne marche pas,* il ne s'en laisse pas conter ; *on ne peut le faire marcher.* Familièrement : *Je marche* (je consens, j'accepte).

Maréchal-ferrant, n.m. Trait d'union. *Des maréchaux-ferrants.*

Marée, n.f. Cf. ARRIVER, 4.

[Margaille], n.f. Wallonisme pour « dispute, gâchis, désordre ».

Marge (ne pas prononcer comme *marche*), n.f. : *Les marges d'un livre. Une marge de manœuvre, d'erreur, de sécurité, de réflexion. Ça vous laisse de la marge. Vivre en marge. Être en marge.*

Marguillier, n.m. La finale *illier* ne se prononce pas comme dans *pilier* mais comme dans *piller* (« iyé »). Le marguillier n'est ni l'organiste ni le chantre. mais le laïc chargé de l'entretien d'une église ou un membre du conseil de fabrique.

Mariage, n.m. Cf. MARIER, ROMPRE. On dit : *Son mariage avec sa cousine.*

Marial, adj., *mariale.* Pluriel masculin : *mariaux* ou assez souvent *marials* : *des sanctuaires **marials.***

Marier, v.tr.dir., unir, donner en mariage : *Le maire, le prêtre les a mariés. Un père marie sa fille. Il marie son fils à la fille* (ou **avec la fille**) *d'un de ses amis.*

Au sens figuré : *Marier la vigne avec l'ormeau, à l'ormeau* (Ac.). *Marier parfums et couleurs. Ces couleurs se marient.*

À la forme pronominale, avec un sujet au singulier : *Pierre se marie avec Isabelle. Isabelle se marie avec Pierre.* Avec un sujet pluriel : *Ils se marient* (on pourrait dire : *Pierre épouse Isabelle, ils s'épousent*). Mais en dehors de la forme pronominale, *marier* ne signifie plus *épouser* qu'en français populaire et dans certaines régions de France, en Belgique, en Suisse, au Canada, que le sujet soit l'homme ou la femme ; usage dialectal ou archaïque à éviter en français correct.

On écrit : *Les jeunes mariés, les nouveaux mariés, la jeune mariée, la nouvelle mariée.*

Marijuana, n.f., doit être préféré à *marihuana.*

Marin, maritime, adj. **Marin** se dit de sels, de courants, de plantes ou d'animaux qui vivent dans la mer, de l'air, de la brise, de la vague, d'un instrument, du pied, d'un col, d'une carte, d'un costume, etc.

Maritime se dit de ce qui est proche de la mer, de ce qui en dépend (*ville, puissance, port, province, climat, canal,* une sorte de *pin*), ou de ce qui se fait sur mer, par mer (*navigation, transport, commerce*) ou de ce qui concerne la marine, la navigation par mer, la flotte (*droit, législation, tribunal, gare, préfet*).

Marine, n.f. *Bleu marine* est invariable. *Des chaussettes bleu marine.* — **N.m.,** *Un marine* (de l'infanterie de marine américaine).

Mariolle, adj. ou n. populaire (malin, roublard) : *Faire le mariolle,* faire l'intéressant.

Mark, n.m. de la monnaie allemande, reste parfois invariable comme en allemand, mais on écrit souvent : *des marks.*

Marketing, n.m. L'Académie a proposé comme équivalent *commercialisation,* « opération d'étude et de développement de la vente d'un produit sur un marché ». D'autres mots, d'un sens moins large, sont employés : *marchéage, mercatique* (fém.), *marchandisage, techniques commerciales, stratégie commerciale, étude de marché.* Les équivalents recommandés sont *commercialisation* et *marchéage.*

Marmonner, v.tr.dir., c'est dire entre ses dents, dire d'une façon confuse ou hostile : *Qu'est-ce que vous avez à marmonner ?* (Ac.) *Marmonner une prière* ou *des injures, des menaces.*

Marmotter, v.tr.dir., rejoint *marmonner* dans le sens de parler entre ses dents, dire confusément (*marmotter des prières*) ; en emploi absolu : parler seul à voix basse.

Maronner, v.intr. (maugréer) est populaire : *Il maronne dans son coin* (Ac.). Aucun rapport avec *marron.*

Marque, n.f. On peut fort bien parler de *marques* (ou de témoignages) d'estime, de sympathie, d'amitié, etc.

Marqueur, n.m., peut se dire d'un crayon-feutre.

Marrant (amusant, drôle), adj., est populaire comme *se marrer.*

Marri, adj., est littéraire (contrarié, consterné).

Marron, n.m. et adj. 1. Le nom désigne un fruit, qui est comestible. Notons l'emploi populaire, comme nom, pour un coup de poing, et l'emploi invariable pour désigner la couleur : *des robes marron* (brunes).

Tirer les marrons du feu doit se comprendre par allusion à la fable de La Fontaine *Le singe et le chat* (livre IX). Le sens n'est pas : « retirer tous les avantages sans s'être donné le moindre mal », comme le fait le singe qui, regardant avec le chat « rôtir des marrons » pour leur maître, invite son compagnon, en flattant son habileté, à tirer les marrons du feu. Le chat s'exécute habilement et le singe croque les marrons au fur et à mesure. C'est donc au chat de cette fable qu'il faut penser lorsqu'on parle de celui qui tire les marrons du feu : il se donne du mal, s'expose à des risques, sans profit personnel, au bénéfice d'un autre.

2. Un autre mot *marron,* (féminin *marronne*), venu des Antilles, est adjectif et variable et se dit de celui qui se livre à l'exercice illégal d'une profession : *des courtiers marrons, un médecin marron.*

Marronnier, n.m. Deux *r*, deux *n.*

Mars (pron. *s*), n.m. *Arriver comme mars en carême.* Cf. ARRIVER, 4.

Marteau, n.m. En langage figuré et familier, *avoir reçu un coup de marteau* (sur la tête) ; d'où, en langage populaire, *être marteau,* être un peu fou.

Marteler, v.tr.dir. *Il martèle.* **Le martèlement,** n.m.

Martyr, n.m. *Un martyr* (ou *une martyre*) *souffre le martyre.*

Martyrologe, n.m., catalogue des martyrs. Ne pas dire [*martyrologue*].

Mas, n.m. Prononciation facultative de *s.*

Mascotte, n.f. Deux *t.*

Masque, n.m. On ne dit plus guère *un masque* pour désigner une personne masquée, déguisée, qu'on ne peut appeler, notons-le, [*un masqué*].

Massacrer, v.tr.dir., s'est appliqué depuis des siècles à un ou plusieurs êtres tués sauvagement, sans pouvoir se défendre, mais aussi à des choses, à des œuvres traitées maladroitement, mal exécutées.

Massacre, n.m., a la même extension. Mais si on peut parler d'un massacre pour résumer son jugement sur une volaille mal découpée, une œuvre musicale mal exécutée, un combat de boxe particulièrement brutal où un adversaire est mis à mal, le mot *massacre* continue à s'appliquer généralement à un grand nombre : *Le massacre des Innocents, de la Saint-Barthélemy, d'une tribu.*

Massepain, n.m., est défini par les dictionnaires français « pâtisserie faite d'amandes pelées, de sucre et de blancs d'œufs ». Le mot est plus courant en Belgique qu'en France, où l'on parle souvent de *pâte d'amandes.*

Mass media, n.m.pl., s'écrit en français sans accent et sans trait d'union et est invariable. On accorde cependant parfois *média,* dans *des mass médias,* comme on le fait normalement dans *des médias : Un média, des médias.*

Mastic, n.m. *Le mastic, du mastic, un mastic* (en typographie) : *Mastiquer, masticage.*

Mastoc, adj. familier, invariable, s'applique aux personnes comme aux choses d'un aspect lourd et disgracieux : *Cette femme est mastoc* (Ac.).

Mastroquet, n.m., se dit familièrement en France du tenancier d'un débit de boissons ou de ce débit lui-même.

M'as-tu-vu, n.m. ou f. invariable. *Des m'as-tu-vu. Des manières m'as-tu-vu.*

Match, n.m. *Des matchs* (ou *des matches*).

Mater, v.tr.dir., n'a aucun rapport avec le *mât* d'un bateau (ni avec *mâter,* garnir d'un mât), mais signifie « rendre mat » (aux échecs) d'où réduire à l'impuissance, réprimer, maîtriser.

Matériau, n.m., singulier refait sur le pluriel *matériaux* (ancien français *matérial*).

Matériel, adj., se dit par extension d'une *erreur* (qui ne correspond à aucune intention) ou du *temps* jugé nécessaire à l'accomplissement de qqch. *Matériel,* **n.m.,** en informatique, remplace *hardware,* et s'oppose au *logiciel.*

Mathématique, n.f. L'emploi du nom au singulier pour désigner la science des mathématiques est un ancien usage remis en honneur aujourd'hui pour faire mieux apparaître la méthode fondamentale qu'on retrouve dans les diverses disciplines des mathématiques.

Matière, n.f. *Donner (fournir, il y a) matière à (réflexion, discussion,* etc.).

Mâtin (accent circonflexe) n'est plus guère vivant, soit comme nom d'une sorte de gros chien de garde, soit pour désigner une personne désagréable ou un enfant espiègle, soit comme interjection.

Matin, n.m. 1. On dit : *Samedi, départ au matin* ou *le matin. Lundi au matin* ou *Lundi matin. Hier au matin* ou *hier matin.* On doit dire : *Le 15 au* *matin. Ce jour-là au matin. Chaque jour au matin. La veille au matin. Au petit matin* (au petit jour, avant le lever du soleil). Mais : *Ce matin. Dès le matin. De grand matin, de bon matin, neuf heures du matin. Ils se lèvent matin, trop matin.* — 2. Pluriel : *Tous les lundis matin.* Cf. DATE.

Matinal, matineux, matinier, adj. L'adjectif **matineux** (= qui a l'habitude de se lever de bonne heure) est vieilli. On emploie **matinal,** qu'il s'agisse ou non d'habitude, ou pour ce qui se produit le matin : *Vous êtes matinal aujourd'hui. Un enfant matinal. Une brise matinale. Une heure matinale.* **Matinier** ne se dit plus guère que de Vénus, *l'étoile matinière. Matutinal* (= qui appartient au matin) est vieilli.

[Mauclair], n.m., utilisé en Belgique par les architectes et les menuisiers pour *battement* (pièce de bois qui recouvre la jonction de deux battants de porte ou de fenêtre), est un flandricisme.

Maudire, v.tr.dir., se conjugue comme *finir* : *Vous maudissez.*

Maure, adj. et n. *L'invasion maure. Les Maures d'Espagne, de Mauritanie.* Adj. invariable : *tête-de-maure* (de couleur brun foncé). Adjectif **mauresque.** On écrit aussi *more, moresque.*

Mauvais, adj. et adv. Cf. AVOIR, PIRE. *Il fait mauvais. Elle sent mauvais.*

Maximum, maxima, maximal.

1. **Nom. Quelques emplois** : *Un maximum de précautions. Le maximum de la peine. Cela dure au maximum* (tout au plus) *dix secondes.* Fam., *au grand maximum. Un thermomètre à maximum et à minimum* ou *à maxima et à minima.* Noter l'accent sur *à*. Mais dans le langage juridique : *appel a maxima,* formé par le ministère public pour obtenir une diminution de la peine. *J'ai fait le maximum pour lui donner satisfaction.* Inutile d'ajouter *grand* dans *au maximum.* Autre sens de *au maximum* avec une expression susceptible de degrés : « au plus haut degré, à l'extrême », qu'il s'agisse d'accroître ou de réduire : *Réduire les risques au maximum.* Noter qu'*on atteint ainsi un minimum de risques ; on prend le minimum de risques.* — *Utiliser l'espace au maximum.*

Pluriel : *des maxima* (forme latine, en langage scientifique) ou *les maximums,* recommandé par l'Académie des sciences.

2. **Adjectif.** L'Académie des sciences, suivie par des écrivains, a recommandé *maximal,* variable : *Un prix maximal, une température maximale, les prix maximaux, les doses maximales.*

Il faut souhaiter la généralisation de cet emploi, qui mettrait fin à un usage incertain où l'on trouve : au masculin singulier, *maximum* ; au féminin singulier, *maximum* ou *maxima* : au pluriel, masculin ou féminin, *maximums* ou *maxima.* Par exemple : *un tarif maximum ; une température maximum* ou *maxima ; des prix maximums* ou *maxima ; des pressions maximums* ou *maxima.*

On appliquera les mêmes observations et les mêmes recommandations à *minimum, minima, minimal* et à *optimum, optima, optimal.*

Maximiser (porter au maximum), v.tr.dir. Nom : **maximisation.** On peut dire aussi **maximaliser** et **maximalisation.** À déconseiller : *maximer* et *maximation.*

Mayeur, n.m. Cf. Maïeur.

Mazette, n.f., personne sans énergie, sans courage ou, plus souvent, sans habileté : *Jouer comme une mazette. Mon partenaire était une mazette.*

Mea culpa, écrit par l'Académie *meâ-culpâ* (accents circonflexes et trait d'union), s'écrit aujourd'hui *mea culpa* et est invariable : *Faire son mea culpa. Des mea culpa.*

Méandre, n.m. Pléonasme : [*un méandre sinueux*]. Au figuré, peut prendre un sens péjoratif (*détour, ruse*).

Méchant, adj., peut s'employer devant le nom dans le sens de « dangereux » ou « désagréable » : *Une méchante affaire.* Il est vieilli ou littéraire devant le nom dans le sens de « qui ne vaut rien » : *Un méchant écrivain. Une méchante robe.* On dit : *un méchant homme* ou *un homme méchant* (qui fait délibérément du mal). *Un enfant méchant. Un chien méchant. Faire le méchant. Ce n'est pas méchant* (ce n'est pas grave, ça ne tire pas à conséquence).

Mèche, n.f. *La mèche d'une bougie, d'une lampe, d'une mine. Éventer* (ou *découvrir*) *la mèche* (découvrir un complot, une machination). *Vendre la mèche* (dévoiler, trahir un secret). *Une mèche de cheveux.* Homonyme familier : *Être de mèche avec qqn* (être « de moitié », italien *mezzo*, être d'accord en secret). Populaire : *Il n'y a pas mèche* (il n'y a pas moyen).

[**Méconduire (se), méconduite**] sont des belgicismes à remplacer par *se mal conduire* ou *se conduire mal* et *inconduite, mauvaise conduite.*

Méconnaissance, n.f., **méconnaître,** v.tr.dir. Le sens de « ignorer, ne pas connaître » est vieilli ; le sens moderne est « refuser de reconnaître à sa juste valeur qqn ou qqch., ne pas apprécier, et même refuser d'accepter » : *Il était inconnu ou plutôt méconnu. Il n'ignore pas nos usages, mais il les méconnaît.* On pourrait donc dire de qqn : *Il montre une ignorance, une mauvaise connaissance et même une méconnaissance des règlements.* Pour l'emploi du mode et de *ne* après *méconnaître*, cf. Contester.

Médecin, n.m. Distinguer *le médecin de famille* (le médecin habituel de la famille), *le médecin traitant* (qui suit le malade), *le médecin consultant* (appelé en consultation par un confrère), *le généraliste* (médecine générale ou interne), *le spécialiste* (en qqch.). *Une femme médecin* (un médecin).

Médecine, n.f., est vieilli dans le sens général de médicament et même de purgatif.

Média, n.m. Cf. MASS MEDIA.

Médical, adj., « qui se rapporte à la médecine ». **Médicinal** se dit de ce qui, eaux, plantes, a des propriétés curatives.

Médire, v.tr.ind., se conjugue comme *dire* (sauf *médisez*). On médit *de qqn. Les gens dont il médit.*

Médium, n.m. Accent aigu. *Un médium, des médiums.*

Meeting (pron. : mi-ti + ng), n.m. *Des meetings.*

Méfaire, v.intr. (commettre une mauvaise action), est vieilli, même à l'infinitif.

Méfier (se) est plus usuel que *se défier,* dont il est synonyme. Comme *la méfiance* ou *la défiance,* ces verbes expriment l'idée de manque de confiance, d'où celle de se tenir en garde contre qqn ou qqch. Absolument : *Il se méfie.* Avec *de* : *Se méfier de qqn* ou *de qqch.* On ne dit pas *se méfier que.*

Méforme, n.f. *La méforme* (mauvaise forme) *d'un sportif, d'un athlète.*

Meilleur, adj. 1. *Plus il vieillit, meilleur il est* et non [*plus meilleur*] *il est.* Cf. BON. On dit : *avec la meilleure volonté du monde.*

2. On dit ; **bien meilleur,** mais on peut dire : *beaucoup meilleur,* qui est classique. *Il est bien meilleur qu'on ne dit.*

3. Si l'on dit fort bien, en utilisant *meilleur* comme le comparatif de *bon* : **Il fait meilleur** *aujourd'hui. Il fait meilleur vivre ici,* certains hésitent à dire : *Cette rose* **sent meilleur** (Elle a une meilleure odeur, un parfum plus fin). L'expression est cependant correcte.

4. **Meilleurs vœux.** « Mieux vaudrait dire : *Mes meilleurs vœux* », déclarais-je en 1949, tout en notant la fréquence du raccourci. *Meilleur,* sans l'article défini ou l'adjectif possessif, est en effet normalement perçu comme un comparatif : *Il a meilleure mine.* Comparez : *J'ai une meilleure solution* et *Je cherche la meilleure solution. Un meilleur ami* n'est pas *Mon meilleur ami.*

On ne songerait pas à supprimer l'adjectif possessif avec un verbe ou une préposition : *Je vous présente mes meilleurs vœux. Avec mes meilleurs vœux.* Mais l'expression *meilleurs vœux,* devenue autonome, passe-partout, imprimée sur des cartes de vœux, n'a pas été sentie comme un comparatif s'opposant à un superlatif ; l'économie de l'adjectif possessif n'y semblait pas plus anormale que dans *Bons baisers, hommages respectueux, sincères remerciements, amitiés.* Cet emploi s'est donc répandu dans le bon usage lui-même.

5. On accuse d'américanisme l'expression **dans les meilleurs délais** employée pour éviter de dire de façon plus catégorique *le plus tôt possible* ou *dans les plus brefs délais*. L'expression appartient au style commercial ou administratif courant. Pourquoi la rejeter ? Ne peut-on, à la lettre, apprécier la qualité d'un délai ?

6. **Meilleur marché** est invariable comme comparatif de *bon marché* : *Des robes meilleur marché*. Cf. MARCHÉ.

7. **Nom** : *Le meilleur de soi-même. Pour le meilleur et pour le pire.* En termes de sport, *prendre le meilleur sur qqn* (l'emporter sur), *avoir le meilleur sur qqn* (avoir l'avantage sur). Mais [*au meilleur de ma connaissance*] est une traduction de l'anglais. On dit en français : *autant que je sache* ou *si je suis bien renseigné*.

Mélanger, v.tr.dir. *On mélange une chose à* ou *avec une autre, deux choses, des couleurs, des fiches, des souvenirs, des dates, une chose et une autre. On mélange des torchons avec des serviettes.*

Mêler, v.tr.dir. *Mêler les cartes* ou simplement *mêler* (Ac.). *On mêle des choses, des sujets, des races, une chose et une autre, une chose à* ou *avec une autre. Ils se sont mêlés de nos affaires.*

[Mêle-tout], n.m. Belgicisme à remplacer par *touche-à-tout* qui signifie : « qui a l'habitude de toucher à tous les objets qui sont à sa portée », mais aussi « qui aime à se mêler indiscrètement de tout ce qui ne le regarde pas » (Ac.).

Méli-mélo, n.m. *Des mélis-mélos.*

Melliflu, melliflue (d'une douceur excessive, doucereux, fade) est parfois écrit *melliflue* au masculin.

Melon, n.m., se dit pour *chapeau melon*.

Membré, membru, adj. *Un homme bien membré* a les membres bien faits, bien proportionnés ou vigoureux ; *membru* = qui a les membres gros et forts.

Même. 1. Toujours **adjectif** et variable dans les cas suivants :

a) Devant le nom, quand il marque l'identité, la similitude. Il est généralement précédé d'un déterminant (article, démonstratif, possessif), mais on peut parfois faire l'ellipse de celui-ci : *Les mêmes quartiers* avec *leurs mêmes rues malpropres. Ils ont les mêmes souliers. Mêmes causes et mêmes effets. Deux plantes de même espèce. Ils avaient même espoir et mêmes illusions.*

b) Après un pronom personnel (et un trait d'union), pour marquer l'insistance : *lui-même, eux-mêmes, nous-mêmes* (mais *nous-même, vous-même* si l'on ne désigne qu'une seule personne). *Tous les autres moi-mêmes* (Aragon, *La mise à mort*, p. 397).

c) Après un nom (précédé de l'article) exprimant une qualité : *Cet homme est la bonté même.* Il possède cette vertu au plus haut degré, comme si elle était incarnée en lui. Cf. plus loin, 4.

2. Toujours **adverbe** et invariable quand il marque la gradation, l'extension, l'inclusion dans un ensemble. Il précède (ou pourrait précéder) l'article ou l'adjectif démonstratif ou possessif ou il suit un nom employé sans article : *Il s'est plaint et a même pleuré. Il est économe et même avare. Nous dirons même qu'il a tort. Même les plus sages se trompent quelquefois, souvent même. Les guerres, même justes, sont un malheur public. Même si on le lui demandait, il ne le ferait pas. Nous attendrons même jusqu'à demain. Ils tuèrent hommes, femmes, enfants même. Ils incendièrent le château fort et même les maisons. Je n'ai même pas* (ou *Je n'ai pas même*) *songé à lui en vouloir.* Adverbe aussi quand il marque l'insistance et signifie « exactement » après un adverbe : *Ici même, là même, aujourd'hui même, par là même* (pas de trait d'union entre un adverbe et *même*).

3. **Le même** (cf. 1, a, l'emploi comme adjectif) est **pronom** en fonction d'attribut, de complément, d'apposition ou de sujet et marque l'identité, la similitude : *Ce sont toujours les mêmes. On prend les mêmes et on recommence. On s'en prend toujours aux mêmes. Les mêmes se plaignent aujourd'hui. Ce costume, le même que le vôtre.*

Noter qu'après *le même,* le terme de comparaison est introduit par *que* et non par *comme : Une ville qui a le même nom que la nôtre. Le même que le sien.*

Il est normal de reprendre le nom après *que,* dans le deuxième terme de la comparaison, sous la forme d'un pronom ; si celui-ci est un pronom démonstratif, il peut devoir être déterminé par une proposition relative : *Je prendrai la même route que celle qui vous a amenés.* Mais on fait parfois l'ellipse de *que* et du pronom démonstratif : *Je prendrai la même route qui vous a amenés. Nous entendrons ce soir le même orchestre que (celui que) nous avons entendu la semaine dernière.*

Un même peut se substituer à *le même* quand il y a plusieurs sujets ou compléments si le sens reste clair : *Ils dorment dans un même lit. Un même sort les attend.*

4. En dehors de ces cas très simples, on peut parfois se demander si *même* est **adjectif ou adverbe** après un nom déterminé, un nom propre ou un pronom démonstratif. Notons qu'il n'y a jamais de trait d'union entre celui-ci et *même.*

Il faut voir le sens (insistance sur l'identité, sens de *lui-même* : adjectif, variable ; fin d'une gradation : adverbe, invariable) et si l'on peut déplacer *même* devant le déterminant du nom (article, adjectif démonstratif ou possessif) ; dans ce dernier cas on peut y voir un adverbe. Parfois les deux interprétations sont possibles et donc aussi les deux traitements : *Ceux-là mêmes* (= ceux-là eux-mêmes) ou *ceux-là même* (même ceux-là) *s'inquiètent. Ces précautions mêmes* (elles-mêmes) ou *ces précautions même* (même ces précautions) *restent insuffisantes.* C'est ainsi que dans les phrases suivantes, où l'accord peut se justifier, on pourrait aussi justifier l'invariabilité : *Ceux-là mêmes qui voyageaient pour leur plaisir regardaient leur montre* (H. Bosco, *L'antiquaire*, Poche, p. 255). *Ceux-là mêmes pour qui il s'est privé* (J. Dutourd, *Pluche*, Poche, p. 200). *Ceux mêmes qui n'en ont plus qu'une conscience très vague* (M. Aymé, *Le confort intellectuel*, Poche, p. 148). *Je ne sais quel défi et quelle insistance, dans ses regards, dans sa démarche, dans ses rires rapides et saccadés, dans ses silences mêmes* (M. Arland, *Antarès*, Poche, p. 74). *Cependant ses pas, ses repos, sa parole, ses gestes mêmes, tout dénonçait une langueur désabusée* (H. Bosco, *Le mas Théotime*, Folio, p. 163). *Les hargnes et les aigreurs (...) que les meilleurs mêmes ont peine à dominer* (Fr. Ambrière, *Les grandes vacances*, Poche, p. 358).

Accord nécessaire parce qu'on ne pourrait déplacer *même* : *Les Romains ne vainquirent les Grecs que par les Grecs mêmes* (Ac. ; on ne peut mettre *même* ni avant ni après *par* ; le sens est : *eux-mêmes*). Ailleurs *même* pourrait précéder *par*, mais seulement à la fin de la gradation : *Autorisés par les rois, par les Parlements mêmes et par l'Église* (Voltaire : on doit comprendre : *eux-mêmes*). Si l'on écrivait *par les Parlements et par les prêtres même*, on aurait le choix, *même* pouvant précéder *par*.

Nous avons vu (cf. ADJECTIFS QUALIFICATIFS, accord) que l'adjectif qualificatif se rapportant à des noms abstraits qui le précèdent s'accordait souvent avec le dernier : *Il a soulevé l'indignation et la colère générale.* C'est ce qui paraît justifier : *Elle était la bizarrerie et la bonne humeur même* (Alain-Fournier, *Le grand Meaulnes*, p. 238). Le sens est : elles-mêmes ; les qualités exprimées par l'attribut sont portées au plus haut degré (cf. plus haut, 1, c). C'est pourquoi le pluriel est normal et préférable : *Elle qui était la sagesse, la droiture et la vérité mêmes* (E. Fromentin, *Dominique*, ch. XII).

5. *Même* est un **nom** dans *Cela revient au même* (à la même chose) et dans le tour populaire *C'est du pareil au même* (= c'est la même chose).

6. **À même** (= directement à, sur, dans) : *Boire à même la bouteille, cracher à même le sol, porter sa veste à même la peau, une statue taillée à même le roc.*

À même de + infinitif = en état de, en mesure de : *Mettre qqn à même de faire qqch. Ils ne sont pas à même de nous renseigner.*

7. **Même que**, locution conjonctive, est populaire et signifie « et même, et qui plus est » : *Il est guéri, même qu'il a repris son travail.*

8. **De même** : *Il en est* (ou *va*) *de même pour chacun de nous. Il a été vivement applaudi à son entrée et de même à la fin de son discours.* Dans ce sens, on n'emploie plus **tout de même**, qui signifie « néanmoins » et peut marquer une protestation familière : *Vous êtes en retard, mais entrez tout de même. C'est un peu fort, tout de même !*

Mais **tout de même que**, locution conjonctive, s'emploie encore parfois au sens de *de même que*, introduisant une comparaison : *Elle était là pour nous accueillir, (tout) de même qu'au départ.* Lorsque la subordonnée introduite par **de même que** précède la principale, celle-ci peut commencer par *de même* ou *ainsi* : *De même que le feu éprouve l'or, de même l'adversité éprouve l'homme courageux* (Ac.). Cf. TOUT, D, Adverbe, 10.

9. **Quand même.** Cf. QUAND.

10. **Même si.** Cf. SI, *conj.*, A, 2, p. 860.

11. **Voire même.** Cf. VOIRE.

Mêmement, adv. (= pareillement), est vieux et littéraire.

Mémento (pron. « mémin »). *Des mémentos.*

Mémoire, n.f. ou m. selon le sens. *Se rafraîchir* **la mémoire**, *avoir de la mémoire. Réciter, jouer de mémoire. Conserver, garder la mémoire d'un évènement. Elever un monument à la mémoire de qqn. De mémoire d'homme. Pour mémoire* (noté à simple titre de renseignement). *Un aide-mémoire, des aide-mémoires* (ou *des aide-mémoire*). **Un mémoire.** *Rédiger un mémoire* (exposé). Avec majuscule : *ses Mémoires* (ses souvenirs).

Mémorandum, n.m. (note écrite ; carnet contenant ce genre de notes). La forme latine *memorandum* (pluriel *memoranda*) a été francisée : accent aigu, pluriel : *mémorandums.* Une maison française d'édition a eu tort de créer une rubrique (*mémoranda*) avec l'accent français et le pluriel latin.

Mémorial, n.m. Pluriel rare : *des mémoriaux.*

Menacer, v.tr.dir. *On menace qqn de qqch., de faire qqch. Il m'a menacé d'un bâton, d'une punition, de me punir. Ce chef menace facilement. La séance menace d'être longue. La guerre menace d'éclater. La guerre menace. La pluie menace,* et non, avec l'impersonnel, [*Il menace de pleuvoir*]. **Menacer ruine.** Au lieu de [*Je menace une phlébite*], on doit dire : *Je suis menacé d'une phlébite* ou *Une phlébite me menace.*

Mener, v.tr.dir. *Menez-m'y. Mener sa voiture au garage, mener sa barque, une enquête, à bien, à mal.* **Suivi d'un infinitif,** *mener* ne s'emploie plus guère, en français généralisé, que si le complément de *mener* fait l'action de l'infinitif. Si celui-ci est à la forme pronominale, on peut omettre le pronom réfléchi : *Je vous mènerai voir ce spectacle. On menait les écoliers promener* (ou *se promener*). Le *B.U.* donne cependant, sans références, les exemples : *Ces brebis, mène-les égorger* (n° 1064), *Ces brebis, je les mène égorger* (n° 1070). Ici, *égorger* a un autre sujet que *mener* et que le complément de celui-ci. Ailleurs, en langage rural, les deux verbes ont le même sujet (*Il mène vendre son cheval*) comme dans le conte du Petit Poucet : *Je suis résolu de les mener perdre demain au bois.*

Meneur de jeu, cf. ANNONCEUR.

Menotte (deux *t*), n.f. On *met*, on *passe* les menottes à qqn.

Mentalité, n.f., s'applique aussi bien à un individu qu'à une collectivité dans le sens d'état d'esprit, de dispositions psychiques ou morales.

Menterie, n.f. français, mais vieilli et régional.

Mentir, v.intr. *Je mens* (sans *t*), *il ment. Il en a menti.*

Méprendre (se). *Elles se sont méprises à nos déclarations* ou, plus souvent, *sur nos déclarations.*

Mépris, n.m. *Avoir du mépris pour qqn. Montrer son mépris à qqn. Avoir* ou *tenir qqn en mépris. Vivre dans le mépris des conventions. Agir au mépris des lois.*

Mer, n.f. *Naviguer en mer, en haute mer. Séjourner* (ou *passer une journée* ou *aller*) *au bord de mer* ou, dans le même sens, *à la mer.* On écrit : *la mer Baltique, la mer Rouge, la mer Méditerranée.*

Merci. 1. N.m. *Merci. Merci bien. Merci beaucoup. Un grand merci. Merci mille fois. Mille mercis. Merci à vous. Merci de votre lettre* ou *pour votre lettre.* Ironiquement avec *de* : *Merci du compliment.* Devant un infinitif, si l'on a pu citer quelque exemple de *pour,* c'est *de* qui est d'usage : *Merci d'être venu.*

2. N.f. Autre sens, malgré la même origine latine : *Être à la merci de qqn, de qqch.* (dépendre entièrement de). *Demander merci* (grâce, pitié). *Sans merci. Dieu merci !* (Grâce à Dieu).

Mère, n.f. On écrit **sans trait d'union** : *la mère patrie, une idée mère, la reine mère, la langue mère, la maison mère, une mère célibataire* (remplace couramment *fille mère,* écrit généralement sans trait d'union). Pluriel : *des idées mères,* etc.

　　Avec trait d'union : *belle-mère, grand-mère, mère-grand.* Cf. GRAND.

Méritant, adj., se dit des personnes (*des élèves méritants*) et **méritoire** des choses (*une action méritoire, des efforts méritoires*).

Mériter, v.tr.dir., est associé à l'idée de justice, qu'il s'agisse d'une récompense ou d'une punition : *Il mérite ce prix. Il mérite un blâme. Il mérite d'être récompensé. Il mérite qu'on ait pour lui des égards. Cette lettre mérite réponse. Une récompense, cela se mérite.*

　　À noter que *mériter* ne signifie pas *exiger, nécessiter.* On ne peut dire : [*Cette page mérite quelques corrections*]. Observons aussi que ni *mériter* ni *se mériter* ne signifient *obtenir.* Une publication officielle du Québec emploie plusieurs fois *se mériter des prix,* en 1978, en parlant d'écrivains qui, en fait, ont *mérité et obtenu* (ou ont *obtenu à juste titre*) des prix littéraires.

Mésestimer, v.tr.dir., est souvent remplacé par *sous-estimer.*

Message, n.m. *S'acquitter d'un message. Adresser, recevoir, transmettre un message. Un message téléphoné* ou *téléphonique.* L'expression **délivrer un message** n'est pas récente : *Je crois que chaque génération nouvelle arrive chargée d'un message et qu'elle doit le délivrer* (Gide, cité par GLLF).

Messe, n.f. On ne dit pas [*faire la messe*], ni [*aller à messe*], ni [*sonner à messe*], ni [*une messe d'année*], ni [*une basse messe*]. On doit dire : *célébrer la messe, dire la messe ; aller à la messe ; sonner la messe ; un service anniversaire, une messe de bout de l'an, la messe du bout de l'an ; une messe basse, une grand-messe, des grands-messes.*

Messeoir (ne pas convenir), v.tr.ind., inusité à l'infinitif, ne s'emploie qu'aux troisièmes personnes de quelques temps. Cf. SEOIR. Il s'emploie surtout à la forme négative. *Cela ne lui messied pas.*

Messieurs, dames (ou *Messieurs et dames*) est courant, mais doit être laissé à la langue familière. La correction grammaticale demande *Messieurs et Mesdames* et la politesse place *Mesdames* en premier lieu : *Madame, Monsieur ; Mesdames, Messieurs ; Mesdames et Messieurs. Bonjour, Mesdames, Messieurs.*

Mesure, n.f. 1. On emploie plus souvent le singulier dans *sur mesure* (opposé à *de série, de confection*) en parlant d'un costume pour lequel on a pris les mesures du client. Le singulier s'impose au sens figuré (*un emploi sur mesure, parler avec mesure*).

2. On écrit : *être en mesure de, outre mesure.*

3. **Dans la mesure où** implique un sens de proportion, une idée de degré et ne devrait pas se prendre comme l'équivalent de « parce que » ou de « si » : *Il a raison dans la mesure où les faits rapportés sont exacts.*
Dans la mesure du possible. Inutile d'ajouter *toute* : *Dans toute la mesure du possible.*

4. *À mesure qu'il parlait, la salle se vidait.*

5. Cf. FUR.

Mesurer, v.tr.dir. Accord du participe passé dans : *Les terrains* (ou *les vivres,* etc.) *que nous avons mesurés. Ils se sont mesurés à nous* ou *avec nous.* Mais **v.intr.** : *Les deux hectares que cette propriété a mesuré avant l'expropriation.*

Métempsycose, n.f., s'écrit sans *h.*

Météorite. Genre hésitant : *une météorite* (ou, surtout chez les scientifiques, *un météorite*). Finale en *ite.*

Métis, n. *Un métis, une métisse.* Ne pas confondre avec **mulâtre.** Le métis est un sang-mêlé, né de parents de races différentes ; le mulâtre (féminin *mulâtresse* ou, parfois pour le nom et toujours pour l'adjectif, *mulâtre*) est né d'un Blanc et d'une Noire ou d'un Noir et d'une Blanche. Tous les mulâtres sont des métis, mais tous les métis ne sont pas des mulâtres. Cf. Créole.

Mètre, n.m. Cf. Heure et Abréviations.

Mettre, v.tr.dir. 1. Noter ; *je mets, nous mettons, je mis, je mettrai, que je mette, que je misse.* Cf. Mis, *mis à part.*

2. **Se mettre** s'entend régionalement sans complément dans le sens de « prendre place » [*Mettez-vous et mangez avec nous*] pour *Asseyez-vous, Mettez-vous dans ce fauteuil, sur cette chaise.* On dit fort bien : *Ne savoir où se mettre. Se mettre à qqch., à faire qqch.* — *Se mettre avec qqn.* — Le GLLF note comme familiers *se mettre après qqn* (le taquiner), *après qqch.* (l'attaquer, en parlant des mites).

3. **Mettre que,** suivi de l'indicatif ou du subjonctif, s'emploie plus ou moins familièrement dans le sens d'*admettre* ou de *supposer* : *Mettez* (= admettez) *que je n'ai rien dit* (Ac.). *Mettons* (= supposons) *que ce soit vrai* (Ac.).

4. *Pied* reste au singulier dans *mettre une entreprise sur pied, mettre un employé à pied.*

5. [*Mettez cinq francs auprès*] ne peut se dire pour : *Ajoutez cinq francs.* On dit : *Mettre dix francs sur un cheval.*

6. **Mettre (...) à** + *infinitif ; Je mets ma fierté à vous satisfaire.* On met *qqn à un travail* ou *à faire qqch. Mettre du linge à sécher, de la viande à cuire* ou *mettre sécher du linge, mettre cuire de la viande.* Au passif : *Du linge est mis à sécher.* Il est normal, selon la règle, d'accorder avec le complément direct le participe *mis* conjugué avec *avoir* : *L'eau qu'il a mise à chauffer.*

7. On entend dire : *J'ai mis pendre mon pardessus au portemanteau,* alors qu'il est si simple de dire : *J'ai pendu* ou *suspendu* ou *accroché mon pardessus...*

8. **Mettre à jour, mettre au jour.** Il est bon de maintenir la distinction entre *mettre à jour* (au courant) sa correspondance, ses comptes et *mettre au jour* un enfant (donner naissance à), des ruines (faire apparaître), un complot (divulguer). De bons écrivains emploient la première expression au lieu de la seconde sans créer d'ailleurs aucune équivoque.

9. *Mettre en demeure.* Cf. Demeure.

10. *Mettre au ban.* Cf. Ban.

11. *Mettre en place.* Cf. À et *en,* 8, p. 19.

12. *Mettre à terre* ou *par terre.* Cf. TERRE.

13. *Mettre au propre, au net.* Cf. PROPRE.

14. *Mettre qqn dedans.* Cf. DEDANS.

15. Cf. MISE (*mise à la disposition*).

Mévente, n.f., ne signifie plus « vente à perte », mais « vente difficile, réduite ».

Mi, préfixe, est toujours invariable et suivi d'un trait d'union : *à mi-corps, à mi-chemin, jusqu'à mi-jambes ; mi-clos ; mi-souriant ; mi-parti* (cf. ce mot) ; *une étoffe mi-soie ; de la toile mi-fil, mi-coton ; la mi-carême, la mi-août, la mi-nuit* (mais : *à minuit*). S'emploie parfois dans la langue littéraire comme adverbe avec le sens de *à moitié..., à moitié : Mon père devait assister, mi par courtoisie, mi par curiosité, à un après-midi du colloque* (A. Malraux, *Antimémoires,* Folio, p. 45).

Mi-temps, n. *En première mi-temps. Le repos de la mi-temps. Le mi-temps* (travail à mi-temps).

Micmac, n.m., est français et familier (menées obscures, grand désordre).

Micro-, premier élément d'un mot, tend à s'agglutiner au second, sauf devant *i, u* et parfois *o* : *microampère* (ou *micro-ampère*), *microorganisme* (ou *micro-organisme*).

[Middelmatisme], n.m., s'entend à Bruxelles dans le sens de : attitude cherchant le moyen terme.

Midi, n.m. 1. **Indication de l'heure.** Cf. HEURE, 2 et 3 et DEMI.

2. On dit avec ou sans *à* : *hier* ou *demain à midi, le dimanche à midi* ou *demain midi,* etc.

3. Il n'y a aucune raison de condamner *ce midi* pour désigner le milieu du jour où l'on est. On dit *le midi* pour un autre jour : *Grignoter au moins quelque chose ce midi* (L. Estang, *Les stigmates,* Poche, p. 120). *Le midi du second jour (...), la servante introduisit un enfant* (G. Duhamel, *Tel qu'en lui-même,* ch. 26).

4. [*Entre l'heure de midi*] est un belgicisme. *Entre* suppose qu'on cite deux heures. Éviter aussi [*Pendant midi*]. On dira selon les cas : *À midi, vers midi, sur le midi,* (*les midi* est suspect), *entre midi et deux heures, à l'heure de midi* (Ac.), *autour de midi : Midi et demi, est-ce encore « autour de midi » ?* (M. Genevoix, *La perpétuité,* p. 96).

Mie, n.f., remplaçant *amie.* On écrit *ma mie* ; on trouve aussi *m'amie.*

Mien, adj.poss. *Ce livre est mien. C'est le mien.* Cf. ADJECTIFS POSSESSIFS, 6.

Mieux. 1. Cet **adverbe** (*Je vais mieux. Il vaut mieux. Tant mieux. Il est mieux portant. À qui mieux mieux. C'est mieux que bien*) peut, comme *bien*, s'employer adjectivement en fonction d'attribut ou de complément d'un pronom neutre : *La fièvre l'a quitté, il est mieux* (Littré). *Ce jeune homme est mieux que son frère* (Littré). *Cette femme est mieux que charmante* (ou *plus que charmante*), *elle est jolie. Je l'ai trouvé mieux. Il n'y a rien de mieux, rien n'est mieux que ce que vous dites* (Ac.). *Quelque chose de mieux. Il est venu et,* **qui mieux est,** *il était le premier. Il va mieux qu'on ne pensait.*

2. **Nominal,** sans article (= une chose meilleure) : *Il s'attendait à mieux. J'espérais mieux. Il ne demanderait pas mieux. Il y a mieux. Faute de mieux.*

3. **Nom,** précédé de l'article ou d'un déterminatif : *Le mieux est de... Le mieux se maintient. Il y a du mieux. Ce mieux ne durera pas. Faire de son mieux. Le mieux est l'ennemi du bien. Travailler le mieux qu'on peut* (ou *du mieux qu'on peut*).

4. **Au mieux, des mieux** : *Être au mieux de sa forme. S'en tirer au mieux. Faire qqch. au mieux* (Ac.). *Cela est au mieux* (Ac.). *On réglera l'affaire au mieux de nos intérêts. Voilà qui va des mieux. Cet homme est des mieux placés pour nous aider* (parfois, on comprend : « extrêmement bien » et on laisse l'adjectif ou le participe au singulier : on le doit si l'adj. ou le participe se rapporte à un pronom neutre). *Ce travail est des mieux réussi(s). Cela est des mieux réussi.* Cf. ADJECTIFS QUALIFICATIFS, 9, p. 42.

5. *Aimer mieux, il vaut mieux... que (de)* + infinitif : *J'aime mieux le voir que de lui écrire. De* est usuel mais facultatif. *Il vaut mieux prévenir que guérir.* Ne pas dire [*il faut mieux*]. Cf. AIMER, FALLOIR, 2, VALOIR.

6. Cf. ARTICLE, 2 (*le mieux fait* ou *la mieux faite*), p. 93.

7. *Le mieux que.* Cf. SUBJONCTIF, p. 888. *C'est le mieux que je puisse faire* ou, pour insister sur la réalité, *que je peux faire.*

Milicien, n.m., désigne en français celui qui appartient à une milice, formation paramilitaire qui ne se confond pas avec l'armée régulière. Ce qu'on appelle en Belgique un milicien est en France un *soldat du contingent,* une *recrue,* un *appelé* ; à la loi belge *sur la milice* correspond la *loi sur le recrutement* ou *la loi de recrutement* ; aux *obligations de milice* les *obligations militaires.*

Milieu, n.m. Prononcer *l.* Cf. AMBIANT.

Milk-bar, n.m. *Un milk-bar. Des milk-bars.*

Mille, adj.numér. ou n.m. 1. *Mille,* nom de nombre, est toujours invariable : *Quatre mille francs. Le chiffre des mille. Des dizaines de mille.* Il ne varie que comme nom désignant une mesure de longueur : *Ce navire parcourt tant de milles à l'heure.*

Invariable aussi quand il s'emploie pour *millier* : *Des centaines de mille francs. Des mille et des cents* (Ac.). On hésite pour *Deux mille(s) de fagots* qui, sans être irrationnel, puisqu'on dit *deux cents de fagots*, ne se dit guère ; on emploie plutôt *milliers* devant un complément.

2. **Dates.** On doit considérer comme caduque la règle arbitraire ou mieux la « préférence » de l'Académie française demandant qu'on écrive *mil*, dans les dates, devant un autre nombre, du moins, disaient des grammairiens, dans les dates de l'ère chrétienne.

En réalité, on a souvent écrit *l'an mil* aussi bien que *l'an mille* (latin *mille*) ou *l'an deux mille* (latin *milia*) et *mille* peut être suivi d'un autre nombre dans les dates de l'ère chrétienne. Le mieux, tout en admettant *l'an mil* et *l'an mil neuf cent*, est de toujours écrire *mille* : **Mille neuf cent quarante-cinq** (J.-J. Gautier, *Réception d'André Roussin à l'Académie française*). *Mille neuf cent quarante et un* (B. Clavel, *Le voyage du père*, J'ai lu, p. 225).

3. **Mille neuf cents** et **dix-neuf cents.** La numération par centaines est courante, qu'il s'agisse ou nom de dates, jusqu'à 1999 : *En mille neuf cent quarante* ou *en dix-neuf cent quarante.* On dit même : *Onze cent mille hommes* (un million cent mille hommes). On dit beaucoup plus souvent *onze cents, douze cents,* que *mille cent, mille deux cents.*

4. Accord ou non de *un* dans **vingt et un mille tonnes.** Il est logique de laisser *un* invariable, parce qu'il porte sur *mille*. C'est ce qu'on fait habituellement, mais l'usage hésite (devant un nom féminin) et l'on ne craint pas de dire parfois : *vingt et une mille tonnes.*

5. *Mille* n'est pas suivi directement de *et* quand il s'agit d'un nombre précis. Mais **mille et un** (ou *une*) exprime généralement un grand nombre indéterminé. *Les mille et une brochures écrites sur cet événement* (Ac.). *Les mille et une nuits.*

Millefeuille (en un mot), n.féminin quand il désigne la plante et masculin quand il s'agit d'un gâteau : *Des millefeuilles.*

Millepertuis (en un mot), n.m. *Le millepertuis.*

Milliard, millier, million, n.m. La prononciation fait entendre *l*. Ces noms varient et exigent *de*, quand ils ne sont pas suivis d'un autre nombre, devant leur complément déterminatif. On dit : *trois mille francs*, mais : *trois cents millions de francs, deux millions trois cent mille francs. Deux millions et demi d'habitants*, mais : *Deux millions cinq cent mille habitants.* On écrit : *Quant au million huit cent mille francs dont il vous a parlé...*
Millionnaire : deux *n*. **Millionième** : un *n*.

Mime, n.m. et f. *L'art de ce mime. Cette femme est une mime remarquable.*

Mimosa, n.m. *Un mimosa* (arbuste), *des mimosas. Du mimosa, des bouquets de mimosa.*

Minable, adj., vient de *miner* et se dit, au sens propre, d'un rempart, d'une tour ; au sens figuré, d'un être qui semble miné, usé par la maladie ou la misère (*un mendiant minable, avoir l'air minable*) ou de ce qui est très médiocre, de vêtements, d'un spectacle, d'un salaire, d'une existence, d'une personne, etc.

Mince, adj., peut signifier, au figuré, « négligeable, qui a peu de valeur » : *Ce n'est pas une mince affaire. C'est un prétexte bien mince.* Comme **interjection,** par ironie ou antiphrase, *mince,* familier, marque l'étonnement, l'admiration devant qqch. à quoi on attribue de l'importance : *Mince ! je me suis encore trompé ! — Mince alors !* Suivi de **de** et d'un complément, le tour est populaire et peut aussi marquer l'admiration (*Mince de petite femme !*) ou l'étonnement ou même la déception : *Mince de rigolade !* ce n'est pas du tout rigolo.

Mincir, v.intr. : *Elle a encore minci,* tandis qu'**amincir** est transitif (*Sa robe noire l'amincissait*).

Minéralogique, adj. On peut s'étonner que *plaque d'immatriculation* ait pour synonyme *plaque minéralogique.* C'est parce que longtemps, en France, c'est le service des mines (le service minéralogique) qui a été chargé d'immatriculer les autos, de leur donner un *numéro minéralogique.*

Minerval, n.m. (pluriel : *des minervals*) a désigné en latin (*minervale munus*) le présent qu'à certaines dates, notamment à la fête de Minerve, patronne des écoles, les élèves offraient à leurs maîtres. Le mot n'est pas en usage en France (où l'on parle de prix (ou frais) de scolarité, de rétribution scolaire), mais il est courant en Belgique depuis longtemps pour désigner une rétribution trimestrielle ou mensuelle payée par les élèves de l'enseignement secondaire ou supérieur. Cf. ÉCOLAGE.

Mini, préfixe, parfois suivi d'un trait d'union : *des minicassettes* (ou *mini-cassettes*), *des minijupes* (plus courant que *mini-jupes*). Tendance à l'agglutination.
Adjectif invariable : *une robe mini, des prix mini.*

Miniature, n.f. *Des autos miniatures* (pas de trait d'union).

Minimant, adj., est employé en mathématiques dans la théorie des fonctions : *la valeur minimante.*

Minime, adj., ne signifie pas « le plus petit qui soit », mais « très petit » ou « de très faible importance ». On peut donc parler d'un intérêt *plus minime encore* ou *très minime* ou *extrêmement minime* ou *relativement minime.*

Minimiser, v.tr.dir., l'a emporté sur un autre néologisme : [*minimer*]. Cf. MINIMUM.

Minimum, minimal, etc. Cf. MAXIMUM. On emploie **minimalisme** et **minimaliste** (mais non *minimaliser*), **minimiser, minimisation.** On emploie **minorer** (une marchandise, un évènement), **minoration,** « action d'évaluer quelque chose en dessous de sa valeur » (GLLF). Ces deux termes sont beaucoup moins vivants que *majorer* et *majoration.* En Belgique, on emploie couramment, dans le langage politique, *minoriser* et *minorisation* en parlant d'une population qui est, en français, *infériorisée,* à qui on donne un sentiment d'infériorité, qui se sent minoritaire et négligée.

Un appel a minima, interjeté par le ministère public quand il estime la peine insuffisante. Mais on écrit avec un accent sur la préposition : *Un thermomètre à maximum et à minimum* ou *à maxima et à minima.*

Il a au minimum cinq ans (au moins cinq ans). Mais *on réduit qqch. au maximum* pour *atteindre un minimum.* Cf. MAXIMUM, 1.

Minuit, n.m. (*Un beau minuit*), était autrefois féminin ; on dit encore : *vers la mi-nuit.* Cf. HEURE, 2, 3, DEMI. On dit avec **à** : *demain à minuit.*

Minus habens (pron. *in + s*), n.m., abrégé en *minus* dans la langue familière, se dit d'un individu incapable, très peu intelligent.

Minuter, v.tr.dir. *Minuter un travail, un spectacle, un discours, un emploi du temps,* c'est en prévoir et en organiser le déroulement selon un horaire précis. *Minuter* peut aussi se dire d'un acte, d'un contrat dont on rédige la minute (écrit original gardé en dépôt).

Mi-parti, adj., écrit aujourd'hui avec un trait d'union, est le participe passé de l'ancien verbe *mipartir,* partager (cf. PARTIR) en deux parties. Logiquement, et c'est l'emploi à recommander, il s'accorde et il peut être complété par *de* suivi de deux noms exprimant la couleur ou la matière : *Des rues mi-parties de lumières violentes et d'épaisse obscurité* (Marcel Brion, *L'enchanteur,* début). *Les avis sont mi-partis* (Ac.). *Des robes mi-parties de rouge et de bleu, de satin et de soie.*

Tout en gardant son sens de « par moitié », l'expression, dans un emploi qui n'a plus la logique du précédent, peut être suivie, sans préposition, de deux adjectifs variables ou de deux noms qui varient si le sens le demande : *Des robes mi-parties rouges et bleues. Des vagabonds mi-partis mendiants et voleurs. Des comédies mi-parties farce et satire.*

Le tour est devenu rare et l'on n'en perçoit plus le sens originel. Aussi certains écrivains considèrent-ils *mi-parti* et plus souvent *mi-partie* comme une locution adverbiale invariable gardant son sens de « par moitié » et se construisant avec ou sans *de* comme ci-dessus : *Des robes mi-partie de rouge et de bleu. Un manteau mi-parti (de) vert et (de) rouge. Une robe mi-partie rouge et blanche.* Certains vont même jusqu'à répéter *mi-partie* invariable : *Des manteaux mi-partie verts, mi-partie rouges.* À éviter.

Miracle, n.m. Pourquoi ne pourrait-on pas parler de *remède(s) miracle(s) ?*

Mirage, n.m. Par définition, un mirage est toujours trompeur autant que séduisant. Il convient donc d'éviter le pléonasme [*mirage illusoire, trompeur*].

Mirepoix, adj. et nom (féminin) d'une préparation culinaire à base de petits morceaux de légumes pour parfumer des plats.

Mis, part.passé. 1. À la Bibliothèque nationale de Paris, parmi les instructions données aux lecteurs : « Les lecteurs doivent obligatoirement indiquer sur leur fiche jaune des **mis de côté** la date de leur prochaine consultation ». Il s'agit des livres dont on demande qu'ils soient mis de côté, en réserve, jusqu'à une prochaine consultation.

2. **Mis à part,** suivi de l'indication de ce qu'on exclut, reste généralement invariable (comme *étant donné*).

Mise, n.f., intervient comme *mettre* avec *à* ou *en* dans de nombreuses expressions : *mise à prix, à mort, à mal, au point, au net, au rebut, au pas, au rôle, à la retraite, à la raison, à la disposition ; mise en plis, en bouteilles, en ondes, en branle, en circulation, en accusation, en jeu, en ordre, en forme, en demeure, en scène, en gage, en disponibilité.* On dit qu'un fonctionnaire est *mis à la disposition* d'une autre administration ; cela s'appelle *la mise à disposition.*

Misère, n.f. Cf. CHERCHER.

Miserere, n.m. d'un psaume, est invariable. On écrit aussi *miséréré, des misérérés.*

Mitan (milieu), n.m., est aujourd'hui dialectal.

Mi-temps. Cf. MI.

Mitigé, adj., veut dire proprement « adouci » (latin *mitis*). D'où le sens de « atténué, moins strict, relâché » : *Un zèle mitigé.* Éviter de lui donner, sous l'influence de *mi-* (moitié), le sens de « mélangé » : [*des sentiments mitigés*].

Mitre, n.f. Pas d'accent circonflexe.

Mixer, v.tr.dir., devrait être remplacé par *mélanger* et *mixage* par *mélange* ; au lieu du nom **mixer,** prononcé et écrit aussi *mixeur,* on pourrait dire *mélangeur* (ou *batteur*).

Mixité, n.f., s'est imposé à propos d'écoles mixtes.

Mobylette, n.f. d'une marque déposée, s'écrit avec *y*.

Moche, adj., est très familier.

Mode, (*o* bref et ouvert). 1. **N.m.** Pour l'emploi des modes, cf. les noms de ceux-ci et les mots qui appellent une remarque à ce sujet. Rappelons que, lorsque l'indicatif est permis ou obligatoire, le conditionnel doit toujours être employé quand le sens l'exige, sauf après *si* conditionnel.

2. **N.f.** *On suit la mode, on est vêtu à la dernière mode, on agit à sa mode, on fait à sa mode. Travailler dans la mode. Être à la mode, être tout à fait à la mode.* Invariable en apposition : *Des teintes mode.*

3. [*À mode de rien*]. Wallonisme pour *en ne faisant semblant de rien, sans avoir l'air d'y toucher.*

Moduler, v.tr.dir., n'est pas seulement un terme musical, mais peut se dire pour « adapter aux circonstances » : *moduler un règlement,* etc.

Mœlle, n.f., **mœlleux,** adj. Ni tréma ni accent. Pron. : *mwa.*

Mœurs, n.f.pl. La prononciation courante fait entendre *s.*

[**Mofler**] appartient à l'argot estudiantin belge, ainsi que [*mofleur*], qui se dit d'un professeur qui a la réputation d'infliger facilement des échecs. [*J'ai été moflé. Je me suis fait mofler*], j'ai échoué. [*Il m'a moflé*], il m'a fait échouer.

Moi, pr.pers. 1. [*Moi bien*]. Cf. BIEN, 5.

2. *Pour moi.* Cf. POUR, 8.

3. Cf. IMPÉRATIF, PRONOMS PERSONNELS.

Moindre, adj. 1. Ce comparatif de *petit* se dit de ce qui a moins de valeur, moins d'importance, de ce qui est plus faible en quantité, en degré, parfois en qualité : *Une étoffe de moindre prix* (Ac.). *Une douleur moindre* (Ac.). *Une distance moindre. Une moindre étendue. Cela est de moindre importance.* Il s'emploie en concurrence avec *plus petit* ; mais en parlant de choses concrètes mesurables, on emploie *plus petit* : *Cet appartement est plus petit que le nôtre. Sa taille est plus petite que la vôtre.*

2. **Moindre** peut être renforcé par *bien* ou *beaucoup* (non par *très*) : **bien moindre, beaucoup moindre.**

3. On dit : *La distance est moindre que vous ne croyez* (Ac.) ou *inférieure à ce que vous pensiez, inférieure à vingt kilomètres.*

4. **Le moindre.** *Le moindre mal. Le moindre bruit. Le moindre de nos soucis. Le moindre de nous* ou *d'entre nous.* Éviter le pléonasme [*le moindre petit*] : Dire : *le plus petit ruisseau, le moindre bruit, il n'y a pas le moindre doute.* Après *le moindre que,* le verbe est à l'indicatif ou au subjonctif : *C'est la moindre chose que je peux* (ou *puisse*) *dire.*

Moindrement, adv., rare, ne s'emploie que dans *le moindrement* (le moins du monde, si peu que ce soit), surtout dans des phrases négatives : *Sans l'avoir le moindrement cherché. Il n'est pas le moindrement étonné* (Ac.).

Moins, adv. 1. **Moins... moins** : *Moins il a à faire, moins il fait. Moins il a de travail, moins il en fait.* On peut ajouter *et* devant le second *moins.* De même : *moins...plus, plus...plus, plus...moins.* En Belgique, surtout à Bruxelles et aussi dans le Hainaut occidental, on ajoute *au* : [*Au moins..., au moins*].

Moins... et moins. On répète généralement l'adverbe devant le second adjectif quand deux comparatifs se suivent : *Il est moins intelligent et moins travailleur que son frère.*

2. **Moins de, moins que.**

a) Devant un nom, **moins de** : *Moins de peine, moins de joie. J'ai moins de titres que lui.* On dit : *J'ai moins envie, moins peur, moins faim, moins mal, moins raison que lui. Mon doigt me fait moins mal. J'ai moins hâte de le voir,* parce que *moins* détermine des locutions sans article : *avoir envie,* etc.

Comme on emploie *moins* devant un adjectif (*moins grand*), il s'emploie aussi devant un nom employé adjectivement en fonction d'épithète ou d'attribut ; *Il est **moins homme de bien** qu'on ne le disait. Un auteur moins poète qu'on ne le prétend.*

b) Devant un nom de nombre ou une fraction non précédée de *à* ou *au,* on emploie *de* : *Moins d'une page. Il y avait là **moins de cent** personnes. Il est resté moins de dix ans dans ce pays. J'ai dépensé moins du tiers de cette somme. Les moins de trente ans.* On emploie **moins que** dans *moins que rien* (inférieur à rien) et dans une comparaison mathématique entre deux nombres ou, ce qui est assez rare, quand on veut souligner cet aspect mathématique : *Quatre-vingt-dix est **moins que cent**. Vous croyez qu'il est resté là-bas dix ans ; je vous assure qu'il y est resté moins que dix ans.* On dit : *Il nous offre un article de moins d'une page. Il nous offre moins d'une page pour notre publicité.* Soulignant la comparaison : *Il nous offre moins qu'une page pour notre publicité.* Avec une négation : *Il ne nous offre pas moins d'une page* ou, plus souvent, *pas moins qu'une page,* parce qu'on souligne la comparaison. Mais couramment : *Il n'y avait pas moins de mille personnes.*

Devant *à moitié, à demi, au tiers, aux trois quarts,* etc. on a le choix entre *moins de* et *moins que* (plus courant) : *Une besogne **moins d'à moitié** faite* ou ***moins qu'à moitié** faite.*

c) Dans les autres cas de comparaison, on emploie toujours **moins que** : *Il travaille moins que jamais. Il mange moins que moi. Il fait moins beau qu'hier. Il demande moins que rien. Il n'est pas moins intelligent que son frère.*

d) ***Moins que* et la négation.** « Comme on dit, en mettant le complément en tête de phrase, *plus que tout autre, il était convaincu que...,* on croit pouvoir dire aussi *moins que tout autre, il était convaincu...,* et c'est parfaitement logique ; mais cette affirmation qui arrive après *moins que* d'une négation, alors que le verbe affirme. Aussi qu'arrive-t-il souvent ? On ajoute une négation : *moins que tout autre, il n'était convaincu*, ce qui est absurde. Le seul remède, c'est de rapprocher *moins que* du verbe » (Martinon, p. 516) et de dire : *Il était **moins que tout autre** convaincu*. Cette remarque doit être corrigée et complétée. Si le verbe précède *moins que*, on énonce une affirmation qui est ensuite restreinte : *Il travaille moins que son frère*. Si l'on a *moins que jamais, moins que nul autre, moins que personne*, la restriction est beaucoup plus forte, mais l'énoncé initial reste affirmatif : *Il travaille **moins que jamais***. De même après *c'est* : *C'est moins que jamais le moment de reculer*.

On peut aussi commencer la proposition en énonçant une négation, avec *pas, guère, plus jamais*, suivie d'une précision introduite par *(et) moins que* ou *moins encore que* : *Il ne travaille guère, moins encore que son frère* ou *moins encore qu'avant son accident*. Après la négation initiale, qui constitue un tout, on pourrait répéter le verbe à la forme affirmative : *Il ne travaille guère et il travaille moins encore qu'avant son accident*. De même : *Je ne suis pas votre obligé, moins encore aujourd'hui qu'hier. Je ne le vois presque jamais, et moins chez lui qu'à son bureau. On ne pouvait leur faire confiance, moins encore à lui qu'à sa femme* ; si la négation est ici réduite à *ne*, c'est parce qu'elle porte sur le verbe *pouvoir*. Il en va tout autrement si *moins que* précède le verbe. Je ne crois pas qu'alors la négation soit « absurde ». Si on supprimait *moins que*, le verbe serait accompagné d'une négation pleine : ***Moins encore en Amérique qu'en France**, je **n'**ai accepté pareille invitation* (E. Gilson, *Le Figaro littéraire*, 17 février 1951, p. 4). L'idée est bien : *Je n'ai jamais* (ou *nulle part*) *accepté pareille invitation* ; la comparaison n'est là que pour préciser et renforcer ; en tête de phrase, elle souligne l'aspect négatif, il est donc logique d'employer la négation, réduite à *ne* à cause de cet élément négatif qui précède. *Moins qu'aucun autre événement de sa vie, la disparition de Lothar ne pouvait être le fait du hasard* (M. Tournier, *Le roi des aulnes*, Folio, p. 464). ***Moins que jamais**, en cette occurrence, je n'encombrerai le lecteur de mes hypothèses* (M. Yourcenar, *Archives du Nord*, p. 355). David Gaatone cite (p. 79) d'autres exemples, dont ceux-ci : *Moins que jamais d'ailleurs le président des États-Unis n'envisage de renoncer à un véto dont il dispose en ce domaine* (*Le Monde*, Sél. hebd., 25-11, 1-12-1965, p. 1, col. 1). *Le danger banal n'en était que plus grand, car eux moins que personne ne pouvaient le reconnaître* (R. Radiguet, *Le bal du comte d'Orgel*, p. 118). *Mme Daudillot et Solange furent d'accord que, moins que jamais, Solange ne devrait parler de mariage* (H. de Montherlant, *Romans*, Pléiade, p. 1318). Cf. *Étude descriptive du système de la négation*, Genève, Droz, 1971.

Les écrivains semblent donc opter plutôt, comme la langue parlée, pour la négation, que justifie d'ailleurs un souci de clarté. Notons que le cas est différent si la comparaison porte sur un adjectif : *Le ton est moins vif que jamais*. ***Moins vif que jamais** est le ton*.

3. **À moins**, pour un moindre prix, pour un moindre motif : *Vous n'aurez pas ce livre à moins. On s'insulterait à moins.* **À moins que** est suivi du subjonctif, traditionnellement avec *ne* explétif, mais aujourd'hui avec ou sans *ne* sans différence de sens : *Il ne peut y avoir de dictature qui tienne, à moins qu'une fraction, résolue à écraser les autres, ne la **soutienne** envers et contre tout (...). Un régime (...) où de Gaulle n'aura pas sa place, à moins qu'il veuille consentir à n'être qu'un figurant (...). À moins que les circonstances de la guerre ne viennent soudain s'y opposer, les élections (...) auront lieu au printemps prochain (...). Exiger des conditions équivalentes à celles qui seront faites au représentant britannique, à moins que celui-ci signe pour Eisenhower* (Ch. de Gaulle, *Le salut*, Poche, pp. 278, 281, 405, 435). *À moins que Landin fût allé se coucher en oubliant d'éteindre (...). À moins que ce ne soit par discrétion* (Fr. Mauriac, *Les chemins de la mer*, pp. 105, 154). *À moins, mon Dieu, que ce soit lui qui vienne* (J.-P. Sartre, *Le mur*, Poche, p. 137). *À moins que ce soit le cadeau d'un oncle (...). À moins qu'il ne fût comme vous en évasion...* (M. Butor, *La modification*, 10-18, pp. 11, 26). *À moins qu'il me reconnût tout de suite* (P. Modiano, *Rue des boutiques obscures*, p. 32). *À moins que l'un d'eux dévorât les autres* (M. Déon, *Un parfum de jasmin*, Folio, p. 11).

À moins de : *Vous n'aurez pas ce livre à moins de cent francs. À moins d'un imprévu* (sauf, excepté), *nous le verrons demain. À moins d'y être contraint, il refusera.*

À moins que de devant un infinitif est classique et plutôt littéraire.

4. **Au moins, du moins, pour le moins.** *Au moins* peut signifier « au minimum » : *Il faisait au moins cent trente kilomètres à l'heure.* Équivalents généralement plus forts et plus littéraires : **à tout le moins, pour le moins.** Cette référence à un minimum est encore sensible dans bien des cas, lorsque *au moins* ou *tout au moins* semblent se confondre — et ils se confondent souvent en fait — avec *du moins* pour introduire un correctif, une restriction, une opposition ; *du moins*, qui est plus proche de « en tout cas », s'impose lorsque la réserve est plus nette, lorsqu'on gomme plus ou moins ce qui précède : *Vous n'avez aucune réponse ? Lui avez-vous écrit au moins ? J'aimerais au moins savoir ce qu'il pense. J'ai perdu mon portefeuille, du moins je ne le retrouve plus. S'il n'est pas fort riche, du moins il a (du moins a-t-il) de quoi vivre honnêtement* (Ac.). *Puisque Céline, quand elle vient en visite, ne veut pas abandonner son chien, qu'elle l'attache au moins à la porte pour éviter quelque affreux carnage* (M. Genevoix, *Rroû*, Poche, p. 48). *Si vous ne voulez pas aller le voir, au moins* (ou *du moins*) *écrivez-lui. Vous avez lu sa déclaration au moins ? Il n'a pas voulu nous peiner, c'est du moins ce qu'il affirme. Prêtez-le-moi, si du moins vous n'en avez pas besoin.* L'inversion est facultative après *au moins* ou *du moins* placés en tête de proposition ; elle est beaucoup plus fréquente après *du moins.* Cf. INVERSION, II, C, 2, p. 519.

5. **De moins, en moins** s'opposent à *de trop* : *Il avait un billet de moins dans son portefeuille* (Ac.). On dit aussi *en moins.* Pour traduire un

manque : *Il manquait un billet dans son portefeuille* et non, comme on le dit en Belgique, [*Il y avait dix francs trop peu*]. Cf. TROP.

De moins en moins marque la diminution progressive. *Il est de moins en moins aimable.*

En moins de rien, très rapidement.

Nous ferons cela en moins d'une heure. Nous aurons fini dans moins d'une heure. Cf. DANS, 11.

6. **Le moins du monde** exprime une très petite quantité (si peu que ce soit) : *Si cela vous ennuie le moins du monde.* Il s'emploie le plus souvent dans des phrases dont le sens est négatif : *Il n'essaie pas le moins du monde de nous tromper. Sans penser le moins du monde à la peine qu'il nous faisait.*

7. **C'est bien le moins** s'emploie seul ou avec *que* et le subjonctif.

8. **Des moins** + *adjectif.* Cf. ADJECTIFS QUALIFICATIFS, 9, p. 42.

9. **Le (la) moins** + *adjectif.* Cf. ARTICLE, 2, p. 93.

10. **N'en... pas moins.** Cf. EN, adverbe ou pronom, 6, p. 367.

11. **Rien (de) moins que.** Cf. RIEN, 12.

12. **Pas moins de, moins de deux.** Cf. VERBE, *accord,* A, II, 3.

13. **Deux fois moins grand.** Cf. FOIS, 3.

14. **Ni plus ni moins.** Cf. NI, B.

15. **D'autant moins.** Cf. AUTANT, 5, p. 125.

16. Cf. HEURE, 3.

Mois, n.m. *Travailler au mois. Toucher son mois.* Cf. DATE. Invariabilité des noms de mois au pluriel.

Moisir, v.intr. Auxiliaire *avoir* : *La confiture* **a** *moisi.* Avec l'adjectif *moisi* : *La confiture* **est moisie.**

Moitié, n.f. : *La moitié de la salle. À moitié chemin, à la moitié du chemin. À moitié vide. Remplir un verre à moitié. Une étoffe moitié soie, moitié laine. Un discours trop long de moitié. Partageons moitié-moitié.* Cf. VERBE, *accord,* A, II, 4, MOINS, 2, b, *moins* (ou *plus*) *d'à* (ou *qu'à*) *moitié.*

Molière, n.m., est le correspondant belge du mot français **richelieu**, chaussure basse et lacée.

Mollasse, adj., deux *l.* Le nom fém. désignant une sorte de grès s'écrit de préférence *mollasse,* mais on le trouve avec un seul *l.*

Môme, n.m. ou f., très familier quand il désigne un enfant, est perçu plutôt comme populaire s'il est adj. et quand il désigne une jeune fille ou une jeune femme. L'accent circonflexe, qui apparaît dans ce mot emprunté au langage enfantin, n'intervient pas dans **momerie**, qui a une autre origine, évoquant l'idée de mascarade.

Moment, n.m. 1. Pluriel (généralement) dans **par moments**; singulier ou plus rarement pluriel dans **à tout moment** (*à tous moments*); singulier dans les autres expressions : **de moment en moment** (autrefois au pluriel), *sur le moment*, etc.

2. **Au moment où** remplace *au moment que.*

Du moment que n'a pas perdu son sens temporel (dès que, depuis que, à partir du moment où), mais a aujourd'hui généralement un sens causal (*puisque*) : *Du moment que je l'ai connu, je l'ai aimé* (Ac.). *Du moment que vous n'y voyez pas d'objection, faisons comme cela.*

Du moment où (sens temporel) est rare.

Mon, ma, mes. Cf. ADJECTIFS POSSESSIFS.

Monétaire, adj.. ne signifie pas « en argent », mais « relatif à la monnaie ». On parle d'une politique, d'une crise, d'un système *monétaire*, mais d'une provision, d'une caution *en espèces.*

Monitorage, n.m.. doit traduire *monitoring* pour la technique de contrôle et de surveillance qui utilise un appareil appelé *moniteur* (en anglais : *monitor*) ou, couramment, *sentinelle.*

Monnaie, n.f. Cf. RENDRE.

Mono, préfixe. est toujours agglutiné. *Monoacide, monoïdéisme.* On écrit cependant *mono-iodé.*

Monseigneur. Au pluriel, *messeigneurs* quand on parle à des princes, à des évêques, à des prélats et *les monseigneurs* ou beaucoup plus souvent *nos seigneurs* quand on parle d'eux. Abréviations (cf. ce mot) : *Mgr* (ou *Mgr*), *Mgrs, NN.SS.* Familièrement, on dit et on écrit parfois : *des monseigneurs.*

Monsieur. Cf. ABRÉVIATIONS, ADJECTIFS POSSESSIFS. On prononce *me* (*mè* dans *messieurs*). *M. Dupont. Cher Monsieur. Monsieur le Directeur. Monsieur Sécurité. Un vieux monsieur. Un monsieur distingué. Des messieurs en habit. Salon de coiffure pour messieurs.* Cf. MESSIEURS. Abréviation : *M.* et non [*M'*].

Monstre, n.m. *Cette mégère est un monstre. Des banquets monstres.*

Montagne, n.f. *Faire de la montagne. Passer ses vacances à la montagne. Se faire de qqch. une montagne,* s'en exagérer les difficultés.

Montaigne, n.propre. On prononce aujourd'hui *tè.*

Monter, v.tr.dir. ou intr. 1. **Auxiliaire.** Toujours *avoir* si le verbe a un complément d'objet direct : *Nous avons monté l'eau, l'escalier. Ils lui ont monté un bateau.* Quand *monter* est intransitif, *être* aujourd'hui l'emporte nettement si le sujet est une personne, même si on marque l'action en train de s'accomplir : *Après être monté dans un wagon de troisième classe.* (M. Butor, *La modification*, 10-18, p. 105). L'Académie hésite. *Ils sont alors montés sur l'échelle, à l'échelle, sur le toit. Ils sont montés à l'assaut. Il est hors d'haleine pour avoir monté trop vite* (Ac.). S'il s'agit de choses qui augmentent de niveau, de prix, *avoir* concurrence *être* : *La Seine a monté de plusieurs centimètres* (Ac.). *Le blé est monté à un prix qu'il n'avait pas encore atteint* (Ac.). *Les enchères ont monté très haut* (Ac.). *Cette pièce est montée, a monté aux nues* (Ac.). *Ces actions ont beaucoup monté* (Ac.). *La plante a monté en graine. Le thermomètre est monté* (ou *a monté*) *à trente degrés.*

2. Malgré quelques illustres mauvais exemples, on évitera de dire [*Monter en haut*]. Mais on dit très bien, sans pléonasme : *Je suis monté là-haut* ou *au quatrième étage* ou *en haut de la tour.*

3. *Monter quatre à quatre.* Cf. ESCALIER.

4. **Monter un bateau à qqn** (lui en faire accroire) a comme équivalent familier **monter le coup à qqn.** À ne pas confondre avec *monter un coup contre qqn, un coup monté,* où *monter* a le sens d'«organiser», comme dans *monter une affaire, une cabale, un complot, un canular.* Il s'agit là d'un mauvais coup.

Monter la tête à qqn ou **monter qqn contre un autre,** c'est l'exciter. **Se monter la tête,** c'est s'exalter soit contre un autre, soit pour se rassurer ou en se faisant des illusions.

Expression plus rare, mais attestée en littérature : **Se monter le cou,** se faire des illusions ; mais, sous l'influence de *monter le coup à qqn,* de très bons auteurs (cf. Grevisse, *Problèmes,* IV, p. 65) écrivent *se monter le coup : Ils se sont monté le coup* (ils se sont fait des illusions).

Autres emplois de *monter : Nous nous sommes montés* en appareils de cuisine. *Les frais se sont montés à deux cents francs.*

Composés : *Un monte-charge, des monte-charges.* Cf. NOMS COMPOSÉS, B, 5, p. 626.

Montgolfière, n.f. *Une montgolfière.*

Montre, n.f. 1. Objet : *On remonte sa montre-bracelet* (pluriel : *des montres-bracelets*) ou *sa montre* (*de poignet*). *On porte une montre-bracelet* ou *un bracelet-montre.* — *Course contre la montre* s'emploie au figuré.

2. Action : **Faire montre de** tend à perdre son sens péjoratif (faire étalage de, montrer avec ostentation) et à reprendre son sens premier (faire preuve de). *Ils ont fait montre de courage.*

Montrer que. Il peut être utile et il est en tout cas logique d'employer l'indicatif ou le subjonctif, selon le sens, après **ne pas montrer que** : *Il ne montrait pas qu'il était inquiet* (il l'était), *qu'il fût inquiet* (il ne l'était peut-être pas). *Rien ne montrait que la direction lui eût retiré sa confiance* (elle ne la lui avait peut-être pas retirée). *Les maîtresses du pensionnat ne pouvaient pas rester aveugles à ces amitiés passionnées. Mais, que ce fût par une naïveté de femmes chastes, ou par une profonde sagesse d'éducatrices, elles ne montraient pas qu'elles en fussent autrement inquiètes* (J. Romains, *Les amours enfantines*, Poche, p. 123) ; le subjonctif traduit bien l'absence d'inquiétude chez ces éducatrices. Toutefois, comme après *ne pas croire*, l'indicatif est tellement généralisé que l'on ne se soucie plus guère d'exprimer cette nuance.

Moquer est aujourd'hui vieilli ou littéraire dans son emploi transitif, *moquer* (railler) *qqn* ou *qqch*. Moins rares : *se faire moquer* (de soi), *une vertu moquée, un homme moqué par tout le monde*. On dit couramment *se moquer de* : *Ils s'en sont moqués* : Absolument : *Il aime se moquer*.

Moratoire, n.m., est à conseiller pour remplacer *moratorium* (*des moratoriums*).

Morceau. Cf. Couper.

Mordre, v.tr.dir. (*Je mords, il mordit*), se dit aussi bien et même mieux que *piquer* (et *morsure* que *piqûre*) en parlant d'un serpent, d'une vipère. *Être mordu* peut se dire d'un amoureux ou de celui qui a un goût très vif pour qqch.

Mormon, n. et adj. Féminin : *mormone*.

Mort, n. On dit : *faire le sot, faire la sotte*. Il n'est donc pas anormal de dire : *Elle fait la morte*. Cependant on dit plutôt : *Elle fait le mort* et on doit le dire au jeu de cartes. Cf. Ivre et Raide.

Mort-aux-rats, n.f. *De la mort-aux-rats* (liaison avec le *r* ou moins souvent avec le *t* de *mort*).

Morte-saison, n.f. *La morte-saison* (trait d'union).

Mort-né, adj. et n. *Des enfants mort-nés. Des projets mort-nés. Des mort-nés* (*mort* invariable).

Mortuaire, adj., s'emploie comme nom féminin en Belgique au lieu de *la maison mortuaire*. En principe, ce n'est pas plus anormal que de dire *la capitale* pour *la ville capitale, un complet* pour *un costume complet*, mais ce procédé, appelé synecdoque, n'est évidemment acceptable, pour la formation du lexique, que si l'usage général l'autorise, ce qui n'est pas le cas pour [*la mortuaire*].

Mosan, adj., qui est relatif à la Meuse française ou belge : *l'art mosan, la vallée mosane*. On trouve **meusien** (rare) avec un sens plus limité : relatif au département français de la Meuse.

Mot, n.m. Quelques expressions : *Avoir des mots avec qqn* est à peine familier. *En un mot* (bref). *En un mot comme en cent. Ne dire mot. Sans mot dire* (ou *sans dire mot*). *Ne pas souffler mot. Avoir un mot sur le bout de la langue. Jouer sur les mots. Des mots croisés. Un jeu de mots. Au bas mot. Répéter mot pour mot un propos. Traduire mot à mot. Un mot à mot* (traduction littérale) ou *un mot-à-mot ; des mot à mot. Parler à mots couverts. Un gros mot. Ne pas entendre un mot à qqch. Ignorer le premier mot d'une affaire. Le fin mot de l'histoire*, son secret, son sens caché. *Le mot clé* (ou *le mot clef*). **Un mot-valise,** composé d'éléments non signifiants empruntés à d'autres mots, par exemple *un motel*, mot anglo-saxon formé de *mo(tor car)* et *(ho)tel.*

Motif, n.m., exprime soit l'intention, soit la cause : *Les motifs d'une visite, d'une conduite. Sa fâcher sans motif.* Avec un infinitif : *On a des motifs de refuser* ou *pour refuser.* Rarement *à* : *Il n'y avait aucun motif à ironiser* (M. Druon, *Les rois maudits,* t. V., p. 79). Si *motif* n'est pas précédé d'un déterminant, *à* est courant : *Il y a* ou *Il n'y a pas motif à refuser.*

Motocross, n.m., s'écrit en un mot.

Motorisé, adj., est familier dans *être motorisé,* se déplacer avec un véhicule à moteur, avoir une automobile à sa disposition : *Vous êtes motorisé ?*

Motus, interjection : *Motus !* (N'en parlez pas).

Mou (cf. BEAU), adj., *molle.* Pluriel : *mous. Mou comme une chiffe.*

Mouchage, n.m., action de moucher un autre, de se moucher. On n'emploie plus *mouchement* ni *moucherie.*

Mouche, n.f. On écrit : *Des pattes de mouche. Un chasse-mouche(s), des chasse-mouches, un tue-mouche(s), un gobe-mouche(s). Un bateau-mouche, des bateaux-mouches. Un poids mouche, des poids mouche.*

Moucher, v.tr.dir. (*Moucher un enfant. Mouche ton nez*), ne s'emploie plus intransitivement, bien que des dictionnaires donnent encore : *Cet enfant mouche beaucoup* (il doit se moucher souvent). *Il ne se mouche pas du pied* ou *du coude,* il ne manque pas de prétentions.

Moudre, v.tr.dir. *Je mouds* (avec *d*), *il moud, nous moulons. Je moulus. J'ai moulu. Je moudrai. Que je moule.*

Moufle, n.f. Un seul *f.*

Mouillabilité, n.f., peut marquer l'aptitude à se mouiller, tandis que *mouillage* et, plus rare, *mouillement* marquent l'action. En phonétique : *le mouillement d'une consonne.*

Moukère, n.f. (argot) désignant la femme. On écrit aussi *mouquère.*

Moule, n.f., s'emploie à tort en Belgique dans la locution adverbiale [*à moule*]. [*Mettre à moule*], détruire, mettre hors d'usage. [*Être à moule*], être inutilisable.

Moulin, n.m., est un flandricisme pour désigner un manège de chevaux de bois. Cf. CARROUSEL.

Mourir, v.intr. *Je meurs, nous mourons, ils meurent. Ils mouraient. Ils moururent. Ils sont morts. Ils mourront, mourraient. Qu'il meure, que nous mourions. Mourant.* — On peut *mourir d'envie de voir qqn* (désirer vivement le voir) ; wallonisme, dans ce sens, [*mourir après lui*].

Mouroir, n.m., est devenu d'un usage assez répandu pour désigner cruellement un asile (fût-il confortable et luxueux) de vieillards qui y attendent la mort.

Mousseux, adj., se dit d'un vin, d'un cidre, de cheveux, d'une lingerie. Il ne se dit plus pour « couvert de mousse », sauf dans *une rose mousseuse,* préféré à *rose moussue,* également correct.

Moustache, n.f. *Porter la moustache* ou *les moustaches* ; *une moustache* ou *des moustaches* ; le pluriel n'est pas nécessairement en rapport avec la grandeur. On emploie le pluriel s'il s'agit des animaux ; mais on parle de la moustache d'une femme. **Moustachu** est français.

Moustiquaire, n.f., est employé au masculin en Belgique et au Canada. C'est une faute.

Moutarde, n.f. Si l'on dit fort bien : *La moutarde lui monte au nez,* on ne peut dire, comme en Belgique, [*envoyer qqn à la moutarde*] pour l'envoyer au diable.

Mouton, n.m. Cf. POUSSIÈRE.

Mouvoir, v.tr.dir. *Je meus, nous mouvons. Je mouvais. Je mus. Je mouvrai. Que je meuve, que nous mouvions, qu'ils meuvent. Mouvant.* Participe passé : *mû, mue, mus.*

Moyen, n.m. 1. En Belgique, *une école moyenne* a désigné une école d'enseignement secondaire inférieur, ne comprenant que les classes inférieures. D'où : *faire ses moyennes,* suivre les cours d'une telle école.

2. *Il y a moyen de faire mieux. Trouver un moyen. Chercher le* (ou *un*) *moyen de faire qqch.* Mais non [*tâcher moyen*], qui est populaire.

3. *Perdre ses moyens* (se troubler). *Être en possession de tous ses moyens* (de toutes ses capacités, de toutes ses aptitudes). *Avoir de gros moyens* (être riche) ou, familièrement, *avoir les moyens.*

Moyen âge. On écrit *le Moyen Âge* ou *le moyen âge*. Mais on trouve le mot écrit avec un trait d'union.

Adjectifs : *Moyenâgeux* est vieilli pour ce qui concerne le moyen âge ou ce qui y appartient (une œuvre, un auteur, une salle) et est alors remplacé par **médiéval**, qui se dit aussi des études, de la littérature, de l'art, d'une époque. Mais on applique *moyenâgeux* à ce qui rappelle le moyen âge par ses caractères, par son pittoresque : des rues, une ville, des procédés surannés, des conceptions.

Moyen-courrier, n.m. Tandis que les dictionnaires sont d'accord pour laisser *long* invariable dans *des long-courriers* (avions de transport destinés à des longues distances), ils optent soit pour *des moyen-courriers* (ce qui est logique), soit pour *des moyens-courriers* (à éviter).

Moyennant que, loc.conj. (à condition que), est vieilli.

Moyen-Orient devrait, dit l'Académie, être remplacé par Proche-Orient pour désigner les pays riverains ou voisins de la Méditerranée orientale ; Moyen-Orient devrait, dit-elle, être « réservé aux pays plus à l'est, et non limitrophes de la Méditerranée ».

Mufle, n.m., muflerie, n.f., muflier, n.m. Un seul *f*.

Mulâtre. Cf. Métis.

Multi. Dans les composés de *multi*, le 2e élément, soudé au premier, s'écrit sans *s* au sing. et varie au pluriel : *une assurance multirisque, des assurances multirisques*.

Multiplicande, n.m., s'écrit avec *d* parce qu'il vient de *multiplicandus*, qui doit être multiplié (par le multiplicateur).

Multiplier, v.tr.dir., est vieilli comme intransitif dans le sens d'« augmenter en nombre », (*Croissez et multipiez*) ou de « proliférer, s'étendre de plus en plus ».

On dit : *Ils se multiplient. Les cas se multiplient. Cette personne se multiplie au service de notre cause.*

Municipal, adj. Cf. Communal.

Muret, n.m., ou **murette, n.f.,** petit mur. On emploie aussi, localement, *muretin* et même *murtin* : *le murtin de la terrasse* (M. Genevoix, *Rroû*, Poche, p. 72).

Muscade, n.f. et adj. *Une muscade* ou *une noix muscade*, et non [*une noix de muscade*].

Muscat, n.m. et adj., n'a pas de féminin : *Une grappe de muscat. Un raisin muscat. Un vin muscat. Un muscat.* Colette a risqué « muscate » : *La treille muscate.*

Muser, v.intr., c'est s'attarder à des bagatelles (on dit plus souvent *musarder*) et non, comme on le croit en Belgique, émettre un son continu, à bouche fermée, fredonner.

Musical, adj., **musicien,** n.m. et adj. *Une notation musicale. La critique musicale. Une voix musicale. Avoir l'oreille musicale. Des études musicales.* — On a dit aussi *une oreille musicienne* ; mais *musicien* s'applique aujourd'hui aux personnes.

Music-hall, n.m. *Des music-halls.*

Mutuel, adj. Cf. RÉCIPROQUE.

Mutuellement, adv. On ne craint pas d'employer cet adverbe avec des verbes pronominaux exprimant la réciprocité : *Aidons-nous mutuellement. Ils s'épiaient mutuellement. Ils se sont fait mutuellement des concessions* (Ac.). Mais j'éviterais de l'employer avec des verbes pronominaux composés de *entre* (*s'entraider*, etc.). Le pléonasme est alors trop patent.

Myriade, n.f. Attention à l'orthographe, qui s'explique par le bas latin *myrias*, du grec *murias*, dizaine de mille.

Myrtille, n.f. Après des hésitations et des confusions sensibles dans les dictionnaires et chez les botanistes, *myrtille*, qui rime avec *fille*, a éliminé *myrtil* et tend à se spécialiser par rapport à *airelle*, qui reste courant dans le Midi pour désigner la myrtille. L'étymologie du nom méridional *airelle* explique qu'il ait désigné un fruit noir ; devenu nom générique, il s'est appliqué aussi bien à la myrtille qu'à l'airelle rouge (ou ponctuée). Mais, aujourd'hui, du moins dans le Nord, l'usage tend à opposer *la myrtille*, qui est noire, à *l'airelle*, qui est rouge. En Belgique, la distinction est nette et constante.
   Myrtille désigne à la fois le fruit et la plante ; cependant, de même qu'on emploie *airellier* dans certaines régions françaises, on parle couramment de *myrtillier* en Belgique pour la plante.
   Au Canada, la myrtille s'appelle *bleuet*.

Mystifier (tromper), v.tr.dir., ne peut être confondu avec *mythifier* (créer des mythes, transformer en mythe). Cf. DÉMYSTIFIER.

N

N' (adv.) après *on*. L'oreille ne perçoit aucune différence entre *on* et *on n'* devant une voyelle. L'écriture doit distinguer *on a fini* et *on n'a pas fini* (comparer : *j'ai fini, je n'ai pas fini*) ; *on écoute plus attentivement* et *on n'écoute plus attentivement*.

Naguère, adv., ne signifie pas « jadis », mais « il n'y a guère (de temps) ».

Naïade, n.f. Tréma sur i.

Naître, v.intr. *Il naît* (accent circonflexe devant *t*), *il naissait, il est né, il naîtra. Il est né de parents pauvres. Il était né pour commander.* Cf. NATIF.

[Nâreux], mot dialectal, s'entend en Wallonie, mais aussi en Champagne, pour « vite dégoûté en matière de nourriture ».

Narguilé, n.m. d'une pipe orientale. On écrit aussi *narghilé*.

Nasal, adj., fait au masculin pluriel *nasaux*.

Natal, adj. Le pluriel masculin, rare, est *natals*. De même : *prénatals*.

Natif de dit en principe plus que **né à** ; il suppose le domicile fixe des parents au lieu où leur enfant est né. On dit cependant couramment *né à* dans ce sens également. N.m. : *Les natifs du pays. Né natif de* est un pléonasme qu'il faut laisser à la langue populaire ou n'employer qu'en plaisantant.

Nature, n.f., peut s'employer comme **adjectif invariable** au sens de *naturel* : *Ces gens-là sont nature* (familier). En parlant des aliments, cet usage est courant pour ce qui est servi au naturel, sans assaisonnement, sans mélange : *de l'eau nature, un café nature, bœuf nature, yaourt nature, des pommes nature.*

    Grandeur nature, beaucoup plus courant que *grandeur naturelle*, signifie « avec les dimensions réelles » : *Une reproduction **grandeur nature**. Il* *était grandeur naturelle (...). Ils étaient, comme les autres, grandeur nature* (J. Giono, *Noé*, Poche, pp. 30, 33).

L'emploi de *nature* comme **adverbe**, dans une réponse, au lieu de « naturellement », est très populaire.

Nautonier, n.m. Un seul *n* intérieur. *Le nautonier des Enfers.*

Naval, adj. Pluriel : *navals. Des combats navals.*

Navarin, n.m. Par définition, il s'agit d'un ragoût *de mouton.*

Navette, n.f. Une personne qui *fait la navette* (trajet régulier entre son domicile et un lieu éloigné) est couramment appelée en Belgique *un navetteur,* souvent prononcé « nafteur ».

Navigant, adj. (*Le personnel navigant*) ; **naviguant,** verbe (*En naviguant*).

Navire (**Genre des noms de** —). Cf. GENRE. *Un navire-citerne, un navire-hôpital. Des navires-citernes.*

Navrer, v.tr.dir., ne signifie plus « blesser », mais « affliger, contrarier ».

Nazi, adj. ou n. *Les nazis. Un chef nazi. La brutalité nazie.*

Ne, adv. **Omission** de *ne* dans la négation. Il ne s'agit pas ici du *ne* explétif, dont il est question plus loin et qui est souvent omis, mais de la réduction à *pas* de la négation *ne pas* (cf. NE PAS). Cf. aussi PAS, 12, p. 696.

1. Il faut mettre à part les phrases interrogatives où, tantôt en poésie, tantôt familièrement, *ne* est parfois omis : *Me connaissez-vous pas ?* (Molière). — *Dirait-on pas qu'il m'en veut ?* Cf. NE PAS, 1, d, archaïsme littéraire. Cf. PAS, 6, p. 696.

2. Mais, en dehors même de l'interrogation, la langue parlée omet souvent *ne* ; si cette ellipse paraît tout au plus familière dans le langage oral, elle devient populaire ou même vulgaire dans le langage écrit. Bien des gens cultivés, qui ne se font pas faute de se contenter de *pas* dans la conversation, écrivent toujours *ne...pas*. Il faut d'ailleurs noter que même des écrivains qui prétendent reproduire la langue populaire, comme Céline, emploient ou omettent *ne* à peu de distance : *Je veux bien que je n'avais pas tout à fait raison (...). Des convictions comme ça c'est pas supportable (...). On en finira jamais de les connaître (Voyage au bout de la nuit,* Folio, p. 479). La liaison de *on* avec une voyelle favorise cette suppression, elle ne la justifie pas (cf. N'). Cf. NE PAS, 1, b, e.

3. S'il y a ellipse du verbe, l'omission de *ne* devient obligatoire : *Pas de gros mots ! Un soldat pas très courageux. Pas un souffle.* Cf. NON, 3.

Ne employé seul au lieu de *ne pas, ne point.* Autrefois *ne* pouvait s'employer seul pour nier un verbe. Il reste encore des traces de cet ancien usage. Parfois il s'agit d'affectation ; parfois, d'expressions plus ou moins figées ou de survivances ; parfois la survivance peut être due à une atténuation, même inconsciente, de la négation, parce que la phrase a un sens positif implicite. On va en voir quelques exemples. Il est bon d'avertir que, malgré leur nombre, les cas cités ci-dessous ne sont pas les seuls où *ne* se présente parfois, normalement, sans *pas* ; il le fait notamment dans une subordonnée introduite par *que* et dépendant d'une proposition négative ; c'est qu'un sens affirmatif est implicite : *Cela ne veut pas dire qu'il n'ait (pas) fait son possible. — Je ne dis pas que d'un côté comme de l'autre il n'y ait à cacher d'assez vilaines turpitudes* (M. Proust, *Du côté de Guermantes*, Pléiade, p. 245). Il y a donc une certaine marge laissée aux écrivains. Mais il faut éviter les coquetteries d'archaïsme en rupture avec l'usage actuel.

1. L'emploi de *ne* seul dans certaines **expressions plus ou moins figées** s'explique par une survivance et, pour beaucoup d'entre elles, par l'inexistence de la forme positive à laquelle semblerait se référer la négation complète : *n'avoir cure, crainte, garde, de cesse que, que faire de, (il) n'empêche (que), qu'à cela ne tienne, à Dieu ne plaise, ne vous déplaise, n'en déplaise à, ne dire mot, ne souffler mot, n'y avoir âme qui vive, ne voir âme qui vive, il n'est...qui* ou *que, il n'y a...qui* ou *que* ou *dont, n'était, n'eût été, ne fût-ce que, (il) n'importe, n'importe comment, qui, pourquoi, quand.*

2. a) On doit employer *ne* sans *pas* quand **la proposition contient un autre mot négatif**, *jamais, plus, guère, aucun, aucunement, nul, nullement, nulle part, personne, pas un, rien,* etc. : *Je ne vois personne. À aucun moment je ne l'ai revu. Il ne dit plus rien. Il n'entend jamais rien. On n'y entend goutte.*

On n'emploie aucune négation si un mot comme *rien* ou *jamais* est pris dans un sens positif : *Y a-t-il rien* (= quelque chose) *de plus inquiétant ? Je renonce à jamais comprendre ce qu'il veut.*

Avec *rien* négatif introduit par *pour*, on emploie *ne pas* : *Il ne travaille pas pour rien. Ce n'est pas pour rien.* La langue oppose *Ce n'est pas rien* (= c'est quelque chose) à *Ce n'est rien* (= ce n'est nulle chose, c'est sans importance).

b) Omission de *pas* avec **ne...que** signifiant « seulement » (cf. NE QUE) : *Ils n'ont que ce qu'ils méritent.* Mais : *Il n'y a pas que vous* (*pas* nie *ne...que*), *Il n'y a pas que l'argent qui compte* s'opposant à *Il n'y a que vous, Il n'y a que l'argent qui compte.*

Cf. FAIRE, 12, 13 (*ne faire que*), QUE (remplaçant une autre conjonction : *Il n'avait pas voulu partir que tout ne fût réglé*), NE PAS QUE, MOINS, 2, d (*moins que jamais*).

c) Quand le verbe a un complément de temps introduit par *de*, on supprime fréquemment *pas* avec *de ma vie* signifiant « jamais », parfois avec *de longtemps*, beaucoup plus rarement si la limitation de temps est partielle et précise (*de sitôt, de toute la semaine, de dix jours,* etc.) : *Je ne le reverrai de ma vie. Je ne le reverrai pas de longtemps, de sitôt, de huit jours. Il n'en dormira pas de la nuit.*

3. Les verbes **bouger, cesser, oser, pouvoir, savoir** peuvent se passer de *pas* dans certains cas, surtout dans un langage un peu recherché. La présence de *pas* dans les mêmes conditions est généralement assez fréquente dans la langue parlée pour qu'on ne puisse y voir un renforcement de la négation. Certaines nuances sont indiquées ci-dessous.

Bouger s'est employé autrefois couramment sans *pas*. Il le réclame habituellement aujourd'hui : *Ils n'ont pas bougé.* L'Académie l'omet (cela ne s'impose pas) devant *de là* : *Je ne bougerai de là. Ne bougez de là.*

Cesser suivi d'un infinitif se construit souvent sans *pas* : *Il ne cesse de travailler.* On marque ici la constance d'un fait, quelque chose donc de positif. *Pas* peut intervenir ; il doit logiquement le faire si le sens est « continuer à, ne pas s'arrêter de » et ne peut se confondre avec « faire continuellement » : *Les femmes ne cessaient pas de songer qu'elles avaient des commissions à faire* (J. Romains, *Mort de quelqu'un*, p. 39). *Ainsi, quelles que fussent les difficultés (...), la cohésion de la résistance ne cessait pas de s'affermir* (Ch. de Gaulle, *L'unité*, Poche, pp. 30-31). *La neige, qui n'a pas cessé de tomber depuis trois jours, bloque les routes* (A. Gide, *La symphonie pastorale*, Début). *L'économique les dévorait tout entiers. Ils ne cessaient pas d'y penser* (G. Perec, *Les choses*, J'ai lu, p. 57). L'omission de *pas* serait possible dans ces phrases ; elle ne créerait aucun contresens. Au contraire *pas* s'impose si l'on dit : *Bien que j'aie à me plaindre de lui, je n'ai pas cessé de le rencontrer* ou encore : *Mais elle ne cessait pas de le regarder fixement, comme pour le mieux reconnaître* (G. Bernanos, *La joie*, p. 2). Et surtout : *Malgré les conseils du médecin, il n'a pas cessé de fumer.* Ici, le sens ne peut être « fumer continuellement, sans arrêt » ; c'est « ne pas arrêter de fumer ». *Le départ des visiteurs ne change rien aux us de la chienne brabançonne qui me surveille, ne cesse pas, n'a jamais cessé de me surveiller* (Colette, *La naissance du jour*, Flammarion, p. 62). *Je ne cesse pas de travailler avant qu'on m'appelle pour le déjeuner.* Comparer : *Je n'ai (pas) cessé de m'interroger sur ses intentions* et *Même après ses explications je n'ai pas cessé de m'interroger.*

Oser et **pouvoir** peuvent s'employer sans *pas* devant un infinitif exprimé ou sous-entendu. *Pas* n'est pas rare ; il s'impose si l'infinitif lui-même est à la forme négative : *Je n'ose* ou *je n'ose pas. Il n'ose (pas) le dire. Il n'a (pas) osé le dire. Il n'a pas osé ne pas nous recevoir. Je ne peux (pas)* ou *je ne puis (pas). Il ne pouvait (pas) s'en passer. Il n'a (pas) pu venir. Il ne peut pas ne pas l'avouer.* Si un infinitif n'est ni exprimé ni sous-entendu, *pas* est obligatoire : *Je ne pouvais pas beaucoup plus.*

Locutions figées : *On ne peut mieux, on ne peut plus.*

Savoir peut s'employer sans *pas* dans quelques cas :

a) Sans complément, surtout à l'indicatif présent, à la 1re personne du singulier, quand on répond à une question : *Qu'a-t-il dit, je ne sais (pas). Je ne sais (pas) trop.*

b) Quand on veut marquer l'incertitude (moins souvent l'ignorance ou l'incapacité) devant un mot interrogatif (*qui, que, quoi, lequel, combien, comment, où, quand, pourquoi*, etc.) ou une proposition en interrogation indirecte : *Il est sorti avec je ne sais qui. Je ne sais comment. Il ne sait que dire. Je ne sais quelle mouche l'a piqué. Je ne sais ce qu'il a dit. Je ne sais s'il viendra.* La fréquence de *pas*, dans de telles phrases, empêche de dire qu'on y oppose l'incertitude et l'ignorance. Toutefois il est vrai que, si l'on exprime nettement l'ignorance, on emploie *pas : Il ne sait pas lire. Il ne savait pas ce qu'on lui voulait.*

c) Au conditionnel (surtout au présent), avec le sens de l'indicatif de *pouvoir*, devant un infinitif exprimé ou sous-entendu : *Il fait trop noir, je* **ne saurais lire.** *Je voudrais vous faire ce plaisir, mais* **je ne saurais.** *Je n'aurais su le dire. Cette plante ne saurait pousser dans ce pot* (cf. SAVOIR, 6). Cette omission est assez générale pour qu'on la recommande. Il est utile de marquer la différence entre cet emploi de *savoir* pour *pouvoir* et celui du conditionnel de *savoir* gardant son véritable sens et se construisant avec *ne pas : Il ne saurait pas cacher son dépit. Il ne saurait pas si bien nous répondre si quelqu'un ne l'avait informé de nos objections.* On trouve aussi *ne* seul à d'autres modes et temps : *Il n'a su en venir à bout* (Ac.).

4. Avec **qui, que, quel**, dans des **interrogations oratoires** (sens positif) directes ou indirectes, on supprime *pas* dans certains cas :

a) ***Qui* sujet** s'en passe souvent : ***Qui ne voit** qu'il y a là une erreur?* (= chacun voit...). *On se demande qui n'en aurait (pas) fait autant.* (= Je suis certain que chacun en aurait fait autant). *Qui donc ne le ferait (pas) aussi bien que lui ?* Mais si l'on interroge vraiment, s'il ne s'agit pas d'une interrogation oratoire : *Qui **ne comprend pas** cette phrase ? Qui d'entre vous n'a pas terminé son travail ?*

Qui **complément** est suivi de *ne...pas : Qui n'a-t-il pas vu ? À qui ne s'est-il pas adressé ?*

b) ***Que* pronom interrogatif** se construit avec *ne pas : Que n'a-t-il pas raconté ? Que n'entend-on pas tous les jours ? Que n'avez-vous pas fait pour lui ?*

La langue maintient ainsi la différence entre le pronom interrogatif *que* et l'**adverbe** interrogatif ou exclamatif *que* signifiant « pourquoi » ou exprimant un regret et introduisant une affirmation implicite quand le sujet est un pronom. Cet adverbe est suivi immédiatement de *ne* employé seul : *Que ne le disiez-vous plus tôt ?* (comparez : *Pourquoi ne le disiez-vous pas ?*). *Que ne suis-je en vacances !* (Vous auriez dû le dire plus tôt. Je voudrais être en vacances).

On peut ainsi mieux distinguer : *Que n'a-t-il pas lu ?* (il a tout lu) et *Que n'a-t-il lu ce livre !* (je regrette qu'il ne l'ait pas lu).

c) ***Quel* interrogatif (ou exclamatif),** suivi immédiatement du substantif sujet qu'il détermine, est souvent suivi de *ne* seul (cf. a, *qui*) : *Quel* *adversaire **ne lui rendrait** justice ?* (= n'importe quel adversaire lui rendrait justice). *Dites-moi quel adversaire ne lui rendrait (pas) justice.* Mais : *Quelles démarches **n'a-t-il pas faites** ?* Si l'interrogation n'est pas oratoire, on emploie *ne...pas : Il me manque deux bulletins : quel élève **n'a pas remis** le sien ?* Avec *quel* non suivi immédiatement d'un substantif : ***Quelle ne fut pas ma stupéfaction !***

5. **Propositions relatives** dépendant d'une principale négative de forme ou de sens ou interrogative, et dont le verbe est généralement au subjonctif mais est aussi parfois, à cause du sens, à l'indicatif ou au conditionnel : on omet généralement *pas.* C'est qu'il y a une affirmation implicite.

A. Après (*il n'y a*) ou (*il n'est*) *personne qui, aucune femme qui, pas d'homme qui, pas un qui, rien qui, il n'est pas jusqu'à...qui, il y a peu d'hommes qui* (cette expression tendant vers la négation), etc., il faut distinguer :

a) **L'ensemble a un sens négatif**, mais la subordonnée, niée par ce qui précède, a un sens positif et ne contient donc aucune négation : *Pas un de ces élèves **qui appartienne** à la bourgeoisie* (= aucun n'appartient à la bourgeoisie). *Pas un bachelier sur dix qui sache vraiment le français* (A. Billy ; pas un sur dix ne sait vraiment le français). *Il n'y a rien qui me déplaise plus* (= rien ne me déplaît davantage). *Aucun de nous qui ait compris l'allusion* (= aucun n'a compris).

b) Si la subordonnée a un sens négatif, **l'ensemble ayant un sens positif** général applicable à chacun ou à tous, elle est généralement niée par *ne* seul, mais elle l'est parfois par *ne pas : Il n'y a **personne qui n'ait (pas)** bien répondu* (= tous ont bien répondu). *Il y a peu d'élèves qui ne se soient (pas) trompés* (= presque tous se sont trompés). *Il n'est pas jusqu'aux enfants qui ne soient menacés.* Il manque une négation dans la phrase suivante : *Il n'est pas jusqu'aux odeurs (...) qui contribuent à charger de maléfices une atmosphère déjà confirmée* (M. Tournier, *Le roi des aulnes,* Folio, p. 176). Il fallait : *ne contribuent* : Même faute p. 548. *Pas un groupe qui n'eût sa pancarte. — Aucun de nous qui ne soit demeuré fidèle (...). Il n'est aucune de ses grandes œuvres qu'il n'ait payée de son sang* (Fr. Mauriac, *Journal,* 1934, pp. 86, 94). *Il n'est pas de jour où quelqu'un ne fasse courageusement la guerre à Saint-Germain-des-Prés en signant une pétition.* (P. Daninos, dans *Le Figaro,* 28 janvier 1972). *Le plus conservateur des politiciens n'aurait pas osé présenter un programme qui n'accordât pas une large part au rôle des femmes* (J.-L. Curtis, *La moitié du chemin,* J'ai lu, p. 77).

B. **Après une interrogation oratoire correspondant à une négation**, on emploie ou on omet *pas* dans la subordonnée selon qu'elle a un sens positif ou négatif. *Connaissez-vous quelqu'un dont il **ne** médise ?* (= Vous ne connaissez personne dont il ne médise. Il médit de tout le monde.) *— Leur ai-je donc menti ? Quelle promesse ai-je faite que je n'ai tenue ?*

(G. Bernanos, *La joie*, p. 264.) *Connaissez-vous qqn **dont il soit** content ?* (Il n'est content de personne.) Mais on emploie *pas* si l'on s'informe vraiment, si l'interrogation n'est pas oratoire et si la subordonnée a un sens négatif : *Connaissez-vous quelqu'un qui **ne** soit **pas*** (ou *qui n'est pas*) *trop exigeant ? Connaissez-vous qqn qui soit libre ?*

6. Après la négation des adverbes **si, tellement, à tel point** ou de termes analogues, on trouve l'omission de *pas* dans la proposition consécutive : *Il n'était pas si distrait qu'il **ne** nous prêtât quelque attention* (on veut dire qu'il nous prêtait quelque attention). De même après une interrogation à valeur d'affirmation négative : *Était-il si distrait qu'il **ne** nous prêtât...* Mais on met plus souvent *ne...pas* : *Son entêtement n'est pas tel qu'il n'écoute **pas** vos explications. Est-il à ce point négligent qu'il n'ait pas noté ce rendez-vous ?*

7. Après *si* **conditionnel**, introduisant une hypothèse, la suppression de *pas* est une survivance qui peut paraître élégante mais qui ne s'impose jamais et est, dans l'usage contemporain, sensiblement moins fréquente que le tour avec *ne...pas*, sauf dans les expressions plus ou moins figées *si je ne me trompe, si je ne m'abuse, si je ne fais erreur : Si ce ciel **n'**était le plus pur de tous les ciels, (...) on pourrait oublier l'absence du bonheur* (Fr. Mauriac, *Journal*, 1943, p. 11). *Lorsqu'il avait annoncé qu'il se priverait de nourriture si l'on **ne** reconnaissait **pas** les droits des Intouchables, il ne s'agissait pas de « jeûner », mais de mourir de faim* (A. Malraux, *Antimémoires*, 1972, p. 192). *Vous tomberez si vous **ne** faites **pas** attention. Il nous en voudra si nous ne l'accompagnons pas. Je serai déçu si vous ne venez pas.*

Pas s'impose si la conjonction *si* **marque autre chose que l'hypothèse**, par exemple la cause : *Ne soyez pas surpris s'il n'a **pas** répondu.* De même avec *si...c'est que*, où *si* introduit un fait justifié ensuite : *Si je n'y vais **pas**, c'est qu'on ne m'a pas invité.* Cf. Sɪ, *conj.*, B.

Si la principale négative contenant *ne pas* précède *si* conditionnel, on peut omettre *pas* à courte distance, pour éviter sa répétition : *Je ne l'aurais pas fait si on ne me l'avait demandé. Je ne l'aurais pas cru si je ne l'avais vu moi-même.* Mais *pas* est toujours possible.

Si ce n'est paraît figé dans le sens de *sinon, excepté : Je ne l'ai jamais vu, si ce n'est de loin.* Lorsque cette expression marque vraiment une hypothèse, *pas* peut s'employer : *Si ce n'est pas lui* (plus fréquent que *si ce n'est lui*), *qui donc le fera ? Si ce n'est (pas) toi, c'est ton frère.*

Au lieu de *si ce n'était (pas), si ce n'eût (pas) été*, on peut employer (dans le sens de *sans*) **n'était, n'étaient, n'eût été, n'eussent été** : *N'étaient vos déclarations, je le croirais coupable. N'eût été son arrogance, on lui eût pardonné.* Dans ce sens, *ne serait* est vieilli.

8. Après **depuis que, il y a tel temps que,** *il y a longtemps que, voici* ou *voilà tel temps que,* si la proposition a un sens négatif, il faut toujours une négation, mais il faut distinguer :

a) Si **le verbe est à un temps simple**, on emploie *ne pas* ou plus souvent *ne plus*. *Il y a un mois à peine qu'ils vivent ensemble* (aucun sens négatif). *Depuis que nous ne nous voyons pas* (Littré). *Il y avait deux jours qu'il ne mangeait plus. Il y a longtemps que je ne le vois plus.*

b) Si **le verbe est à un temps composé**, plusieurs tours sont possibles pour exprimer la négation : *Il y a deux jours qu'il est parti* (aucun sens négatif possible). *Il y a huit jours que j'y suis allé.* Mais on pense plus souvent que l'action ne s'est pas produite dans les huit jours précédents. D'où : *Il y a* (ou *voilà*) *huit jours que je n'y suis allé* ou *que ne n'y suis pas allé* ou *que je n'y suis plus allé.* De même : *Il y a longtemps qu'il a donné de ses nouvelles.* Plus souvent : *qu'il n'a donné de ses nouvelles* ou *qu'il n'a pas donné de ses nouvelles* ou *qu'il n'a plus donné de ses nouvelles. Depuis que je l'ai vu* ou *depuis que je ne l'ai vu, que je ne l'ai pas vu, que je ne l'ai plus vu.*

Si la négation ne porte que sur un degré, il peut paraître normal d'omettre *pas* et d'employer soit *ne* tout seul, soit *ne plus : Voici longtemps que je n'avais lu avec un appétit aussi sain* (A. Gide, *Journal,* 3 février 1906). *Il y a longtemps que je ne m'étais (plus) aussi bien amusé.*

9. **Autre** devant la conjonction *que*. Lorsque *autre* est attribut, le verbe s'emploie sans *ne* : *Je sais que cet homme n'est autre que votre cousin.*

Avec **d'autre**, on emploie *ne* ou *ne...pas* : *Il n'y a (pas) d'autre solution que de démissionner. Je n'ai (pas) d'autre désir que de vous être utile.*

10. Avant et après **ni** joignant deux verbes ou répété (*ni ... ni*), on emploie *ne* tout seul : *Il ne boit ni ne fume* (il ne boit pas et ne fume pas). *Il n'est ni bon ni juste. Ni l'or ni la grandeur ne nous rendent heureux. Il n'a ni parents ni amis.*

Au lieu de répéter *ni,* on peut ne le faire intervenir, devant le sujet, le complément ou l'attribut placé en second lieu, qu'après la négation complète : *Il n'est pas bon ni juste. L'or ne nous rend pas heureux, ni la grandeur. Il n'a pas de parents ni d'amis.* Cf. Nɪ, A.

11. **Pas plus que** demande une négation. Phrase fautive : *Pas plus qu'Olivier goûtait les devinettes du pâtre, pas plus celui-ci riait aux siennes* (R. Sabatier, *Les noisettes sauvages,* p. 230). Il fallait écrire : *ne goûtait... ne riait.*

Pour l'emploi de *ne* dans la subordonnée qui suit *ne pas plus que,* il faut distinguer *ne...pas plus que* (cf. Nᴇ explétif) et *ne pas...pas plus que.*

Après **ne pas... pas plus que**, *ne* est nécessaire et s'emploie seul : *Je n'ai pas besoin de lui, pas plus qu'il n'a besoin de moi.* Si l'on employait *de même que,* on mettrait *ne pas : de même qu'il n'a pas besoin de moi.* Mais après *pas plus que* on évite de répéter *pas.*

Quand un sujet est précédé ou suivi de *pas plus que* avant le verbe, la négation est réduite à *ne.* Phrase fautive : *Pas plus que Warren (...), il n'a pas la possibilité de riposter* (P. Boulle, *Le pont de la rivière Kwaï,* 4ᵉ partie, ch. VI). On dit : *Pas plus que Pierre, Paul n'a bien répondu.*

Paul, pas plus que Pierre, n'a bien répondu. Mais : *Paul n'a pas bien répondu, pas plus que Pierre.* On recourt aussi à *non plus que* : *Paul n'a pas bien répondu, non plus que Pierre.*

L'emploi de *non plus que* devant le verbe peut s'accommoder de *ne pas* (comme si *non plus que* introduisait une parenthèse) : *Les êtres vivants, non plus que les montagnes et les ravins, n'étaient pas encore assurés de leurs véritables dimensions ni de leurs possibilités* (J. Supervielle, *Premiers pas de l'univers*, p. 114). Cf. NON, 10.

12. Cf. CE N'EST PAS QUE, MOINS, 2, d, NON, 9 (*non que*), p. 634, QUE, *conj.*, 3, B, e, p. 782.

Ne explétif. Je garde cette appellation (qui veut dire simplement que cet adverbe n'est pas nécessaire au sens) plutôt que d'autres qui ont été proposées : modal, expressif, pléonastique, redondant, abusif, discordantiel, etc. L'emploi de *ne* explétif peut certes traduire une idée parallèle négative qui est dans la pensée du locuteur : *Je crains qu'il ne vienne* peut apparaître comme parallèle à *Je souhaite qu'il ne vienne pas.* Mais *ne*, dans la première phrase, est opposé à *ne pas* (*Je crains qu'il ne vienne pas*) et n'est pas nécessaire au sens. Dans *Il agit autrement qu'il ne parle*, la pensée parallèle négative est : *Il ne parle pas autrement qu'il agit.* Mais, encore une fois, *ne* est explétif. D'ailleurs, l'idée parallèle négative peut être un fait strictement individuel qu'on est libre parfois d'exprimer par *ne*, sans qu'il y ait contrainte de l'employer.

Si l'on prend garde que le *ne* obligatoire après *que* employé à la place de *avant que, sans que* (cf. QUE, *conj.*, 3, B, e) n'est pas un *ne* explétif mais un *ne* vraiment négatif employé seul, on peut affirmer que *ne* explétif est devenu facultatif dans tous les cas.

Mais si on l'emploie une première fois, il convient de l'employer devant l'autre verbe juxtaposé ou coordonné dépendant du même verbe principal : *Je crains qu'il ne soit fâché et qu'il ne s'en aille.*

Pour son emploi ou son omission à des degrés divers, avec un subjonctif, voir à leur rang alphabétique les mots qu'il suit : *craindre, crainte, douter, nier, avant que,* etc.

Ne retenons ici que le cas de sa présence (fréquente mais facultative) dans les **propositions comparatives** à l'indicatif (après *plus, moins, autre, plutôt,* etc.).

Ne est très fréquent, disons même courant (sans être obligatoire), dans une **comparaison d'inégalité** avec *plus, moins, meilleur, autrement,* etc. : *C'est plus difficile que je ne pensais. Ce n'est pas plus difficile que je ne l'envisageais. Il est autre que je (ne) croyais.* On pourrait supprimer *ne* : *Il n'agit pas autrement qu'il parle* (Ac.). *Je n'agirais pas autrement que je ne l'ai fait. On ne peut pas être plus content que je ne le suis. Ce n'est pas que vous vous soyez réveillé ce matin plus tard que vous l'aviez pensé* (M. Butor, *La modification*, 10/18, p. 17). *La vie s'organise, moins pénible que je le craignais* (Colette, *La recherche sentimentale, O.C.,* II, p. 396). *Leurs cas*

*de conscience, complaisamment exposés, me troublaient moins qu'ils ne
m'édifiaient (...). Des mots vénéneux, infiniment plus riches que je ne savais*
(P. Sartre, *Les mots,* pp. 39, 43). *La situation de P. Guiraud est moins
éloignée qu'on pourrait croire* (G. Antoine, *Revue de l'enseignement supérieur.* 1969, n° 1, p. 57). *Elle a été blessée sans doute, et plus gravement
que nous le supposons* (J. Anouilh, *Pièces brillantes,* p. 476). *Elle l'est
moins qu'on ne pense (...). L'aventure est plus banale que tu penses*
(G. Bernanos, *La joie,* pp. 82, 99). *Il agit autrement qu'il parle* ou *qu'il ne
parle* (Ac.). *Elle était plus lourde que j'aurais cru (...). Philippe était moins
insensible qu'il ne se l'imaginait peut-être lui-même* (J. d'Ormesson,
L'amour est un plaisir, Poche, pp. 167, 184).

Il peut arriver que **ne...pas plus que** mette en parallèle deux idées
senties comme réellement négatives. On peut alors se demander si *ne,*
dans la seconde proposition, est vraiment explétif et si l'on n'a pas un *ne*
employé seul : *Mais cela ne m'étonne pas ; je ne suis pas plus surpris que
vous* **ne l'êtes.** *Il est surmené, il n'a pas plus de loisirs que je n'en ai.* Au
contraire, l'idée est positive et *ne* certainement explétif dans la seconde
proposition si je dis : *On ne peut pas être plus content que je* **(ne) le suis.**
On peut d'ailleurs hésiter parfois sur l'interprétation dans un sens positif
ou négatif : *Je ne le connais pas plus que vous* **ne le connaissez** (Ac.).

Ne explétif est beaucoup plus rare et même tout à fait exceptionnel si
la proposition principale négative ou interrogative contient *aussi, si, tant,
autant.* c'est-à-dire si l'**on nie une comparaison d'égalité** : *Ce n'est jamais
amusant autant qu'on l'imagine. Elle n'est pas aussi indifférente qu'elle le
prétend. Ce livre est-il aussi intéressant qu'on le dit ?* Si un de ces derniers
adverbes se trouve dans une **principale affirmative,** la présence de *ne* dans
la subordonnée est vraiment anormale et à proscrire. On dit : *Il est aussi
habile que je croyais.*

Après *plutôt que* **comparatif dans une proposition affirmative,** l'omission de *ne* est extrêmement rare : *On le craint* **plutôt qu'on ne le respecte.**
Ces points de vue se complètent plutôt qu'ils ne s'opposent. C'est qu'on nie
le second verbe, en l'écartant au profit du premier.

On a pu remarquer, dans les exemples ci-dessus, l'intervention du
pronom **le** (= cela) ; il accompagne des verbes comme *croire, penser, dire,
prévoir, faire* ou *être,* employés avec ou sans *ne* ; il ne s'impose jamais : *Il
est plus riche que je croyais, que je ne croyais, que je le croyais, que je ne le
croyais* ou *qu'il était, qu'il n'était, qu'il l'était, qu'il ne l'était.* Cf. LE, 2,
Pronom, B. 2, b, p. 544.

Né, adj. 1. *Né à* se dit de celui qui est né dans telle localité, que ses parents
y aient ou non leur domicile fixe. Cf. NATIF.

2. Trait d'union et accord des deux éléments dans les composés :
aveugle-né, premier-né, dernier-né, écrivain-né, artiste-né, orateur-né, etc.
Cf. MORT-NÉ (*mort* invariable), NOUVEAU, 3, *nouveau-né(e).*

Néanderthal, nom propre, et **néanderthalien,** adj. ou n., s'écrivent avec *th*.

Néanmoins, adv. et conj. et non préposition : *Âgé et néanmoins alerte. Il l'a fait néanmoins.* Classique et vieilli : *ce néanmoins,* malgré cela.

Nébuleux, nuageux, adj. *Nuageux* s'emploie surtout au sens propre (temps, ciel) et *nébuleux* au sens figuré (écrivain, esprit, discours, visage, idées). Mais on parle aussi d'un ciel *nébuleux,* d'un esprit ou d'un style *nuageux,* d'explications *nuageuses.*

Nécessaire, adj. *Une chose* (ou *une personne*) *est nécessaire à une autre. Les connaissances nécessaires à un ouvrier, à un travail, pour faire un travail, pour réussir. Il est nécessaire de faire qqch., que nous fassions telle chose. Se sentir nécessaire.* **Nom :** *Manquer du nécessaire. Faire le nécessaire.*

Nécessiter, v.tr.dir., se dit d'une chose : *Cela nécessite de longues recherches.* Bien que le sens soit ici *exiger,* c'est avec la nuance de « rendre nécessaire » et l'on ne pourra dire : « L'infirmerie ne nécessite pas un appareil de stérilisation ». On dira : *n'exige pas.* On ne dira pas que tel malade « nécessite une convalescence de huit jours », mais que *sa santé nécessite un congé de convalescence* ou *un traitement.*

Nécrologe, n.m., registre des morts. Et non [*nécrologue*].

Néfaste, adj., se dit des personnes comme des choses : *Un personnage néfaste* (Ac.). *Un jour néfaste.* On dit : *néfaste à la société* ou *pour la société.*

Négligeant, avec *ea,* part.présent de *négliger* (*en négligeant cette occasion*). **Négligent,** adj. (*un élève négligent*). **Négligence,** n.f. Adverbe, **négligemment.**

Négliger, v.tr.dir. *Nous négligeons. Je négligeais, nous négligions. Elle néglige son bébé, elle se néglige, elle néglige sa tenue. Elle a négligé de nous répondre.* Plutôt que de donner à ce verbe comme complément une proposition introduite par *que,* on dit : *Ne négligez pas le fait qu'on vous a averti.*

Négociant, n.m. (féminin très rare : *négociante*). Bien que *négoce* se soit dit depuis longtemps de toute activité commerciale, on a voulu réserver *négociant* au commerce en gros. On l'admet aujourd'hui pour le commerce en demi-gros, et même parfois pour le commerce de détail.

Négocier un virage est condamné comme anglicisme substitué à *prendre un virage.* Ce n'est pourtant qu'un emploi métaphorique de *négocier* (une affaire, un traité) : manœuvrer pour prendre un virage à grande vitesse ; mais il est vrai que *négocier une affaire, un traité* suppose la recherche d'un accord avec une autre partie.

Nègre, n. et adj. Féminin du nom, *une négresse*; de l'adjectif, *nègre*: *Une tribu nègre. Une danse nègre. La musique nègre. L'art nègre.* Adjectifs invariables: *tête-de-nègre, nègre blanc, nègre marron.*

Négro comme premier élément d'un composé français, est invariable: *Les langues négro-africaines.*

Negro-spiritual, est un mot américain; c'est pourquoi *negro* n'a pas d'accent; on prononce « twol ». *Des negro-spirituals.* On écrit aussi *negro spiritual* sans trait d'union.

Nenni, adv., vieilli et dialectal, prononcé plus souvent avec *è* qu'avec *é.*

Nénuphar, n.m., s'écrit aujourd'hui avec *ph.*

Néo-, préfixe, tend à s'agglutiner à l'élément qui suit (sauf devant *i, u*), mais le trait d'union est fréquent.

Ne pas, ne point, ne jamais, ne plus, ne rien, ne guère.
1. **Emploi.** Cf. Pas, 6, Ne, Ni.
a) Notons qu'au lieu d'employer *ne...pas*, on peut **antéposer** *pas* en tête de la phrase quand il s'agit d'une quantité infime énoncée comme sujet; *ne* accompagne alors le verbe. Comparer: *Je n'ai pas vu la moindre trace* et *Pas la moindre trace n'était visible. Je n'ai pas vu un seul homme* et *Pas un seul homme ne s'est montré.*
b) La liaison entre **on** et un verbe commençant par une voyelle entraîne souvent la suppression nettement fautive de *n'* quand le verbe est nié. Distinguer: *On a un livre* et *On n'a pas un livre. On a vu* et *on n'a rien vu.* Cf. N'.
c) Le sens négatif de l'ensemble de la phrase ne peut se traduire par *ne pas* ou *ne jamais* encadrant à tort le verbe subordonné. On évitera le non-sens des phrases suivantes: [*Il se retint de ne pas crier. Il renonce à ne pas comprendre. Il évite de n'avoir pas à s'expliquer. L'impuissance à ne pouvoir jamais rien. Faute de n'avoir pas pu venir*]. On doit dire: *Il se retint **de crier*** (ou *Il se retint pour ne pas crier*). *Il renonce à comprendre. Il évite d'avoir à s'expliquer. L'impuissance à pouvoir jamais rien* (sens positif de *rien*). *Faute d'avoir pu venir.*
Parfois, alors que le sens de la subordonnée est positif, elle reprend abusivement *ne pas* déjà employé: [*Vous n'imaginez pas toutes les erreurs qu'il n'a pas commises*]. Il faut dire évidemment: *qu'il a commises,* le sens n'étant pas: *qu'il a évitées.*
d) Autrefois on pouvait dans certains cas employer *pas* au lieu de *ne pas* dans la langue la plus châtiée. Il en reste une faible survivance, archaïsme poétique ou littéraire, dans l'interrogation oratoire directe: *Dirait-on pas que... ? Suis-je pas fondé à penser que... ?* Cf. Ne, p. 602.
e) Il faut se garder, dans un langage écrit ou un peu soucieux de correction, d'omettre *ne.* À des degrés différents, sans renoncer totale-

ment à l'emploi de *ne...pas*, la langue parlée le réduit à *pas* avec une fréquence indéniable. Il faut dire : *N'est-il pas venu ? Je ne sais pas. Il ne m'aime pas. N'est-ce pas ? Les enfants ne sont pas sortis. Ne fais pas ça.* Cf. NE, *Omission,* 2 et PAS, 6.

2. **Place.** a) Les deux éléments de la négation encadrent la **forme conjuguée** du verbe ou de l'auxiliaire (ou semi-auxiliaire) ; *Je ne sais pas. Ne partez pas. Je ne vais pas y renoncer. Ne faites pas punir cet enfant. Il n'est pas sorti. N'allez pas le croire.*

Les pronoms atones compléments du verbe conjugué se placent entre *ne* et le verbe ; certains adverbes et des compléments circonstanciels se placent entre le verbe et *pas : Je ne le vois d'ailleurs pas. Je n'en ai d'ailleurs probablement pas le droit. Il ne s'est pourtant pas fait prier. Il n'y avait, ce jour-là, pas d'affluence* (ou *Il n'y avait pas d'affluence*). *Je ne le crois même pas. Il ne m'a même pas répondu. Je ne l'ai presque pas vu. Ne me répondez pas. Ne vous fâchez pas. Ne vous en allez pas.* Mais on dit : *Je ne l'ai pas encore vu. Je ne l'ai pas suffisamment vu* (ou *je ne l'ai pas vu suffisamment*). *Je ne l'ai pas toujours cru.*

La place de l'**adverbe** peut modifier le sens. Comparer : *Il ne dit pas tout simplement ce qu'il pense* et *Tout simplement, il ne dit pas ce qu'il pense. Il n'est pas certainement de mauvaise foi* et *Il n'est certainement pas de mauvaise foi* (ou *Certainement, il n'est pas de mauvaise foi). Ce n'est pas précisément ce que je veux dire* et *Ce n'est précisément pas ce que je veux dire* (ou *Précisément, ce n'est pas ce que je veux dire*).

b) Si le verbe est à l'**infinitif présent (forme non composée)**, l'usage actuel est de mettre *ne pas, ne plus,* etc. avant l'infinitif ou, éventuellement, avant les pronoms atones compléments : *Je souhaite ne pas partir. Il croit ne pas pouvoir venir* (Ac.). *Je désire ne pas le voir, ne pas m'en aller. Pour ne pas vous ennuyer.* Attention au changement de sens dû au déplacement de la négation : *Vous ne devez pas oublier.* Comparez : *Il peut ne pas venir* et *Il ne peut pas venir.* Cf. d.

La langue classique encadrait avec *ne pas* l'infinitif et le pronom atone ou simplement celui-ci : *Je désire ne le voir pas* ou *ne le pas voir.* Ces tours sont aujourd'hui littéraires et archaïques, sauf dans certains cas, avec *en* ou *y : pour n'en plus parler,* pour *n'y plus penser, à n'en plus finir* ; mais on dit couramment : *pour ne plus en parler, pour ne plus y penser.*

Si l'**infinitif est à une forme composée** ou au passé, *pas* se place avant ou après l'auxiliaire : *Je crains de ne pas être compris, de ne pas avoir compris* ou *de n'être pas compris, de n'avoir pas compris. Je regrette de ne pas l'avoir vu* ou *de ne l'avoir pas vu. J'étais heureux de ne m'être pas tu* (J. Green, *Jeunesse,* p. 247).

c) **Rien, jamais** et **guère** occupent la place de *pas : Je ne vois rien. Il n'a jamais menti. Je ne l'ai jamais vu. Pour ne rien lui cacher. Je n'en ai guère. Il ne s'en est guère fallu.*

Avec *en* ou *y,* on a le choix entre *ne rien y voir* et *n'y rien voir, ne rien en savoir* et *n'en rien savoir.*

Jamais peut se placer en tête de la proposition ; il n'entraîne pas d'inversion : *Je n'ai jamais rien vu de pareil* ou ***Jamais** je n'ai rien vu de pareil. Jamais une intervention n'a été aussi utile.*

Presque et **même** peuvent s'intercaler entre *ne* et *pas* ou *plus* accompagnant l'infinitif, mais *même* précède ou suit *pas* ou *plus*, tandis que *presque* les précède : *Je finirai par **ne même plus** la remarquer* (ou *par **ne plus même** la remarquer*). *Je finirai par ne presque plus dormir* (ou *par ne dormir presque plus*).

d) **Déplacement réel ou prétendu de la négation.** On voit la différence entre *Il peut ne pas venir* (possibilité, liberté de ne pas venir) et *Il ne peut pas venir* (impossibilité ou interdiction de venir), *Je désire ne plus parler* et *je ne désire plus parler, Je souhaite qu'il n'y aille pas* et *Je ne souhaite pas qu'il y aille.* Généralement, la place de la négation est pertinente, son déplacement modifie plus ou moins le sens de la phrase.

Les grammairiens observent que certains verbes comme **vouloir, prétendre** (au sens de *vouloir*), **devoir, falloir, sembler, faire semblant, croire** prennent la négation qui logiquement porte sur la proposition ou l'infinitif qui les suit. Il faut distinguer :

Ne pas vouloir peut signifier *ne pas exiger*, mais aussi *refuser*, aussi bien devant un nom que devant un verbe : *Je ne veux pas sa perte. Je ne veux pas de confiture. Je ne veux plus le voir. Je ne veux pas y aller. Je ne veux pas qu'il s'en aille.* On ne parlera de déplacement de la négation que si l'on interprète : *Je veux qu'il ne s'en aille pas* ; mais non si l'on s'avise que *je ne veux pas* signifie « je refuse ». Cf. Vouloir, 2.

Il arrive d'ailleurs que le contexte donne nettement à *ne pas vouloir* le sens de « n'avoir pas la volonté, l'intention » et à *je ne voudrais pas* le sens de « je ne désire pas, je n'aimerais pas ». Il n'y a dans ce cas aucun déplacement de la négation : *Je n'ai pas voulu vous froisser. Je ne voudrais pas être à sa place. Je ne voudrais pas arriver en retard. Ne voudriez-vous pas m'avertir ?* (Ne consentez-vous pas à m'avertir ?)

Un peu de réflexion permettra d'éviter toute équivoque et fera distinguer *Je ne voudrais pas l'avoir fait* (je n'aimerais pas l'avoir fait ; je ne l'ai pas fait, d'ailleurs) et *Je voudrais ne pas l'avoir fait* (je l'ai fait, mais je le regrette). Mais il est presque indifférent de dire : *Je voudrais qu'on ne se méprenne pas sur ce que je vais dire* ou *Je ne voudrais pas qu'on se méprenne sur ce que je vais dire.*

Notons que si *vouloir dire* a le sens de « signifier », la négation encadre le premier verbe : *Cela ne veut pas dire qu'il a tort* (ne signifie pas). Sens différent : *Cela veut dire* (montre, fait voir) *qu'il n'a pas tort.*

Avec **prétendre** signifiant « vouloir », on peut dire que la négation est déplacée si *ne pas prétendre* signifie « vouloir que ne pas ». *Je ne prétends pas qu'il y aille* (Je veux qu'il n'y aille pas). Mais : *Je ne prétends pas qu'il a tort* signifie : *Je n'affirme pas qu'il a tort.* Cf. Prétendre.

Le cas de **devoir** peut sembler plus complexe à cause de ses divers sens (cf. Devoir). Dans *Je ne dois pas insister*, on nie l'obligation ; pas de déplacement de la négation. Ni dans *Cela n'a pas dû vous surprendre*, qui nie *Cela a dû vous surprendre*.

Il y a au contraire déplacement de la négation dans *Vous ne devez pas oublier*, qui peut d'ailleurs se dire *Vous devez ne pas oublier* mais se rapproche aussi de *Vous ne pouvez pas oublier*, marquant une interdiction (cf. Pouvoir, 4). Il faut éviter de créer une équivoque en substituant *devoir* à *pouvoir*. On dira : *Le conducteur ne peut accélérer au moment où un véhicule le dépasse*. Toutefois, aucun Parisien ne se méprend lorsqu'il lit dans le métro : *Pour votre sécurité, vous ne devez pas monter ni descendre dès que le signal sonore fonctionne*. Il ne remarque même pas ce déplacement de la négation et il comprend qu'il y a interdiction, comme s'il lisait : *Vous ne pouvez pas monter ni descendre* ou *Vous devez ne pas monter ni descendre*. Remarquer l'emploi de *ni*.

Lorsque *devoir* est un auxiliaire de mode (probabilité, vraisemblance) ou de temps (futur), il reçoit la négation. *Il ne doit pas tarder à arriver. Il n'a pas dû s'en apercevoir. Le courrier ne doit pas arriver avant demain. Il ne doit pas être parti ce matin. S'il ne doit pas vous rencontrer, il est inutile qu'il fasse ce voyage. Ça ne doit pas être difficile.*

Falloir exprimant l'interdiction de faire qqch. ou l'invitation à ne pas faire qqch. appelle vers lui la négation, qu'il marque une obligation ou une nécessité : *Ne faudrait-il pas d'abord s'informer ? Il ne faut pas y aller* nie *Il faut y aller* ; on affirme qu'*il faut ne pas y aller*. En réponse à la question *Que fallait-il faire ?* on dira : *Il fallait ne pas y aller. Il ne faut pas se faire d'illusions* (il faut ne pas se faire d'illusions). *Il ne faut pas que l'innocent paie pour le coupable. Il ne faut pas demander si j'ai été surpris.* On oppose *Il faut que cela ne se fasse pas* (qui paraît plus catégorique) à *Il ne faut pas que cela se fasse. Il ne faut pas oublier qu'il a été malade*, n'oubliez pas qu'il a été malade.

On dit beaucoup plus souvent *Il ne faut pas vous tromper de chemin* que *Il faut ne pas vous tromper de chemin*. Si on ajoute un adverbe à *il faut*, au lieu de *Il ne faut pas rire de lui* on dira, selon le sens : *Il faut surtout ne pas rire de lui. Encore faut-il qu'il ne s'en aperçoive pas* ou *Il ne faut surtout pas vous imaginer que cela me laisse indifférent.*

Avec **sembler, paraître, avoir l'air**, on dira plutôt *Il ne semble pas s'en apercevoir*. Avec *même pas*, *Il ne semble même pas s'en apercevoir* à côté de *Il semble même ne pas s'en apercevoir*, plus catégorique. On dira : *Il ne semble pas qu'il y ait jamais pensé* ou *Il semble qu'il n'y ait jamais pensé*, qui dit davantage.

Avec **penser, croire**, on peut opposer *Je ne crois pas qu'il l'ait dit* à *Je crois qu'il ne l'a pas dit*, qui est plus catégorique : *Je ne pense pas m'illusionner — ou plutôt je pense ne m'illusionner point* (A. Gide, *Journal*, 8 juin 1932).

Faire semblant. Cf. Semblant. Cf. aussi Tout, (adjectif indéfini et pronom), 4, Négation.

On notera qu'il n'y a pas, quoi qu'on dise, un évident déplacement de la négation dans **n'avoir garde de faire qqch.** : *Il n'a garde de s'en vanter* signifie assurément « Il ne s'en vante pas », ou « Il a soin de ne pas s'en vanter », mais peut s'interpréter : « Il s'abstient soigneusement (Il est bien éloigné) de s'en vanter ». Cf. Avoir, 13, garder, 1.

e) **Pour ne pas que.** Par analogie avec *pour ne pas voir* (cf. b), la langue populaire puis la langue un peu familière et parfois même, mais beaucoup plus rarement, de bons écrivains disent *pour ne pas qu'on voie* au lieu de *pour qu'on ne voie pas*. On ne peut dire que le tour soit devenu correct et acceptable. Quant à [*pour pas que*], il est encore nettement réservé à la langue populaire.

f) **Négation renforcée.** On dit : *Je n'ai absolument pas compris. Il ne veut absolument pas le faire. Je n'ai pas du tout cette intention. Je ne comprends pas du tout. Je n'ai pas compris du tout. Ce n'est pas du tout exact,* etc.

3. **De l'interrogation à l'exclamation.** Nous avons vu (cf. Inversion, C. 1) que le tour interrogatif peut facilement devenir exclamatif (*Est-il stupide !*), mais que dans certains cas on hésitera à rendre exclamatif un tour trop nettement senti comme interrogatif. À l'interrogation *Quelle sottise a-t-il encore faite ?* correspondra l'exclamation *Quelle sottise il a encore faite !* Cf. Inversion, II, A, 4, p. 517.

On peut changer en exclamation l'interrogation négative à sens positif : *Quelles erreurs n'a-t-il pas commises ?* peut devenir une exclamation. De même : *Quelle ne fut pas ma stupeur ? Quelles sottises n'a-t-il pas faites ? Combien de gens ne jugent-ils pas trop hâtivement ?* En exclamation : *Quelle ne fut pas ma stupeur !* Etc.

Au lieu de **combien** suivi de la préposition *de* et d'un nom, on peut employer *que* dans une exclamation positive ou négative, mais non dans une interrogation. On dit : *Que de fois je l'ai regretté !* ou *Que de fois ne l'ai-je pas regretté !*

Ne pas que nie *ne que* (= seulement). La négation normale de *Il n'y a que vous* est **Il n'y a pas que vous.** C'est à tort qu'au nom d'une prétendue logique ou d'un usage classique assez différent, on a soutenu avec acharnement que ce tour était incorrect. Disons seulement que, s'il est souvent très commode, il peut devenir lourd ou un peu obscur : affaire de style, non de correction. *Il n'a fait que nous écouter* devient, si l'on veut dire qu'il n'a pas seulement écouté, qu'il a fait davantage : *Il n'a pas fait que nous écouter.* Cela est très clair. Mais cet emploi, quoique justifié, peut étonner si l'interrogation est oratoire : *Si en fin de compte la liberté n'a plus personne à qui s'adresser, n'aurons-nous pas fait que changer de tyran ?* (Giono, *Le hussard sur le toit*, Poche, p. 140). Mieux vaudrait dire : *n'aurons-nous fait que changer de tyran ?* ou *nous n'aurons fait que changer de tyran* ou *aurons-nous fait autre chose que... ?*

On peut être tenté de dire : *Ce n'est pas qu'un collègue, c'est un ami.*
Mais en tête d'une proposition, *ce n'est pas que* oriente généralement la
pensée vers le rejet d'une cause (cf. CE, 8). On dira donc plutôt : *Ce n'est
pas seulement un collègue, c'est un ami.*
Pour ne pas que. Cf. NE PAS, 2, e, p. 616.

Ne que. 1. On vient de voir qu'il signifie *seulement* et marque une restriction. Celle-ci ne peut porter sur le verbe lui-même, sauf s'il est à un
temps composé, ni sur le sujet, sauf si c'est le sujet réel d'un verbe impersonnel : *Il ne reste qu'une chose à faire. Ils ne sont que blessés. Ils n'ont
que le temps de signer* ou *Ils n'ont le temps que de signer. Il n'a que dix
francs. Je n'ai pas terminé ce travail, je ne l'ai qu'ébauché.* Le plus souvent,
même pour nier un verbe à un temps composé, on emploie comme à un
temps simple *ne faire que : Je ne fais que commencer. Je n'ai fait que
l'ébaucher.* Cf. FAIRE, 12. *Je ne veux que le voir :* je ne veux rien de plus,
je veux seulement le voir. Ne pas répéter abusivement *ne.* Phrase fautive :
[*Il n'a eu le temps de n'examiner qu'un dossier*] au lieu de : *Il n'a eu le
temps d'examiner qu'un dossier.*

2. **Ne... seulement que** est un pléonasme d'insistance qui se rencontre
depuis longtemps chez de bons écrivains : *Je ne fais seulement que demander mon crime* (Molière). Il ne faut pas en abuser.

3. **Rien** peut renforcer *ne...que : Je n'ai rien fait que ce qu'il a dit* (Ac.).
On admet mieux ce pléonasme avec *ne rien faire que* que dans : *Je n'ai
rien que cela,* qui ne dit pas plus que *Je n'ai que cela.*

4. On dit : *Il n'y a absolument que vous à qui j'en puisse parler*
(J. Cassou, *Le bel automne,* 1950, p. 121) ou *Il n'y a absolument qu'à vous
que j'en puisse parler.*

5. Cf. ARTICLE, fin de 3, NON, 6, *Remarques,* c, p. 633.

Nerf, n.m. On ne prononce pas *f. Avoir du nerf, manquer de nerf.*

N'est-ce pas, loc.adv. interrogative, est suivi d'un point d'interrogation en
fin de phrase : *Vous viendrez, n'est-ce pas ?* Mais non dans le corps de la
phrase : *Vous le verrez, n'est-ce pas, la semaine prochaine. N'est-ce pas qu'il
avait tort ?*

Net, adj. et adv. (on prononce *t*), est invariable comme adverbe dans *Elle a
été tuée net. Ils se sont arrêtés net. Cela pèse dix kilos net. Il a payé cent
francs net. Casser net. Déclarer tout net. Parler net* (sans détours, sans
ménagements). *Trancher net. Ils ont dit tout net leur pensée.* Adj. *Les prix
nets. En avoir le cœur net.*

Nettoiement, nettoyage, n.m. On ne parle plus guère de **nettoiement**
qu'en agriculture et en sylviculture et pour l'ensemble des opérations
consistant à nettoyer les rues, un port, etc. : *Le nettoiement des rues. Les
services urbains de nettoiement.* On parle de **nettoyage** des mains, d'une

façade, d'une cuisine, d'une maison, d'un vêtement, d'un nettoyage à sec, à la vapeur, par le vide, d'une opération (militaire) de nettoyage, etc.

Neuf, numéral. Prononciation : actuellement, on prononce toujours *f*, même devant une consonne ; *f* se prononce *v* devant *ans, autres, heures, hommes* et parfois *enfants.*

Neuf, adj. Voir à NOUVEAU, 1, ses sens et son emploi. Les puristes, s'en tenant à Littré et à l'Académie, condamnent **Quoi de neuf ?** qui pourtant, comme *rien de neuf,* se dit et s'écrit depuis longtemps à côté de *Quoi de nouveau ? Rien de nouveau.*

    Battant neuf, flambant neuf : cf. FLAMBANT NEUF, p. 422.

    Le neuf, substantif, se dit de ce qui n'a pas encore servi (*Travailler dans le neuf, faire du neuf*), de ce qui vient d'être fait (*être habillé de neuf, un appartement meublé de neuf*). *Remettre à neuf,* c'est redonner l'aspect neuf. Il est insolite d'employer *à neuf* pour *à nouveau, derechef.* Cf. NOU-VEAU.

Neutraliser, v.tr.dir. On dit très bien : *neutraliser un adversaire, un projet dangereux.*

New-look, n.m. et adj., peut se dire : *nouvelle mode, nouveau style, à la mode, d'un nouveau style.*

New-yorkais, adj. ou n. Trait d'union : *Les New-Yorkais, la population new-yorkaise.* Mais pas dans *New York.*

Nez, n.m. 1. Belgicisme, [*faire de son nez*] : prendre de grands airs, avoir l'air prétentieux, fat, faire de l'embarras, des embarras.

    2. C'est à tort qu'on parle, à propos de *Cyrano* de Rostand, de la tirade des nez. Il s'agit de la *tirade du nez.*

    3. Pas de trait d'union dans : *un pied de nez.*

    4. *Parler du nez. Saigner du nez. Fourrer son nez partout. Montrer le bout de son nez. Tirer les vers du nez à qqn.*

Ni, conj. incompatible avec *pas,* coordonne des mots ou des propositions. Cf. VERBE, *Accord,* B, XI, p. 984.

    A. AVEC UNE AUTRE NÉGATION.

    1. **À l'intérieur d'une proposition négative,** on peut employer soit *ne pas* (ou *ne* dans les cas notés à NE *employé seul*) et ensuite *ni* devant le second terme, soit *ni...ni* et simplement *ne* : *Je ne suis pas aveugle ni sourd* ou (plus souvent) *Je ne suis ni aveugle ni sourd. Sa générosité ne sera pas oubliée, ni sa simplicité* ou *Ni sa générosité ni sa simplicité ne seront oubliées.* On ne met pas de virgule quand le second *ni* unit deux mots de même fonction, à moins qu'on ne veuille isoler un des deux éléments. *Il ne veut pas, ni moi non plus* ou *Ni lui ni moi ne voulons. Sa générosité ne*

peut être oubliée, ni sa simplicité. Il ne peut le voir (ni) aujourd'hui ni demain. Je n'ai confié à aucun d'eux (ni) ce rapport ni mes notes. Mais : *Il ne viendra pas aujourd'hui ni demain* ou *Il ne viendra ni aujourd'hui ni demain. Je n'ai pas confié à l'un d'eux mon rapport ni mes notes* ou *Je n'ai confié à l'un d'eux ni mon rapport ni mes notes.*

Si le complément direct est introduit par l'article partitif ou *des*, on ne peut employer *ni...ni* : *Je n'ai pas d'argent ni de provisions* ou, sans *de* : *Je n'ai ni argent ni provisions. Il n'a pas d'ennemis ni de rivaux* ou *Il n'a ni ennemis ni rivaux. Ni fleurs ni couronnes.*

Un autre tour est beaucoup moins courant : on emploie simplement *ne* et on ne met *ni* que devant le dernier terme. *Je ne connais Priam, Hélène ni Pâris* (Racine). *Le soleil ni la mort ne se peuvent regarder fixement* (La Rochefoucauld).

Remarques. a) **Ou** et **ni.** Généralement *ou* devient *ni* dans une proposition négative (ou de sens négatif) : *Sans effort ni douleur. Ce n'est pas une coquille ni un lapsus. Je ne puis le louer ni le blâmer.* Il arrive cependant qu'on emploie *ou* : *Personne n'a le pouvoir de les faire pleurer ou rire* (Fr. Mauriac, *Journal*, 1934, p. 7). *Le Coup de grâce n'a pour but d'exalter ou de discréditer aucun groupe ou aucune classe* (M. Yourcenar, *Le coup de grâce*, Poche, p. 12). *Ils ne connaissaient rien qui ne fût fragile ou confus* (G. Perec, *Les choses*, J'ai lu, p. 28) ; ici *ou* s'impose parce que *fragile* n'exclut pas *confus*.

b) **Et** et **ni** ne jouent pas le même rôle, en principe, dans une phrase négative ; *et* unit les termes comme faisant partie d'un seul groupe, *ni* les disjoint : *Il n'était pas question de robes et de manteaux. Il n'était pas question de robes ni de manteaux.* La disjonction est plus nette encore dans *Il n'était question ni de robes ni de manteaux.* Gérald Antoine a noté, dans *La coordination* (t. II, p. 1057) qu'*et* a gagné du terrain sur *ni* : *Quelque chose qu'il ne pourrait jamais saisir et posséder. Ils ne sont pas plus attentifs et plus méritants que vous.* Cependant *ni* reste habituel quand il y a disjonction.

c) Avec **sans**, on dit, si le verbe n'est pas nié : *C'était sans intérêt ni beauté* ou, en répétant *sans* après *et* : *C'était sans intérêt et sans beauté.* Le verbe est nié : *Ce n'était pas sans intérêt ni beauté. Ce n'était pas sans intérêt ni sans beauté* ou *Ce n'était ni sans intérêt ni sans beauté.*

d) Dans *et ni, et ni même, et ni surtout, et non certes,* etc., qu'on trouve chez quelques écrivains, surtout chez Duhamel, au lieu de *ni, ni même,* etc., *et* est superfétatoire : *Je ne parle pas pour toi, et ni même pour moi* (G. Duhamel, *Le voyage de Patrice Périot,* p. 205).

2. Pour coordonner **plusieurs propositions principales (ou indépendantes) négatives** :

a) Si elles ont le **même sujet,** on a le choix entre *ne...pas et ne...pas, ne pas...ni ne, ni ne...ni ne* et, surtout si les verbes marquent une progression, entre *ne pas...ne pas, ne pas...ni ne, ne...ni ne* ou *ni ne...ni ne* : *Il* *ne se laisse pas abattre et (il) n'abandonne pas la lutte* ou *Il ne se laisse pas abattre ni n'abandonne la lutte* ou (si le sujet est un nom). *Cet homme ni ne se laisse abattre ni n'abandonne la lutte. Cette forme voilée (...) ne nous intrigue, ni même ne nous intéresse* (Fr. Mauriac, *Journal*, 1934, p. 5). *Ses ouvriers ne l'aiment pas et ne l'estiment pas* ou *Ses ouvriers ne l'aiment pas ni ne l'estiment* ou *ne l'aiment ni ne l'estiment* ou *ni ne l'aiment ni ne l'estiment. Je ne veux, ni ne puis, ni ne dois le faire. Cela n'est pas et ne sera pas. Cela n'est pas ni ne sera. Cela n'est ni ne sera.* Cf. Ne *employé seul*, 10, p. 608.

b) Si **les sujets changent**, on emploie *ne pas... et ne pas* ou *ni ne... ni ne* : *La garnison ne se rendra pas et la ville ne sera pas prise. Ni la garnison ne se rendra, ni la ville ne sera prise.*

3. Pour coordonner **plusieurs propositions subordonnées négatives**, on emploie généralement *ne pas... et ne pas*, en répétant le sujet si on répète la conjonction : *Je vois que vous ne l'aimez pas et (que vous) ne l'estimez pas. Quand on n'est pas intelligent et qu'on ne travaille pas, comment réussirait-on ?*

Parfois, si les subordonnées sont brèves et ont le même sujet, on emploie *ne...ni* : *Je vois que vous ne l'aimez ni ne l'estimez.*

4. Après une principale négative, **les subordonnées complétives affirmatives** peuvent s'unir par *et* ou par *ni* : *N'espérez pas que j'aille le voir et (ou ni) que je lui parle.* La disjonction peut imposer *ni* : *Il ne devait pas se décourager ni s'étonner du retard. N'espérez pas que j'aille le voir ni que je lui écrive.* En répétant *ni* : *N'espérez ni que j'aille le voir ni que je lui écrive.*

B. Sans autre négation.

Ni s'emploie également si la négation est seulement implicite : *Il se montrera comme il est, ni meilleur ni pire* (Il n'est ni meilleur ni pire que les autres). *Il est impossible* (ou *on ne peut espérer* ou *j'ai peine à croire*) *que ni lui ni son frère* (ou *que lui ou son frère*) *puissent réussir. Peut-on voir quelque chose de plus beau ni de plus rare* (ou bien : *ou de plus rare*) *? Chantal était encore loin de donner son nom à l'espèce de stupeur qui venait de la saisir ni à cette impatience où elle s'obstinait...* (G. Bernanos, *La joie*, p. 239). Mais cet emploi de *ni* dans une proposition non négative est beaucoup plus restreint qu'autrefois. On ne dit plus : *Patience et longueur de temps font plus que force ni que rage.* On dit : *ou que rage.* Mais, à cause du sens négatif, on dit très bien : *Inutile de regarder à gauche ni à droite* (ou *et à droite*). *Nous étions incapables de retrouver ni son nom ni sa profession.*

Emploi de *ni* avec *sans* : cf. plus haut, A, 1, Remarques, c.

Ni plus ni moins, locution adverbiale, s'emploie avec ou sans *que*. **Sans que** : *C'est de l'escroquerie ni plus ni moins.* La langue classique disait : *Il n'en sera ni plus ni moins.* On dit encore : *Il n'en aura ni plus ni moins.* Comparer : *Il n'est ni meilleur ni pire.*

Avec *que* introduisant une comparaison : *Je ne l'aime ni plus ni moins que sa sœur* = Je ne l'aime pas plus ni pas moins que sa sœur. *Je l'aime ni plus ni moins que sa sœur* : Je l'aime exactement autant que sa sœur. La coloration négative ou positive de la phrase et de la pensée explique la présence ou l'absence de *ne*. Mais en fait les deux phrases ont le même sens. Robert cite : *L'admission d'un fait sans cause n'est ni plus ni moins que la négation de la science* (Cl. Bernard ; n'est pas plus et n'est pas moins que, est exactement comme) et *Nous sommes traités ni plus ni moins que des chiens* (Balzac ; nous sommes traités exactement comme des chiens). L'emploi de *ni* peut donc se justifier dans cette phrase : *Je n'y comprends ni plus ni moins que si c'était du grec*, le sens étant : Je n'y comprends exactement rien. Mais il semble qu'aujourd'hui, dans la plupart des cas, on perçoive le sens positif, « exactement comme » ; d'où l'absence de *ne* : *La douleur a ni plus ni moins de place dans leur sexualité que dans celle de l'homme* (S. de Beauvoir, *Le deuxième sexe*, p. 124). *Ce qu'elle a pensé (...) de ceux qu'elle a aimés et qui sont partis importe ni plus ni moins que ce que j'ai pensé et senti moi-même* (M. Yourcenar, *Archives du Nord*, p. 168).

Si *ni plus ni moins* porte sur un complément circonstanciel, le verbe n'est pas nié et n'est donc pas accompagné de *ne* : *Il part avec ni plus ni moins de bagages que s'il s'absentait pour deux jours.* Comparer : *Il emporte ni plus ni moins de bagages que s'il s'absentait pour deux jours.*

Niche, nique, n.f. *Faire une niche à qqn*, lui faire une farce. *Lui faire la nique*, lui faire un geste de mépris.

Nic-nac, n.m., désigne en Belgique une petite friandise de pâte dure.

Nid, n.m. Il est normal d'écrire quand il s'agit d'oiseaux : *un nid d'aigle, de merle, d'hirondelle* ; de même : *un nid d'écureuil.* Mais pour les animaux en groupes, on écrit : *un nid d'abeilles, de guêpes, de chenilles ;* de même : *un nid de brigands, un nid de mitrailleuses.* — *Un nid-de-poule* dans une chaussée.

Nielle, n.f. s'il s'agit de plantes, **n.m.** s'il s'agit d'émail.

Nième ou **énième. Cf.** Ordinaux.

Nier (prononciation : une seule syllabe), v.tr.dir. 1. On trouve encore *de* (tour traditionnel, classique) devant l'infinitif complément de *nier* ; mais le tour courant est sans *de* : *Il nie **avoir** dit cela.*

2. **Nier que : Affirmatif,** il est suivi le plus souvent du subjonctif sans *ne,* mais il peut l'être de l'indicatif (soulignant la réalité du fait nié) ou du conditionnel : *On nie qu'il **ait** fait cela* (le locuteur ne se prononce pas sur cette action). *On nie qu'il **a** fait cela* (le locuteur croit plutôt qu'il l'a fait). *On nie qu'il **serait** capable de faire cela.* Mais *Je nie qu'il **ait** dit cela :* le locuteur ne peut admettre la réalité du fait qu'il nie.

Négatif ou interrogatif, *nier que* est souvent suivi de l'indicatif ou du conditionnel, mais peut l'être du subjonctif : *Il ne nie pas qu'il l'a fait* ou *qu'il l'ait fait* ou *qu'il le ferait s'il en avait l'occasion.* On peut dans ce cas employer *ne* explétif avec le subjonctif. Mêmes constructions de **il n'est pas niable que, personne ne peut nier que,** suivis à volonté de l'indicatif ou du subjonctif.

Nietzschéen, adj. Attention à l'orthographe.

Nigaud, adj. et n. Féminin : *nigaude.*

Nigérian (avec accent et finale en *an*), *nigériane,* adj. et n., est, dans l'usage actuel, en rapport avec le Nigéria. **Nigérien** l'est avec la république du Niger.

Nimber, v.tr.dir., c'est proprement orner d'un nimbe, c'est-à-dire d'une auréole. Il est donc inutile d'ajouter *d'une auréole* à *nimber.*

N'importe qui, quoi, lequel. La préposition précède : *Adressez-vous à n'importe qui* (Ac.). *Dans n'importe quel village. À n'importe quel moment.* On trouve encore parfois la préposition intercalée : *n'importe en quel chapitre* (Boileau) ; tour archaïque. Invariabilité du verbe *importe* : *N'importe quels appartements lui conviendraient.*

Nippes, n.f., **nippé,** adj. Bien que *nippes* désigne des vêtements plutôt pauvres et usés, *être nippé,* familier, a le sens plus large d'« être habillé » et l'on est *bien* ou *mal nippé.*

Nippon, adj. et n. Féminin : *nippone* (plutôt que *nipponne*).

Nirvana, n.m. On écrit aussi *nirvâna, nirvāna. Des nirvanas.*

Niveau, n.m. L'expression **au niveau de** est devenue un cliché dont on abuse et dont on déforme le sens. Elle signifie proprement : « à la hauteur de », « sur la même ligne que » (au propre et au figuré) et suppose donc une comparaison : *La cour n'est pas au niveau du jardin. Sa réputation n'est pas au niveau de sa capacité. Cet enfant n'est pas au niveau de sa classe. Tâchez de vous mettre à leur niveau.* Si l'on pense à des plans superposés, on peut dire, en distinguant par exemple la conception et l'expression : *Au niveau du langage, une difficulté se présente.* De même : *Ces problèmes seront traités au niveau des ministres.* Mais on en est arrivé à employer *au niveau de* pour *en ce qui concerne, du point de vue de, dans le domaine de, en matière de, pour, dans,* etc. et à dire, par exemple : *Au niveau de la production industrielle, il faut signaler une reprise. L'humour de cet auteur se manifeste au niveau du langage. Considérons le programme au niveau de chaque émission. Une opération au niveau du cœur.* Et même *Au niveau de mes vaches !*

[Noblion], n.m., est courant en Belgique au lieu des noms *nobliau* (de petite noblesse, de noblesse douteuse) et, plus péjoratif encore, *noblaillon*, au féminin : *noblaillonne*.

Noce, n.f. Le singulier et le pluriel se concurrencent dans certaines expressions : *Le jour de la noce* ou *des noces*, mais : *Le jour de ses noces* (de son mariage). *J'ai assisté à sa noce* ou *à ses noces, un repas de noce(s)* ; en effet *noce* désigne aussi la fête, la cérémonie du mariage. On écrit : *voyage de noces, nuit de noces, les noces d'argent, épouser en secondes noces ; un cadeau de noce,* et, quand on pense à une partie de plaisir, *être à la noce, faire la noce* (ou *nocer*).

Nocturne, n.m. comme terme de liturgie catholique ou de musique ou pour un oiseau de nuit. **M.** ou plus souvent **f.**, pour désigner une rencontre sportive en soirée ou l'ouverture en soirée d'un magasin, d'une exposition.

Noël, n.m. *Un Noël, des Noëls. La fête de Noël* ou (par ellipse) *la Noël. La messe de Noël. La veille de Noël. À la Noël* ou, beaucoup plus souvent, *à Noël. Joyeux Noël ! Le père Noël. Passer (la) Noël en famille.* Sans majuscule pour un chant ou un cadeau : *chanter un noël, recevoir son noël.*

Nœud, n.m., comme unité de vitesse pour les navires ou les avions, correspond à un mille marin (1852 m) à l'heure. Il faut donc se borner à dire : *Ce bateau file 12 nœuds,* sans ajouter *à l'heure.* Mais on dit : *file 12 milles à l'heure.*

Noir, adj. et n. *Une robe noire. Une femme noire. Une nuit noire. Une robe noir foncé, noir jais* (cf. JAIS). *Se vêtir de noir. Elle est tout en noir. Broyer du noir. Les Noirs d'Amérique. Il a épousé une Noire.*

Noisette, n.f. Invariable comme adj. de couleur : *Des yeux noisette.* **Un noisetier** (un seul *t*).

Noliser, v.tr.dir., affréter : *Un avion nolisé.*

Nombre, n.m. Accord du verbe avec *un grand* (ou *petit* ou *bon* ou *certain,* etc.) *nombre,* cf. VERBE, *Accord,* p. 965. *Nombre de gens l'ont vu. Il est parmi les coupables* ou *au nombre des coupables. Serez-vous au nombre* (ou *du nombre*) *des invités ?* Sans complément : *Serez-vous du nombre ? Nous ne sommes pas en nombre suffisant.*
Noter que les noms des chiffres sont invariables : *Il écrit mal ses sept.*

Nombril, n.m. Théoriquement, on peut prononcer ou non *l* final, mais la prononciation « nombri » vieillit nettement.

Nommer, v.tr.dir. *On l'a nommé chef de service.* Ne pas dire [*comme chef*]. *Un nommé Dupont* = un certain Dupont.

Noms. Accord du premier terme, s'il est variable dans cet emploi, dans les expressions du type **une canaille d'usurier.** On dit : *Ce chien de métier. Cette chienne de vie. Ce fripon de Pierre. Cette coquine de petite fille. Ce petit chameau de Léonie. Une drôle de femme. Cette diable de femme* (Ac.) ou *cette diablesse de femme. Cette espèce de poignard. Sa fripouille de neveu. Cette canaille de trésorier.*

Autres accords, cf. ATTRIBUT, ARTICLE, 4, d, p. 101 : *Le premier et le deuxième acte* ; mais on écrit aussi : *le premier et le deuxième actes.* De même, on écrit : *en première, deuxième, troisième page du journal.* Mais on trouve : *Dans le reste du journal, en première, deuxième, troisième pages* (J. Romains, *Le 5 octobre,* Poche, p. 149).

Noms de bateaux, de villes, etc. Cf. GENRE.

Noms de provinces. Une discussion a surgi en Belgique à propos de l'emploi de *de* ou *du* devant les noms des provinces belges. On dit : *le Hainaut, le Luxembourg, le Brabant.* La tradition est en faveur de *la province de Hainaut, de Luxembourg, de Brabant,* bien qu'on entende *du* comme dans *la région du Finistère.* On dit au Canada : *le Québec, la province de Québec,* mais *Québec* est aussi le nom de la ville ; on dit de même : *la province de Namur, la province d'Anvers.* En Suisse, *le canton du Jura, du Valais,* mais *de Vaud.* On dit aussi : *la province de Flandre orientale,* de préférence à *la province de la Flandre orientale.* Cf. À et *en,* 5, p. 18.

Noms de rues, de places, etc. On ne met pas *de* devant les noms propres de personnes : *rue Victor Hugo* ou *Victor-Hugo* (l'usage officiel français ou du moins parisien est de mettre un trait d'union entre les éléments composants : *rue du Vingt-Neuf-Juillet, rue du Bois-Le-Vent,* mais : *rue La Boétie*). On met *de* devant les noms de pays ou de lieux (*place d'Italie, rue de Rivoli, boulevard de Magenta*), sauf devant *Montmartre.* On met *de* devant les titres précédant le nom propre, sauf devant *Saint* : *avenue du Président Kennedy, avenue du Général Leclerc* ; *rue Saint-Honoré, place Saint-Augustin.* L'usage oral et parfois l'usage écrit omettent facilement ce *de* dans les noms de rues. On met *du* devant les noms communs : *rue du Pont d'Avroy.*

Notons qu'on supprime le *de* nobiliaire si on n'emploie pas le prénom ou un titre : *rue La Bruyère, rue La Fayette, rue La Rochefoucauld.* On dit cependant : *rue de Condé, rue de Richelieu.*

Noms des lettres, genre. Cf. CONSONNES.

Noms composés. Marque du pluriel (cf. ADJECTIFS COMPOSÉS). On trouvera beaucoup de noms composés à leur rang alphabétique. Faisons ici les distinctions essentielles.

A. Si le nom composé s'écrit en **un mot,** il suit la règle générale : *un portemanteau, des portemanteaux ; un portefeuille, un abrivent, un entresol, un passeport, un gendarme, S* au pluriel.

Exceptions : *bonshommes, gentilshommes, mesdames, mesdemoiselles, messeigneurs, nosseigneurs, messieurs.*

B. Seuls les noms et les adjectifs intervenant dans la composition peuvent prendre la marque du pluriel ; la logique règle généralement l'accord dans les cas ci-dessous, sauf dans le cinquième.

1. **Deux noms apposés** varient l'un et l'autre au pluriel : *des avocats-conseils*, **des chefs-lieux**, *des choux-fleurs, des dames-jeannes, des idées-forces, des loups-garous, des oiseaux-mouches, des porcs-épics* (*épic* a représenté *épine*, il a été influencé par *piquer*) *des chênes-lièges, des reines-claudes.*

Exception : *des bernard-l'ermite.*

On écrit généralement : *des pinces-monseigneurs*, ce levier lui-même pouvant s'appeler *un monseigneur* (mais on trouve : *des pinces-monseigneur*).

2. **Nom complété par un autre**, la préposition n'étant parfois pas exprimée ; le premier nom seul est variable au pluriel : **des arcs-en-ciel**, *des années-lumière, des timbres-poste, des hôtels-Dieu, des chefs-d'œuvre, des pots-de-vin, des cous-de-pied, des bains-marie, des appuis-main, des soutiens-gorge, des eaux-de-vie.*

Il en va de même si l'usage est de ne pas mettre de trait d'union : *des pommes de terre, des aides de camp, des clins d'œil.*

Le sens exige cependant parfois l'accord du complément au singulier et au pluriel : *une bête à cornes, des bêtes à cornes ; un char à bancs* (l'Académie et le Petit Robert écrivent : *un char à banc*).

Dans d'autres cas, le sens exige l'invariabilité des deux noms, au pluriel comme au singulier : *un* (ou *des*) **pied-à-terre**, *coq-à-l'âne, pot-au-feu.*

3. **Nom et adjectif** ou **adjectif et nom.** Tous deux varient au pluriel, à moins que le sens ne s'y oppose : *un arc-boutant*, **des arcs-boutants**, *des basses-cours, des francs-maçons, des blancs-seings, des grands-pères, des grands-mères* (cf. GRAND, 4), *les petits-neveux, des guets-apens* (on prononce *ta*), *des grands-duchés, des saintes nitouches, les libres penseurs.*

N.B. *Un petit-beurre*, **des petits-beurre**, **des terre-pleins**, *des sauf-conduits, un chevau-léger, des chevau-légers* (formes anciennes), *un Franc-Comtois, une Franc-comtoise, des Francs-Comtois, des Franc-comtoises, des francs-maçons, la franc-maçonnerie, les franc-maçonneries, des long-courriers, des moyen-courriers* (cf. ce mot), *des libre-échangistes, des saint-simoniens, des saint-cyriens, les Terre-Neuviens.* Cf. DEMI.

On laisse, en vertu du sens, les deux éléments invariables dans **des pur-sang**, *des demi-sang, des sang-mêlé, des terre-neuve.* Bien que l'usage et la logique tendent à les laisser invariable, certains noms s'écrivent parfois au pluriel avec un *s* final : *des saint-germain(s), des saint-bernard(s), des saint-honoré(s).*

4. **Deux adjectifs.** Les deux varient : *Un clair-obscur*, **des clairs-obscurs ;** *des toutes-bonnes, les derniers-nés.* Cf. cependant NOUVEAU, 3.

5. Singulier et pluriel des noms composés formés d'un verbe et de son complément d'objet direct. L'orthographe de ces noms, au singulier et au pluriel, est dans beaucoup de cas fondée sur l'analyse sémantique. On écrit traditionnellement *un* ou *des abat-jour*, parce que l'appareil rabat la clarté, la lumière ; aucune idée de pluralité n'est associée au complément ; *un* ou *des brise-lames*, parce qu'il s'agit d'une construction destinée à briser les vagues ; *un couvre-lit*, parce que l'étoffe sert à couvrir un lit, mais *des couvre-lits*, parce que ces étoffes sont destinées à couvrir plusieurs lits.

Mais l'analyse sémantique est loin de rendre compte des anomalies, des incohérences et de l'arbitraire qui, dans l'usage, lorsque le complément est un nom commun et n'est pas déterminé par un article, apparaissent, pour un grand nombre de ces noms composés, d'un bon dictionnaire à un autre et même à l'intérieur d'un seul bon dictionnaire.

Telle excellente grammaire, s'appuyant sur les dictionnaires, assimile à *abat-jour* des noms comme *cache-pot*, *porte-plume*, qu'on pourrait assimiler à *couvre-lit*. On trouve, selon les dictionnaires, *des abat-son* ou *des abat-sons*, *un brûle-parfum* ou *un brûle-parfums*. À côté de *un brise-lames* et de *un essuie-main*, on trouve *un couvre-pieds* avec *s* obligatoire, mais aussi sans *s* ou avec *s* facultatif, *un cure-dent* avec ou sans *s*, *un essuie-glace* et *un pèse-lettre* sans *s* ou avec *s* facultatif, *un ouvre-boîte* avec *s* imposé ou facultatif, *un pèse-personne* invariable ou avec, au pluriel, un *s* facultatif, tandis que cet *s* devient, chez certains lexicographes, obligatoire dans *des pèse-bébés*. On déclare unanimement *porte-plume* invariable, donc sans *s* au pluriel, alors qu'on laisse l'*s* facultatif dans *des porte-drapeaux*, *des porte-montres* et qu'on trouve, d'un dictionnaire à l'autre, *un porte-mine*, obligatoirement sans *s* ou avec *s* facultatif, et *des porte-mines* avec *s* facultatif.

Ce ne sont là que quelques exemples illustrant une évidente anarchie et prouvant que l'analyse sémantique, pas plus que la consultation des dictionnaires et des grammaires, ne peut, dans bien des cas, offrir la certitude qu'on écrit correctement ou conformément à l'usage.

Le Conseil international de la langue française a pris l'initiative de réunir des linguistes et des lexicographes pour définir les principes qui s'appliqueraient à l'ensemble de ces noms composés. Il est apparu que la solution idéale, celle de l'avenir, serait de supprimer le trait d'union, sauf devant certaines voyelles, comme on l'a fait dans *abrivent, baisemain, passeport, passepoil, partefeuille, portemanteau* et comme l'usage est en train de le faire dans *croquemintaine, croquemort, croquenote* ou *porte-mine*. Dans ce cas, même si l'analyse sémantique perçoit encore la valeur des éléments de composition, on n'hésite pas à écrire *un portefeuille, un portemanteau, des portefeuilles, des portemanteaux*.

Linguistes et lexicographes participant à ces réflexions se sont rendu compte qu'il leur est interdit de supprimer le trait d'union là où l'usage le maintient fermement. Il fallait, en le conservant, trouver une règle simple et sûre pour l'orthographe de ces noms composés. La solution n'est pas dans l'analyse sémantique, qui peut tantôt justifier l'orthographe des dictionnaires, tantôt en montrer l'incohérence. On ne peut maintenir dans certains cas un critère logique et le rejeter dans d'autres. La solution simple, efficace et rationnelle est de traiter tous ces composés, malgré le trait d'union, comme s'ils étaient déjà écrits en un mot. Ce critère purement formel, renonçant à l'analyse sémantique, offre à l'usager toute sécurité : le premier élément, verbe, est toujours invariable, ce qui est conforme à la tradition ; la marque du pluriel apparaît toujours, mais seulement au pluriel, dans l'élément final, c'est-à-dire dans le nom complément d'objet direct. Il n'y a aucune raison de traiter différemment les composés où *garde* est uni à son complément d'objet par un trait d'union. Que l'ensemble désigne une personne ou une chose, *garde* est un verbe et est donc invariable ; seul le second élément variera, mais dans tous les cas, au pluriel seulement.

Cette mesure radicale heurtera certaines habitudes mais dissipera toute hésitation ; en attendant qu'elle soit bien entrée dans l'usage, les dictionnaires pourront faire observer qu'il existe une autre forme, par exemple *des abat-jour, des gratte-ciel, des garde(s)-chasse(s), des garde-boue, un chasse-mouches, des chasse-neige*.

Mais on préconisera : **un tire-bouchon, un attrape-mouche,** un casse-noisette, un porte-cigarette, un fume-cigarette, un abat-jour, un porte-bonheur, un brûle-parfum, un serre-livre, un gratte-ciel, un chauffe-eau, un coupe-chou, un couvre-pied, un cure-pipe, un cure-dent, un essuie-main, un ouvre-boîte, un porte-avion, un cache-pot, un cache-sexe, un chasse-mouche, un tire-fesse, un chasse-neige, un chasse-pierre, un chasse-clou, un pense-bête, une garde-robe, etc. Au pluriel, **des tire-bouchons, des attrape-mouches,** des abat-jours, des gratte-ciels, des garde-chasses, des garde-boues, des garde-fous, etc.

Deux exceptions seulement : *ayant-cause* et *ayant-droit*, où le trait d'union est recommandé, font au pluriel **ayants-cause, ayants-droit,** au nom d'un ancien usage incontesté.

Il faut noter que ne sont pas visés par cette règle les cas où le second élément reste invariable parce qu'il est un nom propre (*des prie-Dieu*) ou un nom commun déterminé par un article (*des trompe-l'œil*), ou un complément circonstanciel (*réveille-matin*) ou un pronom (*mange-tout*) ou a une valeur d'adverbe (*gagne-petit, trotte-menu*) ou est un verbe (*cache-cache, pousse-pousse*) ou est sujet (*croque-monsieur, croque-madame*). Quant à *pense-bête*, où l'on ne perçoit plus la fonction du nom, on fait varier celui-ci au pluriel : *des pense-bêtes*.

6. Le **nom joint à un adverbe ou à une préposition** varie généralement ; parfois le sens exige l'invariabilité : **des arrière-boutiques,** des haut-parleurs, des non-lieux, des en-têtes, **des à-coups,** des avant-gardes. Mais : **des sans-gêne,** des sans-cœur, des sans-patrie, des sans-abri, des sans-travail, des

sans-façon. Il y a ici assez de logique dans l'usage pour qu'on puisse recourir au sens.

7. Dans les **autres cas** (deux verbes, un pronom et un verbe, un verbe et un complément autre que direct, une phrase, une expression elliptique), le nom composé est invariable : *des laissez-passer, des ouï-dire, des on-dit, des meurt-de-faim, des passe-partout, des pince-sans-rire, des sot-l'y-laisse.*

8. Les **mots étrangers** restent invariables dans les noms composés, sauf les exceptions notées à leur rang alphabétique : *des ex-voto, des nota bene, des post-scriptum, des pick-up.* Mais : *des fac-similés, des orangs-outangs, des sénatus-consultes, des boy-scouts, des cow-boys, des music-halls, des week-ends, des pull-overs, des milk-bars, des surprises-parties, des negro-spirituals, des in-quarto(s).* Cf. IN, 2.

9. Quand le premier élément est en -o, il reste invariable : *Les Anglo-Saxons, les Gallo-Romains, les électro-aimants, des pseudo-policiers.* De même : *des tragi-comédies.*

10. Dans les **onomatopées**, seul le dernier élément varie : *des tam-tams, des frou-frous* (ou *des froufrous*). On écrit en un mot : *des tictacs.*

Noms de nombre. Cf. ceux-ci à leur rang alphabétique et NUMÉRAUX. Faisons ici une remarque générale ; Les adjectifs comme *autres, derniers, premiers, prochains* suivent le nom de nombre auquel ils sont associés : *Les huit prochains jours. Les cent premiers francs. Les deux autres livres. Les deux prochains mois.* Mais si l'on compte par deux, par huit, etc. l'adjectif précède : *Les prochains huit jours* (la prochaine huitaine). *Les premiers cent francs que je gagnerai.*

Noms propres.

A. **Contraction.** *Je vais au Havre. Aux yeux de Le Clézio.* Ce n'est que dans les noms de lieux (*Le Havre*) que l'article masculin se combine avec *à* ou *de* pour former l'article contracté. On dit : *Je me rends à La Havane.* Contraction avec les : *La famille des Rougon-Macquart. Le département des Yvelines.* Cf. TITRES.

B. Cf. GENRE.

C. **Pluriel.** L'ancien usage était de faire généralement varier les noms propres comme des noms communs (ceux en-*al* faisant *als*, ceux en-*au* ou en-*eu* prenant *x*). Les grammairiens ont ensuite établi, sans d'ailleurs être toujours d'accord, des distinctions que l'enseignement a voulu maintenir mais dont l'usage actuel, même celui de très bons écrivains, tend nettement à s'affranchir.

On peut dire qu'aujourd'hui les noms propres doivent souvent et peuvent toujours rester invariables, sauf dans deux cas :

1. **Les noms d'habitants.** Personne n'hésite à écrire : *les Américains, les Wallons.* Toutefois les noms de tribus, de populations africaines restent

parfois invariables, surtout chez les auteurs qui veulent montrer leur science : *les Touareg(s)*. Mais on n'hésite pas à écrire : *les Hutus, les Tutsis*, comme *les Bantous, les Peuls*.

2. Certains **noms de pays** ont leur pluriel bien ancré dans l'usage : *Les Amériques, les Espagnes, les Gaules, les Flandres, les Russies, les Florides, les Indes, les Antilles, les Pouilles, les Guyanes, le royaume des Deux-Siciles*, etc. On écrit aussi *les deux Nèthes* (cours d'eau).

Mais il y a hésitation pour l'emploi plus récent au pluriel d'autres noms et pour les **noms de villes**. Même si l'on semble mettre souvent *s* quand on parle de *deux France(s)*, de *deux Allemagne(s)*, des *Saintes-Maries*, on n'y est pas tenu, et l'invariabilité paraît généralement plus fréquente dans les noms de ville : *deux Rome, deux Villeneuve* ; on écrit souvent en Belgique *les Fourons* en pensant à une région plutôt qu'aux anciennes communes qui ont porté le nom de *Fouron*. En dehors donc de quelques cas, redisons que l'usage actuel autorise toujours l'invariabilité et qu'il la favorise nettement.

3. À la règle générale de l'invariabilité des **noms de personnes** désignant les porteurs de ces noms ou des familles (*les Dupont, les Duval*), on a voulu maintenir une exception en faveur de quelques-uns dont la gloire était ancienne et remontait à l'époque où les noms propres étaient variables au pluriel : *Les Capets, les Bourbons, les Montmorencys, les trois Horaces, les trois Curiaces, les Condés, les Guises, les Capulets, les Montaigus, les Médicis, les Césars, les Tarquins, les Stuarts*, etc. Mais on a écrit : *Les Bonaparte, les deux Napoléon, les Habsbourg* (parfois *les Habsbourgs*), *les deux Corneille, les Goncourt* (pour les membres de l'Académie Goncourt, on peut écrire : *les Goncourts* et l'on écrit même parfois : *les goncourts*), *les Romanov, les Orange, les Borgia*. Cependant on trouve aujourd'hui : *les Condé, les Montmorency, les Stuart, les Guise, les Capulet*, etc. On peut donc suivre la tendance moderne en laissant invariables les noms désignant des personnes illustres.

4. On imposait l'accord des noms de personnes employés par métaphore pour désigner des espèces, des **gens semblables ou comparables** : *des Mécènes* (le plus souvent écrit d'ailleurs avec une minuscule : *des mécènes*), *des Don Juans, des Boileaux, des Pilates, des Lazares, des Bossuets*. L'invariabilité est aujourd'hui fréquente : *des Cassandre, des Merlin, des Machiavel, des Zola, des Ponce Pilate, des Shakespeare, des Lazare, des Plutarque, des Don Juan, des Mozart, des Don Quichotte, les Boileau*. On peut généraliser l'invariabilité.

5. S'il s'agit de **l'individu qui a porté ce nom**, mais énoncé avec *les* par emphase, l'invariabilité s'impose : *Après les Chateaubriand, les Lamartine et les Victor Hugo sont venus les Musset et les Théophile Gautier* (É. Faguet, *Histoire de la poésie française*, t. II, p. 336). *Les Grasset et les Gallimard ont joué un rôle capital dans l'édition française.*

6. S'il s'agit d'**œuvres d'art** désignées par le nom de l'auteur, on ne peut plus imposer l'accord. Bien plus souvent que *trois Corots, deux Titiens*, on écrit : *trois Corot, deux Titien, des Picasso, des Watteau, des Chardin*.

S'il s'agit du **sujet représenté**, on mettra au pluriel le nom commun (*des Descentes de croix, des Annonciations, des Nativités*), mais on hésite entre l'accord et l'invariabilité (qui est donc permise) pour le nom du personnage représenté : *les deux Diane(s) de cette salle*.

7. **Le titre d'un livre, d'une revue, d'un journal** reste invariable : *La querelle des deux « Phèdre ». Trois « Chartreuse de Parme ». Deux « Enéide ». Des « Soir illustré ».* De même le nom de l'auteur employé pour désigner son livre : *deux Virgile*.

8. Invariables aussi les noms propres désignant **des autos, des avions, des boissons,** etc. : *Deux Chevrolet, deux Caravelle, deux Martini*.

9. On écrit : *des mégères* (nom commun), *deux Brabançonnes, deux Marseillaises* (hymnes nationaux). J'écrirais : *des Jeanne d'Arc, des Roi-Soleil,* mais, en ne mettant pas de majuscule à *sœur : des sœurs Anne qui ne voyaient rien venir*. De même : *On voit à cette exposition plusieurs saints Antoine* (ou *plusieurs saint Antoine*) ou *plusieurs statues de saint Antoine*. On trouvera beaucoup d'exemples dans *B.U.*, n°s 539-543.

Non, adv., est souvent un mot-phrase : *Est-ce lui ? — Non* ou *Non, je ne le pense pas. Il n'est pas un sot, non*. Mais il peut, comme adverbe, nier un autre segment, non verbal, de la phrase : *Non content de le penser, il le dit. Non seulement. Non sans hésitation. Non loin*. Il peut être aussi préfixe (*Un traité de non-agression*) ou substantif invariable (*des oui et des non*). Bornons-nous à quelques remarques, non sans avoir observé une concurrence entre *non* et *pas* devant un adjectif. On dit généralement : *une leçon non sue,* mais Mauriac écrit : *des leçons pas sues* (cité dans *B.U.,* n° 2224). On parlera d'un livre *pas cher,* d'une personne ou d'une chose *pas mal* ou *pas bien* (*mal* et *bien* étant employés comme adjectifs) ; c'est un fait que *pas* gagne du terrain. Cf. PAS.

1. **Ou non.** Dans une alternative, on emploie *ou non* **après** l'énoncé du premier membre (nom, adjectif, verbe, adverbe), qu'il nie : *Irez-vous ou non ? Je me demande s'ils étaient beaucoup ou non. Solvable ou non. Aura-t-il ou non la patience d'attendre ? Injustement ou non. Viendrez-vous, oui ou non ?* Après un adverbe comme *guère, peu,* on emploie *ou pas* qui oriente la pensée vers « pas du tout » : *Lit-il peu ou pas ?* (= ou ne lit-il pas du tout ?). Comparer : *Lit-il beaucoup ou non ?* (= ou ne lit-il pas beaucoup ?) ; il y a donc ici un souci de clarté : *Je ne sais si vous le voyez souvent* (ou *rarement*) *ou non* ; ce qu'on ne sait pas, et c'est la seule chose en cause, c'est la fréquence.

Ou non est d'ailleurs parfois remplacé par *ou pas : Que m'importe qu'ils me suivent ou non ? Que m'importe qu'ils m'entendent ou pas ?*

(P. Claudel, *Cinq grandes odes*, Prologue). *Vais-je me décider à entrer ou pas ?* (G. Bernanos, *La joie*, p. 75).

On peut placer *ou non* (mais non *ou pas*) **devant** l'attribut, le participe avec l'auxiliaire, le complément direct ou indirect, mais il faut, semble-t-il, que ce qui suit *ou non* ait plus d'une syllabe et même, généralement, plus de deux : *Je me demande si c'est votre frère ou non* (*ou pas*), *si c'est ou non votre frère ; si on l'a condamné ou non* (*ou pas*), *si on l'a ou non condamné ; s'il se résignera à son sort ou non* (*ou pas*), *s'il se résignera ou non à son sort.* Mais on dirait : *Je me demande si c'est Jean ou non* (*ou pas*), *si c'est lui ou non* (*ou pas*), sans déplacer *ou non* devant *Jean* ou *lui.*

2. **Moi non.** Pour nier un verbe antérieur non répété, on met *non* (ou *pas*) après le nouveau sujet opposé au précédent : *Il ira, moi non* (ou *moi pas*). *Il sera là, sa sœur non* (ou *sa sœur pas*). *Les uns étaient satisfaits ; les autres, non* (ou *les autres, pas*). On peut mettre *pas* devant le sujet : *pas moi.* Si on nie un attribut ou un complément sans reprendre le verbe, on met *non* après le terme repris et nié : *Il est malade. — Malade, non, mais souffrant. Il a perdu une fortune. — Une fortune, non, mais une jolie somme.*

3. **Non (ou non pas)...mais.** Dans une construction antithétique, *non* nie un terme non verbal, remplissant la même fonction que celui auquel il est opposé et qui a avec lui un rapport. S'il porte sur le premier terme, on a *non* (ou *non pas*)... *mais* (ou *mais bien*) : *Ce grand savant (...) juge* **non pas avec scepticisme**, *non pas avec désespérance, mais avec humilité, les illusions du savoir (...). Je dois,* **non pour être complet**, *car le problème est immense, mais pour aller à l'essentiel, dire que (...). Je reproche à ce système non pas d'ouvrir les portes, mais bien plutôt de les fermer* (G. Duhamel, *Paroles de médecin*, pp. 7, 56, 190).

Devant un adjectif ou un adverbe, on emploie plutôt *non pas* : *Il était* **non pas irrité**, *mais mécontent. Il écoute non pas attentivement, mais distraitement.*

Si *non* **porte sur le deuxième terme**, on a huit tours possibles : *non, pas, et non, et pas, et non pas, mais non, mais pas, mais non pas* : *Il est orgueilleux, non vaniteux* (ou *pas vaniteux*, etc.).

Observons que *non pas*, en **incise** ou après une pause, n'empêche pas la négation du verbe : *Tant qu'il ne sera pas, non pas nécessairement le premier, mais un des premiers, il se plaindra.* Comparer : *Il a été classé non pas le premier, mais un des premiers.*

4. **Non seulement... mais** (ou *mais encore, mais même, mais aussi*) doivent se placer de façon symétrique devant les termes qu'ils opposent (cf. FOIS, 6, d) : *Non seulement il n'est pas savant, mais il est très ignorant* (Ac.). On ne dira donc pas : [*Je l'ai non seulement payé, mais encore je lui ai fait un cadeau*] au lieu de : *Non seulement je l'ai payé, mais...* [*Non seulement un chrétien doit aimer ses amis, mais même ses ennemis*] au lieu de : *Un chrétien doit aimer non seulement...* Est-il besoin de dire que des écrivains et des journalistes s'affranchissent de cette logique ? Ils ont tort.

On emploie aussi *non pas seulement... mais*, au lieu de *non seulement... mais* dans le corps de la phrase : *Il est non pas seulement honnête, mais scrupuleux.* Cf. SEULEMENT, 4.

On ne peut dire : [*Je demande qu'il ne soit non seulement efficace ici mais ailleurs*]. On dit : *qu'il ne soit pas seulement efficace ici mais ailleurs* ou *qu'il soit efficace non seulement ici mais ailleurs.*

Il ne faut pas détruire la symétrie en employant *ne... pas seulement... mais* au lieu de *non seulement... mais.* Au lieu de [*Le drame mexicain n'est pas seulement une défaite pour Napoléon III et pour la France, mais aussi pour toute l'Europe*], que je lis dans *Charlotte*, par Mia Kerckvoorde, 1980, p. 244, il fallait écrire : *est une défaite non seulement pour Napoléon III et pour la France, mais aussi pour toute l'Europe.*

5. *Non* **interrogatif.** Il ne s'agit pas de *non* trouvant place dans une question : *Irez-vous ou non ?* (cf. 1). *Pourquoi non ?* couramment remplacé par *Pourquoi pas ?*

Le *non* interrogatif employé seul dans un dialogue marque le doute, l'étonnement ; il peut devenir exclamatif : *Il m'a parlé de vous. — Non ? — Si.*

Autre emploi courant, mais dont il ne faut pas faire un tic ; il remplace *n'est-ce-pas ?* pour renforcer et pour faire approuver l'énoncé positif ou négatif qui le précède : *C'est triste, non ?* ou *C'est triste. Non ? Tu ne vas pas nous quitter, non ? J'ai bien le droit de le dire, non ?*

6. **Si, oui** et **non** dans une réponse.

Oui affirme toujours un accord avec une proposition positive. *Non* marque toujours qqch. de négatif, un désaccord avec un énoncé positif ou un accord avec un énoncé négatif. *Si* doit intervenir au lieu de *oui* en opposition à un énoncé négatif : *Viendrez-vous ? — Oui* (je viendrai) ou *Non* (je ne viendrai pas). *Ne viendrez-vous pas ? — Non* (je ne viendrai pas) ou *Si* (je viendrai). *Ne le lui dites pas — Non* (je ne le lui dirai pas) ou *Si* (je le lui dirai). *Je vois que vous ne me croyez pas.* La réponse ne peut viser *je vois*, elle ne peut qu'infirmer ou confirmer « vous ne me croyez pas » : *Si* (je vous crois) ou *Non* (je ne vous crois pas).

Notons qu'en dehors d'une réponse *si* peut s'employer par opposition à *non* qui précède : *Vous dites que oui et moi je prétends que non. Vous dites que non et moi je prétends que si.*

Remarques.

a) Parfois **oui** peut se substituer à *non* pour confirmer une proposition négative qu'on traduit par une affirmation ayant le même sens : *Il n'a pas le sou. — Oui, il est très malheureux.*

b) **L'interrogation oratoire** de forme négative mais de sens positif peut amener au lieu de *si*, qui est plus clair, *oui* pour infirmer l'énoncé négatif : *N'es-tu pas de mon avis ?* (= Tu es certainement de mon avis) — *Si* ou *Oui.*

Il arrive qu'on emploie à tort *oui* en réponse à une interrogation négative qui n'a pas du tout le sens d'une affirmation positive et que la réponse confirme : « Isabelle : *Je ne sais pas où il est.* Sonia : *Ah !* Isabelle : *Ni qui il est ! C'est encore pire !* Sonia : *Tu ne sais pas qui il est ?* Isabelle : *Oui* » (A. Roussin, *La locomotive,* Poche, p. 64). On attendait *Non* ou mieux *Non, je ne le sais pas.*

c) La question : **Est-ce vrai qu'il n'est pas venu ?** demande une réponse visant *Est-ce vrai ?* On répond donc *Oui* (c'est vrai, il n'est pas venu) ou *Non* (ce n'est pas vrai, il est venu). Mais l'interlocuteur peut se méprendre. Mieux vaut répondre explicitement en remplaçant *oui* par *non* et *non* par *si* en tête de nouvelles phrases : *Non, il n'est pas venu* ou *Si* (ou *Mais si*), *il est venu.*

Le cas est courant dans la conversation après **c'est vrai** suivi d'une proposition négative : *C'est vrai que tu ne l'as pas dit ?* Si on l'a dit, on répond *Non* (ce n'est pas vrai) ou mieux *Ce n'est pas vrai* ou mieux encore *Mais si, je l'ai dit* ou *Certainement que je l'ai dit.* Si on ne l'a pas dit : *Oui* (c'est vrai) ou mieux *Oui, c'est vrai* ou *Bien sûr que je ne l'ai pas dit* ou *Non, je ne l'ai pas dit.*

Un cas similaire se présente avec **c'est-à-dire** dans une nouvelle réplique : *Je ne peux pas faire ce que tu me demandes. — C'est-à-dire que tu ne veux pas me rendre service ?* Remarquons la substitution de *veux* à *peux,* qui modifie le sens. Si l'on répond *oui,* le sens est clair, il porte sur *c'est-à-dire* et signifie : je ne veux pas. Mais *non* porte-t-il sur « c'est-à-dire » ou sur « je ne veux pas » ? Mieux vaut répondre : *Je voudrais te faire plaisir, mais je ne peux pas* ou *Je n'ai pas dit cela, j'ai dit que je ne pouvais pas.*

D'autres cas présentent une source fréquente de malentendus dans la réponse, parce qu'on a formulé **deux questions indépendantes** dont l'une est affirmative et l'autre négative.

Négation + affirmation : *Tu n'as plus de chagrin ? Tu es contente ?* Les deux propositions étant équivalentes, l'enfant peut répondre à la deuxième : *Oui* (je suis contente) ou *Non* (je ne suis pas contente). Mieux vaut préciser : *Oui, je suis contente. Non, je ne suis pas contente.*

Je ne peux pas vous demander quelque chose ? Vous êtes occupé ? Ici les deux propositions ne sont pas strictement équivalentes, bien que la première puisse être la conséquence de la seconde. *Si* serait anormal après une proposition positive. *Oui* et *non* pourraient être équivoques. On dira : *Vous pouvez* ou *De quoi s'agit-il ?* ou *Je suis malheureusement occupé.*

Affirmation + négation : *Tu es contente maintenant ? Tu n'as plus de chagrin ?* Si l'enfant répond *si* à la deuxième question, il n'y a aucune équivoque. Si elle répond *non,* voulant dire qu'elle n'a plus de chagrin, sa maman pourra croire qu'elle répond à la première question et qu'elle n'est pas contente. Mieux vaut donc dire dans ce cas : *Non, je n'ai plus de chagrin* ou *Oui, je suis contente.*

Après **n'est-ce pas** joint à une proposition positive, on fait comme si ces mots (ou *pas vrai*) n'étaient pas dans la phrase : *Tu l'as vu, n'est-ce pas ?* — *Oui* ou *Non*, selon qu'on l'a vu ou non.

d) En réponse à une proposition contenant **ne que** (= seulement) et considérée aujourd'hui comme positive, on répond par *oui* ou par *non* comme après une phrase positive : *Ils n'ont que cet enfant-là ?* — *Oui* (ils n'ont que cet enfant-là) ou *Non* (ils en ont un autre). *Ne veut-il que cela ?* — *Oui.* Si on nie, on complète volontiers *non* : *Non, il veut autre chose* ou *Oh ! non* ou *Certes non.*

L'expression étant perçue autrefois comme une négation suivie d'une restriction, on pouvait répondre *non* là où nous disons *oui.* Mieux vaut considérer la phrase comme positive.

7. [**Non fait**] est resté vivant dans des français régionaux, notamment en Wallonie. Le français général n'a conservé que **si fait.**

8. **Préfixe.** *Non* sert de préfixe négatif devant un nom (*un non-sens, le non-conformisme*), un pronom (*le non-moi*), un adjectif ou un participe (*non solvable, leçon non sue, travail non terminé*), un adverbe (*non loin, non plus, non moins*), un infinitif (*une fin de non-recevoir*).

On voit qu'en dehors d'*une fin de non-recevoir*, le trait d'union ne se met que devant un nom ou un pronom. Il convient de l'éviter devant un adjectif. On écrira donc : *Les non-alignés, les non-combattants,* mais *les pays non alignés, non combattants.*

On écrit en un mot *nonchalant, nonosbtant, nonpareil.*

Prononciation. Dans tous ces composés, *non* aujourd'hui se dénasalise devant une voyelle et on fait la liaison : « no-nagression ».

9. **Non que, non pas que (non point que), ce n'est pas que,** en tête de proposition, sont suivis du subjonctif : *Non que je **veuille** le lui reprocher.* Le sens est « Il ne faut pas croire que je veuille le lui reprocher » et donc « Je ne veux pas le lui reprocher ». Si le sens du verbe, dans cet équivalent, devenait positif, il faudrait nier ce verbe par *ne* (on trouve très rarement *ne pas*) pour détruire la négation précédente : *Non qu'il **ne soit** fâcheux de le mecontenter* (Ac.). *Ce n'est pas qu'on ne le lui ait dit cent fois* (on le lui a dit cent fois). Comparer : *Ce n'est pas qu'il **soit** insolvable* (il n'est pas insolvable) et *Ce n'est pas qu'il **ne puisse** payer* (il peut payer). Cf. 10.

10. **Non plus** remplace **aussi** (cf. AUSSI, B, Remarques) dans une proposition négative (complète ou elliptique). Comparer : *Si vous y allez, j'irai aussi* et *Si vous n'y allez pas, **je n'irai pas non plus**. Il n'y est pas allé, ni moi non plus. Il ne disait rien, **moi non plus*** (ou *ni moi non plus*).

Pour éviter de répéter *plus* à courte distance, on dit : ***Moi aussi*** (au lieu de *moi non plus*) *je ne le crois plus.*

L'emploi de *aussi* peut dépendre de la façon dont la phrase est sentie comme positive : *N'en as-tu pas assez, **toi aussi** ? Est-ce que tu ne viendrais pas, **toi aussi** ?*

Après **non que...** **ne** (cf. 9), on emploie **aussi**, à cause du sens positif : *Non que cela ne soit dangereux aussi. Il aurait voulu que sa mère eût de la peine : non que cela ne lui en fît aussi de penser qu'elle était triste* (R. Rolland, *Jean-Christophe*, I, p. 114).

Avec **ne... que**, on hésite entre *non plus* et *aussi* : *Toi non plus* (ou *toi aussi*) *tu ne fais que des sottises.*

Devant **non plus**, on emploie **ni** plus souvent que *et* : *Il n'y est pas allé, ni moi non plus. — Je ne suis pas un néophyte et non plus un thuriféraire* (G. Duhamel, *Paroles de médecin*, p. 5).

Non plus peut aussi avoir une valeur temporelle dans une opposition d'actions ou de qualités successives : *Un accord non plus tacite cette fois, mais formel* ou *Un accord formel, et non plus tacite.*

Avec un verbe à un temps composé, *non plus* suit normalement le participe : *Je n'ai pas fini non plus.* Il se place parfois avant : *Je n'ai pas non plus fini.* Beaucoup plus rarement entre l'auxiliaire et **jamais** : *Je n'ai non plus jamais fini.* On dit plutôt : *Je n'ai jamais fini non plus* ou *Moi non plus je n'ai jamais fini.*

Non plus que est plutôt archaïque et affecté dans le sens de *ne pas plus que.* Cf. NE employé seul, 11. Il reste en usage dans le voisinage d'un verbe nié par *ne pas, ne guère*, etc. *De son enfance non plus que de sa jeunesse il ne parlait guère.*

Non (pas) que. Cf. NON, 9.

Non plus. Cf. NON, 10.

Non seulement. Cf. NON, 4.

Nonante et **septante,** adj., sont d'anciennes formes françaises restées vivantes en Belgique, en Suisse et partiellement dans plusieurs régions de France, à côté de *quatre-vingt-dix* et de *soixante-dix*. Il n'y a pas lieu de les éviter là où elles sont en usage, ni non plus **nonantaine, nonantième,** etc. Des Suisses gardent même **huitante.**

Nonchaloir, n.m., synonyme de *nonchalance*, n.f., est rare et littéraire.

Nonne et **nonnette,** n.f. Deux *n* intérieurs.

Nonobstant, vieilli et très rare comme adj. (*Une clause nonobstante*, qui fait obstacle), rare et littéraire comme adverbe au sens de « néanmoins » (*Nonobstant, il tint parole*), n'est plus guère employé, sans être d'ailleurs courant, que comme préposition, au sens de « malgré » : *Nonobstant mes remontrances.* On ne dit plus *nonobstant que.*

Nonpareil, adj., s'écrit en un mot : qui n'a pas de pareil.

Non-retour (point de), n.m., point d'où il n'est plus possible de revenir à son lieu de départ.

Non-stop. *Des vols non-stop,* sans escale. *Des épreuves non-stop,* sans interruption.

Nord, n.m. Cf. Majuscules. Dans *nord-est, nord-ouest, nord-africain, nord-américain,* on ne prononce généralement pas *d.* On écrit : *les Nord-Africains, la main-d'œuvre nord-africaine.*

Noroît, n.m., désignant le vent du nord-ouest, s'écrit aussi *norois.*

Nota bene, n.m. *Un* ou *des nota bene.*

Notabilité, n.f., **notable, notoire,** adj. **Notabilité** peut se dire pour « personne notable ». **Notable,** digne d'être noté, signalé ; distingué d'autres personnes ou d'autres choses ; d'où : assez important. Nom : *Les notables d'une ville.* **Notoire,** adj., est parfois employé à tort pour *notable ;* il doit se dire de ce qui est bien connu ou connu comme tel, comme possédant telle qualité ou plus souvent tel défaut : *C'est un fait notoire* (bien connu) ; *il est notoire que... ; un alcoolique notoire* (bien connu comme tel ; on voit la différence avec *notable*), *une réputation notoire d'honnête homme.*

Même distinction, au sens abstrait, entre **notabilité** et **notoriété** : *Sa notabilité n'est pas en cause. Sa notabilité est de notoriété publique.*

Notamment, adv., « spécialement, en particulier, entre autres » : *Il y avait là plusieurs notabilités, notamment le curé. Tout le monde le dit, notamment vos collègues. Je l'ai rencontré souvent, notamment à la mairie. Il a cité plusieurs textes, notamment le vôtre.*

Des Flamands emploient cet adverbe pour **nommément,** qui veut dire « en spécifiant le nom de la personne ou de la chose » : *On le dénonce nommément. On accuse plusieurs personnes et nommément Un Tel. Il a mis en cause nommément les services de votre administration.*

Note, n.f. *Prendre note **que*** (ou *prendre bonne note que*) est préférable à *prendre note de ce que* dans le sens de « noter ». Mais on dit : *prendre note de qqch.* et donc : *Prenez note de ce que je vous dis.*

Notoire, adj. Cf. Notabilité.

Notre, adj.poss. On écrit : *Prier Notre-Dame. Notre-Dame de Chartres. À la Notre-Dame. Des Notre-Dame polychromes.*

Nôtre, adj. et pr.poss. Accent circonflexe du pronom possessif (*les nôtres*) et de l'adjectif possessif tonique, attribut : *Ces meubles sont **nôtres**. Sa cause est bonne, nous la faisons **nôtre**.* À ne pas confondre, dans la prononciation, avec *notre,* où l'*o* est bref : *Notre maison.* Cf. Adjectifs possessifs.

Nous, pr.pers. 1. Mis pour *je* (pluriel de majesté ou de modestie), *nous* demande que le verbe soit au pluriel mais que les adjectifs, les participes, les noms attributs ou apposés restent au singulier : *Nous avons été **surprise**. Nous, huissier soussigné... avons été **reçu**.*

2. **Nous autres** peut marquer l'opposition : *Vous partez ? Nous autres, nous restons.* Cf. AUTRE.

3. La langue populaire dit : *Nous deux mon frère, on l'a fait. Nous l'avons fait avec mon frère.* À éviter. Cf. AVEC, 3 et ON, 1.

4. *Beaucoup d'entre nous l'avaient deviné.* Cf. VERBE, *Accord*, p. 968.

Nouveau, adj. 1. Le sens de *nouveau* peut changer suivant qu'il précède ou suit le nom.

Après le nom, il signifie « qui apparaît pour la première fois, qui vient d'apparaître, d'être créé ». *Une voiture nouvelle* est proprement d'un type récemment créé, qui vient d'être mis sur le marché. *Une robe nouvelle* est une robe d'une mode récente. On dit : *le vin nouveau* (de la dernière récolte), *un fait nouveau, un air nouveau, un style nouveau* (inhabituel), *l'art nouveau, des mots nouveaux* (qui viennent d'apparaître). Notons le substantif : *Il y a du nouveau dans cette affaire.*

Devant le nom, il signifie surtout « qui est depuis peu ce qu'il est » (*les nouveaux riches, la nouvelle mariée, un nouvel élève* ou, substantivement, *le nouveau*) ou (opposé alors parfois à *ancien*) « qui remplace une personne ou une chose de même espèce, qui lui succède » : *Jusqu'à nouvel ordre, le nouvel an, la nouvelle lune, acheter une nouvelle voiture, mettre une nouvelle robe* (une autre robe ou une robe récemment acquise) *le Nouveau Testament, le Nouveau Monde, les nouveaux locataires, un nouveau Shakespeare, un nouveau romantisme, la nouvelle vague, un nouveau délai, apprendre une nouvelle langue.*

On notera cependant que, malgré ces distinctions, *nouveau* peut dans bien des cas se placer avant ou après le nom, le sens pouvant être plus fort après le nom : *Depuis son voyage à l'étranger, il mène une vie nouvelle* ou *une nouvelle vie. On dirait qu'il éprouve une vigueur nouvelle* ou *une nouvelle vigueur. Je lui trouve un charme nouveau* ou *un nouveau charme. C'est pour moi une langue nouvelle* ou *une nouvelle langue.*

Attribut, *nouveau* peut avoir les deux sens.

On notera que **neuf,** qui se place après le nom, signifie proprement « qui vient d'être fait ou acheté, qui n'a pas encore servi ou n'a guère servi » : *boire le café **neuf** ; une maison neuve, une robe neuve, une voiture neuve, un livre neuf* (à l'état neuf). Par extension, *des connaissances neuves* (acquises récemment).

On voit la différence s'il s'agit de noms concrets comme *maison, voiture, livre.* Mais le sens premier de *neuf* est dépassé et *neuf* peut parfois se substituer à *nouveau* employé après le nom ou comme attribut. On peut dire : *Quoi de neuf ?* (cf. NEUF, adjectif). *Voilà une chose neuve* (ou *nouvelle*) *pour moi. Je suis neuf* ou *nouveau* (sans expérience) *dans le métier.* On parle de *sensations neuves* (qui ont encore toute leur fraîcheur), d'une *idée neuve* ; on voit les choses d'un *regard neuf.* Le nom du *Pont-Neuf* s'explique par opposition aux plus anciens.

2. **Nouveau, nouvel.** Cf. BEAU.

3. *Nouveau* dans les **composés.** Il faut mettre à part **nouveau-né**, adjectif ou substantif, qui s'écrit avec un trait d'union et où, malgré quelques exemples d'hésitations, *nouveau* doit rester invariable : *une fille nouveau-née, les nouveau-nés.*

Les autres composés sont écrits sans trait d'union. S'ils sont pris substantivement, *nouveau* varie : *les nouveaux venus, la nouvelle mariée, les nouveaux élus.* Si le composé est employé comme adjectif, on emploie plutôt *nouvellement* : *les députés nouvellement élus.*

On écrit : *le Nouveau-Mexique, la Nouvelle-Zélande*, mais on emploie *néo* dans l'adjectif et dans le nom des habitants : *les Néo-Zélandais.* De même : *les textes néo-araméens.*

4. **À nouveau** et **de nouveau** sont devenus interchangeables dans le sens autrefois réservé à *de nouveau* : « une fois de plus ». *À nouveau* peut encore avoir son sens particulier : « de façon complètement différente » ; mais, à cause de l'extension de sens qui vient d'être signalée, c'est le contexte, la situation, qui fait apparaître ou non le sens restreint. L'Académie écrit : *Ce travail est manqué, il faut le refaire à nouveau.* Même si l'on dit *de nouveau*, il est clair qu'il s'agit de refaire différemment le travail. *Il pleuvait à nouveau* n'a évidemment pas un autre sens que *Il pleuvait de nouveau.*

Nouvelle, n.f. On écrit : *Je suis **sans nouvelles** de lui* (puisqu'on dit : *recevoir des nouvelles, de bonnes nouvelles*), mais : *Je n'ai **aucune nouvelle** de lui.* Cf. Aucun.

Noyau, n.m. Invariable dans *un fruit à noyau, des fruits à noyau* mais peut varier, très logiquement, dans *eau, crème, liqueur de noyau(x).*

Noyer le poisson, au propre, c'est le fatiguer dans l'eau ; au figuré, c'est embrouiller volontairement une affaire, entretenir la confusion dans ses explications pour lasser son interlocuteur, éluder l'essentiel, en le « noyant » dans des détails accessoires, en répondant à côté de la question.

Nu, adj., est invariable dans *à nu* (*mettre à nu*, etc.) et dans **nu-tête, nu-pieds, nu-jambes, nu-bras,** mais variable après le nom de ces parties du corps : *tête nue*, etc. On écrit : *la **nue-propriété**, des nues-propriétés, des nus-propriétaires.*

Nuageux, adj. Cf. Nébuleux.

Nuire, v.tr.ind., se conjugue comme *luire. On leur a nui. Ils se sont nui.*

Nuisance, n.f., est vieilli ou régional pour désigner le caractère nuisible de qqch., sa nocivité (*la nuisance d'un produit, d'un aliment*, etc.) ou la méchanceté de qqn. Mais le mot a repris vigueur, surtout au pluriel, dans les contextes où il est question d'environnement, de pollution, de promiscuité sociale, à propos de tout ce qui rend la vie malsaine ou pénible : *Les nuisances industrielles. Les nuisances du bruit et de la pollution* (GLLF).

Nul, *nulle,* adj. et pr.

    1. **Adj. indéfini devant le nom,** *nul* se construit avec *ne* seul ou avec *sans* et peut marquer une exclusion plus forte que *aucun* : *N'avoir nulle envie de faire qqch. Nulle part. Sans nul doute. Nulle affaire n'est plus urgente.* Il ne s'emploie guère au pluriel, mais on l'y trouve et non seulement avec des noms qui n'ont pas de singulier : *Nulles troupes* (Ac.). *Il n'avait pris nulles précautions. Nuls frais supplémentaires.*

    2. **Après le nom** ou comme attribut, *nul* est un adj. qualificatif ; il signifie : qui n'existe pas, qui est sans valeur : *Le vent était presque nul. Une quantité nulle* (qui équivaut à zéro). *Un raisonnement nul. Il est nul en histoire. un élève absolument nul. Ce testament est nul. Tenir qqch. pour nul et non avenu. Je considère ses propositions comme nulles et non avenues.* En termes de sports, *un match nul* où il n'y a pas de vainqueur.

    3. Le **pr. indéf.** s'emploie au singulier seulement et comme sujet : *Nul n'est censé ignorer la loi. Nul d'entre nous* (ou *nul de nous*) *ne l'a dit. Nulle de vos amies n'a écrit. Nul mieux que lui ne le sait.*

Nûment, adv. (littéraire). Accent circonflexe. Parfois *nuement.*

Numération, n.f., **numérotage,** n.m., **numérotation,** n.f. *La numération décimale* ou *binaire. Le numérotage* ou *la numérotation des maisons, des documents.* Cf. NUMÉROTAGE.

Numéraux. 1. **Trait d'union** entre les éléments qui sont l'un et l'autre inférieurs à cent, mais non unis par *et* : *quatre-vingt-dix mille trois cent trente et un francs. Trois cent dixième,* bien que l'Académie et certains écrivains mettent parfois un trait d'union devant *centième* et *millième* (*la dix-millième partie*).

    2. **Et** n'intervient qu'entre un nom de dizaine et *un* : *soixante et un, cent un, mille un.* Noter qu'on dit : *soixante et onze,* mais *quatre-vingt-un, quatre-vingt-onze.* On écrit : *quatre-vingts et quelques.* Cf. CENT, MILLE, 5.

    3. **Dates** : *En neuf cent un. L'an un. Le deux, le dix janvier.* Mais : *Le premier janvier.* Cf. MILLE, 1. *Dans les années vingt* ou *quatre-vingt.*

    Dynasties : *Léopold premier,* mais *Léopold deux, trois.*

    Pages, chapitres, etc. *Page un, deux, trente et un* (parfois *une*), *quatre-vingt, livre un* ou *livre premier, chapitre un* ou *premier, acte un* ou *acte premier, livre deux, acte deux, chapitre trois.*

    Minutes : *Il est trois heures vingt et une* (on entend : *un*), *neuf heures moins une.* Cf. HEURE.

    4. On écrit, avec des adj. num. ordinaux coordonnés : *Aux douzième et treizième siècles, en deuxième* ou *troisième année, après le cinquième ou sixième verre* (mais on entend : *après le cinq ou sixième verre*).

5. **Invariabilité** : *les onze, les huit.* Cf. VINGT, CENT. On dit généralement avec *mille* : *vingt et un mille voix, trente et un mille tonnes.* Cf. MILLE, 4.

6. **Autres, derniers, premiers, prochains** : *Mes derniers cent francs.* Cf. NOMS DE NOMBRE.

7. On écrit en **chiffres**, sans mettre un point après les milliers, mais en y laissant un blanc : *10 350, 80 F* (cf. ABRÉVIATIONS). Sauf dans les dates, où l'on écrit *1982.*

8. Cf. À et *ou* dans une évaluation, p. 20.

Numérique, adj., devrait remplacer *digital* dans le vocabulaire de l'horlogerie comme dans celui de l'informatique. *Une montre digitale* indique l'heure par des chiffres mobiles et non par des aiguilles. Cet anglicisme s'explique par le sens de *digit* qui, en anglais, désigne non seulement le doigt mais les nombres, tandis qu'en français *digital* ne fait penser qu'à *doigt.* Il faut donc parler de *montre numérique, d'affichage numérique de l'heure.*

Numérotage, numérotation. L'Académie des sciences de Paris a décidé, le 20 mars 1967, d'étendre à ces deux mots la distinction qu'elle avait adoptée pour *datage* (action de porter une date sur un document) et *datation* (attribution d'une date à un document).

Numérotage : action de porter un numéro ou indice de classement sur un document.

Numérotation : a) Attribution d'un numéro ou d'un ordre de classement à un document ; b) ordre de classement d'une collection de documents.

Dans l'usage courant, ces deux termes sont confondus, du moins dans le sens de : attribution d'un numéro de classement. Ne pas confondre avec **numération,** manière d'ordonner la suite des nombres : *numération décimale.* Cf. NUMÉRATION.

Nurse, n.f. (*u* se prononce « e »), bonne d'enfants, gouvernante d'enfants.

Nyctalope, adj. ou n., qui voit clair dans l'obscurité.

Nylon est un nom américain déposé mais qui est devenu courant et s'est francisé. Ce n'est pas un nom propre. Il n'est pas nécessaire de l'écrire avec une majuscule. On dit couramment : *Du nylon. Des bas de nylon* ou, avec apposition mais en laissant *nylon* invariable : *Des bas nylon. Des blouses (de) pur nylon.*

O

O. La prononciation distingue *o* **ouvert** (*col, votre, bonne, fort*) et *o* **fermé** (*eau, lot, vôtre, nos*).

Ô, oh !, ho !, interj., se confondent parfois, non toujours.

Ô (accent circonflexe) sert à interpeller, à invoquer, à exprimer un vif sentiment de joie, d'admiration, de douleur, de crainte, etc. Il n'est jamais suivi directement d'un point d'exclamation et est suivi d'un autre mot, nom (précédé ou non d'un déterminant), pronom, adverbe : *Ô mon Dieu ! Ô ma tête ! Ô jeunesse ! Ô vous qui... Ô combien ! Il s'est fâché, ô très peu.*

Oh ! (suivi d'un point d'exclamation qui est généralement repris à la fin de la phrase) peut remplacer *ô* ou *ho !* pour exprimer la surprise, une vive émotion ou pour appeler : *Oh ! quelle chance ! Oh ! la bonne nouvelle !* Devant une proposition, on doit employer *oh !* : *Oh ! c'est vous ! Oh ! n'insultez jamais une femme qui tombe !* (Hugo). *Oh ! si j'étais à votre place ! Oh ! que je suis content ! Oh ! est-ce possible ? Oh ! dites-le. Oh ! je me vengerai. Oh !* renforce *oui* ou *non* : *Oh ! oui !* ou *Oh ! non !*

Oh ! Oh ! marque une surprise généralement heureuse : *Oh !Oh ! la bonne nouvelle !*

On dit aussi *oh là !* pour interpeller. *Oh !* peut introduire une appréciation : *Oh ! ce n'est pas nouveau.* — On écrit : *pousser des oh ! et des ah !*

Ho !, moins usité, peut se confondre avec *oh !* ou avec *ô* pour exprimer l'étonnement, l'indignation : *Ho ! quel coup !* (Ac.) *Ho ! que me dites-vous là* (Ac.). Il peut aussi, comme *oh !,* s'employer pour appeler : *Ho ! venez un peu ici* (Ac.). Redoublé : *Ho ! Ho !*

Oasis, n.f. *Une oasis.* Des auteurs le considèrent, à tort, comme masculin. On prononce *s* final.

Obéir, v.tr.ind. ou intr. On dit : *obéir à qqn, à sa conscience.* Ce verbe a été autrefois transitif direct, ce qui est aujourd'hui insolite : *Cet être si déri-*

soire, que Clémence même se contraint parfois à obéir (M. Genevoix, *Rroû*, I, ch. XI). Mais son emploi au **passif**, par survivance, est moins exceptionnel : *Vous serez obéi* (Ac.). *Un gouvernement obéi* (Ch. de Gaulle, *L'appel*, Poche, p. 326). *Il savait que les maîtres aiment à voir obéis leur caprices les plus futiles* (M. Proust, *À la recherche du temps perdu*, t. IV, p. 305). *Avec la brutalité du seigneur qui sait ses ordres obéis depuis toujours* (M. Bataille, *Les jours meilleurs*, p. 157). *Ne fallait-il pas que cette loi du sang fût encore obéie ?* (J. Bainville, *Napoléon*, p. 232). On dit très bien **se faire obéir** : *Ils se sont facilement fait obéir.*

Obélisque, n.m. *Un obélisque.*

Obérer, v.tr.dir., c'est charger de dettes. *Obérer de dettes* est donc un pléonasme. *Il a eu vite fait d'obérer sa famille* (Ac.). *La guerre a obéré le pays. Ses parents se sont obérés pour lui.*

Objet, n.m., peut devenir synonyme de *sujet* losqu'il désigne ce à quoi s'applique l'esprit, la pensée : *Cela fera* (ou *sera*) *l'objet* (ou *le sujet*) *de notre réflexion*. Mais on oppose le sujet et l'objet d'un verbe (*il lit un roman*), le sujet d'un roman, l'objet d'une démarche. *Avoir pour objet*, pour objectif.

Objurguer, v.tr.dir., n'est guère vivant : *Objurguer qqn*, l'exhorter. *Une objurgation.*

Obligation, n.f. *On est **dans l'obligation de faire** qqch.* On a **des obligations envers** qqn (des devoirs). Le tour *avoir obligation de qqch. à qqn* (lui être redevable d'un bienfait) est vieilli.

Obligeance, n.f., **obligeant,** adj. et participe, **obligeamment,** adv.

Obliger, v.tr.dir., **à** ou **de.** 1. Devant un infinitif, au sens de « forcer, contraindre », le verbe, actif ou passif, se construit plutôt avec **à** ; mais on trouve **de,** surtout à l'actif, où il est toutefois moins fréquent que *à : On l'a obligé à s'excuser* (comme : *on l'a obligé à des excuses*). *De* est permis. Au passif : *Il a été obligé par ses parents à s'excuser* (le complément d'agent montre qu'il s'agit du verbe). *Je me presse de rire de tout de peur d'être obligé d'en pleurer* (Beaumarchais, *Le Barbier de Séville*, I,2) ; on peut considérer qu'**obligé** est ici pris adjectivement. Dans cet emploi, il est suivi de *de : Je suis obligé de vous punir* (Ac.). *Ils furent obligés de finir la campagne* (Littré).

On trouve, quand le sujet du verbe subordonné n'est pas le complément direct d'*obliger*, **à ce que** et le subjonctif : *Qui **vous oblige à partir** ? Mais qui **vous oblige à ce que** cet adieu **soit** définitif ?* (G. Bauër, *Il faut parler le premier*, sc. 4).

2. Au sens de « rendre service, faire plaisir (et avoir droit à la reconnaissance) », **obliger** se construit avec *de* et l'infinitif et beaucoup plus

souvent avec *en* et le participe présent (gérondif) : *Vous m'obligerez beaucoup d'aller lui parler pour moi* (Ac.) ou **en allant** *lui parler pour moi.*
Avec **obligé** : *Je vous suis fort* **obligé** *de la peine que vous prendrez. Je vous serais très* **obligé** *de bien* **vouloir** *me rendre ce service.*

Obnubiler, v.tr.dir., signifie « obscurcir (l'esprit) », proprement « couvrir de nuages » ; par extension « affaiblir » : *Sa passion l'obnubile. La fatigue obnubile son jugement.* Certains dictionnaires donnent à tort *obnubiler* comme synonyme d'*obséder*, surtout au part.passé : *Avoir l'esprit obnubilé par une idée.* Mieux vaut dire : *obsédé, hanté.* On distinguera de même **obnubilation** (*L'obnubilation du jugement humain*) et **obsession** ou idée fixe.

Obséder, v.tr.dir. *Une idée fixe l'obsède. Il est obsédé par une idée fixe, par les solliciteurs. Il est obsédé de soucis.* Cf. DE, 7.

Observance, n.f., se dit surtout des règles religieuses : *L'observance de la règle dans les maisons religieuses* (Ac.). *L'observance du jeûne* (Ac.). Mais il peut s'appliquer à d'autres règles : *L'observance d'un régime* (J. Romains, *Les amours enfantines,* Poche, p. 142), bien que dans ce cas on dise plus souvent **observation** : *L'observation du règlement.*

Observer et *remarquer,* v.tr.dir., ne peuvent, dans un français un peu surveillé, se construire avec un complément indirect et *que.* On les fait précéder de *faire. Je* **vous ferai observer que** *je n'ai pas dit cela.* Mais sans complément de personne : **J'observe** *qu'il n'a pas dit cela. Je n'ai pas observé qu'il fût* (ou *était*) *impatient.*

Obtenir, v.tr.dir. *Il a obtenu satisfaction, une récompense, de l'avancement. J'ai obtenu du directeur le changement souhaité. Il a obtenu de pouvoir nous accompagner. Il a obtenu qu'on le* **laissât** (ou parfois *laisserait*) *partir. Obtenir* **qqch.** *à* **qqn** (*Je lui ai obtenu un emploi*) est plutôt vieilli. On dit : *Je lui ai fait obtenir un emploi, satisfaction, une récompense,* etc.

Obvie, adj., se dit de ce qui se présente naturellement à l'esprit comme une évidence : *Ce qui lui paraît obvie ne l'est pas pour moi.*

Obvier, v.tr.ind., se construit avec *à* et signifie « aller au-devant de, prendre des précautions pour parer à une éventualité fâcheuse » : *Pour obvier à une distraction de ma part, à des inconvénients.*

Occasion, n.f. *J'ai l'occasion de faire un beau voyage. Une occasion à saisir. Profiter de l'occasion. Sauter sur l'occasion. Une rencontre d'occasion. À l'occasion. À l'occasion de sa venue. À la première occasion. Dans les grandes occasions. Acheter qqch. d'occasion. Un meuble d'occasion. Ce meuble est une occasion.*
[*Occasion à profiter*] est fautif, puisqu'on dit : *profiter* **d'**une occasion. Dire : *occasion à saisir.*
Dérivés : *occasionnel, occasionner,* deux *n.*

Occire (tuer), v.tr.dir., ne s'emploie plus que par plaisanterie, et seulement à l'infinitif, au participe passé (*occis*) et aux temps composés.

Occlure, v.tr.dir., (concurrencé par *occlusionner*, à éviter) n'est guère courant, sauf en médecine (fermer). Participe passé : *occlus, occluse.*

Occulter, v.tr.dir., **occultation,** n.f. Un astre *est occulté* (caché à la vue) par un autre. *On occulte* un phare, un signal, une vérité, mais pas n'importe quoi. On a pu écrire : *Les fenêtres du château, non encore occultées par leurs contrevents* (J. de la Varende, *Le troisième jour,* p. 17). Mais en Belgique, pendant la dernière guerre, quand il fallait supprimer ou camoufler les lumières, on a parlé d'*occultation,* tandis qu'ailleurs on parlait du *camouflage des lumières* (ou de l'*obscurcissement* des lumières).

Occupé, adj., **s'occuper.** 1. Suivis de **à** ou de **de** devant un nom ou un infinitif.

a) **Devant un nom.** On dit avec **à** : *Occuper qqn à une chose.* Être **occupé à une chose,** *au jardinage, au nettoyage du jardin, à la correction des devoirs.* Ne pas confondre avec l'emploi absolu et un complément circonstanciel : *Être occupé au jardin. S'occuper à qqch.* a le même sens, « y travailler ». On dit encore avec *quoi* : *À quoi vous occupez-vous ? Il ne sait à quoi s'occuper.* Mais le tour a vieilli devant un nom : *D'habitude, il s'occupe à ses dessins, à ses documents* (P. Bourget, cité par GLLF). On dira plutôt : *il est occupé à ses dessins.* Avec **de** devant un *nom de personne* (*ou de chose*). On dit encore : *Il n'est occupé que de sa personne,* mais *Il n'est occupé que de sa fille, de ses livres* est plutôt classique et littéraire. **S'occuper de** reste vivant : *Il s'occupe de sport, de ses affaires, de politique, des personnes âgées, de ses enfants. Dans un instant, je m'occupe de vous.* Ne pas dire [*Je n'ai que vous à m'occuper*], puisqu'on s'occupe *de* qqn. On dira donc : *Je n'ai que vous dont je dois m'occuper. Je n'ai à m'occuper que de vous.*

b) **Devant un infinitif,** on emploie toujours *à* après *être occupé* ou l'adj. *occupé* : *Il était occupé à classer ses timbres, à faire sa valise. Des enfants occupés à jouer, à faire leurs devoirs.*
Après *s'occuper, à* ou *de* selon le sens : *Tout le jour il s'occupe à lire* (Ac.), il consacre son temps à lire. *Il y a vingt ans que je m'occupe à faire des traductions* (Montesquieu). On voit que, quoi que dise Littré, *s'occuper à* peut fort bien marquer une opération intellectuelle. *S'occuper de* exprime plutôt l'idée de préoccupation plus absorbante, de travail mieux organisé, de prise en charge : *Il s'occupe de détruire les abus* (Ac.). *Il ne s'occupe que de gérer sa fortune* (Ac.). *Je m'occuperai de vous obtenir ces renseignements. Il ne s'occupe pas de savoir si nous y tenons.*

2. **Sans complément** : *Je suis fort occupé. Il a des journées très occupées. Il a besoin de s'occuper.*

3. *Être occupé [avec] qqn* ou *qqch.* est assez courant en France comme en Flandre. On dira selon le sens : *Il s'occupe de qqn, de qqch. Je vais pouvoir m'occuper de vous. Je ne m'occupe pas de cela. Il reçoit qqn. Il est avec qqn.*
4. Ne pas dire : [*Ce travail est occupé à être fait*]. Dire : *On est occupé à faire ce travail* ou *Ce travail est en train.* Autre sens : *Ce travail l'occupe.*
5. Fautif : [*Il n'a pas que cela à s'occuper*] pour *Il n'a pas que cela à faire. Il n'a pas uniquement à s'occuper de cela.*

Occurrence, n.f. Deux *c*, deux *r. En cette occurrence, en l'occurrence, en pareille occurrence* (= circonstance, occasion). En linguistique, *occurrence* = chacun des emplois d'un même élément dans le discours.

Ocre, n.f. *Des ocres brunes* (Ac.). Certains auteurs emploient à tort *ocre* au masculin comme nom de couleur. *Ocre* est invariable comme adjectif de couleur : *Des papiers ocre.* **Ocré** = teint en ocre.

Odeur, n.f. Prononciation de *o* : l'usage, après avoir exigé qu'il se prononce comme *eau*, admet aujourd'hui et même recommande qu'on le prononce comme dans *fort.* Le pluriel *odeurs* ne s'emploie plus guère dans le sens de *parfums.* On parlera d'un *flacon de parfum* et non d'[*une bouteille d'odeur*].

Odonynie, n.f., étude des noms de rues.

Odorant, adj., qui exhale une odeur, bonne ou mauvaise. **Odoriférant** : qui exhale une odeur agréable.

Odyssée, n.f., a fortement élargi son sens et se dit d'un voyage plein de péripéties ou d'une suite d'évènements imprévus.

Œ se prononce *é* dans *Œdipe, Œnone, fœtus, œcuménique, œdème, œnologie, œnophile, œsophage* (prononcé beaucoup plus rarement « eu-zo »).

Œil, n.m. Pluriel **yeux** (*des yeux bleus, les yeux du fromage, du bouillon, d'une pomme de terre, d'une plante*), sauf dans quelques emplois techniques, notamment en typographie ; et dans les noms composés : *Des œils-de-bœuf, œils-de-chat, œils-de-perdrix* et, dans le vocabulaire de la marine, *œils-de-pie.* Cf. CLIN.
   Entre quatre yeux se prononce familièrement « entre quatre-z-yeux » (entre quat'z yeux). **Avoir les yeux sur qqn,** l'observer attentivement, au figuré : *Tout le monde avait les yeux sur lui.* **N'avoir d'yeux que pour qqn,** ne voir que lui, ne s'intéresser qu'à lui. **Avoir *l'œil à tout*,** veiller à tout. **Avoir *l'œil sur qqn*, avoir** (ou **tenir**) *qqn à l'œil,* le surveiller. *Ouvrir l'œil,* se montrer très vigilant. **Ouvrir de grands yeux,** montrer son étonnement. *Avoir les yeux plus grands que le ventre,* se servir excessivement, avoir des désirs excessifs, qu'on ne peut satisfaire. **Faire les gros yeux à qqn,** lui manifester son mécontentement ; c'est à tort qu'en Belgique on emploie

grands dans ce sens. **A l'œil**, à la vue (*On juge de cela à l'œil*) ou gratuitement : *Dîner à l'œil* (Ac.). — *L'œil du maître. N'avoir pas froid aux yeux.
Pleurer d'un œil et rire de l'autre. Couver des yeux une personne, une
chose. Se mettre le doigt dans l'œil. Cela crève les yeux. À vue d'œil.
N'avoir pas ses yeux dans sa poche. Faire qqch. pour les beaux yeux de
qqn. Avoir un œil poché. Être **tout yeux**, tout oreilles. Tourner de l'œil*
(s'évanouir). *Tenir les yeux grands ouverts. Surveiller du coin de l'œil* (d'un
regard en coin). *Jeter un coup d'œil sur le journal. Cela saute aux yeux.
Cela coûte les yeux de la tête. Ne pas fermer l'œil* (ne pas pouvoir dormir).
S'en battre l'œil (très familier ; ne faire aucun cas de qqch.). *Avoir un œil
au beurre noir. Une évidence qui crève les yeux.*

Œuf (on prononce *f* au singulier), n.m. *Des œufs* (pron. « eu » comme dans
jeu, sans *f*). *Un œuf à la coque. Des œufs sur le plat* (ou *au plat*). *Un jaune
d'œuf,* **des jaunes d'œufs.** *Un blanc d'œuf, des blancs d'œufs. Des œufs de
Pâques* (œufs dont la coque est peinte ou confiserie offerte à Pâques).
Plein comme un œuf = tout à fait plein (*Le théâtre était plein comme un
œuf*) ou, familièrement, repu. *Tondre un œuf* (*Il tondrait un œuf,* familièrement : il est excessivement avare). *Étouffer* (ou *tuer*) *une affaire dans
l'œuf,* avant même qu'elle ait pu se manifester. Belgicisme traduit du
flamand : [*Avoir un œuf à peler avec qqn*] pour : Avoir un compte à régler
avec qqn.
   Notons que les petits morceaux de pain longs et minces qu'on trempe
dans les œufs à la coque s'appellent *des mouillettes.*

Œuvre, n., toujours féminin au pluriel, l'est aussi au singulier, sauf quand
on parle d'une construction (*le gros œuvre ; le maître d'œuvre,*
cf. MAÎTRE ; *à pied d'œuvre*) ; en termes d'alchimie, *le grand œuvre.* Il peut
être masculin mais il est aujourd'hui plus souvent féminin lorsqu'il
désigne au singulier l'ensemble des œuvres d'un artiste, d'un écrivain :
Dans **toute l'œuvre** *beethovenienne* (E. Henriot, *La vie de Beethoven,*
p. 69). *Cette ardente curiosité vivifie toute l'œuvre de René Bazin*
(G. Duhamel, *Discours de réception à l'Ac. fr.,* p. 29). *L'œuvre gravé* ou
l'œuvre gravée de Rembrandt. On emploie encore parfois *œuvre* au masculin, mais on dit plus souvent *opus* (abrégé en *op.*), pour chacune des
productions classées et numérotées d'un compositeur : **L'œuvre 20** *de
Beethoven.*
   Mettre en œuvre, mettre en action : *On a tout mis en œuvre pour réussir. Mettre des moyens en œuvre. La mise en œuvre.*

Œuvrer, v.tr.dir., est plus littéraire que *travailler.* Quant à **ouvrer**, qui a eu le
même sens, il ne s'emploie plus que dans le sens de « façonner » certains
matériaux ; *ouvrer du linge,* l'orner.

Offenser, v.tr.dir. *Soit dit sans vouloir vous offenser. On offense qqn, qqch.
On est offensé par qqn, par ou de ses manières. On s'**offense de** qqch., de*

voir qqch., **de ce que** *qqn* **fasse** *qqch.* ou *de ce que qqch. ait été fait.* L'indicatif n'est pas exclu. On emploie aussi *s'offenser que*, suivi du subjonctif : *Il s'offense que vous ne l'ayez pas salué.*

Office, n.m., a été traditionnellement féminin, mais est de plus en plus masculin, quand il désigne le local où l'on prépare le service de la table.

Officieux, adj., ne s'emploie plus qu'en opposition à **officiel** et dans *mensonge officieux* (fait pour rendre service, sans nuire à personne).

Offrir, v.tr.dir. *On offre* **qqch.** *à qqn, on* **lui** *offre de faire qqch. On s'offre à faire qqch. Il se sont offerts à nous aider* (*s'offrir de* est vieilli).

Offset, n.m. ou f. et adj., est invariable. *L'offset* (le procédé) *est moins coûteux. Un procédé offset. Du papier offset. Un offset épais. Une machine offset* ou *une offset. Cette imprimerie est équipée en offset.*

Offshore (on écrit aussi *off shore, off-shore*), adj. ou n.m., est invariable et veut dire proprement « loin du rivage » : *Des recherches offshore,* en mer. *Une installation pétrolière offshore ;* on peut dire : *au large.*

Offusquer, v.tr.dir., ne s'emploie plus guère que dans le sens de « choquer, scandaliser ». **S'offusquer** se construit comme *s'offenser ;* cf. OFFENSER.

Ogre, n.m. Féminin : *ogresse.*

Oignon, n.m. où *i* ne se prononce pas, peut s'écrire **ognon** (Ac., 1975). **Aux petits oignons** se dit d'une action préparée avec un soin particulier. **En rang d'oignons,** cf. RANG. Fam. : *Ce n'est pas mes* (*tes,* etc.) *oignons,* ce ne sont pas mes affaires, cela ne me regarde pas.

Oint est à la fois participe de *oindre* et adjectif ou nom.

Oiseau, n.m., dans les noms composés est suivi d'un trait d'union : *Des oiseaux-mouches,* etc.

Oiseleur, oiselier, n.m. *L'oiseleur* capture les oiseaux, *l'oiselier* les élève et les vend.

Oiseux, adj., se dit aujourd'hui de choses sans intérêt : *Des paroles oiseuses.* Il fait place à **oisif** dans le sens de « momentanément ou habituellement inactif, inoccupé » : *Une vie oisive.*

Oléoduc, n.m., tend à remplacer *pipeline.*

Olifant, n.m., doit s'écrire aujourd'hui avec *f.*

Olivâtre, adj. *Un teint olivâtre.* Accent circonflexe sur *a.*

Olive, n.f., reste au singulier dans *huile d'olive.* Une plantation d'oliviers est *une* **olivaie** ou *une* **oliveraie.** On écrit : *Des étoffes olive, vert olive.*

Olographe, adj. *Un testament olographe.* On écrit aussi *holographe.* Cf. ce mot.

Olympiade, n.f., peut fort bien, comme autrefois en Grèce, désigner à la fois l'espace de quatre ans qui s'écoulait entre les jeux olympiques et, au pluriel, ces jeux eux-mêmes.

Ombragé, ombrageux, ombreux, adj. Même de bons écrivains font la faute d'appliquer **ombrageux** à des arbres. Cet adjectif doit être réservé à des personnes, à des animaux, à des caractères faciles à effrayer, à s'inquiéter, à prendre ombrage. **Ombreux,** plus rare et plus littéraire, peut se dire de ce qui donne de l'ombre (*des pins ombreux*) ou de ce qui est à l'ombre, dans la fraîcheur ou une demi-obscurité : *Une rue ombreuse, une forêt ombreuse, une salle d'attente ombreuse.* Ce qui est protégé par un ombrage est **ombragé** : *une pelouse ombragée, une avenue ombragée.*

Ombre, n.f. *Être à l'ombre* (ou *dans l'ombre*) *d'un arbre. Vivre à l'ombre* (ou *dans l'ombre*) *de qqn.* On ne dit plus guère : *sous l'ombre de l'amitié, sous ombre d'amitié.* On dit : *sous prétexte de, sous couleur de.*

Ombudsman, n.m., mot suédois, à remplacer en français par **médiateur.**

Omettre, v.tr.dir. *On omet qqch., on omet qqn dans une énumération, on omet de faire qqch.*

Omnium, n.m., qu'il s'agisse d'une compagnie financière ou commerciale, d'une course ouverte à des chevaux de tout âge ou d'une compétition cycliste : *Des omniums.* En Belgique, l'automobiliste qui [*a une omnium*] a contracté une assurance tous risques.

Omoplate, n.f. *Une omoplate.*

On, pr.indéf., est toujours sujet et désigne toujours un être animé.

1. **Substitution à un pronom personnel.** Cet emploi stylistique exprime des sentiments très divers : modestie, orgueil, gentillesse, ironie, mépris, reproche, etc. : *On a voulu tenter,* dit un auteur dans sa préface, pour ne pas dire « je ». *Est-on contente, mon enfant ? — Quels conseils ose-t-on me donner ?* (Phèdre à Œnone ; *on* = tu). Mais *on* se substitue particulièrement, et sans raison spéciale, **à nous.** Cet emploi, qui a pu paraître vulgaire, s'est fortement répandu et a même gagné la langue littéraire, surtout quand elle veut paraître familière. *Je veux qu'on se quitte bons amis* (J.-P. Sartre, *Le mur,* Poche, p. 140). *On est voisins. On n'a plus rien à se dire. Ce soir, on va au théâtre.* On trouve même *nous, on* : *Nous, on veut bien. On s'est quand même vus, fit-elle* (= toi et moi ; Louise de Vilmorin, *Le lit à colonnes,* Poche, p. 91). *Il y a combien de temps qu'on n'est pas allés au cinéma ensemble ? — Il y a un mois. — On est idiots* (J.-L. Curtis, *Un jeune couple* ; Poche, p. 297). *On est partis* (= nous ; Michel Bataille, *Les jours meilleurs,* p. 17). *L'autre jour, un jeune m'a dit : « Personne ne*

nous aime, on se sent opprimés, oppressés... » (P. Daninos, *La conscience lourde*, Le Figaro, 28 janvier 1972). *On serait allés déjeuner (...). On est bien contents tous (...). Quand on s'est séparés, la dentellière et moi...* (P. Lainé, *La dentellière*, éd. Rombaldi, pp. 171, 172, 185). *Serrés entre deux géants, on se souvient de l'occupation* (L. Pauwels, *Lettre aux gens heureux*, p. 95).

L'Académie accepte que cet emploi de *on* entraîne le féminin singulier de l'adjectif attribut : *On n'est pas toujours jeune et belle* (Ac.). Elle ne l'admet avec un pluriel que « familièrement avec *des* et un nom » : *On n'est pas des esclaves.* C'est être trop timoré. Il est certain que cet emploi de *on* pour un pluriel avec le verbe au singulier mais, éventuellement, le participe, l'attribut ou l'apposé au pluriel, est entré dans un usage littéraire plus ou moins familier, surtout quand *on* correspond à *nous*. On le trouve depuis longtemps chez d'excellents écrivains : *Et, s'étant salués, on se tourna le dos* (G. Flaubert, *Madame Bovary*, II, 8, éd. Gothot-Mersch, classiques Garnier, p. 157 ; on se tourna le dos = ils se tournèrent le dos). *On dort entassés dans une niche* (P. Loti, *Vers Ispahan*, Prélude).

Mais on laissera à la langue populaire des phrases comme [*Nous, on avait une petite valise avec nous*]. On dira : *Nous, nous avions une petite valise.*

2. Bien que le verbe reste au singulier, **l'accord du participe passé** conjugué avec *être*, de l'attribut ou de l'apposé se fait normalement avec ce que représente *on*. Il en va de même du part.passé des verbes pronominaux : *Est-on toujours fâchée ?* (on s'adresse à une enfant). *On est montés ensemble (...). On traverserait le plateau avant le jour et on serait beaucoup plus tranquilles* (B. Clavel, *La saison des loups*, pp. 99, 222). *Il faisait beau et on se serait crus en vacances (...). On ne peut pas dire qu'on a été bien reçus* (P. Vialar, *Le bal des sauvages*, pp. 211, 212). Le sens de *on* est, ici, nous. Mais il peut, ainsi qu'on l'a vu plus haut, représenter *ils*, comme dans ces phrases où l'auteur évoque une conversation entre une mère et son fils : *On a été à la fois vagues et explicites. On s'est montrés pleins d'affection, et irrités de ne pas l'exprimer avec plus d'adresse. On s'est sentis fort à l'aise...* (A. Bosquet, *Les bonnes intentions*, pp. 43, 44).

On peut certes laisser invariables les adjectifs et participes dans de telles phrases où *on* peut être vu comme un indéfini de sens très général. Même latitude dans celle-ci : *Dites-moi un peu quels deux mois nous venons de vivre, quand on n'a pas la chance d'être nés complètement aveugles* (J. Romains, *Les amours enfantines*, Poche, p. 280).

Mais si le sens indéfini est nettement écarté, on fait l'accord du participe et de l'adjectif : *Pourquoi est-ce qu'on a été choisis pour ce métier-là ?* (M. Druon, *La chute des corps*, Poche, p. 306) dit un médecin à un confrère. *On n'est pas faits pour penser ça (...). On se serait quittés bons amis* (J.-P. Sartre, *Le mur*, Poche, pp. 21, 138). *Betty est revenue (...). On est rentrés pour prendre du café bien chaud. Ça ne sera pas de refus. On s'est installés sur le sofa, chacun dans son coin, avec sa tasse* (Aragon, *La mise à mort*, p. 281). *Les garçons n'ont plus à compter que sur leurs propres muscles (...). On marche à la file, enlisés jusqu'aux genoux* (M. Yourcenar, *Archives du Nord*, p. 146). *Elle ne sera heureuse que lorsqu'on sera mariés* (M. Duras, *Le marin de Gibraltar*, J'ai lu, p. 9). *On était à présent forcés d'être aussi braves que des braves*, écrit Céline (*Voyage au bout de la nuit*, Folio, p. 62), mais il a écrit un peu plus haut : *Prudence pour filer plus vite si on était mal accueilli. Nous parvînmes au passage à niveau*, tandis qu'il écrit quelques lignes plus loin : *Tels que nous allions sur la chaussée, on devait avoir l'air bien inoffensifs tous les deux*. Voir plus haut d'autres exemples d'accord.

3. **Quel pronom personnel employer** pour renvoyer à *on* ? Si on le peut, on emploie *soi* ou *se* : *Ce n'est pas soi qu'on voit* (La Fontaine). *On aime dans les autres ce qu'on retrouve en soi. On se demande. Se* et *soi* renvoient au sujet du verbe de la proposition. Mais en dehors de ce cas, on emploie *nous* ou *vous* selon le sens : *On n'aime guère les gens qui nous font du mal. Qu'on hait un ennemi quand il est près de nous !* (Racine). *On marche dans cette vapeur sans même pouvoir lever le nez à cause du sac qui vous courbe* (P. Vialar, *Le bal des sauvages*, p. 89).

4. Même principe pour **l'adjectif possessif** (ou le *pronom possessif*) renvoyant à *on*. Emploi normal de *son, le sien*, etc. : *On se voit d'un autre œil qu'on ne voit son prochain. On reconnaît facilement les siens. Eh bien, ma petite fille, on a perdu son petit frère ?* Mais l'impossibilité d'employer *son*, notamment parfois après *on* mis pour *vous* ou *nous*, a pour conséquence l'emploi de *notre, votre, nos, vos, le nôtre*, etc.

5. *On* se répète plus souvent qu'un pronom personnel devant un verbe juxtaposé ou coordonné à un autre ayant le même sujet, surtout en proposition principale ou indépendante : *On s'inquiète et on se demande ce qu'il a voulu dire. On frappe à la porte, on entre.*

6. La langue actuelle admet difficilement que *on* se rapporte, dans une même phrase, à des personnes différentes. Au lieu de : *Dès qu'on voit qu'on nous mêle avec tout l'univers* (Molière), on dit : *Dès qu'on se voit mêlé avec tout l'univers* ou *Dès que nous voyons qu'on nous mêle...*

7. **L'on** peut s'employer très librement au lieu de *on* en tête ou surtout dans le corps de la phrase, par souci d'euphonie parfois, plus souvent par souci d'élégance ; c'est dans la langue écrite qu'il apparaît surtout, sans jamais s'imposer. On le trouve particulièrement après *ou, et, où*, on l'évite généralement après *dont* ou devant un mot commençant par *l* : *Les enfants dont on parle. Si on le veut. Et on le lui a donné.*

8. Ne pas oublier *n'* après *on* dans les phrases négatives, devant une voyelle : *On n'est pas plus discret.*

Oncle, n.m. On dit : *L'oncle Jules a écrit* ou *Oncle Jules a écrit*. Quand le nom est en apostrophe, on emploie parfois l'article : *Vous venez, l'oncle ?*

mais généralement un neveu emploie l'adjectif possessif : *Vous venez, **mon** oncle ?*

On-dit, n.m., invariable : *Des on-dit.*

Ongle, n.m. (*de beaux ongles*), a été autrefois féminin et l'est encore dans certaines régions du sud de la France.

Onze, adj.num. **Élision et liaison.** Sauf dans l'expression figée *bouillon d'onze heures* (potion empoisonnée), *onze* est traité de plus en plus, dans la prononciation, comme s'il commençait par un *h* aspiré : *Le **onze** novembre. Une fillette de onze ans. Une lettre du onze. Sonnez au onze. De onze à douze.* Sans l'élision : *chapitre onze, livre onze* ; mais *pag(e) onze* est courant. Sans liaison : *Sept et quatre font onze. Ils étaient onze.* On fait parfois la liaison dans *Il est onze heures* ; on dit le plus souvent, *la messe de onze heures* et *il n'est que onze heures.* On ne fait plus l'élision devant *onzième. Il est le onzième. La onzième année.* Cf. MILLE, 3 : *onze cents* ou *mille cent.*

Open, adj., se traduit par *ouvert* quand on parle d'un tournoi ou d'un billet d'avion.

Opéra-comique, n.m. *Un opéra-comique, des opéras-comiques.*

Opérationnel, adj., est un néologisme venu de l'anglais et qui exprime le souci d'efficacité ; il a débordé du domaine militaire : *une politique opérationnelle, une recherche opérationnelle.* Ne pas en abuser en lui faisant remplacer « en activité, utilisable », etc.

Opiniâtrement (Ac.), adv., a éliminé *opiniâtrément.*

Opportunité, n.f., doit toujours évoquer l'idée d'*opportun*, de ce qui convient au moment, aux circonstances : *L'opportunité d'un propos, d'une démarche, d'une décision.* On évitera donc l'anglicisme donnant à *opportunité* le sens d'« occasion » : *[Nous avons eu l'opportunité de consulter l'intéressé].*

Opposant, n. : *Les opposants au régime, à un projet.*

Opposer, v.tr.dir. *S'opposer à qqn, à qqch. : S'opposer à ce que qqn fasse qqch. On oppose une chose à une autre, un candidat à un autre, opposer deux personnes, deux couleurs, un pays et un autre, une équipe et une autre. On oppose de bonnes raisons, des objections, une fin de non-recevoir. On oppose son veto à qqch. Elle s'est opposée à nos projets.*

Oppresser, opprimer, v.tr.dir. *Oppresser* se dit en parlant de la poitrine, de la respiration ; *opprimer*, de ce qui est soumis à une autorité injuste ou violente. **Oppression** se dit de l'action d'opprimer. **Oppresseur,** comme nom, est toujours masculin et se dit de celui ou de celle qui opprime :

Cette reine fut l'oppresseur de son peuple. Comme adj., on le remplace au féminin par *oppressive* en parlant de choses : *Un régime oppresseur. Des lois oppressives.*

Opprobre, n.m. *Un opprobre.*

Optimal, adj., **optimum,** n.m. Cf. MAXIMUM. Comme nom : *un optimum, des optimums,* préférable à *des optima.* Comme adjectif, en choisissant *optimal, e, aux* (*La température optimale. Les bénéfices optimaux*) de préférence à *optimum,* on évite les hésitations au féminin entre *optimum* et *optima* et au pluriel entre *optimums* et *optima.*

Optimiser, v.tr.dir., mettre dans l'état optimal : *Optimiser la production, un programme,* etc. On peut dire aussi *optimaliser,* mais non [*optimer*].

Opuscule, n.m. *Un opuscule.*

Or, conjonction, amène, en tête d'une proposition, un nouvel élément dans un récit ou intervient dans un raisonnement ; il n'est obligatoirement suivi d'une virgule que devant un complément : *Tous les hommes sont mortels, or Socrate est un homme, donc Socrate est mortel. Or il arriva que... Or c'était un dimanche. Or, un jour, il arriva que... Or, depuis son retour, il s'ennuyait.* On trouve la virgule, inutile, en dehors de ce cas : *Or, il ne faisait guère de doute* (M. Druon, *La chute des corps,* p. 314).

On dit encore *or donc, ainsi donc,* mais *or sus* et *or çà,* loc.interj., sont vieillis.

Orange, n.f. *De la confiture d'oranges. Un jus d'orange. Presser l'orange et jeter l'écorce.* Le nom est masculin quand il désigne la couleur : *Des oranges clairs.* Pris adjectivement pour désigner la couleur, il est invariable : *Des tissus orange* ; mais il est concurrencé par **orangé** (*Des tentures orangées*), qui désigne aussi, comme nom, la couleur : *Des orangés très clairs.*

Orang-outan, n.m. (écrit aussi *orang-outang*). Les *g* ne se prononcent pas ni les *s* au pluriel : *Des orangs-outans.*

Orateur, n.m., se dit aussi d'une femme. *Cette femme est un orateur de talent* (on emploie très peu *oratrice*). *Une femme orateur fut très acclamée.*

Orbe, n.m., **orbite,** n.f., ont des sens bien distincts en astronomie. *Un orbe est l'espace circonscrit par une orbite.* C'est abusivement qu'on donne à *orbe,* qui désigne une surface, le sens d'*orbite,* qui désigne une trajectoire, mais *orbe* s'emploie poétiquement ou littérairement pour « sphère, cercle » : *L'orbe du soleil. L'arc-en-ciel dessine son orbe.* On a tort de condamner l'emploi analogique d'*orbite* dans : *Placer un satellite artificiel sur son orbite* (prévue). *Mettre sur orbite.* On dit très bien : *Graviter dans l'orbite de qqn.*

Ordinaire (d') et à l'ordinaire, loc.adv. *D'ordinaire* (d'habitude). *Comme d'ordinaire* (comme d'habitude). *À l'ordinaire* (à l'accoutumée). *Comme à l'ordinaire* (comme à l'accoutumée).

Ordinand, ordinant, n.m. *L'ordinand* est celui qui va recevoir un ordre sacré ; *l'ordinant,* celui qui le confère.

Ordinaux. Cf. ABRÉVIATIONS et NUMÉRAUX, 4. Quand on recourt à *n* ou *x* pour une quantité non précisée, on écrit souvent *nième* (*la nième puissance*), *xième* ; mais pour rapprocher la graphie de la prononciation, on écrit aussi *énième* et *ixième.* Cf. NUMÉRAUX, 3 : *dates, dynasties, pages,* etc. et CHACUN, 5, p. 217.

Ordonnance, n. souvent féminin mais parfois masculin, désignait le soldat au service d'un officier.

Ordonnancer, v.tr.dir., ne signifie pas « mettre en ordre ». *Ordonnancer un paiement,* donner l'ordre d'en payer le montant ; cela s'appelle l'*ordonnancement.*

Ordonner que est suivi du subjonctif : *Il ordonne que nous le suivions.* Mais lorsqu'il s'agit d'un ordre qui doit être exécuté même par contrainte (militaire, légale, judiciaire), on peut marquer par l'indicatif (futur ou futur du passé) la certitude de cette réalisation : *Le colonel ordonne que les soldats **seront** consignés. Le tribunal a ordonné que ses biens seraient saisis.* Le subjonctif reste permis.

Ordre, n.m. Belgicismes : [*en ordre principal, en ordre subsidiaire, en ordre essentiel,* etc.] pour *principalement* (dans le langage juridique : *au principal*), *surtout, en particulier, particulièrement, en premier lieu, subsidiairement, pour l'essentiel,* etc.

Un écrivain ou une entreprise peuvent être **de premier ordre** (excellents), *de second ordre,* etc. L'expression **de l'ordre de** signifie « du genre de, équivalant (à peu près) à » : *Une dépense de l'ordre de deux millions. Cela est d'un ordre de grandeur égal à ce que vous demandiez.* Autre sens : *Mettre ses affaires **en ordre.** Remettre qqch. en ordre, Mettre de l'ordre dans qqch. J'y mettrai bon ordre,* je ferai cesser ce désordre. Plus rare : *Mettre ordre à qqch.*

On écrit : *Le sacrement de l'ordre. L'ordre des médecins, des dominicains. Le conseil de l'Ordre. Le conseil de l'ordre des avocats.*

Oreille, n.f. *Une boucle d'oreille, des boucles d'oreilles. Un bourdonnement d'oreille* ou *d'oreilles. Avoir du coton dans les oreilles. Être tout yeux tout oreilles. N'écouter que d'une oreille. Ventre affamé n'a pas d'oreilles. Être tout oreilles, dur d'oreille. Rebattre les oreilles,* cf. BATTRE. *J'en ai les oreilles rebattues. Casser les oreilles. Dormir sur ses deux oreilles. Les oreilles ont dû lui tinter. Dresser (ouvrir) l'oreille,* écouter attentivement. *Fermer l'oreille* (ou *les oreilles*) *aux on-dit.*

Ores, adv. *D'ores et déjà,* dès maintenant. Des juristes belges emploient encore la locution adverbiale *dès ores* au lieu de *désormais.*

Orfraie, effraie, n.f. Bien que *l'orfraie,* oiseau de proie diurne, ne se confonde pas avec *l'effraie,* sorte de chouette, c'est *orfraie* qui s'est imposé par confusion dans *pousser des cris d'orfraie,* crier, hurler.

Orge, n.f., est masculin dans *orge mondé, orge perlé.*

Orgue, n.m., ne devient féminin que lorsque, par emphase, au pluriel, on désigne un instrument unique : *Cette église a de belles orgues.*

Oriflamme, n.f. *Une oriflamme.* Attention au genre féminin !

Origan, n.m., et non [*orégan*], plante aromatique.

Os, n.m. Prononciation différente au singulier (*o* ouvert et *s*) et au pluriel (*o* fermé sans *s*).

Oscillation, n.f., **osciller,** v.intr. Prononcer « il ».

Oser, v.tr.dir. Cf. Ne employé seul.

Osso buco, n.m., est invariable. Un seul *c.* On écrit aussi *osso-buco.*

Ostrogoth, adj. et n. On a écrit aussi *ostrogot.*

Otage, n.m. *Cette femme est un bon otage entre leurs mains.*

Ôté reste invariable quand, employé comme préposition, il est placé sans auxiliaire devant le nom ou le pronom : *Ôté cette phrase* (mais *cette phrase ôtée*), *le texte est bon. Ôté ceux qui se sont abstenus, il a pour lui la majorité.* Invariable aussi en termes d'arithmétique lorsqu'il s'agit de nombres employés seuls : *45 ôté de 60, il reste 15.* Mais *10 pommes ôtées de 40, il en reste 30.*

Oto-rhino-laryngologie, n.f. Deux traits d'union.

Ou, conjonction (peut être renforcé en *ou bien*). Pas d'accent.

1. **Ou** et **ou que** peuvent remplacer *soit* et *soit que* devant le deuxième membre d'une alternative. *Soit oubli,* **soit** *mauvaise volonté. Soit oubli* **ou** *mauvaise volonté. Soit qu'il reste,* **soit** *qu'il s'en aille. Soit qu'il reste* **ou** *qu'il s'en aille.* Archaïsme : *ou soit.*

2. **Noms unis par** *ou.* Accord de l'*adjectif,* cf. p. 44 ; du *verbe,* p. 983.

3. *A* ou bien *ou* entre deux nombres. Cf. À et *ou,* p. 20.

4. *Ou* et *ni* en proposition négative. Cf. Ni, A, 1. Remarques, a, p. 619.

5. **Ou si** peut (mais surtout pouvait, dans la langue classique) introduire le second membre d'une alternative dans une interrogation dont le premier membre est présenté comme une interrogation directe : *Est-ce que vous viendrez ou si c'est lui ?* (Ac.). Cf. Si, conj. B, 5, p. 862.

6. On peut dire : *Il l'a dit ou il ne l'a pas dit* ou bien *Ou il l'a dit, ou il ne l'a pas dit. Je viendrai (ou) dimanche ou lundi.*

7. *Ou sinon.* Cf. SINON, 3, p. 869.

Où, adverbe ou **pronom relatif.** Accent grave.

1. Il ne s'applique aujourd'hui qu'à des choses et peut s'employer sans antécédent, seul ou après une des prépositions *d', jusqu', par, pour,* parfois *vers,* ou après un antécédent, nom, adverbe, ou après *c'est : Où allez-vous ? Il ne sait où aller. Où en suis-je ? Par où est-il passé ? Jusqu'où ira-t-il ? Pour où part-il ? Vous partez ? Pour où ? Vers où allez-vous ? La maison où il est né. Voilà où j'en suis. Partout où il passe. Là où il se trouve. C'est où je voulais en venir.*

2. **Où** et **que.** Après un nom exprimant le temps, on emploie aujourd'hui *où* plutôt que *que* (cf. ce mot) : *Le jour où il est venu. L'hiver où il a fait si froid. Au moment où je l'ai vu.*

3. **Où** et **lequel, auquel, à quoi,** etc. *Où* cède généralement la place à ces pronoms. On ne dit plus guère : *Les affaires où je suis intéressé* (Ac.). *Le but où il tend* (Ac.). *L'estime où je vous tiens* (Molière). *La ville vers où vous allez.* On dit : *Les affaires auxquelles je suis intéressé. Le but auquel il tend. L'estime dans laquelle je vous tiens. La ville vers laquelle je me dirige.* On dit encore : *L'obligation où je me trouvais. À l'allure où il va. Au prix où vous me comptez cela. Du train où vont les choses.*

4. *Où trouvera-t-on ce livre ?* ou bien *Où est-ce qu'on trouvera ce livre ? Je sais où il est* mais non [*où qu'il est*]. *Jusqu'où ira-t-il ?* ou *Il ira jusqu'où ?*

5. **Où que** et le subjonctif (= quel que soit le lieu où) : *Où qu'il soit.*

6. *Là* peut servir d'antécédent à *où* (*J'irai (là) où vous irez*), surtout en tête de phrase : *Là où il est, on ne le cherchera pas.* Cf. LÀ.

7. *Dont* et *d'où.* Cf. DONT, 9.

8. Ne pas ajouter *y* à *où : Il est heureux dans cette ville où il* [*y*] *rencontre beaucoup d'amis.*

Ouate, n.f. L'élision est facultative et fréquente devant *ouate : l'ouate* ou *la ouate, de l'ouate* ou *de la ouate, d'ouate* ou *de ouate.*

Oublier, v.tr.dir. 1. **Devant un infinitif** : *Oublier de faire une chose.*

2. **Oublier si** est suivi de l'indicatif : *J'ai oublié si on le lui avait demandé. J'oubliais s'il l'avait demandé.* De même, *oublier comment, pourquoi, qui,* etc. : *J'oubliais pourquoi il était là.*

3. **Oublier que.** Disons nettement, après enquête, que, en dépit de l'affirmation de certains grammairiens, il n'est plus suivi du subjonctif qu'à peine un peu plus d'une fois sur cent. Les deux modes ont pu se faire concurrence dans certains cas. Aujourd'hui, conformément à l'usage

comme à la logique, *oublier que*, positif ou négatif, est suivi de l'indicatif (ou du conditionnel s'il y a éventualité) : *J'allais oublier qu'on pouvait nous entendre. Je n'oublie pas qu'on peut nous entendre. J'oubliais qu'il nous avait donné sa parole. Je n'oubliais pas qu'il avait pris des engagements. Je n'oublie pas (je n'oubliais pas) que dans ce cas il nous aurait avertis.*

Le subjonctif n'apparaît plus, tout à fait exceptionnellement et sans jamais s'imposer, qu'après *oublier* affirmatif et au passé, quand le sujet oubliait la chose et quand donc pour lui le fait était hors de la réalité envisagée : *Il oubliait que cette phrase vînt de son père* (A. Gide, *Les caves du Vatican*, Poche, p. 47). Même dans ce cas, d'ailleurs, l'indicatif est infiniment plus courant, chez cet auteur comme chez les autres. C'est que, par définition, quand on dit : *Je n'oublie pas* (ou *je n'ai pas oublié*) *que vous m'avez aidé, J'oubliais que vous m'aviez aidé*, on reconnaît et on affirme comme une réalité le fait de l'aide, même si on l'a un certain temps oublié. L'indicatif est donc toujours logiquement justifié. C'est une erreur de prétendre que l'emploi du mode est plus ou moins libre et que l'indicatif n'intervient que si l'on veut souligner la réalité objective du fait énoncé, comme dans cette phrase : *Madame, oubliez-vous Que Thésée est mon père et qu'il est votre époux ?* (Racine, *Phèdre*, v. 663, 664).

4. *Oublié* **de** ou **par.** Cf. De ou *par*, p. 302.

Oued (rivière d'Afrique du Nord), n.m. Pluriel (francisé) : *des oueds* et non *des ouadi* (forme arabe).

Oui, adv. Élision facultative et familière, mais exceptionnelle dans l'écriture, devant *oui* : *Je crois que oui.* Pas de liaison : *un oui, des oui.* — *Oui bien* (assurément) est vieilli ; *oui-da* est familier.

Oui s'emploie parfois comme un renforcement à la fin d'une question : *Tu l'as vu, oui ?* cf. Non, 5, p. 632.

Si, oui et non. Cf. Non, 6, p. 632.

Nom invariable : *des oui et des non.*

Ouï-dire, n.m. *Un ouï-dire, des ouï-dire.* Pron. « wi ».

Ouïr (pron. « wir » beaucoup plus souvent que « ou-ir ») est très défectif. *J'ai ouï dire.* Employé sans auxiliaire devant le nom, *ouï* reste invariable. *Ouï les témoins.* Part. prés. *oyant* (pronocé « o-yan »).

Ouistiti, n.m. Ni élision ni liaison : *Un drôle de ouistiti. Des ouistitis.*

Oukase, n.m., doit être préféré à *ukase* comme rendant mieux la prononciation : *un oukase* (ordre catégorique, plutôt brutal).

Ouléma, n.m. d'un théologien musulman, est à préférer à *uléma.*

Ourdir, v.tr.dir. On peut dire : *Ourdir la trame d'un roman* (GLLF), *ourdir* (ou *tramer*) *un complot.*

Ours (on prononce *s*), n.m. Féminin *ourse* pour la femelle.

Oust ! ou **ouste** ! Interj. pour faire partir qqn au plus vite.

Outrageant, adj. *Des propos outrageants.* On n'emploie plus l'adj. *outrageux.* Mais l'adv. **outrageusement** reste vivant.

Outre, adv., encore employé par des écrivains avec *plus* ou des verbes comme *aller, chercher,* dans le sens de « au-delà », n'est plus guère vivant que dans *passer outre* (aller plus loin), **passer outre à qqch.** (ne pas en tenir compte) : *Il a passé outre à nos objections.* Ne pas dire, comme quelques écrivains, [*passer outre qqch*] : *passer outre les préjugés* (S. de Beauvoir, *Mémoires d'une jeune fille rangée,* Poche, p. 47). — Locution adverbiale, **en outre** (en plus ; de plus) : *Il paie un gros loyer et en outre des charges excessives.*

Outre est aussi une préposition : *Outre quelques députés, il y avait là deux ministres.* Inutile et critiquée, mais bien installée dans le meilleur usage, la locution prépositive *en outre de* a le même sens (en plus de).

Outre intervient, suivi d'un trait d'union, dans certains **composés** où il signifie « au-delà de » : *outre-mer, outre-monts, outre-tombe, outre-Atlantique, outre-Manche, outre-Meuse, outre-Rhin.* Noter qu'en parlant d'une couleur on écrit *du bleu d'outremer, une étoffe bleu d'outremer, une étoffe outremer.*

Outre mesure, loc.adv. = à l'excès.

On ne dit plus *d'outre en outre,* mais *de part en part.*

Outre que, loc.conj., est suivi de l'indicatif ou du conditionnel : *Outre qu'il était trop âgé, il n'avait pas les qualités requises* (en plus du fait que...) *Outre qu'il serait mal accueilli, il n'est pas qualifié pour nous représenter.*

Outré, adj., **outrer,** v.tr.dir. *Une flatterie outrée* (excessive). *Une prudence outrée. Être outré* (fâché, indigné) *de qqch., par qqch. Ses propos m'ont outré. Des regards outrés.*

Outrepasser, v.tr.dir., « dépasser la limite », s'emploie surtout au figuré et demande un complément comme *un ordre, ses devoirs, ses droits.*

Outsider, n.m. prononcé à l'anglaise, se dit d'un cheval ou d'une personne qui, dans une compétition, n'était pas au départ parmi les favoris.

Ouvrable, adj., s'emploie surtout dans *jour ouvrable,* jour consacré normalement au travail, opposé à *jour férié.*

Ouvrage, n.m. *Un ouvrage.* Laisser *de la belle ouvrage* (au lieu de *du bel ouvrage*) à la langue populaire.

Ouvre-. Composés : *Ouvre* reste invariable, le second élément prend *s* au pluriel : *Des ouvre-boîtes, ouvre-bouteilles, ouvre-gants, ouvre-huîtres.* Cf. Noms composés, B, 5, p. 626.

Ouvrir. On peut dire : *ouvrir la porte à des abus, une route à la circulation. Une fenêtre ouvre* (ou *s'ouvre*) *sur la campagne. On s'ouvre de qqch. à qqn,* on lui confie sa pensée. *Ils se sont ouverts de leurs ennuis à leurs parents. La séance s'est ouverte dans le calme.* — **Ouvert.** Cf. GRAND, 3.

Ovale, adj. et n.m. *Un visage ovale. Un ovale.*

Ovationner, v.tr.dir., c'est faire une ovation à qqn, l'acclamer très bruyamment.

Overdose, en médecine, doit se traduire par *un surdosage.*

Overdrive se dit en français *surmultiplication.*

Ovipare, adj. et n.m. *Un animal ovipare. Un ovipare.*

Ovule, n.m. On dit toujours : *un ovule.*

Ovni, n.m. Ce nom est originairement un sigle (O.V.N.I.) pour « objet volant non identifié ». Après l'avoir laissé invariable, on écrit plutôt aujourd'hui : *des ovnis.*

Ozone, n.m. *L'ozone est un oxydant.* On dit : *ozoné* ou *ozonisé.*

P

Pacemaker, n.m., prononcé à l'anglaise, doit être remplacé par **stimulateur cardiaque.**

Pacotille, n.f. Un *c*, un *t*.

Padou, n.m. d'un ruban. La forme *padoue* est vieillie.

Paella, n.f. d'un plat espagnol, se prononce en français « paéla » ou « paélya ».

Paf !, interjection exprimant un bruit de chute, de coup, devient dans la langue populaire un adj. invariable signifiant « ivre », mais ne signifie pas « déconcerté » comme il le fait en Belgique.

Pagaie, n.f. sorte d'aviron. Le verbe est **pagayer.**

Pagaille (on a écrit aussi *pagaïe*), n.f., « grand désordre », est familier. *Mettre la pagaille, semer la pagaille. Être en pagaille.*

Page, n.f. *À la première page, à la page dix d'un livre, à ou sur la première page d'un carnet, en page 4* ou *en quatrième page d'un journal, la suite page 2. La page de titre d'un livre ; la mise en pages ; le titre en haut de page.*

Paie, n.f., **paiement,** n.m. Cf. PAYER.

Païen, adj. ou n., *païenne.* Tréma.

Paille, n.f. *Des tentures paille* (couleur de paille).

Paillote, n.f. Un seul *t*.

Pain, n.m., peut se dire pour une préparation culinaire en forme de pain : **pain de viande,** *pain de veau, de poisson.*

    Pain d'épice ou **d'épices.** Les deux orthographes sont correctes : la première est plus courante en France, la seconde en Belgique.

Pain à la grecque désigne en Belgique une sorte de biscuit sucré. On prétend que le nom est une déformation du flamand *gracht*, fossé, le premier nom ayant été *wolfgrachtbrood*, pain du fossé au loup, d'après l'endroit où on les distribuait aux pauvres au centre de Bruxelles.
Pain français désigne en Belgique une *baguette* (de pain), une *flûte* (de pain).
Du pain perdu (trempé dans du lait et frit).
Un pain de savon ou *une brique de savon* ou *un savon*.

Pair, n.m. *Un emprunt émis **au-dessous du pair**.* On dit **hors de pair** ou **hors pair**, sans égal. *Ces deux choses (ou personnes) vont ou marchent **de pair**. Son aventure va de pair avec la nôtre.*

Paire, n.f. *C'est une autre paire de manches* (fam.), c'est tout à fait différent et plus difficile. *Une paire de draps, de ciseaux, de lunettes. Une paire de bœufs, d'amis, de coquins. Les deux font la paire.*

Paître, v.tr.dir. ou intr. Accent circonflexe sur *i* devant *t. Le bétail paît l'herbe de ce champ. Pais mes brebis* est un tour aujourd'hui archaïque et littéraire. On dit : *faire paître, mener paître le troupeau.* Fam. *Envoyer paître qqn*, s'en débarrasser brutalement.

Pal, n.m. Pluriel : *des pals.*

Palabre, n.f. Le masculin devient rare.

Palais, n.m. *Le palais de justice* ou *le palais. Le palais du Louvre. Le Grand Palais* (à Paris). *Le Palais-Bourbon. Le Palais-Royal.*

Pale, n.f. d'un linge liturgique, s'écrit aussi *palle.*

Pâlir, v.intr. Auxiliaire : *avoir* l'emporte nettement. *Elle **a** bien pâli depuis que je m'en occupe* (J.-P. Sartre, *La nausée*, p. 25).

Palissader, v.tr.dir., entourer d'une palissade : *Palissader un jardin, un chantier.* **Palisser** *un pêcher*, en étaler et en fixer les branches contre un support.

Pallier est proprement un verbe transitif direct signifiant « couvrir d'un manteau » (latin *pallium*). Il ne s'emploie plus absolument (*Ces remèdes ne font que pallier*) mais avec le sens de « dissimuler » ou de « présenter favorablement, sous une apparence spécieuse, pour le masquer, l'atténuer, qqch. de blâmable » : *Pallier les insuffisances d'un travail.* D'où, en médecine, appliquer un remède qui au lieu de guérir le mal en atténue provisoirement les symptômes, sans agir sur sa cause. C'est le sens de **palliatif** dans *un traitement palliatif, un remède palliatif* ou *un palliatif*, n.m. : *Un palliatif à un mal.* On s'explique que *pallier* en soit venu à se construire avec *à* comme *remédier*. Toutefois son vrai sens, qui n'est pas celui de *remédier*, mais d'« atténuer » ou de « dissimuler », doit faire éviter cet emploi. Il convient de dire, malgré les exemples de bons écrivains : *pallier un mal, un danger, une défaillance, une insuffisance, un inconvénient.*

Pâlot, adj. Féminin : *pâlotte,* deux *t.* Accent circonflexe comme dans *pâle, pâlir.*

Palpe, n.f., terme d'entomologie, est souvent masculin chez les naturalistes.

Palpitant, adj., peut se dire de ce qui palpite (un organe, le cœur, une personne) ou de ce qui fait palpiter (un roman, une situation, un intérêt, une question) : *Une scène palpitante d'intérêt.*

Pâmer, v.intr. (*Elle pâme*), a vieilli ; on dit *se pâmer d'amour, de joie, d'admiration,* etc. *Elles se sont pâmées de rire. Ce spectacle les a fait (se) pâmer de rire.*

Pamplemousse, n.f. pour l'Académie et certains auteurs, s'emploie de plus en plus au masculin : *Un pamplemousse.*

Panacée, n.f., d'après son étymologie, désigne un remède qui guérit tout. *Panacée universelle* est donc un pléonasme qu'il convient d'éviter ; mais il se rencontre chez d'excellents auteurs depuis longtemps et est courant, parce qu'on n'a guère conscience du sens étymologique.

Panade, n.f., soupe à base de pain et d'eau. Populaire, *être dans la panade,* être dans la misère.

Pané, adj., couvert de chapelure. *Une escalope panée.*

Panique, adj., ou n.f. *Une terreur panique* ou *la panique* se dit proprement d'une peur violente qui s'empare d'une collectivité. Mais on n'hésite pas à dire d'une personne qu'*elle a été prise de panique.* **Paniquer** est trans.dir. (*Il est capable de paniquer tout le monde. Ils ont été paniqués*) ou intr. (*Il manque de sang-froid, il panique* (s'affole) *facilement*).

Panne, n.f. Belgicismes : appeler *panne* un bassin hygiénique, une tuile ou, en Flandre, une poêle à frire.

Panonceau, n.m., longtemps réservé à la plaque métallique placée en France à la porte des notaires et des huissiers, se dit aussi par extension des plaques indiquant la catégorie des hôtels et tend à se dire de toute « plaque servant de support à des inscriptions, des renseignements » (Lexis) ; ne pas confondre toutefois avec *enseigne.*

Pantalon, n.m. On parle d'habitude aujourd'hui d'*un pantalon* pour un seul vêtement. Mais on dit et on écrit encore, moins qu'autrefois, *des pantalons* dans ce sens. Ne plus parler de *pantalons longs* (J. Anouilh, *Pièces brillantes,* p. 423). On a dit autrefois *pantalon* et plus souvent *pantalons* pour un sous-vêtement de femme ; emploi vieilli. On parle de *culotte* (ou de *culottes*, même pour un seul vêtement) ou de *slip*.

Pantalonnade, n.f., bouffonnerie ou subterfuge ridicule et méprisable pour sortir d'embarras ou démonstration ridicule d'un sentiment : *Il s'en est tiré par une pantalonnade* (Ac.). *Le deuil qu'il affiche est une sinistre pantalonnade* (Ac.).

Pantois, adj., après s'être dit des faucons haletants, s'applique aux personnes dont le souffle est coupé par l'émotion, par la surprise. On ne devrait pas hésiter à employer le féminin (rare) : *Elle est restée toute pantoise.*

Pantomime, n.m., est synonyme de *mime*, mais ne se dit plus guère dans ce sens ; on parle *d'une pantomime* pour une mimique, une scène muette accompagnée de gestes. Comme adjectif, *une danse pantomime, un ballet pantomime, des ballets pantomimes.*

Pantoufle, n.f. Un seul *f. Sortir en pantoufles.* Fam. *Raisonner comme une pantoufle,* d'une manière stupide.

Paon, n.m. prononcé « pan ». Féminin (rare) : *paonne* (prononcer « panne »).

Pape, n.f., se dit en Belgique, comme en flamand *pap,* pour bouillie, riz au lait, colle de pâte.

Papier, n.m. *Du papier ministre, du papier à lettres, à dessin, à musique, à en-tête. Du papier de verre, du papier émeri. Du papier pelure. Du papier hygiénique. Du papier peint. Du papier-calque. Du papier-monnaie. Du papier-filtre. Une corbeille à papier.*

Papilionacé (attention à l'orthographe : *iliona*), adj., parce que c'est un dérivé du latin, n'a pas deux *n* comme les dérivés de *papillon* : **papillonner, papillonnage** (le GLLF admet *papillonage*), **papillonnement.**

Papilloter, v.tr.dir. ou intr. *Ses yeux papillotent* (sont entraînés par un mouvement rapide qui les empêche de se fixer sur un objet). *Ses paupières papillotent* (battent rapidement). *La lumière, le soleil papillote. — Papilloter ses cheveux, sa tête, une côtelette.* On met le n.f. **papillote** au pluriel dans : *les cheveux, la tête, des côtelettes en papillotes,* mais *une côtelette en papillote.*

[Papin], n.m. Emploi belge pour *un cataplasme.*

Pâque, Pâques. 1. Fête juive ou russe : *la pâque juive* ; on trouve aussi la majuscule. — 2. Fête chrétienne. Sans article, pour désigner le jour, n.m.sing. : *Pâques est tombé tôt cette année. Des œufs de Pâques.* Avec une épithète ou un déterminant, n.f.pl. : *Pâques fleuries* (le dimanche des Rameaux), *Pâques closes* (le dimanche de Quasimodo). *Joyeuses Pâques.*

Faire ses pâques (plus souvent que *ses Pâques*) se dit en Belgique non seulement de la communion pascale mais de la communion solennelle. *Faire de bonnes pâques* (plus fréquent que *de bonnes Pâques*).

Paqueter, v.tr.dir., « mettre en paquets », est généralement remplacé par **empaqueter.** Cf. VERBE, B, *conjugaison,* p. 963.

Par, prép. Cf. À et *par,* p. 20, AILLEURS, COMMENCER, CONTRE, DÉBUTER, EXPRÈS, FINIR, HEURE, INFINITIF, PARENTHÈSE, DE, 7 (*par* ou *de* devant le complément d'agent, p. 302).

De par n'est plus guère en usage dans le sens de « de la part de », « par ordre de » : *De par le roi* (altération de *part*). Aujourd'hui l'expression s'emploie dans *De par le monde* = « quelque part dans le monde » ou « à travers le monde » et surtout dans un sens causal : *Il était, de par son caractère, fait pour agir (...). Dans cette grande pièce qui, de par la tradition, sert à la fois de bureau (...) et de salle de réunion* (Ch. de Gaulle, *L'appel,* Poche, p. 62 et p. 123). *J'en ai la force, de par la confiance que me fait le peuple français.(...). Stratégiquement les terres françaises devaient, de par la nature, jouer un rôle capital* (Id., *Le salut,* Poche, pp. 118 et 437). On voit que, dans ces quatre phrases, *de par* correspond successivement à : 1) *par* ou *en raison de, par effet de,* 2) *conformément à, par* (non suivi d'un article), 3) *grâce à,* 4) *en raison de.*

Autre sens dans la langue familière : *Il est **de par ici*** (= du côté de, des environs de ; il est de cette région). *Êtes-vous de par chez nous ?* (= de chez nous). *Tout ce qui venait de par chez moi était son butin préféré* (P. Claudel, *Le soulier de satin,* éd. pour la scène, 1944, p. 209).

Par est suivi normalement du pluriel dans les expressions **par bonds,** *endroits, dizaines, instants, moments, intervalles, catégorie,* etc. (= en faisant des bonds, à certains endroits, selon les intervalles, les catégories) et du singulier dans **par personne** et *par âge, par sexe, par jour, par an, par heure,* etc. (= suivant l'âge, le sexe, chaque jour, chaque année, en une heure). — *Par trois fois* = à trois reprises.

Par **suivi d'un adverbe.** Sans trait d'union : *par ailleurs, par ici, par là* (mais *par-ci, par-là*)*, par en haut, par en bas, par trop* (renforce *trop* : *C'est par trop difficile,* c'est vraiment trop difficile). Trait d'union : *par-deçà, par-delà, par-dedans, par-dehors, par-dessus, par-dessous, par-devant, par-derrière* et aussi dans *par-devers.*

Para, préfixe, peut, tiré du grec, signifier « à côté de » (*parafiscal*) ou, en rapport avec *parer,* « contre » (*parachute, parachutiste,* abrégé en *para,* n.m.). Dans le premier sens, le terme belge *parastatal* correspond au français **paraétatique** ; comme n.m., *organisme ou institution paraétatique.* On ne met un trait d'union que devant *a, i, u* : *para-universitaire.*

Paradis, n.m. On dit : *en paradis* ou plus souvent, aujourd'hui, *au paradis.*

Parafe, n.m. *Mettre son parafe.* **Parafer.** On écrit aussi *paraphe, parapher.*

Paraffine, n.f. Deux *f* (corps qui a peu d'*affinités* avec les autres).

Paraître, v.intr. (accent circonflexe sur *i* devant *t* dans toute la conjugaison).

1. **Auxiliaires.** *Avoir* s'impose aujourd'hui quand *paraître* signifie « sembler » : *Il a paru surpris. Il a paru s'émouvoir. Cela m'a paru regrettable*, ou quand il s'agit de personnes : *Lorsque l'actrice a paru sur la scène. Il n'a pas paru à son bureau hier.* S'il s'agit de publications, *avoir* ou *être* quand il s'agit de l'action : *Ce livre a paru* ou *est paru en 1970.* Pour l'état, *paru* étant adjectif, on emploie *être* : *Le livre est maintenant paru. L'article est paru depuis deux jours.* Lorsque Flaubert écrit : *Je ne suis pas encore paru que l'on m'écorche*, il substitue sa personne à son livre, mais emploie l'auxiliaire qui conviendrait au livre.

2. **Sans auxiliaire,** uniquement lorsqu'on pourrait employer *être* : *Les livres parus l'an dernier.*

3. **Paraître tel âge** est correct : *Elle avait trente ans et les paraissait. Il paraît trente ans à peine. Elle paraît plus que son âge.*

4. *Il* (*me, te,* etc.) *paraît que,* **avec un attribut** et exprimant une appréciation, est suivi de l'infinitif ou du mode qu'on emploierait avec *être* et le même adjectif : *Il me paraît nécessaire de le rencontrer. Il (me) paraît nécessaire que vous le fassiez. Il me paraît certain qu'il a tort, qu'il devrait s'excuser. Il ne me paraît pas certain qu'il l'ait dit* (ou *l'a dit*). **Sans attribut,** (j'ai l'impression, je crois), on emploie l'indicatif ou le conditionnel si l'expression est affirmative : *Il me paraît qu'il a tort, qu'il devrait s'excuser,* le subjonctif si l'expression est négative : *Il ne me paraît pas qu'on doive lui répondre.*

5. **Il paraît que** (on dit que) est suivi de l'indicatif ou du conditionnel : *Il paraît que cet enfant sait déjà lire. Il paraît qu'il aurait eu un accident.* L'ellipse de *il* appartient au langage familier. **Il ne paraît pas que** (il ne semble pas que) est suivi du subjonctif : *Il ne paraît pas que ce soit opportun.*

6. **À ce qu'il paraît,** « selon les apparences » ou « dit-on » : *Il est malade, à ce qu'il paraît.* Ne pas dire : [*À ce qu'il paraît qu'il est malade*]. On peut dire *À ce qu'il me paraît, il est malade* ou *Autant* (ou *suivant* ou *selon*) *qu'il me paraît* (Ac.).

7. De l'emploi impersonnel est issu l'emploi, senti comme dialectal en français régional de Belgique, de *paraît* employé seul comme une sorte d'interjection d'insistance ou, dans le sens de « donc », « voyez-vous », etc. : *C'est que moi,* [*paraît, moi*]... *Vous êtes-là,* [*paraît*]? *Je me fais obéir,* [*paraît*]*, moi.*

8. **Sans qu'il y paraisse** = sans que cela se remarque, sans avoir l'air de rien. *Il y paraît,* la chose se voit. *Il n'y paraît pas* ou *plus.*

Parallèle, n. Distinguer *un parallèle* (cercle parallèle à l'équateur ; rapprochement comparatif) et *une paralléle* (droite parallèle, tranchée).

Parallélépipède, parallélipipède, n.m. Les deux formes sont anciennes et admises. La deuxième est adoptée par l'Académie, la première est plus courante et conforme à l'étymologie (grec *epipedon*, surface) et à l'usage.

Paramètre, n.m., désignant en mathématiques une quantité fixée à volonté, a pris le sens de « élément constant dans un calcul, dans une opération intellectuelle » (Lexis). On sera souvent mieux compris en parlant d'une *constante* ou d'un *élément nouveau* au lieu d'un *nouveau paramètre*.

Paraphe. Cf. PARAFE.

Par après. Cf. APRÈS.

Parastatal, adj. Cf. PARA.

Parc, n.m., est recommandé au lieu de *parking* (*parc de stationnement*). Cf. PARCAGE, PARKING. En Wallonie, on emploie en français régional *parc* pour parterre, semis, carré, planche (de salades, de légumes, de carottes, de semis). Ne pas le remplacer par *plate-bande*, qui désigne l'étroite bande de terre garnie de fleurs ou d'arbustes qui entoure un carré de jardin.

Parcage, n.m., désigne l'action de parquer : *Le parcage d'une voiture.* S'emploie aussi pour *parc de stationnement.* Cf. PARKING.

Parce que, conj. Ne pas confondre avec *par ce que* (= par cela que) : *Par ce que vous me dites, je comprends mon erreur.*
En dehors des cas où il s'impose pour exprimer la cause (cf. CAR), *parce que* est seul permis pour répondre à la question *pourquoi ?* (*Pourquoi n'est-il pas venu ? — Parce qu'il est malade*).
On l'emploie seul pour marquer le refus ou l'impossibilité de donner une explication : *Pourquoi as-tu fait cela ? — Parce que.* On n'emploie pas *car* non plus, mais *parce que* après *c'est* (*c'est parce que* ; on peut dire : *c'est que*) ou après un adverbe (*précisément parce que, non parce que* ou *non que*) ou quand la proposition causale est l'objet d'une interrogation : *Est-ce parce qu'il ne vous a pas répondu ?*
On fait parfois l'ellipse du sujet et du verbe *être* si celui-ci vient d'être employé ou si l'on a pu sous-entendre « qui est » : *Voilà l'histoire d'un homme malheureux parce que déçu.*

Par contre. Cf. CONTRE.

Par-derrière, par-devant, loc.prép. et adv., **par-devers,** loc.prép. Trait d'union.

Par-dessus, loc.prép. et adv. Trait d'union. Mais : *un pardessus.*

Pardon, n.m., peut se dire interrogativement pour prier qqn de répéter ce qu'on n'a pas compris. Cf. PLAIRE, 4.

Pardonnable, adj., se dit des personnes comme des choses.

Pardonner, v. Au lieu de *pardonner à qqn,* des auteurs emploient encore l'expression, pourtant vieillie, *pardonner qqn.* Mais on dit fort bien, au **passif,** sans complément, *Vous êtes pardonné* (comme *Vous êtes obéi*): *Peut-être moi, (...) ne serais-je pas pardonné* (J. d'Ormesson, *L'amour est un plaisir,* Poche, p. 209). Mais on dit: *pardonner* **qqch.,** *pardonner les injures, pardonner* **qqch.** *à* **qqn.**

Dans le sens d'«excuser», *pardonner à qqch.* (*pardonnez à mon indiscrétion*) est vieilli et littéraire. On dit: *Pardonnez mon indiscrétion. Cette erreur lui sera pardonnée.*

Devant un infinitif: *Je lui ai pardonné de ne pas m'avoir invité.*

Pare, ind.prés. de *parer,* dans les **composés.** Cf. NOMS COMPOSÉS, B, 5.

Pareil, adj., signifie «semblable par l'aspect, la nature, la valeur, etc.», mais peut aller jusqu'à signifier «le même». Son complément est introduit par *à* et non par *que*: *Il est* **pareil** *à* **nous.** *À nul autre pareil. Ils sont pareils l'un à l'autre* ou *Ils sont pareils. Une femme sans pareille. En pareil cas.* — **C'est, ce n'est pas pareil,** «la même chose»: *Les enfants sont de merveilleux juges du caractère (...). Clarisse, c'est pareil* (J.-L. Curtis, *La parade,* J'ai lu, p. 106). *Que ce fût moi ou un autre, c'était pareil* (J.-P. Sartre, *Le mur,* Poche, p. 33). *Hier, à* **pareille heure,** à la même heure qu'aujourd'hui. *À une heure pareille* ou *à pareille heure* peut signifier selon les circonstances, «à telle heure», «si tôt» ou «si tard», ou «si malencontreusement». *Être mêlé à* **une affaire pareille,** si fâcheuse. *Il y a longtemps que nous n'avions été à* **pareille fête,** si agréable.

Sans pareil. *Des beautés sans pareilles. Des efforts sans pareils.*

L'emploi de *pareil* comme **adverbe** pour «pareillement, de la même façon» est répandu dans la langue parlée mais est considéré comme très familier ou même populaire et doit être évité: *Tu feras pareil. Il les aime tous les deux pareil. Nous pensions pareil. Elles étaient habillées pareil.*

Comme **nom**: *Il n'a pas son pareil. Elle n'a pas sa pareille. Ils n'ont pas leurs pareils. Rendre la pareille à qqn.* Très familier ou populaire: *Être du pareil au même,* être la même chose, revenir au même.

Pareillement, adv. *Ils sont à plaindre pareillement,* dans la même proportion. *À votre santé!* — *Merci. Pareillement!*

Parenthèse, n.f. *Ouvrir ou fermer une parenthèse* ou *la parenthèse.* **Par parenthèse** (singulier), en passant, incidemment ou **entre parenthèses** (pluriel): *Soit dit par parenthèse* ou *entre parenthèses.*

Parer (en dehors du sens d'« arranger », d'« orner »), v.tr.dir. ou ind. *On pare un coup*, on le détourne, on l'évite. *On pare à un inconvénient, à une éventualité, au plus pressé*, on prend toutes les dispositions nécessaires.

Parfaire, v.tr.dir. *On parfait un ouvrage, une technique, un travail*, on les conduit à un état d'achèvement idéal. *On parfait une somme, un paiement*, on ajoute ce qui manque.

Parfois, adv., signifie « à certains moments, de temps en temps, dans certaines circonstances, à l'occasion », mais non « par hasard, peut-être ».

Parhélie, n.f., est à préférer à *parélie*.

Parier, v.tr.dir. ou intr. Attention à l'emploi transitif et à celui des prépositions. *On parie une somme, un verre* et non [*pour une somme, pour un verre*]. L'objet du pari s'exprime sous la forme d'une proposition introduite par *que* ou par un pronom, ou par *pour* ou *sur* : *Je parie qu'il réussira. Parier sur un cheval, pour un cheval. Je parie pour son succès, pour tel joueur, sur le favori. Je l'aurais parié.*

Le complément désignant éventuellement la personne avec qui l'on parie est introduit par *avec* ou, beaucoup moins souvent, par *contre* : *Il avait parié avec son frère que leur amie ne viendrait pas.* On emploie *contre* dans : *Parier à dix, à cent contre un.*

Dans le sens d'« affirmer avec force, soutenir », on dit familièrement, avec pour complément un pronom personnel de la 1re ou de la 2e personne : *Il m'a parié qu'il réussirait. Je te parie qu'il va réussir. Il m'a parié le déclin rapide de cette entreprise* (GLLF). Sans un tel complément : *Je parie qu'il réussira.*

Parjurer (se). Deux sens : violer son serment, faire un faux serment. *Ils se sont parjurés.*

Parking, n.m., a deux sens : 1) action de parquer une voiture. À remplacer par *parcage* (ou *stationnement*) : *Parcage autorisé* ; 2) emplacement affecté à ce stationnement ; *parking* résiste à *parc à autos, parc de stationnement, parcage.*

Parlant peut être gérondif, participe présent, adjectif ou nom.

Il s'emploie comme **gérondif** (invariable) sans *en* après un adverbe en -*ment* (*généralement, strictement, économiquement, littéralement*, etc.) pour indiquer le point de vue auquel on se place : *Strictement parlant*, en parlant strictement.

Participe présent (voir ce mot) : *des gens parlant à tort et à travers, les gens parlant français.*

Adjectif : *un sujet parlant, une horloge parlante, un film parlant, un portrait parlant* (très ressemblant, très expressif), *des regards parlants, des documents parlants, des preuves parlantes* (convaincantes par elles-mêmes, significatives).

Nom: On peut se demander si *parlant* est un nom ou un participe présent, et donc s'il est variable ou invariable, dans **parlant français** précédé de l'article. Cf. PARLER, 3.

Parler. 1. Parler le français, parler français, parler en français.

On a prétendu introduire une distinction de sens entre les deux expressions *parler français* et *parler le français*. La première, qui est très vieille, se dirait de ceux dont le français est la langue maternelle et la seconde s'appliquerait aux étrangers qui se servent occasionnellement du français. En fait, les deux expressions ont le même sens (s'exprimer en français) et l'on peut demander à un étranger : *Parlez-vous français ?* ou *Parlez-vous le français ? — Ce sont des Espagnols qui parlent français* (B. Clavel, *L'Espagnol*, J'ai lu, p. 53).

Parler en français a proprement un autre sens ; il marque le choix d'une personne qui, dans telle circonstance particulière, s'exprime en français : *L'ambassadeur a parlé en français.* On pourrait d'ailleurs dire : *a parlé français.*

Il va sans dire que l'article ou un déterminatif est nécessaire quand il s'agit d'un français déterminé : *Il parle le français du Midi* ; *un français régional, un français châtié.*

2. **Parler politique, parler chiffons, métier,** etc. supposent, semble-t-il, l'ellipse de la préposition *de ;* on peut toujours employer celle-ci.

3. Comment écrire **les parlant(s) français** ? L'usage est hésitant. Le bulletin de l'A.F.A.L. (Association française d'accueil et de liaison) a écrit : *les parlant français,* tandis que les documents de la F.I.P.F. (Fédération internationale des professeurs de français) écrivaient : *les parlants français.* C'est que l'expression est susceptible d'analyses différentes.

Parler français pouvant être considéré comme ayant le même sens que *parler le français,* on peut voir dans *les parlant français* (trait d'union contraire à l'usage) un participe présent suivi de son complément d'objet direct. Il y aurait ellipse de *gens, personnes* et l'on devrait écrire : *les parlant français* comme *les gens parlant français.* Ce serait une erreur de vouloir faire l'accord du participe présent dans cette expression moderne comme on le fait par archaïsme, en maintenant un ancien accord, autrefois normal, du participe dans les expressions figées *les ayants-droit, les ayants-cause.*

Mais une autre analyse est possible. *Parlant,* qui est fréquemment adjectif (*une horloge parlante, un film parlant, le sujet parlant*), est dans *les parlants français* devenu un nom complété par *français* avec ellipse de la préposition *en* ; on assimile dans ce cas, pour le sens, *parler en français* à *parler français.* Comparer : *les participants au colloque, les partants en surnombre, les manquants à l'appel, les opposants au régime.* Je crois préférable l'invariabilité, sans condamner l'accord.

4. *On parle à **qqn**. Ils se sont **parlé**. Cette langue s'est **parlée** autrefois.*
*On parle à **qqn** de **qqch**.* ou *de qqn. On parle **avec qqn*** (on a une conversation avec lui). *Parler sur qqch.* est sensiblement plus rare que *parler de qqch.* et signifie plutôt « s'étendre sur une question » : *Parler sur des matières difficiles* (Ac.). *C'est encore un sujet sur lequel il est préférable de ne pas parler* (G. Duhamel, *Souvenirs de la vie du paradis*, p. 144). On dit fort bien : *Un sujet dont il est préférable de ne pas parler. On parle de rester. On parle **pour qqn** ou qqch.*, en sa faveur.

5. **Il parle bien** ou **mal,** *Il a bien* (ou *mal*) *parlé* portent un jugement sur la correction ou l'éloquence des paroles prononcées. *Il parle bien de vous* : de façon convenable. *Il a mal parlé de vous* veut dire « il a parlé de vous d'une manière décevante » plutôt que « il a dit du mal de vous ».

6. Au lieu de *On a parlé de cela, on en parlera,* on peut employer le tour **impersonnel** passif et dire : *Il en a été beaucoup parlé, il en sera parlé.*

7. **Tu parles**, employé absolument pour marquer l'incrédulité ou pour surenchérir, appartient à la langue populaire. De même *tu parles* (ou *vous parlez*) *de* ou *si* pour exprimer un sentiment ou pour insister : *Tu parles d'un zèbre ! Tu parles s'il était furieux.*

8. Cf. VACHE.

Parlote, n.f. Un seul *t* : *Une parlote.*

Parmi, prép., signifie « au milieu de » et s'emploie normalement devant un pluriel ; cette pluralité doit dépasser le nombre deux, elle peut être représentée par un collectif au singulier : *Parmi eux, parmi ces gens-là, parmi la foule. Parmi lesquels* et non [*parmi qui*]. On a voulu interdire l'emploi de *parmi* devant un nombre bien défini, à moins qu'il n'impose à l'esprit une idée globale : *Vous pouvez choisir parmi dix cadeaux* serait autorisé et *parmi ces dix cadeaux* serait interdit parce que les objets se présentent individuellement à l'esprit ! L'usage ne s'embarrasse pas de telles distinctions. *Parmi* se rencontre encore parfois, suivant l'usage classique, devant un singulier non collectif. évoquant l'idée d'une certaine étendue, concrète ou abstraite. *Parmi la plaine* (La Fontaine). *Parmi l'air* (Corneille). *Parmi le plaisir* (Racine). *Parmi cet été et ce jardin* (Colette, *O.C.*, II, p. 433). *Parmi la clarté de ces cheveux* (Id., *O.C.*, III, p. 15).
[*L'un parmi l'autre*] est fautif. Dire : *l'un dans l'autre, l'un portant l'autre* (Ac.).
Parmi ne s'emploie plus comme adverbe.

Parquet, n.m., est remplacé aujourd'hui par *orchestre* dans l'usage français pour désigner la partie d'une salle de théâtre près de la scène ou les spectateurs qui s'y trouvent.

Part, n.f. Ne pas faire la liaison de *t*, même dans *de part en part, de part et d'autre.*

1. Quelques expressions : *de part en part* (d'un côté à l'autre), *de toute part* ou *de toutes parts, d'une part...*, *d'autre part* (ou *de l'autre*), *de part et d'autre, prendre **en bonne part,** en mauvaise part* et non [*prendre qqch. de mauvaise part*], *de la part de.* Mise en interrogation, cette dernière expression devient : ***De la part de qui** est-il venu ?* Parfois : *De quelle part est-il venu ? De quelle part viennent ces nouvelles ?*

Autant de sa part est courant en Belgique en réponse à une formule comme *Mes compliments* (ou *Bien des choses*) *à votre frère.* L'expression est correcte, mais les circonstances la justifient souvent mal. Mieux vaut dire : *Je n'y manquerai pas* ou *Je vous remercie.*

2. ***Faire part de** qqch. à qqn* = l'en informer. On peut citer l'un ou l'autre exemple de *J'ai l'honneur de vous faire part que...* Mais on dit plutôt : *de vous informer que.*

On met un trait d'union dans **un faire-part** et, généralement, dans *une lettre **de faire-part.***

3. **À part** est loc.adv. (*Nous examinerons cette question à part, Prendre qqn à part*), loc.adj. (*Un cas à part*) ou loc.prép. Comme loc.prép., suivi d'un nom ou d'un pronom, *à part* signifie « à l'exception de » : *À part sa femme* et *à part moi, qui lui fait encore confiance ?* Devant un pron.personnel, il peut aussi signifier « en soi-même » : *À part soi* (ou *moi*, etc.), *il pensait* (ou *je pensais*) *que...* On l'entend devant un infinitif : *Que fait-il, à part copier ?* Mais il faut éviter de l'employer avec *de* devant un infinitif.

À part que, loc.conj., est familier et signifie « sauf que, excepté que ».

4. **Faire *la* part de qqch., faire *sa* part à qqch.** *Il faut faire la part des circonstances,* en tenir compte. Beaucoup plus rare avec une détermination : *Les hallucinations dont les critiques biographes font la part si large* (G. Bernanos, *L'imposture,* Poche, p. 68). Mais on dit très bien : *faire la part belle à qqn,* lui accorder un gros avantage. *Faire sa part à qqch.,* lui attribuer sa place, l'importance méritée.

5. Cf. Jouer.

Partager, v.tr.dir. *Cette question partage* (divise) *les critiques. On partage une somme en deux. La pièce est partagée en deux. On partage qqch. **entre deux personnes.*** Des dictionnaires donnent encore dans ce sens (*répartir, distribuer*) le tour vieilli : *à deux personnes. On partage sa journée en deux, sa matinée entre plusieurs activités. On partage qqch. avec qqn. On partage les ennuis* (ou *l'enthousiasme* ou *l'opinion* ou *la responsabilité*) *de qqn.* Mais on critique *Je partage **entièrement** votre avis,* parce qu'il y a une contradiction entre *partager* et *laisser entier.* C'est oublier qu'*entièrement* veut dire : sans restriction. *Ce pauvre garçon est mal partagé* (il est défavorisé). *Les avis sont partagés, se sont partagés. Ils se sont partagé la responsabilité.*

Partant, conj. (ou adv.) (= par conséquent), est surtout littéraire. *Plus d'argent, partant plus d'amis* (Ac.). **Adj. et n.**: *Les personnes partantes. Les partants.* **Part.** *Les personnes partant à sept heures.*

Partenaire, n.m. ou f., suppose une association (dans le jeu, en sport, à la danse, etc.) et des intérêts communs, des échanges : *Les partenaires du Marché commun.*

Parthénogenèse, n.f. Cf. GENÈSE.

Parti, n.m. C'est aujourd'hui une faute (avec la circonstance atténuante de l'archaïsme) d'employer *parti* au lieu de *partie* dans **prendre qqn à partie** (s'en prendre à lui).
  On prend le parti de qqn. On prend parti pour ou *contre qqn* ou *qqch. On prend parti sur qqch., sur une question. On prend son parti de qqch. On tire parti de qqch.*
  Un parti pris. Éviter le trait d'union.
  Adjectifs : *mi-parti, mi-partie* (cf. MI-PARTI) ; *biparti, -ie, triparti, -ie, quadriparti, -ie* ou, des deux genres, *bipartite, tripartite, quadripartite*, etc. : *un accord **quadripartite.***

Partial, adj. Masculin pluriel : *partiaux.*

Participe *présent* ou *passé* et *gérondif.* Cf. plus loin, PARTICIPE PASSÉ, PARTICIPE PRÉSENT. **Construction.** Placés en tête de phrase, sans sujet propre, ils se rapportent généralement au sujet du verbe principal : *En me voyant, il me fit signe. À peine accueilli, il est reparti.* Il arrive que le participe se rapporte au pronom personnel complément ou même au nom auquel renvoie le possessif qui suit : *Rendu à la vie civile, ses parents le laissèrent libre de choisir un état* (M. Aymé, *Le confort intellectuel,* Poche, p. 86). *En parcourant des yeux cette vaste plaine noyée, un détail attira mon attention* (H. Bosco, *Malicroix,* Folio, p. 60). *En ouvrant mes volets ce matin-là, un grand bonheur m'envahit (...). En jetant mon pantalon sur le sable, mon portefeuille en tomba.* (J. d'Ormesson, *L'amour est un plaisir,* Poche, pp. 29, 172). Il est certain qu'il ne faut pas condamner de telles libertés, conformes à un usage classique infiniment plus libéral en cette matière, et rendues claires par un rapport évident avec le pronom ou l'adjectif possessif. Certains écrivains, se prévalant d'un ancien usage, vont beaucoup plus loin, trop loin. *Sitôt sorti de Susse et de l'abri de ses collines, le vent commença de souffler* (A. Gide, *L'immoraliste,* I, 1). Et l'on entend ou on lit : [*Disant toujours la vérité, vous devez me croire*]. [*Espérant recevoir une réponse favorable, veuillez agréer...*]. Il faut dire : *Puisque je dis..., vous devez...* ou *Disant toujours..., je mérite d'être cru. Espérant recevoir...* (ou *Dans l'espoir d'une réponse...), je vous prie d'agréer.*
  L'ancien usage subsiste dans certaines formules comme *L'appétit vient en mangeant. La fortune vient en dormant* (= quand on mange, quand on dort).

Notons enfin que, contrairement à ce que permettait l'usage classique, on ne peut, si le sujet a déjà été exprimé devant le participe, le reprendre sous la forme d'un pronom sujet devant le verbe principal : *Josabet, (...) étant arrivée lorsqu'on égorgeait les princes, ses neveux, elle trouva moyen...* (Racine, *Préface d'Athalie*). *Un d'eux voyant la terre en brique au feu durcie Vaincre l'effort des ans, il eut la mesme envie* (La Fontaine, *Le cierge*).

On ne dira donc pas : [*La ville étant prise, elle fut pillée*]. Mais en recourant à un pronom complément : *La ville étant prise, on la pilla* ou *La ville, étant prise, fut pillée*.

Participe passé. Accord.

L'usage est vraiment général dans trois cas : participe employé adjectivement (*une porte ouverte*) ou avec *être* en dehors des verbes pronominaux (*la porte est ouverte par la concierge*) ou dans une forme impersonnelle (*les orages qu'il y a eu ; il est arrivé plusieurs accidents*). En dehors de ces trois cas, le raffinement et la complexité des règles, parfois contradictoires, et les divergences ou les hésitations de l'usage, non seulement oral mais écrit, justifient encore la remarque de Vaugelas, disant à propos de l'accord des participes passés : « En toute la grammaire française, il n'y a rien de plus important, ni de plus ignoré ». Il s'expliquait : de plus important, à cause de la fréquence des emplois, « de plus ignoré, parce qu'une infinité de gens y manquent ».

Deux siècles plus tard, Bescherelle écrit dans sa *Grammaire nationale*, au moment où il aborde cette question : « Nos auteurs ont fait et font encore aujourd'hui varier ce participe dans certains cas, tandis qu'ils le laissent invariable dans d'autres. De là les difficultés assez grandes qu'offre la syntaxe de cette partie importante du discours. On a écrit sur ce sujet des traités spéciaux ; on a rempli des volumes entiers de règles, d'exceptions, d'exemples et d'applications et, avec tout cet attirail de science, comme le dit l'*Encyclopédie moderne*, on a embrouillé une matière fort simple ; on en a fait la torture de l'enfance, l'épouvantail des jeunes personnes et le désespoir des étrangers. »

Les grammairiens du XXe siècle, même quand ils se soumettent aux règles, regrettent l'importance qu'elles ont prise et constatent leur fragilité ou leur gratuité. Plutôt que de citer Ferdinand Brunot ou Marcel Cohen ou d'autres, notons ces soupirs d'André Thérive dans *Clinique du langage* : « Hélas ! Quand on touche au vieil accord des participes passés, on se fait aussitôt accuser de sacrilège grammatical » (p. 255). « L'accord des participes passés est ordonné non par des convenances profondes, mais par une tradition universitaire » (p. 256). « Ainsi donc on pourrait soutenir que l'accord du participe ne sert à rien, ne plaît à personne et gêne tout le monde » (p. 260). Il a beau jeu de noter « le divorce secret entre la langue écrite et la langue vivante » (p. 258).

Précisons : si l'on confronte les règles et la langue parlée, ce divorce est patent. Il l'est même entre l'usage écrit et certaines règles que

l'enseignement a fini par vouloir imposer, mais qui sont loin d'être obser-
vées par tous les bons écrivains soucieux d'écrire correctement ou par
l'usage spontané d'un très grand nombre de gens cultivés témoignant du
même souci.

Mon rôle est d'informer rigoureusement le lecteur à la fois sur ces
règles et sur ce divorce. En examinant successivement les divers cas dans
un ordre rationnel, j'aurai soin de préciser nettement :

1) si, au vu du bon usage général, la règle garde son caractère impératif ;

2) si les hésitations de bons écrivains et parfois même des grammairiens laissent une certaine latitude et permettent de recommander non
pas une tolérance, mais une solution claire et simple, assurément correcte ;

3) si, dans d'autres cas, tout en reconnaissant que la règle garde sa
valeur impérative aux yeux des grammairiens et de beaucoup d'écrivains
et doit donc être encore observée, au moins dans l'usage actuel, on peut
constater qu'elle est devenue fragile et souhaiter sa revision ; il faudra
dire dans quel sens.

A. Participe passé **sans auxiliaire**, en fonction d'épithète ou comme
verbe d'une proposition participe ; accord en genre et en nombre avec le
nom auquel il se rapporte : *Des livres perdus. La lampe éteinte, il s'endormit rapidement.* Même accord quand le participe est employé comme
adjectif attribut avec le verbe *être* : *La porte était fermée.* Cf. ADJECTIFS
QUALIFICATIFS, *Accord*, 12 : *Il n'y avait plus d'éclairé(e) que la lucarne.*

Cas particuliers des formes employées seules devant le nom et très
souvent assimilées à des mots invariables :

1. **Approuvé, attendu, certifié, compris, y compris, non compris,
entendu, fourni, excepté, mis à part, ôté, ouï, quitté, supposé, vu, reçu,
refait**, variables après le nom, restent invariables quand ils sont employés
sans auxiliaire devant le nom ou le pronom, à moins qu'ils ne précèdent
que par inversion, auquel cas ils varient comme s'ils suivaient le nom.
Leur invariabilité s'explique soit par une assimilation à des prépositions,
soit par une ellipse : *Approuvé les corrections ci-dessus. Ouï les témoins.
Attendu leurs bons antécédents. Excepté eux. Sitôt quitté la ville, nous
étions en pleine campagne. Y compris les vieilles personnes. Ôté deux
chapitres. Refait la toiture. Déjà comprises au compte précédent, ces
sommes n'ont pas dû figurer ici. Vue sous cet angle, l'affaire est tout autre.
Approuvée par tous, cette mesure s'est facilement imposée. Dix-sept ôtés de
trente, reste treize. Tous se sont trompés, cinq ou six exceptés.*

N.B. Dans certains cas, comme dans *fourni, reçu, refait*, etc., on a
l'impression que l'auxiliaire *avoir* est sous-entendu et que le complément
d'objet direct suit ; d'où l'invariabilité du participe passé : *Repeint la
façade. Reçu la somme de. Fourni deux sacs de ciment. Quitté la banlieue,
nous avons filé à toute vitesse* (Après avoir quitté la banlieue...).

2. **Fini** s'accorde généralement mais peut rester invariable : *Finies les vacances* (= les vacances sont finies). *Fini les vacances* (= C'est fini, les vacances). — *Fini le retour au plein emploi. Finie la retraite immédiate à soixante ans (...). Finis la relance massive des logements H.L.M. et l'accès des pauvres à ces logements* (Ph. Herzog, *Vouloir rompre pour changer*, Le Monde, 16 décembre 1977). *Fini cette musique discordante* (R. Sabatier, *Trois sucettes à la menthe*, p. 12). *Fini la journée* (G. Navel, *Travaux*, Folio, p. 204). — **Fini de**, rare devant un nom, est toujours invariable.

3. **Passé**. En dehors de l'indication de l'heure (cf. HEURE, 2 : *Passé dix heures* = après. *Il est six heures passées*), on a le choix. Assimilé à *après* devant un nom, *passé* reste souvent invariable (mieux vaut le laisser tel), mais souvent aussi on le traite comme un participe passif : *Aucun élan de sensibilité, passé l'adhésion première* (L. Estang, *Les stigmates*, Poche, p. 98). *Passé la surprise de sa taille (...), il me restait à observer l'essentiel* (E. Charles-Roux, *Oublier Palerme*, Poche, p. 17). *Passé la première intensité du drame* (M. Bataille, *Les jours meilleurs*, p. 13). *Passée la porte ouverte, mon arrière-grand-mère et moi pénétrâmes dans le vaste jardin (...). Passés les premiers sourires d'aise et les mots d'abandon* (M. Arland, *Antarès*, Poche, pp. 10, 130). Le même auteur, B. Clavel, tantôt accorde *passé* : *Passée la dernière maison* (*Le voyage du père*, J'ai lu, p. 219), tantôt le laisse invariable : *Passé les arbres (...). Passé les coupes qu'il avait faites* (*L'Espagnol*, J'ai lu, pp. 15, 311). *Passé la cinquantaine, ils respiraient avec peine* (A. Peyrefitte, *Le mal français*, p. 233). *Passé les dernières maisons, nous retrouvâmes d'un seul coup les eaux profondes de la nuit* (Ch. Bertin, *Les jardins du désert*, p. 62).

4. **Étant donné** laisse aussi nettement le choix, bien que l'accord soit plus fréquent parce que la locution est souvent perçue dans son sens littéral : *Étant données les circonstances familiales* (J. Anouilh, *Pièces brillantes*, p. 166). *Étant données deux droites parallèles. Étant donné sa stupidité* (Ac.).

5. **Ci-joint, ci-inclus, ci-annexé**, devant le nom, doivent dans certains cas rester invariables, à cause de leur valeur adverbiale (comme *ci-après, ci-contre*), et peuvent dans d'autres rester invariables, à cause de leur forme cristallisée, bien qu'ils soient aussi dans ce cas traités comme des adjectifs ou des participes. Ils peuvent donc toujours rester invariables devant le nom.

a) Ils sont toujours invariables en tête de la phrase ou, dans le corps de celle-ci, devant un nom sans article ni démonstratif ni possessif ni numéral. *Ci-joint l'expédition du jugement* (Ac.). *Ci-joint quittance* ou *les quittances. Ci-joint les pièces demandées. Vous trouverez ci-joint copie du contrat. Vous recevrez ci-inclus copie de...* (Ac.).

b) Ils peuvent varier ou, selon la tendance actuelle, rester invariables dans le corps de la phrase devant un nom précédé d'un article, d'un nombre, d'un démonstratif ou d'un possessif : *Vous trouverez ci-incluse la copie que vous m'avez demandée* (Ac.). — *Vous trouverez **ci-inclus** une lettre de votre père* (Ac.). *Vous trouverez ci-joint, ci-annexé, ci-inclus les factures, mes factures, trois factures* (*B.U.*, n° 1914). Le PR (à *Ci*) et le GLLF laissent ces expressions invariables devant le nom, même précédé de l'article : *Vous trouverez **ci-inclus** une copie. Recevez ci-joint les documents. Vous trouverez ci-joint une copie du rapport.*

c) Immédiatement après le nom déterminé par un article, etc., *ci-joint, ci-inclus, ci-annexé* varient : *Les documents **ci-joints**.* Mais il y a de l'hésitation s'ils suivent le verbe et se rapportent à un pronom qui précède le verbe. Grevisse (n° 1914) écrit : *Les pièces que vous trouverez ci-jointes* et *Les pièces que vous trouverez ci-joint.* On fera cependant plutôt l'accord dans de tels cas, parce que le nom est déterminé. Mais après un nom sans article ni déterminant, l'invariabilité paraît normale : *La lettre dont vous trouverez copie **ci-inclus**.*

Remarques : 1. *Joint* employé seul est traité comme *ci-joint*. 2. Dans une phrase du type (rare) : *Ci-incluses, ces pièces vous parviendront sûrement,* la locution varie parce qu'elle n'est en tête que comme un adjectif détaché.

B. Participe passé des **verbes impersonnels** ou pris impersonnellement ; toujours invariable, quel que soit l'auxiliaire : *Les orages qu'il y a **eu**. Il est **arrivé** plusieurs accidents. Il s'est trouvé des personnes malveillantes pour l'accuser.*

C. Participe passé conjugué avec **être** (en dehors des verbes pronominaux et de l'emploi impersonnel) ou attribut avec des verbes copules ; toujours accord avec le sujet du verbe : *La porte sera **ouverte** par la concierge. Ils sont partis. Ils sont attaqués de toutes parts. La comédie qu'ils sont venus voir. Sa tâche est* (ou *semble* ou *paraît* ou *a l'air*) *terminée. Ils resteront enfermés.* Le participe reste au singulier si *nous* ou *vous* sont mis pour *je* ou *tu*. Si le sujet est *on*, cf. ON.

D. Participe passé conjugué avec **avoir**. Rappelons la règle générale : il s'accorde en genre et en nombre avec le complément d'objet direct du verbe, si cet objet direct précède : *Avez-vous lu les livres que je vous ai **prêtés** ? Voici les romans dont je vous ai **parlé**.* Je ne conseille pas de renoncer au vieux procédé qui consiste à trouver le complément d'objet direct en posant la question *qui* ou *quoi* après le verbe transitif direct. On s'est ému en 1974 quand le Président de la République française a dit publiquement : *Les décisions que j'ai **pris*** et *Toutes les réformes que je vous avais **promis**.* La faute est flagrante, mais on l'entend souvent dans la meilleure société française ou à la radio ou dans les débats parlementaires. Marcel Cohen avouait qu'il ne faisait jamais oralement l'accord dans de telles phrases, bien qu'il s'y soumît généralement dans l'écriture. Il allait jusqu'à dire que le non-accord lui semblait beaucoup plus fréquent dans le langage oral des milieux intellectuels que dans celui des milieux ouvriers et artisanaux (*Nouveaux regards sur la langue française,* p. 225). C'est discutable.

Il faut du moins reconnaître que cette règle est souvent ignorée ou négligée, qu'elle ne s'imposait pas, qu'elle était même illogique et arbitraire dans sa généralisation et qu'elle a mis longtemps à prévaloir. Il faut renoncer à prétendre, avec les Le Bidois, qu'elle traduit, jusque dans ses applications les plus raffinées et les plus déconcertantes, « le caractère éminemment raisonnable de notre langue » et « ce qu'on serait en droit d'appeler sa sensibilité ou sa vie » (*Syntaxe*, II, p. 175).

Toutefois, en dépit de nombreuses transgressions dans l'usage oral, elle est très souvent respectée par celui-ci dans les cas les plus simples et les plus clairs et plus encore, mais pas toujours, dans l'usage écrit. Il y a donc lieu de s'y conformer encore dans ces cas, c'est-à-dire lorsque le complément d'objet direct précédant le participe est un pronom personnel (sauf *en*) ou relatif ou est formé d'un adverbe de quantité (voir plus loin les cas de *en* et de *le peu*) ou précède par inversion : *La robe qu'elle a mise. Je les ai vus. Quelle faute a-t-il faite ? Quelles difficultés nous avons rencontrées ! Combien de toiles a-t-il peintes ?*

Quant aux autres cas, il y a lieu de voir dans quelle mesure l'usage et aussi parfois les grammairiens eux-mêmes sont d'accord pour garder à la règle son caractère contraignant.

Tel sera mon critère. Mais à l'heure actuelle on doit se refuser à suivre ceux qui préconisent, sans aucune autorité ni aucun crédit d'ailleurs, soit l'invariabilité dans tous les cas, soit l'accord avec le sujet. Ce serait certainement aller contre un usage bien établi.

Cas particuliers :

1. **Fautes dues à des voisinages.** Donnons-en deux exemples. On n'a même pas remarqué que Marcel Brion, recevant Jean Mistler à l'Académie française en 1967, a dit : *Je ne pense pas (...) que vous ayez **faite** vôtre sa théorie de l'inégalité des races humaines.* Le participe devait pourtant rester invariable. Par contre, on a signalé maintes fois la tendance à ne pas faire l'accord avec un complément féminin qui précède quand le sujet, pas trop éloigné, est **cela** : *L'impression que cela m'a **faite** peut paraître étrange*, mais l'accord s'impose aussi bien que dans *l'impression que ce jeune homme vous a **faite**.* On peut, si l'on veut, modifier la phrase et dire : *L'impression que j'ai ressentie.*

2. **Temps surcomposés.** Le dernier participe seul est variable : *Il les a eu vite **rassurés**.* En effet, *eu* fait partie de l'auxiliaire.

3. **Complément d'objet direct et complément circonstanciel sans préposition.** La règle ne change pas. Mais il faut ne pas oublier que :

a) Certains verbes toujours intransitifs peuvent avoir un complément circonstanciel (ou adverbial) sans préposition : *Il a marché* (ou *dormi*) *trois heures.* On écrit donc : *Les trois heures qu'il a **marché*** (ou *dormi*). *Les années que cela a duré* ou *qu'il a régné.* Je ne tiens pas compte ici de la possibilité d'employer transitivement *dormir* avec *sommeil* (*Dormez votre sommeil*).

b) Certains verbes peuvent être transitifs directs ou intransitifs selon le sens. Tel n'est pas le cas de **avoir**, qui reste transitif même dans *avoir tel âge* ou *avoir telle somme* (posséder), *telles dimensions* : *Vous dites que cet enfant a neuf ans. Quand les a-t-il* **eus** *? La somme qu'il a* **eue** *à sa disposition.* De même, **dépenser, gagner, parier, perdre, rapporter** : *Les cent francs qu'il a* **dépensés**, *pariés, gagnés, perdus, que cela lui a rapportés.*

On distingue : *La maison* (ou *la rue*) *que j'ai* **habitée** et *La rue où j'ai* **habité**. **Descendre** est transitif dans : *Descendre un escalier, des meubles, une perdrix, un avion, une personne,* etc.

Entrer, rentrer, sortir sont transitifs dans *Entrer un meuble par la fenêtre. Rentrer des marchandises. Sortir son chien.* De même **passer** dans *Les cinq années qu'il a passées en Amérique. Les vacances qu'il a passées à la mer. L'heure qu'il a passée à nous attendre.*

Notons quelques autres verbes, qui peuvent être transitifs ou intransitifs » on en trouvera d'autres à leur rang alphabétique.

Coucher : *Les arbres que le vent a* **couchés**. *La nuit que* (pour *où*) *j'ai* **couché** *à la belle étoile.*

Courir : *Les lièvres qu'il a* **courus**. *Les trois heures que ce cheval a* **couru**. Cf. COURIR, 5.

Goûter : *Les deux mille francs que cela m'a* **coûté**. *Les efforts que cela m'a* **coûtés**. Cf. COÛTER, 1.

Mesurer : *Les terrains que nous avons* **mesurés**. *Les deux hectares que cette propriété a* **mesuré** *avant l'expropriation.*

Peser ; *Les cent kilos que ce ballot a* **pesé** (être d'un certain poids). *Les marchandises que nous avons* **pesées** (mesurer le poids). *Les arguments que j'ai* **pesés**.

Souffrir : *Les ennuis qu'il a* **soufferts**. *Les années qu'il a* **souffert** (pendant lesquelles il a souffert).

Valoir : *La gloire que cette action d'éclat lui a* **valu** (procurer). *Les dix mille francs que lui a* **valus** *ce prix de l'Académie. Ce cheval ne vaut plus la somme qu'il a* **valu** *autrefois* (avoir comme valeur). *La somme qu'a* **valu** *il y a vingt ans cette propriété.*

Vivre est intransitif (et son participe est invariable) quand il signifie simplement « être en vie » : *Les nombreuses années qu'il a* **vécu** (= pendant lesquelles il a vécu) *lui ont donné une riche expérience.* Mais il devient transitif, et le participe est alors variable, dans trois cas où le sens est :

a) « Passer, mener, traverser » ; on pense alors à la qualité de la vie, à son aspect particulier et l'accord peut parfois suffire à suggérer cette idée : *La vie heureuse qu'il a* **vécue**. *Les dix années de misère qu'il a* **vécues**... *L'existence qu'il a* **vécue** *pendant quatre ans l'a rendu indulgent.* On ne pourrait dire : pendant laquelle, pendant lesquelles.

C'est à tort que certains écrivains laissent alors le participe invariable : *Quelles heures il avait vécu !* (Fr. Mauriac, *Les chemins de la mer*, p. 254). *Me voici arrivé aux pages les plus sombres de mon histoire, aux jours de*

misère et de honte que Daniel Eyssette a vécu à côté de cette femme
(A. Daudet, *Le petit Chose*, p. 107). *Quelles étranges minutes elle avait
vécu !* (J. Green, *Léviathan*, I, 9).

b) « Traduire en actes dans sa vie » : *Sa foi, il l'a courageusement vécue.*

c) « Éprouver intimement, par l'expérience personnelle faite au cours
de la vie », « sentir profondément » : *Les génies disparus, dont l'âme revit
dans ces musiques qu'avait* **vécues** *leur vie* (R. Rolland, *Jean-Christophe. Le
matin*, p. 75). *Ses propres expériences, celles qu'il avait* **vécues** (L. Faure,
Mardi à l'aube, J'ai lu, p. 108).

4. Le complément d'objet direct est le pronom neutre *l'* signifiant *cela*
(dans des propositions dépendant d'un comparatif) : *Elle est plus belle
que je ne l'avais* **cru**. *L'affaire est plus grave que je ne l'avais* **pensé**. Le
participe est alors invariable ; on pourrait supprimer *l'*. À distinguer de *l'*
représentant un nom féminin : *Je l'ai revue plus triste que je ne l'avais*
quittée ; remarquer que, dans ce cas, s'il s'agissait de plusieurs personnes,
on emploierait *les*.

Parfois les deux interprétations sont possibles : *Elle est plus belle que je
ne l'avais* **imaginé** ou **imaginée**. On imagine en effet une chose (= cela),
mais aussi une personne (on se la représente sous tel ou tel aspect).

5. **Le complément d'objet direct a un attribut**, réel ou prétendu. Dans
Les lectures qu'on a **appelées** *futiles, On l'a* **trouvée** *inanimée, On les a*
portés (= inscrits) *manquants, Je l'ai* **vue** *inquiète, Cette robe ne vous va
pas, on l'a* **faite** *trop large, On l'a* **appelée** *Virginie*, il est logique de voir un
complément d'objet direct (déterminant l'accord) et un attribut de ce
complément. On a beaucoup disserté sur cet accord au XVIIᵉ siècle et on
a préconisé l'invariabilité. Aujourd'hui la logique ferait plutôt une distinction entre les exemples qui viennent d'être cités et les cas où le complément est en réalité une proposition et où le participe devrait donc
rester invariable. Je ne puis voir un objet direct et son attribut dans *On la
dit malade*, qui signifie : *On dit qu'elle est malade*. Il serait donc normal de
laisser le participe invariable et d'écrire : *On les a dit* (ou *cru*) *malades*.
C'est ce que font beaucoup d'écrivains, mais d'autres, également nombreux, font l'accord : *Cette face qu'on eût dite frappée d'une immobilité
absolue* (J. Green, *Moïra*, p. 148). *Des rides qu'on eût dites tracées à
l'encre* (Id., *Ibid*, p. 173), Grevisse (*B.U.*, n° 1920) cite plusieurs
exemples : *Une étoffe trop fine et qu'on eût dite froissée* (G. Duhamel).
Laura était vêtue très simplement, tout de noir ; on l'eût dite en deuil
(A. Gide). De même, en faisant comme si *croire* avait un pronom comme
objet direct, les écrivains font généralement l'accord : *Tout le monde l'a*
crue *morte* (V. Hugo). *Un défilé de menues pensées que j'ai* **crues** *étran-
gères* (J. Romains). *On les eût* **crus** *imberbes* (Fr. Mauriac). *Je l'avais* **crue**
toute à son deuil (M. Arland). *La félicité qu'il n'avait pas* **crue** *possible*
(M. Thiry). *Une date que nous aurions* **crue** *fatidique* (A. Siegfried). Et l'on
pourrait multiplier les exemples prouvant que, sans se soucier de l'analyse, les écrivains font plutôt l'accord.

Cependant on peut citer aussi de nombreux exemples où, quelle que soit l'analyse possible, le participe reste invariable : *Des événements que mon grand-père eût certainement **jugé** invraisemblables* (J.-P. Sartre, *Les mots*, p. 46). *Je sais qu'elle s'appelle Martine pour l'avoir entendu interpellée par des camarades* (M. Tournier, *Le roi des aulnes*, Folio, p. 163). *On les eût **dit** tournant une scène en technicolor (...). Il s'étaient **dit** fiancés* (Fr. Mallet-Joris, *Les signes et les prodiges*, Poche, pp. 54, 369). *Les pensées qu'un Brécourt avait **cru** bienfaisantes* (J. Peyré, *Croix du Sud*, Poche, p. 163). *Deux longs traits noirs qu'on eût cru dessinés au charbon* (J. Green, *Moïra*, Poche, p. 17 ; mais p. 40 : *Des choses qu'on n'aurait pas crues possibles autrefois*). *Je ne vous aurais jamais cru si forte* (Giono, *Le hussard sur le toit*, Poche, p. 439). *Il les a cru mortes* (Giono, *Que ma joie demeure*, Poche, p. 61. *Vous m'avez cru blessée* (Aragon, *La mise à mort*, p. 310). *Une alliance qu'elle avait cru réelle* (Fr. Mallet-Joris, *Allegra*, p. 309). *Mme d'Orgel s'était cru libre* (R. Radiguet, *Le bal du comte d'Orgel*, p. 145). *Si ravissante qu'on l'eût cru peinte en miniature* (H. Pourrat, *Trésor des contes*, IV, p. 219). *Une conversation que, les premiers jours, j'avais cru impossible* (R. Mallet, *Figaro littéraire*, 9 février 1957). *Des va tus que j'avais cru éteintes* (J. Dutourd, *Pluche*, Poche, p. 85). Et Grevisse cite d'autres exemples, qui prouvent que les écrivains ne se soucient pas toujours d'une distinction logique et qu'ils laissent souvent le participe invariable.

Conclusion : L'usage des bons écrivains paraît plutôt favorable à l'accord, mais autorise certainement l'invariabilité dans tous les cas, simplification souhaitable.

À remarquer toutefois que, si l'attribut est introduit par **comme**, **de** ou **pour**, le participe doit s'accorder : *L'auberge qu'on m'a **indiquée** comme la meilleure. On les a **traitées** de folles. On les a laissés pour **morts**. Il l'a prise pour femme.*

6. **L'avoir échappé belle. L'avoir baillé belle.** En dépit de l'hésitation de quelques écrivains, il faut rester fidèle à l'invariabilité du participe dans ces formes figées où subsiste un ancien usage. Cf. Échapper, 4 et Bailler.

7. **Le complément d'objet direct renvoie à deux antécédents joints par *ou* ou par *ni*.** Suivre les règles de l'accord du verbe. Cf. Verbe, *Accord*, B, pp. 983-985 : *La peur ou la misère, que les hommes ont toujours difficilement **supportées**, ont fait commettre bien des fautes* (il y a addition). *Est-ce le fils ou la fille qu'on a **déshéritée** ?* (exclusion d'un des compléments : accord avec le plus proche). *Ce n'est ni lui ni son frère que j'ai **invités**. Ce n'est ni lui ni son frère qu'on a **nommé** directeur* (un seul pouvait être nommé).

8. **Le complément d'objet direct renvoie à deux antécédents joints par *comme*, *ainsi que*,** etc. On suit les règles de l'accord du verbe (cf. Verbe, *Accord*, p. 981) et l'on met le participe au pluriel si le complément précède, quand il y a en fait addition dans la pensée : *C'est votre père ainsi*

*que votre mère que j'ai **invités**.* S'il y a plutôt comparaison ou accompagnement, on fait l'accord avec le premier complément : *C'est votre patience, aussi bien que votre compétence, que j'ai **appréciée**.*

9. **Le complément renvoie à deux antécédents unis par** *et même, non moins que, plus que,* etc. Cf. VERBE, *Accord,* B, IV, d, VII et VIII, pp. 980-982 : *L'admiration, non moins que l'étonnement, que j'ai **éprouvée**.*

10. **Le complément renvoie à** *un des, un de ceux.* Certains écrivains hésitent, mais c'est le sens qui doit régler l'accord : *Je me rappelais une des histoires qu'on m'avait **racontées**. C'est un des plus beaux poèmes que j'aie **lus**. Vous êtes un de ceux que j'ai **convoqués**.* — *Cet hiver-là est un des plus rudes qu'on ait **connus*** (Ch. de Gaulle, *Le salut,* Poche, p. 109). Le pluriel se justifie souvent ; il est courant après *un de ceux,* mais il deviendrait anormal dans des phrases comme celles-ci où il est clair que le verbe a pour complément un singulier : *C'est un de ceux-là que j'ai **désigné** pour parler à ma place. Un des élèves que ses condisciples avaient **élu**.* Des écrivains donnent parfois à *un des* suivi d'un superlatif la valeur de *le* et laissent le participe au singulier : *Dans ces journées où s'accomplit un des destins les plus extraordinaires qu'aucun mortel ait connu* (J. Bainville, *Napoléon,* p. 236). Exemple à ne pas imiter.

11. **Le complément renvoie à un collectif, à un autre nom de sens numéral ou à un adverbe de quantité.** Cf. VERBE, *Accord,* A, II, p. 965.

a) **Collectif ou nom de fraction.** *La foule de manifestants que j'ai **rencontrée** (ou **rencontrés**) s'avançait (ou s'avançaient) en hurlant. Les quelques milliers de lires que vous avez **emportés** seront bientôt épuisés. La moitié du travail qu'il avait **terminée** était la plus importante.*

b) **Adverbe de quantité :** *Que de pleurs j'ai **versés** ! Que de peine j'ai **eue** ! Combien de toiles avez-vous **peintes** ?* Voir plus loin (12), *combien en.*

c) **Le peu de (Ce peu de) :** *Le peu d'observations que j'ai **fait** (ou **faites**) à cette occasion s'est effacé (ou se sont effacées) de ma mémoire. Le peu de témoins que j'ai **interrogés** ne m'ont pas assez éclairé. Le peu d'exigence qu'a **montré** cet homme l'a fait engager. Le peu de confiance que vous m'avez **témoigné** m'a ôté le courage* (Littré). Cf. p. 970.

12. **En,** pronom adverbial, a un sens partitif et signifie « une partie de cela » ou « une certaine quantité de ces êtres ou de ces choses » (cf. EN, 2, 3). C'est pourquoi la grammaire et les écrivains considèrent généralement qu'il n'entraîne pas l'accord du participe : *Voyez ces fleurs ; en avez-vous **cueilli** ?* (Littré). *Les exemples ne manquent pas ; j'en ai **cité**.*

Toutefois des écrivains ne considèrent pas toujours *en* comme un « neutre » partitif et font l'accord : *Plus de choses qu'elle n'en avait **dites** jusqu'alors* (J. Green, *Mont-Cinère,* Poche, p. 55). *Une langue telle que les hommes n'en ont pas encore **entendue*** (J. Green, *Journal,* 26 novembre 1932). *Ces dames ont des toilettes comme je n'en ai jamais **eues*** (Fr. Mauriac, *Destins,* Poche, p. 57). Et l'on pourrait citer beaucoup d'autres écrivains de qualité, A. Maurois, M. Arland, A. Roussin,

J. Giraudoux, G. Duhamel, M. Proust, M. Barrès, etc. faisant de tels accords, beaucoup moins nombreux toutefois que l'invariabilité.

Lorsque *en* est le complément d'un adverbe de quantité, les grammairiens ne s'accordent pas et si certains sont partisans de l'invariabilité dans tous les cas, d'autres proposent des distinctions que rien ne justifie : accord si l'adverbe précède *en*, invariabilité s'il suit (*Des monuments comme celui-là, j'en ai beaucoup vu*), accord dans l'interrogation directe, mais non dans l'interrogation indirecte (*Je ne sais combien j'en ai vu*) ; accord si l'oreille ne l'entend pas, c'est-à-dire si le participe est terminé par une voyelle, mais invariabilité s'il est terminé par une consonne (*De ces toiles, combien en a-t-il peint lui-même ?*), etc. Les écrivains hésitent eux aussi, mais laissent souvent le participe invariable quand *en* est associé à un adverbe de quantité qui le précède ou le suit.

Conclusion : On peut donc déclarer que l'invariabilité du participe est correcte dans tous les cas : *Des fautes de ce genre, combien en ont-ils fait* ou *corrigé ?* Et l'enseignement devrait ici renoncer à des distinctions sur lesquelles on ne s'entend pas.

N.B. Tout autre est le sens de *en* dans les phrases où un autre mot est complément d'objet direct : *Les sommes qu'il en a tirées sont exorbitantes. Il apprécie l'aide qu'il en a reçue.* Il fallait donc écrire *faite* dans cette phrase : *Il ressemblait à la statue qu'en a fait Maillol* (A. Lanoux, *Le berger des abeilles*, p. 443).

13. Participe passé entre deux *que* ou entre *que* et *qui*.

a) Entre deux *que*, invariabilité ou accord selon l'analyse de la phrase. *La lettre que j'avais présumé que vous recevriez* ; j'avais présumé que vous recevriez la lettre. *Les livres que j'ai cru que j'avais perdus* ; même analyse. Ici, il est facile de recourir à un autre tour (*Les livres que j'ai cru avoir perdus*). *Ceux que l'on a informés qu'ils devaient se présenter* : on a informé ceux-là. Autres tours : *Ceux à qui l'on a écrit qu'ils devaient se présenter. Ceux à qui l'on a dit de se présenter. Ceux qu'on a priés de se présenter.*

b) Entre *que* et *qui*, le participe est considéré comme invariable. C'est que dans ce tour ancien, discuté mais victorieux à l'époque classique, aujourd'hui peu vivant, sauf dans la langue littéraire archaïque ou dans l'usage populaire, on fait comme si le complément direct était une phrase ; le tour, qui comprend deux pronoms relatifs dont le second est illogique, n'est pas rigoureusement analysable. Le vers de Molière, *Mais pour guérir le mal qu'il dit qui le possède*, transformé, deviendrait : *Mais pour guérir les maux qu'il a dit qui le possèdent* (Il a dit que ces maux le possèdent). *J'ai retrouvé les livres qu'on a cru qui étaient perdus.* On peut dire : *J'ai retrouvé les livres qui, croyait-on, étaient perdus* ou *J'ai retrouvé les livres qu'on a cru(s) perdus* (cf. plus haut, 5) ou *J'ai retrouvé les livres dont on a cru qu'ils étaient perdus* (cf. DONT, 6).

14. Participe passé suivi d'un infinitif. Il n'est ici question que du participe conjugué avec *avoir*. S'il est conjugué avec *être*, il s'accorde avec le sujet : *Ils sont venus me voir. Les pierres qu'ils sont allés chercher.* La logique et l'usage sont d'accord. Pour les verbes pronominaux, cf. p. 687.

Conjugué avec **avoir**, le participe est soumis par les grammairiens à des règles arbitraires progressivement établies à travers beaucoup d'hésitations et de discussions et que l'usage des écrivains respecte souvent mais transgresse fréquemment, comme l'usage oral des gens cultivés. Voilà donc un cas où, sans pouvoir dire que la règle est vraiment devenue désuète, on doit souhaiter que, tenant compte de l'usage réel, une autorité incontestée la déclare caduque ou que les écrivains eux-mêmes, achevant résolument de s'affranchir, imposent par leur exemple l'invariabilité généralisée, conforme d'ailleurs à la logique.

Je vais donc d'abord rappeler la règle toujours valable et toujours enseignée, tâcher d'en faciliter l'application, la discuter, puis montrer à quel point elle est transgressée par d'excellents écrivains.

La règle. Les grammairiens imposent la distinction entre *Les arbres que j'ai vu planter* et *Les arbres que j'ai vus fleurir.* On veut donner une fonction de complément d'objet direct au pronom qui précède le participe et l'on considère que s'il n'est pas, comme dans la première phrase, objet direct de l'infinitif, il l'est, comme dans la seconde, du verbe conjugué. De même si l'infinitif est précédé d'une préposition : *Les dentelles qu'on m'a appris à faire. Les romans que j'ai autrefois aimé à lire. Les amis que j'ai invités à dîner. Je les ai priés de partir.*

Observons tout de suite que le complément sur lequel on s'interroge peut être non seulement un pronom personnel ou relatif mais un nom précédé d'un adverbe de quantité ou de *quel* : *Que de pleurs j'ai vu verser ! Que de pleurs j'ai vus couler ! Combien de fautes avez-vous permis de faire ? Combien d'enfants avez-vous priés de venir ? Quels services a-t-il offert de vous rendre ?*

On commence donc par voir si le pronom ou le groupe qui précède le participe peut être complément d'objet direct de l'infinitif. S'il ne le peut, soit parce que celui-ci n'a pas ou ne peut avoir d'objet direct, soit parce qu'il en a un autre, c'est le pronom ou le groupe qui est considéré comme le complément d'objet direct du verbe conjugué et le participe s'accorde avec lui : *Les enfants que j'ai vu punir. Les mesures qu'il a voulu prendre. Les paroles qu'il n'a osé prononcer. — Les enfants que j'ai vus jouer* ou *obéir* ou *partir. Ces parents, je les ai vus punir sévèrement leurs enfants.*

Si le pronom est au datif (forme d'un complément d'objet indirect, cf. INFINITIF, 2, A et B), le participe reste invariable : *Je les ai vu faire des progrès. Je leur ai vu faire des progrès.* Si toute hésitation est exclue dans le cas de *lui* ou *leur*, on peut se demander si *nous* ou *vous* sont à l'accusatif ou au datif et l'on peut en conséquence faire ou non l'accord : *Ce qu'ils nous ont vus* (ou *vu*) *faire.*

Il y a lieu de faire une remarque à propos de **porter à** *faire,* **laisser**
qqch. à *faire à qqn,* **avoir à, donner à.** On porte du linge à laver, des
couteaux à aiguiser. On écrira donc : *Les couteaux que j'ai* **portés** *à aiguiser.* Mais si on laisse un travail à faire à qqn, des lettres à signer, on peut
comprendre qu'on a laissé ces lettres à qqn pour qu'il les signe ou qu'on
attend de lui qu'il signe ces lettres. C'est plutôt la dernière interprétation
qui prévaut ; d'où invariabilité de *laissé* dans *les lettres qu'on leur a* **laissé**
à signer. Cf. METTRE, 6.

Avec **avoir à** et **donner à,** il faut voir si le pronom qui précède est complément de l'infinitif (c'est généralement le cas) ou du participe : *Les
affronts qu'il a* **eu** *à subir. La visite qu'il a* **eu** *à faire.* — Le sens est :
devoir, être tenu de. Mais : *La peine que j'ai* **eue** *à la convaincre.* L'hésitation est parfois possible et apparaît dans les textes littéraires : *Les enfants
qu'il a* **eu(s)** *à élever. Les ennemis qu'il a* **eu(s)** *à combattre.* Je conseille de
laisser le participe invariable quand le sens est « devoir ».

L'hésitation est grande aussi pour **donner à,** qui peut signifier
« donner pour que » ou « ordonner, charger de » : *La leçon que je lui ai*
donnée *à étudier* (Ac.). On n'a pourtant pas donné la leçon pour qu'on
l'étudie ; on a ordonné d'étudier la leçon. Mais comme on donne une
leçon, on fait parfois l'accord. *Cette petite table de trictrac qu'elle avait*
donnée *à restaurer* (H. Troyat, *Les Eygletière,* J'ai lu, p. 91). *Les livres
qu'on nous a* **donné(s)** *à lire. Les devoirs qu'on leur a donné(s) à faire. Les
rapports qu'on m'a donné à établir.*

Notons ici le cas des participes **cru, désiré, dit, dû, osé, pensé, permis,
promis, prévu, pu, su, voulu,** etc. suivis d'un infinitif, exprimé ou sous-
entendu, qui a pour complément d'objet direct le pronom qui précède ; le
participe est alors invariable ; mais il peut varier si le pronom peut être
complément d'objet direct du verbe conjugué : *Il a fait tous les efforts
qu'il a* **pu** *(faire).* On ne peut pas des efforts. *Vous avez obtenu la réparation que vous avez* **désirée** *ou que vous avez* **désiré** *(obtenir). Nous avons
atteint les effets que nous avions* **espérés** *ou que nous avions* **espéré** *(obtenir). Il a obtenu la paix qu'il a* **voulue** *(souhaiter vivement) ou qu'il a*
voulu *(obtenir). Il a fait les démarches qu'il a* **dû** *(faire)* ; on ne dit pas :
devoir des démarches.

C'est le même principe qui impose l'invariabilité dans : *La route que
j'ai* **cru** *être la plus courte.* Notons en passant qu'un tel cas montre qu'il
est faux de dire que le participe s'accorde s'il est précédé du sujet de
l'infinitif. Il y a ici invariabilité parce que le complément est une proposition : que cette route était la plus courte. *Une destination que chacun avait*
supposé *être Colombey-les-Deux-Églises* (J. Chaban-Delmas, *L'ardeur,*
Poche, p. 307). *L'espèce de lueur vague qu'il avait* **cru** *voir sortir un
moment plus tôt de ses mains tremblantes* (G. Bernanos, *La joie,* p. 308).
Cette âpreté que j'avais **cru** *ne s'adresser qu'à moi* (Fr. Mallet-Joris, *La
chambre rouge,* p. 124). Comparer avec : *La route que j'ai* **cru(e)** *la plus
courte* (plus haut, 5).

Critique de la règle. Si nous reprenons les exemples du début, *Les arbres que j'ai vu planter. Les arbres que j'ai vus fleurir*, il est aisé de constater que l'analyse justifiant la règle est arbitraire. Posons la question *quoi* après le verbe conjugué (J'ai vu quoi ?) ou après le groupe formé par ce verbe et l'infinitif (*J'ai vu planter quoi ? J'ai vu fleurir quoi ?*). Aux deux types de question, mêmes réponses : J'ai vu planter les arbres. J'ai vu fleurir les arbres. Si l'on remplace l'infinitif par un passif, on constate qu'on peut dire : *J'ai vu les arbres qui étaient plantés* aussi bien que *les arbres qui étaient fleuris*. Dans les deux cas le complément de *J'ai vu* est une proposition infinitive avec ou sans sujet exprimé et le participe devrait logiquement rester invariable. Mais on a voulu trouver une fonction au pronom relatif et on a imposé la règle au nom de phrases inventées : *J'ai vu les arbres fleurir* ou *fleurissants* ou *qui fleurissaient* ou *qui étaient en train de fleurir*, en opposition à *J'ai vu quelqu'un plantant les arbres !*

Ce n'est pas seulement la logique qu'on peut invoquer contre la règle, c'est aussi l'histoire de la langue. Elle justifie l'invariabilité du participe conjugué avec *avoir* et suivi d'un infinitif. La doctrine et l'usage de l'époque classique raisonnaient autrement que nos grammairiens. On n'hésitait même pas à laisser invariable devant un infinitif le participe conjugué avec *être*. La tendance à laisser le participe invariable reposait au XVIIe siècle sur la prononciation du participe et sur le fait qu'« il faut aller en ces sortes de phrases jusqu'au dernier mot qui termine le sens » (Vaugelas) : au moment où, dans nos deux exemples, on prononce le verbe conjugué *j'ai vu*, il peut encore être suivi de *planter* ou de *fleurir* ; il est donc comme en suspens et il convient de le laisser invariable comme on laisse invariable le participe suivi de son complément d'objet direct (*J'ai fini mes devoirs*). Ajoutons que la langue classique était parfois tentée de laisser le participe invariable quand il ne terminait pas la phrase : ce n'est qu'au XIXe siècle que la règle s'est vraiment imposée.

Qu'on n'objecte pas que, dans l'usage, elle est plus souvent respectée que transgressée. Il faudrait d'abord tenir compte de l'intervention des correcteurs d'imprimerie, qui se substituent aux écrivains pour faire respecter les règles dont le manuscrit n'avait cure. Tenir compte aussi de l'hésitation des grammaires. Thomas ne craint pas d'écrire : « *Senti*, tout comme *fait* et *laissé*, *vu* ou *regardé*, *entendu* ou *écouté*, est le plus souvent considéré comme faisant corps avec l'infinitif qui le suit et reste invariable : *La balle que j'ai senti passer* » (*Dict. des difficultés*, p. 380). Et Dupré (t. III, p. 2364) : « La tendance est de laisser invariable le participe passé *senti* quand il est suivi d'un infinitif. »

Il faut surtout reconnaître que, même chez les meilleurs écrivains, la règle est si souvent transgressée que, dans un autre cas, on n'hésiterait pas à la déclarer caduque. Mais elle est sacro-sainte ! Il arrive que la transgression aille vers un accord fautif : *Les mêmes tendances instinctives qu'ils ont aidées à déclencher* (E. Ionesco, *La chasse à l'homme, Le Figaro,*

6 mai 1972). Mais presque toujours elle aboutit à cette invariabilité que
la logique justifie et vers laquelle tendait l'usage classique. Qu'on en juge,
en prenant en considération la qualité des auteurs cités et la simplicité
des cas : *Les contradictions qu'ils ont senti se dresser en eux et devant eux*
(A. Gide, *Journal*, janvier 1925). *Les dictionnaires sont ou devraient être le
reflet de la civilisation qui les a vu naître* (G. Matoré, *Histoire des dictionnaires français*, p. 19). *Reine s'est mise au piano (...) ; je l'ai entendu chanter* (P.-H. Simon, *Les raisins verts*, J'ai lu, p. 185). *Ces laveuses de mort
vêtues de noir qu'il avait vu opérer dans les demeures de Constantinople*
(M. Yourcenar, *L'œuvre au noir*, Poche, p. 164). *La nuit coulait sur cette
mince poitrine que Mathilde avait vu étinceler d'eau* (Fr. Mauriac, *Les
anges noirs*, ch. XIX). *L'agonie des êtres qu'il avait vu mourir* (B. Clavel,
La saison des loups, pp. 338-339). *Ils rencontrèrent les deux hommes que
Julien avait vu sortir de la maison* (B. Clavel, *La maison des autres*, J'ai lu,
p. 377). *Une petite que j'ai vu débarquer* (Fr. Mallet-Joris, *La chambre
rouge*, p. 111). *Lorsqu'elle eut retrouvé ses esprits, on l'avait entendu mur-
murer* (M. de Saint-Pierre, *Les aristocrates*, Poche, p. 81). *Je les avais déjà
entendu crier* (M. Duras, *Le marin de Gilbraltar*, J'ai lu, p. 88). *Un événement auquel nous croyons bien les avoir vu assister* (A. Frossard, *Le
Figaro*, 18 mars 1973). *Aucun ne nous avait vu venir* (J. Giraudoux,
Bella, VI). *Cette mystique, c'est le XIe siècle qui l'a vu naître et s'épanouir*
(E. Faral *La chanson de Roland*, Mellottée, 1948, p. 24). *Elle dit, faisant
tressaillir Louise qui ne l'avait pas entendu entrer* (J.-L. Curtis, *La parade*,
J'ai lu, p. 7). Et l'on pourrait citer Hugo, Musset, Proust, Barrès, Estau-
nié, Bloy, Daniel-Rops, Troyat, P. Hazard et combien d'autres !

Je n'ai pas cité d'exemples avec **laissé**. On sait que **fait**, suivi immédiatement d'un infinitif, doit rester invariable ; le pronom qui précède ne
peut jamais être complément de *fait*, il l'est de l'ensemble factitif *avoir
fait + infinitif* : *Les personnes que j'ai fait venir*. Le participe *laissé*, depuis
longtemps, est considéré comme pouvant suivre la règle générale (*Je les ai
laissé punir. Ils nous l'avaient laissé croire* (à nous). *Je les ai laissés dire*) ou
être traité comme *fait* et rester invariable devant un infinitif. Mais on voit
cette latitude entraîner chez beaucoup d'excellents écrivains un accord
illogique, du moins à la forme pronominale. Nous en parlerons plus loin.

Je n'ai pas non plus cité les hésitations qui se font jour à propos de
certains verbes d'opinion ou de déclaration. Si l'on écrit plus souvent
(cf. 5, p. 678) *On l'a crue folle* qu'*On l'a cru folle*, même en dépit de la
logique, celle-ci semble, dans l'usage, plutôt retrouver ses droits, parfois
même malgré les grammairiens, quand la présence d'un infinitif subordonné fait plus clairement apparaître que le complément est une proposition : *La solution qu'on m'a assuré être la meilleure* (on m'a assuré que
cette solution était la meilleure). L'invariabilité est ici nettement confirmée par l'usage, mais il n'est pas unanime.

Conclusion : On ne devrait plus affirmer que l'invariabilité généralisée
est une faute. Je n'ose toutefois pas conseiller au simple mortel de

s'affranchir de la règle, mais les écrivains devraient en avoir l'audace et forcer ainsi les grammairiens à reconnaître que le participe passé conjugué avec *avoir* et suivi d'un infinitif peut, suivant un usage dont les tendances s'affermissent, rester invariable dans tous les cas.

E. Participe passé des verbes pronominaux. Autre cas d'une règle toujours contraignante et souvent respectée, à laquelle il faut sans doute encore se soumettre, mais qui est arbitraire, tardive, contraire à une tendance de l'usage classique et souvent transgressée dans le meilleur usage, même par d'excellents écrivains. Il faut donc souhaiter que, conformément à la logique, à l'histoire de la langue et à certaines tendances de l'usage actuel, on renonce à imposer cette règle et qu'on puisse accorder le participe avec le sujet, puisqu'il est conjugué avec *être*.

Règle. Les verbes pronominaux étant toujours construits avec *être*, leur participe, comme l'auxiliaire, s'accorde avec le sujet, sauf dans deux cas : on considère qu'*être* est mis pour *avoir* et l'on fait l'accord du participe comme si l'on avait *avoir* quand on trouve, en posant la question avec *avoir* et le verbe simple, un complément d'objet direct ou quand le pronom réfléchi est clairement complément indirect ou complément d'attribution.

a) Il y a un complément d'objet direct du verbe conjugué : *Ils se sont lavé les mains* (Ils ont lavé quoi ? les mains). *Ils se sont lavés. Ils se sont frappé la tête. Ils se sont frappés à la tête. Ils se sont proposés pour ce travail* (proposer = mettre en avant, mettre sur les rangs). *La tâche qu'il s'était proposée* (fixer à soi comme but ; voir plus loin, b). *Elle s'était proposé de participer à ce congrès* (même sens : l'infinitif est complément d'objet direct. *La garantie qu'il s'est assurée. Elle s'est décidée à partir.* Le complément d'objet direct peut être une proposition : *Elle s'est imaginé qu'on la trompait.* Sens réciproque : *Ils se sont injuriés.*

b) *Ils se sont parlé* (l'un à l'autre ; sens réciproque). *Les hôtes se sont succédé chez nous pendant les vacances. Ils se sont nui à eux-mêmes. La démarche qu'il s'était proposé de faire* (démarche est complément de *faire* ; *se* est complément d'attribution de *proposer* = fixer comme but). *Nous nous sommes suffi à nous-mêmes. Elle s'est promis de nous aider.* Dans ces phrases, le pronom réfléchi est complément indirect ou d'attribution.

c) En dehors de ces deux cas, on ne peut dire que le verbe pronominal conjugué avec *être* corresponde au verbe simple conjugué avec *avoir* et qu'on puisse en analyser tous les éléments (parfois même ce verbe simple n'existe pas ou a un autre sens) ; il faut donc considérer que *être* n'est pas mis pour *avoir* et accorder le participe avec le sujet : *Ils se sont échappés de prison. Ils se sont emparés de la ville. Ils se sont aperçus de leur erreur* (on ne peut dire :« Ils ont aperçu quoi ? Leur erreur », puisque le complément est « de leur erreur »). *Ils se sont doutés de la fraude. Elles se sont plaintes de votre conduite. Ils se sont étonnés qu'on les eût fait attendre* (ils n'ont pas étonné eux-mêmes ni à eux-mêmes ni quelque chose). *Ils se* sont *intéressés au projet. Ils se sont* **adressés** *au directeur* (mais : *Les lettres qu'ils se sont* **adressées** *pendant un an*). *La maison s'est bien* **vendue** (sens passif). *Les roses se sont* **effeuillées.**

Il faut prendre garde de ne pas analyser erronément le pronom réfléchi comme un objet direct dans un grand nombre de verbes comme *s'intéresser, s'adresser, s'absenter, s'arrêter, s'ingénier, se réfugier, se taire,* etc. Mais du point de vue de l'accord, il n'y aurait aucun mal, puisque le participe serait alors considéré comme s'accordant avec le pronom réfléchi représentant le sujet. Même remarque pour *se jeter sur, se précipiter sur.*

Exceptions. Restent toujours invariables les participes de **se rire, se plaire, se complaire, se déplaire,** même quand on ne peut donner une fonction d'objet indirect au pronom réfléchi : *Ils se sont* **souri** (ou *se sont* **menti**) *l'un à l'autre* (*se* est objet indirect). *Ils se sont* **ri** *de nos menaces* (*se* n'est pas objet indirect). *Ils se sont* **complu** *à nous intriguer.*

Bien que **s'arroger** soit toujours pronominal, on ne fait pas l'accord avec le sujet parce qu'il y a toujours un objet direct : *Les droits qu'elle s'est* **arrogés.** *Se* est d'ailleurs complément d'attribution. Mais **s'écrier, s'exclamer,** toujours pronominaux eux aussi, requièrent l'accord avec le sujet, même s'ils ont comme complément d'objet direct une interjection ou une proposition ; *se* n'y a aucune fonction logique : « *Eh quoi ! », s'est-elle* **écriée.** *Elle s'est* **exclamée** *qu'on la trompait.*

Le participe est invariable dans **s'en donner** (*à cœur joie*), **se rendre compte.** Pour **se faire l'écho de,** cf. ÉCHO, 2.

Certains verbes se prêtent à plusieurs analyses. **S'assurer.** Cf. ASSU-RER : *Ils se sont* **assurés** *contre l'incendie. La protection qu'il s'est* **assurée.** *Ils se sont* **assuré** *des vivres pour six mois* (assurer = donner, procurer avec une garantie). *Ils se sont* **assurés** *de cette nouvelle* (autre sens, assurer = rendre sûr). *Elle s'est* **assurée** *que son père dormait. Ils se sont* **assurés** *que rien ne manquait.* Mais des auteurs et des grammairiens font mal ces distinctions vraiment subtiles.

Se persuader que a fait l'objet de beaucoup de discussions. On a autrefois exigé l'invariabilité du participe ; mais *on persuade qqn de qqch.* ou *on persuade qqch. à qqn.* On a donc le choix : *Ils se sont* **persuadé(s)** *qu'on n'oserait les contredire.*

Malgré la présence d'une **préposition devant l'infinitif,** on considère celui-ci comme un objet direct quand le substantif complément se construirait directement : *Elle s'était* **proposé** *de nous rejoindre. Elle s'était* **permis** *de répliquer. Elle s'était bien* **promis** *de recommencer.*

On voit que la présence d'un infinitif n'empêche pas l'application de la règle, à condition de ne pas remplacer, quand on cherche un objet direct, une préposition par une autre ni un infinitif par un participe : *Elle s'est* **décidée** *à partir* (on dirait : avec le verbe simple : *elle a décidé de partir* ; c'est *se* qui est l'objet direct : décider qqn à faire qqch.). *Ils se sont* **vus** *mourir.* Mais : *Ils se sont* **vu** *condamner,* en face de : *Ils se sont* **vus** *invités. Elle s'est **senti attaquer** par derrière*, mais *Elle s'est **sentie attaquée** par derrière. Ils se sont **fait** gronder (fait* est toujours invariable immédiatement devant un infinitif ; cf. plus haut, D, critique de la règle).

Se laisser ne fait pas exception à la règle (même référence). Accord si le pronom réfléchi est complément d'objet direct et fait l'action de l'infinitif : *Elle s'est **laissée** mourir* comme *On les a **laissés** mourir.* L'invariabilité du participe est toujours permise : *On les a **laissé** mourir. Elle s'est **laissé** mourir.* Elle est obligatoire si le pronom est complément de l'infinitif : *Elle s'est **laissé** rejoindre.* Mais nous allons voir, en critiquant la règle, que de nombreux écrivains font l'accord même quand le participe *laissé* devrait rester invariable dans le verbe pronominal.

Avant cela, il faut voir ce que prescrit cette règle quand il y a (ou quand il semble y avoir) un **attribut du complément d'objet direct** (cf. D, 5). L'accord du participe est courant dans le bon usage : *Elle s'est **crue** guérie*, et c'est normal, car il n'y a ni objet direct (puisque le sens est : Elle a cru qu'elle était guérie) ni complément indirect et il y a accord avec le sujet. Donc : *Ils se sont **déclarés** nos amis. Elle s'est **rendue** coupable. Elle s'est **trouvée** belle. Elle s'est **portée** malade. Elle s'est **estimée** suffisamment récompensée. Elle s'est **prétendue** malade.*

N.B. Si le sujet est *on*, cf. ON, 1, 2.

Critique de la règle. Il serait facile de montrer qu'en voulant considérer que *être* est mis pour *avoir*, de bons grammairiens se sont livrés à des analyses ne respectant pas toujours la logique et ont vu dans le pronom réfléchi un complément d'objet direct là où, visiblement, si l'on tient compte du sens actuel, il n'a pas de fonction logique.

Mais laissons cela. Constatons que jusqu'au début du XVIIᵉ siècle, l'usage était simple : conjugué avec *être*, le participe s'accordait avec le sujet. C'est Malherbe qui a voulu que l'attention se portât sur le complément plutôt que sur le sujet. Il a distingué, dans un cas sans complication, *Ils se sont **élu** des rois* et *Ils se sont **blessés**.* Le branle était donné et notre règle allait progressivement se préciser. Non sans hésitations ni discordances. Vaugelas écrit encore, dans la préface de ses *Remarques*, en 1647 : *Ils se sont **attachez** à des patrons excellens qu'ils se sont **proposez** d'imiter.*

Si nous consultons la logique et l'histoire de la langue, c'est à cet accord avec le sujet qu'il faudrait revenir. Si nous interrogeons l'usage moderne, cet accord n'est pas rare dans la langue parlée et a dans la langue écrite, pourtant généralement fidèle à la règle scolaire, des répondants sérieux. Nombreuses en effet sont les infractions, parfois vers l'invariabilité, le plus souvent vers l'accord avec le sujet.

Invariabilité contraire à la règle : *Tous ceux qui m'ont fréquenté s'en sont rapidement aperçu* (J. Giono, *Le hussard sur le toit*, Poche, p. 119). *Il n'est pas jusqu'aux poètes qui ne s'en soient emparé* (A. Roussin, *La locomotive*, Poche, p. 17). *Les juges s'en seraient-ils aperçu ?* (R. Floriot, *Les erreurs judiciaires*, p. 292). *Elle ne s'en est même pas aperçu* (J. Anouilh,

Pièces brillantes, p. 424). On peut croire que, dans ces quatre phrases, c'est la présence de *en* qui, à tort, détermine l'invariabilité, mais on trouve parfois celle-ci dans d'autre cas.

L'accord avec le sujet est toutefois beaucoup plus fréquent. La langue parlée en témoigne quand on peut entendre l'accord. On dit très souvent : *Elle s'est permise de ne plus recommencer. Elle s'est promise de répliquer.* Mais de bons écrivains font aussi l'accord avec le sujet dans les cas où la règle traditionnelle l'interdit nettement : *Nous nous sommes tendus la main* (R. Nimier, *Les épées*, Poche, p. 95). *Les filles s'étaient déjà procurées des pointes et avaient cloué...* (R. Vaillant, *Bon pied, bon œil*, Poche, p. 68). *Je me suis demandée si (...) je pourrais lui faire confiance* (E. Charles, *Une soupe aux herbes sauvages*, Poche, p. 117). *Mme Lucie Faure (...) s'est assurée une place très personnelle dans la cohorte de nos romanciers* (R. Kanters, *Le Figaro*, 17 juin 1972). *Virginie s'était imaginée que c'était elle, dans sa loge, qu'on applaudissait* (Aragon, *La semaine sainte*, p. 111). *Elle s'était imaginée que la bombe venait de tomber sur notre maison* (E. Roblès, *Le Vésuve*, p. 184). *Pour parvenir au but que nous nous sommes assignés* (P. Vialar, *Le clos des trois maisons*, p. 89). *Cette époque (...) s'était complue à laisser sur elle une abondance de témoignages de détail* (A. Thibaudet, *Hist. de la litt. française depuis 1789*, p. 364). *Vous êtes-vous complue à ces pensées ?* (J. Mistler, *La route des étangs*, p. 83).

Grevisse note avec raison : « On observe, dans l'usage populaire, et parfois même chez d'excellents auteurs, une tendance instinctive à faire accorder, dans tous les cas, le participe des verbes pronominaux avec le sujet, » (*B.U.*, n° 1941, note.) Même tendance dans la presse : *La France s'est donnée une majorité politique* (*Le Monde*, 27 juin 1981, p. 14). On pourrait multiplier les exemples.

Cette tendance se manifeste aussi devant un infinitif : *Elle s'était vue charger de l'enseignement de la musique* (Daniel-Rops, *Mort, où est ta victoire ?*, Poche, p. 63). C'est particulièrement fréquent dans *se laisser* ; beaucoup d'écrivains accordent le participe avec le sujet alors qu'il devrait, selon la règle, rester invariable parce que le pronom réfléchi est complément d'objet direct de l'infinitif : *J'ai parlé comme une folle ; je me suis laissée emporter* (M. Butor, *La modification*, 10-18, p. 155). *Elle ne s'était laissée arrêter par aucun scrupule* (Fr. Mallet-Joris, *Allegra*, p. 64). *Ma fille (sept ans) s'était laissée circonvenir par un commerçant futé* (B. Pivot, *En effeuillant les marguerites*, Le Figaro, 18 mai 1973). *La maison s'était laissée pétrir par cette mort* (J. Romains, *Mort de quelqu'un*, p. 144). *Ils s'étaient laissés prendre* (Fr. Ambrière, *Les grandes vacances*, Poche, p. 79). *Ma voiture était là, justement (...). Annick, séchant son cours, s'était laissée pousser dedans* (H. Bazin, *Le matrimoine*, Poche, p. 380). *Cette grande fille blonde s'était laissée manœuvrer sans broncher* (H. Juin, *Les hameaux*, Marabout, p. 96). *Nous nous sommes laissés entraîner de nouveau (...). Nous nous sommes laissés séduire* (A. Gide,

Journal, 20 février 1928, 23 avril 1932). *Elle s'était laissée marier docilement à un vieillard* (Fr. Mauriac, *Le nœud de vipères*, 1ᵉʳᵉ partie, ch. VIII). Même accord « fautif » dans d'autres exemples, nombreux, cités par Grevisse (*B.U.*, n° 1931), de Pr. Mérimée, E. Jaloux, R. Rolland, A. France, A. Chamson, Th. Maulnier, P.-H. Simon, J. Romains, H. Troyat, M. Brion, M. Genevoix.

Quand tant d'auteurs, et de telle qualité, font l'accord avec le sujet en dépit des règles, même dans le cas où, avec *laissé*, la perche de l'invariabilité leur est tendue, on se demande si la règle maintenue par l'enseignement et une certaine tradition conservatrice mérite encore son crédit. Je ne me reconnais toutefois pas le droit de conseiller à chacun de s'en affranchir. Mais je demande que les grammairiens et les enseignants se rendent compte de sa fragilité et que les écrivains osent affirmer la tendance incontestable de l'accord avec le sujet dans tous les cas. Ils seront en bonne compagnie et aideront à faire triompher une saine évolution de la langue.

Participe présent et adjectif verbal.

I. **Comment les distinguer ?** La question est d'importance, pour l'orthographe et pour l'accord, le participe présent étant aujourd'hui toujours invariable, l'adjectif verbal s'accordant comme un adjectif.

Le principe de cette distinction est simple. Le participe présent est verbe et exprime une action momentanée ou nettement délimitée dans sa durée. Il peut être généralement remplacé par *qui* et le même verbe conjugué. L'adjectif verbal exprime un état qui se prolonge, une habitude, une qualité plus ou moins permanente de son support ; il correspond plutôt à un adjectif : *Je l'ai vue **riant** aux éclats* (= qui riait, en train de rire à ce moment). *Nous traversions une campagne **riante*** (= gaie, joyeuse ; état permanent). On pourrait cependant penser : qui riait. C'est pourquoi il est bon de recourir à des indices formels, reflétant les conditions normales d'emploi du verbe ou de l'adjectif.

A. La forme en *-ant* est **participe présent** dans les cas suivants :

1) elle a un complément d'objet direct : *Une personne aimant la lecture ;*

2) elle est employée à la forme pronominale : *Ils étaient là s'interrogeant.* Aujourd'hui *soi-disant* est invariable ;

3) elle est employée avec le semi-auxiliaire *aller* ou avec *s'en aller* : *Ses maux vont croissant. Ses forces s'en vont déclinant.* De même si, aux temps composés, *aller* est remplacé par *être* : *Ses maux ont été croissant ;*

4) elle est précédée de la négation *ne* : *Ne voulant pas se rendre, ils se tuèrent. Elle se promenait, ne songeant à rien de précis ;*

5) elle est suivie d'un adverbe qui la modifie : *Des enfants grincheux, réclamant continuellement* (ou *sans cesse*). Il arrive cependant que l'adverbe suive, bien que le mot en *-ant* soit adjectif verbal et marque un

état durable : *Nous marchions, hésitants quelquefois, mais non découragés.* On remarque le parallélisme entre *hésitants* et l'adjectif *découragés ;*

6) elle est employée en construction absolue, avec un sujet propre (ablatif absolu latin) : *La chance aidant, nous réussirons.* On écrit cependant, par survivance d'un ancien usage, où le participe s'accordait : *Moi vivante, il ne le fera pas. Toutes affaires cessantes, il se mit à l'œuvre ;*

7) elle forme avec *en* (parfois sous-entendu) un gérondif (cf. GÉRONDIF) : *Elle arrive en courant. Ils allaient criant par les rues.* On ne confondra pas le gérondif avec l'emploi de *en*, signifiant « comme, à la manière de », suivi de l'adjectif verbal employé substantivement : *Ils sont venus en conquérants. Elle se présente en suppliante.* Comparez : *en vainqueurs, en quémandeuse ;*

8) elle exprime l'action devant un complément indirect ou circonstanciel. Voir C.

B. La forme en -ant est **adjectif verbal** dans les cas suivants :

1) elle est attribut : *Ils sont amusants ;*

2) elle précède immédiatement le nom ou peut le précéder : *Une étonnante audace, une vallée ravissante ;*

3) placée en épithète après un nom ou en apposition, elle n'a pas de complément d'objet direct : *Les murs fumants de Troie. Une apparition étrange, inattendue, saisissante. Une vague odeur engourdissante de peinture, de térébenthine et de tabac.* Cependant il suffit, pour qu'il s'agisse d'un participe présent, que ce soit l'action qui soit évoquée : *Des femmes, des enfants, trois chiens hurlant* (B. Clavel, *La saison des loups*, p. 200). *Il réveilla ses fils dormant, sa femme lasse* (V. Hugo, *La conscience*). *Corps craquant qui se redressent (...). Corps voguant onctueusement vers le bureau* (L. Bodard, *Anne Marie*, Le Grand-Livre-du-Mois, p. 93) ;

4) précédée d'un adverbe (autre que *ne*) qui la modifie, elle n'est pas suivie d'un complément d'objet direct : *Une personne non complaisante. Des personnes bien pensantes.* On rencontre exceptionnellement l'invariabilité quand le mot en *-ant*, quoique précédé d'un adverbe, est perçu comme exprimant l'action : *Elle avait toujours été pauvre, toujours empruntant, toujours dépensant* (Alain-Fournier, cité par Grevisse, *B.U.*, n° 1895). *Devant ces flots humains, disparates et sans cesse croissant, qui arrivaient des quatre points cardinaux* (Fr. Ambrière, *Les grandes vacances*, Poche, p. 191) ;

5) elle est jointe, coordonnée ou juxtaposée, à un adjectif qualificatif, à condition qu'elle n'ait aucun des caractères signalés en A : *Tout suffocant et blême, quand sonne l'heure* (Verlaine, *Poèmes saturniens*, 5). *Les cavaliers revinrent en groupe, à l'heure dite, tressautants, essoufflés, sur de grands chevaux débonnaires* (H. Troyat, *Les Eygletière*, J'ai lu, p. 139). *Il gesticulait (...) et lançait ses mains en avant, écarquillées et voletantes comme de larges feuilles de marronniers soulevées par le vent* (J.-L. Bory, *Mon village à l'heure allemande*, J'ai lu, p. 5) ;

6) elle exprime un état devant un complément indirect ou circonstanciel. Voir C.

C. Quand la forme en -*ant* a un complément prépositionnel (ou circonstanciel sans préposition), le cas est moins clair, car verbes et adjectifs peuvent avoir de tels compléments. Il faut donc alors recourir aux principes énoncés en tête de cet article (avant A) et voir si l'on exprime une action momentanée, délimitée dans sa durée, ou une habitude, un état qui se prolonge : *Il a vu des chiens* **courant** *à travers bois. Nous ne distinguons que des points* **brillants** *sur le fond noir du ciel.* Si le complément est indispensable au sens, on a un participe présent : *La fillette,* **obéissant** *à sa mère, alla se coucher.* Le sens n'est pas celui qu'aurait *La fillette* **obéissante** *alla se coucher.* Si Littré écrit *Rendre ses passions* **obéissantes** *à la raison*, c'est qu'il s'agit d'un état et d'un attribut du complément (cf. B, 1). *Des mets* **plaisant** *à chacun.* Mais : *Cette expression est* **courante** *dans la région parisienne. Des toits* **brillant** *au soleil* ou **brillants** *au soleil.* — *Les yeux rapprochés* **pétillants** *d'un feu sombre* (J.-L. Curtis, *La parade*, J'ai lu, p. 20). On pourrait écrire *pétillant. Jean-Jacques vit, sur les yeux* **luisant** *dans l'ombre, les paupières brusquement descendre* (Vercors, *Les armes de la nuit*, p. 57). C'est évidemment une faute d'écrire : *Masquées par une fumée hésitante à se répandre* (M. Gallo, *Quand la mer se retire*, Poche, p. 62).

II. **Orthographe.** Dans certains cas, l'adjectif verbal ne s'écrit pas comme le participe présent, où l'on retrouve toujours le radical du verbe et la finale *ant*. Les deux ont la même forme dans *exigeant, attaquant, piquant, trafiquant.* On distingue les participes *communiquant, provoquant, suffoquant, zigzaguant, fatiguant, extravaguant* et les adjectifs *communicant, provocant, suffocant, fatigant, extravagant, zigzagant.* On distingue aussi *adhérant* et *adhérent, convergeant* et *convergent, différant* et *différent,* etc.

On trouvera la plupart de ces mots à leur place, dans l'ordre alphabétique.

III. **Locutions.** Dans un certain nombre de locutions ou d'expressions figées, le participe présent est encore variable, par tradition ou parce qu'il n'a pas le sens actif qu'il a normalement ou parce qu'il a la signification du verbe pronominal correspondant : *un café chantant* (où l'on chante), *deniers comptants, avocat* ou *médecin consultant, une place payante, couleur voyante, une rue passante, un endroit commerçant, poste restante, chemin glissant, soirée dansante, un thé dansant, à la nuit tombante, une personne bien portante, méfiante, repentante, la partie plaignante, en espèces sonnantes, à sept heures sonnantes* (ou *battantes* ou *tapantes*) ou, plus souvent, *à sept heures sonnant* (ou *battant* ou *tapant*), *toute(s) affaire(s) cessante(s), tous empêchements cessants, les tenants et les aboutissants, les allants et venants, séance tenante, les ayants-droit, les ayants-cause, une maison à lui appartenante* ou *à lui appartenant* ou *lui appartenant, une affaire pendante.*

IV. **Rapport du participe avec le sujet ou le complément.**

1. Cf. Participe, *Construction.*

2. Certains grammairiens tel Thérive (*Querelles de langage*, 3ᵉ série, p. 175) ont condamné comme lourde l'apposition d'un participe présent à un substantif autre que le sujet de la phrase. Ils préféraient employer une relative. Scrupule excessif et qu'il ne faut pas généraliser : *Il vit un montreur d'ours et sa bête se dirigeant vers l'embarcadère* (J. Green, *Varouna*, p. 32) n'est pas plus lourd que : *qui se dirigeaient*. Affaire de style, en tout cas, et non de grammaire.

Participer, v.tr.ind. Distinguer :

Participer **à**, avoir part à, prendre part à : *Il participe à la conversation, aux dépenses, à notre chagrin.*

Participer **de**, comporter une similitude de nature avec, relever de : *Un commerce qui participe de l'épicerie.*

Participial, adj. *Les tours participiaux.*

Partie, n.f. *Prendre qqn à partie.* Cf. Parti. *Avoir affaire à forte partie. Être partie prenante. La partie adverse. Être à la fois juge et partie. Avoir partie liée avec qqn. Jouer une partie de cartes.*

Parti pris, n.m. Cf. Parti.

Partir, v.intr. Auxiliaire *être.*

1. **Partir soldat**, aller faire son service militaire, appartient au français populaire.

2. **Devant un infinitif** indiquant le but, *partir* se construit directement (parfois avec *pour*) : *Il est parti (pour) faire une promenade. Je pars faire un tour.* On trouve *partir à* devant *rire* dans le sens de « se mettre à rire ». Devant un nom, *partir pour* marque un but, une destination : *Partir pour la chasse* (cf. 3 et 6).

3. Ne pas dire [*il est parti pendant un mois*]. *Partir* marque en effet le départ, la mise en mouvement. Dire : *Il s'est absenté pendant un mois. Il est parti pour un mois.*

4. *Partir* peut signifier « disparaître » : *Cette tache est partie au lavage. La tache est partie.*

5. *Partir de zéro.* Cf. Zéro.

6. **Partir à ou pour.** On dit : *Il est parti de Bruxelles pour Paris.* Mais en dehors de ce cas, on s'obstine, à tort, à condamner *partir à* en n'admettant que *partir pour* ou *vers*. L'usage courant et celui de très bons écrivains n'hésitent pas à employer *à* : *Il est parti au bureau, à la gare, à la campagne, à Lyon, au cinéma.* On dit : *partir en Angleterre, dans les Vosges, ailleurs, n'importe où, dans sa famille, en voyage, en vacances.*

7. *Partir* n'a plus le sens de « partager » que dans *avoir maille à partir avec qqn*, dans *mi-parti* (cf. ce mot) et en termes de blason. Cf. aussi BIPARTI.

8. **À partir de** = en prenant comme point de départ, dans l'espace ou dans le temps ou dans un raisonnement : *À partir de cette borne, de ce moment, de cette constatation.* Un autre emploi similaire est répandu dans les milieux industriels pour marquer le point de départ d'une opération matérielle : *Produits chimiques obtenus à partir de la houille* (= tirés de la houille). On le critique à tort, me semble-t-il.

9. *Au partir de* (= au départ de) n'est plus vivant.

10. **Composés.** *Repartir* et *départir* se conjuguent comme *partir* ; *répartir* comme *finir.* Attention : *Il ne se **départ** pas de son calme.*

Partisan, n.m. On ne devrait plus hésiter sur le féminin, *partisane*, de l'adjectif ou du nom. Mais certains préfèrent dire d'une femme qu'*elle est un partisan convaincu* et, quand l'adjectif a un complément, préfèrent employer *partisante* : *Heureusement, la majorité des femmes restent partisantes des vieilles méthodes* (Jean-Charles, *Vingt cancres après*, p. 62). Rejetons *partisante* et adoptons *partisane*.

Partition, n.f., double inutilement *partage*, en copiant l'anglais, quand on parle du *partage d'un pays, d'un territoire.*

Partout, adv. Le *t* final ne se lie pas à la voyelle initiale du mot qui suit.

1. Alors qu'en Belgique on dit parfois [*chercher tous côtés*] au lieu de *chercher de tous côtés*, on dit, dans certaines régions de France, *de partout* au lieu de *partout : être connu* [*de partout*], *une faute fréquente* [*de partout*]. Cet emploi ne peut être confondu avec celui de **de partout** signifiant « de tous côtés à la fois », où le *de* se justifie : *Il souffre. **De partout** : de la bouche, des jambes, du dos* (Martin du Gard, cité par PR). *Un toit qui pleut de partout.*

2. On a dénoncé comme un flandricisme l'expression *tout partout* (*avoir mal tout partout*), courante en Belgique. C'est une vieille expression française, considérée avec raison aujourd'hui comme redondante et populaire, mais qui survit dans plusieurs régions de France, notamment en Normandie.

Partouze, n.f. populaire (partie de débauche), s'écrit aussi *partouse.*

Par trop, loc.adv., beaucoup trop : *Il est par trop exigeant.*

Parturiente, adj. et n.f., se dit de la femme qui accouche. Noter *en.*

Parution, n.f. formé sur le modèle de *comparution* venant de *comparu*, a été fort critiqué, mais s'est incontestablement imposé dans tous les milieux. Il ne se confond pas avec *publication*, car il évoque le moment où un écrit paraît, est mis en vente : *Dès sa* **parution**, *ce roman a eu du succès.*

Pas, n.m., peut signifier « seul » : *Il est resté* **sur le pas** *de la porte.* Le nom composé invariable **pas-de-porte** désigne la somme supplémentaire payée au bailleur ou au locataire en place pour louer les lieux.

L'expression [*donner un pas de conduite à qqn*], courante en Belgique, a pour correspondants français *faire un bout* (*un brin*) *de conduite à qqn* ou *faire la conduite à qqn* (Ac.), *reconduire qqn, l'accompagner un moment.*

Faire le (ou **les**) **premiers pas,** c'est prendre l'initiative. *Un premier pas de fait* (N. Sarraute, *Portrait d'un inconnu,* 10-18, p. 68). *Il n'y a que le premier pas qui coûte* (c'est le commencement qui est le plus difficile) se dit aussi par ironie, en parlant d'une activité condamnable.

Un faux pas. Faire le premier pas ou *les premiers pas. À grands pas. Le pas gymnastique* ou *le pas de gymnastique.*

Pas et **point,** adverbes de négation.

1. **Concurrence** entre **pas** et **point.** Sans doute, si l'on tient compte de l'étymologie, *point* nie plus fortement que *pas* : *Je n'avance pas d'un point* dit plus que *Je n'avance pas d'un pas.* Mais ce sens étymologique est aujourd'hui bien loin de l'usage. Celui-ci, quoi qu'on prétende encore parfois, ne distingue pas les deux adverbes par le sens mais par l'euphonie ou dans l'emploi. *Point* est infiniment moins fréquent et par là il peut certes prendre, occasionnellement, une valeur plus forte. Mais il est surtout littéraire, archaïque ou régional, parfois rural. Il peut toujours être remplacé par *pas,* sauf dans le cas — rare d'ailleurs — où il correspond à *non* dans une réponse elliptique : *En voulez-vous ?* **Point** (Ac.) ou **Point du tout.** On ne pourrait répondre *pas* tout seul ; on dirait : *Non* ou *Pas du tout, Pas encore, Pas plus que vous,* etc.

Par contre, dans la langue populaire ou familière, c'est *pas* qui s'impose tout naturellement comme forme réduite de l'expression interrogative *n'est-ce-pas ?* : *Il faut bien croire à quelque chose, pas ?* (ou *pas vrai ?*)

2. *Pas* ou *point* peuvent s'employer dans certains cas au lieu de **non** ou de **non pas** (ou **non point**) devant un mot ou un groupe de mots qu'ils nient **dans une construction antithétique.** On les trouve ainsi (*pas* étant beaucoup plus fréquent que *point*) devant un adjectif, un participe employé seul, un nom, un pronom, une préposition, un adverbe, une proposition : *Subitement* **ou pas** (M. Duras, *Le marin de Gibraltar,* J'ai lu, p. 45). *Il est économe,* **pas avare.** *Invité ou pas invité. Je réclame un droit, pas une faveur. Je veux consulter quelqu'un, mais pas lui. C'est lui qui l'a dit, pas sa femme ou pas moi. C'est pour lui seul qu'il travaille, pas pour les autres. On jouait dans la cour et pas ailleurs. Ce livre s'imposait à tous, pas seulement comme un compagnon, mais comme un ami. Il était patient, mais pas quand on le bousculait.* Cf. NON.

3. C'est à tort qu'on a condamné comme un belgicisme *si pas* au lieu de *sinon* dans de tels emplois : *Il a soixante ans, si pas plus.* L'expression est française, mais certains la considèrent comme un provincialisme (cf. *B.U.*, n° 2672) et la suspectent trop sévèrement. Cf. SINON, 2.

4. En dehors de ces corrélations, *pas* s'impose souvent devant l'adjectif, mais ce groupe suit toujours le substantif à moins qu'il ne soit détaché : *J'ai trouvé un logement pas cher, un travail pas trop pénible.* Il peut être détaché : *Pas méchant au fond, Pierre accepta facilement.*

5. Nombreux sont les tours elliptiques : *Pas de danger que* (et le subjonctif). *Point d'argent, point de Suisse. Pas de ça. Point d'affaire. Pas de nouvelles, bonnes nouvelles.*

6. En dehors des phrases elliptiques, le langage normal, surtout écrit, évite de réduire *ne pas* à *pas* : *C'est pas vrai. Te fâche surtout pas. Je sais pas.* Cf. NE PAS, 1, d. Cette omission de *ne* apparaît comme un archaïsme littéraire dans l'interrogation oratoire, où elle était courante au XVIIe siècle. Voici trois phrases de Ch. de Gaulle : ***Faudra-t-il pas** leur consentir des avantages ?* (*L'unité*, Poche, p. 292). ***Serait-ce pas** tant mieux ?* (*L'appel*, Poche, p. 16). ***Faudra-t-il pas** les mettre en commun ?* (*Ibid*, p. 401). Cf. p. 602.

7. On dit aujourd'hui *pourquoi pas ?* plus souvent que *pourquoi non ?*

8. *Moi, non.* Cf. NON, 2.

9. Ellipse de *pas* ou *point.* Cf. NE *employé seul.*

10. Cf. NE PAS QUE.

11. *Pour ne pas que.* Cf. NE PAS, 2, e, p. 616.

12. **Pas mal**, employé sans verbe, peut marquer l'approbation : *Pas mal ! Continuez.* Avec un verbe, il exige *ne* quand *mal* est adverbe de manière (*Il **ne** chante **pas mal***) ou quand la locution est employée adjectivement comme le serait son contraire *bien* (*Cette fille n'est pas mal* ; elle est assez jolie, elle est bien).

Mais si *mal* est adverbe de quantité ou d'intensité, *ne*, autrefois imposé et certes encore permis, est aujourd'hui généralement omis ; c'est devenu le tour normal : *Il n'y avait pas mal de curieux à ce spectacle* (Littré) se dit aujourd'hui : *Il y **avait** pas mal de curieux... J'en connais pas mal qui accepteraient. J'ai mis pas mal d'eau dans mon vin.* Après une préposition, on ne peut mettre *ne* : ***Avec pas mal de difficultés**, j'ai pu m'en tirer.*

Dans ce sens, *pas mal*, comme son synonyme *beaucoup*, est suivi de *de* ; *des* n'est possible que s'il y a une détermination : *J'ai résolu pas mal des problèmes que vous m'aviez soumis.*

13. *Pas moins de.* Cf. VERBE, *Accord* A, II, 3, p. 969.

14. *Pas plus que.* Cf. VERBE, B, VIII, p. 982 et NE *employé seul*, 11, p. 608.

15. *Pas rien. Ce n'est pas rien.* Cf. RIEN, 4.

16. **Pas un** accompagnant un verbe réclame *ne* : *Pas un ne recula.*
Mais : *Il souffrit comme pas un* (= plus qu'aucun autre). *Le soleil brillait, pas un nuage dans le ciel bleu.*

Devant un adjectif ou un participe employés seuls, on met le plus souvent *de*, mais Grevisse le déclare facultatif : *Il a des amis, mais il n'en a pas un de fidèle, pas un fidèle* (*B.U.*, n° 1276).

On dit : *Sans un mot* et non [*sans pas un mot*]. *Pas un qui s'en soit souvenu.* L'emploi de *ne* (*ne s'en soit*) change le sens. Cf. p. 606.

Pascal, adj. Pluriel : *pascaux.* Plusieurs bons dictionnaires donnent *pascals* ou *pascaux.* Le nom masculin désignant en physique une unité de pression fait au pluriel *pascals.*

Passablement, adv. *Il sait passablement sa leçon* (= d'une manière tout juste acceptable). *Il est passablement plus âgé que moi* (= d'une façon notable). *Il faut déjà passablement d'intelligence pour souffrir de n'en avoir pas davantage* (A. Gide, *Journal,* 21 mars 1930).

Passager, adj., signifie « qui ne fait que passer, qui dure peu de temps » : *Un oiseau passager. Un hôte passager. Une crainte passagère.* Il peut aujourd'hui se dire familièrement d'une rue, d'un lieu où il passe beaucoup de monde, mais à propos d'une rue on dit plus souvent : *Une rue* **passante,** animée, très fréquentée.

Passation, n.f., action de passer un acte, un contrat, une écriture comptable (*La passation d'un contrat*), peut se dire aujourd'hui, malgré l'Académie, de l'action de passer ses pouvoirs à un autre : *La passation* (ou *la transmission*) *des pouvoirs a eu lieu au ministère.*

Passavant, n.m. On a renoncé à l'orthographe *passe-avant.*

Passe, n.m., est l'abréviation de **passe-partout,** n.m.invar. Parmi les emplois du **n.f.,** notons : *Être dans une bonne ou une mauvaise passe* (= période) et *Être en passe de,* suivi d'un infinitif = être sur le point de : *Il est en passe de devenir officier* (Ac.).

Passé, adj. ou participe passé (ou prép.) : *La semaine* **passée.** *L'an passé* (ou *l'an dernier*). *Ces jours passés. Il est neuf heures et demie passées, midi passé. Il a soixante ans passés.* **Passé** *cinq heures, on ne le trouve plus à son bureau.* **Passé** *la ferme, il n'y a plus que des campagnes.* **Passé** *la cinquantaine.* Cf. PARTICIPE PASSÉ, A, p. 674. On dit aussi : *passé quoi* = après quoi.

On ne peut dire : [*Il y a passé trois cents ans. Il y avait passé deux cents personnes*]. On dit : *Il y a plus de trois cents ans. Il y avait plus de deux cents personnes.*

Passé, adj., se dit aussi d'une couleur ou d'un objet coloré qui a perdu son éclat, qui est passé, ou d'un fruit, d'une denrée qui a perdu sa fraîcheur : *Un melon déjà passé. Une couleur passée. Une étoffe passée.*

Passé antérieur, 1. On évitera de le confondre avec le « conditionnel passé deuxième forme » et avec le subjonctif plus-que-parfait. On n'oubliera pas qu'au passé antérieur l'auxiliaire est au passé simple (*j'eus, je fus,* etc. ; 3ᵉ pers., *il eut, il fut,* sans accent circonflexe ; *nous eûmes, nous fûmes,* avec accent circonflexe).

2. **Emploi** : a) **Dans une subordonnée,** pour exprimer un fait non répété qui a eu lieu, dans un temps déterminé et assez limité, avant un autre, également passé. Celui-ci est généralement exprimé au passé simple : *Quand il fut arrivé, je partis. Dès qu'il eut fini, il se leva.* Mais il peut être au présent historique : *Après qu'il eut brouté, trotté, fait tous ses tours, Jeannot lapin retourne aux souterrains séjours* (La Fontaine) ou à l'imparfait, au passé composé ou au plus-que-parfait : *Il était mort au mois de mai dernier, à Tahiti où il vivait après qu'il nous eut quittés* (Fr. Mauriac, *La robe prétexte,* VIII). *J'ai compris lentement qu'il était mort, au bout de quelques jours, quand l'écho de sa belle voix harmonieuse eut fini de sonner entre les murs* (Colette, *O.C.,* II, p. 366). *Le « dédommagement » reçu d'Adrien, il en avait entrevu l'usage dès qu'il l'eut sollicité* (L. Estang, *Les stigmates,* Poche, p. 38).

On lui substitue souvent (en principale ou en subordonnée) le **passé surcomposé** (*j'ai eu fini*) quand il est en rapport avec un passé composé. L'usage est courant dans la langue parlée ; il est attesté depuis longtemps dans la langue littéraire : *Je n'ai pas eu plutôt lâché cette parole que je m'en suis mordu la langue* (Ac., à *Langue*). *Aussitôt que j'ai eu envoyé mon paquet, j'ai appris, ma bonne, une triste nouvelle* (Mᵐᵉ de Sévigné, 17 juin 1672).

b) Dans des propositions **principales ou indépendantes,** avec un complément de temps, pour exprimer une action entièrement accomplie et faite rapidement : *En vingt secondes il eut démonté la roue. En trois mois il eut dépensé son héritage.*

Passé composé, autrefois appelé improprement *passé indéfini.* Dans la langue parlée, il remplace le passé simple, sans nuance spéciale, et cela s'explique aisément par sa valeur propre et la facilité de sa conjugaison. Il indique proprement un fait passé considéré comme achevé, mais en contact avec le présent, soit par l'intérêt que lui porte celui qui parle, soit parce qu'il a des conséquences présentes, soit parce qu'il appartient à une période récente ou non encore écoulée, soit parce qu'il marque l'antériorité par rapport à un présent : *J'ai vu hier mon ami. Je l'ai connu au collège. J'ai décidé de ne plus le voir. J'ai lutté pendant vingt ans pour cette idée. J'ai bien travaillé cette année. Quelqu'un m'a dit que... Depuis qu'il est arrivé, rien ne va plus.*

On comprend qu'avec un complément de temps comme *jamais, toujours, parfois, souvent,* il exprime une vérité générale : *L'effort a toujours été récompensé.* Il serait d'ailleurs possible, dans ce cas, d'employer la forme écrite du passé simple.

L'extension de l'emploi du passé composé dans le style narratif écrit lui fait exprimer des faits passés, même lointains, en alternance avec le passé simple, soit qu'on envisage une suite de faits opposée à un évènement qu'on isole des autres au passé simple, soit qu'on adopte le ton du récit parlé : *Ces sables stériles* **ont porté** *en effet une civilisation riche, au temps où les Arabes* **envahirent** *la région et la fertilisèrent par leur irrigation ingénieuse, mais la vie* **s'est retirée** *depuis de ces extrémités lointaines* (J. Gracq, *Le rivage des Syrtes*, p. 11). Mais ce mélange des deux temps n'est pas soumis à des règles ni à des usages précis. Tandis que l'alternance du passé simple ou du passé composé avec l'indicatif imparfait doit respecter la valeur d'aspect de l'imparfait. Cf. IMPARFAIT de l'indicatif.

Le passé composé des verbes exprimant l'achèvement peut aussi avoir la valeur d'un futur antérieur en présentant le fait comme s'il était déjà accompli : *J'ai fini dans un instant.* Avec *si* conditionnel, le futur antérieur étant impossible, on doit employer le passé composé : *S'il n'est pas parti dans une heure, appelez-moi.*

La langue classique employait, au lieu du conditionnel passé, le passé composé des verbes marquant possibilité, convenance, obligation : *Vous dont j'ai pu* (= j'aurais pu) *laisser vieillir l'ambition dans les honneurs obscurs de quelque légion* (Racine).

Passé surcomposé. Cf. PASSÉ ANTÉRIEUR, 2 et VERBE, B, *Conjugaison.*

Passé simple, appelé aussi parfois *passé défini.* On notera que, malgré l'accent circonflexe, les terminaisons des deux premières personnes du pluriel se prononcent avec une voyelle brève : *nous eûmes, nous allâmes, vous fîtes, nous reçûmes.* Cf. -ÂMES. Mais on n'emploie presque plus ces formes, même en français écrit. Aux autres personnes, le passé simple est pratiquement inusité dans la langue parlée, du moins dans la conversation, sauf dans certaines provinces. On le remplace par le passé composé. Resté très vivant, mais à des degrés variables, dans le style écrit, le passé simple peut aussi y être remplacé par le passé composé, qui peut également alterner avec lui (cf. PASSÉ COMPOSÉ).

Quand on emploie le passé simple, il faut tenir compte de ce qui le distingue du passé composé et de l'imparfait. Contrairement au passé composé, il n'exprime aucun contact du fait passé avec le présent ; qu'on le considère en lui-même ou dans ses conséquences, le fait est en quelque sorte noyé dans le passé, généralement éloigné.

En opposition avec l'imparfait, le passé simple saisit le fait dans la totalité de sa durée, qui peut être brève ou longue. Cf. IMPARFAIT de l'indicatif.

Passer, v.tr.dir. et intr. 1. **Auxiliaire.** Placé traditionnellement parmi les verbes qui, lorsqu'ils sont intransitifs, se conjuguent avec *avoir* quand ils expriment l'action en train de s'accomplir et avec *être* quand on considère le résultat de l'action accomplie (cf. Auxiliaires), *passer* peut encore offrir des exemples de cette alternance bien qu'on emploie généralement *être*, même pour l'action : *Deux mois à peine ont passé depuis que nous avons conduit sa mère au cimetière* (P.-H. Simon, *Les raisins verts*, J'ai lu, p. 7). *L'autobus est passé il y a dix minutes.* Voir plus loin.

On emploie toujours *avoir* quand le verbe est transitif (*Nous avons passé la mer, un examen, les bornes, d'agréables vacances*) et dans **passer pour** signifiant « être considéré comme, avoir la réputation de » : *Elle avait jusqu'alors passé pour délicate.*

On doit employer *être* quand *passé* signifie « fini, révolu » : *Le temps des communications verbales, même les plus brèves, était passé* (M. Yourcenar, *L'œuvre au noir*, Poche, p. 253). Et quand *passer* veut dire « devenir » : *Ils sont passés maîtres dans l'art de peindre.*

Mais on dit : *J'ai passé par là, par chez lui* ou *Je suis passé par là. L'envie lui a passé* ou *lui est passée. La matinée a passé rapidement* ou *est passée rapidement. Un an a passé* ou *est passé depuis son départ. Cinq mois ont passé. Le soleil s'acharne sur l'eau trouble* (H. Bazin, *Le bureau des mariages*, Poche, p. 152). *Elle avait passé indifféremment de notre calme et beau décor de Toulouse au tohu-bohu des amis chargés d'enfants qui l'avaient invitée à Nîmes, comme elle était passée à la simplicité austère de son dernier asile toulousain* (R. Peyrefitte, *La mort d'une mère*, Poche, p. 14). *Vous êtes passé par l'île Saint-Louis où vous avez pris un café au lait (...). Au moment où vous êtes passé entre les statues (...). La pluie tombait quand vous êtes passé sur cette terrasse* (M. Butor, *La modification*, 10-18, pp. 64, 66, 73). *Nous sommes passés par la porte de Saint-Cloud (...). En traversant la ville, nous sommes passés devant une foire* (P. Modiano, *Route des boutiques obscures*, pp. 128, 129). *Nous sommes passés à la pointe des Sables* (J. Gracq, *Le rivage des Syrtes*, p. 66). *Dans un mois, qui sait, demain peut-être vous serez passée dans l'autre camp* (J. Anouilh, *Pièces brillantes*, p. 508). *La couleur du papier du salon doit être passée (...). Il était passé sans tourner la tête devant les jouets* (N. Sarraute, *Portrait d'un inconnu*, 10-18, pp. 158, 177).

2. **Passer un examen**, c'est le subir (en bien ou en mal). L'Académie donne *passer à un examen* avec le sens de *réussir, être reçu*. On emploie plutôt ces derniers verbes. **Passer à** est courant dans d'autres sens avec d'autres compléments : *passer à l'action, à l'ordre du jour, au vote, aux aveux, à l'ennemi, à l'étranger*, etc.

3. On dit qu'une couleur *passe* plus vite qu'une autre, qu'elle est *passée* (cf. Passé).

4. Suivi d'un attribut désignant un grade, *passer* signifie « être élevé au grade, au rang de » : *Il est* (ou *il a*) *passé sous-chef, capitaine*, etc. (Ac.).

5. *On passe* ou *on dépasse les bornes.*

6. On dit fort bien : *Sa jupe dépasse un peu de son manteau* ou *sa jupe dépasse*, mais aussi, d'après l'Académie (à *Passer*) : *Sa jupe passe sous son manteau.* Aussi : *Nous avions déjà dépassé* (ou *passé*) *la gare.*

7. *Passe* dans les **composés**. Cf. NOMS COMPOSÉS, B, 5, p. 626.

Passet, n.m. Belgicisme désignant un petit banc pour les pieds.

Passe-temps, n.m. *Un passe-temps, des passe-temps.*

Passette, n.f., est français, « petite passoire » : *La passette qui devrait logiquement côtoyer dans le tiroir l'ouvre-boîte et le décapsuleur* (H. Bazin, *Le matrimoine*, Poche, p. 47).

Passim, adv., est un mot latin qui signifie *çà et là* et s'emploie pour renvoyer, sans plus de précision, à divers endroits d'un ouvrage.

Passionné, adj. et n., **passionner,** v.tr.dir. *Un chercheur passionné. Un passionné de musique classique. Il est passionné de littérature* ou, si le nom est précédé d'un déterminant, *pour la littérature. La littérature moderne le passionne. Il est passionné par la littérature moderne. Il se passionne pour l'histoire.*

Passionnel, adj. Tandis que **passionné** se dit de celui qui est animé d'une passion, d'un goût très vif pour quelque chose, **passionnel** se dit de ce qui dépend des passions : *un état passionnel, des réactions passionnelles, un crime passionnel.*

Passivité, n.f. Et non [*passiveté*].

Patapouf, interjection exprimant le bruit d'une chute, désigne, comme nom masculin, un homme ou un enfant gros et lourd.

Patate, n.f., est familier ou régional pour désigner une pomme de terre et populaire pour désigner une personne stupide (*Ce type est une patate*) et dans l'expression *en avoir gros sur la patate* (sur le cœur).

Patatras, interj. L'*s* ne se prononce pas.

Pâte, n.f. On écrit : *pâte de fruits, d'amandes, de coings,* mais *pâte de guimauve, de réglisse, de jujube. Pâte à choux, à crêpes, à pain.*

Pâté, n.m., s'est dit d'une croûte de pâte contenant un hachis de viande, de volaille ou de poisson et se dit aujourd'hui de cette préparation elle-même (*un pâté en croûte, du pâté en boîte, du pâté de foie*), mais non, comme en Belgique, d'un petit gâteau.

Pater, n.m. de prière, est invariable : *Un pater, des pater.* On l'écrit aussi dans ce sens avec une majuscule. Mais *pater,* désignant chacun des gros grains du chapelet, sur lesquels on dit le pater, s'écrit toujours avec une minuscule et varie au pluriel.

Patio, n.m. *T* se prononce *t* ou *s* (+ « io »).

Patouiller, verbe, est familier, surtout dans le sens intransitif, « patauger » : *patouiller dans la boue.* Transitif, « tripoter maladroitement et indiscrètement ». Dans ce dernier sens, *tripatouiller* est plus vivant.

Patron, n.m., **patronne.** Dérivés : *Patronner, patronnesse,* mais avec un *n* : *patronage, patronal, patronat.*

Pattemouille, n.f., est français : linge humide utilisé pour le repassage.

Pattern, n.m. emprunté à l'anglais. Équivalents : *patron, modèle,* etc.

Paumer est un vieux verbe français transitif qui a eu parmi ses sens « frapper avec la paume de la main, vendre aux enchères ». Il s'est conservé en Belgique dans le sens de « mettre à prix ». En français, il est populaire et a plusieurs sens : frapper, arrêter, perdre.

Pause, n.f., ne peut être confondu avec **pose.** On écrit : *la pause-café* ou *la pause café, les pauses-café.* Cf. POSE.

Pauvre, adj. : *Une pauvre femme* (= malheureuse). *Une femme pauvre* (= indigente). On écrit : *pauvre de moi* (= que je suis à plaindre !), *pauvres de nous.* — Le féminin du **nom** est *une pauvresse.*

Pavée, n.f., s'emploie en wallon et parfois en français régional de Wallonie pour *chaussée, route pavée.*

Payer, v.tr.dir. *Il paie* ou *il paye.* De même : *la paie* (ou *la paye*), *le paiement* (ou *le payement*). *Payer ses créanciers, ses dettes. Il me le paiera cher* ou *Il me le paiera. Payer des fleurs à qqn pour sa fête* est familier. *Payer un déjeuner à qqn. Payer qqn de sa peine. Payer qqn au mois. Payer qqn de retour. Payer qqn d'ingratitude. Les bons paient pour les méchants. Il a payé de sa poche, de sa personne. Ils se sont payés. Elle s'est payé le luxe de lui dire ses vérités.* Familièrement : *Elle s'est payé une robe, un bon dîner.*

    Dans : *J'ai payé ce livre vingt francs,* on a un complément circonstanciel de prix. On écrit donc : *Je ne regrette pas les cents francs que j'ai* **payé** *ce livre.* Mais : *la dette que j'ai* **payée.**

Péan, n.m. On a renoncé à la graphie *pæan.*

Peau-Rouge, n. *Des Peaux-Rouges.*

Peccamineux, adj., est rare et littéraire : *Un acte peccamineux* (qui est un péché). Sartre applique le mot à une personne qui a tendance à pécher.

Pécheur, n. Féminin : *pécheresse.* En rapport avec *péché, pécher.*

Pêcheur, n. Féminin : *pêcheuse.* En rapport avec *pêche* (du poisson), *pêcher.*

Pécuniaire, adj., ne peut être remplacé par [*pécunier*], qu'on trouve chez quelques écrivains : *Des embarras pécuniaires.*

Pédant, adj. et n., **pédantesque,** adj. *Pédant,* d'un emploi plus général, se dit des personnes comme de ce qui leur est propre. *Pédantesque* se dit surtout du langage, du discours, de ce qui « sent le pédant » : *Un pédant. Il est un peu pédant. Un exposé pédant* (ou *pédantesque*). *Une érudition pédante* ou *pédantesque* (doctorale, affectée).

Pédanterie, n.f., et **pédantisme,** n.m., sont aujourd'hui synonymes.

Pédestre, adj., « qui se fait à pied » se dit d'une randonnée, d'un voyage, d'une course, mais donc abusivement d'une piste, d'un sentier ou d'un champion, d'un coureur à pied, à qui on a autrefois donné le n.m. de *pédestrian.* Cf. PIÉTON.

Pédiatre, n.m., **pédiatrie,** n.f., n'ont pas d'accent circonflexe. **Pédiatrique** devrait, malgré le silence des dictionnaires, être préféré à *infantile* pour qualifier cette partie de la médecine, de la chirurgie, de la neurologie, etc., spécialisée dans le traitement des enfants.

Pedigree, n.m. L'usage et les dictionnaires conservent l'orthographe anglaise, sans accents. On devrait se décider à écrire *pédigrée,* puisque le mot est aujourd'hui prononcé « pédigré ».

Pédologie (étude de l'enfant), n.m. On écrit aussi *paidologie.*

Peindre, v.tr.dir. *Je peins, il peint, nous peignons. Je peignais, nous peignions.*

Peine, n.f. 1. **À peine.** *Sens et constructions.*
À peine n'a plus, comme dans la langue classique, le sens d'*avec peine, à grand-peine* : *L'Albain percé de coups ne se traînait qu'à peine* (Corneille). Il a aujourd'hui trois sens qui peuvent entraîner des constructions différentes, notamment à propos de l'emploi de *que* et de l'inversion simple ou complexe (cf. INVERSION, début et C, 2) :
a) Sens quantitatif, semi-négatif, « ne... presque pas » : *Un texte à peine lisible,* presque pas lisible, très peu lisible. *On l'entend à peine* (*à grand-peine*). *Il a à peine de quoi vivre,* tout juste de quoi vivre.
Inversion normale du sujet, comme dans les cas suivants, si la proposition commence par *à peine* : *À peine l'entend-on. À peine cet orateur peut-il se faire entendre.* On évite l'inversion en employant *à peine si* ou *c'est à peine si* en tête de phrase : *À peine si on l'entend. C'est à peine si cet orateur peut se faire entendre.*
S'il y a un lien logique entre la proposition contenant *à peine* et une autre qui suit, on les relie généralement soit par **et** (surtout s'il n'y a pas eu inversion d'*à peine*) soit par **que,** qu'il y ait eu ou non cette inversion : *C'est un malade impatient : il est à peine capable de se lever **et** il prétend*

sortir ou *Il est à peine capable de se lever **qu'il** veut sortir. À peine ce malade peut-il se lever **qu'il** veut sortir.*

Rares sont les emplois sans *et* ni *que* : *À peine entrait-elle dans une nouvelle chambre de son passé, son image l'accueillait* (M. Druon, *La volupté d'être*, Poche, p. 90).

b) Sens quantitatif encore, mais différent, avec un numéral, « tout juste », « tout au plus » : *Il y a à peine huit jours qu'il est parti. Je l'ai vu il y a à peine huit jours.*

S'il y a un lien logique avec une autre proposition qui suit, on recourt généralement à **et** s'il n'y a pas inversion d'*à peine*, à **et** ou **que** s'il y a inversion : *Il y a huit jours à peine qu'il est arrivé **et** il veut repartir. À peine est-il arrivé depuis huit jours **qu'il** veut repartir* ou *À peine est-il arrivé depuis huit jours **et** il veut repartir.*

c) Sens temporel, « depuis peu de temps », « ne... pas plus tôt que » : *La séance est à peine commencée. Il avait à peine respiré le flacon qu'il ouvrit les yeux.*

S'il y a enchaînement avec une autre proposition, celle-ci est le plus souvent (mais pas toujours) introduite par **que,** mais non cette fois par *et ;* l'enchaînement logique des deux propositions peut se marquer par l'inversion simple ou complexe dans la première proposition, commençant par *à peine*, et en outre par *que* : *Il était à peine sorti, on l'appela au téléphone.* Plus souvent : *Il était à peine sorti **qu'on** l'appela. À peine était-il sorti **qu'on** l'appela* ou *À peine était-il sorti, on l'appela. À peine Pierre fut-il sorti, on l'appela* ou *À peine Pierre fut-il sorti qu'on l'appela.*

N.B. a) Dans les cas notés plus haut sous b) et c), lorsqu'il y a enchaînement logique des propositions, on peut employer **quand** ou **lorsque** si ces conjonctions doivent s'employer nécessairement lorsqu'on supprime *à peine* ; cela suppose qu'on passe de l'imparfait ou plus-que-parfait dans la 1re proposition au passé simple ou au passé composé dans la seconde ; cet emploi de *quand* est surtout fréquent lorsqu'il n'y a pas inversion d'*à peine ; que* est toujours permis : *Il y avait à peine huit jours qu'il était arrivé quand* (ou *qu'*) *il voulut repartir. À peine était-il arrivé depuis huit jours qu'il voulut* (ou *quand il voulut*) *repartir. Il était à peine remis de sa maladie quand* (ou *qu'*) *il fit une rechute.* On dirait en effet : *Il était arrivé depuis huit jours (à peine) quand il voulut repartir. Il était (à peine) remis de sa maladie quand il fit une rechute.*

On dira donc : *Il avait à peine terminé son travail quand* (ou *qu'*) *on lui en donna un autre.* Mais *À peine eut-il terminé son travail qu'on lui en donna un autre. À peine étais-je arrivé qu'on m'introduisait,* tandis qu'avec le changement de temps signalé plus haut on dira : *À peine étais-je arrivé quand* (ou *qu'*) *on m'introduisit.*

b) On peut aussi, surtout si les sujets se confondent, employer *à peine* avec un participe passé ou même avec un complément de lieu : *À peine assise dans un coin, elle ferma les yeux* (Flaubert). *À peine dans cet endroit, il se transportait dans un autre* (Flaubert). Plus rarement : *À peine le visiteur parti, elle appela la bonne* (cf. Le Bidois, II, p. 435).

2. **À peine de, sous peine de**, etc. : *Cela est défendu **sous peine** de mort* (si on ne veut pas s'exposer à la mort). *À peine de*, dans ce sens, est vieilli ou du moins littéraire. De même aussi *à peine de la vie* (sous peine de perdre la vie).

3. Attention à l'usage actuel des **prépositions** après *avoir peine, avoir de la peine à* et *être* (ou *se trouver*) *en peine de*.
Avoir peine à faire qqch., parvenir difficilement à. On dit : *Faire une chose à grand-peine. N'avoir pas grand-peine à la faire*. **Avoir de la peine à** *comprendre* (comprendre difficilement, avoir de la difficulté à). La langue classique employait *avoir peine à voir qqch.* dans le sens de « éprouver du chagrin à voir qqch. ». Dans le sens de « chagrin », *peine* s'emploie avec l'article partitif et en construction absolue : *Cela lui fait **de la peine** (de nous quitter). Il a de la peine* (du chagrin). Le contexte peut changer le sens : *Il y est parvenu, mais il a eu de la peine* (des difficultés).
Être en peine de faire qqch., avoir de la difficulté à, être empêché de : *Je serais bien en peine de vous répondre. Il se trouvait bien en peine de faire ce qu'on lui avait demandé*. Tours vieillis : *être en peine de qqn, de qqch.*

4. On dit : *Prenez la peine d'entrer. Ce n'est pas la peine d'y aller* ou *qu'il y aille. Elle ne vaut pas la peine qu'on la contredise. C'est à peine s'il m'a salué. Il fait peine à voir. Se mettre en peine de qqch.*

Peineux, adj., est vieilli ou dialectal : *La semaine peineuse* (où l'on souffre), ancien nom de la semaine sainte. *Une jeunesse peineuse* (qui peine, qui travaille durement).

Peintre, n. On dit : *Une femme peintre, une artiste peintre. Cette femme est un bon peintre. Un peintre en bâtiments* (ou *en bâtiment*). *Un peintre-graveur.*

Peinturer, v.tr.dir., est aujourd'hui péjoratif : peindre de façon grossière et maladroite.

Peinturlurer, v.tr.dir., peindre avec des couleurs grossières, criardes. *Se peinturlurer* = se farder de façon trop voyante.

Pékin, n.m., désignant un civil, a été emprunté à l'argot militaire et est péjoratif. On n'écrit plus *péquin.*

Pêle-mêle, adv. et n.m., est toujours invariable : *Des livres entassés pêle-mêle. De vieux pêle-mêle.*

Pèlerin, pèlerinage, n.m., et non [*pélerin, pélerinage*]. Théoriquement, celle qui fait un pèlerinage est une *pèlerine* : *C'était déjà l'uniforme de celle qui a renoncé à tout, de la religieuse sécularisée, de la pèlerine de Lourdes*

(J.-L. Curtis, *La parade*, J'ai lu, p. 112). Mais ce féminin n'est guère usité, à cause de son homonymie avec le nom du manteau.

Peloponnèse, n.m., **peloponnésien**, adj. et n. Deux *n*.

Peluche, n.f., désigne proprement une sorte de tissu (*un ours en peluche*). L'emploi de *peluche* pour désigner des *flocons* de poussière (ou des *moutons*) qui se forment sous les meubles est moins généralisé que celui de *peluche* pour les poils d'une étoffe qui s'use, qui *peluche*, qui est *pelucheuse*.

Pelucher, v.intr. On dit qu'une étoffe *peluche* (ou *pluche*) quand elle se couvre de poils. Le GLLF signale l'emploi de *se pelucher* (ou *se plucher*) dans ce sens.

Pelure. Cf. ÉCORCE.

Pénal, adj. Pluriel : *pénaux*.

Penalty, n.m., n'a pas d'accent, bien qu'on prononce *pé*. *Tirer un penalty*. *Des penaltys* ou *des penalties*. On parle d'*un coup de pénalité*.

Pénates, n.m.pl., désignait les dieux domestiques protecteurs du foyer ou leurs statues. D'où les expressions *emporter ses pénates, retrouver ses pénates*. Mais par extension, et plus ou moins familièrement, le mot s'emploie pour « foyer, demeure » et se trouve dans des expressions comme *rentrer dans ses pénates, regagner ses pénates*, qui ne sont illogiques que si on s'en tient au sens originel.

Pencher (se). *Se pencher sur une question, sur un problème* : l'expression est assurément normale, mais devient irritante dans la mesure où elle est un cliché, un tic de langage au lieu de « étudier ».

Pendant. 1. Préposition. Cf. DURANT.

2. **Adjectif** : *Un procès pendant, des questions pendantes.*

3. **Nom masculin** : a) On écrit : *des pendants d'oreille* ou plutôt *des pendants d'oreilles*.

b) **Faire pendant, se faire pendant.** L'usage hésite quant à l'accord en nombre *de pendant*. Il varie plutôt, et logiquement, dans *faire pendant*. *Deux gravures font (...) pendants face au divan, de chaque côté d'un miroir* (Pieyre de Mandiargues, *La motocyclette*, Folio, p. 182). On écrit donc : *Ces deux tableaux font pendants* (Ac.). On dit qu'*une gravure fait pendant à une autre*. *Pendant* est souvent (mais pas nécessairement) invariable dans *se faire pendant* : *Ces deux tableaux se font pendant* (Ac.). *Deux bougeoirs qui se font pendant(s) sur la cheminée* ; l'accord n'est pas illogique, puisque chaque objet fait le pendant de l'autre ; mais la locution, avec le verbe pronominal, tend à se figer, par analogie avec *se faire face*, *se faire vis-à-vis*.

4. Pendant que, loc.conj., a proprement un sens temporel et exprime la simultanéité : *Pendant qu'il m'écoutait, son impatience était visible.* Par extension : *Fuyons, pendant qu'il en est temps. Pendant que j'y pense, je voudrais vous demander... Pendant que vous y êtes, demandez-moi ma bourse.* Dans le sens purement adversatif, pour marquer une opposition, mieux vaut employer *tandis que* : *Les uns se ruinent pendant que les autres s'enrichissent. Il fait la grasse matinée, tandis que son frère étudie.*

Pendeloque, n.f., en rapport avec *pendre*, s'écrit avec *en*. C'est une faute de l'écrire avec *an* comme on le trouve dans Giono, *L'oiseau au logis*, Folio, p. 179.

Pendentif, n.m. Attention à l'orthographe due au latin *pendens, pendentis.*

Pendule, n.f. *Une vieille pendule.* N.m. *Le pendule* (le balancier) de l'horloge.

Pêne, n.m., *Le pêne d'une serrure.* Accent circonflexe.

Pénétrer, v.tr.dir. ou intr. *Il pénétrera. Le froid me pénètre. J'ai pénétré ses intentions. Il a pénétré dans le bois. Pénétrer en territoire étranger.*

Pénitencier (avec *c*), **pénitentiaire** (avec *t*). Si l'on a pu parler autrefois d'une *maison pénitencière* (où l'on fait pénitence) et si l'on parle encore d'*un pénitencier* pour désigner certaines prisons, c'est l'adjectif *pénitentiaire* qui s'applique à ces établissements comme à leur administration, à leur régime.

Pensable, adj., a surtout un emploi négatif : *Ce n'est pas pensable. C'est à peine pensable.*

Pense-bête, n.m., se dit de toute chose destinée à rappeler ce qu'on doit faire. *Des pense-bêtes.*

Penser. V.intr. : *Apprenez à penser. Cela donne à penser. Je ne pense pas comme vous.* **V.tr.dir.** : *Il pense beaucoup de choses qu'il ne dit pas* (Ac.). *J'ai autre chose à penser. Il ne pense pas tout ce qu'il dit. Penser un projet. Penser du mal (du bien) de qqn. Il pensait nous rencontrer* (il croyait...). *Je pense partir demain* (j'ai l'intention de...). Le sens de « faillir », qui a permis à Mme de Sévigné d'écrire : *Leur hôtel a pensé brûler* et qui fait encore dire à des écrivains : *Il a pensé en être malade*, est archaïque. *J'ai pensé mourir* ne signifie plus « J'ai failli mourir », mais « J'ai cru que j'allais mourir, j'ai eu dans l'idée que... ». *Je pense qu'il le **fera**, qu'il l'**aurait** avoué* ; le subjonctif ne s'emploie plus après *penser que* à la forme affirmative. Mais : *Je ne pense pas qu'il le **fasse** ou qu'il le **fera**, qu'il l'**ait** dit ou qu'il l'**a** dit.* L'indicatif peut souligner la réalité : *Je ne pensais plus qu'il **était** là* (j'avais oublié cette réalité). *Pensez-vous qu'il **soit** encore là ?* **V.tr.ind.** : *Penser à lui, à tout, à qqn, à ce qu'on dit, aux vacances. Tu n'y penses pas. Penser à autre chose. Sans penser à mal. Il me fait penser à un renard* (il évoque une certaine ressemblance avec un renard). Avec *à* et un infinitif : *Pensez à l'écrire* (n'oubliez pas de...). *Faites-moi penser à le lui dire* (Rappelez-moi de...). *Il ne pense qu'à s'amuser.* Pour l'emploi de *ne* et de *le* dans des phrases du type : *Il est plus tard que nous ne le pensions,* cf. NE **explétif.**

Pensionné, adj. et n., est français et se dit d'une personne qui bénéficie d'une pension. Mais en France on parle beaucoup plus souvent d'un *retraité.* Tandis qu'en Belgique *pension* et *pensionné* sont d'un emploi habituel. On dit en français : *prendre sa retraite.*

Pensum, n.m. Prononcer « pinso-m ». *Des pensums.*

Pentecôte, n.f. Tandis qu'on dit : *à Pâques,* on dit, sauf régionalement, *à la Pentecôte.* Mais on dit : *le dimanche de Pentecôte* ou *de la Pentecôte. Le lundi de (la) Pentecôte. Le congé de (la) Pentecôte.*

Pépin, n.m. *Un fruit à pépins.* Fig. *Avoir un pépin,* un ennui.

Péquenot, n.m., paysan (mot populaire). *Une péquenaude.*

Percer, v.tr.dir. *Percer un mur, une planche, une fenêtre, une allée, un puits, un trou.* Fam. : *Cet enfant a percé ses premières dents,* au lieu de : *a fait ses premières dents.* **Intr.** *Un abcès qui perce. Ses premières dents ont déjà percé. Le soleil n'a pas encore percé.*
Noms composés. Perce-neige est aujourd'hui masculin le plus souvent, parfois féminin. Dans les composés de *perce,* le second élément ne varie qu'au pluriel : *un perce-muraille, un perce-oreille, une perce-pierre ; des perce-murailles, perce-oreilles, perce-pierres.* Cf. NOMS COMPOSÉS, B, 5.

Perchiste, n., traduit fort heureusement *perchman,* personne chargée du maniement de la perche portant le micro, au cinéma, à la télévision.

Perclus, adj. Fém. : *percluse.*

Percuter, v.tr.dir. *Le médecin lui a percuté la poitrine.* Mais avec une idée de choc violent : *Le motocycliste a percuté **un camion** ou **contre un camion** ou a heurté un camion, s'est écrasé contre un camion.* Noter qu'on écrit **percussion.** — *Une formule **percutante.***

Perdre, v.tr.dir. *Perdre sa fortune, une somme. Les cent francs qu'il a perdus.* Avec *perdu,* adj., *Je suis perdu* se dit pour : « Je suis égaré » ou « Ma perte est assurée » ou « Je suis condamné ». Mais en parlant d'une perte au jeu : *J'ai perdu.*

Perdurer, v.intr., n'est pas un belgicisme, mais un vieux mot français beaucoup plus vivant en Belgique qu'en France où, après avoir cessé d'être usité, il a repris vie, surtout en littérature, à côté de *perdurable,* resté plus vivant. Il a pu, comme cet adjectif, évoquer plutôt une durée éternelle, mais le sens actuel du verbe, en France comme en Belgique, est « subsister, persister » : *Notre malaise perdurait et nous ne nous remettions pas aisément d'être des vaincus* (Fr. Ambrière, *Les grandes vacances*, Poche, p. 64).

Père, n.m., titre donné à des prêtres. On écrit souvent avec une minuscule : *le père Untel, le père abbé.* L'abréviation est *P.* ou, au pluriel, *PP.*, avec majuscule : *le P. Untel, les PP. Untel.* Quand on s'adresse à la personne, on dit : *Père* ou *Mon Père.* Ces appellations se généralisent pour le clergé séculier, du moins en certains endroits.

Péréquation, n.f. **[péréquater], péréquer,** v.tr.dir., s'appliquent au rajustement de certains montants. Le substantif s'est répandu beaucoup plus vite que le verbe. Celui-ci, mal formé en Belgique où l'on dit couramment [*péréquater*], est normalement *péréquer,* qui a mis longtemps à s'imposer en France dans l'administration et attend encore d'être admis par les dictionnaires.

Perfection, n.f. Cf. À et *en,* 7, p. 19. *Il travaille à la perfection.*

Perfectionnisme, n.m., tendance excessive à rechercher la perfection. Même sens plutôt péjoratif de **perfectionniste.**

Performance, n.f., en était venu à être associé à une idée d'exploit, de réussite remarquable. Il a toujours ce sens, qu'évoque aussi l'adjectif récent **performant** : *Un dispositif performant. Une entreprise performante* (d'où une tendance à concurrencer *compétitif*). Mais, dans le langage des psychologues et des pédagogues, *performance* peut ne plus évoquer que l'idée de résultat, bon ou médiocre. Ambiguïté plutôt fâcheuse.

Péril. Cf. DEMEURE.

Périmé, adj. **Se périmer.** On dit d'une chose *périmée* (qui n'est plus valable, qui a passé de mode) qu'elle *est* ou *s'est périmée,* ou *se périme.* L'emploi transitif au sens de *déclasser, annuler,* est fautif, mais on dit : *Laisser périmer un billet de chemin de fer.*

Période, n.f., n'est masculin que dans l'expression, littéraire et rare : *le plus haut période* (ou *le dernier période*), où il signifie « degré ». *Il est au plus période de la gloire* (Ac.).

Péripétie, n.f., ne peut se dire que d'un évènement important, imprévisible, qui intervient dans le déroulement de quelque chose et provoque un changement brusque de situation.

Périple, n.m., évoque, par son étymologie, l'idée, que voudrait maintenir l'Académie, de navigation autour de qqch. D'excellents écrivains, aussi bien que l'usage courant, emploient le mot pour n'importe quel voyage de longue durée, qu'il soit fait ou non par mer, qu'il soit circulaire ou non. On l'emploie couramment avec *autour. Son périple autour de la*

Crète. C'est toutefois aller trop loin que d'appliquer ce nom à un déplacement quelconque : *Un somnambule dérangé dans son périple* (M. Butor, *La modification,* 10-18, p. 197).

Périr, v.intr., se dit des choses comme des personnes, des individus comme des peuples. Pour les personnes ou les animaux, il doit s'agir de mort violente ou accidentelle : *Périr de faim, dans un naufrage, dans une épidémie, dans un accident. Périr noyé. Se faire périr* est populaire, mais on peut dire : *faire périr qqn. Le froid a fait périr mes plantes. Mes plantes ont péri.*

Au figuré, *périr* se dit d'un lourd accablement : *S'ennuyer à périr.* Pour les choses, de disparition violente, d'anéantissement ou, dans la langue du droit, d'une disparition naturelle : *Un navire qui périt corps et biens. La liberté périt par la licence. Il a laissé périr* (ou *périmer*) *son appel.*

Auxiliaire : autrefois, *être* ou *avoir* ; aujourd'hui, toujours *avoir* : *De nombreux animaux* **ont péri** *dans l'inondation.*

Perlimpinpin, n.m. *De la poudre de perlimpinpin* (aux vertus imaginaires). Attention à l'orthographe très particulière.

Permettre, v.tr.dir. : *Son père* (ou *le règlement*) *lui permet cette sortie, lui permet de sortir. Il est permis de ramasser le bois mort.* Sans complément : *Tu permets ?* — **Se permettre** : *La grossièreté qu'il s'est* **permise**. *Elle s'est* **permis** *de répliquer. Puis-je me permettre une remarque ?*

Permettre que est suivi du subjonctif : *Je permets qu'il le* **fasse**.

Permissif, adj., se dit notamment d'une personne ou d'un système qui refuse le principe de l'interdiction et de la sanction ou qui montre une tolérance excessive : *Un maître permissif, une attitude permissive. Une société permissive.* D'où le néologisme *permissivité.*

Permuter, v.tr.dir. *On permute* (on met à la place l'un de l'autre) *deux fonctionnaires, deux mots, deux objets, un emploi contre un autre.* **V.intr.** : *Il a permuté avec son collègue. Ils ont permuté.*

Péroné, n.m., os parallèle au tibia. Finale en *é.*

Perron, n.m., ne se dit pas en français d'un quai de gare.

Perroquet, n.m. Par analogie avec *un bâton de perroquet,* on nomme *perroquet* en Belgique un portemanteau formé d'une barre verticale munie d'échelons.

Pers, adj., se dit surtout des yeux, d'un bleu tirant vers le vert ou le violet. Pas de féminin.

Persiffler, v.tr.dir. L'Académie, en 1975, a permis de doubler l'*f* de ce verbe et de ses dérivés.

Persil, n.m. Le plus souvent, on ne prononce pas *l.*

Persister, v.intr. Les deux *s* se prononcent comme dans *système* ; après *per*, on prononce en effet l'*s* sourd : *persuader, personne, persil*, etc.

Persona grata, loc.latine, ne se dit pas seulement d'un diplomate agréé par l'État où il représente son pays, mais de toute personne bien accueillie dans un certain milieu : *Il était persona grata auprès de lui.* Le contraire est : *persona non grata.*

Personnalisé, adj. On peut dire qu'une entreprise fait des *cadeaux personnalisés* quand elle les adapte à la personnalité des destinataires.

Personnalité, n.f., se dit couramment d'une personne en vue : *Plusieurs personnalités du monde politique assistaient à la cérémonie.*
On parle, en droit, de la *personnalité civile, juridique, morale* d'une association.

Personne. 1. Nom féminin, *personne* est précédé d'un déterminant ; il désigne toujours un être humain, homme ou femme, et il est donc absurde de parler d'*[une personne humaine]*.
Contrairement à ce que permettait l'usage classique, le nom *personne* est toujours féminin et ne peut être représenté par un pronom masculin : *Trois personnes sont* **suspectes** *; elles ont été interrogées. J'ai deux amis ; je n'ai jamais vu deux personnes si contentes l'une de l'autre. Je ne connais aucune personne plus* **heureuse** *que cet homme. Je ne connais pas de personne plus heureuse.* Notons que *personne*, malgré l'absence de détermination, est un nom dans cette phrase négative, comme le serait *ami* : *Je n'ai pas d'ami plus désintéressé.* De même dans : *Je n'ai jamais vu personne plus intelligente.*
En personne (= personnellement) est invariable : *Ils sont venus en personne.*

2. Pronom indéfini, *personne* est toujours du masculin singulier et a généralement un **sens négatif** (aucun être humain) ; il s'emploie sans *pas*.
Parce qu'il vient du nom *personne* et a donc en lui-même un **sens positif** (= quelqu'un, n'importe qui), celui-ci apparaît encore dans certaines phrases interrogatives ou dubitatives ou après une principale négative ou après *si* conditionnel, ou *que* comparatif, après *avant que, sans, sans que, pour que, assez pour que, plus que, trop pour que*, etc. ou après *avant de, trop pour*, etc., introduisant un infinitif ou après un infinitif dépendant d'un adjectif de valeur négative : *Y a-t-il personne d'assez hardi ?* (Ac.) *Ne vous figurez pas que vous choquerez personne* (J. Romains, *Les amours enfantines*, Poche, p. 105). *Je doute que personne y réussisse* (Ac.). *Il ne veut pas que personne soit lésé* (Ac.). *Il n'a rien dit dont personne puisse se fâcher. Il est venu sans personne avec lui. Il savait tout sans que personne eût parlé. Il est meilleur juge que personne. Avant d'accuser personne. Il est incapable de tromper personne.* Après *comme* : *Il travaille comme personne* (aussi bien que n'importe qui).

Aujourd'hui, et contrairement à un certain usage classique, le pronom *personne* est toujours masculin singulier. Plutôt que de le considéréer comme féminin parce qu'il désigne certainement une femme, on tourne la phrase autrement. Au lieu de dire : *Personne n'était plus belle que Cléopâtre* (citation de Littré), on dira : *Aucune femme n'était plus belle que Cléopâtre*. Mais dans un autre contexte on dira très bien : *Personne n'était plus attentif que cette petite fille*. On ne dit plus : *Je ne connais personne si heureuse qu'elle*. On ne peut dire non plus : [*Je ne connais personne si heureux qu'elle*]. En effet, le pronom *personne* exige *de* entre lui et l'adjectif masculin (ou le participe) qui le suit : *Je ne connais personne de si heureux que cette femme.*

On dit donc : *Il n'y a personne de blessé. Personne d'autre n'est venu.* Avec *autre*, la langue littéraire supprime parfois *de*. Le pronom peut être accompagné d'un complément exprimant la totalité : *Personne de vous ne s'en est aperçu.*

Personnel, adj., reste souvent invariable, comme *recommandé*, *payé*, sur une lettre, une facture, une note, etc. Mais rien n'interdit d'écrire *personnel* ou *personnelle* sur une enveloppe, selon qu'on sous-entend « message » ou « lettre ».

Personnellement, adv., peut signifier : 1) « quant à moi, à lui, », etc. ou « en ce qui me concerne » : *Personnellement, il s'en moque. Personnellement, cela me laisse indifférent ;*

2) « lui-même » (en personne) et se rapporter au sujet ou à un complément : *Il m'a répondu personnellement. On l'a attaqué personnellement. Cette lettre lui a été adressée personnellement ;*

3) « en tant qu'individu, que personne privée ou intimement » : *Je ne le connais pas personnellement.*

Personnifier, v,tr.dir. *Cet homme personnifie l'honneur, la probité* (Ac.). *Il est la modestie personnifiée* (Ac.), *la* **personnification** *de la modestie.*

Persuader, v.tr.dir. Trois constructions :

1. Emploi absolu : *Il a l'art de persuader.*

2. **Persuader qqn (de qqch.), de faire qqch. Persuader que** : *Je les (en) ai facilement persuadés. Je les ai persuadés de nous accompagner. Je les ai persuadés qu'ils devaient nous accompagner.* Inutile d'employer *de ce que.* **Au passif :** *Il ne tient pas à être persuadé. Je suis persuadé de sa bonne foi.* **A la forme pronominale :** *Ils se sont persuadés qu'on n'oserait les contredire. Ils se sont persuadés de notre bonne foi. Ils se sont persuadés l'un l'autre.*

3. **Persuader qqch. à qqn. Persuader à qqn de faire qqch. Persuader à qqn qu'il doit faire qqch.** Ces tours sont moins vivants et plus limités : *Il rejetait sa faute sur celui qui lui avait persuadé de la faire* (Ac.). *On lui a*

persuadé de se marier (Ac.). *Schindler tente de persuader à Beethoven que sa mauvaise oreille ne l'empêchera pas de contrôler les ensembles* (E. Henriot, *La vie de Beethoven*, p. 341). À la forme pronominale : *Ils se sont persuadé qu'on n'oserait les contredire.* Voir plus haut (2) : *Ils se sont persuadés que...*

Pesant, n.m. *Il vaut son pesant d'or. Elles valent leur pesant d'or.*

Peser, v.intr. : *Ce fardeau pèse (lourd). Cela pèse peu. Ses arguments ont pesé sur notre décision. Les vingt kilos que ce sac de légumes a pesé.* **V.tr.dir.** : *Les colis que nous avons pesés. Il a pesé sa décision. Je pèse mes mots. Tout bien pesé.*

    Composés. Il n'y a aucune raison de traiter *pèse-personne* autrement que *pèse-bébé.* À conseiller : *Un pèse-bébé, un pèse-personne, un pèse-lettre, un pèse-sel, un pèse-liqueur,* en faisant varier le nom au pluriel : *des pèse-bébés,* etc. Cf. Noms composés, B, 5, p. 626.

Pet, n.m. **Composés.** *Un pet-de-loup, un pet-de-nonne. Des pets-de-loup, des pets-de-nonne. Un* ou *des pet-en-l'air.*

Pétale, n.m. *Un pétale velouté.*

Pété, adj., **péter,** v., se disent en Wallonie de pommes de terre cuites avec leur pelure (qui devient craquante, qui pète) sous la cendre ou dans le four. Emplois très familiers en français dans le sens d'éclater, de craquer : *que ça pète. Il pète de santé. Ça va péter. Ça pétera.*

Pète-sec, adj. et n.inv., se dit d'une personne au ton cassant : *Quels pète-sec ! Un air pète-sec.*

Péteux, péteuse, se dit, en français populaire d'une personne très poltronne. En Wallonie et à Bruxelles, d'un faiseur d'embarras, maniéré, poseur.

Pétiole, n.m. (pron. *s*). *Le pétiole d'une feuille.*

Petit-beurre, n.m. (petit biscuit ou gâteau sec au beurre). *Des petits-beurre.*

Petit-bourgeois, adj. et n., s'écrit avec un trait d'union, surtout comme adjectif, quand il a un sens péjoratif : *Ils s'imaginent parfois petits-bourgeois de quarante ans* (G. Perec, *Les choses,* J'ai lu, p. 89). *Des opinions petites-bourgeoises.*

Petit-fils, etc. Il est normal d'écrire *petits-enfants* quand on parle des *petits-fils* ou *petites-filles* des grands-parents. De même *petit-neveu, petite-nièce.*

Petit-nègre, n.m., est invariable.

Peu est un adverbe qui peut être pris comme nom ou nominal, soit seul, soit avec *un* ou *le.*

A. **Seul ou avec** *le,* il exprime une quantité considérée comme simplement petite ou comme insuffisante parce qu'elle est comparée implicitement avec une quantité supérieure : *Vivre de peu. Être content de peu. Il a peu apprécié cette plaisanterie. Il travaille peu. Des gens de peu. Il est peu intelligent. Il a peu d'argent. Le peu qu'il a travaillé lui a permis de réussir* ou *explique son échec. Je l'ai rencontré il y a peu. Peu à peu. Il est de peu mon aîné. D'ici peu. Pour peu que.* Cf. POUR, 15.

1. *Peu* **employé seul,** sans article ni complément, peut être déterminé par certains adverbes : *Il lit peu, assez peu, aussi peu, bien peu, fort peu, quelque peu, très peu, trop peu.* Notons *(un) tant soit peu* : *S'il est* **un tant soit peu** *intelligent* (ou *s'il est* **tant soit peu** *intelligent*), *il a compris.* **Peu** ne peut être précédé de *beaucoup.* On peut dire : *Combien peu (de gens) s'en souviennent ! On voit combien on sait peu sur lui.*

2. *Peu* s'emploie seul **devant un adjectif.** *Il est peu intelligent. Un raisonnement peu clair. Il n'était pas peu fier.* On ne dit pas « peu grand, peu fort » ; on dit : *pas très grand, pas très fort.*

Devant **inférieur** ou **supérieur,** on emploie généralement *de peu* (ou *un peu*) : *Une qualité* **de peu** *supérieure. Il lui est de peu supérieur.*

3. *Peu* s'emploie **devant certains adverbes** : *peu après, peu avant, peu auparavant, peu souvent,* ou **après certaines prépositions** : *avant peu, après peu, sous peu (dans peu* est vieilli). On s'étonne de lire : *Les phrases d'Amélie (...) s'éclairèrent pour moi peu ensuite* (A. Gide, *La symphonie pastorale,* Poche, p. 91).

4. **À peu près** : *J'ai à peu près fini. Nous étions à peu près trente. J'en suis à peu près sûr. C'est à peu près ça.*

5. **C'est peu** se construit absolument ou, dans le sens de *cela ne suffit pas,* avec *de* et un nom ou plus souvent avec *de* (ou *que de*) et un infinitif ou avec *que* et le subjonctif : *Vous avez écrit une page, c'est peu, c'est bien peu. C'est peu de quatre jours pour un tel sacrifice* (Corneille). *Est-ce peu de Camille ? Y joignez-vous ma sœur ?* (Corneille). *Pour en venir à bout, c'est trop peu que de vous* (Corneille ; tour vieilli). *C'est peu d'être concis, il faut être clair* (Ac.). *C'est peu qu'il veuille être le premier, il voudrait être le seul* (Ac.).

6. **Peu s'en faut** : *Il a fini son travail ou peu s'en faut. Peu s'en est fallu qu'il ne soit tué* (Ac.). Avec *il* : *Il s'en est fallu de bien peu. Il s'en faut de peu que le compte y soit.* Cf. FALLOIR, 4.

7. **Peu importe.** Cf. VERBE, *Accord,* C, Cas spéciaux, III, p. 989.

8. **Pour peu que, si peu que,** en tête d'une proposition, introduisent une restriction et réclament le subjonctif : *Pour peu qu'il* **soit** *attentif, il comprendra. Si peu qu'il pleuve, il faudra rouler prudemment. Aidez-le, si peu que ce soit.* Mais : *Il travaille si peu qu'il échouera.*

9. **Peu ou prou,** tour littéraire, signifie proprement « peu ou beaucoup », *prou* étant un vieux mot qui, signifiant « profit », a été employé

adverbialement. Le sens est aujourd'hui « plus ou moins », sauf dans *ni peu ni prou*, ni peu ni beaucoup. On ne dit plus guère : *Donnez-m'en peu ou prou* (Ac.). Mais : *Je n'en ai ni peu ni prou* (Ac.) s'entend encore. *Il est peu ou prou compromis.*

10. **Peu de chose, peu de gens**, etc. *Peu* se construit avec *de* : *Nous sommes bien peu de chose. C'est peu de chose. Avoir peu de jugement, peu de relations. Dans peu de jours. Peu de chose le distrait. Peu de gens le connaissent. À peu de frais.* Pour l'accord, cf. VERBE, *Accord,* p. 969.

Après **c'est peu de chose (que)**, on emploie *de* devant un pronom ou un infinitif, mais pas devant un nom : *C'est peu de chose que de nous* (Ac.). *C'est peu de chose que ce contretemps. C'est peu de chose (que) de faire cela.*

11. Wallonismes : [*Il y a cinq francs trop peu*] ou [*Vous me rendez cinq francs trop peu*] pour *Il manque cinq francs* ou, expression vieillie : *Il y a cinq francs de manque.* Mais on dit : *Il raisonne trop peu.*

12. Avec *le* ou un démonstratif ou un possessif : ***Le peu de moyens*** *dont il dispose. Je regrette **son peu d'enthousiasme**. Le peu qu'il reçoit ne lui suffit pas.* Cf. VERBE, *Accord,* p. 970 et PARTICIPE PASSÉ, p. 680.

B. **Un peu**, seul ou avec un complément, suppose une comparaison avec une quantité nulle et exprime une quantité faible, mais non négligeable : *Je le connais un peu. Il a un peu d'argent. Il a un peu plus d'argent que moi. C'est un peu juste.* Il peut souvent être remplacé par *quelque peu, un tant soit peu* (cf. TANT, 8), *un petit peu, un tout petit peu.* Dans le Midi, on emploie *un bon peu.* Pour l'accord, cf. VERBE, *Accord,* A, II, p. 969.

1. **Employé seul**, il marque une petite quantité : *Je le crains un peu. Il a un peu peur.* Ou une sorte d'adoucissement : *Dites-moi un peu* (Ac.). *Raconte-moi un peu cela. Venez un peu ici.*

Familièrement, il peut marquer ou souligner l'affirmation : *Vous avez fait cela ? — Un peu* (Ac.). *Nous sommes un peu là ! Il était un peu père, lui* (Balzac, *Eugénie Grandet*).

2. **Pour un peu**, suivi du conditionnel (ou de l'indicatif imparfait au lieu du conditionnel passé ; cf. IMPARFAIT, A, 3), veut dire qu'il suffirait (ou qu'il aurait suffi) de peu pour que la chose se produise : *Pour un peu, il se plaindrait. Pour un peu, il m'aurait écrasé* ou *il m'écrasait.*

Un peu plus : *Un peu plus, il m'aurait écrasé* (ou *il m'écrasait*). *Un peu plus et il m'aurait écrasé* (ou *et il m'écrasait*). Éviter de dire, comme en wallon : [*Encore un peu je tombais*] pour *Un peu plus, je tombais* ou *J'ai failli tomber.*

3. **Devant un adjectif** : *Il est un peu naïf* (il est légèrement naïf) suppose un plus grand degré de naïveté, la pensée étant orientée vers le positif, que *Il est peu naïf*, il ne l'est presque pas (cf. A, 2).

4. **Devant un adverbe** : *Il se fâche un peu vite. Il est un peu plus travailleur que son frère. Je le trouve un peu mieux portant. Il viendra un peu plus tard.*

5. Dans ces diverses situations, en dehors d'une comparaison, *un peu* peut prendre, par litote ou ironie, le sens *d'un peu trop* ou de *beaucoup trop* : *La question d'âge n'entre donc pas seule en jeu et il me semble que les commentateurs ont **un peu** insisté sur ce point* (G. Faure, *Essais sur Chateaubriand*, p. 139). *C'est un peu tiré par les cheveux. C'est un peu court, jeune homme* (E. Rostand). *Il agit un peu légèrement.*

Dans le même sens, on n'emploie plus guère *un peu bien*, mais **un peu beaucoup** est bien vivant : *Vous avez dit cela un peu bien vite* (Ac.). *Ne trouvez-vous pas qu'il parle un peu beaucoup ?*

6. Cf. ENCORE, 2.

Peul (ou **peuhl**), adj. et n. *Les Peuls. Les femmes peules. La langue peule. Le peul.*

Peuple, n.m., employé comme adj. est invariable : *Des manières peuple.*

Peur, n.f. 1. **Avoir peur de qqn, de qqch., de faire qqch.,** **Avoir peur que** est suivi du subjonctif ; le *ne* explétif est facultatif : *Je voudrais le rendre prudent, j'ai peur de le rendre timide. Brave ; j'ai peur qu'il soit téméraire* (G. Duhamel, *Les plaisirs et les jeux*, p. 264). *J'ai peur qu'il ne vienne pas.* Pas de *ne* explétif après la forme négative ou interrogative : *Je n'ai pas peur qu'il vienne. Avez-vous peur qu'il soit là ?* On peut remplacer *avoir* **grand-peur** (trait d'union) par *avoir* **très peur.** Cf. AVOIR, 17.

2. **De peur de qqn, de qqch., de faire un faux pas.** La langue classique disait *peur de*. **De peur que** est suivi du subjonctif avec ou sans *ne* : *De peur qu'il s'en aille* ou *qu'il ne s'en aille.* On dit aussi **par peur de, par peur que.** *Peur que* est populaire : ***Peur qu'il s'enivre, peur qu'il soit désagréable, peur qu'il fasse des scènes*** (Fr. Sagan, *Les merveilleux nuages*, Poche, p. 111).

Peut-être, adv., s'écrit avec un trait d'union qui ne peut apparaître dans *Il peut être, cela peut être expliqué.*

1. On peut hésiter à dire : *Il peut peut-être s'en souvenir.* Encore que ce ne soit pas condamnable grammaticalement ni logiquement. On dit en tout cas fort bien : *Peut-être a-t-il pu s'en souvenir. Vous pourriez peut-être l'avertir.*

2. **En tête de phrase,** *peut-être* entraîne généralement l'inversion. *Peut-être ce livre vous a-t-il intéressé. Peut-être est-il déjà parti.*

En fin de phrase et détaché, il renforce nettement l'affirmation en lançant comme un défi à une contradiction éventuelle : *J'ai bien le droit d'y aller, peut-être !*

3. **Peut-être que** est suivi de l'indicatif ou du conditionnel : *Peut-être qu'il l'a fait. Peut-être qu'il le ferait si on le lui demandait.*

Phalanstère, n.m. *Ils vivent dans un phalanstère.* **Phalanstérien,** adj. *Une cité phalanstérienne.*

Phalène, n.f. selon l'Académie, est souvent du masculin dans l'usage courant et littéraire.

Pharamineux, adj. Cf. Faramineux.

Philatélie, n.f., **philatélisme,** n.m. Attention à l'orthographe, qui est étymologique.

Philosophe, n.m. et f. *Cette femme est une philosophe* (Ac.).

Phlegmon, n.m., s'écrit avec *ph.* On écrit aussi *flegmon.*

Photo, n.f., apocope de *photographie. On **prend** une photo. Tirer une photographie, tirer une photo, tirer qqn en photo, se faire tirer en photo* s'entendent parfois en France, mais restent suspects. Cf. Tirer, 8.
    Composés : *photo-finish,* n.f., *photo-robot,* n.f. (ou *portrait-robot*).

Phtisie, n.f., s'écrit avec deux *i.*

Phylloxéra, n.m., s'écrit avec *y* et *é,* bien que l'Académie française donne le mot sans accent.

Piano, n.m. Désignant l'instrument de musique : *Les pianos.* Invariable quand il indique comment il faut exécuter un passage. *Des piano et des forte. Des piano-forte.* On écrit aussi *pianoforte.* Adverbe, « doucement » : *Allez-y piano. Cela a commencé piano piano.* Populaire, *piane piane.*

Picaillons, n.m.pl., familier, « de l'argent » : *Avoir des picaillons* (Ac.).

Piccolo, n.m., petite flûte. **Piccolo** ou plus souvent **picolo,** petit vin.

Pick-up, n.m. invariable (tourne-disque).

Picoler, v.intr. populaire, « boire du vin, de l'alcool ».

Picoter, v.tr.dir., à ne pas confondre avec **picorer** (prendre de-ci, de-là, avec le bec), est associé à l'idée de « piquer légèrement à plusieurs reprises » : *Picorer des graines. Picorer sur le fumier. Picoter une feuille de papier avec une aiguille. La pelote est toute picotée. La fumée picote les yeux.* Ne pas dire : [*Mes yeux picotent*] pour : *J'ai les yeux irrités.* Cf. Piquer.

Pie, n.f. est employé comme adj. invariable pour qualifier, par analogie avec le plumage noir et blanc de la pie, la robe blanche et noire ou blanche et rousse de certains animaux ou des choses qui ont deux couleurs, souvent le noir et le blanc : *Des chevaux pie, des vaches pie.* On parle aussi des *voitures pie* de la police parisienne, à carrosserie blanche et noire.
    On emploie aussi *pie-noir, pie-rouge* ou *noir-pie, rouge-pie,* non sans hésitation dans l'usage, en citant en premier lieu *pie* si le blanc prédo-

mine. Les deux adjectifs restent théoriquement et logiquement invariables, mais l'usage reste un peu flottant (cf. *B.U.*, n° 804).

Pièce, n.f. *Vendre des œufs à la pièce, coûter cinq francs (la) pièce. Une pièce de tissu, de drap, de toile. Une pièce de terre, de pré, de blé.* L'expression *pour une pièce de pain* (= pour une bouchée de pain, pour presque rien) est vieillie en France, où elle est devenue régionale, mais est très vivante en Belgique : *Il a eu cela pour une pièce de pain.*

On ne dit plus : [*une pièce de bétail*] pour *une tête de bétail.* Mais en parlant d'un morceau on dit fort bien : *une pièce de gibier, de volaille.* On parle des *pièces* et non des « places » d'une maison, d'un appartement.

[*C'est une fameuse pièce d'homme*] est du wallon ; le français dit : *C'est une perche, une grande perche,* personne grande et maigre.

On écrit : *Ils sont tout d'une pièce* (cf. p. 937). *Tailler en pièces, de toutes pièces. Un deux-pièces,* n.m. (vêtement ou appartement).

Pied, n.m. Attention au singulier ou au pluriel dans les expressions suivantes : *Aller à pied* (et non pas [*aller de pied*], dialectal). *Avoir chaud (froid) aux pieds. Marcher à pied, la marche à pied* (admis par l'usage). *Il est sur pied* (= levé) *à six heures du matin. Le blessé est sur pied* (= debout). *Marcher pieds nus* ou *nu-pieds. Passer la rivière à pied sec. Se jeter* (ou *se traîner*) *aux pieds de* qqn. *Remettre* qqn (ou *une affaire*) *sur pied. De la tête aux pieds* (ou *des pieds à la tête*). *Mettre un fonctionnaire à pied. Sauter à pieds joints. Pieds et poings liés. Faire* qqch. *au pied levé* (sans préparation). *Mettre pied à terre. Ne savoir sur quel pied danser. Lâcher pied. Perdre pied. Prendre pied sur une position. Lutter pied à pied.* Belgicisme : [*Jouer un pied de cochon*] pour *jouer un tour de cochon.*

Composés : *Un pied-de-poule, des pieds-de-poule. Des pied-à-terre. Le cou-de-pied* (partie du pied), *les cous-de-pied.* L'élément introduit par *de* est invariable : *des pieds-d'alouette, des pieds-de-poule.* Mais : *des pieds-plats* (individus méprisables), *des pieds-noirs,* etc. *Un piédroit* (ou un *pied-droit*), *un piéfort* (ou un *pied-fort*), *des piédroits, des piéforts* (ou des *pieds-droits,* des *pieds-forts*). *Un pied-bot (des pieds-bots). Avoir un pied bot.*

Pied-noir, Français né en Algérie. Les *pieds-noirs.* Comme adjectif, invariable en genre : *Une famille pied-noir.*

Pierre, n.f. *Une carrière de pierre. Un banc, une façade, une maison de pierre. Un tas de pierres. Un tailleur de pierres.*

[**Piésente**], n.f., est du wallon francisé (= sentier).

Pietà, n.f., gardant sa forme italienne, n'a pas d'accent sur *e,* a un accent grave sur *a* et est invariable : *Des pietà émouvantes.*

Piètement, n.m., ensemble des pieds d'un meuble ou d'un siège et de ce qui les relie.

Piétiner *sur place* peut paraître un pléonasme mais peut se justifier, le verbe pouvant s'appliquer ailleurs à une avance difficile, très lente.

Piéton, n., n'a pu imposer son féminin (*piétonne*) pour le nom et ne l'avait pas encore vraiment fait dans l'usage courant pour l'adjectif avant qu'à l'époque moderne on éprouve le besoin de qualifier les rues ou promenades à l'usage exclusif des piétons. D'où le recours à *piétonnière* : *une rue piétonne* ou ***piétonnière***.

Pifer, v.tr.dir.pop., venu de *pif*, nez, flair. *Ne pouvoir pifer qqn*, ne pouvoir le souffrir. **Au pifomètre** (à vue de nez) est familier.

Piger, v.tr.dir. populaire, ne s'emploie plus que dans le sens de « comprendre » : *Je n'y pige pas un mot. Tu piges !*

Pignouf, n.m., est populaire : personnage grossier, sans éducation.

Pile, employé comme **adverbe**, même par d'excellents écrivains, avec *s'arrêter* ou *tomber, arriver*, veut dire « brusquement » ou « au moment opportun » : *Il permet de s'arrêter pile* (Fr. Mauriac, *Le Figaro littéraire*, 12 janvier 1957). *Je tombai pile sur les confidences d'un voyageur* (R. Mallet, *Le Figaro littéraire*, 9 février 1957). *Des lézards s'élancent, s'arrêtent pile à leur passage* (P. Morand, *L'homme pressé*, p. 31). *Vous arrivez pile : on a besoin de votre avis.*

À trois heures pile appartient plutôt à la langue familière. On dira en style soutenu : *À trois heures précises, à trois heures juste.*

Un autre mot *pile*, n.f., à partir de *mettre à la pile*, maltraiter (comparer le verbe *piler*), s'emploie familièrement pour « rossée » ou « défaite écrasante » : *Recevoir une pile. Flanquer une pile à qqn.*

Pilote, n.m. On écrit : *Une entreprise pilote, une paroisse pilote, une usine pilote.* On ne met un trait d'union que dans *bateau-pilote* et parfois dans *poisson pilote.* Pluriel : *des entreprises pilotes*, etc.

Pince, n.f. On dit : *pince à linge* ou *épingle à linge, pince de cycliste* ou *pince à pantalon.* — **Pince-monseigneur,** n.f. Cf. NOMS COMPOSÉS, B, 1, p. 625 : *des pinces-monseigneurs.* On trouve : *des pinces-monseigneur.*

[Pincer son français]. Belgicisme pour *parler pointu.*

Pinçon, n.m., désigne la marque qui apparaît sur la peau après un pincement ; se dit aussi d'une petite douleur causée par une angoisse brève.

Ping-pong, n.m. déposé. On peut dire : *tennis de table.*

Pinter, v.tr.dir. et intr. (boire avec excès), est très familier. *Ils ont pinté toute la soirée. Il pinte sec. Pinter du gros rouge.* Nettement populaire : *Il est pinté. Il s'est pinté.*

Pin-up, n.f., se prononce à l'anglaise et est invariable.

Piocher, v.tr.dir. ou intr., se dit figurément de l'étude tenace : *Il a bien pioché son algèbre. Il pioche ferme.* D'où : *Cet écolier est un **piocheur*** (Ac.).

Pipe, n.f. Fig. et fam. *Casser sa pipe,* mourir.

Pipeline ou **pipe-line,** n.m. ne désigne pas seulement un tuyau mais l'ensemble de la canalisation. *Des pipelines* (ou *des pipe-lines*). *Transport par pipeline(s).*

Piper, v.tr.dir. ou intr. *Sans* (ou *ne pas*) **piper** et *sans* (ou *ne pas*) **piper mot** se disent l'un et l'autre et ont le même sens.

Pique, n.f., est vieilli dans le sens de « brouille légère due à l'amour-propre », mais très vivant dans celui de « petite allusion piquante ». *Lancer des piques à qqn dans la conversation.*

Pique-. Cf. NOMS COMPOSÉS, B, 5 : *Un pique-assiette, des pique-assiettes. Un pique-nique, des pique-niques* (ancien français *nique,* petite chose, complément du verbe *pique : repas à pique-nique*). *Des pique-niqueurs.*

Piquer, v.tr.dir. et intr., **piqûre,** n.f. Cf. MORDRE. On dit fort bien : *piquer un somme, piquer un fard. Le froid pique les oreilles. La fumée lui pique les yeux. Une barbe qui pique. Ça me pique,* qqch. m'irrite. Par extension : *Les yeux me piquent* (GR, RM). *Piquer du nez.*

Piqueron, n.m., est du français régional de Belgique pour désigner le moustique ou le cousin.

Pire, pis ne s'emploient indifféremment que comme noms, après l'article *le* ou en rapport avec un neutre ou un pronom indéfini. *Pire* est concurrencé par *pis* mais ne peut être adverbe (cf. plus loin, A, 6).

A. 1. **Pire** est proprement l'adjectif comparatif de *mauvais,* mais *pire* et *plus mauvais* ne sont pas toujours interchangeables. On dira : *Sommes-nous devenus meilleurs ou plus mauvais ?* (ou bien *ou pires ?*). *Cette excuse est pire* (ou *plus mauvaise*) *que la précédente. Il est de pire* (ou *de plus mauvaise*) *humeur qu'hier.* Mais avec un nom qui évoque lui-même un mal, comme *fléau, ennui, désagrément, difficulté, erreur, faute, mal, douleur, détresse, chagrin, misère,* on n'emploie pas *plus mauvais* mais *pire* (ou parfois *plus grand*) : *Il n'est **pire misère** qu'un souvenir heureux dans les jours de douleur* (Musset). *La dernière faute sera pire que la première* (Ac.). *Un remède pire que le mal qu'on veut guérir. Nous avons eu les pires ennuis, les pires difficultés.* Par contre, c'est *plus mauvais* qui s'impose dans le sens de « plus défectueux, plus imparfait » : *Sa vue est **plus mauvaise** que la mienne. Cette machine est plus mauvaise que je ne croyais.* Le comparatif de *mauvais* pris adverbialement est toujours *plus mauvais : Cela sent plus mauvais.*

Pire se rencontre dans des proverbes : *Il n'y a pire eau que l'eau qui dort. Il n'est pire sourd que celui qui ne veut pas entendre.*

2. *Pire* peut s'employer aussi bien que *pis* (cf. B) lorsqu'il se rapporte à un pronom neutre ou indéfini : *Cela est peut-être pire* ou **pis**. *Il n'était pas un mauvais homme, mais un homme demi-bon, ce qui est peut-être pire* (R. Rolland, *Jean-Christophe, L'aube*, p. 65). *Ils prennent de la cour ce qu'elle a de pire* (La Bruyère). *Quelque chose de pire* ou *de pis. Rien de pire* ou *de pis.*

3. *Pire* peut être renforcé par *bien* (mais non par *beaucoup*), *encore* ou par *x fois* : *C'est **bien pire**. C'est **dix fois pire**.* Ici aussi, on pourrait employer *pis.*

4. *Pire* ne peut être précédé de *plus*, de *moins*, de *tant.* On dit : **Tant pis**.

5. **Le pire**, superlatif employé comme **nom**, signifie « ce qu'il y a de pire, de plus mauvais » : *Pour le meilleur et pour le pire. La politique du pire. Il envisage toujours le pire. S'attendre au pire. Le pire n'arrive pas toujours.* En concurrence avec **le pis** : *Le pire de tout* ou *le pis de tout. Le pire était que souvent le vieux Kraft n'était pas rentré* (R. Rolland. *Jean-Christophe, L'aube*, p. 104). *Le pis est que... Le pire* (ou *le pis*) *qui puisse nous arriver. Mettre les choses au pire* ou *au pis.*

Inutile d'insister sur *le pire, son pire, la pire, les pires*, superlatifs employés comme **adjectifs** : *Son pire ennemi. Les pires gredins* ou avec un complément : *La pire des difficultés.*

6. Il faut noter que *pire* ne peut, en français correct, être adverbe. On sait que le peuple dit : [*Tant pire*] au lieu de **Tant pis** (cf. 4). On trouve *pire* pour *pis* (contraire de *mieux*) dans la langue paysanne et même sous la plume de gens cultivés : *Mieux — ou plutôt pire —, par suite d'autres accidents phonétiques, il n'y a plus suppression mais altération de la consonne finale* (J. Marouzeau, dans *Vie et langage*, n° 3, p. 251). *Tout changeait partout, et en pire* (M. Bataille, *Les jours meilleurs*, p. 150). *Bien pire, je vois venir le jour qu'en haine de mon auréole elle maudira le nom de Celui qui me l'a donnée* (M. Aymé, *Le vin de Paris*, p. 88). *Ils avaient redouté bien pire* (Ch. de Gaulle, *Le salut*, Poche, p. 116). Ces exemples témoignent certes d'une évolution, mais ne sont pas encore à imiter.

B. **Pis**, plus rare ou plus littéraire que *pire*, est proprement un adverbe, signifiant le contraire de *mieux* ; il peut être employé comme adjectif en qualité d'attribut ou d'épithète ou en fonction nominale sans article, ou comme nom masculin avec l'article défini *le.*

Comme adverbe, son emploi est limité. On le trouve dans des locutions adverbiales avec *aller* et dans *tant pis* : *Aller de mal en pis, de pis en pis. Au pis aller.* Mais on ne dira pas d'un malade qu'il va pis. On dira qu'*il va plus mal.* De même : *parler plus mal, être plus mal habillé*, etc.

Comme adjectif, il est attribut ou épithète et se rapporte à un pronom neutre ou indéfini (cf. A, 2) : *Cela est pis. C'est pis que jamais. Qui* (= ce qui) *pis est, il ne m'a pas averti. Il n'y a rien de pis que cela.* Il peut être, comme *pire,* renforcé par *bien, encore* ou *x fois* (cf. A, 3).

Il faut souligner la restriction imposée par la nature du mot auquel il se rapporte. Bien qu'on dise d'un malade qu'il va mieux, on ne dira pas qu'il est pis, qu'il va pis. On dira qu'*il est plus mal,* bien que l'Académie donne les phrases : *Il est pis que jamais. Ils sont pis que jamais ensemble.*

En fonction nominale, *pis* signifie « chose plus mauvaise » : *Il y a pis. Il m'en a dit pis que pendre* (tout le mal possible). *Il a fait pis que cela. Je m'attendais à pis.*

Comme nom, précédé de l'article défini : *Le pis est qu'il est trop tard. En mettant les choses au pis. Le pis de tout* (cf. A, 5). *Le pis qu'il puisse* (ou *qui puisse*) *lui arriver. Par crainte du pis.*

Pis-aller, n.m. invariable, s'écrit avec un trait d'union. Mais on n'en met pas dans la loc. adverbiale *au pis aller.*

Pisse- dans les composés. *Un pisse-froid* (inv.). *Un pisse-vinaigre. Des pisse-vinaigres.* Cf. Noms composés, B, 5, p. 626.

Pissenlit, n.m. *Une salade de pissenlit. Des pissenlits.*

Pistier, n.m. parallèle à *routier,* se dit en Belgique au lieu du terme français **pistard** pour un coureur cycliste qui court habituellement sur la piste d'un vélodrome.

Pistolet, n.m., désignant un petit pain rond (ou allongé, d'où le nom), à ne pas confondre avec *sandwich,* est courant en Belgique mais n'est pas inconnu en France. Cf. Miche. Par un emploi figuré, le nom de l'arme désigne une personne bizarre : *Un singulier pistolet. Un drôle de pistolet.* On écrit : *un pistolet-mitrailleur, des pistolets-mitrailleurs.*

Pitchpin, n.m., est bien francisé et prend *s* au pluriel. On prononce « in ».

Pitié, n.f. *Par pitié. Faire pitié* (à qqn). *Prendre pitié de qqn. Prendre qqn* ou *qqch. en pitié. C'est pitié* ou *C'est une pitié. Quelle pitié !*

Place, n.f. 1. **En place, à sa place.** Cf. À et *en,* 8, p. 19.

2. Régionalisme d'un emploi très limité en France, mais courant en Belgique : [*les places d'une maison, d'un appartement*] pour *les pièces.*

3. *On occupe une place sur une banquette* ou *à une table. On prend place,* on s'installe sur un siège. On est en droit de s'étonner de ces phrases : *Vous mettez le livre sur cette place (...). Celui qui était assis sur cette place vide...* (M. Butor, *La modification,* 10-18, pp. 192, 281). On attendrait *à cette place.* Cf. d'autres emplois étonnants de *sur,* p. 898.

PLAIDER

4. *Une place est* **libre, occupée.** Les expressions **places assises** et **places debout** sont entrées dans le bon usage.

5. **Par places,** çà et là, s'écrit toujours au pluriel. Mais : *de place en place.*

6. *Agir* **en lieu et place** *de qqn* ou *au lieu et place de qqn.* Mais avec le possessif : *en son lieu et place.*

7. Il habite *place des Arts,* ou *sur la place des Arts.*

8. *La* **grand-place,** *les grands-places.*

9. *Rester* **sur place,** *faire* **du surplace.**

10. *Une* **place forte,** *des places fortes.*

11. *Une voiture à quatre places. Une quatre places. Les places avant* ou *arrière.*

Plafonner ne s'emploie intransitivement qu'en parlant de vitesse, de titres, de crédits, de salaires, de ventes, etc. *Les titres plafonnent,* se maintiennent au niveau le plus haut.

Plafonneur, n.m., se dit en français du *plâtrier* spécialisé dans la réalisation des plafonds ; en français régional de Belgique, il se substitue à *plâtrier.*

Plage, n.f. : *Aller à la plage* ou *sur la plage. Se promener* ou *se bronzer sur la plage. Passer un mois à la plage.*

Plaid, n.m., se prononce sans *d* s'il désigne une ancienne assemblée poli-, tique, mais avec *d* lorsqu'il désigne une étoffe.

Plaider, v.intr. : *Plaider pour qqn* (ou *qqch.*) ou *en faveur de qqn* ou *contre qqn.* **V.tr.dir.** : *Plaider une affaire, une cause, les circonstances atténuantes. Plaider le faux pour savoir le vrai.*

Plaider coupable ou **non coupable.** L'usage hésite sur l'accord ou l'invariabilité de *coupable.* On a le choix. Les dictionnaires nous éclairent mal à ce sujet et rattachent cette expression, d'origine récente et anglaise, soit au verbe transitif, soit à l'intransitif, sans d'ailleurs s'expliquer.

On peut rapprocher *plaider coupable* de *voter socialiste,* y voir un verbe intransitif et laisser *coupable* invariable. On n'a cependant pas le même raccourci dans les deux expressions.

Certains considèrent *plaider* comme transitif et sous-entendent « quelque chose de » avant *coupable,* qu'ils laissent invariable : c'est peu convaincant.

On peut aussi estimer que *plaider* est transitif et qu'il y a ellipse de « qu'on est » devant *coupable* ou que le verbe est intransitif et que l'ellipse est « en se déclarant » (coupable). Dans les deux cas, *coupable* s'accorde avec le sujet : *Ils ont plaidé* **coupables.** Je conseille l'accord, en rappelant que l'usage reste hésitant.

Plaidoirie, n.f., **plaidoyer,** n.m. Le premier nom (pas d'*e* intérieur) ne se dit guère que de l'avocat, le second se dit de l'avocat mais aussi de tout discours ou écrit en faveur d'une personne ou d'une idée, etc.

Plaie, n.f. *Plaie d'argent n'est pas mortelle. Ne rêver que plaies et bosses* (batailles, procès, etc.).

Plain, plein, adj. L'adjectif **plain,** *plaine,* qui vient du latin *planum,* signifie : plat, uni, sans inégalités. Il n'est plus employé aujourd'hui que dans *plain-chant* et *de plain-pied* qui signifie « au même niveau » (*Les pièces de plain-pied*) ou, au figuré, « sans obstacle, sans difficulté » (*Entrer de plain-pied dans la gloire*) et surtout « sur un plan d'égalité, en relations aisées avec quelqu'un » (*Ils se sentent de plain-pied avec nous*).

Partout ailleurs, on écrit **plein** (*en pleine campagne, un terre-plein, le plein de la mer, en pleine mer, de plein fouet, de plein cœur, à plein temps,* etc.) ou l'on dit *plan* (*une surface plane*) ou *uni* (*du velours uni, du satin uni, du linge uni,* par opposition à du linge ouvré ou damassé). Cf. TAPIS.

Plaindre, v.tr.dir. 1. Conjugaison : comme *craindre* (*Je plains, il plaint, nous plaignons,* etc.) *Elles se sont plaintes à leur maman.*

2. **Se plaindre que** doit, comme les autres verbes de sentiment, se construire aujourd'hui avec le subjonctif : *Il se plaint qu'on l'ait abandonné* (Ac.). Parce que l'objet de la plainte est une réalité, la langue parlée et certains auteurs, exceptionnellement, emploient l'indicatif, qui était permis dans l'ancienne langue : *Se plaindre que la mariée est trop belle* (Ac.). *L'homme se plaignait que le commerce allait mal* (M. Yourcenar, *L'œuvre au noir,* Poche, p. 260). *Le colonel se plaignait qu'une voiture civile servait à notre compagnie* (J. Marais, *Histoire de ma vie,* Poche, p. 200). Mais, si l'on conserve à *se plaindre que* son sens de verbe de sentiment plutôt que celui de *dire,* il n'y a pas plus de raisons d'employer l'indicatif ou le conditionnel après *se plaindre que* qu'après *être heureux que* ou *s'étonner que,* ayant aussi pour objet un fait réel.

Se plaindre de ce que, moins répandu dans la langue littéraire, mais qui n'est pas rare, se construit soit avec l'indicatif ou le conditionnel, soit avec le subjonctif : *Il se plaignit de ce que trop de critiques fussent portés à juger l'homme (...) pour juger de l'œuvre* (R. Mallet, *Une mort ambiguë,* p. 103).

Ne vous plaignez pas si est suivi de l'indicatif : *Ne vous plaignez pas si on ne vous fait pas confiance.*

3. **Ne pas plaindre qqch.** (*son temps, sa peine, l'argent, la dépense*), ne pas le ménager.

Plaine, n.f. On parle couramment en Belgique d'une *plaine de jeux* pour un *terrain de jeux.* C'est oublier qu'une plaine a une vaste étendue.

Plainte, n.f. Avec un article ou un possessif : *Adresser une plainte à qqn. Introduire une plainte. Déposer une plainte contre qqn. Retirer sa plainte.* Sans article : *Porter plainte contre qqn.*

Plaire, v.tr.ind. 1. Conjugaison. Noter l'accent circonflexe sur *il plaît.* Le participe passé est déclaré invariable dans *se plaire.*

2. On dit : *Je me plais* (ou *je me plais beaucoup*) *dans cette région.* Belgicisme : [*Je me plais bien*]. *Se plaire à qqch., à faire qqch. Ils se sont plu à me railler.*

3. Avec l'impersonnel (cf. CE QUI), on emploie *de* devant l'infinitif et le subjonctif après *que* : *Il lui plaît* (ou *ça lui plaît*) *de nous déconcerter. Il ne me plaît pas que vous alliez là* (Ac.). Notons le double subjonctif dans : *Plaise à Dieu qu'il réussisse ! Plût à Dieu qu'il fût encore là ! À Dieu ne plaise qu'il soit élu.* On dit : *S'il est élu, ce qu'à Dieu ne plaise...*

4. *S'il vous plaît* (ou *s'il te plaît*) s'ajoute fort bien à une demande, à un ordre ; se dit familièrement pour souligner : *Voulez-vous me donner ce livre, s'il vous plaît ? Écoute un peu, s'il te plaît. N'allez pas, s'il vous plaît, vous imaginer que je vous laisserai faire* (Ac.). *Elle portait une broche en or, s'il vous plaît.*

L'emploi de *s'il vous plaît* comme formule pour faire répéter quelque chose est belge. On doit dire : *Plaît-il ?* ou *Comment ?* ou *Pardon ?* ou (très courant) *Que dites-vous ?*, etc.

Pour présenter un objet, pour offrir qqch., on abuse nettement en Belgique de *s'il vous plaît*, qui est régional. En français général et courant, on dit plutôt : *Voici* ou *Voilà* ou *Je vous prie*, etc.

Plaisancier, n.m., se dit d'une personne qui pratique la navigation de plaisance : *Un petit port fréquenté par les plaisanciers* (GLLF).

Plaisant, adj., se dit de ce qui plaît, procure du plaisir (*Un endroit plaisant. Cet endroit est plaisant. Ce n'est guère plaisant*), d'une personne agréable (*Un homme plaisant*), mais aussi de ce qui peut amener le rire (*Une histoire plaisante*). Comme épithète et placé devant le nom, avec un sens ironique (= qui fait rire à ses dépens), il vieillit : *Une plaisante excuse. Un plaisant bonhomme.*

Comme **nom** masculin : *Le plaisant de la chose. Les mauvais plaisants* (qui font des plaisanteries de mauvais goût ou jouent de mauvais tours).

Plaisir, n.m., n'est plus suivi de la préposition *de* que s'il est précédé d'un article défini ou indéfini ou employé avec *c'est* : *Faites-moi le plaisir de m'écouter. Je me ferai un plaisir d'y aller. C'est (un) plaisir de l'entendre. Au plaisir de vous revoir. Les plaisirs de la table, de la conversation, le plaisir d'une rencontre.* Dans tous les autres cas, on emploie aujourd'hui à : *Prendre plaisir à qqch. Trouver du plaisir à faire qqch. Avoir plaisir à voir qqch. N'avoir de plaisir à rien. Cela fait plaisir à voir.* — Sans complément : *Il ment à plaisir. Il se tourmente à plaisir.*

Plan, n.m. 1. Dans **laisser en plan, être** ou **rester en plan,** l'orthographe communément admise et à recommander est *plan.* Certains ont voulu imposer *plant* au nom de la logique, bien que *plan* fût une variante graphique de *plant.*

2. [*Tirer son plan*] est la traduction d'une expression flamande, elle-même suspecte. On dit : *se tirer d'affaire, s'en tirer.*

3. *Sur le plan.* On dit : **sur le plan** moral, *sur le plan des principes, sur tous les plans.* C'est le tour à recommander. Une confusion avec *au niveau de* a introduit *au plan de,* qu'on trouve sous de bonnes plumes mais qui reste critiqué : *Au plan des principes, il a tort.* On trouve aussi, mais rarement, et ce n'est pas à imiter : *dans le plan de.*

4. On dit : *au premier plan* (souvent remplacé en Belgique par *à l'avant-plan*), *au second plan, à l'arrière-plan.*

Planchéier, v.tr.dir. (garnir de planches), se conjugue comme les verbes en *-ier* : *Il planchéie, il planchéiait, nous planchéiions.* Nom : **planchéiage.**

Planifier, v.tr.dir., s'est imposé, en éliminant *planer,* employé lui aussi transitivement, pour parler d'une activité économique organisée suivant un plan.

Planisphère, n.m., désigne une carte représentant, projetés sur un même plan, les deux hémisphères.

Planning (deux *n*), n.m., est facilement remplacé dans le langage administratif par **programme** ; on peut dire aussi, selon les cas : *emploi du temps, calendrier, plan,* etc.

Planter, v.tr.dir. *Planter des pommes de terre* se dit fort bien, à côté de *planter un arbre, des oignons, des tulipes, des haricots ;* mais on *sème* de la laitue, des radis.
Planter là qqn ou *qqch.,* c'est le quitter brusquement. Cf. PLAQUER.

Plaquer, v.tr.dir. La langue populaire dit *plaquer qqn* et *plaquer qqch. au nez de qqn.* Au sens d'« abandonner », elle dit : *Il a tout plaqué ;* familièrement : *Il a plaqué son amie* (il l'a abandonnée, il a rompu avec elle, il l'a laissée tomber). Dans ce dernier sens, le nom est *plaquage.*
Plaquer une chose sur une autre. Plaquer ses cheveux, du mortier, un accord, mais on ne peut dire intransitivement [*Cela plaque*] pour *Cela colle, cela tient.* Substantif : *le placage.*

Plaquette, n.f., peut désigner une petite plaque ou un petit livre très mince.

Plastic, n.m., désigne un explosif ; l'attentat fait avec cet explosif s'appelle un *plasticage* (on écrit aussi *plastiquage*).

Plastique, adj. et n.f. ou m. En matière d'art et de beauté, on parle de *beauté plastique,* de *chirurgie plastique* et de *la plastique grecque* ou de *la plastique d'une personne.* Une *matière plastique* est **un plastique.**

Plat de côtes, n.m. désignant un morceau de bœuf (*J'ai mangé du plat de côtes* : pluriel, *des plats de côtes*) peut se dire **plates côtes,** n.f.pl. : *J'ai mangé des plates côtes.*

Plate-buse, n.f., est le nom wallon d'anciens poêles de cuisine à pot apparent.

Plate-forme, n.f. *Des plates-formes.*

Platine, n.f., désigne une pièce plate dans une serrure, dans une machine à coudre, une montre, un fusil, etc., mais non les moules de métal utilisés pour la cuisson du pain, de la tarte, etc. En Belgique on parle d'*un pain sur platine* ou d'*un pain platine* ; en France, d'*un* **pain moulé.**

Play-back, n.m., anglicisme désignant la technique cinématographique ou de télévision inverse du doublage et qui consiste à enregistrer l'image après le son. À traduire par *surjeu* ou *présonorisation.*

Play-boy, n.m., jeune homme élégant et riche, menant une vie de séducteur. *Des play-boys.* À traduire par *jeune premier, coureur,* etc.

Pléiade, n.f., a désigné en littérature un groupe de sept poètes, par référence aux étoiles formant un groupe dans la constellation du Taureau. Par extension, groupe de personnes, généralement remarquables, en nombre indéterminé, et même en grand nombre : *Une école qui a formé une pléiade d'ingénieurs de grande valeur* (GLLF).

Plein, adj. et n.m. Cf. Battre, 5, *Battre son plein* et Plain.

Accord : On écrit : *Il a les poches pleines de billets,* mais quand l'adjectif, pris comme préposition, précède le nom désignant ce qui est plein : *Il a des billets plein les poches.* Même règle pour *tout plein* : *Il a les poches toutes pleines d'argent. Il a de l'argent tout plein les poches.*

Sens. La langue familière abuse de *plein, tout plein* en donnant le sens non de plénitude, mais de « beaucoup » ou de « très » : *J'ai reçu plein* (ou *tout plein*) *de cadeaux. Il a tout plein d'amis. Je l'aime déjà tout plein. Il est mignon tout plein. C'est mignon tout plein chez vous.* Parfois le sens est « partout sur ou dans » : *Il a des flocons plein les cheveux.*

L'Académie admet cependant sans restrictions le sens : « qui abonde en quelque chose que ce soit » : *Un jardin plein de fruits. Un chien plein de puces. Un livre plein d'érudition, plein de sottises. La vie est pleine de misère,* etc. Il est certain que l'emploi de *plein* par exagération, pour exprimer une grande quantité, est admis, et d'ailleurs courant. Voici encore des exemples de l'Académie : *Une rivière pleine de poissons. La salle est pleine de monde. Parler la bouche pleine. On trouve tout plein de gens qui pensent que... Il y a tout plein de monde dans les rues.*

Plein temps : *Travailler à plein temps. Un plein-temps.* Adj. invariable : *Des chirurgiens plein-temps.*

Plein emploi : *Le pays est dans une situation de plein emploi.*

Pleuviner (on rencontre aussi *pluviner*), v.intr., est un vieux verbe impersonnel français dont la vitalité varie selon les régions ; elle est forte en Wallonie : *Il pleuvinait*, il bruinait.

Pleuvoir, v.impers. (*Il pleut à verse, à seaux, à torrents. Il pleut des injures*), peut s'employer comme verbe personnel intransitif, dans le sens de « tomber comme de la pluie » : *Les injures pleuvaient.*

Pli, n.m., peut se dire pour *levée*, au jeu de cartes.

Plier, v.tr.dir. ou intr., et **ployer.** Le second verbe fait davantage penser à une courbure (*Le vent ploie les arbres*), mais est souvent un synonyme, plus littéraire, de *plier*. On peut dire *ployer* ou *plier une branche, le genou, les reins*, etc. *On plie une feuille, du linge, une tente, un paravent, un lit pliant ; on plie bagage*, on s'apprête à partir.

Plume, n.f. On peut écrire : *un lit de plumes* ou *de plume, gibier à plumes* ou *à plume*, le singulier prenant un sens collectif.

[Plumetions], n.m.pl. Cf. Poussière.

Plumier, n.m., est français mais plutôt vieilli, sauf dans certaines régions : *Un plumier d'écolier.*

Plupart (la). *La plupart des gens le savent. La plupart d'entre nous le disent. La plupart le disent. La plupart de son temps se passe à voyager. Ces gens sont médisants **pour la plupart**. Ces gens sont la plupart (ou pour la plupart) médisants.*

Pluriel. On trouvera à un très grand nombre de mots des indications sur la forme du pluriel. Cf. aussi Noms composés, Noms propres, Adjectifs, Verbe, etc. Ajoutons : *Vos a* (ou *vos* alpha) *sont mal faits. Deux do* (note de musique). *Il y a trop de* que, *de* car, *de* non. *Les trois huit*, mais *des zéros.* Avec une minuscule : *Des champagnes, des cognacs, des bourgognes, des gruyères, des pouillys, des calvilles, des roqueforts.* Mais avec une majuscule : *un kilo de Calville, des Renault, des Chrysler, deux Ricard.*

Il est normal d'écrire : *Des jugments de valeur variable* (dont la valeur est variable), *de valeur inégale.* Mais : *Des mises en scène de conceptions diverses* (dont les conceptions sont diverses).

On écrit, en laissant invariables les noms des mois : *Des septembre pluvieux. Les premiers janvier.*

Plus, adv. 1. **Prononciation.** Dans tous les cas, en liaison avec une voyelle (sauf devant un nom propre) on prononce z : *Il est* (ou *il n'est*) *plus étonné. Il travaille de plus en plus fort. Il est d'autant plus ému que...*

En dehors de la liaison, l'*s* ne se prononce qu'en finale ou devant une pause, lorsque *plus* signifie « davantage », mais il ne se prononce pas dans *ne...plus.* On le prononce donc dans : *J'en veux plus* (davantage) mais non dans : *Je n'en veux plus.*

À l'intérieur de la phrase, on prononce toujours *s* quand *plus* marque l'addition et assez souvent devant *que* : *Deux plus trois. J'en ai plus que lui.* Mais non dans *J'ai plus faim que lui.* On hésite dans *sans plus, d'autant plus,* où, même en fin de phrase, l'*s* parfois ne se prononce pas. La tendance à ne pas prononcer *s* est très forte.

2. *Plus* marque le dépassement d'une limite dans le temps ou dans la quantité. Il est devenu, comme *pas* et *jamais,* un des éléments de la négation, mais en ajoutant un sens précis. Il peut se combiner avec *jamais.*

Quelques emplois. *Ne plus* : *Je n'ai plus mal. Je n'ai plus de chagrin. Je ne le vois plus. Je ne l'ai plus jamais vu. Je ne dirai plus jamais rien.*

Non plus. Cf. Non, 10. *Il n'ira pas, moi non plus.* En corrélation avec *mais* : *Comptez non plus sur les autres, mais sur vous.*

Au sens quantitatif, *plus* s'oppose à *moins* et peut s'employer en phrases positives ou, en phrases négatives, avec *ne pas* : *Il est (ou il n'est pas) plus vieux que vous. Il a plus à dire que son frère.* Cf. Moins, 2. *Quatre, c'est plus que trois* (comparaison). *Un mille, c'est plus qu'un kilomètre. Il y a d'ici là plus d'un quart d'heure* ou, pour souligner la différence dans la mesure, *plus qu'un quart d'heure. Il a parlé plus d'une heure. Il a plus faim que vous. Plus d'à moitié. Plus qu'à moitié. Mesurer une chose au plus juste. Partir au plus tôt. Restons au plus près du malade, qui est au plus mal. Du plus loin qu'il m'a vu. Il est plus sérieux (ou plus homme de bien) qu'on ne le prétend. Cette lampe éclaire plus que l'autre. Il est plus travailleur qu'intelligent.* On dit : *rien (ou quelque chose ou quoi) de plus.* Noter que, si l'on peut dire *Il y a plus d'un quart d'heure* ou *plus qu'un quart d'heure,* on doit dire *Il n'y a plus qu'un quart d'heure.*

3. Dans les phrases elliptiques, il peut y avoir ambiguïté, le sens pouvant être positif ou négatif selon les circonstances : *Plus de guerres, plus d'impôts,* sens négatif. *Plus de congés,* sens positif.

4. *Plus il a à faire, **plus** il se plaint* ou *moins il fait. Plus obscure est la nuit, (et) plus l'étoile y brille.* Ne pas dire [*Au plus....au plus*].

5. **De plus,** loc.adv. *Il est vieux et, **de plus,** malade* (ou *et, de plus, on l'abandonne*). Même sens : *qui plus est, bien plus, il y a plus.*

6. **En plus,** loc.adv. *Vous recevrez ce livre avec en plus un cadeau.* Autre emploi exprimant une comparaison. *Cela ressemble, en plus joli, à un coin de chez nous.*

En plus de, loc.prép. **En plus de** *son traitement, il reçoit une indemnité. En plus de Bruges, nous avons visité quelques cités côtières.* Mais on ne peut dire dans ce sens : [*en plus que*].

7. **Plus que bon,** *plus que bien.* On dit : *Elle est plus que jolie. C'est plus que bien, c'est parfait. C'est plus que bon, c'est délicieux.* On pourrait dans ces phrases remplacer *plus* par *mieux.* Cf. Bon, 9.

8. Non seulement il ne faut pas dire [*au plus ... au plus*] pour *plus ... plus* (cf. 4), mais il faut se garder de dire, comme en Belgique : [*tous au plus* + adjectif ou adverbe] : [*Ils sont tous au plus beaux. Ils travaillent tous au plus fort*] pour : *Ils sont tous plus beaux les uns que les autres* ou *l'un que l'autre. Ils travaillent tous plus fort les uns que les autres* ou *à qui mieux mieux* ou *à l'envi.*

9. *Le frère a la tête de plus que la sœur* est correct. *A voir la tête de plus que quelqu'un* (Ac.).

10. *Des plus* + adjectif. Cf. ADJECTIFS QUALIFICATIFS, 9, p. 42. *Le plus* + adjectif. Cf. ARTICLE, 2, p. 93.

11. *Plus d'un*, sujet. Cf. VERBE, Accord, A, II, 3. *Il y en a plus d'un qui s'est plaint. J'en connais plus d'un. Il en a parlé à plus d'un.*

12. *Davantage* ou *plus.* Cf. DAVANTAGE.

13. *Plus ou moins* marque l'approximation ou des degrés différents ; il a parfois un sens péjoratif : *Quarante francs, plus ou moins. Il souffre tous les jours plus ou moins. Il est plus ou moins intelligent.*

13. *D'autant plus.* Cf. AUTANT, 5, p. 125.

14. *Pas plus que, non plus que.* Cf. NE *employé seul,* 11, p. 608. VERBE, Accord, B, VIII, p. 982.

15. Place de *ne plus* : cf. NE PAS, 2, p. 613.

16. *Qui peut le plus peut le moins.*

Plusieurs, adj. ou pron. indéfini pluriel, indique un nombre peu élevé, le plus souvent supérieur à deux. On peut donc dire : *Deux ou plusieurs personnes.* On dit : *Plusieurs l'ont déjà dit. Plusieurs de ces gens pensent que... Ils s'y sont mis à plusieurs pour nous répondre.*

On peut remplacer l'adjectif *plusieurs* par *différents* : *J'en ai parlé à plusieurs personnes* ou à *différentes personnes.* On évitera le pléonasme [*à plusieurs personnes différentes*].

Plus-value, n.f. *Des plus-values.*

Plutôt et **plus tôt** n'étaient pas autrefois distingués dans l'écriture comme ils le sont aujourd'hui. L'usage actuel, en adoptant la graphie *plus tôt* lorsque le sens, opposé à celui de *plus tard*, est « plus vite » ou « de meilleure heure », impose d'écrire : *Il est arrivé plus tôt que moi. Partez au plus tôt. Il s'est levé plus tôt que de coutume.* Mais aussi : *Il n'eut pas plus tôt aperçu son père qu'il courut à lui* (Ac.). On écrivait jadis, quand on ne faisait pas cette distinction, et certains écrivent encore : *Je ne lui eus pas plutôt pris son mal qu'il m'abandonnait* (M. Aymé, *Les contes du chat perché*, p. 89).

Puisque nous distinguons aujourd'hui *plutôt* et *plus tôt* et qu'il s'agit de marquer la rapidité avec laquelle une action succède à une autre, et non une préférence, c'est *plus tôt* qui est à recommander dans ***n'avoir pas plus tôt dit*** (ou *fait*)... *que* : *Il n'eut pas plus tôt dit cela qu'il s'en repentit.*

C'est encore l'ancienne graphie qu'on trouve dans un vers de La Fontaine : *Leur Doyen, personne fort prudente, Opina qu'il faloit, et plustost que plus tard, Attacher un grelot au cou de Rodilard* (*Conseil tenu par les rats*). Le sens est *plutôt tôt que tard* ou *plutôt plus tôt que plus tard*, sans tarder. Mais c'est l'expression raccourcie qui s'est imposée et il faut aujourd'hui l'écrire : ***plus tôt que plus tard.***

Plutôt marque une préférence, qui peut aller jusqu'au refus du second terme de comparaison, jusqu'à son exclusion : *Venez* ***plutôt*** *avec moi* (qu'avec tel autre). *Lisez plutôt ce livre* (que celui qu'on vous propose). *Il se tait plutôt que de dire du mal de ses amis.* Il peut aussi introduire un correctif et signifier « plus encore que », « bien plus que », « pour mieux dire » : *Il est vaniteux plutôt qu'orgueilleux.*

Sans *que*, il peut signifier « assez » ou même, familièrement, « très » : *Il est plutôt maigre. Ce discours est plutôt banal.*

Plutôt que devant un verbe.

1. ***Plutôt souffrir que mourir*** (La Fontaine) ou ***que de mourir.*** Deux infinitifs indépendants, ayant le même sujet, sont unis par *plutôt que* ou *plutôt que de* : *Plutôt mourir qu'abandonner l'innocent* (G. Duhamel, *Les plaisirs et les jeux*, p. 154). *Plutôt mourir debout que vivre à genoux* (A. Schwarz-Bart, *Le dernier des justes*, p. 261). *Plutôt mourir que d'y renoncer* (M. Aymé, *Les contes du chat perché*, p. 42). *Plutôt mourir que d'accepter ce que je désapprouve de toute mon âme* (R.-M. du Gard, *Les Thibault*, IV, Poche, p. 355).

2. ***Il veut convaincre plutôt que toucher.*** Le second infinitif dépend, comme le premier, d'un verbe qui exclut une préposition : on veut toucher, mais on veut surtout convaincre. On emploie *plutôt que* : *Ce mur, je le ferai réparer plutôt que démolir* (plutôt que je ne le ferai démolir). *L'hiver semblait plutôt verser de pâles couleurs qu'épancher sa lumière* (H. de Balzac, *Les chouans*, Poche, p. 350). *Il sait esquiver plutôt que heurter de front les obstacles* (G. Michaut, *Les luttes de Molière*, p. 98). On dirait de même : *Il sait esquiver les obstacles plutôt que les heurter de front.* Mais on pourrait (comme en 3) dire : *plutôt que de les heurter de front. Il paraît deviner plutôt que comprendre.*

3. ***Il veut se débrouiller seul plutôt que de demander conseil.*** À la différence du premier (cf. 2), le second infinitif ne dépend pas du verbe conjugué ; *demander conseil* est simplement rejeté par l'intéressé. On emploie dans ce cas *que de* : *Il voulait mourir plutôt que de continuer à souffrir.* Il ne s'agit pas seulement d'une préférence, le sens de *plutôt* tend vers « au lieu de ». *Est-il vrai que tu préférerais te tuer plutôt que d'être infidèle à ton mari ?* (J. Giraudoux, *Amphitryon 38*, Acte II, sc. 2).

Avec *se faire* comme verbe principal, la distinction est facile entre 2 et 3 : *Elle se ferait tuer plutôt que de consentir à ce qu'on lui demande*

(J. Green, *Mont-Cinère*, Poche, p. 232). *Je revoyais le grand Meaulnes de jadis, qui se faisait toujours punir plutôt que de s'excuser ou de demander une permission qu'on lui eût certainement accordée* (Alain-Fournier, *Le grand Meaulnes*, Poche, p. 212).

Dans d'autres cas, les deux sens sont permis : *Il faut accélérer plutôt que ralentir* ; on veut dire : plutôt qu'il ne faut ralentir. Si le sens est « au lieu de ralentir », on emploie *plutôt que de* : *Il faut accélérer plutôt que de ralentir.*

4. ***Il voyage pour se distraire plutôt que pour s'instruire.*** Comme en 2, les deux infinitifs dépendent du verbe conjugué, mais celui-ci est construit avec une préposition ; on la répète : *Il passe ses soirées à lire **plutôt qu'à** regarder la télévision* ; on n'exclut pas que, dans une mesure moindre, il regarde la télévision. *Dans chaque cas, l'acceptation semble consister à passer à travers l'obstacle plutôt qu'à résister à un assaut* (Ch. Morgan, *Sur l'unité de l'esprit*, Poche, p. 44) ; les deux infinitifs dépendent de *consister à*. *Il met son amour-propre à nous faire plaisir plutôt qu'à nous commander. Attaché à nous distraire plutôt qu'à nous instruire. — Il pensa à éluder cette difficulté plutôt qu'à la résoudre* (Pascal, *10ᵉ Lettre provinciale*). *Il semblait disposé à causer plutôt qu'à me laisser dormir.* (A. Gide, *Isabelle*, Poche, p. 26).

5. ***Il est résolu à partir plutôt que de se laisser insulter.*** Comme en 3, le second infinitif est exclu, rejeté : il n'est nullement résolu à se laisser insulter ; on ne répète donc pas la préposition, on emploie *que de* : *Il renonce à nous accompagner plutôt que de subir cette présence. Décidée à se mettre à garder des malades plutôt que d'être à charge de ses enfants* (H. de Balzac, *La rabouilleuse*, Poche, p. 94). On peut parfois hésiter à bon droit entre les tours 4 et 5 comme entre les tours 2 et 3.

6. ***Il partit plutôt que d'attendre.*** L'infinitif est rejeté comme en 3 et en 5, et il ne dépend pas d'un autre verbe. On emploie *plutôt que de* : *Il se tuera plutôt que de se laisser prendre. Elle eût du buvetier emporté les serviettes Plutôt que de rentrer au logis les mains nettes* (Racine, *Les plaideurs*, I, 4). *Il mourrait plutôt que d'avouer ses torts* (Ac.). *Il se tait plutôt que de mentir.*

7. ***On le craint plutôt qu'on ne le respecte.*** Le second terme de la comparaison est conjugué ; on le met à l'indicatif et on le nie avec *ne : Je subissais son amitié plutôt que je ne la choisissais* (Fr. Sagan, *Un certain sourire*, p. 23). *Le chouan comprit plutôt qu'il n'entendit les paroles suivantes* (H. de Balzac, *Les chouans*, Poche, p. 213). Omission tout à fait exceptionnelle de *ne* : *Elle jeta plutôt qu'elle quitta sa robe* (H. Bordeaux, cité par Grevisse, *B.U.*, n° 2210).

8. La langue classique employait *plutôt que* avec le subjonctif : *(Ils) combattront plutôt et l'une et l'autre armée (...) Que pas un d'eux renonce aux honneurs d'un tel choix* (Corneille).

9. Cf. AIMER, 4, *Aimer mieux*, PRÉFÉRER, NE *explétif*, p. 610, VERBE, *Accord*, B, VIII, p. 982.

Pluvial, adj. *Les écoulements pluviaux. Les eaux pluviales.*

Pluvieux, adj. *Un temps pluvieux. Un été pluvieux. Un vent pluvieux. Une région pluvieuse.*

Pluviner. Cf. PLEUVINER.

Pneu, n.m. *Des **pneus** usés. Envoyer un pneu* (ou *un pneumatique*).

Pneumothorax, n.m. Par abréviation : *un pneumo.*

Pochard, n.m., est familier et se dit de quelqu'un qui a des habitudes d'ivrognerie et n'a pas de tenue.

Poche, n.f. *Avoir de l'argent en poche, dans sa poche, dans ses poches, avoir ses poches pleines d'argent, avoir de l'argent plein les poches. Les mains dans les poches, dans ses poches. — Il enfonça les mains dans ses poches (...). Presque tous les étudiants se promenaient ici les mains dans les poches* (J. Green, *Moïra*, Poche, p. 27). Beaucoup plus rare, *aux poches : Gérard était devant elle, les mains aux poches* (H. Troyat, *L'araigne*, Presses Pocket, p. 58). — *De l'argent de poche. En être de sa poche. Payer de sa poche. Mettre en poche. Mettre un adversaire dans sa poche. N'avoir pas les* (ou *ses*) *yeux dans sa poche. N'avoir pas sa langue dans sa poche.* Au lieu de *un livre de poche*, on dit aussi *un poche* (variable ou invariable).

Les Belges, qui abusent du mot *sachet* (cf. ce mot), ignorent généralement que *poche* a ce sens en français.

Poêle, n.m. ou f., s'écrit avec un accent circonflexe et non avec un tréma. On prononce « pwal ».

Poêlon (pron. « pwalon »), n.m. Cf. CASSEROLE.

Poète, n. On dit : *Lucienne Desnoues est un très bon poète.* On dit aussi : *une femme poète* ou *une poétesse* (péjoratif, ironique pour certains).

Pognon, n.m. (argent), est populaire.

Pogrome, n.m., s'écrit aussi *pogrom.*

Poignée de main. *Des poignées de main.*

Poigner, v.tr.dir., a plus d'un siècle d'existence au sens de « serrer, étreindre, émouvoir » qqn ou le cœur). Il a été formé à partir de *poignant* (cf. POINDRE) et, utilisé par quelques écrivains, est resté littéraire et plus que suspect.

Poil, n.m. *Au poil* (fam.) *Je l'attendais à 7 heures, il est arrivé **au poil*** (ou ***au quart de poil***), exactement à l'heure, tout juste. *Le moteur démarre au poil,* immédiatement. *Son appartement est au poil,* excellent, en parfait état. *Reprendre du poil de la bête,* se ressaisir, reprendre le dessus. Le GLLF donne comme vieillie l'expression **avoir du poil** *aux yeux* (avoir un caractère énergique), mais ne mentionne pas [*avoir du poil aux dents*], qu'on entend en Belgique et qui se substitue à l'expression triviale *avoir du poil au cul,* être courageux, viril.

Poindre, v. défectif, se dit intransitivement de ce qui commence à paraître : *Le jour point, poignait, poignit, poindra.* Cf. Pointer. Transitif, « piquer », « blesser » : *Oignez vilain, il vous poindra.* Le participe présent *poignant* est devenu adjectif : *Un souvenir poignant* (qui serre le cœur). *Une émotion poignante. Un spectacle poignant.*

Poing, n.m. *Un coup de poing. Des coups de poing. Se battre à coups de poing.* Deux traits d'union dans le nom de l'arme : *un coup-de-poing (américain). Dormir à poings fermés,* profondément.

Point, n.m. 1. **Signe de ponctuation.** *Point à la ligne. Point final. Un point, c'est tout. (Trois) points de suspension.* **Les points de suspension** marquent que l'expression de la pensée est incomplète ou en suspens ; parfois ils marquent une pause insistant sur ce qui suit dans la même phrase. **Le point-virgule.** *Des points-virgules* (plutôt que *point et virgule,* qui vieillit). **Deux points,** *les deux points* (plutôt que *deux-points, le deux-points*). **Point d'exclamation,** après une exclamation, une interjection, après *eh bien !,* après le nom qui suit *ô.* **Point d'interrogation :** à la fin de la phrase interrogative directe (*Viens-tu avec nous ? C'est lui qui est allé à la réunion ?*) ou à la fin de la partie interrogative de cette phrase, avant l'incise (*Tu viens avec nous ? demanda-t-il ;* noter l'absence de virgule). Si la phrase comprend plusieurs interrogations distinctes, il est normal que la première soit déjà suivie d'un point d'interrogation, qui n'entraîne pas une majuscule (*Est-ce lui qui est allé à la réunion ? et comment ? et avec quel mandat ?*). Si *n'est-ce pas* est inséré dans une phrase, il n'est pas normalement suivi d'un point d'interrogation : *Vous viendrez, n'est-ce pas ? Vous savez, n'est-ce pas, ce qu'on attend de vous.* Le point d'interrogation placé entre parenthèses peut aussi marquer un doute, une ignorance portant sur ce qui précède immédiatement. Il faut bien noter que, normalement, on ne met pas de point d'interrogation à la fin de l'interrogation indirecte : *Je me demande quelle heure il est.* Pour plus de précision, cf. Interrogation, 4, A. Doppagne, *La bonne ponctuation,* Gembloux, Duculot.

2. Cf. Abréviations *et sigles.*

3. On écrit : *Les frères **trois-points**,* les francs-maçons.

4. **Un point** ou **un point de côté,** *des points de côté.*

5. *En **tous points*** (ou *en **tout point***).

6. **Point de non-retour** désigne le moment où il n'est plus possible de revenir sur ce qui a été décidé ou entrepris. Américanisme.

Point, adv. Cf. Pas et Ne *employé seul.*

Point de vue, n.m. 1. *Choisir un bon point de vue. Un magnifique point de vue. Je partage votre point de vue. Je maintiens mon point de vue. Des points de vue. Se mettre au point de vue de son interlocuteur.*
2. On dit : *Envisager une chose à un point de vue historique* ou *d'un point de vue historique* ou, beaucoup moins souvent aujourd'hui, *sous un point de vue historique.*

Au (ou *du*) *point de vue* est suivi d'un adjectif ou d'un nom introduit par *de* ; l'omission de *de* directement devant le nom (*au point de vue travail*) est courante ; on la trouve chez de bons écrivains, même en dehors du langage familier, bien qu'elle soit condamnée par l'Académie et par la plupart des grammairiens et qu'elle reste nettement suspecte. On dira : *Au point de vue du droit. Du point de vue de ses intérêts.*

Pointe, n.f. L'outil d'acier du graveur s'appelle *une pointe sèche* ou simplement *une pointe. Il grave à la pointe sèche* et il obtient *une pointe-sèche, des pointes-sèches.*

Pointer, v.intr., remplace couramment *poindre* quand on parle de choses qui commencent à paraître : *Le jour pointe. L'aube pointait. Les bourgeons commencent à pointer. On voit pointer les difficultés.*
V.tr.dir. : *Pointer les oreilles.* Autre sens, en rapport avec *point* : *Pointer les élèves présents, les employés, l'arrivée.* D'où *pointer,* **intr.,** faire constater son arrivée : *Les employés pointent tous les matins.* La langue très familière emploie *se pointer* dans le sens d'« arriver, se présenter ».

Poire, n.f. Le français a connu l'expression *faire sa poire,* prendre un air fier et important. Belgicisme : [*faire de sa poire*], dans le même sens.

Poireau, n.m. On prononce « pwa ». Le sens familier de *verrue* est vieilli et régional. Le verbe intr. *poireauter* (ou *poiroter*) (attendre) est familier.

Poiret, n.m. Cf. Sirop.

Poirier, n.m. **Faire le poirier** (se tenir en équilibre la tête au sol) est français ; on dit aussi : *faire l'arbre fourchu.*

Pois, n.m. *Manger des petits pois.*

Poison, n.m., a été autrefois féminin. Il garde ce genre lorsque, familièrement, on parle d'une femme acariâtre ou insupportable : *Cette poison de Marthe* (Colette, *O.C.,* p. 27). *C'est une poison* (Ac.). Lorsqu'on parle d'un homme ou d'un garçon, le mot est généralement masculin : *C'est un vrai poison.*

Poisse, n.f., **poisser,** v.tr.dir. ou intr. *Poisser,* c'est enduire de poix (*poisser un cordage*), rendre (ou être) poisseux, collant (*cela poisse les mains, ça poisse*). D'où, au figuré, *la poisse* (familier), malchance persistante, guigne : *Quelle poisse ! C'est la poisse. Avoir la poisse. Porter la poisse,* porter malheur.

Poisson, n.m. Cf. NOYER, PILOTE.

Poivrot, n.m., est familier. Le féminin *poivrote* semble populaire : *Une vieille poivrote.*

Polariser, v.tr.dir., sous l'influence de *pôle*, veut dire, dans le langage courant, « attirer comme un pôle, attirer et concentrer sur soi des idées, des efforts, etc. » : *Il a polarisé toutes les sympathies. La **polarisation** des sympathies.*

Policlinique et **polyclinique,** n.f., n'ont proprement pas le même sens. Une *policlinique* est une clinique municipale (grec *polis*, ville) où les malades ne sont pas hospitalisés, tandis qu'une *polyclinique* (grec *polus*, nombreux) est une clinique où l'on donne toutes sortes de soins, où l'on fait de la médecine générale, de la chirurgie, de la pédiatrie, etc.

La confusion est inévitable ; il faut toutefois éviter de donner le nom de *policlinique* à une clinique qui n'est pas établie aux frais d'une ville ou qui hospitalise les malades.

Politicien, adj. et nom, a souvent un sens péjoratif que n'a pas *homme politique.*

Politologue, n.m., **politologie,** n.f. Inutile de recourir à *politicologue* et *politicologie.*

Polochon, n.m., désigne en France, dans le langage familier, le *traversin*, plat ou arrondi. Parce que le traversin arrondi est courant en France, on a cru en Belgique que *polochon*, devenu souvent [*pelochon*] comme en France, s'appliquait à cette forme particulière du traversin.

Polyester, n.m. *La série des polyesters.* Adj. invariable : *Des résines polyester* (GLLF).

Polype, n.m. *Un polype dans le nez, à la gorge.*

Polyptyque, n.m. Deux *y.*

Pomme, n.f. 1. Il est ridicule de vouloir, au nom de l'étymologie réelle ou prétendue, substituer *dans les pâmes* (en pâmoison) à *dans les pommes* dans les expressions *Être **dans les pommes**. Tomber dans les pommes.*

2. Cf. ÉPLUCHER, FRITE, PLANTER.

3. On écrit : *chausson aux pommes, tarte aux pommes* et généralement *gelée de pommes.*

4. *Pommes de terre en robe de chambre* ou des *champs.* Cf. ROBE.

Pommé, pommelé, adj. *Une laitue **pommée*** (on dit : *La laitue commence à pommer*). — *Un cheval **pommelé*** (couvert de taches rondes, grises et blanches). *Un ciel pommelé.*

Pompon, n.m. *Avoir le pompon,* l'emporter (souvent ironique). *C'est le pompon !* c'est le comble. *Une rose pompon* est une sorte de rose à petite fleur. *Des roses pompon* (on écrit aussi : *des roses pompons*).

Pomponner, v.tr.dir. Deux *n : Elle passe des heures à se pomponner.*

Ponceau, adj., « rouge vif ». *Des robes ponceau.*

Ponctuation. Cf. POINT (deux points, etc.), VIRGULE.

Ponctuel, adj., a deux sens traditionnels (*Un employé ponctuel,* toujours à l'heure. *Une source lumineuse ponctuelle,* qui peut être assimilée à un point) ; il a pris le sens de « qui ne concerne qu'un point, qu'un élément ou un moment dans un ensemble » : *une opération ponctuelle.*

Pondéreux, euse, adj. *Des marchandises pondéreuses,* d'une densité élevée. N.m. : *Les pondéreux.*

Pont, n.m. *Le Pont-Neuf. Le pont des Soupirs. École des ponts et chaussées. Les Ponts et Chaussées. Couper* (on *rompre* ou *brûler*) *les ponts. Faire un pont d'or à qqn.* **Le pont aux ânes,** la démonstration facile du théorème du carré de l'hypoténuse ; d'où : chose évidente, que tout le monde doit connaître. *Un pont-levis, des ponts-levis.*

Pont-l'évêque, n.m. *Des pont-l'évêque,* fromages venant de *Pont-l'Évêque.*

Pool, n.m., anglicisme prononcé « poul », peut être remplacé par divers mots : *un cartel, un centre, un groupe bancaire, l'atelier* (ou l'équipe) *des dactylos, la communauté du charbon et de l'acier.*

Populaire, populeux, adj. *Un quartier populaire,* habité par les gens du peuple. *Un quartier populeux,* très peuplé. *Une rue populeuse,* où la foule est dense.

Porc-épic, n.m., garde au pluriel sa prononciation avec *c* et la liaison de *c* à *é* : *des porcs-épics.*

Portatif, adj. *Une machine à écrire portative,* conçue pour être transportée. Mais on a eu raison de condamner [*glace portative*], à emporter.

Porte, n.f. *Mettre qqn à la porte,* le chasser, le congédier. *Laisser qqn à la porte,* le faire attendre dehors. *J'ai laissé mon parapluie à la porte,* à l'entrée. Mais c'est une faute de généraliser *à la porte* pour *à l'extérieur,* comme en Belgique : [*Il fait beau, nous mangerons à la porte. Sa voiture est toute rouillée, il laisse toujours à la porte*].
   Autre régionalisme : [*Être sur la porte*] pour *Être sur sa porte, sur le seuil de sa porte, sur le pas de sa porte. Trouver porte close, visage de bois* et non [*porte de bois*]. *Être à la porte de qqn. Frapper à la porte, à la bonne porte, à toutes les portes. Mettre la clé sous la porte,* quitter furtivement et définitivement sa maison. *La clé est à la porte, à la serrure* ou *sur la porte,*

sur la serrure, dans la serrure. Cf. Contre, 4. *Ils habitent porte à porte. Faire du porte-à-porte.*

Porte dans les **noms composés.** Si *porte* est un nom, il varie au pluriel, quand les noms sont apposés : *Une porte-fenêtre, des portes-fenêtres.*

Si *porte* est un verbe, le nom composé s'écrit parfois en un mot : *portefaix, portefeuille, portemanteau. Des portefeuilles.* On peut écrire *un portemine, des portemines.*

Même quand l'agglutination n'est pas faite, il doit être permis d'écrire comme si elle était faite : *un porte-avion, un porte-allumette, un porte-bouteille, un porte-liqueur, des porte-avions, des porte-allumettes, des porte-bouteilles, des porte-liqueurs.*

Mais on trouve encore, en vertu d'un usage qui cherchait mais parvenait mal à se fonder sur le sens : *un* ou *des porte-aéronefs, avions, hélicoptères, allumettes, bagages, billets, bouteilles* (destiné à transporter plusieurs bouteilles), *cartes, cigares, cigarettes, clés, documents, jarretelles, liqueurs, parapluies, serviettes.* Mais *un* ou *des porte-bonheur, malheur, monnaie, musique, parole, plume, baïonnette, bannière, bébé, bouquet, couteau, crayon, drapeau, étendard, montre, savon, aiguille.* Cf. Noms composés, B, 5, p. 626.

On écrit : *Un **porte-à-faux**, des porte-à-faux, être en porte-à-faux.* Ne pas dire *porte-paquets* pour **porte-bagage** (ou *porte-bagages*). *Un **porte-paquet*** est une sorte de poignée amovible permettant de porter plus commodément les paquets.

Portée, n.f., appliqué à la gestation, ne peut se dire que des animaux. *Être à portée de la main, à la portée de chacun, hors de portée de l'ennemi.*

Porter, v.tr.dir. 1. L'Académie a voulu maintenir *porter bien* (ou *mal*) *le vin.* Le tour est vieilli. On dit : *Il supporte bien le vin, le froid, la chaleur,* etc. *Il porte bien son âge* veut dire aujourd'hui : « il paraît bien l'âge qu'il a ».

2. *On porte qqn absent, présent, malade,* etc.

3. *Un homme ou une femme **se porte fort** pour qqn.*

4. On ne porte pas sa voiture au garage, on l'y *conduit.*

5. **Composés.** Cf. Porte.

Porte-seau(x), n.m., disparaît des dictionnaires où il avait plusieurs sens, dont celui de « petit chariot à deux roues dans lequel les éleveurs transportent de la prairie à la ferme le lait qu'on vient de traire » (Lar. du XXᵉ siècle). Il apparaissait aussi comme le mot français pouvant très bien traduire les divers termes régionaux (dont le wallon *goria*) désignant la pièce de bois échancrée à la base du cou et reposant sur les deux épaules, à laquelle on suspendait un seau de chaque côté, au bout de chaînes. À distinguer d'une autre pièce de bois échancrée, reposant sur une seule épaule et permettant de porter un seau (ou un panier) devant et un autre derrière et qui doit s'appeler sans aucun doute possible *une palanche.*

L'autre appareil n'a jamais porté de nom officiel en français généralisé. On a parfois francisé des noms dialectaux. Le mot qui convient le mieux est **joug**, qu'on peut préciser en *joug à porteur* ; il faut préférer *joug à bât*, à *courge* et à *gorge*.

Porteur, n.m., garde le genre masculin lorsqu'il désigne celui ou celle qui détient certains papiers, certains titres : *Chèque au porteur. Donner la réponse au porteur. Elle est porteur d'un diplôme de docteur.*

Pose, pause, n.f. à ne pas confondre (cf. PAUSE).

On doit écrire : *Faire une pause, un arrêt* (dans le travail ou dans le débit). Mais en Wallonie, on appelle *pause* chacune des périodes de travail qui constituent la journée d'un ouvrier en usine ou dans les grandes entreprises, la 1re, la 2e, la 3e pause ; et l'on parle d'un ouvrier qui fait les pauses, dont les heures de travail varient chaque semaine selon le roulement des équipes. L'usage français n'est pas clair. On pourrait être tenté d'employer *pose*, comme le note Littré en précisant toutefois « terme de guerre » et en parlant de soldats posés en faction : *Il était de la première, de la seconde pose.* Les dictionnaires actuels ne notent plus cet emploi. Le GLLF donne parmi les sens de **poste** ; n.m. : « division de la journée de travail de 24 heures en périodes de travail. *Poste de nuit* » et le GLE : « ensemble des ouvriers travaillant en même temps dans une entreprise industrielle ou commerciale ». On parle aussi d'un *travail par relais*, d'*équipes de relais* ou simplement d'*équipes*. À l'expression belge *un ouvrier qui fait les pauses*, on pourrait donc substituer *un ouvrier qui fait les postes*. Mais on ne serait pas compris. Je conseillerais de dire : *Un ouvrier qui travaille par relais* ou *en équipes de relais*.

Poser, v.tr.dir. Personne ne conteste la validité des expressions *poser une question, un problème* (à côté de *faire problème*), *cela posé, pour sa candidature.* On a dénoncé comme un belgicisme **poser un acte**, qui n'est pas plus anormal que *poser sa candidature*. André Goosse (*Façons de parler*, pp. 251-253) a montré que l'expression s'emploie en France, du moins dans les milieux catholiques, et il a cité d'excellents écrivains. En Belgique, le tour est plus répandu (comme l'est au Canada *poser un geste*), à côté de *faire un acte, accomplir un acte*, courants en France. Il est bon de savoir que l'expression peut être suspecte dans sa généralisation.

Position, n.f. *Il a pris position sur cette question. Il a défini sa position, son point de vue. Sa prise de position est nette. Il reste sur ses positions.* Belgicisme : [*Une femme en position*] pour *une femme enceinte*.

Positionner, v.tr.dir., ne peut s'employer pour *placer*, mais a des emplois techniques, notamment dans le langage des banques (*positionner un compte*, en calculer le solde) et de la publicité (*positionner un produit*, définir la clientèle qu'il intéresse). N.m., **positionnement**.

Posséder, v.tr.dir., ne doit pas être inconsidérément substitué à *avoir*, qui marque généralement une possession moins nette, moins exclusive. On dit cependant fort bien *posséder* ou *avoir une qualité*, en parlant d'un être animé : *posséder* ou *avoir une vive intelligence, une grande délicatesse, une excellente mémoire.* Dans le sens de « connaître à fond », on emploie *posséder* (un art, un métier, sa langue).

Possible, adj. 1. *Possible*, après un superlatif comme *le plus, le moins le meilleur*, etc., qu'il renforce, reste invariable devant le nom et s'il se rapporte au pronom impersonnel *il* sous-entendu (cf. b). Distinguons donc :

a) Devant le nom, il est toujours invariable : *Il a cherché le plus possible d'excuses.*

b) Après le nom, l'invariabilité est habituelle : *Il a cherché le plus d'excuses possible* (= qu'il était possible de trouver). *Il a réuni le plus de documents possible.* De très bons écrivains transgressent parfois l'usage habituel. Ils ont tort : *Ils échangeaient quelques phrases, les plus pauvres et les plus ordinaires possibles* (J. Romains, *Eros de Paris*, Poche, p. 237). *Les pentes les plus douces possibles* (Id., *Les humbles*, p. 163). *Le moins de questions possibles* (J. Green, *Moïra*, II, 15).

c) Il n'y a pas transgression de la règle si l'on écrit : *Tout est pour le mieux dans le meilleur des mondes possibles* ; cela veut dire : dans le meilleur des mondes qui sont possibles, réalisables. Même sens de *possible*, en dehors du superlatif, dans : *Il a supporté toutes les avanies possibles.*

2. **Il est possible que** (ou familièrement, en tête de phrase, *possible que*) est suivi du subjonctif : *Il est possible qu'il le fasse si on le lui demande.* La langue classique employait l'indicatif (surtout futur) ou le conditionnel ; ils ne sont pas à conseiller, ni après *il est possible* ni après *est-il possible* interrogatif.

3. **Au possible,** loc.adv., donne à l'adjectif qui précède la valeur d'un superlatif absolu : *Elles sont indiscrètes au possible.*

Post-. Les mots composés avec le préfixe *post-* ne prennent un trait d'union que si le second commence par *t* (*post-tonique*) et dans *post-scriptum* : *postromantique, postscolaire, postdater* (inscrire une date postérieure à la date réelle), *postposer.*

Postal, adj. La coutume s'étant établie de donner aux localités un *numéro postal*, c'est ce nom qui est officiel dans certains pays (Belgique, Suisse), tandis qu'en France on parle de *code postal* ou de *numéro de code postal.*

Poste, n.m. *Un poste clé. Les postes du budget, d'une comptabilité.* Cf. Pose. Wallonisme : [*prendre un poste*] pour *prendre une pelle*, s'étaler de tout son long.

Poster, v.tr.dir., signifie soit « mettre à la poste » (*poster une lettre*), soit « placer à un poste déterminé » (*poster une sentinelle*).
On parle officiellement en France (cf. *Le Monde*, 10 décembre 1976, p. 45) de *travail posté*, c'est-à-dire assigné à un poste déterminé, et de *personnel posté*.

Postérieur, adj. *La face postérieure d'un objet. Un évènement* (ou *un écrivain*) *postérieur à un autre.* Peut être précédé de *très*.

Posteriori. Cf. A PRIORI : *a posteriori.* Pas d'accents.

Postposer, v.tr.dir., est un vieux verbe français qui avait le sens que lui ont rendu les grammairiens modernes : *Quand le sujet est postposé au verbe...* Mais il n'a jamais eu le sens de « différer, retarder, remettre à plus tard », qu'on lui donne couramment en Belgique.

Post-scriptum, n.m. *Des post-scriptum.*

Postuler, v.intr. en langage de procédure (*postuler pour son client*) ; **v.tr.,** solliciter (*postuler un emploi*), poser une affirmation comme un postulat à admettre sans démonstration pour en déduire qqch. : *Nous rendre responsables, c'est postuler notre liberté.*

Posture, n.f., est employé abusivement en Belgique dans le sens de « statuette ».

Pot, n.m. 1. *Pot à, pot de.* Cf. À *et de*, 5, p. 16.

2. *Boire* (ou *prendre*) *un pot* (une boisson) est familier.

3. **Composés :** *Un* ou *des pot-au-feu* (on fait la liaison) ; *un pot-de-vin* (somme d'argent versée à l'intermédiaire), *des pots-de-vin* ; *un pot-pourri, des pots-pourris.* Sans trait d'union : *Découvrir le pot aux roses*, le secret, la réalité cachée.

Potable, adj., est familier dans le sens figuré de « passable à la rigueur » : *Un travail potable.*

[Potiquet], n.m. (petit pot), diminutif d'origine flamande, a été adopté par le wallon puis par le français régional de Belgique.

Potron-minet. *Dès* (ou *à*) *potron-minet*, dès le point du jour, veut dire proprement : dès que le minet, le chat, montre son derrière.

Pou, n.m. *Des poux.*

Poudingue, n.m., francisation de *pudding-stone*, variété de conglomérat.

Poudrerie, n.f., désigne joliment au Canada la neige qui tourbillonne sous l'action du vent : *La poudrerie lui cinglait la figure.*

Pouf, en français, est une interjection ou un nom masculin désignant une sorte de siège. En français régional de Belgique, [*taper à pouf*] signifie : deviner au hasard, au petit bonheur.

Pouffiasse (écrit parfois *poufiasse*), n.f., est un mot vulgaire qui s'est appliqué à une prostituée et se dit aujourd'hui grossièrement d'une femme ou d'une fille épaisse et négligée.

Poulpe, n.m. *Un poulpe,* mais **une pieuvre.**

Pour, prép. 1. Il faut laisser à la langue familière l'emploi de *pour* sans complément, construit comme un adverbe : *Vous me proposez cela,* **je suis pour** (partisan) et surtout *Cela est fait pour. C'est étudié pour. Il est payé pour. Vouloir réussir et travailler pour* (dans ce but). Cf. 9.

2. *Pour* peut introduire un complément de temps (ou de durée) ou la circonstance temporelle. *La réunion est prévue* **pour le 15 mars** (elle doit avoir lieu le 15 mars). *C'est* **pour ce soir.** *C'est pour aujourd'hui ou pour demain ?* (cf. 9). *Temps prévu pour demain. Ce sera fini pour la Toussaint. Il est parti* **pour six mois,** *pour longtemps, pour toujours. Pour le moment.* **Pour l'heure,** *j'attends. Cette pièce a été représentée pour la première fois en 1931. Pour lors.*

3. *Pour* précédé et suivi du même mot marque la réciprocité (*Rendre* **coup pour coup.** *Œil pour œil, dent pour dent*), la correspondance exacte ou l'équivalence des éléments (*Il y a un an,* **jour pour jour.** *C'est le même texte, mot pour mot.* **Partir pour partir,** *autant le faire tout de suite. Belle-mère pour belle-mère, j'aime autant celle-là qu'une autre. Danger pour danger, il faut choisir*).

4. **Pour grand qu'il soit** (l'indicatif se rencontre, mais est à déconseiller) marque l'opposition ou la concession comme *si grand qu'il soit.* Certains écrivains joignent dans ce cas *pour* et *si* : *Pour si léger qu'il soit* (Giono, *Le hussard sur le toit,* Poche, p. 105) est senti aujourd'hui comme un pléonasme que ne justifie pas un ancien usage. De même *pour aussi que.*

5. Pour **et un infinitif.** La même opposition peut se faire avec *pour* suivi d'un infinitif présent ayant généralement le même sujet que la principale négative ou interrogative : *Ah !* **pour être dévot,** *je n'en suis pas moins homme* (Molière, *Tartuffe*). Ce tour était plus fréquent autrefois qu'aujourd'hui.

Ce que marque généralement *pour* et un infinitif, c'est le but : *J'emporte ce livre pour le lire en voyage.* Insistons sur la faute [*pour moi le lire en voyage*]. Le tour a été usuel en ancien français ; il subsiste dans le français populaire, dans des dialectes et dans des français régionaux. On doit dire aujourd'hui : *Prenez la clef pour ouvrir la porte. Donnez-moi la clef pour que j'ouvre la porte* (changement de sujet, cf. 6).

La langue classique ne craignait pas d'employer *pour* et un infinitif présent pour marquer la cause : *Et qu'en science ils sont des prodiges fameux Pour savoir ce qu'ont dit les autres avant eux* (Molière, *Les femmes savantes*, v, 1371, 1372). *Pour aimer son mari, l'on ne hait pas ses frères* (P. Corneille, *Horace*, v. 900). L'habitude où l'on est d'entendre *pour* et un infinitif exprimer le but fait qu'on hésite aujourd'hui à employer ce tour *pour* exprimer la cause, bien qu'on dise : *Il ne perd rien pour attendre* (parce qu'il attend).

Mais on n'a pas la même hésitation si *pour* est suivi d'un infinitif passé excluant le but : *Il est puni pour avoir répondu grossièrement. Je sais cela pour avoir interrogé le responsable.*

Notons ici que la langue actuelle a aussi généralement abandonné *pour ce que* exprimant la cause. On dit : *parce que.*

6. Pour que, suivi du subjonctif, peut aussi exprimer le fait qu'on justifie : *Pour qu'on l'ait puni aussi sévèrement, il faut qu'il ait été grossier* ou *il doit avoir été très grossier.* Mais généralement *pour que* marque le but, la finalité, la conséquence : **Pour qu'il n'y ait pas** *de jaloux, je donnerai à tous la même chose. Pour que le résultat soit atteint, il suffit qu'on fasse preuve de bonne volonté.*

Laisser à la langue populaire le remplacement de *pour qu'il n'y ait pas de jaloux* par [*pour ne pas qu'il y ait de jaloux*] et surtout par [*pour pas qu'il y ait de jaloux*].

Si l'on doit coordonner *pour* suivi d'un infinitif et *pour que* suivi du subjonctif, tous deux marquant le but, l'intention, on répète généralement *pour* : *Je vous dis cela pour vous éviter de faire un faux pas et pour qu'on ne se moque pas de vous.* La phrase suivante déconcerte un peu : *La mère Pétavy s'est levée de bonne heure pour faire le ménage et que son fils et sa grosse bru se reposent* (M. Jouhandeau, *Chaminadour*, Poche, p. 209).

7. Assez... pour et infinitif, **assez... pour que** et subjonctif. Attention de bien énoncer la conséquence introduite par *pour.*

a) *Assez (suffisamment, il suffit) ... pour* marque qu'une condition suffisante permet la réalisation de la conséquence, telle que celle-ci est exprimée, sous une forme positive ou négative : *Il est assez grand pour se tirer d'affaire* (conséquence envisagée ; il se tirera d'affaire). *Il est assez grand pour ne pas faire de bêtise* (je crois qu'il ne fera pas de bêtise). Éviter le belgicisme [*assez grand que pour*] ; cf. ASSEZ, 2.

On dit donc : *Il est assez grand pour que nous lui fassions confiance. Il est assez distrait pour que nous ne lui fassions pas confiance. Je l'ai assez dit pour ne plus devoir insister.* [*Je l'ai assez dit pour devoir encore insister*] est un non-sens. Autre non-sens que je trouve sous la plume d'un philologue : *La ressemblance est suffisamment frappante pour qu'il soit [utile] de donner de plus amples explications.* Il fallait écrire *inutile. Cela suffit pour que nous soyons rassurés* ou *inquiets* ou *pour que nous ne soyons pas rassurés*, selon le sens : nous sommes rassurés, nous sommes inquiets, nous ne sommes pas rassurés.

b) Avec *pas assez... pour* : la limite considérée comme suffisante n'est pas atteinte ; la conséquence exprimée après *pour* est donc exclue, telle qu'elle est formulée de façon positive ou négative : *Il n'est pas assez grand pour se tirer d'affaire* ; certes on pense qu'il n'est pas capable de se tirer d'affaire, mais ce serait un non-sens de dire dans ce cas : [*Il n'est pas assez grand pour ne pas se tirer d'affaire*]. On dira donc : *Il n'est pas assez tard pour que nous nous séparions déjà* (nous n'allons pas nous séparer déjà).

Le tour avec une conséquence négative exclue est plus rare, à cause des deux négations successives. Mais on dira : *Je ne serai pas assez imprudent pour ne pas prendre certaines précautions* ; il est exclu que je ne prenne pas certaines précautions. *Cet appartement n'est pas en assez mauvais état pour être inhabitable* (conséquence exclue : il est inhabitable) ou *pour qu'on ne puisse l'habiter* (*ne* employé seul avec *pouvoir*). *Le vent n'est pas assez fort pour que nous ne déjeunions pas sur la terrasse* (nous déjeunerons sur la terrasse).

c) Avec *trop... pour*, la conséquence est également exclue telle qu'elle est formulée, parce qu'est dépassée la limite qui la ferait accepter ; l'excès la fait rejeter. *Il est trop poli pour être honnête* : sa politesse excessive est suspecte d'hypocrisie, d'intentions malhonnêtes. *C'est trop beau pour être vrai. Il est trop imprudent pour prendre les précautions qui s'imposent* ; peut-être les prendrait-il s'il était moins imprudent. *Il fait trop beau pour que nous ne déjeunions pas sur la terrasse* (nous déjeunerons sur la terrasse). *Il connaît trop bien son dossier pour commettre une erreur.* Ici encore, bien qu'on pense qu'il ne commettra pas d'erreur, on ne peut dire : [*Il connaît trop bien son dossier pour ne pas commettre d'erreur*].

On voit donc qu'après *pas assez... pour* et *trop... pour*, on doit donner à l'expression de la conséquence une forme respectivement positive ou négative selon qu'on la formule mentalement, dans une phrase isolée, de façon négative ou positive.

8. **Mise en relief.** *Pour* peut servir à mettre en relief, en tête de phrase, un mot (sujet, attribut, complément) qui est ensuite repris dans la même phrase sous la forme d'un pronom : *Pour moi, je n'en ferai rien* (Ac.). *Pour méchante, elle l'est* (Ac.). *Pour lui, je n'en réponds pas* (Ac.). Voir plus bas un autre emploi de *pour moi*.

L'attribut substantif peut être exprimé tel quel une seconde fois avec *c'est* : *Pour un orateur, c'est un orateur* (à côté de : *Pour un orateur, c'en est un*).

On emploie aussi *quant à* (*quant à être* devant un attribut) ou, plus lourdement mais correctement, *pour ce qui est de* : *Pour cela* (ou *quant à cela* ou *pour ce qui est de cela*), *je le veux bien* (Ac.). *Quant à moi, je veux bien. Quant à être malade, elle l'est. Pour son affaire, pour ce qui est de son affaire, j'en aurai soin* (Ac.). *Pour ce qui est de vous, je suis certain que vous réussirez* (Ac.). Il n'est pas toujours nécessaire qu'il y ait reprise : *Pour ce qui est de moi, soyez sans inquiétude* (Ac.).

On dit aussi, sous l'influence à la fois de *Pour moi* et de *En ce qui me concerne ; Pour ce qui me concerne.*

On trouve aussi *pour* mettant en relief le verbe et son complément ou son attribut, mais ce tour appartient à la langue familière : *Pour la sauter, on la sautait. Pour être gaie, elle est gaie* (exemples cités par A. Henry, *Études de syntaxe expressive*, pp. 114-115).

Plus rares, aujourd'hui du moins, mais corrects, sont les emplois de *pour* mettant en relief un nom de personne ou un pronom personnel qui n'est pas repris dans la phrase : ***Pour moi,** il est malade* (= à mon avis). On y a vu à tort un belgicisme. *Et, pour moi, pourquoi a-t-il encore le droit de toucher à cet élément ?* (R. Boylesve, *Opinions sur le roman*, p. 120). *Pour lui, Dieu ne se démontre pas* (A. Billy, *Le narthex*, p. 85). *Pour les profanes, tu ressembles à toutes les chattes* (Colette, *O.C.*, III, p. 255). *Pour moi, il ne suffit pas d'admirer* (G. Duhamel, *Le bestiaire et l'herbier*, p. 111. Il écrit ailleurs *pour mon compte : Je suis certain, pour mon compte, que...*, p. 127).

9. **Être pour** a plusieurs sens. En voici quelques-uns : Préférence : *Il était pour ce genre d'aventure* (Ac.). *Il est pour la démocratie contre l'aristocratie* (Ac.). *Êtes-vous pour ou contre ?* (Ac.). — Être sur le point de : *Il était pour partir* (Ac.). — Le moment : *Son bal était pour hier, est pour aujourd'hui* (Ac.). *Ce sera pour demain, pour après-demain* (Ac.). — La durée : *Il est ici pour huit jours.* — La quantité, la responsabilité : *Il n'est pas pour peu dans cette affaire* (Ac.). *Je suis pour beaucoup dans la résolution qu'il a prise* (Ac.). *Qu'on dise de sa conduite ce qu'on voudra, je n'y suis pour rien* (Ac.). — La capacité, la nature de (avec pour sujet un nom de chose) : *Ce petit incident n'a pas été pour me déplaire* (Ac.). *Cela n'est pas pour me décourager.* — La destination, la disponibilité : *Cette lettre n'est pas pour lui. Je ne suis là pour personne.*

Germanismes qu'on retrouve dans l'est de la France et en Suisse comme en Belgique : [*Qu'est-ce là pour qqn, pour qqch. ? Qu'est-ce que c'est pour qqn* ou *qqch. ? Je ne sais pas ce que c'est pour qqn* ou *qqch.*]. Il faut dire : *Qu'est-ce que cela ? Qu'est-ce que ce livre ? Quel homme est-ce ? Qui est cet homme ? Quel est ce livre ? Quel genre d'homme est-ce ? Je ne sais quel est ce livre* ou *quel livre c'est* ou *qui c'est, quelle espèce d'homme c'est.*

10. **Pour autant. Pour autant que.** Cf. AUTANT, 7, 8.

11. **Pour quand, pour chez, pour dans**, etc.

Pour quand est correct, mais familier en dehors de l'interrogation : *Pour quand me promettez-vous une réponse ?* (Ac.). *Il en avait* (des musiques) *pour quand maman apportait la soupe sur la table* (R. Rolland, *L'aube*, p. 175). *Pour quand je n'y serai plus* (Martinon, p. 575, note 1).

Lorsqu'il marque une durée ou son terme, *pour* peut s'employer devant un adverbe ou une préposition, déclarent les Le Bidois (t. II, n° 1867) : *Pour demain. Pour toujours. Pour combien de temps ? Pour jamais. La voici déchaînée pour jusqu'à la fin de ses jours* (G. Duhamel). *C'est pour dans un an* (J. Romains). *Ce qu'il désirait pour après sa mort* (Proust). On peut donc dire : *Le départ est pour dans quinze jours. Le mariage est pour après les vacances.*

12. **Pour de vrai** (vraiment) est familier : *Ils ne se sont pas demandé si Baudelaire souffrait pour de vrai* (J.-P. Sartre, *Baudelaire*, p. 102). *Pour de rire* est populaire ou enfantin et s'oppose à *pour de bon*. Cf. BON, 5.

13. **Pour le cas où.** Cf. CAS, 3.

14. **Pour si**, dans le sens de *pour le cas où*, mais suivi de l'indicatif, est plutôt populaire, ainsi que *pour si jamais* : *J'ai pris mon parapluie pour s'il allait pleuvoir* (A. Thérive. *Querelles de langage*, I, p. 220). *Albertine (...) m'avait fait inscrire aussi leur adresse pour si j'avais besoin d'elle* (M. Proust, *Sodome et Gomorrhe*, I, p. 257).

15. **Pour peu que** : *Pour peu qu'il en **prenne** la peine, il réussira.*

16. **Le train pour Paris, le train de Paris.** L'usage ne distingue pas toujours ces deux expressions en se servant logiquement de la première pour la destination et de la seconde pour l'origine. *Le train de Paris* se dit aussi pour le train allant à Paris.

17. *Pour* a encore beaucoup d'autres sens courants. Il marque notamment le paiement : *J'ai acheté cela pour cent francs, pour rien* (pour peu de chose). *Il en a eu pour cent francs. Donnez-moi pour cent francs d'essence. Il en est pour ses politesses* (elles ne lui ont rien rapporté). En qualité de : *On l'a laissé pour mort. On l'a choisi pour chef. Il passe pour un peu naïf* (pour être un peu naïf). Sens de « au lieu de » : *Oh ! que de grands seigneurs (...) N'ont que l'habit pour tous talents* (La Fontaine). *Pour qui me prend-on ?* « À la place de » : *Il a dit un mot pour un autre.*

18. Cf. ACCORD, ALLER, 6, CAUSE, 2, CENT, DEMANDER, A, c, MERCI, MOTIF, PARLER, PARTIR, PEU, B, 2, POURQUOI, RAISON, 5, REMERCIER, SÛR, TANT, 6, VENU.

Pour-cent (invariable et avec trait d'union), n.m., n'apparaît plus aujourd'hui qu'exceptionnellement dans les dictionnaires, mais a encore une certaine vitalité en Belgique où on le substitue à *pourcentage* ou à *ristourne. Il touche [des pour-cent] sur la recette* (au lieu de : *un pourcentage*). *Il a touché [ses pour-cent] à la coopérative* (au lieu de : *sa ristourne*). À distinguer de : *placer son argent à **cinq pour cent** et non [à 5 du 100]*. Fam., (*à*) *cent pour cent* : *Un costume cent pour cent laine.*

Pour-compte, n.m.inv. (on écrit aussi *un pourcompte, des pourcomptes*) ; mais *un laissé pour compte.*

Pourpre, n.f., (la matière colorante utilisée dans l'antiquité ; l'étoffe ; la dignité ; la robe rouge des cardinaux ; toute couleur rouge et notamment celle du teint, due à l'émotion vive) ; **n.m.** (un mollusque ; une sorte de couleur rouge) ; **adj.** : *Des roses pourpres. Ils devinrent pourpres de colère.*

Pourquoi, adv. : *Pourquoi pas ? Pourquoi non ? Pourquoi faites-vous cela ? Pourquoi Paul a-t-il fait cela ?* (Cf. INVERSION). *Je ne sais pourquoi il dit cela.* Éviter [*pourquoi que*] dans l'interrogation directe ou indirecte et [*pourquoi... et que*]. On dit : *C'est pourquoi il est venu me voir et m'a demandé des précisions.* — **Nom** : *les comment et les pourquoi.*
   Distinguer : ***Pourquoi faire** tant d'histoires ?* et ***Pour quoi faire ?*** (J.-P. Sartre, *Le mur*, Poche, p. 25), où *quoi*, pronom interrogatif, est complément de *faire*. C'est à tort qu'on écrit parfois *pourquoi* dans ce cas.
   Mais on écrit parfois aujourd'hui *pourquoi* là où autrefois on percevait nettement *pour* suivi d'un pronom relatif : *La raison pourquoi* (Ac., à *Pourquoi*). *La raison pour quoi* (Ac., à *Quoi*). On dit toutefois plus souvent : *La raison pour laquelle.* On trouve ainsi *ce pourquoi* là où il faut écrire *ce pour quoi* : *Ils oublient **ce pour quoi** ils ont été nommés* (ou *Ils oublient pourquoi ils ont été nommés*). *Ils négligent ce pour quoi ils ont été désignés.* Comparer : *Ils oublient ce à quoi ils sont destinés.*

Pourrir, v.intr. **Auxiliaire.** *Avoir* marque l'action en train de s'accomplir. *Être,* beaucoup plus souvent, marque l'état de pourrissement et *pourri* devient adjectif : *Ces fruits (qui **ont** pourri) **sont** pourris. Le temps est pourri.*

Poursuivre, v.tr.dir. Cf. BUT. Celui qui poursuit ou a l'habitude de poursuivre (à la chasse) est un **poursuiveur.** Emploi rare. On appelle un **poursuiteur** un cycliste spécialisé dans la poursuite.

Pourvoir, v.tr.dir. ou intr., se conjugue comme *voir,* sauf à l'ind. futur et au cond. présent (*je pourvoirai, je pourvoirais*), au passé simple et au subj. imparfait (*je pourvus, qu'il pourvût*).
   *On pourvoit **à qqch.** (à des besoins, à des dépenses, à un emploi, à des nominations). On pourvoit **qqn de qqch.** (on le pourvoit du nécessaire, d'un avantage, d'un titre, d'un certain pouvoir). On pourvoit **qqch. de qqch.** ou **de qqn** (on pourvoit une voiture de certains dispositifs, un refuge de quelques provisions ; un siège d'un titulaire).
   On dit donc : *Les sièges **seront pourvus de titulaires.*** D'où, en supprimant le complément introduit par *de* : *Ces sièges **seront pourvus à la** prochaine assemblée.* Le tour est répandu dans le langage administratif et parlementaire ; je ne le condamne pas ; cette suppression d'un complément qui va de soi rappelle l'usage classique où l'on disait simplement *pourvoir qqn* dans certains cas : *Il est bon de pourvoir Henriette* (d'un mari) ou *ce jeune homme* (d'un emploi).

Pourvu que est suivi du subjonctif : *Pourvu qu'il se taise.*

Poussah ou **poussa,** n.m. Nom d'un jouet ou d'un gros homme court et mal bâti.

Poussé, adj., tend à se dire figurément de ce qui atteint un très haut degré : *Avec un sens poussé* (aigu) *des nuances.*

Pousse-pousse, n.m. invariable : *Des pousse-pousse.*

Pousser, v.intr. **Auxiliaire :** *Sa barbe a fortement poussé. Cette plante a bien poussé dans ce pot. Ces petits ont joliment poussé depuis l'an dernier.* On trouve cependant *être* pour marquer l'état : *Toute cette barbe qui y est poussée depuis ce matin* (M. Butor, *La modification,* 10-18, p. 236). **Composés.** Cf. Noms composés, B, 5, p. 626.

Poussette, n.f., désigne une petite voiture d'enfant, légère, basse et généralement pliante, ou une légère armature métallique montée sur roues et munie d'un manche ou guidon, destinée à soutenir un sac à provisions.
En Belgique, on donne aussi le nom de *poussette* au *caddy.* Cf. ce mot.

Poussière, n.f. 1. [*Prendre les poussières*]. Lorsque G. Simenon, dans *La jument perdue,* p. 12, emploie cette expression, il suit un usage belge tout à fait courant, qui ne devient risible que si l'on pense à l'action de prendre des poussières avec les doigts ! On dit en bon français : *Enlever, ôter, essuyer la poussière* ou *Épousseter un meuble* avec *une époussette,* sorte de petit plumeau, ou avec un chiffon ou un torchon d'entretien qu'un belgicisme nomme [*une loque à poussière*]. On dit aussi en français : *passer le chiffon sur les meubles.*

2. Lorsqu'on balaye, on recueille *la poussière* (et non les poussières) sur une *pelle à poussière,* appelée aussi *pelle à main : Un balai poussant hâtivement les morceaux dans la pelle à main* (H. Bazin, *Le matrimoine,* Poche, p. 308). En Belgique et dans le nord de la France, cette pelle porte les noms de *ramassette* ou de *ramasse-poussière.*
D'autres composés du même type existent en français généralisé : *ramasse-miettes, ramasse-monnaie.* En Suisse, autre régionalisme : *La ramassoire* (G. Borgeaud, *Le voyage à l'étranger,* p. 171). Notons encore que les petits amas de poussière qui se forment en flocons sous les meubles s'appellent *moutons* ou *chatons* ; parfois, en Belgique, [*plumetions*].

3. Familièrement, on dit *et des poussières* après un nombre, au lieu de *et quelques* : Cent francs *et des poussières.*

Pout-de-soie, n.m., sorte de taffetas. On écrit aussi *poult-de-soie.*

Pouvoir, n.m. On écrit : *Un fondé de pouvoirs* ou, plus souvent aujourd'hui : *Un fondé de pouvoir. — Avoir plein(s) pouvoir(s). Bon pour pouvoir. Il m'a donné pouvoir de...*

Pouvoir, v.tr.dir. 1. **Conjugaison.** *Je peux* ou *je puis.* Cette dernière forme est plus rare, mais elle est la seule utilisée quand *je* suit le verbe : *Puis-je ? Est-ce que je peux ? Tu peux. Nous pouvons. Ils peuvent.* Subj. prés. : *Que je puisse. Puissé-je.* On dit fort bien : *Il pourra peut-être le faire.* **Accord de** *ce peut être* : cf. VERBE, *Accord,* C, I, 4, p. 988.

2. Quelques locutions. Et d'abord trois tours vicieux :

a) [*Je ne peux pas de ma mère*], en Flandre et à Bruxelles, pour : *Je n'ai pas l'autorisation de ma mère... Ma mère ne me permet pas...*

b) [*Je ne peux mal*] est belge. Il faut dire selon le sens : *Je n'ai garde* ou *Il n'y a pas de danger.*

c) [*Je n'en peux rien*] s'entend en Wallonie et à l'est de la France pour *Je n'en suis pas responsable, Ce n'est pas (de) ma faute, Il n'y a pas de ma faute, Je n'y suis pour rien, Je n'y peux rien.* À distinguer de *je ne puis rien là contre* ou *contre eux.* L'expression *n'y pouvoir rien* peut exprimer soit l'absence de faute, de responsabilité, soit l'incapacité d'empêcher une chose ou d'y changer qqch. *N'en pouvoir mais,* cf. MAIS.

Un séjour qui a été **on ne peut plus** *agréable. Cette robe lui allait* **on ne peut mieux** (ces expressions sont figées au présent). *Je n'en peux plus,* je suis accablé, épuisé. **Je n'en puis plus de fatigue.**

3. **Pouvoir bien,** au conditionnel, marque généralement la possibilité : *Il pourrait bien en mourir* (Ac.). Mais ailleurs, cette locution annonce une opposition : *Il peut bien promettre tout ce qu'il veut, je ne le crois pas.* Il ne faut donc pas ajouter *bien* dans cette phrase : *Je peux faire ce que vous demandez* ; on risquerait de faire attendre autre chose, comme : *mais je ne garantis rien.*

4. On se gardera de confondre **savoir** et **pouvoir,** mais aussi d'exagérer la distinction que fait l'usage. Cf. SAVOIR. Notons seulement ici que *pouvoir* marque la possibilité (*Un malheur peut arriver. Il peut se faire que...*), la permission (*Je ne peux pas répéter ce qu'il a dit. Le poids ne peut pas dépasser un kilo. Ce wagon ne peut pas sortir de Belgique. Ce mot ne peut avoir de comparatif*), la capacité due à un état, à des circonstances, à des causes extérieures (*Je ne peux faire davantage. Il peut à peine se tenir debout*), l'audace (*Comment pouvez-vous mettre ma parole en doute ?*), mais aussi l'approximation : *Elle pouvait avoir dans les quarante-cinq ans* (P. Fisson, *Voyage aux horizons,* p. 273). *Il pouvait être cinq heures* (H. Bosco, *Le sanglier,* p. 93). On aura remarqué l'emploi de *ne (pas) pouvoir* marquant une interdiction, que le sujet soit une personne ou une chose. Cf. DEVOIR, 5, NE PAS, 2, d, p. 614, et SAVOIR.

Puisse, suivi du sujet, exprime un souhait : **Puissent vos projets réussir !** (Ac.)

5. **Il se peut que,** marquant la possibilité, est suivi du subjonctif : *Il se peut que je n'aie pas fait attention. Se peut-il que vous soyez malade ?* On

trouve rarement l'indicatif marquant la réalité d'un fait dont on s'étonne : *Se peut-il que je ne l'ai pas remarqué ?* Ou le conditionnel pour marquer la probabilité, l'éventualité : *Il se peut qu'avec lui vous réussiriez mieux.*

6. **Ne pouvoir (pas) que... ne** et subjonctif : *Je ne puis, ma bonne, que je ne sois en peine de vous* (Mme de Sévigné). Le sens est clair (Je ne puis m'empêcher d'être en peine de vous), mais ce tour paraît aujourd'hui compliqué. Certains écrivains y restent fidèles et ajoutent parfois *faire*, qui le rend plus clair : *Je ne puis faire que je n'aie une prévention* (J. Rostand, *Ce que je crois*, p. 71).

7. **Cela se peut** (Ac.), *cela ne se peut pas* (Ac.), *cela ne se peut*. Couramment : *ça se peut, ça se pourrait bien.*

8. Cf. Ne *employé seul*, 3, Ce qui, 2, b (*arrive ce qu'il pourra* ou *ce qui pourra*), p. 213, Participe passé, D, 14, p. 683.

Praline, n.f., a en France un sens très net : amande rissolée dans du sucre. En Belgique, autre sens tout aussi net : un chocolat, un bonbon au chocolat.

Praticable, adj. et n.m., s'écrit avec *c*.

Pratique, n.f., est devenu archaïque et même dialectal non seulement dans le sens de « clientèle habituelle » (*Il a gardé notre pratique*), mais dans celui de « client » (*Ses pratiques diminuaient*). Par contre, on abuse du mot dans un certain style en parlant des *pratiques* ordinaires au lieu des *activités* quotidiennes. Mais il s'emploie pour « manière habituelle d'agir » et, au pluriel, pour « agissements ».

Pratiquement, adv., a d'abord signifié « dans la pratique, en pratique, en réalité » (*Pratiquement, ça ne sert à rien* ; opposé à *théoriquement*) ou « de façon pratique », mais en est arrivé à exprimer une restriction et à signifier « à peu près » : *Il a obtenu pratiquement ce qu'il voulait. Il est pratiquement incapable de se déplacer* (Robert).

Pré, préfixe, n'est jamais suivi d'un trait d'union : *préétablir.* Si l'on en met un dans *pré-salé* (*des prés-salés*), désignant un mouton engraissé dans les prés voisins de la mer, c'est qu'on a là le nom *un pré.*

Préavis, n.m., désignant un « avertissement préalable », peut avoir pour complément les termes exprimant la durée du délai : *un préavis de trois mois.*

Prébende, n.f. *Dérivés* : **prébendé,** *adj. et n.,* **prébendier,** n.m.

Précautionner (se) est vieilli ou littéraire : *Se précautionner contre qqch.,* se prémunir contre. Autre sens, mais plus vieilli encore : *se précautionner de qqch.,* se munir de qqch.

Précédant, participe présent. **Précédent,** n.m. ou adj. Adv., **précédemment.**

Prêchi-prêcha, n.m. invariable. Accent circonflexe comme dans *prêche, prêcher. Des prêchi-prêcha.*

Précis, adj. Cf. HEURE, 2.

Prédire, v.tr.dir. Se conjugue comme *dire* ; exception : **Vous prédisez.** *Prédire d'avance.* Cf. AVANCE.

Prédominer, v.intr. *Les avantages prédominent* ou *prédominent sur les inconvénients.*

Préférable, adj. *Une chose préférable à une autre,* et non [*qu'une autre*]. *Partir est préférable à rester. Il est préférable de partir (plutôt) que de rester. Il est préférable qu'il s'en aille plutôt que de s'ennuyer.* Cf. AIMER, 4.

Préférence, n.f. *Avoir une préférence pour qqn* ou *qqch. Donner la préférence à qqn. Faire une chose de préférence à une autre.*

Préférer, v.tr.dir. 1. *On préfère (beaucoup* ou *de beaucoup) une chose* ou *une personne à une autre.* Ne pas dire : [*préférer une chose qu'une autre*] comme on dirait *aimer mieux une chose qu'une autre.*

2. Devant un infinitif, *préférer* se construit encore parfois avec *de,* mais le tour habituel est sans *de : Il préfère **partir.***

3. Avec un attribut du complément : *Comment voulez-vous la viande ? — Je la préfère saignante. Je la préfère bien cuite plutôt que saignante* ou *Je la préfère bien cuite que saignante.*

4. Si le second terme de comparaison est aussi un infinitif, on emploie *plutôt que de* ou *plutôt que : Il préférait deviner les êtres **plutôt que de** les interroger.* (J. de Lacretelle, *Discours de réception*) ou ***plutôt que** les interroger.* On dit aussi : *Il préférait deviner les êtres **que de** les interroger* ou, moins souvent, ***que** les interroger.* On dit avec le même infinitif : *Je préfère y aller avec lui qu'y aller sans lui* ou *que sans lui. Je préfère le voir aujourd'hui **que demain.***

L'emploi de *à* devant le second infinitif, au lieu de *plutôt que de* ou *plutôt que,* est rare et littéraire : *Un vieux professeur d'histoire préfère (...) se taire à se tromper* (J. Romains, *Les amours enfantines,* Poche, p. 162). *Il eût préféré crever à se laisser soigner par elle* (M. de Saint-Pierre, *Les aristocrates,* Poche, p. 16). On dit *aimer mieux... que (de).*

5. *Préférer que,* sans infinitif intercalé, est suivi du subjonctif : *Je préfère qu'il m'écrive.* Voir à AIMER, 4, *Aimer mieux,* la construction à employer pour comparer deux termes qui devraient être au subjonctif.

Préfet, n.m., **préfète,** n.f. En Belgique, directeur ou directrice d'un athénée ou d'un lycée, correspondant au proviseur en France. Le titre complet est *préfet des études,* employé dans certains collèges religieux, par opposition parfois à *préfet de discipline.*

Prégnant, adj. : *Des raisons prégnantes,* qui s'imposent à l'esprit, qui s'imposent avec force.

Préjudice, n.m. : *Il a subi un grave préjudice. Sans préjudice de,* sans porter atteinte à, sans renoncer à, sous réserve de, sans parler de : *Une sanction administrative a été prise, **sans préjudice des** poursuites judiciaires. Sans préjudice du reste* ou *de mes droits.* Cf. PRÉJUGER, *sans préjuger de.*

Préjudiciel, adj. En droit, *action, question préjudicielle,* qui doit être tranchée au préalable. *Une question préjudicielle* est aussi celle qui doit être soumise au vote d'une assemblée avant la question principale. Ne pas confondre avec *frais **préjudiciaux,*** qu'on doit acquitter avant de se pourvoir en appel.

    Préalable, « qui se fait ou se dit avant qqch., qui doit précéder », a un sens beaucoup plus large.

Préjuger, v.tr.dir., n'a plus guère le sens juridique de « prendre une décision provisoire (sur qqch.) en laissant prévoir le jugement final » : *La cour a préjugé cela quand elle a ordonné...* (Ac.).

    Tr. direct ou ind., comme *juger* (on juge un ouvrage, on juge d'un livre sur sa couverture), *préjuger* signifie couramment, dans l'un ou l'autre emploi, « prévoir qqch. par conjecture, au moyen des indices dont on dispose » ou « porter un jugement prématuré sur qqch., se former un avis sur qqch., avant tout examen approfondi » : *Je ne veux point **préjuger la question*** (Ac.). *À ce qu'on peut préjuger, à ce qu'on peut en préjuger. — Sans **préjuger de la décision** relative au statut de la Ruhr, on convint...* (Ch. de Gaulle, *Le salut,* Poche, p. 249). *Autant qu'on puisse **en préjuger.** Je ne veux pas préjuger de votre réponse.*

    Autre sens de *préjuger de,* « se faire d'avance un jugement trop favorable sur qqch. » : *Préjuger **de ses forces.** — Les gens qui se portent trop bien tombent d'un coup foudroyés. Ils ne se connaissaient point. Ils préjugeaient de leur vigueur* (G. Duhamel, *Le bestiaire et l'herbier,* p. 93).

Préluder, v.intr. (*Il préluda quelques instants*) ou tr.ind. (*Préluder à qqch.*).

Prématuré, adj. *Une décision prématurée,* prise trop tôt. *Un enfant prématuré,* né avant terme.

Prémices. Cf. PRÉMISSE.

Premier, adj., suit habituellement le numéral : *Les deux cents premiers mètres de la course.* Il ne le précède que si le groupe est lui-même considéré comme une unité, par exemple si l'on compte par deux cents mètres : *Les premiers deux cents mètres.* Cf. NUMÉRAUX, 6. *Les tout premiers. Ils sont les premiers* (ou *les tout premiers*) *à s'en réjouir.* On écrit : *Les premiers arrivés. Les premiers janvier* (Colette, *O.C.,* t. III, p. 210, t. VI, p. 311). *Tous les premiers du mois. Un enfant **premier-né.** Un premier-né. Les premiers-nés.*

Prémisse, n.f., **prémices,** n.f.pl. **Prémisse** désigne chacune des deux premières propositions (majeure et mineure) d'un syllogisme. Se dit au pluriel de faits d'où découle une conséquence. **Prémices,** ayant désigné dans l'antiquité les premiers fruits de la terre et du bétail offerts aux divinités, a désigné ces premiers fruits, en dehors de cette offrande, puis a signifié « commencements, débuts » : *Les prémices de l'amitié, de l'aube, de la vie, d'un règne.* En Belgique, ce mot s'emploie pour la première messe solennelle d'un prêtre : *Prémices sacerdotales. Messe de prémices.* Cette dernière expression est mentionnée par le Grand Larousse encyclopédique. Attention de ne pas confondre l'orthographe des deux mots en pensant à *messe.*

Prendre. 1. V.tr. ou intr. Quelques compléments : *On prend un objet, de l'argent, une habitude, une raclée, sa température, un remède, une route, l'auto, le chemin de fer, le train, le bateau, le départ, la relève, le large, la porte, des nouvelles, ses aises, de l'âge, sa retraite,* etc.

On prend qqn au piège, la main dans le sac, sur le fait, au dépourvu, de vitesse, de court, à témoin, à partie, en grippe. On prend confiance en qqn. On prend son parti de qqch. On en prend son parti.

En parlant des premières atteintes d'un mal ou de ce qui vient occuper l'esprit ou le cœur, on dit avec *le* ou *lui* (avec ou plutôt sans *à* devant un nom), mais souvent avec *le* : *La fièvre le prit* (ou *reprit*), *lui a pris* (*repris*). *Une faiblesse lui a pris* (comme *lui est arrivée*). *Une frayeur l'a pris* ou *lui a pris. Quelle folie avait pris Clémence ?* (M. Genevoix, *Rroû,* I, ch. X).

Devant un infinitif, on emploie parfois *le* ou *la* (*Un grand souci la prend d'être amoureuse,* Verlaine), mais généralement *lui* : *L'idée lui a pris de venir nous voir.* Participe invariable dans ce dernier cas.

On dit : *Bien* (ou *mal*) *lui a pris de se rendre au commissariat. Mal lui en a pris.*

Avec *il* impersonnel, on emploie toujours *lui* : *Il lui a pris une rage de dents. Il lui prend une envie de voyager.*

On écrit : *Qu'est-ce qui lui prend* (ou *le prend*) *?* Moins souvent : *Qu'est-ce qu'il lui prend ?* (Cf. Ce qui, 2, b, p. 213).

2. Intr., *prendre* se dit de ce qui passe de l'état liquide à l'état solide ou pâteux ; auxiliaire *avoir* ou *être* (état) : *La rivière a pris cette nuit. Le fleuve est entièrement pris. La colle prend. L'huile est prise. Les confitures ont mal pris* ou *sont mal prises. Faire prendre une crème. La crème a pris* (la crème colle, attache) *au fond de la casserole.*

Aussi d'une plante qui s'enracine : *Les pêchers prennent mal. Une bouture qui prend.* Au figuré, d'une mode, d'un vaccin, d'une plaisanterie, etc. : *Le vaccin a pris. Le mensonge a pris.*

3. *Elle l'a pris de haut, de très haut, sur un ton hautain : Elle l'a bien* (ou *mal*) *pris* ; participe invariable.

4. **Se prendre à** : *Un homme qui se noie se prend à tout ce qu'il peut* (Ac.). *Sa robe s'est prise aux épines.* *Elle s'est prise à pleurer* (devant un infinitif ; elle s'est mise à pleurer). *Elle s'est prise à plus fort qu'elle* (= elle s'est attaquée à, elle a provoqué). *Comment faut-il s'y prendre ? Elle s'y est mal prise pour gagner la partie.*

Se prendre à qqn a pu avoir mais n'a plus le sens de **s'en prendre à qqn**, l'incriminer, le rendre responsable de : *On s'en prend à moi comme si j'étais pour qqch. dans cette affaire* (Ac.). *Vous ne pourrez vous en prendre qu'à vous-même.*

Se prendre de : *Se prendre d'amitié* (ou *de pitié*) *pour qqn.* **Se prendre pour** : *Il se prend pour un poète. Pour qui se prend-il ?*

5. **Prendre pour** : *Prendre qqn pour époux, pour associé, pour arbitre. Prendre une personne pour une autre. Pour qui me prenez-vous ? Prendre qqn pour un naïf. Prendre une chose pour argent comptant. Prendre ses désirs pour des réalités.* La langue populaire dit : *En prendre **pour son grade**,* ou **pour son rhume**. La langue familière emploie *prendre* dans ce sens : *Qu'est-ce que tu vas prendre ! Qu'est-ce que j'ai pris !* Au figuré : *en prendre un bon coup.*

6. **Prendre sur soi.** *Nous prendrons sur nous votre faute* (nous en assumerons la responsabilité). Devant un infinitif précédé de *de*, s'imposer une décision difficile, délicate : *Il n'a pas osé prendre sur soi de refuser.* Absolument, *prendre sur soi* signifie « se dominer, supporter une situation sans se plaindre » : *À force de prendre sur soi, il est réputé insensible.*

7. Cf. ATTENTION, BOIRE, COURT, 2, 4, GARDER (*prendre garde*), PENSIONNÉ, POUSSIÈRE.

Préoccuper, v.tr.dir., occuper fortement l'esprit, l'inquiéter, lui donner du souci. *Se préoccuper de qqch.*, s'en inquiéter, s'en occuper sérieusement.

Préparer à l'avance. Cf. AVANCE, 2.

Préposition. 1. *Avant et après la guerre.* [*Pendant et à cause de la guerre*]. Cf. COMPLÉMENT COMMUN.

2. **Répétition des prépositions.** Sous réserve de ce qui suit, la préposition n'est pas répétée : a) quand les compléments associés forment un tout considéré globalement ou sont unis étroitement par le sens ; b) quand ils constituent une locution toute faite ; c) quand ils désignent le même être ou la même idée ; d) quand ces compléments sont des nombres, unis par *ou*, qui marquent une approximation ; e) quand les deux noms forment un titre d'ouvrage : a) *Une procuration pour acheter, vendre, recevoir. En faire part aux amis et connaissances. Divisé en livres, chapitres et paragraphes. Je suis las d'aller et venir ;* b) *En mon âme et conscience. Condamner aux frais et dépens. École des arts et métiers. Inspecteur des ponts et chaussées. Au lieu et place de qqn. ;* c) *À mon collègue et ami ;* d) *Un sursis de quatre ou cinq ans. À trois ou quatre mètres de*

profondeur ; e) *Au début de « La laitière et le pot au lait ». La tragédie de « Phèdre et Hippolyte ».* Cf. TITRES D'ŒUVRES, p. 921.

Sauf après *autre* (cf. AUTRE, 2), la préposition doit se répéter après **que** dans une comparaison : *J'aime mieux travailler pour vous que pour lui.* Il faudrait *autant que de* dans la phrase suivante : *Il n'existe aucun écrivain dont je sois imprégné autant que Pascal* (J. Mistler, *Le bout du monde,* Poche, p. 80).

D'une manière générale, la préposition peut être répétée si l'on insiste sur chaque partie de l'ensemble ; elle l'est habituellement si les compléments s'opposent ou présentent une alternative : *Un devoir sans fautes et sans ratures* (plus insistant que *sans fautes ni ratures*). *Par monts et par vaux. Dans la paix et dans la guerre* (mais : *Dans le calme et la paix*). *Qui de vous ou de moi... ? Répondre par oui ou par non.*

À, de, en se répètent généralement, sauf dans les cas énumérés ci-dessus (de a à e) : *Il se plaint de son frère et de sa sœur. Il en parle à Pierre et à Paul. J'ai confiance en vous et en lui. Il fut fâché en recevant cette lettre et en apprenant notre départ.*

Dans les locutions prépositives terminées par *à* ou *de,* on se contente généralement de répéter *à* ou *de :* *À cause de vous ou de moi.*

Après **distinguer en, diviser en, subdiviser en,** la répétition de *en* est facultative : *Les consonnes se divisent en sourdes et en sonores* ou *en sourdes et sonores.*

Elle est également facultative, mais assez fréquente, après **hormis, hors, sauf, y compris** : *Il existe des solutions à tous ces problèmes, y compris (à) celui qui nous divise.* On répète la préposition après *excepté :* *Abandonné de tous, excepté de sa mère* (V. Hugo).

Après **c'est** précédé de *dont* ou de *à quoi,* la répétition de *de* ou de *à* est plus fréquente qu'autrefois : *Or je m'apercevais que ce dont j'étais surtout dépourvu, c'était des moyens de manifester mes sentiments* (G. Duhamel, *Cri des profondeurs,* p. 220). *Ce à quoi il tient le plus, c'est à sa tranquillité.*

Avec *l'un et l'autre, l'un ou l'autre, ni l'un ni l'autre, l'un comme l'autre,* cf. AUTRE, 2.

3. **Emploi comme adverbe** : *Les uns attendent les emplois, les autres courent* **après** (Ac.). *Quand on fit cette proposition, tout le monde s'éleva* **contre** (Ac.). Cet emploi est courant, surtout dans la langue familière. Cf. AVEC, 1 et diverses prépositions à leur rang alphabétique. *Dans, sur, sous* ne peuvent être employés comme tels au lieu de *dedans, dessus, dessous.*

4. **Ellipse.** Les cas appelant une remarque sont traités à leur rang alphabétique : FACE, PRÈS, RAPPORT, RETOUR, etc.

Près, adv., **près de,** loc.prép., **prêt,** adj., **prêt à.**

1. *Près,* **suivi d'un nom de lieu,** au lieu de *près de,* est vieilli : *Près le Palais-Royal. Près la porte Dauphine.* Il ne s'emploie plus que dans cer-

taines expressions : *Ambassadeur près le Saint-Siège. Avocat près la cour d'appel*, à côté de : *Ambassadeur auprès du Saint-Siège, avocat à la cour d'appel.*

On dit généralement *près d'ici*, mais on trouve encore *ici près.*

2. **Près de, prêt à** doivent être aujourd'hui soigneusement distingués devant un infinitif comme ailleurs. **Près de**, sur le point de : *Ce malentendu n'est pas près de finir. Le soleil est près de se lever. Je ne suis pas près de l'oublier* et non [*Je ne suis pas prête de l'oublier*].

Prêt à, disposé à, en état de : *Je suis prêt à reconnaître mes torts. Sa commande est prête à être livrée. L'avion est prêt à partir. Vêtement prêt à porter.*

La confusion se rencontre encore en littérature, d'autant plus que la langue classique la faisait couramment, en donnant à *prêt à* le sens de *près de* et à *prêt de* ceux de *prêt à.*

3. **Près de** est l'équivalent d'*auprès de* pour indiquer la proximité (*Il habite près de chez nous*), mais ne peut plus se substituer à *auprès de* pour marquer une comparaison : *Et près de vous, ce sont des sots que tous les hommes* (Molière).

Près de peut aussi marquer la proximité dans le temps ou celle du nombre : *Il y a près de huit jours qu'il est parti. Ils étaient près de deux cents.*

4. **À... près** s'emploie pour indiquer une différence : *Je me rappelle à deux ou trois francs près ce que j'ai payé. À un jour près, vous le rencontriez chez moi.*

Ne pas être (ou **ne pas en être**) à qqch. **près** : *Je ne suis pas à cinq minutes* (M. Butor, *Passage de Milan*, 10-18, p. 31) ; cette différence de cinq minutes, en plus ou en moins, est sans conséquence. *Je n'en suis pas à cent francs près.*

Par une étrange déformation de l'expression, les Wallons déplacent *près* et le font suivre de *de* et précéder d'un *la* présenté sous des graphies qui montrent que, si on garde le sens de l'ensemble, on n'en comprend plus la structure : [*Je ne suis pas à là près de cinq francs* ou *l'à près de cinq francs* ou *à l'après de cinq francs*].

À cela près. Avec *ne pas être* ou *ne pas en être*, l'expression renvoie à qqch. qui vient d'être noté et veut dire que cela ne compte guère : *Il aurait préféré être officiellement invité, mais il n'est pas à cela près* ou *il n'en est pas à cela près. C'est un peu plus cher qu'il ne croyait, mais il n'est pas à cela près.* Avec un autre verbe : *Il est souvent distrait ; à cela près on peut compter sur lui.* La restriction peut être introduite par *à cela près que* : *Le devoir de cet élève est bon, à cela près qu'il s'y trouve quelques fautes d'orthographe* (Ac.).

À peu de chose près, à beaucoup près : *Il ne paraît pas son âge, à beaucoup près.*

5. On dit fort bien : *Ils étaient **tout près** l'un de l'autre* ou *Ils étaient l'un (tout) près de l'autre.* Mais non (belgicisme) : [*Mettez cinq francs tout près*] pour : *Ajoutez cinq francs.* Cf. AUPRÈS, 2.

6. **À peu près** : *Ils étaient à peu près trente. Voici à peu près ce qu'il a dit.* Le nom composé s'écrit sans ou avec traits d'union : *Ce n'est qu'un à peu près* (Ac.) ou, couramment, *un à-peu-près.*

Prescrire que. Mêmes modes qu'après *ordonner que.*

Prescrit est une forme verbale de *prescrire* ou un adjectif. En Belgique, dans le langage juridique, on en fait un nom masculin signifiant « ce que prescrit la loi ».

Présent, adj. On dit qu'une personne *a été **présente**, a été portée présente à une réunion.* Mais en réponse à un appel, la forme ***présent !*** est parfois cristallisée sous sa forme masculine.

À présent que, maintenant que.

Présente, n.f., signifie en style commercial : la lettre que voici.

Présenter, v.tr.dir. *On présente un plan, un projet, des objections, des vœux, des félicitations, les armes, un bouquet, le bras, un ami,* etc., mais non un *examen. On se présente à un examen, on passe* ou *on subit un examen.*

V.intr. En langage un peu familier, *Il présente bien* (ou *mal*) : son physique, sa tenue, son maintien font bonne (ou mauvaise) impression. L'expression est beaucoup plus courante que *Il représente bien.*

Se présenter. *L'affaire se présente mal. Il s'est présenté chez moi, au ministère, à ses collègues, à un examen, à une élection, à l'audience, pour un emploi. Il se présente avec aisance, il se présente bien.*

Président-directeur général, n.m. On doit mettre un trait d'union après *président* et après *P.* dans l'abréviation P.-D.G. Cf. GENRE, A, p. 447.

Présider, v.tr.dir. ou ind. *On préside une société, une organisation, une réunion, une manifestation ; on préside à l'exécution de qqch.* (on y veille), *à son organisation, à sa haute surveillance.* Dans le sens d'occuper la place d'honneur, on dit encore *présider à,* mais plus souvent *présider* : *Reine préside à un repas* (M. Yourcenar, *Archives du Nord,* p. 120). *Vous présiderez le dîner.*

En parlant de choses, dans le sens de « servir de principe directeur », on emploie *présider à* : *Quelques règles ont présidé à la rédaction des statuts.*

Présidium, n.m. Il faut renoncer à la graphie *praesidium.*

Presque. 1. Cf. ÉLISION, 4.

2. **Place.** *Presque* se place devant l'adjectif, l'adverbe, le pronom : *Presque tous les critiques sont d'accord. Du verre presque incassable. Un*

ouvrage presque achevé. Presque jamais. Presque personne ; après le verbe à un mode personnel ou après l'auxiliaire : *Il pleurait presque. Il a presque pleuré.* Avant ou parfois après l'infinitif : *C'est presque m'injurier. C'est être impoli à son égard, l'injurier presque* (ou *presque l'injurier). Je finirai pas ne presque plus dormir* ou *par ne dormir presque plus* (cf. NE PAS, 2, c). S'il modifie un complément introduit par une préposition, *presque* précède généralement celle-ci : *Il jouait le rôle presque d'un complice. Presque sans ressources. Presque en colère.*

Si le complément prépositionnel contient un des termes de quantité *aucun, pas un, chacun, chaque, nul, tout,* le plus souvent *presque* précède celui-ci : *C'est l'avis de presque tous mes collègues. Cette faute se trouve dans presque toutes les éditions.* On a nettement le choix toutefois entre : *presque dans tous les cas* et *dans presque tous les cas.*

Presque s'emploie au sens de *quasi* entre l'article et un nom, surtout si celui-ci exprime une quantité : *Il a été élu à la presque unanimité. La presque totalité.* Moins courants : *La presque réalisation. Une presque immobilité.*

Presse-. Composés : *Un presse-fruit, des presse-fruits.* Cf. NOMS COMPOSÉS, B, 5, p. 626.

Pressé, adj., s'emploie parfois pour *urgent, pressant* : *Une lettre pressée.* Comme nom : *aller au plus pressé.*

Pressing, n.m. Anglicisme à remplacer par *pressage* (*à la vapeur*).

Pression, n.f. 1. **Sous la pression de.** On exerce une pression **sur** qqn, on fait pression **sur** qqn. Il est donc logique de dire qu'on *agit sous la pression de qqn, des circonstances, de l'opinion,* et qu'*on résiste à la pression de qqn.*

On rencontre, sans doute influencé par *sur les instances de,* le tour insolite *sur la pression de* : *Sur la pression de leurs filles, les beaux-parents ont vendu leur baraque* (H. Bazin, *Le matrimoine,* Poche, p. 329).

2. On parle d'*un bouton à pression* ou d'*un bouton-pression* et elliptiquement d'*une pression* (plutôt que d'*un pression,* donné par Robert).

3. *Une chaudière est sous pression.* L'Académie des sciences veut qu'on dise *cabine sous pression* au lieu de *cabine pressurisée.*

4. Cf. BIÈRE.

Prestation, n.f. L'Académie française a, le 14 novembre 1974, condamné plusieurs extensions de sens de ce mot, auquel elle veut garder les sens traditionnels (*prestation de serment ; prestations en argent, en nature ; prestations* (allocations) *familiales*). Elle admet cependant un glissement de sens : « En termes administratifs. Fourniture d'un service, d'un travail. *Les prestations de l'État aux administrés* ». C'est aussi ce que fait le *Vocabulaire administratif* (CILF). Il est certain qu'on parle couramment de *prestations* au lieu de *services* et d'*heures de prestation* pour le temps convenu d'heures de travail.

L'Académie rejette le sens d'exhibition, de performance, de numéro, qui s'est bien installé dans les domaines du sport et du spectacle et même de la politique : *La médiocre prestation d'un athlète, d'un artiste, d'un orateur.*

[Prester], v.tr.dir., est l'ancienne forme de *prêter*, conservée en Belgique par archaïsme ou sous l'influence du flamand. Au lieu de *[prester] des services, une activité, tel nombre d'heures*, on dira *fournir, exercer, travailler.*

Prêt, adj. **Prêt à.** Cf. PRÈS. On écrit : *un prêt-bail, un prêt-à-porter*, mais *des vêtements prêts à porter.*

À côté de *Le dîner est prêt à servir* (Ac.), on dit couramment : *prêt à être servi.*

Prêté, adj. et n.m., **prêter,** v.tr.dir. L'Académie distingue *un prêté rendu*, qui ne se dit guère, et *un prêté pour un rendu. C'est un prêté rendu* veut dire : c'est une juste représaille ; on a rendu ou on rend le mauvais procédé. *C'est un prêté pour un rendu* : le procédé (répréhensible) entraîne ou entraînera une revanche.

Prêter, dépassant le sens d'accorder en prêt (*prêter de l'argent, un livre, ses affaires*), signifie « offrir l'aide de », « accorder », « imputer » : *prêter son concours, sa voix, le bras, prêter main-forte ; prêter attention, secours, vie, le flanc, l'oreille ; prêter des propos ou des intentions à qqn.* Cf. PRÊTER.

Tr. ind. : *prêter au ridicule, prêter à rire, à penser*, donner matière à.

Prétendre, v.tr.dir. ou ind. 1. Sens de « soutenir (une opinion), affirmer » (avec une certaine audace) ou même « avoir la prétention de » : *Est-ce vrai ce qu'on prétend ? Les médecins le prétendent inguérissable. Il prétend avoir toujours raison. Je prétends qu'il a tort* (indicatif). Comme *croire : Je ne prétends pas qu'il l'a dit* ou *qu'il l'ait dit. Prétendez-vous qu'il l'a dit ?* ou *qu'il l'ait dit ?*

Mais on dira : *Je ne prétends pas* (je n'affirme pas) *qu'il le fera*, parce que l'emploi du subjonctif (*fasse*) ferait croire qu'on donne à *prétendre* le sens d'*exiger* (cf. 2).

2. Sens de « vouloir fortement » : *Il prétend faire ce voyage. Il prétend que nous l'accompagnions* (subjonctif). Avec une négation : *Il prétend ne pas apprendre sa leçon* ou *Il ne prétend pas apprendre sa leçon* ont à peu près le même sens. Comparer : *Il prétend ne pas venir* (il affirme sa volonté de ne pas venir) et *Il ne prétend pas venir* (il refuse de venir). On distinguera plus nettement parfois : *Je prétends qu'il ne le fasse pas* et *Je ne prétends pas qu'il le fasse.* Mais dans *Je ne prétends pas que vous restiez à l'écart, vous viendrez avec nous*, le sens est *Je refuse.*

3. Le sens de « revendiquer comme un droit » est vieilli et littéraire, sauf devant un infinitif : *Je prétends un dixième, une moitié dans cette société* (Ac.). *Ce corps prétend le pas sur tel autre* (Ac.). *Il prétend marcher avant lui* (Ac.). De même ceux d'« espérer », de « viser », de « convoiter ».

4. Vieilli aussi *prétendre de* et l'infinitif : *C'est en vain que tu prétendrais de le déguiser* (Molière).

5. **Prétendre à,** v.tr.ind., signifie « aspirer ouvertement comme à un droit » : *Il prétend à cette charge, à cette place, à la main de cette jeune fille* (Ac.). *Il prétend à un titre, aux plus hautes dignités.* Le tour n'est plus guère vivant devant un infinitif : *Sans prétendre à vous obtenir* (Laclos).

6. **Se prétendre** : *Ils se prétendent fatigués. Elle se prétend artiste peintre. Ils se sont prétendus innocents.*

Prétendu, n., est vieux et régional dans le sens de *fiancé* : *Voilà sa prétendue* (Ac.). Adj. Cf. SOI-DISANT.

Prétendument, adv. (pas d'accent circonflexe), selon ce qu'on affirme à tort.

Prétentaine, n.f., s'écrit parfois *pretentaine* ou *pretantaine* : *Courir la prétentaine,* rechercher les aventures galantes.

Prétention, n.f. *Elle se ridiculise par sa prétention à l'élégance. Il a la prétention d'avoir toujours raison. Il a des prétentions. C'est un homme sans prétentions* (ou *sans prétention*). Dans le sens de « revendiquer », au pluriel : *Il a des prétentions sur cet héritage* (ou *à cet héritage*). Le Lexis donne les deux constructions : *Avoir des prétentions sur quelque chose. Des prétentions à un héritage.*

Prêter, v.tr.dir. ou ind. Belgicisme : [*J'ai demandé ce livre à prêter* ou *On me l'a donné à prêter*] pour : *J'ai demandé ce livre en prêt, J'ai emprunté ce livre. On me l'a donné en prêt. On me l'a prêté. Les mille francs qu'on lui a prêtés.* Cf. PRÊTÉ.

On dit aujourd'hui **prêter à rire** plutôt que *apprêter à rire.*

Prétexte, n.m. 1. [*Faux prétexte*]. Par définition, un prétexte est une cause simulée, une fausse raison alléguée pour dissimuler le véritable motif d'une action. Un prétexte peut être bon, plausible, mauvais, spécieux (n'avoir qu'une belle apparence et être sans valeur), mais c'est un pléonasme de dire qu'il est faux.

2. **Sous prétexte** (ou **sous le prétexte**) **de** ou **que** : on dit plus souvent *sous prétexte,* surtout devant un infinitif et si le nom qui suit n'est pas précédé d'un article : ***Sous prétexte** de maladie.* ***Sous (le) prétexte** d'une maladie grave* ou *de mener une enquête.* L'article s'impose si *prétexte* est qualifié par un adjectif ou une relative : ***Sous le prétexte** plausible de... Sous un prétexte quelconque.* On dit : *sous aucun prétexte.* Après *sous (le) prétexte que,* on emploie l'indicatif.

3. **Prendre prétexte de qqch., être prétexte à, prendre prétexte que** : *Il a pris prétexte de notre absence pour se dérober. Cela fut pour lui prétexte à des plaisanteries. Tout cela est prétexte à se dérober. Il a pris prétexte que nous étions trop nombreux.*

Prétexter, v.tr.dir. *Il prétexte ses engagements antérieurs. Il prétexte qu'il n'a pas le temps* ou *n'avoir pas le temps.* **V.tr.ind.** On rencontre *prétexter de qqch.*, non recommandable : *Mais Pierre prétexta de la grande fatigue du voyage pour s'aller coucher sans attendre* (Vercors, *Les armes de la nuit,* pp. 49-50).

Preuve, n.f. On peut dire *preuve **probante*** (Ac.), bien que ce soit un pléonasme, à côté de *preuve concluante, solide, convaincante, décisive, sans réplique.* Distinguer *faire la preuve de qqch.*, de son courage, le démontrer par son comportement, et *faire preuve de qqch.*, de courage, montrer. Loc. fam. : *à preuve, la preuve* : *Il le savait ; à **preuve**, son insistance. À preuve que* : *Je ne lui en veux pas, à **preuve que** je viens de l'inviter.* On dit plus élégamment : *la preuve, c'est* ou *la preuve en est que.*

Prévaloir, v.intr., se conjugue comme *valoir*, sauf au subj. prés. : *prévale, prévalions, prévalent.* Accord du part. passé dans *se prévaloir* : *Elle s'est prévalue de ses droits.* Le verbe simple ne peut plus avoir pour sujet un nom de personne : *Sa volonté **a prévalu*** ou ***a prévalu contre** la nôtre* (ou *sur la nôtre*), l'a emporté.

Prévenir, v.tr.dir., est classique et littéraire dans le sens de « devancer qqn », « arriver avant lui », « devancer par la pensée un évènement futur »... Aujourd'hui, on dit : *prévenir un mal* (*Mieux vaut prévenir que guérir*), *prévenir les désirs de qqn* (aller au-devant, satisfaire par avance), *prévenir qqn* (l'avertir, le mettre au courant d'un fait à venir), *le prévenir de qqch.*, *prévenir qqn contre* ou *en faveur de*, le disposer dans un sens défavorable ou favorable.
Prévenir d'avance ou *au préalable* ou *préalablement* : cf. AVANCE, 2. On dit *prévenir que* (*de ce que* est inutile et lourd) : *Je vous préviens **que** je n'attendrai pas.*

Prévention, n.f., dans son sens courant, peut théoriquement, comme *préjugé*, désigner un état d'esprit disposé à juger favorablement ou défavorablement. En fait, il s'agit surtout d'opinions défavorables, formées sans examen : *Avoir des préventions contre qqn.*

Prévoir, v.tr.dir., se conjugue comme *voir*, sauf au futur (*je **prévoirai***) et au cond. prés. (*je prévoirais*).
Du sens de « voir d'avance », « envisager », on est passé à celui d'« organiser d'avance, prendre les mesures nécessaires pour les évènements envisagés » : *La réunion est prévue pour la semaine prochaine. Tout est prévu pour le logement des congressistes. On a prévu leur logement. On a prévu le chauffage central.* On va sans doute trop loin lorsqu'on dit : *La loi a prévu telle sanction* au lieu de : *a prescrit telle sanction.*
Prévoir que : *Je prévois qu'il réussira.* Avec *de* et **l'infinitif**, le tour semble vieilli mais est correct : *Je prévois* (j'envisage) *de le rencontrer la semaine prochaine.*

Comme prévu, *moins* (ou *plus*)... *que prévu*, un peu familiers, s'emploient elliptiquement et restent invariables : *Tout s'est passé comme prévu. La réponse a été moins favorable que prévu* (*que comme il —* impersonnel *— était prévu, qu'il n'était prévu*).

Prie-Dieu, n.m. *Un* ou *des prie-Dieu.*

Prier, v.tr.dir. 1. [*Prier un chapelet*] est un flandricisme. *Réciter, dire un chapelet.*

2. *Je prie Dieu. Je vous prie* **de** *me répondre. Je vous prie, je vous en prie. Ne vous faites pas prier. Il s'est fait prier pour nous accompagner. — Prier qqn à dîner*, l'inviter à, est un tour plutôt vieilli.

Prière d'insérer (avis destiné à la critique) est masc. (on pense à un papier) ou fém. (comme *prière*). *Un* ou *une prière d'insérer.*

Primer, v.tr.dir., a aujourd'hui pour sujet un nom de chose et signifie « l'emporter sur » : *Les qualités morales priment les qualités intellectuelles. La force prime le droit.* Éviter [*primer sur*].

Primesaut, n.m. vieilli, s'écrit en un mot comme *primesautier.*

Primordial, adj., est passé du sens premier, « qui existe dès l'origine », à celui de « qui est de première importance, capital, essentiel » : *C'est d'une importance primordiale. Je tiens cela pour primordial.*

Princesse, comme adj. inv. : *Des haricots princesse. Des robes princesse.*

Principe, n.m. Distinguer **en principe** (théoriquement), **par principe** (en vertu d'une règle), **pour le principe** (pour respecter une règle, par acquit de conscience).

Printemps, n.m. *Au printemps.*

Privatif, adj., se dit de la partie d'une propriété qui appartient en propre à chaque propriétaire. Peut se dire d'un jardin dont les locataires comme les propriétaires ont la jouissance en commun. En termes de droit, *une disposition privative* est exclusive.

Priver, v.tr.dir. *Priver qqn* (ou *qqch.*) *de qqch.*, c'est lui enlever qqch. ou lui infliger la privation de ce qu'il désire : *On l'a privé de ses droits, de dessert.* C'est donc un non-sens de parler d'un [*raisonnement privé de fondement*] alors qu'il faut dire : *dénué de fondement.*

Prix, Au prix de. Cf. AUPRÈS. La publicité a créé diverses expressions sur l'orthographe desquelles l'usage hésite : *des prix choc, des prix(-)plafond(s), des prix(-)plancher(s), des prix(-)suicide*, etc.

Probable, adj. *Il est probable que* est suivi de l'indicatif (ou du conditionnel). De même *probablement que.* Malgré quelques exemples d'écrivains, on évitera le subjonctif, qui peut au contraire s'employer après *il est peu probable que, il n'est pas probable que, est-il probable que.* Cf. SUBJONCTIF, *Emploi.*

Problématique, n.f., s'est imposé dans la mesure où il ne signifie pas « problèmes », mais l'art ou la science de poser les problèmes ou l'ensemble des problèmes définis et classés.

Problème, n.m. Encore qu'on abuse du mot, on peut dire : *Cet enfant est (pour moi) un problème* ou *me pose des problèmes.* Mais on n'emploiera pas *problème* pour toute difficulté, on ne dira pas de la moindre chose qu'elle *fait problème* (expression courante) dès que cette chose présente des difficultés.

Procéder, v.tr.ind. **Procéder à** (accomplir, exécuter) suppose une certaine technique, une certaine méthode : *Procéder à un interrogatoire, à l'ouverture d'un testament, à une enquête, à une arrestation, à une élection,* etc. Ne pas abuser de ce verbe pour former des périphrases inutiles qui deviennent des clichés : *Procéder à une revision* (reviser), *à un redressement* (redresser), etc.

Procéder de, intr., tirer son origine de, résulter de : *Ses ennuis procèdent de son mauvais caractère.*

Procéder contre *qqn,* agir contre lui en justice.

Procès-verbal, n.m. *Un procès-verbal, des procès-verbaux. L'agent nous a dressé (un) procès-verbal. Le secrétaire a lu le procès-verbal de la séance précédente.*

Prochain, adj. *Je descends au prochain arrêt* ou *à l'arrêt prochain. La prochaine fois* ou *la fois prochaine.* Par ellipse, *à la prochaine fois* se dit familièrement : *à la prochaine. Un prochain jour. L'an prochain* ou *l'année prochaine. La semaine prochaine.* Cf. NUMÉRAUX, 6.

Proche, adj., adv., prép., nom : 1. **Adjectif** : *Ces deux maisons sont fort proches* (Ac.) (= voisines) ou *proches l'une de l'autre. Sa fin est proche* (= prochaine). *Un proche parent. La nuit est proche.*

2. **Adverbe.** Emploi vieilli, sauf dans *de proche en proche.* Au lieu de *Il demeure ici proche* (Ac.), on dit : *ici tout près* ou *à proximité.*

3. **Préposition.** On n'écrit plus : *des champs proche de la rivière* (dans le sens de « près de ») et moins encore *proche la rivière.* On peut employer l'adjectif : *proches de la rivière.*

4. **Nom,** masc. pluriel. *Les proches,* les parents les plus proches, les personnes qu'on fréquente le plus.

Proche-oriental, adj., relatif au Proche-Orient : *Les questions proche-orientales.*

Professions féminines. Cf. Genre.

Profiter, v.tr.ind. (cf. Bénéficier). *On profite de qqch.*, d'une occasion, de l'absence de qqn, de ce qu'il est absent. *Profite de l'occasion (profites-en) pour faire ce voyage. L'offre dont on profite.* — *Profiter de qqn*, un peu vieilli, est péjoratif : *Je ne veux pas qu'on profite de moi.*

L'Académie donne encore *profiter sur*, dans le sens de « faire un gain sur ». *Il a beaucoup profité sur les marchandises qu'il a vendues.* Emploi vieilli. *Une chose profite à qqn. Cette nourriture lui profite. En quoi cela lui profitera-t-il ?*

Familièrement : *Un enfant profite, a bien profité.* On laissera à la langue populaire *profiter qqch.* : *Vase chinois, bonne occasion à profiter* (H. Bazin, *Le bureau des mariages*, Poche, p. 7). Il faut dire : *à saisir.*

Profiter que, profiter de ce que. Il est certain qu'on emploie généralement **profiter de ce que** : *Les fidèles profitèrent de ce qu'ils s'asseyaient* (Fr. Mauriac, *Les chemins de la mer*, p. 160). *Je profitai de ce que la duchesse changeait de place pour me lever aussi* (M. Proust, *À la recherche...*, t. V, 1re partie, p. 79). *Il avait profité de ce que Margaret était réduite à sa seule compagnie pour la préparer...* (J. Fayard, *Oxford et Margaret*, ch. V.).

Je refuse de souscrire à l'opinion des Dictionnaires Robert, qui donnent le tour **profiter que** comme populaire et fautif, en citant Céline : *Elle profita que nous demeurions loin.* Pourquoi serait-ce une faute de dire : *Je profite qu'il est parti*, alors que cet allégement est recommandé avec *avertir, informer*, etc. ? Disons seulement que la tradition semble préférer *profiter de ce que.*

Profiteur, euse, n., est toujours péjoratif.

Profond, adj. [*Assiette profonde*], cf. Assiette.

Prognathe, adj. (attention à *th*), qui a les mâchoires proéminentes.

Programmation, n.f., s'est imposé malgré d'excessives réactions.

Promener, se promener. On dit : *Je vais me promener. Va te promener ! Nous avons été nous promener* L'omission du pronom réfléchi est vieillie ou régionale. Mais elle se fait normalement dans : *Je l'ai envoyé promener*, je l'ai éconduit.

Promettre, v.tr.dir., exprimant un engagement, une annonce, un espoir, tourne naturellement l'esprit vers l'avenir. *Je promets qu'il le fera. Je promets mon concours. Je promets de venir. Je vous promets une belle surprise. Cet enfant promet.* Mais par extension, depuis des siècles, l'assurance peut porter sur le présent ou sur le passé : *Je vous promets que je suis devenu très naïf* (G. de Nerval, *Œuvres*, Pléiade, p. 757). *Je ne vous promets pas que la balance soit exacte* (A. Hermant, *Xavier*, 1923, p. 50). *Je vous promets que ce qu'il m'a dit ne m'a point du tout offensée* (Molière,

L'avare, III, 7). *Je vous promets que je l'attendais* (M. de Saint-Pierre, *Les aristocrates*, Poche, p. 124). Bien que ce tour soit ancien et qu'il soit enregistré aujourd'hui par les dictionnaires, il est plutôt suspect et considéré comme familier.

Promettre que est normalement suivi de l'indicatif futur ou d'un conditionnel. Le subjonctif après *ne pas promettre que* est permis, mais plus rare : *Je ne promets pas qu'il fasse dans les prochains jours tout ce que nous lui avons demandé.* Voir plus haut les citations illustrant le sens d'« assurer ».

Se promettre, Noter les accords ou l'invariabilité du participe passé (cf. PARTICIPE PASSÉ) : *Elle s'était promise à un jeune avocat. Elle n'a pas éprouvé les joies qu'elle s'était promises. Elle s'est promis de ne plus recommencer. Elles se sont promis de s'écrire.*

Promoteur, n.m. **Promotion,** n.f. **Promotionnel,** adj. Par définition, au sens traditionnel, le **promoteur** donne l'impulsion et même la première impulsion. Il ne faut donc pas ajouter l'épithète *premier*. Mais quand on désigne celui qui assure avec d'autres, mais en priorité, le financement et la construction d'immeubles, on peut parler du *premier* ou du *principal promoteur.*

À **promotion,** n.f. qu'on trouve dans l'anglicisme *promotion des ventes,* encouragement et développement des ventes, correspond l'adjectif **promotionnel** : *vente promotionnelle, campagne promotionnelle, tarifs promotionnels.* On peut préférer *ventes réclames, tarifs publicitaires.*

Promouvoir, v.tr.dir., bien qu'on rencontre l'ind. présent *promeut* et l'ind. imparfait *promouvait,* ne s'emploie guère qu'à l'infinitif, au participe (*promouvant, promu*) et aux temps composés.

On n'est **promu** dans un ordre que si l'on accède à un grade supérieur. On est *nommé* au premier grade.

Le sens d'« encourager qqch. », favoriser sa création, son essor, est admis : *Promouvoir une réforme, les lettres, une politique, un produit.*

Pronoms démonstratifs. Cf. ÇA, CE, CELUI.

Pronoms personnels et réfléchis.

1. **Sujet.** Inutile d'insister sur tous les emplois des formes fortes des pronoms personnels, *moi, toi, lui, eux, eux-mêmes,* etc. (*Qui est là ? Moi. — Toi qui étais là — C'est lui qui l'a dit — Moi, t'en vouloir ?*). Notons seulement qu'elles peuvent être apposées à la forme faible quand on veut insister (*Moi, je le ferai. Quant à toi, tu n'as rien à faire*) ou qu'elles sont suivies d'un adjectif (*Eux, insouciants, ils jouaient*). On les emploie notamment en liaison avec un autre sujet (*Ni toi ni ton frère n'avez pu penser cela*) et dans une opposition (*Eux aussi le savaient. Les autres ne soupçonnaient rien, lui se méfiait*).

Reprise facultative, mais fréquente, par un pronom pluriel, des sujets de personnes différentes : *Vous et moi, nous les accompagnerons.* Cf. VERBE, *Accord*, B, I, p. 978.

2. **Pronom expressif d'intérêt.** On emploie le pronom personnel de la 1re ou de la 2e personne, sous la forme d'un complément d'objet indirect, pour marquer l'intérêt que la personne indiquée prend ou doit prendre à l'action ou au fait : *Regardez-moi cette tête. Il vous lui fait un beau sermon. Je vais te lui faire un de ces compliments !* S'il y a un autre pronom complément, on voit qu'il suit le pronom d'intérêt.

3. **Emploi du pronom personnel complément pour annoncer** soit une proposition indépendante, soit une proposition complétive, soit un complément sur lequel on insiste : *Je vous en prie, faites-le. Je vous le dis pendant que j'y pense : votre livre est retrouvé. Je le savais bien qu'il viendrait. Je m'en doutais, qu'il allait encore se faire remarquer. Vous en parlez tout le temps, de ces gens-là. Je les connais ces difficultés.*

À distinguer soigneusement de tours pléonastiques où le pronom suit dans la même proposition : *Mais en Poitou nous [y] séjournerons quelque temps. De Paris nous [en] sommes revenus en train.*

4. *La mission à lui confiée. La lettre à eux transmise.* Il faut employer *à* et la forme forte du pronom personnel complément indirect lorsqu'il précède immédiatement un participe passé pris adjectivement. On entend souvent en Belgique : [*La mission lui confiée. La lettre leur transmise*], dans le style administratif ou judiciaire. On peut évidemment recourir à une relative : *La mission qui lui a été confiée. La lettre qui leur a été transmise.*

5. **Emploi du pronom personnel complément ou attribut.** Cf. LE, LA, LES, 2, A, *Pronom attribut*, B, *Pronom complément*, 1. *Peut-il représenter un nom sans article ?* 2. *Pronom neutre complément.* Cf. aussi EN, LUI, Y.

6. **Répétition du pronom personnel complément ou réfléchi.** Quand les verbes juxtaposés ou coordonnés ont le même pronom personnel comme complément d'objet :

a) On le répète devant un temps simple, même si le sujet n'est pas répété (cf. 8) : *Je le dis et (je) le répète. Je vous admire et vous félicite* et non [*Je vous admire et félicite*]. *En l'admirant et le félicitant.*

b) Devant un temps composé, il se répète si l'auxiliaire est répété : *Je l'ai dit et je l'ai répété. Je l'ai dit et répété.* Cf. AUXILIAIRES, 2.

Si le même pronom remplit une fonction différente, il convient de le répéter : *Il m'a parlé et m'a félicité. Nos amis nous ont secourus et nous ont envoyé des vivres.* Cf. COMPLÉMENT COMMUN.

c) Le pronom réfléchi se répète : *Il s'entête et s'acharne. Il se lève et se lave aussitôt.*

d) Ne pas dire : [*Je prends la liberté de vous écrire, vous qui êtes...*]. Dire : *à vous qui êtes.* Mais : *Je prends la liberté de vous consulter, vous qui êtes...*

7. **Place des pronoms personnels compléments** :
A. **D'un impératif.** Cf. IMPÉRATIF, 2.
B. **D'un infinitif.** Cf. INFINITIF, 1, d, p. 499 ; 2, B, pp. 502-505.
C. **D'un verbe à un autre mode.** On observera que :
a) Le pronom personnel complément introduit par une préposition se place normalement après le verbe et est à la forme forte : *J'ai besoin de toi.* Avec mise en évidence : *C'est de toi que j'ai besoin. À toi, je le dirai.*

b) Le complément d'objet indirect précède le pronom objet direct, Mais *le, la, les* précèdent *lui, leur : Je te le demande. Je me le dis. Je le lui demanderai.*

c) On ne peut juxtaposer les pronoms compléments *me, te* (*moi, toi*), *se, nous, vous, lui* (sans préposition), *leur*, à moins que l'on n'ait un pronom expressif d'intérêt (cf. plus haut, 2). Le pronom personnel complément d'objet indirect prend donc après le verbe la forme forte, précédée d'une préposition quand le pronom objet direct est une 1re ou une 2e personne ou une 3e personne réfléchie : *Il m'a présenté à vous. Je vous ai confié à eux. Ils se sont adressés à nous.* De même, à l'impératif (sans négation), on dit : *Présente-moi à eux. Confie-moi à lui. Fiez-vous à moi.* Cf. IMPÉRATIF, 2 et 3.

d) *En* et *y* (pronoms ou adverbes) suivent toujours les autres pronoms : *Je m'en réjouis.* Théoriquement, mais cela ne se rencontre guère que dans *il y en a, y* précède *en* : *Y en a-t-il beaucoup ?*

8. **Répétition du pronom personnel sujet.** Il y a une certaine discordance entre la langue écrite et la langue parlée ; la répétition est plus fréquente dans celle-ci. On cherche aussi des effets de style en répétant ou non le pronom.

En tout cas, on doit le répéter devant un second verbe quand le premier a été construit en inversion : *À peine eut-il proféré cette menace qu'il la regretta. « Partons », dit-il, et il sortit.* D'autre part, plus le lien est étroit entre les actions énumérées, plus il est logique de ne pas répéter le sujet. Par contre, une opposition des verbes entraîne normalement la répétition du sujet : *Il n'exige plus, il demande. Il prétend m'aider, mais il me gêne. Il fera ce que j'ai dit ou il s'en ira.* Ajoutons quelques précisions :

a) Jamais de répétition du sujet après *ni* : *Il ne boit ni ne mange.*

b) **Propositions juxtaposées.** La répétition est fréquente. L'omission du second sujet n'est jamais obligatoire ; elle est plus fréquente à la 3e personne qu'aux deux autres ; elle souligne la rapidité de la succession : *Je suis venu, j'ai vu, j'ai vaincu. César* (ou *il*) *est venu, a vu, a vaincu. J'ouvris la lettre, la lus, la jetai au panier. Il frappe et entre.*

Si le verbe est répété pour produire un effet, le pronom se répète aussi : *Il dort le jour, il dort la nuit, il dort constamment.* Cf. aussi e.

Si le dernier verbe n'exprime pas un des faits qui se suivent mais en donne, par exemple, la raison, l'explication ou fait intervenir le discours indirect libre, il faut répéter le sujet devant ce dernier verbe : *Enfin il paya, se leva, il devait partir* (H. Troyat, *Les Eygletière*, J'ai lu, p. 312). Répétition lorsqu'il y a opposition. Voir plus haut.

c) **Propositions coordonnées.**

La répétition, courante quand il y a opposition et après une autre conjonction de coordination que *et*, se fait beaucoup plus rarement après *et* : *Tu es paresseuse et tu veux réussir. Je plie et ne romps point. Il prétend m'aider, mais il me gêne. Il réussira, car il travaille et est intelligent.* Omission courante après *puis*, à cause du lien entre les deux actions : *Il remercia puis s'en alla.*

d) **Propositions subordonnées** : On doit répéter le pronom personnel sujet après une conjonction de subordination ou après *que* en tenant lieu : *Il vous excusera parce qu'il vous connaît et qu'il vous fait confiance.*

e) Répétition courante aussi du pronom sujet quand l'idée est présentée de deux manières différentes, quand les verbes sont à des temps ou à des modes différents et surtout quand on passe d'une négation à une affirmation : *Nous avons vécu et nous mourrons ensemble. Il m'a dit et il me répète chaque jour... Je désire le rencontrer et je voudrais le prier de me recevoir. Il n'hésite plus, il agit.*

f) *On* et l'impersonnel *il* se répètent presque toujours : *Il pleut et il vente. On s'émeut et on se passionne.*

9. **Omission du pronom réfléchi.** Elle est courante, mais non obligatoire, après *faire* (cf. FAIRE, 7) ; elle est moins fréquente, sans être rare, après *envoyer, laisser, mener, emmener* : *Elle la fit (s') asseoir. Il nous faisait taire. On a laissé (s') échapper le prisonnier.* Cf. LAISSER, 2, PROMENER.

10. Cf. à leur rang alphabétique les divers pronoms *en, le, lui, nous, soi, y* ; pour l'emploi après *chacun*, cf. CHACUN, 3, 4.

Pronoms possessifs : *le mien, le tien, le sien, le nôtre, le vôtre, le leur, la mienne, la leur, les miens, les miennes, les leurs,* etc.

1. En fait, on a une substantivation de l'adjectif possessif à la forme tonique quand celle-ci existe. Cf. ADJECTIFS POSSESSIFS, 6.

On renvoie à un nom précédemment exprimé et déterminé : *Ta femme et la mienne. J'ai mes torts et vous avez les vôtres. Ces vêtements sont les vôtres. Vos enfants et les deux miens. Une femme comme la tienne.* On distingue théoriquement : *Aimez cet enfant comme vôtre* (comme étant vôtre) et *comme le vôtre* (comme vous aimez le vôtre).

Mais il y a beaucoup d'autres emplois où l'on a indiscutablement des noms plutôt que des pronoms : *Chacun y mettra du sien* (sa contribution personnelle, son argent, ses idées, ses efforts). *Ils y ont mis du leur. Faire des siennes, des vôtres* (des fredaines ou agissements habituels). *Mes meilleurs vœux pour vous et les vôtres* (les personnes de votre famille).

2. **La vôtre** pour *votre lettre* doit normalement renvoyer à *lettre* : *J'espère que vous avez reçu ma lettre. La vôtre m'est parvenue le jour même où je venais de vous écrire.* Mais c'est un tour familier et à proscrire tout au début d'une lettre : [*J'ai reçu la vôtre du 7 janvier*].

De même, si quelqu'un vous dit : *À votre santé !*, vous pouvez répondre *À la vôtre.* Mais *À la vôtre !* et surtout *À la bonne vôtre !*, employés en premier lieu, sont familiers.

3. On ne peut dire : [*Je ne connais pas de plus mauvaise tête* ou *de plus mauvaise langue que la sienne*], si l'on désigne par ce défaut une personne. Il faut dire : *que Jacques* ou *que lui.*

4. Emploi de *le sien* ou *le leur* après *chacun* : cf. CHACUN, 3, p. 216.

Pronoms relatifs. Cf. DONT, QUI, QUE, QUOI, A, SUBJONCTIF, 8. Un pronom relatif ne peut renvoyer qu'à un nom déterminé par un article, un adjectif démonstratif ou possessif. On ne dira pas : [*Il demanda grâce, qui lui fut refusée*] au lieu de : *Il demanda sa grâce, qui lui fut refusée. Il demanda grâce, mais on ne l'écouta pas.*

Un ancien usage permettait au pronom relatif d'avoir une proposition ou une idée pour antécédent : *C'est dont je ne veux point de témoin que Valère* (P. Corneille). *Vous pensâtes même ne pas me trouver au logis, qui eût été une belle chose* (Mme de Sévigné). Nous disons : *ce dont, ce qui,* mais nous disons encore *qui plus est, dont acte, après quoi,* etc.

Prophylaxie, n.f. Mesures prises pour prévenir une maladie (*par des moyens prophylactiques*).

Proportion, n.f. On parle de *la proportion entre deux choses, entre la hauteur et la largeur* ou de *la proportion de la hauteur et de la largeur* ou *de la hauteur à la largeur* ou *avec la largeur.* Le PR accepte le sens de *pourcentage,* sans que soient nommées les deux parties comparées : « *Proportion de décès normale, élevée, faible* (par rapport à la population) ». Un salaire augmente **en proportion de** la difficulté (on dit aussi *à proportion de*). *À proportion* et surtout *en proportion,* loc. adv. *Son travail a été apprécié et il a été payé en proportion. Il était haï et jalousé **à proportion** ou,* plus souvent, *en proportion* (Ac.). **À proportion que** se dit moins que **à mesure que.**

On écrit au singulier ou au pluriel : *Toute(s) proportion(s) gardée(s).*

Propos, n.m. *À propos de quoi ? À ce propos. À propos de tout et de rien. À tout propos* (plutôt que : *À tous propos*). *Parler à propos, hors de propos, mal à propos. De propos délibéré. À propos, j'allais oublier de vous dire* (Ac.) ; cet emploi d'*à propos* en tête de phrase marque une rupture plutôt qu'un enchaînement.

Trait d'union dans le nom composé *un à-propos* (cf. À-PROPOS) et dans *l'esprit d'à-propos, manquer d'à-propos.*

Proposer (se). *Elle s'est **proposé** de nous écrire. Elle s'est **proposée** pour cette mission. Elle s'est **proposé** plusieurs objectifs.* Cf. PARTICIPE PASSÉ, p. 686.

Propre, adj. 1. **Propre à** peut signifier « particulier à » (*Une qualité propre à la jeunesse*) ou « apte à » (fait pour, convenant pour) : *Un silence propre à la réflexion. Un objet propre à tel usage. Celui qui est propre à tout n'est propre à rien.* On ne dit plus : *être propre pour qqch.*

Propre-à-rien, n.m. ou f. : *Cette femme **est une** propre-à-rien* (elle n'est propre à rien faire, elle ne sait ou ne veut rien faire). *Des propres-à-rien.* Mais : *Elle **n'est** propre à rien.*

Propre à s'emploie aussi devant un infinitif : *C'était peu propre à me rassurer.*

2. Quand il s'agit de propreté, on dit fort bien : *Être propre sur soi* (Ac.). Quand il exprime la propreté, le soin, *propre* suit toujours le nom : *Un enfant propre. Les mains propres.*

3. **Le mot propre, le terme propre, en propres termes**, etc. *Parler en employant le mot propre, le terme propre* (approprié, qui convient). *Voilà, en propres termes* (exactement, en répétant les termes) *ce qu'il m'a dit. Répéter les propres paroles de qqn. Ce sont ses propres termes.*

Entre un adjectif possessif et un nom : *Il agira sous sa propre responsabilité. Il a écrit cela de sa propre main. Par ses propres moyens. Je l'ai entendu de mes propres oreilles. Dans son propre intérêt. De son propre cru.* La langue classique pouvait dans ce cas mettre *propre* après le nom.

Noter qu'on écrit : *Remettre une chose à qqn **en main(s) propre(s)**,* dans sa propre main ou dans ses propres mains.

4. **Me voilà propre ! Nous sommes propres** se disent par antiphrase : *Je suis ou nous sommes dans une mauvaise situation.*

5. **Propre,** n.m., se dit aussi par antiphrase dans : *c'est du propre.* Autres emplois : *Avoir un bien en propre. Posséder en propre. Rire est le propre de l'homme. Au propre et au figuré.* **Mettre au propre** se dit aussi bien que *mettre au net* et n'est pas un belgicisme.

6. **Amour-propre,** n.m. Trait d'union : *Des amours-propres.*

Prorata (au), loc.prép., « proportionnellement à ».

Prorecteur, n.m., désigne dans certaines universités belges le recteur précédent.

Proroger, v.tr.dir. *On proroge un terme, un délai, une échéance* (on les renvoie à plus tard), *un bail, un mandat, une assemblée* (on en prolonge la durée).

Protagoniste, n.m. ou f., après avoir désigné l'acteur jouant le rôle principal d'une tragédie, s'est dit de toute personne qui joue le rôle essentiel ou même, simplement, un rôle très important dans une affaire : *Le ton* *montait entre les deux protagonistes.* En dépit de cette extension de sens, on ne peut parler de [*premier* ou *principal protagoniste*] ni employer *protagoniste* pour *partenaire.*

Protéger, v.tr.dir., se construit avec **contre,** toujours devant un nom de personne, souvent devant un nom de chose ; dans ce dernier cas, il se construit plutôt avec **de** si le sens est simplement « mettre à l'abri » plutôt que « mettre à l'abri d'un danger » : *Un rempart protégeait la ville* **contre** *l'ennemi. Protéger un enfant mineur contre ceux qui voudraient nuire à ses intérêts. L'arbre nous protège* **du** *soleil. Elle se protégeait de la pluie avec un vieil imperméable. Ce mur nous protège contre le vent* ou *du vent.* On prendra garde que *de* peut aussi exprimer le moyen : *De son corps il protégeait l'enfant.*
Noms composés : cf. Noms composés, B, 5, p. 626.

Protestation, n.f. On dit fort bien : *Élever une protestation.*

Protester, v.tr.dir. ou intr. ou tr.ind. *On proteste de ses bonnes intentions, contre un abus.* Vieilli, *protester que* (et l'indicatif), donner l'assurance que. *On proteste un effet de commerce,* on fait *un protêt,* on fait constater qu'il n'y a pas eu paiement à l'échéance.

Prou, adv., est un vieux mot français qui a signifié « profit », puis « beaucoup » et ne s'emploie plus guère qu'en littérature, dans deux expressions : *Peu ou prou. Ni peu ni prou.*

Prouver, v.tr.dir. *Tout prouve qu'il a raison. Rien ne prouve qu'il a* (ou *ait*) *raison.*

Province, n.f. Il faut dire : *Province de Brabant, de Hainaut, de Limbourg, de Luxembourg,* quoiqu'on dise à bon droit : *Le Brabant,* etc. et donc *Le Conseil provincial du Brabant,* etc.

Proviseur, n.m., ne désigne pas en Belgique le directeur d'un lycée mais l'adjoint du préfet. Cf. ce mot.

Provisionner, v.tr.dir., est courant, dans le langage bancaire, à propos d'un chèque : « *Chèque certifié,* chèque qui est revêtu par le tiré (la personne devant effectuer le paiement) d'une mention certifiant qu'il est dûment *provisionné...* » (GLE, au mot *Chèque*).

Provocant, adj. ; **provoquant,** part. prés.

Prude, adj. et n., peut se dire, surtout comme adj., des hommes, mais se dit surtout des femmes. On dit aussi : *un air prude, des manières prudes.*

Prud'homme, n.m., **prud'homie,** n.f. Mais on écrit **prudhommesque** ; cet adj., venant de Joseph Prudhomme, héros de Henri Monnier, signifie : à la fois sentencieux, emphatique, banal et ridicule. Cette attitude, ce caractère, ce langage s'appellent **prudhommerie**, n.f. La **prud'homie** (ou **prud'hommie**, Ac., 1975) désigne la juridiction des **prud'hommes**, des experts.

Pruneau, n.m., désigne en français une prune séchée. En Belgique et en Suisse, un fruit frais, une sorte de prune.

Pseudo-, préfixe invariable, s'unit par un trait d'union au mot avec lequel il forme un composé, si ce mot existe isolément : *le pseudo-classicisme, des pseudo-républicains, une pseudo-membrane, la littérature pseudo-classique.* Avec majuscule : *le Pseudo-Denys.* Mais on écrit : *pseudonyme, pseudopode,* etc.

Psychédélique (pron. « ké »), adj. emprunté récemment à l'américain, se dit proprement de l'état psychique résultant de l'absorption de drogues hallucinogènes ou de drogues provoquant cet état. Couramment, il se dit de ce qui évoque les visions propres à cet état et s'applique à des dessins, à un spectacle, à une musique, à un éclairage, etc.

Psychiatre, n., **psychiatrie**, n.f. (pron. « ky »), n'ont pas d'accent circonflexe.

Psychologie, n.f., s'emploie couramment en dehors du nom de la science (*psychologie expérimentale, appliquée, animale,* etc.) : *Ce romancier excelle à analyser la psychologie féminine* (Ac.). *Avoir de la psychologie, Manquer de psychologie* (Ac.). *La psychologie d'un roman, d'un romancier, de ses personnages. La psychologie de la bourgeoisie.*

Familièrement, on va jusqu'à employer *psychologie* dans le sens de *mentalité* ou de *comportement* en parlant d'une personne et non plus d'un groupe ou d'un personnage littéraire.

Psychologique, adj. *Le moment psychologique* est le moment le plus favorable pour une action.

Psychose, n.f., désigne couramment une idée fixe, une obsession.

Publiciste, n.m., ne s'emploie plus dans le sens de « spécialiste du droit public », est vieilli dans celui d'« écrivain qui s'occupe de politique ou d'économie », tend à vieillir dans celui de « journaliste » et à se prendre abusivement, mais de plus en plus, dans celui d'« agent de publicité », ou de **publicitaire**, n.m. désignant un spécialiste de la publicité, un agent publicitaire.

Public relations, n.f.pl. À traduire par *relations publiques*.

Pudding, n.m. d'un gâteau. Ne pas écrire *pouding*.

Pugnace, adj., **pugnacité**, n.f. Prononcer *g + n*.

Puis, adv. On peut dire : *Et puis* ou, en interrogeant : *Et puis ?* Mais on n'imitera pas les intellectuels qui disent : *(et) puis après, (et) puis ensuite, puis alors, puis ensuite.*

Puisque, conj. (plus souvent en seconde position, comme *car*), est plus proche de *car* que de *parce que*. Cf. CAR. Alors que *parce que* donne l'énoncé objectif de la cause, *puisque* présente comme une cause ayant une conséquence logique, dans un raisonnement justificatif, un fait auquel l'interlocuteur lui-même peut se référer, parce qu'il est antérieur, connu, déjà énoncé comme tel ou constaté, vérifiable, admis ou supposé tel : *Il ne pourra venir, puisqu'il est malade* suppose que l'interlocuteur sait que cette personne est malade. *N'en parlons plus, puisque cela vous agace. Puisque personne ne vous attend, restez avec nous. Pourquoi ne viendriez-vous pas, puisque vous êtes libre ? Vous voyez bien qu'il m'en veut, puisqu'il ne m'a pas salué* ; on n'introduit pas la cause de *il m'en veut*, mais le fait connu qui permet de dire : *Vous voyez bien qu'il m'en veut. Je n'en avais nul droit, puisqu'il faut parler net* (La Fontaine, *Les animaux malades de la peste*) ; *puisque* renvoie à ce qu'a dit précédemment le lion : chacun doit être sincère.

Comparer : *Je ne nierai pas mes responsabilités, car je ne veux rien cacher. J'ai finalement cédé parce qu'il insistait. J'ai finalement cédé, puisqu'il insistait.* On voit que *puisque*, outre sa référence à un fait connu, ce qui le distingue de *car*, exprime quelque chose de plus subjectif que ne le ferait *parce que*, une relation plus impérieuse, aux yeux du locuteur, de cause à effet : il ne pouvait pas faire autrement. Notons que l'évidence exprimée par *puisque* empêche de la souligner en le faisant précéder de *c'est*, comme on peut le faire avec *parce que* : *C'est parce que je n'avais pas le temps que je ne suis pas venu.*

Dans des exclamations ayant valeur de proposition principale : *Mais puisque je vous le dis ! Mais puisqu'il n'en veut pas !*

Ellipse du sujet et du verbe *être*, moins courante et plus critiquée qu'après *parce que*. Cf. ce mot.

Élision de *e* : cf. ÉLISION, 3.

Puisque aussi bien : cf. AUSSI BIEN.

Puits, n.m. *Puits perdu* est synonyme de *puisard* et non de *fosse septique* ; celle-ci ne recueille que les eaux des cabinets.

Pull-over, n.m., peut s'abréger en *pull*, n.m. ; c'est une sorte de chandail, qu'on met et qu'on retire en le faisant passer par-dessus la tête. *Des pull-overs. Des pulls.*

Pulluler, v.intr., a pour sujet ce qui se répand avec profusion : *Les lapins pullulaient dans ces bois.* Tandis qu'*abonder* peut avoir pour sujet un lieu ; cf. ABONDER.

Pulvériser, v.tr.dir., a des compléments d'objet très divers : *Pulvériser de la craie, du parfum, un insecticide, un objet, l'ennemi, un adversaire, des objections. Pulvériser un record* est familier. *Pulvériser une vigne, les arbres fruitiers, des légumes* est critiqué, mais ce sens, équivalant à « pulvériser un produit insecticide sur une vigne, des plantes », est devenu courant.

Pulvérulent, adj., évoque l'idée de poudre, de poussière, non celle de *pestilence* ni de *pus* (*purulent*) : *Une chaux pulvérulente, un insecte pulvérulent.*

Punaiser, v.tr.dir., fixer au moyen de punaises. *Il a punaisé aux murs des photos de starlettes. Punaiser des photographies sur les murs* (M. Butor, *Passage de Milan*, 10/18, p. 37).

Punch, n.m., se prononce différemment selon qu'il s'agit d'une boisson — on prononce « ponch(e) » — ou d'une qualité sportive, de dynamisme (pr. « unch » comme « œu + nch »).

Punir, v.tr.dir. *On punit un délit, un coupable, on punit qqn de qqch., on punit qqn de cinq ans de prison, on punit qqn de sa négligence* ou *pour sa négligence. Il est puni de son insolence. La mort l'a puni de son crime. Il a été puni de sa présomption. Il a été puni de réclusion. Il est puni par où il a péché.*

Pupille, n.m. ou f. *Ille* se prononce beaucoup plus souvent comme dans *fille* que comme dans *fil*, quel que soit le sens du mot : orphelin(e) mineur(e) en tutelle (ou enfant pris en charge par une collectivité) ou *la pupille* (la prunelle) *de l'œil* (au centre de l'iris).

Pupitre, n.m. Pas d'accent circonflexe.

Purette, n.f. Le français dialectal de Wallonie dit [*en purette*] pour *en bras* (ou *en manches*) *de chemise.*

Purgatoire, n.m. On dit beaucoup plus souvent *en purgatoire* que *au purgatoire. — Faire son purgatoire sur terre.*

Purge, n.f., peut s'employer pour *un purgatif, un remède purgatif.* On ne parle plus dans ce sens de *purgation*, qui a d'ailleurs vieilli, même dans le sens de « action de purger ».

Purger, v.tr.dir. *On purge un malade, une substance, un radiateur, une conduite d'eau, l'esprit, les passions.* On ne dit pas que qqn [*a purgé*]. On dit qu'*il s'est purgé*, que *son médecin l'a fait purger* (omission du pr. réfléchi après *faire*). *On purge* aussi *une peine, une condamnation, une hypothèque.*

Pur-sang, n.m., est invariable et s'écrit avec un trait d'union : *Des pur-sang.* Mais : *des chevaux de pur sang. Des chevaux pur-sang.*

Puzzle, n.m., se prononce généralement à l'anglaise (« pœzl »).

Pygmée, n.m., désignant des individus de petite taille, ne prend pas la majuscule : *Il a rencontré des pygmées.* **Adj.** *Un village pygmée, une femme pygmée.*

Pylône, n.m. *Le pylône d'un temple égyptien. Les pylônes d'un pont. Des pylônes de haute tension.*

Pyrrhonien, adj., relatif à Pyrrhon, fondateur d'une école de scepticisme : *École pyrrhonienne.*

Pythique, adj. *Les jeux Pythiques,* célébrés à Delphes en l'honneur d'Apollon Pythien. *Les odes pythiques* ou *les Pythiques* de Pindare.

Q

Quadr-. Il y a de l'hésitation, à des degrés variables, dans la **prononciation** de presque tous les mots commençant par *quadra* ou *quadri* ou *quadru*. On prononce presque toujours « Kwa » dans *quadragénaire, quadragésime, quadrangulaire, quadratique, quadrature, quadrichromie, quadriennal, quadrifide, quadrifolié, quadrijumeaux, quadrilatère, quadrisyllabe, quadruple* (bien que dans *quadrupler, quadruplé* on prononce souvent «ka »).

On prononce toujours « ka » dans *quadrille, quadriller, quadrillage,* presque toujours dans *quadrant*, un peu plus souvent que « kwa » dans *quadrimestre, quadrupède, quadrupler, quadruplé.* Par contre, « kwa » est un peu plus fréquent dans *quadrige, quadriréacteur, quadrimoteur, quadriparti, quadripartite.*

Quadripartite, adj. Cf. BIPARTI.

Qualification, n.f., peut se dire en parlant d'un ouvrier ou d'un sportif.

Qualifier, v.tr.dir., se construit généralement avec *de* devant le nom de la qualité présentée comme attribut : *On le qualifie **de** duc, de baron* (Ac.). *Il se qualifie de marquis* (Ac.). *Qualifier qqn de fourbe, d'imposteur* (Ac.). *L'ouvrage fut qualifié d'hérétique* (Ac.). *L'homicide commis volontairement est qualifié de meurtre* (Ac.).

La construction sans *de* est vieillie. Donnée encore par l'Académie (*Un fait qualifié crime ; les lettres du roi, l'arrêt le qualifient chevalier*), elle se trouve surtout chez G. Duhamel : *Votre acte essentiel est pourtant de ceux que je qualifie créateurs* (*Paroles de médecin,* p. 178). *Un sentiment qu'il eût été bien téméraire de qualifier amical* (*Le voyage de Patrice Périot,* p. 214).

L'expression **qualifier qqch.** s'emploie surtout, sans qu'on nomme la qualité, pour un jugement très sévère : *Une conduite qu'on ne saurait **qualifier*** (Ac.).

Qualifier qqn pour qqch. : *Son indépendance le qualifie pour parler en notre nom. Il est peu qualifié pour le dire. Un coureur qualifié pour les championnats.*
Se qualifier : *Cette équipe s'est **qualifiée** pour la finale.*

Quand, adv., s'emploie fort bien dans l'interrogation directe, avec *est-ce que* (cf. Est-ce que) ou avec les prépositions *à, de, depuis, jusqu'à, pour* : *Quand est-ce que vous viendrez* ? *De quand est ce journal* ? *Pour quand me promettez-vous une réponse* ? (Ac.) *À quand notre prochain rendez-vous* ?
L'emploi de *quand* après ces prépositions paraît familier lorsqu'une question ne porte pas vraiment sur l'adverbe : *Est-ce que vous voulez apprendre à danser pour quand vous n'aurez plus de jambes* ? (Molière, *Le bourgeois gentilhomme*, III, 3). *Une chanson de quand j'étais petite* (Colette, *O.C.*, II, p. 398). *Il avait cette expression laide et touchante de quand il était enfant* (Fr. Mauriac, *Le nœud de vipères*, ch. XVII).
Quand, **conj.,** marque le temps (comme *lorsque*) et ne se confond pas avec *si,* sauf dans certains cas comme les suivants : *Si je sortais, tout le monde se mettait aux fenêtres. Quand je dis oui, elle dit non* (chaque fois que...). Cf. Si, conj., B, 4, p. 862.
Mais on distingue *Quand il ne pleuvra plus, je sortirai* et *S'il ne pleut plus, rien ne m'empêchera de sortir.* On remarque la symétrie des temps entre la principale et la subordonnée introduite par *quand.* Celui-ci peut aussi introduire un fait antérieur : *Quand il eut terminé, chacun se demanda ce qu'il avait voulu dire.*
Quand je vous (le) disais que exprime familièrement l'idée « j'avais bien raison de vous dire que » : *Il a encore raté son train* : *quand je vous disais qu'il est toujours en retard* (GLLF). Avec une valeur exclamative : *Quand je pense que j'étais prêt à lui faire confiance* (et dire que...) !
Quand peut avoir le sens d'**alors que**, marquant à la fois le temps et l'opposition de deux réalités : *Vous m'offrez du brouet quand j'espérais des crèmes* (E. Rostand, *Cyrano*, III, 5). L'opposition peut aussi se faire avec **quand même, quand bien même, même quand** (alors que, alors même que, lors même que) : *Je sais que les hommes ne sont que des hommes, quand bien même ils sont très grands* (G. Duhamel, *Les maîtres*, p. 147). *J'ai l'esprit d'austérité, quand bien même j'ai la passion de l'abondance* (G. Borgeaud, *Le voyageur étranger*, p. 47).
Mais *quand même* et *quand bien même* s'emploient surtout avec le conditionnel pour introduire une condition considérée comme irréelle et qui serait sans influence : *Quand même je le voudrais, je ne le pourrais pas.* Avec deux verbes subordonnés : *Quand même vous me le demanderiez et que je le voudrais, je ne le pourrais pas.* On peut employer *quand* dans le même sens.
Quand même peut aussi s'employer absolument, comme locution adverbiale, au sens de « malgré tout » : *Une chose étrangère et qui m'intéressait quand même au plus haut point* (G. Duhamel, *Biographie de mes*

fantômes, p. 103). *On me le défend, mais je le ferai **quand même**.* Familièrement, au sens de « il faut l'avouer, à vrai dire » : *C'est **quand même** un peu raide !* Ou en guise de protestation : *Vous n'allez pas faire ça, **quand même** !*

Quant s'écrit avec *t* dans la loc. prép. **quant à**, pour ce qui est de : *Quant à moi.* Ne pas dire [*tant qu'à moi*], qui est populaire ou dialectal. Cf. TANT, 5, p. 906.

Quant-à-soi, n.m.inv. : *Le quant-à-soi. Son quant-à-soi. Tenir, garder son quant-à-soi,* une attitude réservée, distante. *Rester sur son quant-à-soi.* On a pu dire autrefois : *mon quant-à-soi* ou *son quant-à-moi.*

Quantième, adj. et n., est vieilli. Cf. COMBIEN, 2.

Quantum, n.m., **Quanta.** *Le tribunal a fixé le quantum des dommages. La théorie des quanta.*

Quart, n.m. Cf. HEURE. *Un quart de beurre,* c'est 125 grammes. *Un quatre-quarts. Un trois-quarts,* n.m.

Quarteron, n.m., désigne proprement le quart d'un cent (*un quarteron d'œufs*) ; il peut se dire d'un petit nombre, d'une poignée, et est souvent péjoratif : *Un quarteron de généraux.*

Quartette, n.m. Pron. : « kwartet' ».

Quartier, n.m., est loin de désigner nécessairement un quart : *Un quartier d'orange. Des quartiers de viande* ou *de bœuf. Un quartier bourgeois. Le quartier des condamnés à mort.* Belgicismes : [*Quartier à louer*] pour *appartement à louer.* [*Fille de quartier*] pour *femme de charge, bonne.*
On écrit : *le quartier général* (en abrégé Q.G.).

Quasi, adv. (pron. « ka ») est joint par un trait d'union au nom auquel il se combine (*un quasi-délit, des quasi-délits, une quasi-possession*), mais non à l'adjectif ni à l'adverbe qu'il accompagne (*quasi impossible, quasi achevé, quasi jamais ; ce quasi demi-siècle*).

Quasiment, adv., vieillit plus que *quasi* et est plutôt familier : *Il avait quasiment fini,* presque fini.

Quatre, adj. numéral. Cf. ESCALIER, ŒIL. **Le quatre heures, son quatre heures** s'entendent non seulement en Belgique mais aussi assez largement en France (en dehors du français soigné) lorsqu'on parle du goûter des enfants : *Son quatre heures* (H. Pourrat, *Trésor des contes*, III, p. 120). *Vers cinq heures, quand les gouvernantes ont appelé les enfants pour « leur quatre heures »...* (G. Cesbron, *Les innocents de Paris*, Poche, p. 85).

Avec un trait d'union : *Elle n'apporta pas le quatre-heures* (Giono, *L'oiseau bagué*, Folio, p. 53). On trouve aussi, dans des français régionaux de France, *faire quatre heures*, se disant de ceux qui prennent leur goûter en dehors de chez eux.

Quatre-vingts. Cf. CENT.

Que, adv., introduit une phrase exclamative avec le sens de **combien** (*Que de discours ! Qu'il fait beau ! Que le vent est tiède !*). Familier dans le même sens et le même emploi devant un verbe, *ce que* : *Ce qu'il est bête ! Ce qu'on s'embête ici !* Populaire, dans le même sens, *qu'est-ce que* ; cf. CE, 10.

Que a le sens de **pourquoi** dans une interrogation directe dont le sujet est un pronom personnel, *ce* ou *on* : *Que ne l'a-t-il dit ?* Parfois aussi, *que* a le sens de **combien** dans une interrogation directe : *Que gagne-t-il par mois ?* Cf. NE employé seul, 4, b (*Que ne le disiez-vous plus tôt ?*) et NE PAS, 3 (*Que de fois ne l'ai-je pas regretté !*).

Que, pronom. 1. **Pron. interr.** neutre : *Que dites-vous ? Que faire ? Que dire d'autre ? Que devenir ? Que devient-il ? Qu'est-ce qu'il dit ? Il ne sait que dire. Que se passe-t-il ? Que vous en semble ? Que sert-il* (à quoi sert-il) *de se fâcher ? Qu'importent ses intentions ? N'avoir que faire de qqch.* Dans son emploi en interrogation indirecte après *savoir*, *que* est souvent remplacé par *quoi* dans la langue familière : *Il ne sait quoi faire.* Cf. QUOI, B, 2.

2. **Pron. relatif** : *L'enfant que j'étais. Insensé que je suis. En bon juge qu'il était. L'homme que j'ai vu. Le chien que j'ai soigné. Fais ce que je te dis. Faites ce que bon vous semblera. Advienne que pourra. Il est innocent, que je sache. Les cent francs que cela m'a coûté.*

Voir plus loin (QUE, *conj.*, 5) les remarques relatives à la succession de deux *que*, l'un pronom relatif, l'autre conjonction, ou de *que* et *qui*, tous deux pronoms relatifs.

Concurrence entre que et dont ou bien où. Le moyen âge et la langue classique ont souvent substitué *que* à *dont* ou bien à *où* ou à un pronom relatif précédé d'une préposition (*dans lequel*, etc.) : *Me voyait-il de l'œil qu'il me voit aujourd'hui ?* (Racine). *Du temps que les bêtes parlaient* (La Fontaine). Aujourd'hui, d'une part la langue populaire emploie volontiers ce tour [*L'endroit que je l'ai rencontré. Le livre qu'il a besoin*] et d'autre part la langue littéraire veut parfois rester fidèle à cet ancien usage en employant *que* au lieu de *où* : *L'hiver qu'il fit si froid* (Ac.). *Le jour que cela est arrivé* (Ac.). *Au moment que je le reverrai* (Ac.). *Au moment qu'il allait entrer (...). Certaine nuit que devait venir l'enlever son amant* (A. Gide, *Isabelle*, Poche, pp. 95, 112).

L'usage normal est pourtant d'employer *où*. On notera toutefois qu'on doit employer *que* après certaines expressions marquant le temps, comme *aujourd'hui, à présent, maintenant, chaque fois, la première fois, il y a deux ans* ou *longtemps, voici* (ou *depuis*) *deux ans, voilà longtemps* : *Maintenant qu'il est là. Il y a un mois que je ne l'ai vu. Depuis trois ans qu'il vivait à l'étranger. Chaque fois que je l'ai vu.* — Cf. Cᴇ, 6 : *C'est à vous que je parle. C'est en classe seulement qu'il est obéissant. C'est là que je l'attends.*

Que, conjonction, introduit des propositions subordonnées, à l'indicatif (*Je sais qu'il est là*), au conditionnel (*Je sais qu'il accepterait*) ou au subjonctif (*Je veux qu'il s'en aille*) ou des propositions indépendantes (*Qu'il s'en aille !* Cf. Sᴜʙᴊᴏɴᴄᴛɪꜰ. Avec l'indicatif, cf. plus bas).

1. Notons seulement **quelques emplois** :

a) On dit : *Si j'étais que de vous* (Ac.) ou plus souvent : *Si j'étais de vous* (Ac.). Cf. Êᴛʀᴇ, 16.

b) En tête d'un chapitre, comme si l'on disait « où l'on va voir » : *Que la nature est corrompue* (Pascal).

c) Il introduit une subordonnée apposée à un nom ou complément d'un nom : *L'idée qu'il s'en ira me fait de la peine. Le fait qu'il soit parti* (cf. Fᴀɪᴛ, nom, 1) *Dans l'espoir qu'il viendra. À la nouvelle qu'il était parti.*

d) *Ne pas laisser de* ou *que de* . Cf. Lᴀɪssᴇʀ, 3.

e) *C'est une belle chose (que) de garder le secret. C'est un grand défaut que l'avarice.* Cf. Cᴇ, 7, pp. 205-208.

f) *Que* peut précéder *si* en tête d'une phrase : *Que si vous m'objectez...* Autre emploi devant les adverbes *si, oui, non* : *Oh ! que si !*

g) Dans des systèmes hypothétiques : *Vous me le refuseriez, (que) je n'en serais pas étonné.* Cf. Sɪ et Iɴᴠᴇʀsɪᴏɴ, C, 4 et 5, pp. 519, 520.

h) Après un nom comme après un verbe, et suivi du même mode éventuellement : *La certitude qu'il était là* (*J'étais certain qu'il était là*). *L'espoir qu'il viendra* (*J'espère qu'il viendra*). *La crainte qu'il ne s'en aille* (*Je crains qu'il ne s'en aille*).

i) Éviter de doubler inutilement *quel* ou de réduire *est-ce que* à *que* dans l'interrogation . [*Quel âge qu'elle a ? Comment que tu vas ?*] au lieu de *Quel âge a-t-elle ? Comment vas-tu ?* ou *Comment est-ce que tu vas ?* Cf. Esᴛ-ᴄᴇ Qᴜᴇ.

2. **Succession immédiate de deux** *que.* On ne joint pas un *que* amené par un comparatif ou un adverbe et un *que* introduisant une complétive : [*Je ne demande pas mieux que que ça dure*]. Comparez : *Je ne demande pas mieux qu'un prolongement.*

Exceptionnellement, on n'emploie qu'un seul *que* : *Je ne demande pas mieux que ça dure. Il ne manquerait plus qu'il soit malade. Quoi de plus naturel qu'il le fasse ?*

Mais généralement on change le tour de la phrase. Cf. Vᴀʟᴏɪʀ, Aɪᴍᴇʀ, 4, *Aimer mieux,* Dᴇᴍᴀɴᴅᴇʀ, 3. Cf. plus loin, 5.

3. *Que* **remplaçant une conjonction.**

A. Que, employé **pour éviter la répétition** d'une conjonction ou d'une locution conjonctive comprenant *que* (*comme, lorsque, quand, quoique, puisque, avant que, depuis que,* etc.) est suivi du même mode qu'elle :

Comme il se faisait tard et que nous n'avions plus de lumière... Bien qu'il fasse beau et que nous ayons le temps...

La grammaire normative prétend — non sans un certain succès — imposer une exception : *que* remplaçant (souvent après *et, ou, mais*) le *si* conditionnel ou *comme si* doit en principe être suivi du subjonctif : *S'il vient me voir et qu'il se plaigne...* (à côté de : *s'il vient me voir et s'il se plaint*). *Comme si le danger était écarté et qu'on pût se dispenser de toute vigilance.*

Cet emploi du subjonctif n'est certes pas rare en littérature. Même chez Giono, qui ne craint pas de prendre des libertés, on trouve : *Si par malheur j'avais attiré l'attention sur lui, et que j'aie parlé de ce vermillon (...) et que je dise...* (*Noé*, Poche, p. 49). Et chez Céline, pourtant infiniment plus libre encore : *Comme si les paysans étaient partis et qu'ils nous eussent laissé en confiance tout ce qu'ils possédaient* (*Voyage au bout de la nuit*, Folio, p. 22).

Mais l'usage courant ne craint pas d'employer dans ce cas l'indicatif et celui-ci ne peut, me semble-t-il, être considéré comme fautif. Il se rencontre d'ailleurs chez des écrivains classiques, malgré les prescriptions de Vaugelas. Il est loin d'être rare dans la littérature contemporaine, même chez d'excellents auteurs, et plusieurs grammairiens l'autorisent. Rien de choquant, à mon sens, dans des phrases comme celles-ci : *Si l'affaire lui paraît plus grave que la sienne et que la sanction n'a pas été trop sévère, elle se reprend à espérer* (R. Floriot, *La vérité tient à un fil*, Poche, pp. 139-140). *Comme s'il avait été l'organisateur de cette diversion et qu'il n'avait jamais douté de l'effet qu'elle produirait* (E. Charles-Roux, *Oublier Palerme*, Poche, p. 136). *Si elle vous quitte et que vous savez pourquoi, je vois mal ce que je peux ajouter (...). Ils continuaient à se parler de profil comme si le chanteur ne s'était pas tu et qu'un invisible spectacle se déroulait dans le salon* (Fr. Sagan, *Les merveilleux nuages*, Poche, pp. 73, 99). Grevisse (*B.U.*, n° 2699) cite d'autres auteurs employant l'indicatif : Claudel, Léautaud, Troyat, Vialar, de Gaulle, Cesbron, Green, Brasillach, Mauriac, etc.

On a prétendu que le subjonctif était justifié par une perte, à distance, de la valeur de *si* ou par une valeur particulière de *que*, perçu dans ce cas comme signifiant « en supposant que ». En fait, comme dans les autres emplois similaires, *que* est perçu avec la valeur de la conjonction qu'il remplace.

Ajoutons qu'à vouloir imposer le subjonctif après *que* remplaçant un *si* conditionnel, on a provoqué des emplois analogiques, mais peu justifiables, du subjonctif après *que* remplaçant un *si* qui n'a pas cette valeur, soit qu'il signifie « chaque fois que », soit qu'il ait le sens de « s'il est vrai que » (cf. SI, *conj.* B. 1, 4). C'est l'indicatif qui est alors normal : *Si on l'interrogeait et qu'on lui laissait le temps de réfléchir, il répondait judicieusement.* Grevisse (*B.U.*, n° 2700) cite des exemples de Voltaire, Montesquieu, Gandon, employant dans ce cas le subjonctif malgré le sens de

« chaque fois que », mais note qu'on rencontre aussi l'indicatif. C'est celui-ci qui est normal, vu le sens temporel. A fortiori dans le sens de « s'il est vrai ». Cf. Sı, *conj.*, pp. 861-862.

B. *Que* peut être employé **au lieu de diverses conjonctions ou locutions conjonctives non exprimées précédemment**, à condition que le sens soit clair. Il se construit alors comme les conjonctions dont il tient la place. Il peut notamment introduire :

a) Avec le sens de *alors que, quand, pendant que*, un fait simultané ou immédiatement postérieur à un autre : *Il parlait encore que je lui avais déjà tourné le dos. Il avait à peine dit cela que la porte s'ouvrit.*

b) L'explication d'une principale interrogative ou exclamative qui précède : *Vous l'aviez donc prévenu, qu'il a devancé mes objections ?*

c) Une ou plusieurs hypothèses au subjonctif : *Qu'il m'écrive et je lui répondrai. Qu'il l'ait fait ou qu'il l'ait laissé faire, il a eu tort.*

d) Familièrement, une proposition consécutive à l'indicatif en supprimant la corrélation avec *tant, tellement,* etc., qui marquent un degré : *Il souffre que cela fait peine à voir* au lieu de : *Il souffre tant que...*

e) Une proposition au subjonctif qui pourrait être introduite par *de peur que, avant que, sans que* et où l'emploi nécessaire de *ne* fait apparaître le sens de *que* et la valeur négative de la proposition subordonnée. *Ne* n'est donc pas explétif. Il convient de faire une distinction.

Après un impératif ou un tour équivalent, *que* peut remplacer *pour que, afin que* ; s'il s'agit d'éviter une chose, celle-ci est niée avec *ne pas* : *Viens me voir, que nous réglions cela. Couvrez-le, qu'il ne prenne pas froid. Tu mettras cet argent de côté, que tu ne sois pas encore pris au dépourvu. Ferme la porte, qu'on ne nous entende pas.*

Si *que* signifie *de peur que* (tour littéraire), la négation est nécessaire, mais elle est réduite à *ne*, qui n'est pas explétif et révèle le sens de *que*. Sans lui, *que* pourrait parfois signifier *afin que, pour que : Sors vite, que je ne t'assomme* (Molière). *Fuyez, qu'à ses soupçons il ne vous sacrifie* (Corneille).

Après une principale négative, *que* peut remplacer *avant que* ou *sans que* et est toujours suivi de *ne*, qui est nécessaire et non explétif. Cette négation fait apparaître le sens négatif de la proposition et la corrélation entre celle-ci et la principale : *Il n'avait pas voulu partir que tout ne fût réglé* (avant que tout fût réglé ; corrélation entre *il ne voulait pas partir* et *tout n'était pas réglé*). *Il ne levait jamais les yeux que son regard ne croisât celui de Joseph* (J. Green, *Moïra*, Poche, p. 26). Ici, *que* signifie *sans que* ; corrélation entre *il ne levait pas les yeux* et *son regard ne croisait pas celui de Joseph* comme entre *chaque fois qu'il levait les yeux* et *il rencontrait le regard de Joseph. On ne peut désespérer qu'on n'ait conservé* (sans avoir conservé) *quelque lien avec l'espérance* (H. Bosco, *L'antiquaire*, Folio, p. 116).

Que remplace *avant que* après l'expression **n'avoir de cesse que** suivie d'un *ne* nécessaire et figé (cf. Avoir, 12) : *Il n'aura point de cesse **que** vous **ne** lui ayez donné ce qu'il demande* (Ac.). Mais ici encore on perçoit la même corrélation montrant que *ne* n'est pas explétif mais est employé seul avec un sens vraiment négatif : n'avoir pas de cesse (de répit) durera aussi longtemps que ne pas donner ce qu'il demande.

Ces emplois de *ne* vraiment négatif mais employé seul se rapprochent des nombreux cas où on le trouve après une négation. Cf. Ne *employé seul*.

f) Une proposition causale, que pourrait exprimer *parce que*, soit après *c'est* (*Si je vous le dis, **c'est que** je le pense*), soit avec *non pas que, non point que, ce n'est pas que, non que*, expressions négatives qui, lorsqu'on remplace *parce que* par *que*, sont suivies du subjonctif : *Il le fera ; **non qu'il** y **soit** résolu, mais parce que les circonstances l'y amèneront.*

Je ne place pas parmi ces propositions causales celles où *que* est un pronom relatif suivant un adjectif ou un participe et introduisant une explication : *Il ne nous regardait plus, **fier qu'il était** de son nouveau titre. Ils ne vous accorderont qu'un instant, occupés qu'ils sont par leur travail.*

4. *Que* introduit le subjonctif dans une **proposition indépendante ou principale** : *Qu'il vienne ! Moi, que je fasse une chose pareille !* Cf. Subjonctif, p. 885.

Si *que* en tête de phrase introduit par anticipation une proposition complétive, le verbe de celle-ci est au subjonctif (puisque le fait est comme en suspens) et l'idée est reprise dans la principale sous la forme d'un pronom neutre ou d'un nom ayant un sens très général comme *le fait, la chose,* etc. ; cette reprise n'a pas toujours lieu quand la subordonnée est sujet. *Qu'il **ait** tort, j'**en** suis persuadé* (Comparez : *Je suis persuadé qu'il a tort*) ou *je le crois* ou *la chose est certaine*. Moins souvent : *Qu'il **ait** tort **est** certain*. Courant : ***Que** je l'**aie** fait cependant, **cela est** sûr.* (J. Green, *Partir avant le jour*, Poche, p. 137).

Parfois l'indicatif est très normalement substitué au subjonctif pour souligner la certitude, par exemple devant *savoir, croire,* etc. : *Qu'elle mentait, nous le savions depuis longtemps. Que tu **as** le droit de te plaindre est un fait. Qu'un jour **viendrait*** (ind. futur du passé) *où il ferait faux bond, nous en étions assurés.* Conditionnel : *Que tu **serais** capable de le faire, je le sais.*

5. **Que... que, que... qui.** Cf. 2, succession immédiate de deux *que*. Il est normal de dire : *Le diamant que vous voyez que mon père a au doigt* (Molière, *L'avare*, III, 12) ; le premier *que* est un pronom relatif, le second est une conjonction. D'où l'accord dans : *La faute qu'il croit que j'ai commise*. De même avec un pronom interrogatif : *Que voulez-vous qu'il fasse ?*

Plus délicate est la **succession de *que* et *qui***, tous deux pronoms relatifs. Dans le second de ces vers de Verlaine : *Que ton vers soit la chose* *envolée Qu'on sent qui fuit d'une âme en allée Vers d'autres cieux*, on retrouve l'équivalent de *On la sent qui fuit.* Comparez : *Qu'on sent fuir.* Mais ce tour n'a pas été réservé aux verbes de perception ; on le trouve, dès le moyen âge et à l'époque classique aussi bien qu'aujourd'hui, avec des verbes exprimant une opinion, une volonté, etc. Il est lourd, mais correct : *Fais-nous un peu ce récit qu'on m'a dit qui est si plaisant* (Molière, *Les Fourberies de Scapin*, III, 1). *On lui mit par écrit ce que l'on voulait qui fût dit* (La Fontaine, *Fables*, IV, 12). *Ne t'attache en toi qu'à ce que tu sens qui n'est nulle part ailleurs* (A. Gide, *Nourritures terrestres*, Préface). On trouve aussi le pronom interrogatif *qui* suivi du relatif *qui* : *Qui croyez-vous qui l'a dit ?* Cf. à DONT, 4, la possibilité de recourir à d'autres tours.

6. **À ce que** et **de ce que**, loc. conj., sont très courants, parfois au lieu de *que*, après de nombreux verbes ou certaines expressions se construisant respectivement avec *à* ou avec *de* : *Il s'attend à ce que je vienne* à côté de *Il s'attend que je vienne. Il n'y a rien d'étonnant à ce qu'il se soit trompé. Il se plaint de ce que je ne l'ai pas averti* à côté de *Il se plaint que je ne l'aie pas averti. Il est reconnaissant de ce qu'on l'a invité.* À distinguer de *Il est reconnaissant de ce qu'on a fait pour lui*, où l'on a un *que* pronom relatif ayant *ce* pour antécédent.

On trouvera ces mots à leur rang alphabétique, avec des indications sur l'emploi des modes qui sont parfois en concurrence après *de ce que* : *Il s'étonne qu'on ne l'ait pas invité. Il s'étonne de ce qu'on ne l'a pas invité* ou *de ce qu'on ne l'ait pas invité.*

7. Cf. ASSEZ, 3, CONDITIONNEL, CONTRAIRE, MÊME, 3, NE, SI, TROP.

Québec. Dérivés : *québécisme*, n.m., fait de langue propre au français du Québec ; *québécois*, adj., *Québécois*, n.

Quel, adj. ou pronom. 1. **Adj. interrogatif** : *Quels fruits choisissez-vous ? À quelle heure viendrez-vous ? Quel est ce clocher ? Quel est cet homme ?* (En concurrence avec *Qui est cet homme ?* Cf. QUI, 2, pr. *interrogatif*). *Quel jour sommes-nous ? En quel honneur ce dîner ?* (en l'honneur de qui ou de quoi). *Quel travail fait cet homme ? Quelle heure est-il ? Quel mariage a eu lieu ce matin ? Quelle folie l'a pris ?* ou *lui a pris ?* Cf. PRENDRE. *Quel âge a cet enfant ? Quel âge cet enfant a-t-il ? On demande quels livres il a lus.* Cf. INTERROGATION, 1, 2, INVERSION.

2. **Adj. exclamatif** : *Quelle chaleur ! Quelle belle ville !* Notons qu'on dit avec l'article : *La belle histoire !* ou *La belle histoire que voilà !* mais : *Quelle belle histoire !*

3. **Adj. indéfini** : *Quelle que soit la solution* (cf. QUELQUE, A). *Tel quel. Je ne sais quel*, on ne sait quel, Dieu sait quel, etc. : *Il y avait là je ne sais quelle odeur. Avec on ne sait quelle joie. Dans n'importe quelle circonstance.*

785

4. **Pronom interrogatif.** *Quel* pouvait autrefois s'employer pour *lequel* : *Je viens vous annoncer la meilleure nouvelle du monde.* — *Quelle ?* (Molière.) Certains écrivains emploient encore ce tour archaïque : *Quel des deux mots faut-il préférer ? (...). Quel des deux emplois est le plus ancien, le plus légitime ?* (A. Thérive, *Procès de langage*, pp. 11, 223.) *De ces projets de correction, quels eussent subsisté dans une seconde édition ?* (P. Jourda, Note bibliographique de l'édition de Stendhal, *Le rouge et le noir* (Les Textes français), t. I, p. XXXIX). Le tour n'est plus guère vivant aujourd'hui, à côté de *lequel*, qu'immédiatement devant le verbe *être* : *De ces deux livres* **quel** (ou **lequel**) *est le meilleur ?* En interrogation indirecte : *Elle a menti. Ou bien elle n'a pas menti. Il ne sait, des deux, quel est le pire* (Colette, *O.C.*, III, p. 62). On voit comment on passe de *Quel livre est le meilleur ?* à *Quel est le meilleur livre ?*, où *quel* reste adjectif, et à *De ces livres, quel est le meilleur ?* où *quel* est pronom.

Après deux noms on emploie plutôt *lequel*, même devant *être* : *De cette excursion ou de la précédente,* **laquelle** *a été pour vous la plus agréable ?* S'ils sont de genre différent, on emploie le masculin : *Une liqueur ou un jus de fruit,* **lequel** *a vos préférences ?*

Cf. Ne employé seul, 4, c, p. 605 ; Quelque *et* Quel que.

Quelconque, adj. indéf., signifie « n'importe lequel ». Il suit le nom : *Un point* **quelconque** *d'une droite. Il saisira un prétexte quelconque.* Après *l'un* : *L'un quelconque de ces régimes.* On le renforce parfois, inutilement, par *tout* ou par *généralement*, parfois par les deux : *Une fraude généralement quelconque. Toute fraude généralement quelconque.* Il peut suivre *un*, etc. devant un complément partitif : **Deux quelconques** *de ces exercices.*

Adj. qual., il signifie « médiocre, banal, sans valeur, tel qu'on peut en trouver partout ». Il peut recevoir des degrés et précéder ou suivre le nom : *C'est* **un homme très quelconque** (Ac.). *C'est* **tout à fait quelconque.** *Un* **quelconque faiseur** *de tours.*

Quellement, adv. Cf. Tellement.

Quelque et quel que.

A. **Quel que** s'écrit en deux mots quand il est suivi immédiatement du verbe *être* ou d'un verbe similaire ; *pouvoir, devoir* ou un pronom personnel peuvent précéder ce verbe. *Quel* est attribut et variable ; on applique les règles de l'accord du verbe (cf. Verbe) : *Quelles que soient les difficultés,* **quelles** *qu'elles puissent être. Quels qu'en doivent être les résultats. Quelle que soit votre sagesse, votre bon sens* (sujets synonymes).

Remarques.

a) L'ancien tour **tel que** (*tel qu'il soit*), dans le même emploi, est rare et affecté. Cf. Tel, 3.

b) Parfois *quel* est attribut du complément ou se rapporte au sujet du verbe *être* sous-entendu : *Un garçon de cet âge,* **quel** *que vous le supposiez* (être), *aura peur.*

c) Il y a une concurrence très limitée entre **quel que** et **qui que** pour les personnes. À la troisième personne, la langue actuelle préfère indiscutablement *quel* : *Quel qu'il soit, le coupable sera puni.* On dit toujours *qui que ce soit.* On peut distinguer entre *qui que tu sois* (marquant plutôt l'identité) et *quel que tu sois* (marquant plutôt la qualification).

d) **Mode.** Tour concessif ou d'opposition, *quel que* exige le subjonctif. Mais quel mode employer après *quel que soit... qui* ou *que* ? Logiquement, l'indicatif ou le subjonctif selon l'intention : *Quel que soit le respect que l'on **doit** aux aînés* marque la certitude de l'affirmation contenue dans la seconde proposition. *Quel que soit le respect que l'on **doive** aux aînés* peut marquer une réserve, un doute possible, mais le second subjonctif peut être dû simplement au fait que la concession, l'opposition porte sur l'ensemble, comme si l'on disait avec *quelque... que* (cf. plus bas) : *Quelque respect que l'on **doive** aux aînés.* Il peut aussi y avoir simplement attraction modale du premier verbe sur le second : *Quels que soient les lieux où il **a** vécu* ou bien *où il **ait** vécu. Quelles que soient les difficultés que vous **avez** (ou **ayez**) rencontrées. Quel que soit le don que vous **ayez** reçu* (G. Bernanos, *La joie*, p. 276).

Le subjonctif est assez courant, mais on emploiera l'indicatif pour insister sur la certitude ou pour éviter par un futur l'équivoque que pourrait susciter un subjonctif présent : *Quel que soit celui qui vous **a** dit cela* souligne que l'on est sûr que quelqu'un a dit cela à l'interlocuteur, même si on ne sait pas qui l'a dit. *Quelles que soient les dispositions que vous **prendrez**.*

Après *qui que ce soit qui* ou *que*, on emploie toujours le subjonctif. Cf. plus loin cette expression, à son rang alphabétique.

B. Quelque et quelque... que.

Dans *quelque*, l'*e* ne s'élide que dans *quelqu'un*. On écrit : *quelque autre.*

1. *Quelque* **seul devant un nom** est toujours un adjectif indéfini. Il exprime une indétermination, variable selon le contexte :

a) **Au singulier,** elle porte sur l'identité ou la quantité : *On lit dans quelque auteur... Il a montré quelque surprise. Je cherche s'il y a quelque maison à vendre. Quelque chose. Il y a quelque temps. Cela a quelque importance* : ici, on suggère une quantité certainement non négligeable. De même dans : *non sans quelque solennité.*

b) **Au pluriel,** la valeur est différente ; l'indétermination porte sur le nombre, toujours petit : *Il a commis quelques erreurs. Il n'avait que quelques notes. Il a reçu quelques amis. Il y a quelques jours* ou *quelques dizaines d'années.* À la différence de *plusieurs*, *quelque* peut suivre un déterminant : *Les quelques personnes que j'ai interrogées... Ces quelques notes suffiront.*

2. *Quelque... que* peut ajouter à la même idée d'indétermination celle d'opposition. *Quelque* est alors toujours adjectif immédiatement devant

un nom (sauf si celui-ci est attribut avec valeur d'adjectif), adverbe (cf. 3) devant un adjectif attribut et devant un adjectif suivi d'un nom attribut du sujet ou du complément d'objet direct. L'opposition marquée par *quelque...que* peut porter sur l'identité, la qualité, la grandeur, en y associant nettement, au pluriel, l'idée de quantité : *Quelque service qu'il m'ait rendu* (qu'il m'ait rendu un service dont peu importe l'importance), *je ne puis supporter son impertinence. Quelques services qu'il m'ait rendus* (peu importe leur nombre, mais le contexte peut ajouter aussi une idée de qualité). *Quelque promesse qu'il m'ait faite. Quelque belle promesse qu'il m'ait faite* explicite l'idée de qualité, de valeur de la promesse. Au pluriel, l'idée de pluralité l'emporte nettement, mais associée aussi plus ou moins à l'idée de qualité : *Quelques promesses qu'il m'ait faites*. Avec *belles* : *Quelques belles promesses qu'il m'ait faites* ; accord de *quelque*, sauf si le nom est attribut. (cf. 3, c).

Si le nom est employé seul comme attribut avec valeur d'adjectif, *quelque* est adverbe : *Quelque princes qu'ils soient*.

On remarque que *quelque... que* introduisant une opposition est suivi du subjonctif. On observe aussi que le tour n'est possible que si le nom permet un certain jugement sur sa qualité, une appréciation sur son importance ou sa valeur.

La langue actuelle a laissé tomber les tours classiques *quelque... dont* et *quelque... où*. On dit : *De quelque péril que vous soyez menacé. Dans quelque trouble que tu sois* ou *Quel que soit ton trouble*. On dit encore *quelque... qui* : *Quelque chose qui arrive. Quelques difficultés qui puissent nous assaillir.* Mais : *Quelle peine qu'il ait* est archaïque, on dit : *Quelque peine qu'il ait.*

3. *Quelque*, adverbe :

a) **Devant un nom de nombre** quand il signifie *environ* : *Il y a quelque dix ans. Les quelque trente personnes qui étaient là.*

Mais *quelque* est adjectif s'il signifie *plusieurs* : *Quelques milliers de soldats. Quelques cents* (= centaines) *de fagots.*

Après un nom de nombre, et quelques indique que ce nombre est augmenté de quelques unités : *Trente et quelques francs. Vingt et quelques mille francs. Nous étions là vingt et quelques.* Cet emploi est surtout normal après *vingt* ou un nombre rond supérieur. Pour *dix*, on dit plutôt *au moins*. Mais on rencontre l'expression dans un sens plus large où *quelque* doit rester invariable : *Le train de dix heures et quelque* (= et un peu plus). *En seize cent et quelque. Une poutre de trois mètres et quelque* (Grevisse, *B.U.*, n° 964). Le sens n'est pas : et quelques heures, etc.

b) **Devant un adverbe** : *Quelque* (= si) *adroitement qu'ils s'y prennent. Quelque peu*, variante de *un peu*. *Je suis quelque peu surpris.*

c) **Devant un adjectif attribut** inséré entre *quelque* et *que* : *Quelque grands qu'ils soient.* Rarement : *Quelque grands soient-ils.*

Si **l'adjectif** intercalé entre *quelque* et *que* **est suivi d'un substantif attribut** soit du sujet, soit du complément d'objet, *quelque* est adverbe et reste donc invariable. C'est le seul cas où, devant un adjectif suivi d'un nom, il soit adverbe : *Quelque bons orateurs qu'ils soient. Quelque bons juges que vous les croyiez.* C'est que *quelque* continue à porter sur l'adjectif, sur son degré et non sur le substantif qui suit ; c'est pourquoi on ne pourrait supprimer l'adjectif. Comparez : *J'ai entendu quelques bons orateurs. Quelques bons orateurs que j'aie entendus. De quelques grands périls que vous soyez menacés* ; dans ces exemples, *quelques* retrouve son sens de quantité indéterminée. A fortiori on écrit : *Quelques orateurs que j'aie entendus...*

Dans *quelque... qui* (cf. 2), marquant une opposition ou une concession, *quelque* est toujours adjectif, même devant un adjectif suivi d'un nom : *Quelques grandes difficultés qui vous assaillent.*

Quelque chose, loc. pron. indéf., est considéré comme neutre ou masculin et désigne une chose indéterminée. Il peut être précédé d'un article ou d'un adjectif démonstratif : *Dites donc quelque chose. Un petit quelque chose. Ce quelque chose qui se trouve là... Ce quelque chose fait toute la différence. Quelque chose qui n'était pas moins **important**.*

Il est uni par *de* à l'adj. (ou au participe) masc. qui le qualifie : *Quelque chose de bon.* Cf. CHOSE, 2. *Chose* reste un nom fém. dans *quelque chose* lorsque les deux mots gardent leur valeur et signifient « une certaine chose » : *Il y a toujours quelque chose urgente à faire* (à côté de *quelque chose d'urgent à faire*). Et dans *quelque chose que*, suivi du subjonctif et signifiant « quelle que soit la chose que » : *Quelque chose que je lui aie dite. Quelque chose qu'il ait **faite**.* À distinguer de : *Il y a quelque chose que j'ai **oublié**.*

Quelquefois, adv., et **quelques fois.** *Quelquefois* ne s'emploie plus dans le sens de « une fois, une certaine fois » : *Ce cas n'arrive pas quelquefois en cent ans* (La Fontaine). Il signifie aujourd'hui « en quelques occasions, parfois, de temps en temps » : *Je le rencontre quelquefois.* À distinguer de *quelques fois* (= un petit nombre de fois) : *Je l'ai vu quelques fois cet été, quelques rares fois. Je ne l'ai rencontré que quelques fois.*

Ne pas dire : [*Si quelque fois il n'était pas là*]. Dire : *Si par hasard* (ou *si peut-être*) *il n'était pas là.* Laisser à la langue populaire [*Quelquefois qu'il ne serait pas là*], comme [*Des fois qu'il ne serait pas là*].

Quelqu'un, pr. indéf., désigne de façon indéterminée une personne, homme ou femme : *Quelqu'un est venu.* Avec *de* et un adj. : *Quelqu'un de grand, de fort. Quelqu'un d'autre.* On rencontre en littérature, mais très rarement : *Quelqu'un autre. Peut-être était-il un être d'élite, quelqu'un intelligent et bon et fidèle* (J.-L. Curtis, *Un jeune couple* ; Poche, p. 286) ; on dit plutôt : *quelqu'un d'intelligent et de bon.* Avec un participe ou un adjectif complété, on peut omettre *de* : *Je vous prie de choisir quelqu'un plus digne*

de votre confiance. (Marivaux). *Il s'agite, comme **quelqu'un sollicité de toutes parts.***
Devant un complément partitif, *quelqu'un* a un féminin, *quelqu'une* : *Quelqu'une de vos amies.*
Au pluriel, *quelques-uns, quelques-unes* (habituellement accompagnés de *de* s'ils sont compléments) se disent de personnes ou de choses dont le nombre n'est pas déterminé : *Parmi ces livres, **quelques-uns** sont rares* ou *Quelques-uns de ces livres sont rares. J'**en** ai trouvé **quelques-uns**. J'ai aimé **quelques-uns** de ses livres.*
Dans le sens de « personne considérable » : *Elle a l'air de **quelqu'un**. Elle se croit **quelqu'un**.*

Qu'en-dira-t-on, n.m. invariable ; trois traits d'union.

Quérir, v.tr.dir. (accent aigu) ne s'emploie qu'à l'infinitif, après *aller, venir, envoyer, faire.*

Qu'est-ce ? Cf. CE, 10, EST-CE QUE et POUR, 9. S'il faut condamner le tour exclamatif [*Qu'est-ce que c'est beau !*], il n'y a pas lieu de condamner le tour interrogatif : *Qu'est-ce qu'il a comme argent ?* Mais ce tour est incorrect dans l'interrogation indirecte. Il faut dire : *Demandez-lui ce qu'il a comme argent.*

Question, n.f. 1. Certains condamnent encore le tour familier *question* suivi d'un complément placé en apposition au lieu d'être introduit par *de* : *La question (du) mariage n'a pas été abordée. **Question prix,** il est avantageux.*
2. On dit fort bien : *Il **a été question de** vous confier ce travail. Cela est secondaire, là n'est pas la question.*
*La **question est de savoir** qui a dit cela* ou *s'il a dit cela. Il est **question** qu'il s'en aille. Il n'en est pas **question**. Pas **question**.*
3. **Question** *de* suivi d'un infinitif pour marquer le but (au lieu de *pour, afin de*) appartient à la langue très familière : *Il a dit ça, question de vous faire enrager.*
4. On dit *Mettre* (ou *Remettre*) *qqch.* **en question.**

Quêter, v.tr.dir., mais qui ne peut avoir pour complément un nom de personne, s'emploie aussi absolument : *Il quête les faveurs. Elle quête sur les boulevards, pour les sinistrés.*

Quetsche, n.f., variété de prune et d'eau-de-vie. Noter la graphie, le genre féminin et la prononciation « cwètch ».

Queue, n.f. *La queue d'un cortège. Être à la queue du peloton. Ils font **la queue** devant le guichet. On fait **queue** devant sa porte. À la queue leu leu.*
Composés. Les véritables composés s'écrivent avec des traits d'union ; *queue* seul varie : *Des queues-d'aronde, des queues-de-cheval,* etc.

Queux, 1. **N.f.,** pierre à aiguiser ; on écrit aussi *queue.*

2. **N.m.** sans trait d'union : *Un maître queux,* cuisinier.

Qui, 1. **Pr. rel.** Comme **sujet,** il s'applique à des personnes, à des animaux ou à des choses : *L'homme* (ou le *chien* ou la *chaise*) *qui est là.* Sans antécédent : *Voilà qui est bien. Qui mieux est, qui pis est. Et qui plus est. Qui vivra verra.* Cf. VERBE, *Accord,* pp. 973-975.

Formant avec ce qui le suit un **complément d'objet direct,** il s'emploie pour des personnes avec quelques verbes, sans antécédent : *J'ai rencontré qui vous savez. Embrassez qui vous voudrez.*

Comme **complément prépositionnel,** il se dit surtout des personnes : *L'agent à qui je me suis adressé. C'est à qui applaudira le plus fort.* Cf. LEQUEL, A. Il peut aussi se dire des animaux, surtout des animaux domestiques, et des choses qui se prêtent plus ou moins à une personnification : *Un chien à qui elle fait mille caresses* (Ac.). *Rochers à qui je me plains* (Ac.). *Cette place de village déserte sur qui tombait la neige* (J. Giono, *Noé,* Poche, p. 18). *Un œil restait hermétiquement clos ; l'autre, vers qui remontait le coin de la lèvre* (A. Gide, *Isabelle,* Poche, p. 62). Sans antécédent : *Je le dirai à qui de droit. Il se montre aimable envers qui il veut. Pour qui le connaît. À qui que ce soit. Dont* et de *qui,* cf. DONT, 1-4.

[*Tout qui*]. Cf. TOUT, B, II, 1, p. 930.

Tout vient à point *à qui* **sait attendre** : cette forme moderne du diction a remplacé celle où *qui* signifiait « si l'on » : *Tout vient à point qui sait attendre,* que certains puristes ont tort de vouloir encore imposer.

Qui... qui a un sens distributif : *Ils accouraient,* **qui** *tête nue* **qui** *en chapeau.*

Qui que tu sois, qui que tu reçoives, à qui que tu te sois adressé.

Qui et **qu'il** : cf. CE QUI, CE QU'IL, 2. Pour le mode dans la relative, cf. SUBJONCTIF. Cf. aussi QUE, *conj.,* 5, *Que... qui,* p. 783.

2. **Pr. interr.,** *qui* se dit des personnes, est généralement du masc. sing. et s'emploie comme sujet, attribut ou complément, dans l'interrogation directe ou indirecte : *Qui est à l'appareil ? Qui est venu en mon absence ? Je me demande qui a dit cela. Je ne sais qui a dit cela. Qui êtes-vous ? Dis-moi qui tu es. Qui choisira-t-on ? J'ignore qui on choisira. On ne sait plus qui est qui. À qui parlez-vous ? Il ne sait à qui s'adresser. Par qui a-t-il été nommé ? Chez qui allons-nous ?*

Au lieu de *qui est là ?* ou de *qui avez-vous vu ?* on dit très souvent *qui est-ce qui est là ?* ou *qui est-ce que vous avez vu ?* Cf. EST-CE QUE.

Qui peut s'employer comme attribut d'un sujet pluriel ou féminin avec le verbe *être : Qui sont ces enfants ? Qui étaient ces dames ?*

Quel devient synonyme de *qui* en parlant de personnes : *Quelle est cette dame ?* On le préfère à *qui* dans le cas où le sujet est suivi du relatif *qui : Quel est celui qui s'est plaint ? Quel est le prétentieux qui peut se vanter de ne s'être jamais trompé ?*

Mais si le sujet est un pronom personnel ou *ce*, on emploie *qui* : *Qui est-il ? Qui est-ce ?*
Qui interrogatif peut être suivi d'un complément de la totalité : *Qui de nous le fera ? Qui d'entre vous oserait ? Qui parmi vous ne s'est étonné ?* Cf. Ne *employé seul*, 4, p. 605.
Avec *autre* : *Qui d'autre s'en souviendra ? À qui d'autre le diriez-vous ?*
On notera la différence entre *Quel démon a fait cela ?* et *Qui diantre* (ou *qui diable*) *a fait cela ?*

Quia (à), loc. adv., s'écrit sans trait d'union et avec un accent grave sur *à* ; *Ils sont restés à quia. On l'a mise à quia.* Prononciation : « akwiya ».

Quiconque, pr. relatif indéfini ou pr. indéfini, est d'un emploi plutôt littéraire.

1. **Pr. rel. indéf.,** il signifie « toute personne qui », n'a pas d'antécédent et ne peut être précédé de *tout* (cf. Tout, B, II, 1) ni suivi de *qui* : [*Tout quiconque l'a vu. Quiconque qui l'a vu*]. Il a une fonction dans deux propositions ; sujet dans la subordonnée, il est sujet ou complément dans la principale : *Quiconque a beaucoup vu peut avoir beaucoup retenu* (La Fontaine). *Et l'on crevait les yeux à quiconque passait* (V. Hugo).
Dans une phrase comme le premier exemple, la langue classique pouvait reprendre le sujet sous la forme de *il* ; cela peut encore apparaître, mais c'est exceptionnel, quand *quiconque* est fort éloigné du verbe principal et pour permettre l'expression de la conjonction *que* devant un subjonctif : *Quiconque ne sait pas dévorer un affront, Ni de fausses couleurs se déguiser le front, Loin de l'aspect des rois qu'il s'écarte, qu'il fuie* (Racine, *Esther*, v. 838-840).
Normalement de la 3ᵉ personne et du masculin singulier, *quiconque* peut désigner aussi, grâce à la précision d'un complément, une 2ᵉ personne : *Quiconque de vous s'absentera sera puni.*
Dite à des écolières, cette phrase deviendrait : *Quiconque... sera punie.* Si le contexte ou les circonstances marquent nettement que *quiconque* se rapporte à un féminin singulier, les mots qui s'y rapportent se mettent au féminin : *Quiconque sera paresseuse ou babillarde sera punie* (Littré).

2. **Pr. indéfini,** *quiconque* signifie « n'importe quelle personne, personne, n'importe qui » et n'appartient qu'à une seule proposition. Rare autrefois, cet emploi est aujourd'hui courant en littérature et peut être considéré comme tout à fait régulier ; *quiconque* est alors sujet ou surtout complément : *Il fera cela aussi bien que* **quiconque**. *Il n'a jamais fait de tort à quiconque. Il est impossible à quiconque de s'y tromper.*

Quidam, n.m., s'emploie familièrement pour désigner « un certain individu » dont on ne précise pas le nom : *Un quidam se présente.* L'Académie donne encore le pluriel *quidams.* **Prononciation** : « kidam » ou souvent « kwidam », *ui* se prononçant comme dans *lui.* On a autrefois nasalisé la finale.

Quiet, adj., **quiétisme,** n.m., **quiétude,** n.f. Prononciation : « Kyè » (parfois « kwiyè »), « Kyétism » (parfois « kwiyétism »), « Kyétud ».

Qu'importe, cf. VERBE, *Accord,* p. 989. *Qu'importe que* est suivi du subjonctif.

Quint, adj. numéral ordinal venu de *quintus,* cinquième, prend une majuscule dans *Charles Quint, Sixte Quint.* Pas de trait d'union.

Quintuplé, n.m., **quintupler,** v.tr.dir. Prononciation : « Kin ».

Quiproquo, n.m. (les 2 fois, *qu* se prononce « k »), méprise qui fait prendre une personne ou une chose pour une autre. Mais le mot tend à se dire, par une extension regrettable, d'un malentendu quelconque.

Qui que ce soit qui (ou **que**) est suivi du subjonctif : *Qui que ce soit qui vous l'ait dit, il s'est trompé* (Ac.). *Qui que ce soit, qui que ce puisse être qui ait fait cela, c'est un habile homme* (Ac.). *À qui que ce soit que vous le demandiez...*

D'une manière absolue, *qui que ce soit* peut former une proposition complète : *Qui que ce soit, interrogez-le.* Il peut aussi, en étant souvent figé au présent, avoir le sens, mais renforcé, plus expressif, de « n'importe qui » ou, en phrase négative, de « personne » : *Je défie qui que ce soit de faire mieux. Il ne se confiait à qui que ce fût ou à qui que ce soit. Je n'en dirai rien à qui que ce soit.*

Quitte, adj., est variable (voir plus bas, 5, *quitte à).*

1. **Être quitte de qqch.** ou **de qqn** ne se dit que dans le sens d'être libéré, débarrassé, avec soulagement, de qqch. (ou parfois de qqn) de déplaisant : *Nous sommes quittes de nos ennuis. J'étais enfin quitte de ces importuns.* En parlant de biens : *Des biens quittes* (libérés) *de toute hypothèque.*

C'est une faute d'employer cette expression en parlant d'une chose à laquelle on tenait (de son argent, de son manteau, de son portefeuille, de son emploi) et qu'on a perdue ou qui a été volée.

On ne dit pas : [*se faire quitte de qqch.*] pour *se débarrasser de qqch.*

2. **Être quitte, être quitte d'une chose** *envers* qqn, *en* être quitte *pour* : *Nous nous sommes dit nos vérités : nous sommes quittes. Il est quitte de ses obligations envers moi.* Ne pas dire [*avec moi*]. *Ils en ont été quittes pour la peur. Je voudrais en être quitte pour une dizaine de mille francs.*

À côté de *nous sommes quittes,* l'Académie donne : *Nous sommes quitte à quitte* ; dans cette expression où chacune des deux parties est quitte envers l'autre, il est normal que *quitte* soit au singulier.

3. **Tenir quitte de** : *Je les tiens quittes de leur dette. Je les tiens quittes envers nous.*

4. **Jouer à quitte ou double** ou **Jouer quitte ou double** signifie, au figuré, « risquer le tout pour le tout ». *Ils ont joué quitte ou double.*

5. **Quitte à** + *infinitif*, loc. prép., a deux sens : 1) Au risque de, en acceptant de subir l'inconvénient de : *Ils y sont allés, quitte à être mal accueillis, quitte à être blâmés.* 2) En se réservant de, avec la possibilité de : *Je vous adresserai une note pour ce jour-là, quitte à vous fournir un rapport complémentaire.*

Quitte peut dans cette expression être considéré comme un adjectif variable mais il reste plus souvent invariable parce qu'on prend la locution prépositive comme un tout, ainsi qu'on le fait avec *sauf à.*

Le changement de sujet amène à dire *quitte à ce que* : *Ils y sont allés, quitte à ce que la foule les prenne à partie* (subjonctif).

Quitter, v.tr.dir., est vieilli dans le sens de céder, laisser, : *Et je ferai bien mieux de lui quitter la place* (Molière) et dans celui d'exempter qqn de : *Je le quitte de ses dettes.* On dit fort bien : *quitter ses vêtements, sa robe, son chapeau* (Ac.), *quitter un ami.*

Quitus, n.m. (pron. « K » et « s » final. Un seul *t*). *Donner quitus au trésorier.*

Qui vive, loc. interj., cri d'une sentinelle, s'écrit sans trait d'union, à la différence du n.m. : *Être* (ou *se tenir*) *sur le qui-vive.*

Quo (a). Dans le langage juridique belge, on trouve *a quo* pour *dont appel.*

Quoi. A. Pr. relatif, *quoi* s'emploie après une préposition pour représenter quelque chose d'indéterminé (pronom ou parfois nom) ou pour représenter une idée qui vient d'être exprimée : *Ce à **quoi** je m'attends, c'est... C'est **en quoi** vous vous trompez. Ce sont des choses à **quoi** vous ne prenez pas garde. Il y a quelque chose à **quoi** je pense. Il n'est rien à **quoi** je ne sois prêt. Il fit semblant de ne pas me voir ; à **quoi** je fus très sensible. J'avais confiance, **en quoi** je me trompais. Le président dit quelques mots ; **sur quoi** (ou **après quoi**) il aborda l'ordre du jour.* Cependant :

1. Par un archaïsme littéraire, *quoi* renvoie encore assez souvent, au lieu de *lequel*, au nom d'une chose déterminée, masculin ou féminin, singulier ou pluriel : *Voici de petits vers sur de jeunes amants, **Sur quoi** je voudrais bien avoir vos sentiments* (Molière). *Le feu se fortifiait des flammes **par quoi** on avait...* (Fr. Mauriac, *Le désert de l'amour,* p. 225). *Voici quelques signes **à quoi** les reconnaître* (Le Bidois, I, p. 483). *Des événements **après quoi** on ne rougit pas de se dire superstitieux* (H. Bosco, *Le sanglier,* p. 56).

2. *Quoi* s'emploie parfois sans antécédent, surtout devant un infinitif : *Il a **de quoi** nous contenter. Nous avons de quoi nous tirer d'affaire.* Familièrement : *C'est un homme qui a de quoi* (pour vivre dans l'aisance). *Il n'y a pas de quoi vous tourmenter.* Couramment : *Il n'y a pas de quoi (me remercier). Il s'est trompé ; **comme quoi** personne n'est infaillible.*

3. **Quoi que.** Cf. QUOIQUE *et* QUOI QUE.

B. **Pr. interr.** (pour les choses). 1. Dans l'**interrogation directe**, *quoi* :

a) **Sujet** dans des phrases elliptiques où il est complété par un adjectif, une expression à valeur d'adjectif ou un adverbe : *Quoi d'étonnant ? Quoi de plus en vogue ? Quoi de mieux ?* Suivi de *donc* : *Quoi donc me retient auprès d'elle ? Quoi donc me fait supporter, désirer parfois sa présence ?* (Colette, *O.C.*, II, p. 463).

b) **Attribut**, devant *devenir* : *Quoi devenir ?* (on dit plus souvent : *Que devenir ?*) ou après le verbe : *Tu seras quoi ? Tu deviendras quoi ?*

c) **Complément d'objet direct** (usage familier) devant certains infinitifs : *dire, faire, manger, répondre, voir*, etc. *Mais quoi répondre ?* (on dit plutôt : *Que répondre ?*) *Quoi faire ?* Après un verbe à un mode personnel : *Vous disiez quoi ? (Que disiez-vous ?)* ou après un infinitif : *Il veut que j'avoue, mais avouer quoi ?* Cf. POURQUOI.

d) **Complément prépositionnel** (c'est l'usage le plus général) : *À quoi cela sert-il ? En quoi cela peut-il vous intéresser ? De quoi avez-vous besoin ? Sur quoi comptez-vous ?*

e) **Employé seul**, *quoi ?* avait valeur d'interjection dans la langue classique : *Quoi ? Vous avez le front de trouver cela beau ?* (Molière.) On emploie aujourd'hui *quoi !* (cf. C)

Employé **pour faire répéter quelque chose** qu'on n'a pas compris, *quoi ?* est regardé comme impoli, vulgaire. On dit : *Pardon ?* ou *Plaît-il ?* ou *Comment ?* ou *Vous dites ?* ou *Comment dites-vous ?*

Quoi ? est beaucoup mieux accepté, comme familier, **pour faire compléter une phrase** : *Est-ce que vous répéteriez aujourd'hui ce que vous disiez l'autre jour ? — Quoi ? J'en ai assez — De quoi ? Même si... — Même si quoi ? Je voudrais bien, mais... — Mais quoi ?*

2. Dans l'**interrogation indirecte**, *quoi* ne peut être sujet, mais il peut être attribut (devant *devenir*) ou complément d'objet direct, surtout après *savoir* pris négativement, ou complément prépositionnel : *Il ne sait quoi devenir* (ou *que devenir*). *Je ne sus d'abord quoi leur répondre* (A. Gide, *Attendu que*, p. 66). *Je ne savais quoi écrire* (Id., *La porte étroite*, V). *Ne plus savoir ni quoi dire ni quoi faire* (B. Clavel, *Le voyage du père*, J'ai lu, p. 98). *Dites-moi de quoi il se plaint.*

Emploi courant de : *Je ne sais quoi* sans infinitif qui suit : *Il y avait là je ne sais quoi. Il y avait dans son ton un je ne sais quoi d'arrogant.*

C. **Interjection**, *quoi !* marque la surprise, l'indignation : *Quoi ! vous l'excusez ?* On le renforce souvent par *hé* : *Hé quoi !* ou *Eh bien* : *Eh bien quoi !*

Il s'emploie aussi pour achever une explication, une énumération ; *Il lit n'importe quoi, ouvre et ferme son poste, il s'ennuie, quoi !*

Quoique, conj. et **quoi que,** loc. pron. Cf. ÉLISION. Bien que *quoique* vienne de *quoi que*, l'usage actuel les distingue nettement quant au sens et à l'orthographe.

Quoique signifie « bien que » : *Quoiqu'il fasse son possible. Quoiqu'il ait tort. Quoiqu'il arrive un peu tard, nous l'inscrirons.* Tandis que **quoi que**, en deux mots, veut dire « quelle que soit la chose que ou qui » et s'emploie devant un verbe impersonnel ou un verbe transitif direct : *Quoi qu'il dise, quoi qu'il fasse, **quoi qu'il arrive**. Quoi que j'aie pu faire* ; comparer avec *quoi qui* : *Quoi qui puisse vous arriver* (quelle que soit la chose qui puisse vous arriver).

Même distinction entre *quoique ce soit* et *quoi que ce soit*. *Quoique ce soit lui qui l'a dit. Quoi que ce soit qui vous arrive,* quoi qu'il vous arrive. Comme complément, l'expression est un indéfini signifiant « une chose quelconque » et peut être figée au présent même s'il s'agit du passé : *Ils n'avaient pas conscience (...) de se priver de **quoi que ce fût*** (J. Romains, *Les humbles,* Poche, p. 260). *Lui a-t-on reproché **quoi que ce soit** ?*

Comparer : *Il ne l'a dit à **qui que ce soit*** (à personne). Cf. QUI QUE CE SOIT QUI, p. 792.

Quoi que j'en aie, qui a été longtemps discuté, est aujourd'hui considéré comme tout à fait correct (ainsi que *quoi qu'il en ait*) ; c'est le résultat d'une contamination entre l'emploi de *quoi que* et l'ancienne expression *malgré que j'en aie, malgré qu'il en ait* (cf. MALGRÉ), ayant le même sens : quelque mauvais gré que j'en aie, quelque dépit que j'en aie.

Notons à ce propos qu'on dit : *malgré cela,* mais que, *quoique* n'étant pas une préposition, on ne peut dire [*quoique* ça], populaire.

Quoi que... de, suivi d'un substantif, est un tour vieilli. L'Académie blâmait déjà ce vers du Cid : *Et quoi que mon amour ait sur moi de pouvoir.* Tour normal : *Quelque pouvoir que mon amour ait sur moi.*

Mode. On emploie le subjonctif après *quoi que* et *quoique*. Sur l'emploi fautif ou suspect de l'indicatif ou du conditionnel après *quoique,* cf. BIEN QUE. On peut expliquer le subjonctif dans une relative après *quoique ce soit... qui* (ou *que*) dans une phrase comme *Quoique ce soit un homme qui me **déplaise*** en disant qu'on pense. *Quoique cet homme me déplaise.* Mais on dit également très bien : *Quoique ce soit un homme qui me **déplaît**,* car on marque la réalité du verbe subordonné (il me déplaît), comme on doit le faire dans : *Quoiqu'ils prétendent qu'on ne les **a** pas avertis. Quoiqu'il ait répété ce que j'**avais** dit.*

Cf. aussi à BIEN QUE, 2, 3, l'emploi de *quoique* dans : *Quoiqu'étant malade* ou *Quoique malade.*

Quota, n.m. Pluriel : *des quotas.* Prononciation « Kota » ou « Kwota ».

Quote-part, n.f. (*quote* traduit le latin *quota*). Pluriel : *des quotes-parts.*

R

Rabâcher (attention à l'accent circonflexe, comme dans *rabâchage* et *rabâcheur*), v.tr.dir. ou intr. : *Rabâcher toujours les mêmes arguments. Rabâcher un refrain, un air à la mode*, les redire constamment et de façon lassante. *Ces vieilles gens rabâchent.*

Rabat-joie, n.m. *Un rabat-joie. Des rabat-joie(s).* Cf. NOMS COMPOSÉS, B, 5.

Rabattre, rebattre, v.tr.dir. *On rabat le gibier, les prétentions de qqn, le col de son imperméable, une certaine somme,* etc. *On rabat son caquet à qqn.* Mais non les oreilles. *On rebat les oreilles à qqn. Rebattre les oreilles à qqn de qqch. On nous en a rebattu les oreilles. Avoir les oreilles rebattues de qqch.* On dit aussi : *Rebattre qqch. (aux oreilles de qqn). Des idées rebattues.*

Rebattre *sans cesse la même chose* est assurément redondant ; mais ce pléonasme d'insistance n'est pas plus choquant que celui qu'on trouve dans *Tu répètes toujours la même chose* (Ac.).

Rabbin, n.m., *rabbinique,* adj. Deux *b. Le rabbin Siméon.*

Rabiot, n.m., évoque familièrement l'idée de supplément dans les vivres, le service militaire, le temps de travail, etc.

Rabique, adj. relatif à la rage, propre à la rage.

[Rabistoquer], v.tr.dir., s'emploie en Wallonie à côté de *rafistoler.*

Râble, n.m., **râblé,** adj. Accent circonflexe.

[Rac]. En Belgique, [*être en rac*] pour *être en panne* (français pop. : *être en rade*).

Racaille, n.f., canaille, ensemble de personnes méprisables. Ne pas dire [*rascaille*].

Raccommoder, v.tr.dir. Deux *c,* deux *m.*

Raccompagner, v.tr.dir., ce n'est pas « accompagner une seconde fois », mais « reconduire qqn qui prend congé ou qui repart » : *Il me raccompagnait jusqu'à la porte* ou *jusque chez moi.*

Raccorder, v.tr.dir., c'est joindre par une liaison : *On a raccordé le village à l'autoroute.* Ne pas dire [*raccorder un piano*] : *on* **accorde** *un piano.*

Raccourci, n.m. *Prendre* ou *emprunter un raccourci.*

Raccourcir, v.tr.dir. ou intr. *On raccourcit une robe, un séjour, un discours. Sa robe* **est** *raccourcie. Les robes* **ont** *encore raccourci. Les jours raccourcissent.*

Raccoutumer (se). On dit aussi : *se réaccoutumer.*

[Raccuser], v.tr.dir., est wallon, comme [*raccusette*] : on dit : *rapporter, un rapporteur.*

Raclée, n.f., volée de coups ou défaite complète. Pas d'accent circonflexe.

Raclette, n.f., désigne une variété de fondue ou certains outils qui servent à racler. Pas d'accent circonflexe, ni à **raclure, racloir,** etc. On notera que, proprement, **racler** c'est enlever en grattant. Ce sens se retrouve dans *racloir* mais non dans des ustensiles servant à nettoyer les vitres ou les plats ni dans ce que le GLLF appelle *une raclette de table*, synonyme de *ramasse-miette(s).*

Racoler, v.tr.dir., « recruter », *racolage, racoleur.* Un *c*, un *l.*

Racontar, n.m., et non [*racontage*], sorti de l'usage, ni [*raconterie*].

Radier, v.tr.dir., est devenu synonyme de *rayer* (une personne) sur une liste.

Radin, adj., est populaire, « ladre, pingre » : *Elle est un peu radin (radine* est très rare).

Radjah, n.m. On écrit aussi *raja.*

Radio-, préfixe évoquant l'idée de « rayon », n'est obligatoirement suivi d'un trait d'union que devant *i* et *u* : *radioélectricité, radio-isotope.*

Raffoler (deux *f*), v.tr.ind., aimer follement qqn, avoir un goût très vif pour qqch. : *Il raffole de fruits, de la lecture.*

Raffut, n.m. Deux *f.* Pas d'accent circonflexe.

Rafistoler, v.tr.dir. familier, raccommoder avec des moyens de fortune. *Un rafistolage.*

Rafle, n.f. Un seul *f.*

Rafraîchir, v.tr.dir. Un seul *f* et accent circonflexe.

Ragaillardir, v.tr.dir., a pratiquement éliminé *regaillardir*.

Raglan, n.m., est invariable comme adj. : *Des manches raglan*.

Ragoût, n.m. Accent circonflexe.

Ragoûtant, adj., après s'être dit uniquement d'un mets qui excite l'appétit, s'emploie souvent au figuré, surtout avec une négation : *Un travail qui n'est guère ragoûtant. Nous n'étions pas ragoûtants.*

Rai, n.m. La graphie *rais* au sing. se rencontre encore, mais elle est vieillie : *Un rai de soleil, de roue.*

Raide, adj., est parfois encore concurrencé par **roide** dans la langue littéraire. *Une corde raide. Une pente raide. J'ai les jambes raides. Ce que vous dites est un peu raide.* **Adv.** *L'escalier tourne raide. Les côtes montent raide. Ils ont été tués raide,* brusquement. *Tomber raide mort,* tomber mort brusquement, brutalement. Il est certain que dans cette expression *raide* est adverbe. Il serait donc logiquement invariable. Toutefois la tradition le considère comme variable, au même titre que *mort* : *Elles sont tombées raides mortes.* Il y a sans doute une influence de *ivre mort,* où l'on a deux adjectifs (ivre au point d'avoir perdu toute conscience, comme un mort).

Rainette, n.f. (sorte de grenouille) à ne pas confondre avec *reinette* ; cf. ce mot.

Raison, n.f. 1. **Avoir des raisons de refuser.** On trouve aussi *pour refuser.* Cf. MOTIF. Cf. plus loin, 3.

2. **À raison** s'emploie couramment dans **à tort ou à raison.** On l'emploie aussi dans le même sens au lieu de **avec raison,** qui est beaucoup plus courant : *On estimait, et à raison, à cette époque* (Aragon, *La mise à mort,* p. 311). *On l'a renvoyé avec raison.*

À raison de et **en raison de** ont l'un et l'autre deux sens : a) À proportion de, sur la base de : *Il doit être payé en raison du temps qu'il y a mis* (Ac.). *On paya cet ouvrier à raison de l'ouvrage qu'il avait fait* (Littré). Mais quand on précise un prix, une quantité, c'est **à raison** qu'on emploie : *Sur ce vaisseau, la disette de l'eau obligea à ne la distribuer qu'à raison d'un demi-litre par tête* (Littré). *À raison de quatre cents kilomètres par jour, il nous faudra quatre jours. Je paierai à raison de tant par mois. À raison de cent kilomètres à l'heure, nous arriverons avant midi.*

b) À cause de, en considération de : *Il put circuler librement à raison de son passeport* (Littré). *Cet employé, à raison de ses bons services, vient de recevoir une gratification* (Littré). Mais dans ce sens, c'est **en raison de** qui s'emploie surtout : *En raison de son extrême jeunesse* (Ac.). *En raison du mauvais temps, la partie est remise.*

On dit toujours : **en raison directe de, en raison inverse de** : *Sa vitesse est* **en raison directe** *du temps. Certaines gens n'apprécient les arts qu'en raison directe de leur utilité.*

3. **Avoir des raisons** (une dispute, une altercation) **avec qqn** est familier. **Avoir raison de qqn, de qqch.,** en venir à bout.

4. **Demander à qqn la raison** (le motif) de sa conduite. **Demander raison à qqn** (de qqch.), lui demander réparation. **Se faire raison** *à soi-même,* se faire justice soi-même. **Se faire une raison,** se résigner.

5. **Pour raison de santé** et non [*pour cause de santé*], bien qu'on dise : *pour cause de maladie.* Cf. Cause, 1. Dans *pour raison de santé,* il y a une sorte d'euphémisme avec ellipse : pour une raison qui relève de la santé, ce dernier mot étant pris dans un sens général. L'article est omis normalement après *pour* introduisant la cause, comme dans : *condamné pour vol à main armée, puni pour indiscipline.* Bien que *raison* puisse avoir le sens de « cause », « motif », « ce qui permet d'expliquer », *pour raison de* n'est pas assimilable à *pour cause de,* loc. prép.

En dehors de l'expression *pour raison de santé* (et de *en raison de,* eu égard à), *raison* est accompagné d'un article ou d'un déterminant : *Il l'a dit* **pour une raison** *évidente. C'est pour* **cette** *raison qu'il est parti. Pour* **quelle** *raison est-il absent ? Je ne dis rien, pour* **la** *raison que je n'ai rien à dire.* Mais on dit : **raison de plus,** c'est une raison de plus.

6. **Comme de raison,** comme il convient, comme de juste.

7. **À plus forte raison.** Cf. Inversion, p. 519.

Raisonner, v.intr., tr.ind. ou tr.dir. 1. Fam. **Raisonner comme une pantoufle, comme un tambour mouillé** (jeu de mots avec *résonner*), *comme un tambour.*

2. *Raisonner de* vieillit : *Raisonner de tout.* On dit elliptiquement : *Raisonner métaphysique.*

3. **Raisonner qqn,** chercher à l'amener à une attitude raisonnable.

Rajeunir, v.tr.dir. ou intr. **Tr.** *Cela me rajeunit, m'a rajeuni.* **Intr.** *Il est vraiment rajeuni* (état). *Il a rajeuni pendant ces vacances.*

Rajout, n.m., ce qui est rajouté, ajouté de nouveau ou par surcroît.

Rajuster, v.tr.dir. *On a rajusté les salaires. Le* **rajustement** *des traitements de base.* On emploie souvent aujourd'hui **réajuster, réajustement,** dans le même sens.

[Raller], v.intr., ne se dit plus.

Rallonge, n.f. *Mettre une rallonge à une table, à un vêtement, à bien des choses, vacances, pourboire, budget, etc. Allonge* se dit beaucoup moins.

Rallonger, v.tr.dir. et intr. Cf. Allonger.

-Rama, suffixe. « *Rama,* abréviation du grec *orama* qui signifie *spectacle,* est accolé à tort dans la langue de la publicité à des noms qui n'ont rien à voir avec la vue. La plupart des mots ainsi formés n'offrent aucun sens : Ex. : *Discorama.* » (Ac.) La vogue insolite de ce suffixe s'est ralentie.

Ramage, n.m., et **ramager,** v.intr., ne s'appliquent pas proprement aux personnes, sauf par image. En Wallonie et dans d'autres français régionaux, ils servent à désigner un babil, un bavardage.

Ramassage, n.m. *Le ramassage scolaire.* Le terme est admis, bien qu'on ne « ramasse » pas les élèves.

Ramasser, v.tr.dir., est d'un emploi très large : *Ramasser une pierre, un coup, la grippe, ses idées, ses affaires, un vagabond, se faire ramasser,* etc. *Ramasse-poussière, ramassette,* cf. Poussière, Raclette. *Ramasse-miette,* cf. Noms composés, B, 5, p. 626.

Ramener, v.tr.dir., ne peut s'employer pour *rapporter* un objet quelconque. Cf. Amener.

Ramollir, v.tr.dir. ou intr., c'est rendre (ou devenir) mou ou moins dur : *La chaleur ramollit la cire. La cire a ramolli* ou *est ramollie. L'asphalte a ramolli* ou *s'est ramolli. L'âge l'a ramolli. C'est un vieux ramolli.*

Ramonage, n.m., **ramoner, ramoneur.** Un seul *n.*

Ramponneau (plutôt que **ramponeau**), n.m. Partant du nom d'un cabaretier parisien célèbre au XVIIIe siècle, on a caractérisé des objets nouveaux ou des façons d'agir « à la Ramponneau ». Le mot a eu plusieurs sens, mais c'est en Wallonie seulement et dans des endroits proches de celle-ci qu'il a désigné un filtre à café en tissu. Cf. Maurice Piron, *Caractérisation affective et création lexicale. Le cas du wallon* ramponô, (*Romanica Gandensia,* I, 1953).

Rancart, n.m. *Mettre* ou *jeter au rancart,* au rebut. Un autre mot, avec *d,* appartient à l'argot (**rencard** ou **rancard**) et signifie « renseignement confidentiel » ou « rendez-vous ».

Rancuneux, adj., a vieilli, sauf régionalement, et est maintenant remplacé par **rancunier.**

Rang, n.m., s'oppose normalement à *file* ; on s'y trouve l'un à côté de l'autre, tandis qu'on est l'un derrière l'autre dans une file. *On se met sur deux rangs, en rang(s). Parler dans les rangs. Se mettre en rang d'oignons,* sur une seule ligne, l'un à côté de l'autre. *Être* ou *se mettre sur les rangs,* en compétition.
En français régional, notamment en Wallonie, *rang* se dit pour une *petite porcherie* (appelée régionalement *soue*).

Ranger (se). *On se range sous un drapeau, du côté de qqn, à son avis.* Absolument : *Un noceur finit par se ranger. Un bateau se range à quai. On se range pour laisser passer un convoi. Ils se sont rangés à notre avis.*

Ranimer. Cf. RÉANIMER.

Rapatrier, v.tr.dir. : 1. Faire rentrer dans le pays d'origine, par des voies officielles, des personnes (voyageurs, naufragés, soldats, émigrants, etc.) ou des choses, des capitaux : *Le consul a rapatrié les voyageurs. Rapatrier les prisonniers de guerre. Rapatrier un salaire perçu à l'étranger.* On parle dans ces deux cas du **rapatriement** des prisonniers, des devises, etc.

2. Dans un emploi considéré comme familier par certains dictionnaires et comme classique et littéraire par d'autres, « réconcilier des personnes brouillées » : *On les a rapatriés. Se rapatrier avec qqn.* On parle alors de **rapatriage** (réconciliation), n.m., mais on a aussi employé dans ce sens *rapatriement.*

Le verbe pronominal **se rapatrier**, d'habitude employé dans le sens de « se réconcilier », s'emploie rarement dans le sens de « retourner dans sa patrie » ou, au figuré, dans celui de « retrouver sa sérénité, son calme dans une atmosphère détendue » : *Nous nous trouvions subitement à notre aise. Il faisait calme (...). Je me rapatriais d'instant en instant* (A. Blondin, *Les enfants du bon Dieu,* Folio, p. 151). *Ils se sont rapatriés.*

Râpe, n.f., **râper, râpeux.** Accent circonflexe.

Rapetasser, v.tr.dir., « rapiécer grossièrement », est familier.

Raphia, n.m. (*ph*), vient d'un mot malgache.

Rapiat, adj., est familier. Au féminin, *rapiat* ou *rapiate* (qui regarde trop à la dépense). Ni le verbe plaisant *rapiater* ni le nom *rapiaterie* ne sont enregistrés par les dictionnaires : *Je me délecte (...) à rapiater dans tous les coins (...). Un extrême de rapiaterie* (J. Dutourd, *Pluche,* Poche, pp. 33, 227).

Raplatir, v.tr.dir. Un seul *p.*

Rappel, n.m. On parle du rappel de réservistes, d'une classe, de sous-officiers, etc. Mais seul le français de Belgique dit que l'intéressé fait ou effectue un rappel. En français on dit : *faire une période (d'instruction* ou *d'exercice* ou *de réserve).*

Rappeler (se). Malgré la fréquence de la faute, qu'on trouve parfois chez de bons auteurs, il faut dire *se rappeler qqch.* et non [*se rappeler de*], calqué sur *se souvenir de qqch. Je me le rappelle. Je me rappelle avoir dit cela* ou *que j'ai dit cela.* Si le verbe subordonné exprime une action future et s'il n'est pas question de dire : *Rappelle-toi lui écrire,* on ne dira pas :

Rappelle-toi de lui écrire, mais : **Souviens-toi de** *lui écrire*, comme on est contraint de dire : *Je me souviens de vous.* Mieux vaut ne pas remplacer *que je sache* en incise par *que je me rapelle.* Cf. SOUVENIR.

Rappliquer, v.intr., ne s'emploie plus guère dans le sens tr. d'« appliquer de nouveau », mais est très vivant dans la langue populaire au sens de « revenir » : *Vous allez vous embêter à crever. Vous viendrez rôder autour du 36 et, de temps en temps, on vous verra rappliquer — on sera d'ailleurs ravis !* (R. Floriot, *La vérité tient à un fil,* Poche, p. 77).

Rapport, n.m. 1. **Sous le rapport de,** au sens de « pour ce qui concerne, du point de vue de », est correct, quoi qu'ait dit Littré : *Cette voiture est excellente sous le rapport de la commodité* (Ac.). On peut dire : *Sous ce rapport,* à cet égard. *Sous tous rapports* ou *sous tous les rapports.*

2. **Avoir rapport à** ou **avec.** De deux choses qui ont *entre elles* un rapport, on dira que *l'une a un rapport avec l'autre* ou qu'*elle est en rapport avec l'autre.* Aujourd'hui, *avoir rapport à* n'a plus guère ce sens, mais signifie « avoir trait à, concerner » : *Ceci a rapport aux cyclistes. Cette question a rapport à notre ordre du jour.*

3. **Être en rapport avec, sans (aucun) rapport avec, n'avoir aucun rapport, avoir des rapports avec** : *Le style de cet ouvrage n'est pas en rapport* (en accord) *avec le sujet, avec les idées* (Ac.). *Ses dépenses ne sont pas en rapport avec sa fortune,* ne sont pas proportionnées à sa fortune. *Je suis en rapport avec lui. Je l'ai mis **en rapport avec** le fonctionnaire compétent. Ces deux choses n'ont **aucun rapport** ou sont **sans rapport**.* Avec le pluriel : *Il a eu **des rapports avec** l'ennemi.*

4. Dans le sens de « exposé, compte rendu » : *Juger **sur** le rapport des experts* (Ac.). **Suivant** *ce rapport, les choses se sont passées ainsi.* **Faire rapport** *(sur une question). Il a fait son rapport. Présenter un rapport d'activité.*

5. **Rapport à,** au sens de « à cause de, au sujet de, à propos de », est populaire ou très familier : *Il est venu me voir rapport à son procès.* À proscrire : [**rapport que**], [**rapport à ce que**], employés pour *parce que.*

6. **Par rapport à,** « en comparaison de » ou « à l'égard de » : *Il dépense trop par rapport à ses revenus. On déplore son attitude par rapport à ses subordonnés.*

Rapporter, v.tr.dir. *Les cent francs que cela m'a rapportés.* **Se rapporter** *à qqn de qqch.* est vieilli : *Ils se sont rapportés du prix à un tel.* (Ac.). On dit : *Ils **s'en sont rapportés** à un tel. Ils s'en sont rapportés à votre décision.*

Rapprendre, v.tr.dir., est généralement remplacé par **réapprendre** : *Il a réappris sa leçon.*

Rapprocher, v.tr.dir., mettre plus près : *Rapprochez votre chaise.* **Se rappro-cher**, venir plus près, devenir plus proche : *Il s'est rapproché de mon quartier* (Ac.). *Ils se sont rapprochés de nous.*

Rapproprier (se) est régional ou dialectal : se nettoyer, mettre des vête-ments propres.

Rarement, adv. Cf. INVERSION, C, 2. *Rarement vit-on victoire plus éclatante* (J. Bainville, *Napoléon*, p. 269). Ne pas l'accompagner d'un *ne* qui fait contresens et qui serait normal avec *jamais* : *Rarement la critique pari-sienne [ne] s'est pareillement déchaînée.*

Rarranger, v.tr.dir., est déclaré familier par l'Académie : *Ce mécanisme fonctionne mal, il faut le rarranger* (Ac.), raccommoder, réparer.

Ras, adj. *Il a la tête rase, les cheveux ras.* **Adv.** : *Il a les cheveux coupés ras.* Expression très familière mais très répandue pour « en avoir assez » : *En avoir **ras le bol**.* Comme nom : *le **ras-le-bol**.* On dit : *Au **ras** de terre,* ou *à ras de terre ; au ras de l'eau* ou *à ras de l'eau, au ras du sol, au ras des toits. Une robe **ras du cou**. Un verre plein **à ras bord**.*

Raser, v.tr.dir., est familier au sens figuré d'« ennuyer ». De même *se raser,* s'ennuyer. En parlant des bêtes, se tapir contre terre : *Ce n'est pas un réflexe de crainte qui brusquement arrête le chaton noir, qui le fait se raser sur lui-même, prêt à bondir (...). Toujours rasé sur le bord du trottoir...* (M. Genevoix, *Rroû*, Poche, pp. 22, 23). On écrit : *en rase-mottes.*

Raseur, adj. et n.m., et **rasoir,** n.m. mais invariable dans ce cas, s'emploient familièrement, comme *raser,* pour désigner une personne ennuyeuse : *Quel rasoir ! Ah ! ce qu'elle est raseuse* ou *rasoir ! Ils sont rasoir. Ce sont des raseurs.*

Rasibus, adv., est très familier, « tout contre, de très près, à ras ».

Rasseoir, rassis, rassir. *Rassis* est le participe passé de *rasseoir* : *du pain rassis* (qui n'est plus frais), *une existence rassise,* trop calme. À partir de là s'est formé le verbe *rassir,* aujourd'hui admis : *Laisser rassir le pain. Le pain commence à rassir, à se rassir.* Comme on ne peut employer *rasseoir* dans ce sens, il faudrait dire avec *rassis* : *Laisser le pain devenir rassis.*

Rassortiment, n.m. et **rassortir,** v.tr., sont beaucoup moins employés que **réassortiment** et **réassortir.**

Rassurer, v.tr.dir., n'ayant pas de nom correspondant, certains risquent *rassurement,* n.m.

Rastaquouère, n.m. Abréviation familière : *rasta,* n.m.

Rat, n.m. Au féminin normal et habituel *rate* (sauf pour *les rats de l'Opéra*), l'Académie des sciences a préféré *ratte* pour éviter toute confusion avec l'organe appelé *rate.* On dit d'un homme très avare : *C'est un rat* ou *Ce qu'il est rat !*

Ratatouille, n.f., est loin d'être toujours péjoratif : *Ratatouille niçoise.* N.m., l'abréviation *rata* est généralement péjorative.

Raté, n.m. *Cet homme est un raté. Les ratés d'un moteur.*

Râteau, n.m., **râteler, râtelée, râtelier, râtelures,** accent circonflexe. Mais non dans **ratisser,** qui ne vient pas de *râteau* mais de *rature,* ni dans **ratissage, ratissure.** Cependant, sous l'influence de *râteau, ratisser* a substitué au sens de « nettoyer en raclant légèrement » (du cuir, des carottes, etc.) celui de « nettoyer à l'aide d'un râteau » ; d'où les emplois figurés et familiers dans le sens de « ruiner, dépouiller ». **Râteler** peut être synonyme de *ratisser* (nettoyer à l'aide d'un râteau) : *râteler* ou *ratisser une allée.* Il signifie aussi « ramasser avec un râteau » : *râteler des feuilles mortes, du foin.*

Ratiboiser, v.tr.dir., déformation de *ratisser,* est nettement familier : *Elle m'a encore ratiboisé cent francs. Quelle voleuse !* (J.-L. Curtis, *La parade,* J'ai lu, p. 6). *Il est complètement ratiboisé,* ruiné, perdu.

Ratiocination, n.f., **ratiociner,** v.intr. Prononcer « syo ». Sens aujourd'hui péjoratif.

Rattachisme, rattachiste, adj. et n., se disent en Belgique de l'attitude ou de la personne favorable au rattachement de la Wallonie à la France.

Rattrapage, n.m., s'emploie fort bien dans *cours* (ou *classe*) *de rattrapage,* cours organisé à l'intention d'étudiants étrangers ou pour permettre de rattraper un retard.

Raugmenter, v.tr.dir., augmenter de nouveau, est familier : on trouve aussi *réaugmenter,* qui n'a pu s'imposer.

Rauque, adj., se dit de la voix, d'un cri, mais non d'une personne ; on dira qu'elle est *enrouée.*

Ravaler, v.tr.dir. *Ravaler sa honte, sa salive, une façade.*

Ravi, adj. *Je suis ravi que vous soyez là. Je suis ravi de votre succès, de vous rencontrer.*

Ravigoter, v.tr.dir., est familier.

Ravioli, n.m.pl., proprement invariable, est parfois écrit avec *s* à cause de sa francisation.

Ravoir, v.tr.dir., avoir de nouveau, reprendre possession de. Familièrement, remettre en bon état (*des cuivres, une robe,* etc.). Mais il semble moins correct de dire : *ravoir une tache.* En Belgique, on dit : [*Je vous raurai*] pour : *Vous me le payerez.* Et [*s'en ravoir*] pour « retrouver son état physique normal » après un effort, une émotion : [*Il ne parvient pas à s'en ravoir*].

Rayonner. 1. **V. intr.** : *Le soleil rayonne sur les cimes. Son visage rayonne de joie. L'armée rayonnait de là sur le pays voisin.* 2. **V.tr.dir.** Proprement, garnir de rayons, de rayonnages : *Rayonner un bureau.* Mais un autre emploi transitif, non attesté par les dictionnaires, est déjà ancien : *Grazia rayonnait d'ailleurs sur ceux qui l'entouraient le charme silencieux de son harmonieuse nature* (R. Rolland, *La nouvelle journée,* Cahiers de la Quinzaine, p. 541). *Vous qui rayonnez la foi et la tendance* (Colette, *O.C.,* II, p. 306). Il y a là un emploi factitif, au lieu de *faire rayonner.*

Razzia, n.f. *Des razzias.* Verbe : **razzier,** tr.dir.

Re ou **ré** sont préfixes dans un grand nombre de mots ; tous ceux-ci ne sont pas dans les dictionnaires. Ce préfixe marque souvent — pas toujours — la répétition de l'action exprimée par le verbe simple (*lire* — *relire*) ou le retour à un état antérieur (*refermer*) ; il peut se faire que cette seconde opération ait deux sens. *Récrire une lettre,* c'est en recommencer l'écriture ou la rédaction ; *repiquer* des salades, ce n'est pas les piquer à nouveau.
  Re s'emploie généralement devant une consonne (*rejeter*) et *ré* devant une voyelle (*réarmer, réexaminer, rééditer*). Mais on trouve aussi en concurrence devant une voyelle *re,* réduit à *r,* et *ré* : *rapprendre* et *réapprendre, rassortir* et *réassortir, récrire* et *réécrire, rajuster* et *réajuster*). Cf. Res.

Réajuster. Cf. Rajuster.

Réaliser. v.tr.dir., incorrect dans [*réaliser un but*], n'est pas discuté dans *réaliser ses espoirs, ses promesses, réaliser ses biens,* mais l'est obstinément dans le sens, dû à l'anglais, de « prendre conscience de, se rendre compte de » : *Réalisez-vous bien les difficultés de cette entreprise ?* Cet emploi a pourtant d'excellents et nombreux répondants : *Je ne peux réaliser ce deuil* (A. Gide, *Journal,* 1889-1939, p. 280). Évidemment, il faut éviter l'équivoque ; il est facile de ridiculiser cet emploi en inventant la phrase : *Je réalise les desseins de mes ennemis !*
  Parallèle à *réaliser qqch.* dans ce sens, **réaliser que** : *Je réalise mieux qu'il m'en veut.* Ou sans complément : *Il m'écoute, il me croit, bien sûr ! Mais comme je sens qu'il ne « réalise » pas, je tente une phrase* (Fr. Mauriac, *Le bâillon dénoué,* p. 35).
  Se réaliser, c'est s'effectuer, devenir réel (*Ses prédictions se sont réalisées*) ou accomplir pleinement sa nature, son idéal : *Je ne sais si les hommes ont plus de chance que les femmes, mais celles-ci se réalisent plus jeunes. À vingt-cinq ans, leur vie est faite* (A. Billy, *Le narthex,* p. 271).

Réanimer, ranimer, v.tr.dir. *On ranime une personne évanouie, un feu, l'ardeur.* Au sens médical, quand il s'agit des fonctions respiratoires et cardiaques gravement atteintes, on emploie **réanimer** et **réanimation.**

Réapparaître, v.intr., apparaître de nouveau, paraître de nouveau : *C'est sur ces bases que la presse française **avait** réapparu du jour au lendemain* (Ch. de Gaulle, *Le salut,* Poche, p. 134). *Le mal **a** réapparu* ou *est réapparu.* Cf. REPARAÎTRE.

Réattaquer, v.tr.dir., est correct, malgré le silence des dictionnaires : *Une pause avant de réattaquer* (M. Butor, *Passage de Milan,* 10/18, p. 95). Ne pas dire [*rattaquer*].

Rebiffer (se). *Elle s'est rebiffée contre nos projets.*

Rébellionner (se). À proscrire comme inutile. Dire : **se révolter, se soulever.**

Rebond, n.m., se dit spécialement pour une balle ou un ballon (de football). Mais on dit aussi : *Le **rebondissement** d'une balle.* On parle des *rebondissements d'une affaire.*

Rebours (à), loc. adv., est beaucoup plus fréquent que *au rebours,* tandis qu'on dit plus souvent *au rebours de* (loc. prép.) qu'*à rebours de.*

Rebuffade, n.f., n'a aucun rapport avec **se rebiffer,** se regimber, refuser. *Une rebuffade,* c'est un mauvais accueil, un refus brutal. *Essuyer une rebuffade.*

Recaler, v.tr.dir. Cf. EXAMEN.

Receler, v.tr.dir., sans accent d'après l'Académie, est souvent écrit *recéler.* On écrit toujours **recèlement,** mais **receleur.**

Recenser, v.tr.dir., c'est dénombrer, inventorier, mais non rendre compte (d'un livre), bien qu'une **recension** puisse être un compte rendu.

Recéper, v.tr.dir. L'Académie, s'alignant sur l'usage, a admis en 1975 qu'on écrive *recéper, recépée, recépage* plutôt que *receper, recepée, recepage.*

Réception, n.f. Cf. ACCUSER.

Réceptionner, v.tr.dir. *Réceptionner des marchandises,* recevoir et vérifier. Le *réceptionnement* des marchandises.

Récession, n.f., en termes d'économie politique, dit moins que *crise* ; il marque une diminution de l'activité industrielle, commerciale.

Recevoir, v.tr.dir. 1. *On reçoit qqn, qqch.* Sans complément d'objet : *Madame Durand reçoit le lundi.* Passif : *On est reçu à l'Académie, chez qqn, à un examen, au baccalauréat.*

2. **Reçu,** employé sans auxiliaire et devant le nom de ce qui est reçu, reste invariable : *Reçu trois cents francs. Reçu ce matin une visite.* Cf. REÇU.

3. **Se recevoir** peut signifier « prendre convenablement contact avec le sol après un saut » : *Il se reçoit sur l'asphalte* (D. Decoin, *John l'enfer*, Poche, p. 11).

Rechaper, v.tr.dir. *On a rechapé mes pneus.*

Réchapper, v.intr. ou tr.ind., n'implique aucune idée de deuxième fois mais signifie « échapper (plus ou moins par chance) à un péril grave » : *Personne n'a réchappé. Il a réchappé de la guerre. Si vous réchappez de cet accident. Si vous en réchappez.* Sous l'influence d'*échapper*, *réchapper* tend parfois, mais il faut l'éviter, à se construire avec *à*.

Rechercher, v.tr.dir., ne signifie pas seulement « chercher de nouveau », mais « chercher avec soin, chercher à découvrir ». Il ne faut pas l'employer pour *chercher* : *Cette société cherche un ingénieur.* Au lieu de : *Tous les hommes recherchent d'être heureux* (M. Arland, *Antarès*, Poche, p. 81) on dira : *cherchent à être heureux* ou *recherchent le bonheur*.

Récipiendaire, n.m., ne désigne pas le candidat qui se présente à un examen, mais celui qui est reçu avec un certain cérémonial dans une compagnie comme une Académie ou celui qui reçoit un diplôme universitaire.

Réciproque, adj. Tandis que **mutuel** peut se dire quand deux ou plusieurs personnes sont en cause, **réciproque** ne s'emploie que lorsqu'il y a deux personnes, deux groupes, deux propositions, etc.

Réciproquer, v.tr.dir., est un vieux verbe français tombé en désuétude en France, sauf dans certaines régions, mais resté très vivant en Belgique, surtout en parlant de ce qu'on appelle, en français généralisé, des *vœux réciproques* ou *rendre la réciproque*, la pareille.

Récital, n.m. *Des récitals.*

Réclame, n.f., reste normalement invariable comme une abréviation de *en réclame* quand il est apposé : *Des cendriers-réclame* (Aragon, *La mise à mort*, p. 140). *Des ventes-réclame. Des articles-réclame.*

Réclamer (se). *On se réclame de qqn, de qqch.*, on se recommande de lui, de cela. *Ils se sont réclamés de vous.*

Reclus, recluse, adj. et n., qui vit retiré, à l'écart du monde : *Mener une existence recluse. Vivre en reclus.*

Récolement, recollement, n.m., sont les noms correspondant à *récoler*, dénombrer, vérifier (*Faire un récolement dans une bibliothèque*) ou à *recoller*, coller de nouveau (*Le recollement* ou *le recollage d'un panneau*).

Recommandation, n.f., reste au singulier dans *lettre* (ou *mot*) *de recommandation*.

Recommander, v.tr.dir., ayant un sens bien particulier (attirer l'attention sur), ne peut se dire pour « faire une nouvelle commande ». *On recommande qqch. à qqn. Le prêtre recommande les défunts.* D'où : *la recommandation des défunts. Elle s'est recommandée à Dieu, à tous les saints. Ils se sont recommandés de vous,* ils ont invoqué votre nom.

Reconduire, v.tr.dir., **reconduction,** n.f., se disent non seulement pour un contrat ou un bail qu'on renouvelle (*par reconduction expresse* ou *par tacite reconduction*), mais de ce qui est maintenu en vigueur, prorogé (*reconduire des mesures provisoires, reconduire une taxe*). Dans le sens d'accompagner qqn qui a rendu visite, *reconduire* a pour substantif correspondant **reconduite,** qui est très rare.

Reconnaissant, adj., **reconnaissance,** n.f. En parlant de gratitude : *Être reconnaissant à qqn d'un bienfait. Je vous suis reconnaissant des services que vous m'avez rendus. Je vous en suis très reconnaissant. Être reconnaissant* (ou *avoir de la reconnaissance*) *envers ses bienfaiteurs. Je suis plein de reconnaissance pour vos bontés. Ne craignez pas de montrer votre reconnaissance pour les services qu'on vous a rendus. Je vous serais reconnaissant de me répondre au plus tôt. En reconnaissance de ce que vous avez fait pour moi.*

Après *être reconnaissant de ce que...,* il est normal et recommandable d'employer l'indicatif : *Il lui était reconnaissant de ce que rien n'était changé dans la maison de ses parents.* Par assimilation aux verbes de sentiment, on emploie parfois le subjonctif : *Noël fut reconnaissant à sa fille de ce qu'aucun changement n'apparût dans l'ordonnance de la vie* (M. Druon, *Les grandes familles,* Poche, p. 344).

Reconsidérer, v.tr.dir. *Reconsidérer la question, sa position.*

Record, n.m., employé comme adjectif, varie : *Des ventes records.*

Recours, n.m. *Avoir recours à qqn, à qqch. En dernier recours. Il n'y a aucun recours contre cela.*

Recouvrer, recouvrir, v.tr.dir. à ne pas confondre. *Il recouvre, il recouvra, recouvrera, il a recouvré* (son bien, une créance, la santé, la liberté). *Elle recouvre, recouvrit, recouvrira, a recouvert* (un livre, le lit, le sol).

Récrire, réécrire, v.tr.dir. Cf. RE.

Recroître. Cf. CROÎTRE.

Recru, recrue, adj., est le participe passé de l'ancien verbe *se recroire,* signifiant « se remettre à la merci, se rendre ». Il impliquait l'idée de fatigue ou d'épuisement et pouvait donc s'employer sans ou avec *de fatigue* (La Bruyère, *Caractères,* III, 10 ; XI, 35). Aujourd'hui, on met généralement un complément ; *recru de fatigue* est courant (épuisé de fatigue). On trouve aussi d'autres compléments ; j'ai cité en 1949 plusieurs emplois de Georges Duhamel : *recru de souffrances, de cauchemars, de fatigue et de tourments, de bruits.* De Gaulle écrit : *Vieil homme recru d'épreuves, détaché des entreprises* (*Le salut*, Poche, p. 337).

Recta, adv. familier, « tout droit » ou, plus souvent, « ponctuellement, exactement ».

Reçu, n.m., désigne un écrit attestant qu'on a reçu qqch. mais s'emploie couramment et chez de bons auteurs dans l'expression **au reçu de** pour « à la réception de » : *Au reçu de votre lettre.* Cf. RECEVOIR, 2.

Recueillir, v.tr.dir. *Recueillir des dons, l'eau d'une source, une déclaration. La somme qu'ils ont recueillie est insuffisante. Recueillir des comptines. Les mille deux cent voix qu'il a recueillies. Recueillir les animaux abandonnés. La religieuse s'est recueillie pieusement.*

Reculer, v.tr.dir. ou intr. **Tr.** : *Reculer un meuble, une cloison, une date,* etc. **Intr.** : *Il recule pour mieux sauter. Il recule devant les difficultés.* **Se reculer** : *Ils se sont un peu reculés pour la laisser passer* ou *Ils ont peu reculé.*

Récupérer, v.tr.dir. *On récupère une somme, ses forces, un jour de congé. Récupérer ses enfants à la fin des vacances. Récupérer des blessés. Récupérer un mouvement de contestation,* le détourner et l'annexer. **Intr.** *Il lui a fallu quelque temps pour récupérer,* pour retrouver ses forces.

Recyclage, n.m. *Le recyclage des cadres. Un cours de recyclage.*

Redan, n.m., s'écrit aussi *redent,* qu'il s'agisse de fortifications ou d'architecture.

Redevable, adj., qui demeure débiteur de qqn : *Être redevable d'une somme à un créancier.* Au figuré : Être redevable d'une qualité ou d'un avantage que l'on possède grâce à un autre : *Je lui suis redevable de ma formation. C'est à ses sacrifices que je suis redevable de ma situation.* Mais on ne dira pas qu'on est redevable à qqn de ses conseils au lieu de : *Je dois beaucoup à ses conseils.*

Redevoir, v.tr.dir., se conjugue comme *devoir.* Attention à *redû, redue.*

Rédiger, v.tr.dir. *Rédiger une lettre, un contrat, un compte rendu* (à l'intention de qqn).

Redire, v.tr.dir., dire de nouveau (*Vous redites toujours la même chose*), critiquer, blâmer : *Trouver à redire à qqch. Je ne vois rien à redire à cela. Qu'avez-vous à redire ?*

Redoublant, redoubler. Cf. DOUBLER.

Redouter, v.tr.dir. Emploi du mode et de *ne,* cf. CRAINDRE.

[**Réélargir**] n'est pas français. Dire : *rélargir*.

Réemballer, v.tr.dir. On dit surtout : **remballer.**

Réembarquer, v.tr.dir. On dit souvent : **rembarquer.**

Réembaucher, v.tr.dir. On dit aussi : **rembaucher.**

Réemployer, v.tr.dir., est correct à côté de **remployer.** De même **réemploi** à côté de **remploi.**

Réengager, v.tr.dir. On dit plus souvent : **rengager.**

Réensemencer, v.tr.dir., ensemencer de nouveau.

Réessayer, v.tr.dir. On dit aussi **ressayer.**

[**Réétablir**] est inutile. Dire : **rétablir.**

Réétudier, v.tr.dir., étudier de nouveau.

Refaire, v.tr.dir., se conjugue comme *faire.* Fam., duper, tromper : *Il a tenté de me refaire. Je suis refait.*

[**Réfectionner**], v.tr.dir., est inutile. Dire : **réparer.**

Référence, n.f. *Donner une référence. Indiquez-moi la référence de cette citation. Des ouvrages de référence* (le mot reste au singulier). *Il se présente avec les meilleures références. Il a d'excellentes références. Ce n'est pas une référence.*

Référencé (plutôt que *référencié*), adj., « accompagné d'une référence ». *Un exemple référencé.*

Référendum, n.m. Noter les accents. *Des référendums.* On prononce généralement « rando-m' », parfois « rin ».

Référer, v.tr.ind. *En référer à qqn, au président. Il en sera référé au juge. J'en référerai à mon chef.* L'emploi transitif (*Référer une citation au texte original*) est vieilli.
   Se référer à. *On se réfère à qqn, à un avis, à un texte. Cette observation se réfère à tel texte,* recourir à... comme à une autorité. Éviter [*s'en référer à*].

Réfléchir, v.tr.dir. ou ind. ou v.intr. *Le miroir réfléchit les objets. Il a mûrement réfléchi (pesé) sa décision. Tout bien réfléchi. Il a réfléchi que c'était inutile, qu'on le lui reprocherait quand même. Cela donne à réfléchir. Laissez-moi le temps de réfléchir **sur** cette question. Réfléchissez **aux** conséquences, **à** ce que je vous dis.*

Refléter, v.tr.dir. *La vitre reflète la lumière. Son visage reflète ses sentiments. Ses sentiments **se reflètent** se refléteront, se sont reflétés sur son visage.*

Refréner (on trouve *réfréner*), v.tr.dir. *Refrénez votre impatience.* Le **refrène-ment** *des abus.*

Refroidir, v.tr.dir. ou intr. *Son accueil m'a refroidi.* Le thé *a refroidi ; il est maintenant refroidi. Vous allez vous refroidir. Le temps se refroidit* ou *refroidit.*

Refus, n.m. *Opposer un refus à qqn. Essuyer un refus.* Fam. *Cela n'est pas de refus,* j'accepte bien volontiers.

Refuser, v.tr.dir. L'Académie donne *refuser qqn,* qui est vieilli : *Il a déjà refusé tous ceux qui l'ont prié* (Ac.). Mais on dit encore : *Refuser sa fille à qqn. Refuser du monde parce que tout est complet. Refuser un peintre* (à une exposition), *un candidat* (à un examen). Avec pour complément un nom de chose : *Refuser une faveur, une permission, un cadeau. Refuser sa porte à qqn. Il a refusé qu'on nous reçoive.*
   Refuser *de faire qqch.,* mais **se refuser** *à* **faire qqch.,** ne pas se permettre, s'interdire de. *Ils ne se sont rien refusé. Ils se sont refusés à l'évidence. Elle s'est refusée à nous aider. De pareilles propositions ne se sont jamais refusées.* L'emploi de *de* devant un infinitif après *se refuser* est rare et à déconseiller nettement.

Régal, n.m. *Des régals.*

Regard, n.m. **Au regard de** *la loi,* du point de vue de la loi. **En regard,** en face : *Un texte avec la traduction en regard.* **En regard de** : *C'est peu de chose, en regard de ce que j'ai dû supporter,* en face de, comparativement à, par rapport à.

Regarder. 1. **V.tr.dir.** *Regarder qqn, qqch. Regarder les passants, un paysage. Regarder qqn dans le blanc des yeux. Regarder sa montre, regarder l'heure.* Comparez : *Vous regardez à votre montre : il n'est que trois heures et demie* (M. Butor, *La modification,* 10/18, p. 156). *Regarder à la pendule quelle heure il est. Regarder qqn de travers. Le regarder comme un homme de bien. Regarder l'univers comme sa patrie. J'ai regardé par la fenêtre. Il est parti sans regarder derrière lui. Cela ne le regarde pas,* ne le concerne pas. *C'est moi* (ou *c'est lui) que ça regarde* (deux propositions). *Regarder la pluie tomber. Regardez-moi faire. Je les ai regardés passer. J'ai regardé passer les soldats.* Fam. *Vous ne m'avez pas regardé !* se dit pour écarter une proposition, pour opposer un refus.
   2. **V.tr.ind.** *Regarder à qqch.* a deux sens : a) Considérer avec attention, prendre garde à, tenir compte de : *Regarder à ses intérêts, à la qualité, à ce qu'on va dire. Y regarder à deux fois. Y regarder de près* ; b) *Regarder à la dépense, à un franc, à quelques centimes,* hésiter à dépenser. Il semble bien qu'on étende abusivement le premier sens lorsqu'on dit : *Regardez à vos pieds,* voyez où vous les mettez, où vous marchez.

3. **Fautes**: [*Cela ne lui regarde pas*], cf. 1. [*Regarder après qqch.*], cf. Après. *Regardez voir* appartient à la langue populaire.

4. **Se regarder**: *Ils se sont regardés dans la glace. Se regarder dans les yeux, en chiens de faïence. Il ne s'est pas regardé*, il critique alors qu'il a aussi des défauts.

Régent, n.m. (fém. **régente**) survit en Belgique pour désigner un agrégé de l'enseignement secondaire inférieur. Pour désigner les études de régent on dit abusivement: *Il a fait son régendat* ou *son régentat* ou *sa régence* au lieu d'*école normale moyenne*.

Regimber, v.intr. *Elle a regimbé contre nos idées.* Synonyme, **se regimber**: *Elle s'est aussitôt regimbée.*

Registre, n.m. Et non [*régistre*]. Inscrire *dans un registre* ou *sur un registre*.

Règle, n.f. *Les règles d'un jeu, d'un sport, d'un classement.*

Règlement, réglementaire ou **règlementaire**. L'Académie, en 1975, a décidé qu'on pouvait écrire *réglementer, réglementation, réglementaire, réglementairement* avec un *è* comme dans *règlement*.

Réglisse, n. Le nom de la plante est féminin. Celui de la racine (ou de la pâte qu'on en tire) est féminin ou masculin. *Sucer de la réglisse* ou *du réglisse.*

Régresser, v.intr. *La douleur régresse, a régressé.*

Regret, n.m. *Je suis au regret d'avoir dit cela. J'en suis au regret. J'ai le regret* (ou *j'ai beaucoup de regret*) *de constater...* ou *qu'il soit parti. J'ai cédé à regret.*

Regretter, v.tr.dir. *Je regrette d'avoir dit cela, de n'avoir pas été là. Je regrette qu'il soit parti. Vous ne le regretterez pas*, vous ne vous ne repentirez pas. *Il regrette son argent* ou *sa peine*, il regrette d'avoir fait cette dépense ou de s'être donné ce mal.

Regrouper, v.tr.dir., c'est grouper de nouveau, mais aussi réunir, pour former un groupe, des éléments qui étaient séparés: *Regrouper des industries, des communes.*

Reine-claude, n.f. *Des reines-claudes*; on ne tient plus compte de l'étymologie: prune de la reine Claude.

Reine-marguerite, n.f. *Des reines-marguerites.*

Reinette, n.f., s'emploie très bien pour *pomme de reinette*. Ne pas écrire *rainette*, nom d'une petite grenouille, pour cette pomme et ne pas l'appeler [*pomme reinette*].

Rejointoyer, v.tr.dir., *rejointoiement.* Cf. JOINTOYER. Fr. Nourissier (*Le maître de maison,* p. 103) dit *rejointer,* ignoré des dictionnaires.

Réjouir (se) ne signifie pas, comme en Wallonie, « attendre impatiemment, en se faisant d'avance une joie » : [*Je me réjouis de le voir la semaine prochaine*], mais « éprouver de la joie » : *Je me réjouis de son succès. Je me réjouis à la pensée qu'il a réussi* ou *à la pensée que je le verrai demain. Je me réjouis qu'il soit là* ou *de ce qu'il est là* (plus rarement : *de ce qu'il soit là*). *Je me réjouis de voir qu'il a réussi.*

Relâche, n., est **masculin** (parfois féminin) dans le sens de « interruption momentanée d'un travail, d'un effort, d'un mal, détente » : *Son mal commence à lui donner du relâche* (Ac.). *Sans relâche. Donner relâche à qqn. S'accorder quelque relâche.* Il est **généralement masculin** (parfois féminin) dans le sens de « fermeture momentanée d'une salle de spectacle » : *Les relâches sont fréquents à ce théâtre.* (Ac.). *Ce théâtre annonce un relâche.* Il est **féminin,** en termes de marine, quand il désigne pour un bateau l'action de faire escale ou le lieu de cette escale.

Relâcher, v.tr.dir. *On relâche un prisonnier* (cf. RELAXER), *un lien, les muscles, les intestins, l'attention, la discipline. Ne rien relâcher de ses prétentions. La discipline se relâche. Vos muscles se relâchent.* Les emplois de *se relâcher de* sont beaucoup moins vivants que dans la langue classique.

Relais, n.m., peut s'écrire **relai** (Ac., 1975).

Relancer, v.tr.dir. *On relance une balle, un cerf, un débiteur, un moteur,* mais aussi *une idée, un projet, l'économie d'un pays.* **Nom** : *La relance d'une idée, de la construction.*

Relation, n.f. *Nouer des relations avec qqn. Avoir avec qqn des relations d'amitié.* Mais *être en relation avec qqn* plus souvent qu'*en relations avec* : *Le gouvernement français était en relation avec le gouvernement polonais* (Ch. de Gaulle, *Le salut,* Poche, p. 79). *Mettre en relation(s) avec qqn. J'ai des relations en Espagne. Ce n'est pas un ami, c'est une relation* (Ac.). *Il a obtenu cet emploi par relations* (Ac.). *Relations épistolaires, diplomatiques, publiques.*

Relative (proposition). Cf. SUBJONCTIF, DONT, QUE, QUI.

Relaver, v.tr.dir. Seul sens : laver de nouveau.

Relaxation, n.f., **relaxer,** v.tr.dir. *Relaxer* (ou *relâcher,* cf. ce mot) *un prisonnier, ses muscles. Relaxez-vous. La relaxation d'un prisonnier, des muscles.* On parle aussi de *l'élargissement d'un détenu.*

Relaxe ou **relax,** adj. *Un fauteuil relax(e). Une balade relax(e). Une tenue relax(e). C'est vraiment relax(e).* **Une relaxe,** n.f., est une décision d'un tribunal de cesser les poursuites.

Relayer (se). *Les coureurs se sont relayés en tête du peloton.* Éviter d'ajouter *tour à tour* ou *successivement* ou *l'un après l'autre.*

Relevance, n.f., **relevant,** adj. **Sans relevance** est employé en Belgique par archaïsme dans le langage juridique avec le sens approximatif de « sans importance, sans effet ». Le même langage emploie *relevant* (*Les faits relevants,* pertinents), qui a retrouvé le même sens en linguistique, sous l'influence de l'anglais.

Relever, v.intr. *Relever de couches, de maladie, d'une grave maladie. Se relever* (sortir de son lit) : *J'ai dû me relever cette nuit.*

[Reloqueter], v.tr.dir., est belge. Dire : *nettoyer, laver, passer la serpillière, donner un coup de serpillière.*

Remailler, v.tr.dir., sans être admis par l'Académie, qui ne connaît que **remmailler,** reste très vivant. **Remmailler** des bas, un tricot.

Remarquer que. Cf. Observer.

Remballer, v.tr.dir. *Remballer qqn,* le repousser, l'envoyer promener, est familier et se dit beaucoup moins aujourd'hui que **rembarrer qqn.**

Rembourser, v.tr.dir. 1. *Rembourser qqch. (à qqn). Rembourser un emprunt, une avance, un achat, un billet de loterie, une place, des frais. Les places ont été remboursées. On lui a remboursé ses frais. Ses frais ont été remboursés intégralement. Les mille francs qu'on lui a remboursés.*

2. *Rembourser qqn (de qqch.). Rembourser un client, un créancier. Il a été remboursé. Il a pris soin de se rembourser avant de remettre ses comptes. Nous l'avons remboursé de tous ses frais.* Cf. Défrayer.

Remerciement, n.m. *Remercîment* est vieilli. On peut dire avec la loc. conj. *de ce que* ou avec *en* : *Je vous fais mes remerciements de ce que vous nous avez accordé cela* (Ac.). *Je vous en fais mes remerciements* (Ac.). Mais on dit généralement : *Je vous fais mes remerciements* (ou *Tous mes remerciements*) *pour votre obligeance, pour ce que vous nous avez accordé.* On écrit plutôt : *Lettre* (ou *discours*) *de remerciement.*

Remercier de ou **pour.** Au choix : *Je l'ai remercié de son obligeance* ou *pour son obligeance. Je vous remercie de* (ou *pour*) *votre offre, mais je ne puis l'accepter.* **Devant un infinitif,** *de* s'impose : *Je vous remercie d'y avoir pensé.*

Remettre, v.tr.dir. 1. [*Commerce à remettre*], expression belge et suisse, est fautive. Il faut dire : *à céder.* Notons que *remettre* n'implique pas toujours l'idée de retour à un état antérieur (*remettre qqn* ou *qqch. à sa place, en place, remettre de l'ordre, en question, en état, à neuf,* etc.). *On remet qqch. à qqn,* en sa possession, *on lui remet* (on lui confie) un objet, *on remet un coupable à la justice* (on le lui livre), *on remet* (on donne) *sa démission.*

Remettre une pendule à l'heure. Remettre une lettre en main(s) propre(s). Remettre sa dette à qqn, lui remettre ses péchés. On dit très bien : *Accompagnez l'enfant. Vous le remettrez à Madame* (R. Sabatier : *Trois sucettes à la menthe,* p. 16). *Remettre un enfant à sa famille.*

2. **Remettre qqn,** c'est proprement se remettre son visage dans l'esprit : *J'ai peine à vous remettre* (Ac.). Le tour est correct, tout en paraissant parfois vieux ou dialectal. Mais on ne dira pas, avec le verbe pronominal, [*Je me le remets*] pour *Je me souviens de lui.*

3. Belgicisme : [*remettre sur cent francs*] au lieu de : *rendre la monnaie de cent francs.*

4. *Il est tout à fait* **remis** *(de sa maladie). Il a bien de la peine à* **se remettre.** *Se remettre d'une émotion. Elle ne s'en est jamais remise.*

5. Vieilli : *se remettre à qqn de qqch.* ou *sur qqch.* On dit aujourd'hui : **S'en remettre à qqn,** *s'en remettre à son jugement, à sa décision. Je m'en remets à lui. Elle s'en est remise à nous.*

6. En termes de jeu : *Remettre* **une partie,** la recommencer. *Ce n'est que partie remise. Remettre* **un coup** *à qqn,* l'autoriser à recommencer. *À remettre* (Ac.). D'où, en langage populaire, *Remettre ça,* recommencer : *J'ai l'envie de* **remettre** *ça. On remet ça.* Au café : *Remettez-nous ça.*

7. *Remettre qqch. au lendemain, d'un jour à l'autre, de jour en jour.*

8. *Remettre* ne signifie pas « rendre » dans le sens de vomir. Cf. RENDRE.

9. *Le temps* **se remet** *(au beau).*

Remmener, v.tr.dir., implique une idée de retour plus l'idée d'emmener avec soi : *Elle est chargée d'amener l'enfant à l'école et de le remmener chez lui.*

Remonter, v.intr., n'implique pas toujours une idée de répétition. Il signifie alors « aller vers le haut » ; on ne peut donc dire [*Remonter à la base*], mais on dit très bien : *remonter à la source, vers la source, jusqu'à la source. On remonte à l'origine, à la cause, au principe.*

Remontoir, n.m. : *Le remontoir d'une montre.*

Remontrer, v.intr. **En remontrer à qqn,** se montrer supérieur à lui, lui faire la leçon. On ne dit plus guère *remontrer à qqn son tort, ses fautes.*

Rémouleur, n.m., se dit de l'artisan ambulant qui aiguise les instruments tranchants. Mais on ne peut parler de [*rémouler*] ni de [*rémoulage*]. On dit : *aiguiser, aiguisage.*

Remous, n.m., s'écrit avec *s. Un remous.*

Remplir, v.tr.dir., peut signifier simplement « emplir » (*Remplir une bouteille*) ou « combler les vides » (*Remplir un questionnaire*) ou « accomplir » (*Remplir une mission*). Cf. BUT.

Remploi, n.m., **remployer,** v.tr. ; cf. RÉEMPLOYER.

Remuer, v.tr.dir. Certains veulent que l'objet remué soit qqch. qu'on déplace (un sac), un ensemble formé de parties mobiles (des cendres, du grain, de la salade), une partie du corps (les bras, les jambes, le petit doigt, la queue) et déclarent qu'on ne peut donc *remuer son café* avec sa cuillère pour faire fondre le sucre. C'est abusivement limiter l'emploi très large de *remuer.*

Remuer et *se remuer* peuvent être synonymes dans le sens de « faire des mouvements » en parlant de personnes : *Ce sont des garçons, il faut bien qu'ils remuent* ou *se remuent.*

Rémunérer, v.tr.dir., et non [*rénumérer*]. Le verbe est en rapport avec le latin, *munus,* don, faveur, et non avec *numéraire.* De même : **rémunération.**

Renâcler, v.intr. ou tr.ind. *Il n'accepte qu'en renâclant. Il renâcle à la besogne, à une démarche.*

Renard, n.m. Femelle : *renarde.* Jeune : *renardeau.*

Rencontrer, v.tr.dir., s'emploie abusivement en Belgique dans [*rencontrer un argument*] au lieu de *discuter, réfuter un argument, une objection.* Américanisme : *rencontrer des vœux* au lieu de *les satisfaire.* Mais on peut dire : *rencontrer l'adhésion* ou *l'opposition* de qqn. *Ils se sont rencontrés en voyage.*

Rendeur, n.m. (fém. *rendeuse*), est un vieux mot français conservé dans la province de Liège pour désigner le maître de l'ouvrage.

Rendez-vous, n.m. *J'ai (un) rendez-vous avec lui demain dans un café. Il m'a donné rendez-vous au lendemain. Le matin, il lui avait donné rendez-vous pour le lendemain. Mon rendez-vous avec lui est à cinq heures. Recevoir sur rendez-vous. Accorder un rendez-vous. Un rendez-vous manqué.*

Rendre, v.tr.dir., peut signifier « rejeter hors de soi, vomir » : *Rendre le sang par le nez* (Ac.). *Rendre de la bile* (Ac.). *Rendre son déjeuner.* Absolument : *Le malade a rendu plusieurs fois dans la journée* (Ac.).

On m'a rendu vingt francs sur un billet de cent. On m'a rendu la monnaie sur cent francs. On m'a rendu la monnaie (de ma pièce). Un prêté pour un rendu. Cf. VISITE.

Renfermé, adj. *Un garçon renfermé,* peu communicatif. N.m. *Cela sent le renfermé.*

Renflammer, v.tr.dir., enflammer de nouveau.

Rengager (ou **réengager**), v.tr.dir. ou intr., **rengagement** ou **réengagement**. *Rengager la conversation, un ancien chauffeur. Ce soldat a rengagé ou s'est rengagé. Un soldat rengagé. Un rengagé.*

Rengaine, n.f., **rengainer,** v.tr.dir. Pas d'accent circonflexe. Fam. *Rengainer un compliment, des excuses* (Ac.).

Renon, renonce, n.f., **renoncer,** v.tr.ind. 1. En parlant d'un bail, on ne peut, comme on le fait en Belgique dans des textes officiels, dire [*renoncer un bail*] ni [*le renon* ou *le renom d'un bail*]. Le propriétaire ou le locataire *donne congé* à l'autre. On dit aussi en Belgique : [*Le propriétaire a renoncé son locataire*], pour *lui a donné congé. On résilie* (ou *on rompt*) *un bail, un contrat. La résiliation d'un bail, d'une assurance. Le congé donné à qqn. Recevoir congé. Accepter le congé.*

2. Au jeu de cartes, on emploie aussi à tort [*un renon*] pour *une renonce,* [*Avoir un renon en cœur*] pour *avoir une renonce à* (ou *en*) *cœur. Renoncer à pique* (Ac.) ou *en pique. Faire une renonce* (Ac.), ne pas fournir une carte de la couleur demandée. *Se faire une renonce en pique, à pique* (Ac.), se mettre en état de couper cette couleur en se débarrassant des cartes de cette couleur.

3. On dit absolument : *Je renonce* ou, avec un complément : *Renoncer à qqch., à qqn, à faire qqch. Renoncer à ce que,* suivi du subjonctif : *Je renonce à ce qu'on l'avertisse.*

Renoncer qqn ou *qqch.* (renier, désavouer) est vieilli ou littéraire : *Avant que le coq chante, tu me renonceras trois fois* (Ac.). *Renoncer qqn pour son parent, pour son ami. Tout ce que j'ai renoncé (...), je le réclame* (G. Duhamel, *Les plaisirs et les jeux,* p. 193).

Renoncement, n.m., **renonciation,** n.f. *Le renoncement aux plaisirs, aux honneurs. Un entier renoncement des choses de ce monde* (Ac.). Le nom implique une idée d'abnégaion, d'ascèse. En termes généraux ou d'affaires ou de jurisprudence, on emploie *renonciation : Une renonciation verbale. Une renonciation à une succession, à une hypothèque, au trône.* On parle couramment d'*une renonciation à une opinion, à un projet.*

Renseigner, v.tr.dir. Il faut condamner sévèrement l'usage très répandu en Belgique qui donne à *renseigner* le sens d'*indiquer,* de *signaler,* de *mentionner,* au lieu de celui de « donner des renseignements » : [*Renseigner (à quelqu'un) le bon chemin, une adresse, un hôtel*]. Mais cette faute n'est pas due à une influence flamande, c'est un archaïsme, un régionalisme gardant à *renseigner* un ancien sens d'*enseigner.* L'usage se retrouve d'ailleurs en wallon. *Renseigner,* c'est fournir à qqn un renseignement sur qqch. : *Elle était chargée de nous guider et de nous renseigner. Voulez-vous m'indiquer le chemin ? Ce dictionnaire ne mentionne pas ce mot. Une brochure qui renseigne les touristes. Le dictionnaire est là pour renseigner sur l'emploi des mots.*

Renseigner si n'est pas à conseiller. Au lieu de dire : [*Les documents ne peuvent nous renseigner s'il a réussi*], on dira : *ne peuvent nous renseigner sur sa réussite, ne nous disent pas s'il a réussi. Je me suis renseigné pour savoir s'il était bien rentré.*

J'ai entendu plusieurs Français très cultivés, parlant généralement très bien, employer *renseigner une fiche* pour *remplir une fiche* : on fournit à la fiche les renseignements qu'elle demande ! Certains fonctionnaires disent de même *renseigner une notice* au lieu de *remplir une notice !*

Rentrer, v.tr.dir. ou intr. Alors qu'on accepte l'emploi de *remplir* pour *emplir*, on continue à condamner celui de *rentrer* quand il n'y a pas l'idée d'entrer de nouveau, de revenir à l'endroit d'où l'on est parti. On admet : *Rentrer chez soi, rentrer dîner, rentrer de congé. Les tribunaux ne rentreront que dans un mois.* Il faut s'entendre.

Rentrer se dit fort bien figurément dans *rentrer dans ses droits, rentrer dans ses frais, dans ses dépenses* ou, familièrement, *dans son argent.* On dit très bien : *rentrer en soi-même, rentrer sous terre.*

Mais, sans qu'il y ait d'idée de retour, *rentrer* se dit en parlant des choses qui pénètrent, s'enfoncent, s'emboîtent : *Les jambes lui rentraient dans le corps,* (Ac.). *Ces tubes rentrent les uns dans les autres.* Ou familièrement, par exagération, dans le sens de « heurter violemment », « pénétrer profondément » : *Sa voiture est rentrée dans un arbre, dans le mur. Un clou qui rentre dans le mur.*

Pop., *Il lui est rentré dedans,* il s'est jeté violemment sur lui.

En dehors de cela, s'il est régulier de dire, avec le verbe transitif direct, *rentrer les foins, rentrer sa voiture au garage, rentrer le ventre, rentrer ses griffes, ses larmes, rentrer sa colère,* on fera mieux, malgré l'usage courant, de ne pas employer *rentrer* pour *entrer* quand il n'y a pas d'idée de répétition ou de retour. On dira : *Faites entrer la personne qui a sonné. Il est entré à la maison de retraite. On dirait que ce mendiant veut entrer. L'ennemi est entré dans la ville. Le jour entre à peine dans la pièce. Il est entré dans l'administration. Cela n'entre pas dans le tiroir.*

Renverser, v.tr.dir. *Renverser un adversaire, une chaise, un verre, sa soupe, du vin. Renverser un liquide* se dit très bien. *Renverser un obstacle, l'ordre établi, un ministère. Renverser le courant, la vapeur. Cette nouvelle m'a renversé. Une nouvelle renversante,* adj. **Intr.** et familier, *Le lait bout, il va renverser,* déborder.

Se renverser : *La voiture s'est renversée dans le fossé. Elle se renversait sur sa chaise* ou *dans un fauteuil. Se renverser sur le dos.*

Renvoyer, v.tr.dir. On condamne comme un pléonasme *renvoyer à plus tard.* Mais un complément n'est pas inutile pour marquer le sens qu'a ici *renvoyer,* remettre à une date ultérieure : *L'affaire est renvoyée à huitaine, à une date ultérieure, à plus tard.* Le meilleur usage et les dictionnaires accueillent ces expressions.

[Réouvrir], v.tr.dir., et *[réouvert]* ne sont pas français. On dit **rouvrir**, *rouvert*, bien qu'on dise : *la réouverture*.

Reparaître, v.intr. **Auxiliaire** : il semble qu'on maintienne pour ce verbe la distinction entre l'action en train de s'accomplir (*avoir*) et le résultat (*être*) : *L'image a reparu. Elle est reparue. — Il avait reparu le surlendemain* (M. Druon, *Les grandes familles*, Poche, p. 309).

Repartie, n.f., réponse vive. *Avoir de la repartie. Avoir la repartie facile.* On trouve *répartie* : *Cette faculté de répartie* (G. Duhamel, *Biographie de mes fantômes*, p. 204). Mais à cause du verbe *repartir* employé dans ce sens et distingué de *répartir*, les dictionnaires, comme l'Académie, n'accueillent pas *répartie*.

Repartir, v.tr.dir. ou intr., **répartir**, v.tr.dir. **Repartir**, c'est partir après un arrêt (auxiliaire *être*) ou répondre vivement (auxiliaire *avoir*) : *Ils sont repartis. Il n'a reparti que des injures.* Conjugaison des formes simples comme *partir*, dans les deux sens. *On repart de zéro.* **Répartir**, c'est partager d'après certaines conventions : *Répartir une somme.* Conjugaison comme *finir* : *Je répartis, je répartissais. J'ai réparti.* Le nom correspondant est *répartition*.

Repenser, v.intr. ou tr.dir. *Je repenserai à ce que vous m'avez dit. Repenser une question, un problème, une doctrine, un projet.*

Repentir (se). *Je me repens, il se repent. On se repent d'une chose, d'avoir fait qqch. Elle s'est repentie.*

Repère, n.m. Invariable dans *des points de repère*.

Répéter, v.tr.dir., c'est dire ce qu'on a déjà dit. Proprement, *répéter deux fois*, c'est dire trois fois la même chose. *On répète la même chose, on répète toujours la même chose, on la répète dix fois, vingt fois.*

Replet, adj. Féminin : *replète*.

Réplétif, adj., **réplétion**, n.f. *Une injection réplétive*, qui sert à remplir. *La réplétion de la vessie. Une sensation de réplétion.*

Répondre, v.tr.dir. ou intr., **et dérivés**. *L'écho répond. Il m'a répondu des injures. Répondre à qqn par retour du courrier. Lui répondre deux mots* ou *une longue lettre. Répondre à une accusation, à la confiance de qqn.* On ne dit plus *répondre une lettre* dans le sens de *répondre à une lettre* (faire réponse à). On dit encore parfois cependant : *une lettre répondue* (à laquelle on a répondu) ; on dit surtout *répondre la messe* (répondre aux paroles prononcées par le célébrant) et *répondre une requête* ou *une pétition* (inscrire au bas de la requête ou de la pétition la décision qu'on a prise). *Répondre de qqn, être son répondant,* c'est se porter garant pour lui, s'engager pour lui. On dit aussi *répondre des dettes de qqn*, s'engager à les

payer ou *répondre pour un débiteur.* **Le répondant** n'est donc pas celui qui répond à un questionnaire, mais celui qui répond la messe ou qui donne sa caution. **Répondeur,** adj., se dit de celui qui a l'habitude de répliquer : *Une enfant répondeuse.* Comme nom, il désigne un appareil : *Répondeur automatique.*
   Se répondre : *Elles se sont répondu des gentillesses.*

Reporter, n.m. Pron. « reportèr » ou « reporteur ». On a officiellement proposé, sans succès, d'écrire *reporteur.*

Repousser, v.tr.dir., se dit parfois, inutilement d'ailleurs et non sans équivoque, pour « remettre à plus tard » : *Le rendez-vous a été repoussé.* Comparer à : *repousser une offre, une demande, une pensée,* les écarter.

Reprendre, v.tr.dir., ne peut s'employer, comme en Belgique, dans le simple sens de *mentionner* : [*Les auteurs repris dans la liste ci-dessus*].

Reprise, n.f. *À différentes* (ou *plusieurs* ou *maintes*) *reprises.* Mais on n'ajoutera pas *différentes* à un nombre. On dira : *À deux ou trois reprises.*

Repriser, v.tr.dir. *Repriser un vêtement, des chaussettes.*

Répugnance, n.f., **répugner,** v.tr.ind. (ou dir.). *Je répugne à cela, à faire cela. Cela **lui** répugne* (Très familièrement : *Cela le répugne,* le dégoûte). *Elle éprouve une répugnance à faire cela. Sa répugnance **au** mensonge* ou ***pour** le mensonge.*

Répulsion, n.f. *Avoir de la répulsion pour* (ou *à l'égard de*) *qqn, qqch.*

Requinquer, v.tr.dir., peut se dire pour « redonner des forces, de l'entrain à qqn » : *Les vacances l'ont requinqué. Ça me requinque un peu. La voilà toute requinquée.* Le mot garde un air familier.

Réquisitoire, n.m., a un sens plus restreint que **réquisition** et se dit parfois en Belgique alors qu'il ne s'agit pas d'une intervention du ministère public ni d'une accusation. Autre emploi belge, en langage administratif : *un réquisitoire (de parcours gratuit)* alors qu'il s'agit d'une *réquisition de parcours gratuit* ou du billet y donnant droit.

Res ou **ress.** On notera l'emploi de deux *s* (on prononce « re », sauf dans *ressuyer, ressayer* et *ressusciter*) dans *ressaigner, ressaisir, ressasser, ressaut, ressauter, ressembler, ressemeler, ressemer, ressentir, resserre, resservir, ressortir, ressouder, ressouffler, ressource, se ressouvenir, ressuer, ressuivre, ressurgir, ressuyer.* Mais on écrit, en prononçant s dur, *resaler, resalir, rescinder.* On peut écrire *réessayer, resurgir.*

Réserve, n.f. *Donner un accord sans réserve, sous réserve, sous toute réserve* ou *sous toutes réserves, sous réserve de résiliation en cas de vente, sous réserve que les délais soient respectés.*

Réserver, v.tr.dir. Dans *Pouvez-vous me réserver deux places pour ce concert ?* ou *Il a réservé à chacun sa part,* on voit l'idée de « tenir en réserve » ou « assigner, destiner ». Ce sens peut apparaître dans *Réserver un accueil favorable* (ou *cordial*) *à qqn* si cet accueil a été prévu, préparé. Mais on critique l'emploi de *réserver bon accueil à qqn* dans le simple sens d'« accueillir », sans qu'il y ait volonté préalable. Il est vrai qu'il suffit de dire *faire bon* (ou *mauvais*) *accueil à qqn.* Distinguer : *Ils se sont réservé une chambre* et *La chambre qu'ils se sont réservée.*

Résidant, part. prés. et adj., **résident,** n. *Les Français résidant à l'étranger. Les membres résidants d'une académie. Un ambassadeur résidant.* Mais comme **nom :** *Les résidents français en Espagne.* On parle aussi d'un *résident secondaire* (qui possède une *résidence secondaire*). **Résidentiel,** adj. *Un quartier résidentiel.*

Résiduaire, adj., se dit de ce qui forme un résidu, un dépôt : *Les eaux résiduaires.*

Résipiscence, n.f., n'a aucun point commun avec les mots comme *recevoir, réception* ; il vient d'un mot du latin ecclésiastique et signifie « reconnaissance de sa faute avec amendement » : *Venir à résipiscence.*

Résolument, adv. Pas d'accent circonflexe.

Résolution, n.f., se dit encore, mais de moins en moins, dans le sens de solution d'une difficulté, d'un problème, d'une énigme. On parle de *la résolution d'une équation* ou *d'un triangle.* Autre sens, cf. RÉSOLUTOIRE.

Résolutoire, adj. *Une clause* (ou une *condition*) *résolutoire* entraîne la *résolution* (c'est-à-dire la *dissolution*) *d'un contrat* pour non-exécution des conditions. Cf. RÉSOUDRE.

Résonance, résonner. Cf. ASSONANCE.

Résorber, v.tr.dir. *Résorber le chômage, un déficit.*

Résoudre, v.tr.dir. 1. **Conjugaison** comme *absoudre,* mais passé simple *je résolus* et deux part. passés : **résous, résoute,** forme vieillie, ne pouvant se dire que des choses qui passent d'un état à un autre (*brouillard résous en pluie, vapeur résoute en gouttelettes*) ; **résolu** (qui s'emploie d'ailleurs aussi au lieu de *résous*) dans tous les autres sens (*j'ai résolu de me taire ; j'ai résolu ce problème ; le contrat, le bail est résolu,* dissous, annulé, privé d'effet).
    Résolu s'emploie comme adjectif et comme nom : *C'est un homme résolu ; c'est un résolu, lui. Être résolu à qqch., à faire qqch.* (*de qqch., de faire qqch.* appartient à la langue classique et a vieilli).
    Attention aux formes : *Je résous, il résout, nous résolvons, je résoudrai, qu'il résolve,* etc.

2. Devant un infinitif, *résoudre* se construit avec *de* sans complément de personne : *J'ai résolu de lui écrire.* Mais on dit : *résoudre qqn à faire qqch.* et *se résoudre à faire qqch. Elle s'est résolue à agir.*

3. **Se résoudre à ce que** et le subjonctif : *Il faut se résoudre à ce que chacun soit averti.* De même **être résolu à ce que** : *Je suis bien résolu à ce qu'on ne l'inscrive pas sans une enquête préalable.* Sens différents.

4. **Résoudre que** (décider que) est suivi de l'indicatif (ou du conditionnel). *Elle a résolu que sa fille nous rejoindrait.* Impersonnel : *Il a été résolu qu'on le prierait de s'expliquer.*

Respect, n.m., est vieilli dans le sens de « motif, point de vue, rapport », sensible encore dans la locution **au respect de** (par rapport à, à cause de). « On entend encore quelquefois des vieillards de la campagne dire : *au respect de*, au lieu de : *à l'égard de* » (Littré) : *L'homme au respect duquel j'ai été vous trouver.*

On manque de respect à qqn ou *envers qqn, on inspire du respect à qqn. Le respect de ses parents* ou *pour ses parents.* On dit, pour s'excuser d'une parole qui pourrait choquer : *Sauf votre respect* ou *Sauf le respect que je vous dois.* On dit souvent : *Pardonnez-moi l'expression.*

On présente à qqn ses respects. On prie un correspondant d'agréer l'expression de son respect.

Respectif, adj., veut dire « de chaque personne ou de chaque chose », ordinairement « par rapport à l'autre » : *Évaluer la force respective de chacun. Déterminer les positions respectives* (ou *la position respective*) *des deux astres.* Il s'agit bien d'un rapport entre l'un et l'autre. *Jacques, Pierre et Paul se plaignent de leurs chefs respectifs.* On trouve aussi le singulier : *de leur chef respectif,* mais il n'est pas à conseiller. J'écrirais plutôt *dans leurs chambres respectives* dans la phrase suivante : *Lorsque Melle Cloup eut pris congé, les deux sœurs ne se retirèrent pas dans leur chambre respective, bien qu'il fût près de minuit* (J.-L. Curtis, *La parade,* J'ai lu, p. 202). Il faut d'ailleurs user prudemment de ce tour avec des noms concrets. Je lis dans une revue résumant un film : *Deux vieux amis passent ensemble leurs vacances avec leur fille respective.* Cela semble étrange. Le pluriel (*avec leurs filles respectives*) ne le serait d'ailleurs pas moins et pourrait donner à penser que chacun a plusieurs filles. Je dirais : *chacun est accompagné de sa fille.*

Responsable, adj., suppose une charge, un compte à rendre : *Être responsable de qqn, de sa conduite, de sa santé* ; il n'est pas normal de dire qu'on est responsable des progrès de qqn, alors qu'on en est la cause, qu'on est à l'origine de ces progrès. *On cherche les responsables de cette méprise. Nous en discuterons avec les responsables. Un responsable syndical.* C'est un anglicisme d'employer *responsable* au lieu de « prudent, sérieux, raisonnable » dans des phrases comme : *Agir de façon raisonnable. Vous devez être assez prudent pour ne pas courir de risques inutiles.*

Ress-. Verbes commençant par *ress-* ou *res-*. Cf. RES.

Ressembler, v.intr. *Une personne ressemble à une autre. Elles sont ressemblantes. Elles se sont toujours ressemblé.* Absolument : *Il faut qu'un portrait ressemble* (Ac.). On dira plutôt : *soit ressemblant.*
  Se ressembler comme deux gouttes d'eau : cf. COMME, 4.

Ressort, n.m. Il n'est pas anormal de parler des ressorts d'un lit, mais on ne peut, comme en Wallonie, employer le singulier *ressort* au lieu de *sommier.* Pron. « re ».

Ressortir, v.intr. ou tr.ind., n'a qu'une prononciation (« re ») mais, selon qu'il évoque l'idée de sortir ou celle de ressort, de compétence, se conjugue et se construit différemment.
  1. Dans les sens de *sortir de nouveau, sortir peu après être entré, faire saillie, former relief, devenir plus apparent, résulter* et, dans l'emploi impersonnel, *apparaître comme une déduction,* il est **intr.** et se conjugue comme *sortir* avec l'auxiliaire *être* : *Il entre et ressort constamment. Le rouge ressort sur fond blanc. Il est ressorti de notre conversation qu'un accord était possible.*
  Familièrement, emploi **transitif** avec *avoir* : *Il a ressorti un vieux costume. Il nous a ressorti les mêmes rengaines.*
  2. Dans les sens de *être du ressort, de la compétence de quelque juridiction, relever de,* il est **tr.ind.,** se conjugue comme *finir* avec l'auxiliaire *avoir* et se construit avec *à* (éviter, bien qu'elle se répande par analogie avec celle de *dépendre, relever,* la construction avec *de*) : *Cette affaire ressortit (a ressorti) au tribunal de commerce. Ces romans ressortissent à la science-fiction.*

Ressource, n.f., se met au pluriel quand il s'agit de moyens, de possibilités d'action : *Ses ressources sont modestes. Les ressources de l'État. Avoir des ressources variées. Les ressources d'une langue. Un vieillard sans ressources.* Mais : *En dernière ressource. Être perdu sans ressource.*

Ressourcement, n.m., **se ressourcer,** évoquent le retour aux sources : *Il est utile parfois de se ressourcer.*

Ressurgir, v.intr., autre graphie de *resurgir.*

Ressusciter, v.tr.dir. ou intr. **Trans.,** se conjugue avec *avoir* : *Le Christ a ressuscité Lazare. Ce remède l'a pour ainsi dire ressuscitée.* **Intr.,** il s'emploie aujourd'hui couramment avec *être,* même s'il s'agit d'exprimer l'action en train de s'accomplir : *Lazare est ressuscité à la voix de Jésus.* Littré employait *avoir.*

Restant, n.m., s'emploie parfois pour *reste,* plutôt familièrement, surtout en parlant de choses matérielles : *Je vous paierai le restant avec les intérêts* (Ac.). *Un restant de bronchite.*

Adj. : *Les cent francs restants. Gardez le franc cinquante restant. Poste restante.*

Restauration, n.f., ne signifie pas « action de servir des repas », « restaurant » (sens qu'il a en Allemagne), mais peut désigner le métier de restaurateur : *Travailler dans la restauration.* On ne peut donc afficher [*Restauration à toute heure*], mais *Repas à toute heure.*

Reste, n.m. 1. Accord avec *le reste,* cf. VERBE, *Accord,* A, II, 1, pp. 965-967.

2. **Au reste, du reste,** loc. adv., sont devenus synonymes : *au reste* est aujourd'hui plutôt littéraire et se met souvent en tête de la phrase ; *du reste* est plus courant. Leur sens est « au surplus, d'ailleurs » : *Cela n'est pas grave ; au reste, j'avais pris mes précautions. Il est un peu lent, du reste très travailleur. J'approuve cette proposition ; je la connaisais du reste. On ne semble pas désirer mon intervention ; du reste on ne m'a pas invité.*
De reste, loc. adv., « plus qu'il n'en faut » : *Il a du temps de reste.*

Rester, v.intr. 1. **Auxiliaire** *être* dans tous les cas : *Il est resté deux jours à Paris. Il ne lui est resté que l'espérance.*

2. Accord du verbe avec **ce qui reste** : cf. VERBE, *Accord,* A, II, 2, p. 968. Avec **reste** en tête de la proposition : cf. p. 989.

3. *Rester* est très suspect dans le sens d'« habiter » ; considéré alors comme vulgaire ou populaire ou régional par certains, il est au moins très familier : *Je restais alors rue Descartes.* Mais on dit fort bien : *Où reste-t-il ?* dans le sens de : *Où s'attarde-t-il ?*

4. **Ce qu'il me reste** ou **ce qui me reste** : cf. CE QUI.

5. Après l'impersonnel **il reste,** l'infinitif exprimant ce qui est encore à faire est introduit aujourd'hui par *à* : *Il nous reste à ne pas vous décevoir. Il ne lui restait plus qu'à partir. De* est vieilli dans ce sens mais s'impose si l'infinitif exprime un fait dont on veut dire « cela au moins (ce fait passé) ne m'est pas enlevé » : *Si ce que j'ai fait est vain, qu'il me reste au moins de m'être dépassé en le faisant* (Montherlant, cité dans *B.U.,* n° 1879).
Il reste que est suivi de l'indicatif. *Votre démarche a réussi ; il reste* (ou *il n'en reste pas moins*) *qu'elle était irréfléchie.*

6. *Rester* **devant un infinitif.** On dit : *La chose qui reste à faire. Reste* (ou *il reste*) *à fixer le jour de notre prochaine séance.*
Dans un autre sens de *rester,* « ne pas s'en aller, afin de », l'infinitif qui suit et qui marque le but se construit avec *pour* ou avec *à* ou aussi parfois sans préposition. *Restez avec nous pour dîner* ou *Restez à dîner avec nous* ou *Restez dîner avec nous.*
Dans le sens de « s'occuper à, passer son temps à », on peut mettre ou omettre *à* : *Puis il rentre dîner (...) et reste à bavarder avec sa logeuse* (L. Estang, *Les stigmates,* Poche, p. 79). *Carmela avait pris l'habitude (...) de rester un moment bavarder avec celle-ci* (M. Druon, *La volupté d'être,*

p. 56). On emploie nécessairement *à* si le sens est « continuer à » : *Il resta quelque temps à nous regarder.* En cas d'hésitation, employer *à.*
Mais on ne dira pas [*Ils restent bien à venir*] au lieu de : *Ils tardent bien à venir.*

7. Quelques expressions : *Rester sur le cœur, sur l'estomac, sur sa faim, sur la bonne bouche, dans un lieu, un emploi, un état, dans la mémoire, dans le souvenir, dans le droit chemin. Rester deux ans dans la même place. Rester au bas de la côte. Rester à la maison. La tache reste. Rester en route. Rester court* ; *court* est alors invariable ; ne pas dire [*à court*]. *Il est resté deux heures sur son devoir. Il est resté quatre heures pour faire ce travail,* il a mis quatre heures à le faire. *Restons-en là.* Cf. PLAN (*rester en plan*). *Rester le bec dans l'eau,* dans l'attente.

8. On laisse *reste* invariable si l'on écrit : *De 8, ôtez 5, il reste 3* ou *reste 3.*

Restoroute, n.m., est plus courant que *restauroute,* mais c'est proprement un nom déposé réclamant la majuscule.

Résulter, v.intr. **Auxiliaire** *être,* généralement, dans tous les cas (mais on trouve encore parfois *avoir* pour l'action en train de s'accomplir) : *Il en est résulté des rixes autour des urnes* (J. Giraudoux, *Intermezzo,* p. 19). *Un bien a résulté de notre erreur.*

Résurgence, n.f., se dit proprement des eaux souterraines qui ressortent à la surface (cf. CHANTOIR), mais s'emploie très bien au figuré : *La résurgence des féodalités* (A. Peyrefitte, *Le mal français,* p. 20).

Resurgir, v.intr. On écrit aussi *ressurgir.*

Retable, n.m., et non plus *rétable,* vieilli.

Retarder, v.intr. (l'emploi transitif ne présente aucune difficulté). On peut dire : *Ma montre retarde de deux minutes* ou, par extension : *Je retarde de deux minutes. On retarde sur son siècle.*

Retenir, v.tr.dir. Il faut se garder d'ajouter *d'avance* quand il s'agit de réservation : *On retient une place, une chambre.*

Réticence, n.f., **réticent,** adj. On retrouve dans le mot latin *reticentia* la racine du verbe *tacere,* taire. Le sens premier de *réticence* est donc : suppression ou omission volontaire de ce qu'on pourrait dire. On parle des réticences d'un diplomate, d'un exposé plein de réticences, d'aveux accompagnés de réticences (de dissimulations). Par un glissement naturel, que l'Académie et des linguistes condamnent mais qui s'est répandu, même chez d'excellents écrivains, et est enregistré par les meilleurs dictionnaires, *réticence,* écartant ou voilant l'idée de silence, a signifié : hésitation, réserve dans l'attitude, les paroles ou le comportement, exprimant une résistance, une désapprobation : *Sa réticence, ou résistance, à cet endroit se marque même nettement (...). Enfin ces objections, ces réticences que des adversaires pourraient m'opposer* (A. Gide, *Journal*, 12 juin 1926 et 24 juillet 1934). *De tous les côtés le public éclairé accueillit avec une réticence étonnée le livre dont tout le monde parlait* (A. Thibaudet, *Histoire de la littérature française de 1789 à nos jours*, p. 356).

Réticent a subi la même évolution, condamnée aussi par l'Académie, mais entrée dans l'usage, même littéraire. Du sens premier, « qui ne livre pas toute sa pensée » (*Un interlocuteur réticent, un langage réticent*), on est passé à celui de « hésitant », qui fait des réserves : *Il a consenti, mais je l'ai senti réticent. La presse, loin d'être entièrement favorable, a été très réticente. — Sa voix était encore plus réticente que ses paroles* (Beauvoir, cité par GLLF). *Ma mère était plus réticente pour me laisser sortir le soir* (H. Bazin, cité par Grevisse, *B.U.*, p. 92, note 21).

Les deux sens peuvent d'ailleurs se rejoindre ; la différence essentielle est que, au sens premier, il est question de silence, de choses tues. Sans doute eût-il été préférable de maintenir cette distinction et chacun peut encore le faire, mais l'idée de simple réserve est entrée dans le bon usage.

Retour, n.m. *Être de retour,* être revenu. *Il est de retour du bureau. Il est de retour chez lui. De retour chez lui, il m'a téléphoné.*

De retour du bureau ou **Au retour du bureau** ou, considéré par certains comme familier mais entré dans l'usage littéraire, **Retour du bureau,** *il a trouvé ma lettre.* **Être sur le retour,** *sur son retour,* être sur le point de repartir, de retourner à l'endroit d'où l'on vient ; l'expression a vieilli dans l'emploi figuré, « commencer à déchoir, à vieillir », bien qu'on parle encore de *retour d'âge* pour l'âge de la ménopause.

Que me donnerez-vous **en retour** *? Payer de retour,* rendre la pareille. *Sans espoir de retour,* sans espoir de réciprocité. *Répondre* **par retour du courrier** (abrégé parfois en *par retour*). *Atteindre un point de* **non-retour.** Cf. POINT, 6.

Si *de retour* ou *en retour* peuvent marquer la réciprocité, l'échange, si donc on peut dire : *Je fais ceci et en retour vous ferez cela,* on ne peut employer [*donner qqch. de retour*] pour *rendre, restituer qqch.,* ni [*avoir de retour*] pour *ravoir : Je veux ravoir mon argent.*

Retourner, v.tr.dir. ou intr. **Intr.,** se conjugue avec *être.* **Trans. dir.** : *Retourner la terre, sa veste, la salade, le fer dans la plaie. Retourner une lettre, un compliment. Retourner qqn* (familier) a deux sens : le faire changer d'avis, l'émouvoir violemment : *Il était de notre avis, mais on l'a retourné* (Ac.). *Il s'est laissé retourner* (Ac.). *Cette nouvelle m'a tout retourné* (Ac.).

Impersonnel : *Vous ne savez pas de quoi* **il retourne** (Ac.).

Se retourner peut s'employer absolument et familièrement dans le sens de « s'adapter aux circonstances » : *Les affaires traversent une crise, mais il saura bien se retourner* (Ac.). *Laissez-lui le temps de se retourner* (Ac.).

Belgicisme : [*Je ne me retourne pas pour cela* ou *après cela*] pour : *Je ne m'inquiète pas de cela.*

Retraite, n.f. *Un fonctionnaire à la retraite* ou *en retraite, mis à la retraite. Prendre sa retraite.* Bien que *retraite* évoque essentiellement l'action de se retirer (de la vie active), et non pas nécessairement l'idée d'une pension, *retraité* implique l'idée d'une pension de retraite, appelée aussi une retraite. Cf. PENSIONNÉ.

Retrancher, v.tr.dir. *J'ai dû retrancher une phrase en publiant ce discours. Retranchez de cette somme les frais généraux. Retrancher un nombre d'un plus grand. Retrancher d'un salaire une certaine somme. Il vit retranché du monde. Ils se sont retranchés du monde.*

[Rétroactes], n.m.pl., n'est plus français. Il survit en Belgique ; non pas, comme pourraient le faire croire *rétroactif* et *rétroagir*, pour désigner une action sur le passé, mais le passé lui-même, agissant sur le présent. Il faut dire : *les antécédents, l'histoire* d'une affaire.

Rétroagir, v.intr., avoir un effet rétroactif, agir sur le passé. *Cette disposition rétroagira à partir du 1ᵉʳ janvier.*

Retrousser, v.tr. *Retrousser sa jupe, son pantalon, ses manches* (sens propre et figuré).

Retrouvailles, n.f.pl., est français.

Retrouver (s'y). Se retrouver dans ses comptes, c'est s'y reconnaître. *S'y retrouver* sans complément, est français et familier et veut dire « rentrer largement dans ses débours, compenser ses frais avec un bénéfice » : *À ce prix-là, comment voulez-vous que les maraîchers s'y retrouvent ?*

Réunir, v.tr.dir. Tandis qu'on unit une chose *à* une autre, l'élégance *à* la force, on réunit l'élégance *et* la force, mais l'Académie écrit : *Le cou réunit la tête au corps* (une partie à une autre). *On se réunit entre collègues* plutôt qu'*avec* des collègues. Mais on dit très bien : *Nous nous sommes réunis, ma femme et moi, avec quelques amis.*

Réussir, v.intr. ou tr.dir. On dit très bien : *réussir un portrait, un examen, une affaire, un coup difficile, un travail, un but, une sauce, un dîner, un roman.* Cf. EXAMEN.
Belgicisme : [*Ça veut juste réussir !*] pour *Quelle coïncidence !*

Revanche (en). Cf. CONTRE.

Revancher (se) et non [*se revenger*].

Réveil, n.m. On écrit : *un réveil, des réveils,* mais : *un réveille-matin, des réveille-matin.*

Revendicateur, adj., a un sens plus général que *revendicatif,* qui s'applique surtout à des revendications sociales : *Une démarche revendicatrice. Un programme revendicatif.*

Revenir, v.intr. *Revenons à la question, à notre sujet. Revenons à nos moutons. Il n'y a pas à y revenir. Le malade revient de loin. Je n'en reviens pas,* je suis très étonné. *Revenir sur une affaire, sur une question,* la traiter de nouveau. *À quoi bon revenir là-dessus ? Sa tête ne me revient pas,* ne m'est pas sympathique.

Belgicisme : [*Ne pas revenir sur qqch., sur un nom, sur une adresse,* etc.] au lieu de : *Ne plus s'en souvenir.* Mais on peut dire : *Ce détail va me revenir,* je vais m'en souvenir.

Rêver, v.intr., tr.dir. ou tr.ind. 1. **Intr.** Faire des rêves : *J'ai rêvé toute la nuit. Il me semble que je rêve. On croit rêver.* Laisser aller son imagination, être distrait : *Cet élève ne fait que rêver. J'ai rêvé toute la soirée.* Divaguer : *Cessez donc de rêver. Rêver tout éveillé.* — *Rêver sur qqch.,* y penser profondément, est devenu rare. On dit plutôt : *à qqch.* (cf. 2).

2. **Tr.ind.,** se construit avec *à* ou avec *de* selon le sens. **Rêver à qqch.,** y songer plus ou moins vaguement ou y réfléchir : *À quoi rêvez-vous ? Il rêve à ses voyages.* **Rêver de qqn, de qqch.,** voir en rêve, en dormant : *J'ai rêvé de vous cette nuit. J'ai rêvé de cet accident.* Désirer vivement : *Il rêve d'un sort meilleur. La tranquillité dont je rêve. À cet âge-là, je rêvais de politique comme on rêve d'aventures* (R. Mallet, *Une mort ambiguë,* p. 105). *Il rêve d'une auto de course.* Devant un infinitif, on emploie *de : Il rêve d'être député. Je rêve d'être seul quelques jours.*

3. **Tr.dir.,** *rêver qqch.* peut avoir les sens de « rêver de, voir en rêve », mais signifie surtout « voir comme dans un rêve, se représenter ce qu'on désire, désirer vivement » : *J'ai rêvé une chute, un incendie* (Ac.), mais on dit plus souvent : *J'ai rêvé d'une chute, d'un incendie. L'amour qu'on rêve et l'amour qu'on rencontre se heurtent (...). Une nostalgie de ces âmes que j'avais rêvées* (H. Bosco, *L'antiquaire,* Folio, pp. 114, 117). *On ne rêvait pas une liberté plus grande* (J. Green, *Mont-Cinère,* p. 19). *On n'aurait pu rêver une journée plus belle* (Id., *Moïra,* Poche, p. 71). *Cette réconciliation, c'est vous qui l'avez rêvée* (vue en songe). *Rêver mariage. Ne rêver que plaies et bosses. Ce que j'ai rêvé, j'ai cru le vivre* (H. Bosco, *L'antiquaire,* Folio, p. 191).

Avec *cela, ce que, chose* ou un nom sans article : *C'est vous qui avez rêvé cela. Rêver mariage.*

Avec **que** et l'indicatif : *J'ai rêvé que nous nous étions disputés, que je gagnais le gros lot, qu'on nous réconciliait.*

Réviser, réviseur, révision. Littré écrivait *reviser,* mais *réviseur, révision ;* il regrettait cette anomalie et, au mot *réviseur,* souhaitait qu'on mît ou qu'on enlevât l'accent dans les trois mots. L'Académie a unifié les graphies en supprimant l'accent.toutefois celui-ci a survécu et les meilleurs dictionnaires n'ont pas osé le proscrire ; ils admettent *reviser* et *réviser*, *reviseur* et *réviseur*, *revision* et *révision*. Certains même, en dépit de l'Académie, ne donnent plus que *réviser, réviseur, révision*, qui sont certainement plus courants.

Revoir, n.m. On dit couramment : *Au revoir.* L'Académie donne encore dans le même sens *à revoir*, qui correspond à des formes dialectales, mais qui a vieilli.

Révolté, adj. *Il est révolté contre les abus. Révolté de voir la fourberie récompensée* ou *de voir qu'on rejetait sa requête* (plutôt que *révolté que* ou *de ce que*).

Revolver, n.m. On prononce « ré » mais on écrit *re*. De même : *revolveriser* (écrit parfois *révolvériser*).

Révoquer, v.tr.dir. *Révoquer un fonctionnaire, une donation, un testament.*
   Révoquer en doute, mettre en doute. *Je n'ai jamais révoqué en doute que vous ayez fait votre possible.* Construction, cf. DOUTER, 2.

Revue, n.f. Ne pas traduire l'anglais *under review* par *sous revue*, mais par *analysé* : *Les mérites de l'œuvre analysée.*

Rewriter, n.m., se dit en français *rédacteur-réviseur.* Le verbe se traduit par *récrire* ou *réécrire.*

Rez, ancienne préposition, ne se retrouve plus que dans des noms composés *rez-de-chaussée*, invariable, et dans des locutions vieillies *à rez de* (terre), *sur le rez de* (la nuit ; à l'approche de).

Rh. *Rhabiller, rhapsode, rhapsodie, rhénan, rhéographe, rhéologie, rhéostat, rhésus, rhéteur, rhétique, rhétorique, rhéto-roman, rhingrave, rhinite, rhinocéros, rhinologie, rhinopharynx, rhinoscopie, rhizophage, rhodien, rhododendron, rhombe, rhotacisme, rhubarbe, rhum, rhumatisme, rhume,* etc.

Rhétorique, n.f., a désigné plus longtemps en Belgique qu'en France la dernière classe de l'enseignement secondaire.

Ribote, n.f., joyeux excès de table ou de boisson, est vieilli ou plaisant : *Faire ribote, être en ribote.*

Richelieu, n.m. désignant une chaussure, reste invariable au pluriel ou plus souvent prend *s* : *des richelieu* ou *des richelieus.*

Ric-rac, loc. adv. (on a dit autrefois *ric-à-rac*), « avec une exactitude rigoureuse » : *Payer ric-rac. C'est compté ric-rac.*

Rien, n.m., pr.ind. ou adv. 1. **N.m.** *Rien* a gardé de son origine latine (*rem,* une chose) la possibilité d'être employé comme nom masculin avec un sens positif : *Il se fâche pour un rien*, pour peu de chose. *Perdre son temps à des riens. En un rien de temps*, en un petit peu de temps. *Avec un rien de mépris. C'est **un rien trop petit**,* c'est légèrement trop petit. *Il fait cela comme un rien*, très facilement, semble une déformation de *Il fait cela comme rien.*

N.m. ou f. : *Un* ou *une* ou ***des rien du tout*** (ou parfois *rien-du-tout*).

2. **Pr.ind.** (ou nominal) : a) Généralement, il a un sens négatif (aucune chose) et est accompagné de la négation *ne* : *Il n'a rien contre vous. Ce n'est rien. Ça ne fait rien. Il n'en est rien. Cet homme ne m'est rien* (je n'ai aucun lien avec lui). *Je n'ai rien dit. Elle ne pense à rien. Il ne fera jamais rien qui vaille* (locution figée au présent). *Cet homme n'est plus rien dans cette société*, il n'a plus aucune importance. *Cette mésaventure n'est rien auprès de celle qui m'est arrivée. Vous ne ferez semblant de rien.* Cf. SEMBLANT.

b) *Rien*, gardant son sens négatif, s'emploie parfois sans *ne* après une préposition (*De rien, pour rien*), dans des phrases elliptiques (*Que faites-vous là ? — Rien*), en opposition à *tout* ou à *cela, ce que* ou *telle chose* (*C'est cela **ou rien**. Ce qu'il a fait ou rien, c'est la même chose*). *Un homme de rien. Comptez-vous cela **pour rien** ? Il est sorti de rien*, il est d'origine humble. Même emploi dans quelques expressions : *Merci. — De rien. Rien de plus, rien de moins — C'est **moins que rien**. En moins de rien. Il fera cela **comme rien**,* facilement. *Je jure de dire la vérité, toute la vérité, rien que la vérité. Cela est à moi, rien qu'à moi*, à moi seulement. *J'aurais voulu être là, rien que pour voir sa tête. J'ai payé ce vase trois fois rien.* Cf. FOIS, 3, d, p. 426.

c) *Rien* ne s'emploie plus avec *ne pas* que pour nier *Ce n'est rien* dans **Ce n'est pas rien**, qui ne peut plus être discuté aujourd'hui. On emploie fort bien *ne pas* dans une autre proposition dont dépend celle qui contient *rien* : *Je ne vois pas qu'il ait rien dit de mal* (rien = qqch., cf. d).

d) *Rien* a un sens positif (quelque chose) dans quelques cas, dans un contexte qui n'est pas affirmatif, dans des phrases interrogatives ou dubitatives, ou après *sans, sans que, avant, avant que, trop... pour, trop... pour que* : *Y a-t-il rien de plus beau ? Je doute qu'il ait pu rien faire d'autre. S'il s'avisait de rien dire. On nous interdit de rien faire. Incapable de rien répliquer. Le président leva la séance avant que l'opposant pût rien dire. Il est parti sans rien dire. Il est trop confiant pour rien soupçonner.*

e) Devant un adjectif (ou un participe) ou un des adverbes *moins, plus, mieux, pis, très, rien* est suivi de *de* : *Rien **de** tel, de nouveau. Rien de très difficile. Il n'y a rien de plus facile*, c'est très facile. *Il n'y a rien de perdu. Rien d'autre* (*rien autre* a vieilli ou est littéraire, ainsi que *rien autre chose* ; on dit : *N'avez-vous pas autre chose à dire ?*).

3. **Adv.,** *rien* appartient à la langue très populaire, qui lui donne le sens de « très, fameusement » par antiphrase : *Elle est rien bête.* À distinguer de l'emploi du nom *un rien* (cf. 1) comme adverbe devant un adjectif, dans le sens de « un peu » : *C'est un rien trop petit.*

4. **Comme si de rien n'était**, comme s'il ne s'était rien passé, en affectant l'innocence ou l'ignorance : *Vous parlerez comme si de rien n'était.* À rapprocher de : *Il n'en est rien*, ce n'est pas exact, ce n'est pas vrai. Ne pas dire : [*Comme si rien n'était*].

5. **Ne servir à rien** ou **de rien**. Cf. SERVIR, 2.

6. **Je n'en sais rien** et non [*Je ne sais de rien*]. Mais *Ne savoir rien de rien*, être dans une ignorance absolue.

7. **Rien de moins**. *Il n'y a rien de moins facile* s'oppose à *Il n'y a rien de plus facile* (c'est très facile) et signifie donc : Ce n'est pas facile du tout, c'est très difficile. *Il m'a dit cela, rien de moins*, il m'a bel et bien dit cela. *Je n'attendais rien de moins*, c'est bien ce que j'attendais.

8. **Rien moins que, rien de moins que.** Avant la 8ᵉ édition de son Dictionnaire, l'Académie admettait, comme le faisaient les écrivains depuis des siècles, que *rien moins que* eût un sens positif (bel et bien) ou négatif (nullement) « selon la circonstance ». En 1935, se ralliant à l'avis des puristes, elle a opposé *rien moins que*, ayant « d'ordinaire le sens négatif », disait-elle, et *rien de moins que*, ayant toujours un sens positif. Il peut paraître facile d'expliquer cette opposition : *Il n'est rien moins que brave*, il n'est aucune chose moins que brave, la bravoure est la qualité qu'il possède le moins, il n'est pas brave du tout. *Il n'est rien de moins que votre bienfaiteur*, il n'est aucune chose de moins que votre bienfaiteur, il est bel et bien votre bienfaiteur, et rien de moins. *Il ne s'agit de rien de moins que d'une calomnie.* Ce sens positif apparaît aussi devant un infinitif : *On ne parle de rien de moins que de l'arrêter*, on ne parle d'aucune chose de moins que de l'arrêter, on parle bel et bien de l'arrêter.

Cependant de nombreux et excellents écrivains continuent à donner à *rien moins que* un sens positif, plus fréquent même que le sens négatif ; *rien de moins que* est plus rare et est parfois employé par de bons écrivains au sens négatif. C'est pourquoi je continue à conseiller de ne pas recourir à ces expressions ambiguës dans l'usage, et toujours faciles à remplacer. Si l'on veut en user, il convient de donner à *rien moins que* le sens de « nullement » et à *rien de moins que* celui de « bel et bien », « véritablement ». Et dans les deux cas on se gardera de supprimer *ne*.

9. **Rien que.** On distinguera l'emploi de *rien que... ne* et celui de *rien que* sans négation. Le vers de La Fontaine *Rien que la mort n'était capable d'expier son forfait* (VII, 1) signifie : Rien d'autre que la mort n'était capable..., la mort seule était capable... On exclut toute autre chose que la mort.

Rien que la façon dont elle me disait cela me pénétrait doucement (R. Bazin, *Une tache d'encre*, p. 122) a un autre sens : on veut indiquer que ce qui est introduit par *rien que* suffit à produire l'effet indiqué. *Rien que d'y penser on en est effrayé* (Ac.). *Rien qu'à le voir on prenait de lui*

une bonne opinion (Ac.). *Rien que parce que nous le demandions, il refusait.*
Devant un adjectif, **rien que de** le renforce : *Cela n'a rien que de très naturel.*

10. **Rien du tout.** *Un rien du tout* (cf. 1). *Il n'aura rien du tout* (Ac.). Ne pas dire [*Un morceau de rien du tout*] pour *Un tout petit morceau.*

11. **Place** de *rien* complément d'objet direct. Employé seul, il suit le verbe ou l'auxiliaire : *Je ne vois rien, je n'ai rien vu.* En dépendance d'un infinitif : *Je ne veux rien vous cacher. Sans rien oser dire* ou *Sans oser rien dire. Sans avoir rien dit* (plus fréquent que *Sans rien avoir dit*). S'il a un complément : *Je ne vois rien de tel. Je n'ai rien vu de tel.* Mais parfois *rien* est séparé de l'auxiliaire pour être joint à son complément. *Je n'ai jamais vu rien de tel.*

Rien précède ou suit *en* et *y* devant l'infinitif : **Ne rien y voir** ou **n'y rien voir. Sans rien en faire** (plus rare : *Sans en faire rien*).

12. **Je n'y peux rien.** Cf. Pouvoir, 2, c, p. 749.

Rigolade, n.f., **rigolard, rigolarde,** adj. et n., **rigoler,** v.intr., **rigolo, rigolote,** adj. et n., sont familiers.

Rince-. *Composés,* cf. Noms composés, B, 5.

Ring, n.m., devrait être réservé à l'estrade où se disputent des combats de boxe ou de lutte. On l'applique officiellement et abusivement en Belgique à une voie de communication rapide destinée à détourner et à accélérer de façon permanente la circulation routière aux abords d'une ville. On s'est demandé s'il convenait de dire **rocade,** n.f., qui a ce sens en français, mais qui en principe est plutôt une ligne droite. On aurait pu adopter **périphérique,** n.m., qui a le tort d'évoquer peut-être l'idée de boulevard périphérique, mais qui situe bien cette route dans le pourtour d'une ville. **Ceinture** n'eût pas convenu, parce que le terme implique un cercle complet autour d'une ville ou de son centre. Mais **rocade** se dit fort bien d'une route qui contourne une ville : «Voie destinée à détourner la circulation d'une région déterminée, soit en la contournant, soit en la longeant, et qui prend son origine et aboutit à une voie principale» (GLLF). On avait donc le choix entre *rocade* (à préférer) et *périphérique.*

Rioter, v.intr., «rire un peu, dédaigneusement», appartient à des dialectes ou à un français vieilli.

Rire, v.intr. ou tr.ind. *Je riais, nous riions. Il ne supporte pas que nous riions. C'est à mourir de rire. Rire de qqn* ou *de qqch.* Ne pas dire dans ce sens [*Rire avec*]. *Ils se sont ri de nous.* **Prêter à rire** est plus courant qu'*apprêter à rire,* qui est vieilli. *Ce qu'il dit prête à rire. Il a dit cela pour rire* ; on laissera au langage populaire [*pour de rire*].

Ris de veau, n.m., s'écrit sans traits d'union : *Un ris de veau. Des ris de veau.*

Risotto, n.m., riz préparé à l'italienne.

Risque, n.m., **risquer,** v.tr.dir., ne peuvent normalement (en dépit de quelques auteurs) s'employer que si l'issue envisagée est fâcheuse. Cf. CHANCE. On ne dira pas : [*Il risque de réussir. Il n'y a pas le moindre risque de retrouver un survivant*]. On dira : *Il a des chances de réussir. Il n'y a pas la moindre chance de retrouver un survivant.* Au lieu de [*Ces propositions risquent d'être très utiles*], on dira : *Ces propositions peuvent être utiles.* Mais : *Il risque de perdre, d'échouer, de tomber. Il risque ainsi que son nom soit oublié au moment des récompenses.* L'idée d'un certain risque à courir, se retrouve dans : *Risquer une allusion, une comparaison, un regard, un gros mot. Risquer sa fortune, sa réputation.* Mais : **Tenter** *sa chance.*

Tandis que devant un infinitif *risquer* se construit avec *de*, on dit *se risquer à* : *Il risque de pleuvoir demain. Elle s'est risquée à nous déplaire. Je ne m'y risquerai pas.*

Rite, n.m., s'est adjoint les sens qu'avait autrefois *rit*, n.m. : *Le rite latin.*

Rivageois, n.m. Wallonisme pour *riverain.*

Rivaliser, v.intr. *On rivalise d'adresse* **avec** *qqn. Ils rivalisent de courage.* Dans l'exemple de l'Académie, *Ces deux peuples rivalisent entre eux de gloire, d'industrie,* on peut trouver qu'*entre eux* est superflu.

Robe, n.f. Dans les composés, *robe* est suivi d'un trait d'union là où le second élément, qui varie, est une sorte d'apposition : *robe-chemisier, robe-chasuble, robe-manteau, robe-tablier, robe-sac.* Mais on écrit *une robe princesse, des robes princesse.* On parle en France comme en Belgique de *pommes de terre* **en robe de chambre** ou (moins souvent) *en robe* **des champs** ou **en chemise.** Il semble que *robe de chambre* ait été favorisé par l'idée de « négligé ». Cf. *F.P.,* pp. 114-116.

Rocking-chair, n.m. *Des rocking-chairs.* On peut dire en français *berceuse* ou *fauteuil à bascule* (ou, comme au Canada, *chaise berçante*).

Rococo, adj., est invariable : *Des meubles rococo* (de style rococo).

Roder, v.tr.dir., **rôder,** v.intr. *On rode une soupape, une voiture, une équipe, de nouvelles méthodes.* On les soumet au *rodage. On rôde dans la campagne, on rôde autour d'une maison, de qqn, dans une rue.*

Rogner, ronger, v.tr.dir. **Rogner,** c'est raccourcir en coupant qqch. sur les bords : *Rogner les griffes à un chat, la tranche d'un livre, rogner les ailes* (à qqn), *rogner les ongles, rogner à qqn ses revenus, son traitement. Rogner* *sur qqch.*, faire de petites économies. Autre verbe *rogner*, fam., intr., être en rogne. — **Ronger,** c'est déchiqueter à petits coups de dents, mordiller, détruire peu à peu : *Ronger un os. Les vers rongent le bois, il ronge ses poings, la mer ronge les falaises, la rouille ronge le fer, le chagrin ronge cet homme. Être rongé par qqch.* Noter qu'on prononce *ju* dans *rongeure*, n.f.

Roide, adj., se rencontre encore parfois au lieu de *raide.*

Roman, romand, adj. Bien qu'on parle des *langues romanes*, issues du latin, on parle de la *Suisse romande* (avec *d* par analogie avec *allemand*) pour cette partie de la Suisse où l'on parle le français. *Les problèmes romands. Le drapeau romand.*

Rompre, v.tr.dir. On dit très bien *rompre* (ou *casser*) *un mariage*, l'annuler. Mais *rompre*, sans complément d'objet, et *rupture* ne se disent pas de gens mariés, mais de fiancés ou d'amants.

Romsteck, n.m., s'écrit aussi *rumsteck.*

Ronchonner, v.intr., donné parfois comme populaire, est tout au plus familier : manifester son mécontentement en grognant.

Rond, adj. *Ça m'a coûté mille francs tout ronds.* Dans un sens voisin : *mille francs en chiffre rond* ou *en chiffres ronds.*

Rondelle, n.f. Bien qu'une rondelle de métal soit généralement évidée au centre, on peut employer *rondelle* pour une petite tranche ronde (de saucisson, de citron, etc.), *rouelle* étant vieilli dans ce sens.

Roquette, n.f., a heureusement remplacé *rocket.*

Rosat, adj., est invariable : *Une pommade rosat*, où il entre des roses.

Rosbif, n.m., a éliminé la forme anglaise *roastbeef.*

Rose, n.f. *Eau de rose. Huile de roses, essence de roses, confiture de roses. Le pot aux roses. Des tissus roses, rose clair, rose saumon.*

Rosette, n.f., insigne du grade d'officier (décoration). L'insigne du grade de commandeur peut s'appeler une *rosette à socle* (M. Druon, *Les grandes familles*, Poche, pp. 27 et 329) ; on dit familièrement : *un canapé.*

Rôtir, v.tr.dir., et ses dérivés ont un accent circonflexe. Mais on prononce un *o* ouvert.

Rouflaquette, n.f. Il est abusif de considérer ce nom comme populaire.

Rouge, adj. *Des étoffes rouges* ou *rouge foncé. Ils étaient rouges de colère.* Adv. : *Ils ont vu rouge. Ils se sont fâchés tout rouge.* **Rougeâtre,** adj. **Rougeoyer,** v.intr.

Roulant, adj., est populaire dans le sens de *tordant,* qui fait se rouler par terre, rire aux éclats.

Rouler, v.tr.dir., peut se dire familièrement pour *duper.* Belgicisme : [*Une maladie qui roule*], qui court.

Rouspétance, n.f., **rouspéter,** v.intr., **rouspéteur, rouspéteuse,** n., sont familiers.

Router, v.tr.dir. *Router* (grouper par destinations) *des imprimés envoyés par la poste. Router un navire* (lui fixer sa route). *Le* **routage** *d'un mensuel, d'un navire.*

Royalty (plur. *royalties*), n.f., doit être remplacé par *droits d'auteur* ou, dans les autres sens, par *redevance* ou *honoraires.*

Rubrique, n.f. *Cet article a paru* **dans** (ou **sous**) *la rubrique « Enseignement », dans la rubrique sportive.*

Rue, n.f. *Une rue passante,* fort fréquentée. *Mettre qqn* **à la rue.** *Être à la rue. Une chambre donnant* **sur la rue.** *Jouer* **dans la rue** et non [*en rue*], mais **en pleine rue.** Cf. NOMS, *Noms de rues.*

Ruffian, n.m., peut s'écrire *rufian.*

Rugbyman, n.m., faux anglicisme à remplacer par *joueur de rugby.*

Ruine, n.f. On écrit généralement *tomber en ruine* (Ac., à *ruine*), mais on écrit aussi *tomber en ruines* (Ac., à *Tomber*). On parle des *ruines d'un château,* mais on écrit très bien : *Un château en ruine. Menacer ruine.*

Rupture, n.f. Comme on dit *rompre avec qqn, avec son passé, avec la tradition,* il est normal de dire : *Sa rupture avec son ami, avec sa fiancée.* Mais, sans doute par analogie avec la construction de *divorce* (cf. DIVORCER), on emploie parfois *d'avec* : *Ma rupture d'avec Rachel* (M. Tournier, *Le roi des aulnes,* Folio, p. 17).

Ruse, n.f., évoque l'idée de procédés habiles pour tromper et réussir : *Recourir à la ruse. User de ruses.* Emplois belges : [*Avoir des ruses avec qqn. Faire des ruses* (ou *chercher des ruses*) *à qqn*] au lieu de : *Avoir des difficultés, des démêlés, des ennuis avec qqn. Faire des difficultés à qqn, chercher noise à qqn.*

Rush, n.m. À traduire par *effort final* lorsqu'il s'agit d'un coureur et, dans un sens général, par *ruée.* Dans le langage du cinéma, dire *épreuves de tournage* au lieu de *rushes.*

Rustine, n.f., étant une marque déposée, devrait s'écrire avec une majuscule, mais on écrit : *démonter un pneu et coller des rustines.*

Rutilant, adj. ou part. prés., **rutiler,** v.intr., **rutilation, rutilance,** n.f., **rutilement,** n.m., peuvent se dire non seulement de ce qui est d'un rouge éclatant mais aussi, et depuis longtemps en dépit des puristes, de ce qui brille d'un vif éclat, quelle que soit la couleur. Le latin *rutilus* avait d'ailleurs déjà élargi son sens de *rouge éclatant* à *brillant, éclatant. Il lui passa au doigt un anneau orné de deux brillants.* (...). *Ils rutilaient sur sa main sèche de ménagère, pareils à des gouttes d'eau sur une écorce* (Fr. Mauriac, *La robe prétexte,* XI). *Et, à leurs éclats,* (il s'agit de pierres) *répondaient ceux des coléoptères argentés, dorés, métalliques, rutilant de diverses couleurs* (R. Sabatier, *Les noisettes sauvages,* p. 262).

S

Sabir, n.m.. s'applique à toute langue mixte, bariolée d'emprunts.

Sable, n.m. On entend en Belgique *sable boulant,* au sing., au lieu de **sables mouvants.** C'est qu'on est influencé par le dialecte et que, d'ailleurs, *sables boulants* s'est dit en français (GR). *Une eau sableuse. Un terrain sablonneux. Un pavement sablé,* recouvert de sable.

Sache, subj. prés. de *savoir,* v.tr.dir. 1. **Que je sache,** correspondant au latin **quod sciam,** est une proposition relative, employée dès le moyen âge, où *que* représente l'énoncé auquel, à la fin de la phrase ou en incise, on apporte une atténuation ; d'où le subjonctif (sans la conjonction *que*) traduisant une idée de doute ; on veut dire que, si le fait est autre qu'on ne le dit, on l'ignore : *Il n'a pas fait la guerre, que je sache. Cet homme, que je sache, n'avait aucun mandat.* La phrase où intervient *que je sache* est généralement négative, mais, depuis toujours, elle peut être affirmative ou, plus rarement encore, interrogative, à condition qu'elle soit l'objet d'une atténuation : *Il vous a pourtant rendu service, que je sache. Est-il venu quelqu'un que vous sachiez, que tu saches ?* (Littré). On observe que, si le tour habituel est à la première personne, on emploie parfois *que tu saches, qu'on sache, que nous sachions, que vous sachiez.* Le subjonctif s'impose ; commettant une faute grossière, des écrivains et des gens cultivés emploient *sachons,* qui n'existe pourtant qu'à l'impératif.

2. **Je ne sache pas que** vient sans doute de *que je sache* : *Je ne sache pas qu'il ait fait la guerre* correspond à *Il n'a pas fait la guerre, que je sache* ; on atténue la déclaration négative en faisant passer la négation dans la proposition principale et en faisant suivre celle-ci du subjonctif, puisque le fait est l'objet d'un doute, d'une restriction. Tour utile, moins catégorique que *Il n'a pas fait la guerre* et qui dit plus que si on employait *si* : *Je ne sais pas s'il a fait la guerre.* Il y a donc emploi de deux subjonctifs. Il est normal qu'on emploie surtout *je ne sache pas que,* parfois *on ne sache pas que, nous ne sachions pas que* : *On ne sache pas*

que ce soit défendu. Éviter soigneusement la double faute [*Nous ne sachons pas que c'est défendu*].

3. **Je ne sache personne, rien,** etc. *Je ne sache personne qu'on puisse lui comparer* (Ac.) ; noter le double emploi du subjonctif. *Je ne sache rien de si beau* (Ac.). On trouve aussi, comme si on employait *je ne connais pas* avec *de* devant le complément : **Je ne sache pas de professeur** *qui soit à ce point négligent.*

Sachet, n.m., désigne proprement un petit sac en papier (un sachet de bonbons, un sachet de thé) ou un petit sac ou coussin contenant des plantes parfumées (un sachet de lavande). C'est à tort en Belgique qu'on parle de sachet pour tout sac en papier où l'on met ses achats. Cf. POCHE.

Sacoche, n.f., désigne proprement une sorte de gros sac de cuir ou de toile forte, retenu par une courroie et qui se porte au côté ou dans le dos : *La sacoche du facteur, d'un encaisseur.* Il se dit pourtant aussi d'autres contenants plus petits, de formes diverses : *Sacoche de bicyclette, de motocyclette, d'écolier* (PR). En Belgique et au Canada dans un usage courant, en France dans un usage infiniment plus rare et régional, *sacoche* se dit abusivement pour *sac* (de dame) ou *sac à main.* D'autres appellations françaises, comme *réticule* ou *ridicule* ou *minaudière*, sont vieillies.

Sacré, adj. *Le Sacré Collège. La basilique du Sacré-Cœur.* Fam. et péjoratif : *Un sacré caractère.*

Saillir, verbe défectif, se conjugue comme *finir* quand il signifie *jaillir*, comme *ouvrir*, sauf au futur et au conditionnel (*saillera, saillerait*) et au participe passé (*sailli*) au sens de « être en saillie, déborder », comme *finir* encore lorsqu'il est tr.dir. en termes d'élevage : *Le taureau saillit la vache.*

Saint. Majuscule et trait d'union, cf. MAJUSCULES. *Des saintes nitouches. Des airs sainte nitouche.*

  Composés : *Des saint-bernard,* (chiens), *des saint-honoré* (gâteaux), *des saint-germain* (poires), mais on trouve parfois l'accord du deuxième élément, régulier dans *des saint-cyriens, saint-simoniens.*

Saisir, v.tr.dir., peut se dire pour « porter devant » une juridiction, une autorité qui donnera un avis, jugera ; l'expression s'emploie surtout au passif : *Le ministre est saisi de la question,* on la lui a soumise.

  Autre sens : « s'emparer brusquement de l'esprit de qqn en provoquant une impression très vive de surprise, une émotion forte ». D'où : *J'en suis encore tout saisi. Sa vue m'a saisi. Être saisi de joie, de pitié, de peur, d'étonnement, de respect, être saisi par la beauté du spectacle. Saisi* s'emploie comme adjectif ou comme nom en français régional de Belgique avec un sens voisin de *ahuri* : [*Il a un air saisi. C'est un saisi*]. Autre emploi belge, *se saisir* pour « être surpris » : [*Je me suis saisi*].

Salade, n.f., désigne soit le mets préparé avec des feuilles d'herbes pota-
gères assaisonnées d'huile, de vinaigre et de sel, soit aussi la plante elle-
même qu'on peut appeler *salade* ou *laitue* : *Une salade pommée. Un cœur
de salade.* On parle aussi d'une *salade de fruits.* Mais c'est en Belgique
seulement que la *mâche* ou la *doucette* s'appelle *salade de blé.* Sens figuré
et familier de *salade* : mélange confus d'explications, de notions.

Salaire, n.m., ne s'oppose plus comme autrefois aux appointements d'un
employé et au traitement d'un fonctionnaire. La distinction peut être
bonne à maintenir, mais elle se dissipe au profit d'une généralisation de
salaire, défini par le PR : « Rémunération d'un travail, d'un service (...).
Salaire d'ouvrier, de jardinier, de professeur, de député ».

Salaud, n.m. ou adj., a été doublé par *salop,* qui ne survit plus que dans son
féminin *salope* (*salaude* ne s'employant plus). Ces mots sont nettement
populaires.

Sale, adj. *Le linge sale.* Wallon : [*Le sale linge*]. Avant le nom, évoque la
malfaisance, les ennuis : *C'est une sale histoire.*

Salicylique, adj., et **salicylate,** n.m. Attention à l'orthographe.

Saligaud, aude, adj. et n., est la forme moderne de *saligot.* Termes populaires.

Salle, n.f. Certains compléments se mettent au singulier, d'autres au pluriel,
d'autres à l'un ou à l'autre nombre : *Salle d'eau, de réception, de classe,
d'audience, du trône, de spectacle, de danse, d'attente, de théâtre, de bal,
d'entrée, de rédaction, de cinéma, de police, d'embarquement, de billard, de
garde, de musique, d'opération, de réanimation, de contrôle. — Salle de
jeux, d'armes, de conférences. —* On écrit souvent : *salle de bains, salle
d'études, salle de concert.*

Salonnard, n.m. Deux *n.*

Samouraï, n.m. On écrit aussi *samuraï.*

Sampan, n.m. On écrit aussi *sampang.*

Sanctionner, v.tr.dir., ne signifie pas seulement « approuver légalement,
confirmer » (*Sanctionner une loi, un usage*), mais, en dépit de l'Académie
et de certains puristes, « punir », et c'est normal puisque *sanction* peut
depuis longtemps ajouter à son sens d'« approbation officielle » ceux de
« peine prévue pour assurer l'application d'une loi », « peine édictée par
une loi », « toute mesure répressive » : *Sanction pénale. Infliger une sanction à qqn. Sanctionner une infraction. La graphie qu'il est conseillé de ne
pas sanctionner* (Arrêté du 28-12-1976, Ministre Haby).

Sanctuaire, n.m., est un anglicisme dans le sens de territoire protégé où vivent des espèces menacées, *réserve naturelle*.

Sandwich, n.m. Pluriel : écrire *des sandwichs* (plutôt que, à l'anglaise, *des sandwiches*). Le mot désigne un ensemble formé de deux tranches de pain, entre lesquelles on place du jambon, du fromage, de la salade, etc. D'où *structure sandwich, être en sandwich, homme-sandwich*. En Belgique, *sandwich* désigne un petit pain.

Sanglier, n.m. La femelle s'appelle *une laie* et le petit *un marcassin*.

Sans, prép. Cf. NI, A, 1, Remarques, b.

1. L'emploi de *sans* comme **adv.** est familier, souvent même incorrect et d'un emploi beaucoup plus limité que celui d'*avec* : *Si l'on gouverne mal avec eux, on ne gouverne pas mieux sans* (au lieu de *sans eux*). *Passe-moi mes lunettes, je ne puis lire sans. Nous n'avons pas cet article, nous sommes sans pour le moment.*

2. *Sans,* **prép.,** devant un substantif. Celui-ci est généralement employé sans article. Il est très souvent au singulier, parce que c'est un nom abstrait ou parce qu'il évoque l'unité : *sans hâte, retour, dégoût, honte, impatience, peur, crainte, force, contrainte, nécessité, effort, mélancolie, discussion, discernement, rancune, encombre, joie, trève, indulgence, importance, vigueur, espoir, relâche, pitié, plaisir, gêne, dépense, émotion, aménité, passion, relâche, fin, doute, insistance, défense, lumière, conviction, bruit, préambule, préméditation.* Il est normal qu'on écrive *sans visage, un homme sans chapeau* et *un vêtement sans manches, une chambre sans porte ni fenêtres, un lit sans draps, un voyageur sans bagage(s).* On emploie le singulier dans *travailler sans arrêt, passer sans transition d'un sujet à un autre, livrer sans délai, du café sans sucre, avancer une chose sans preuve* (sans aucune preuve) ; on écrit généralement *se dérouler sans incident, voir partir qqn sans regret, agir sans précaution, sans raison, une règle sans exception, sans explication, sans murmure* mais on peut avoir en tête une idée de pluralité, penser à des preuves, à des incidents, à des raisons, à des exceptions, à des précautions, à des regrets et mettre le pluriel. De même pour *sans témoin, sans commentaire, sans préjugé, sans ménagement, sans scrupule.*

Bien qu'on dise *faire des façons,* on écrit plutôt *sans façon : Une personne* (ou *un dîner*) *sans façon, agir sans façon.* Cf. 5. On écrit : *un sans-façon.* Il est normal qu'on écrive *venir sans faute* et *un devoir sans faute* ou *un devoir sans fautes.* On écrira plutôt : *un visage sans couleurs, un ciel sans étoiles.*

Si l'article est généralement exclu, il s'emploie quand le nom est déterminé par une épithète ou un complément : *Je n'aurais rien su sans l'indiscrétion de votre collègue* ou *sans une indiscrétion fortuite.* Mais si l'expression s'emploie sans article, on la voit s'accommoder d'une détermination. Ainsi, en reprenant certaines expressions notées plus haut : *sans hâte inconsidérée, sans retour possible, sans dégoût apparent, sans raison plausible, sans autre explication, sans vaine discussion.*

On marque l'insistance par l'article *un* (un seul) : *Il a obéi sans un murmure.* Comparer : *Il partit sans dire mot* et *sans dire un mot.*

On dit : *Il a déposé plainte sans attendre la réponse* ou, en pensant à une réponse, *sans attendre de réponse.* On écrit : *Il a approuvé sans objection* ou *sans faire d'objection(s)* ou *non sans faire une objection* ou *non sans faire des objections.* Cf. ARTICLE, 3, D.

On dit : *sans émotion et **sans** surprise,* mais : *sans émotion **ni** surprise.*

Sans égal. Cf. ÉGAL, 1. **Sans pareil,** excellent.

Composés : *Un* ou *des sans-abri, sans-cœur, sans-emploi, sans-façon, sans-fil, sans-gêne, sans-le-sou, sans-logis, sans-soin, sans-souci, sans-parti, sans-patrie, sans-travail.* Mais *un sans-culotte, des sans-culottes, un sans-filiste, des sans-filistes.*

3. Faute courante : [*Vous n'êtes pas sans ignorer*] au lieu de *Vous n'êtes pas sans savoir,* vous savez. *Non sans bougonner* signifie « en bougonnant ». Ne pas confondre *Que ne ferait-on pas sans lui ?* et *Que ne ferait-on pas avec lui ?*

4. **Sans doute** peut signifier « certainement » : *Vous le connaissez ?* — *Sans doute.* On peut dire : *sans aucun doute, sans nul doute.* Généralement, *sans doute* signifie « probablement » : *Il aura sans doute été empêché.* Cf. INVERSION, C, 2. Après **sans doute que,** on emploie l'indicatif ou le conditionnel, selon le sens : *Sans doute qu'il restera quelques jours. Sans doute qu'il m'en voudrait s'il savait cela.*

5. **Sans plus :** *Il m'a envoyé une invitation imprimée, sans plus. Sans plus de façons* ou *Sans faire plus de façons.*

6. On emploie *sans* et l'infinitif si le sujet de celui-ci représente le même être que le sujet du verbe principal ou le complément d'un impersonnel : *Il a dit cela **sans rougir.** Il ne peut parler sans faire de fautes. Il lui arrive de rester plusieurs mois sans nous écrire.* En dehors de ces cas, on emploie **sans que** suivi du subjonctif, tout à fait normal puisqu'il s'agit d'un fait qu'on écarte. Le subjonctif est assez souvent accompagné de *ne* explétif, même chez de nombreux et excellents écrivains, surtout quand la principale est négative ou quand la subordonnée contient un mot négatif comme *aucun, personne, rien.* Cet emploi est sévèrement condamné par l'Académie. Logiquement, il est en effet abusif, puisque *sans* a déjà un sens négatif ; mais le *ne* explétif a pour caractéristique d'être appelé, sans nier vraiment, par une idée parallèle négative qu'on peut souvent trouver là où il apparaît ; dans les deux cas où il est particulièrement fréquent après *sans,* on peut aussi voir une sorte de redondance, de contagion, d'influence abusive de la négation précédente ou de celle qui est associée à *rien, aucun, personne, jamais, nul.* Quoi qu'il en soit, la

fréquence de *ne* explétif après *sans que*, dans la langue écrite ou parlée, est en opposition avec sa tendance à être beaucoup moins employé dans la plupart des autres cas. Sans parler de faute, je conseille donc nettement de l'omettre : *Il l'a fait sans qu'on le lui ait dit* (Ac.). *Je ne puis parler sans qu'il m'interrompe* (Ac.). *L'émotion s'accrochait, sans que nul s'en pût formaliser, aux tours même les plus argotiques* (Y. Gandon, *Le démon du style*, p. 172). *Sans que personne puisse s'y opposer* (Ac.). *Vous me comprenez sans que je doive ajouter aucune explication. Il ne partira pas sans qu'on le lui dise.*

On notera que *ne* explétif ne peut accompagner **non sans que** ni *sans que* **en tête de phrase** : *La séance sera brève, non sans que chacun puisse s'exprimer. Sans qu'on le lui ait demandé, il nous a avertis* ou *il n'a rien fait contre nous.*

Sanskrit, adj. et n., s'écrit aussi *sanscrit* (Ac.).

Santal, n.m., arbuste, bois de cet arbre, essence. Pluriel rare, plutôt *santals*, sauf dans *poudre des trois santaux.*

Santé, n.f. *Pour raison de santé,* cf. RAISON, 5.

Saoul, adj., **saouler,** v.tr.dir. Cf. SOÛL.

Sarrau, n.m. *Des sarraus.*

Sarriette, n.f., plante odoriférante. Deux *r.*

Satire, n.f., **satyre,** n.m. ou n.f. *Une* **satire** *de Boileau* ou *d'Horace. Il se conduit comme un* **satyre**. *La* **satyre** *grecque* n'avait rien d'une satire ; on l'appelle plus souvent *drame satyrique,* parce qu'elle met en scène des satyres.

Satisfaire, v.tr.dir. ou ind. 1. **Tr.dir.** *Satisfaire* (contenter) *tout le monde, la curiosité de qqn, sa faim, son ambition, une attente. Satisfaire l'oreille. Satisfaire ses créanciers.*

2. **Tr.ind.** On ne dit plus *satisfaire à qqn,* lui accorder réparation. *Une personne satisfait à ses devoirs, à ses engagements, à ses obligations,* elle s'en acquitte. *Elle ne peut plus satisfaire à la demande,* y répondre. En parlant d'une chose, remplir les conditions requises : *Ce projet satisfait aux exigences du propriétaire, aux normes légales.*

3. **Se satisfaire de qqch., de faire qqch.,** s'en contenter. *Elle s'est satisfaite de notre réponse.*

Satisfait, adj. *Ils sont satisfaits de votre succès, d'apprendre que vous avez réussi. Je suis satisfait qu'il soit là.*

Saucer, v.tr.dir., tremper dans la sauce, mouiller abondamment (*saucer son pain*). Le PR enregistre le sens moderne d'« essuyer en enlevant la sauce (pour la manger) » : *Saucer son assiette avec un morceau de pain.* Et le Lexis : *saucer son assiette.*

Sauf, adj. ou prép., se prononce avec un *o* ouvert (comme dans *or*) ou un *o* fermé (comme dans *sauce*).

1. **Adj.** *Elles sont rentrées saines et sauves. Avoir la vie sauve. L'honneur est sauf.*

2. **Prép.,** sans porter atteinte à (*Sauf le respect que je vous dois. Sauf votre respect*), excepté : *Sauf quelques livres, sauf erreur ou omission, sauf eux, sauf toi, sauf deux. Il en a donné à tous, sauf à moi. Il est content de tous, sauf de vous* (remarquer la répétition de la préposition après *sauf*).

3. *Sauf à,* loc. prép. **devant un infinitif** ne signifie pas « sauf si, excepté si, à moins que » mais « sous la réserve de » ou « quitte à » au deuxième sens de cette locution ; cf. QUITTE, 5. Le sujet n'accepte pas un risque, mais se réserve le droit ou la possibilité de faire plus tard autre chose : *Ils n'insisteront pas, sauf à revenir ensuite à la charge. Il les flattait pour leur tirer les vers du nez, sauf à les dénoncer ensuite.* Le tour est nettement littéraire.

4. **Sauf que,** loc. conj., « si l'on ne tient pas compte du fait que, si ce n'est que », est suivi de l'indicatif ou du conditionnel, selon le contexte : *Tout s'est bien passé, sauf que le train avait du retard.*
Sauf si : *Il sera à l'heure, sauf si le train a du retard.*

Sauf-conduit, n.m. *Des sauf-conduits* (des conduits qui rendent sauf le possesseur).

Saugrenu, adj., se dit surtout des choses : *Une question saugrenue.* Pour les personnes, on dit plutôt *bizarre, ridicule* ou *farfelu.*

Saumâtre, adj., ne qualifie pas une eau sale, mais un mélange d'eau douce et d'eau de mer. Au figuré, *une plaisanterie saumâtre,* désagréable, difficile à accepter. Fam., *La trouver saumâtre,* trouver la chose déplaisante.

Saupoudrer, v,tr.dir., en dépit de son étymologie, ne signifie plus « poudrer de sel », mais « répandre une couche légère, notamment ·sur un mets » : *saupoudrer (un plat) de sucre, de sel, de fromage râpé, de chapelure.* Un **saupoudreur,** *une saupoudreuse.* Le verbe s'emploie aussi au figuré : *La neige saupoudre les arbres. Le col de son veston est saupoudré de pellicules.* Autre sens figuré, « attribuer de très modestes crédits à de nombreux bénéficiaires » : *Le ministère saupoudre (de subventions médiocres) trop d'associations.*

Saute-mouton, n.m. d'un jeu, s'écrit avec un trait d'union : *Jouer à saute-mouton. Une partie de saute-mouton.* On a dit autrefois dans ce sens *saut-de-mouton* ; ce dernier terme a pris aujourd'hui un sens technique dans le langage des chemins de fer, de la circulation.

Sauté, n.m. On dit très bien : *un sauté de veau, de volaille, de lapin* (viande en morceaux réguliers que l'on fait sauter dans une poêle ou une sauteuse).

Sauter, v.intr. Auxiliaire *avoir.* Quelques constructions : *Sauter par la fenêtre, à la corde, à la perche, aux nues, au plafond, en hauteur, en longueur. Sauter sur qqn, à son cou, sur ses genoux, sauter en selle, en l'air. Sauter à bas de son lit* ou *du lit, à pieds joints, à cloche-pied, dans l'eau, en parachute. Sauter d'un train en marche, de quatrième en seconde, d'un sujet à l'autre.*

Tr.dir. : *Sauter un obstacle, le mur, un fossé, une ligne, une classe, le pas.* Cf. Noms composés, B, 5, p. 626.

Sauternes, n.m. *Boire du sauternes* (avec *s*).

Sauvage, adj. et n. L'adj. se dit d'êtres humains, d'animaux, de plantes, d'eaux (de ruissellement diffus), de ce qui se fait ou se déroule en dehors des normes (*grèves, ventes, concurrences sauvages*), sans qu'il y ait pour cela nécessairement désordre ou anarchie.

Le féminin du substantif comme celui de l'adjectif est *sauvage.* Vieux et littéraire : *une sauvagesse* (femme qui ignore les usages).

Sauvageon, n.m. et adj., est un terme d'arboriculture qui, comme adjectif, au figuré, signifie *fruste.* Fém. *sauvageonne.*

Sauve-qui-peut, n.m. *Un sauve-qui-peut, des sauve-qui-peut.* Mais en dehors de l'emploi comme nom, pas de traits d'union : *Quelqu'un cria : « Sauve qui peut ! ».*

Sauver (se) a été et est encore concurrencé par le terme régional *s'ensauver.*

Sauvette (à la), loc.adv., à la hâte.

Sauveur, adj., a pour féminin *salvatrice,* dont le masculin est inusité : *Une vertu salvatrice.* Le nom masculin peut s'appliquer à une femme. *Vous avez été, madame, mon sauveur.*

Savant, adj. et n. *Cette femme est* **savante,** *est un grand* **savant.** Adv. **savamment.**

Savoir, v.tr.dir. 1. **Conjugaison.** Notons le futur (*saurai*) et le conditionnel (*saurais*), l'impératif présent (*sache, sachons, sachez*) et le subjonctif présent (*que je sache, que nous sachions*). Cf. Sache. Part.prés., *sachant.* Part. Passé, *su, sue.*

2. **Ce ne saurait** (ou *sauraient*) *être qu'eux.* Cf. Verbe, *Accord,* p. 988.

3. **Savez-vous ?** (au sens de *n'est-ce pas ?*) a été souvent raillé par les Français chez les Belges ; ce n'est pas un belgicisme, mais un tic trop fréquent et souvent inutile.

4. Savoir par cœur est une expression correcte : *Il savait son discours par cœur* (Ac.). Fam. *Savoir qqn par cœur*, connaître parfaitement son caractère, ses habitudes. Cf. CONNAÎTRE, 4.

5. Il ne veut rien savoir est correct à côté de *Il ne veut rien entendre.*

6. Savoir et **pouvoir** devant un infinitif. La confusion entre les deux verbes au profit de *savoir* est volontiers présentée par les Français comme typiquement belge. Elle se retrouve cependant çà et là en France, non seulement dans le Nord mais en Lorraine notamment. Il importe d'ailleurs d'observer que, même chez de bons écrivains français, dans des cas toutefois limités, *savoir* se substitue à *pouvoir*. Il y a là une survivance d'un usage classique, moins rigoureux que le nôtre dans sa distinction.

Savoir (lié à l'idée de science, de connaissance), c'est avoir la science, la compétence, la connaissance, une capacité foncière qui ne dépend pas de conditions ou circonstances extérieures, occasionnelles ou momentanées ; il peut s'agir d'une aptitude naturelle ou d'une habileté, d'une capacité acquise par l'apprentissage, l'entraînement ou des connaissances. *On sait lire un texte* parce qu'on a appris à lire, parce qu'on est capable, à cause de ses études ou de son expérience, de déchiffrer telle écriture : *Je sais lire l'arabe. Cet enfant ne sait pas rester tranquille*, on ne le lui a pas appris, il n'en a pas l'habitude. *Savoir jouer du piano. Si cela arrivait, je saurais me défendre. Il faut savoir se contenter de peu. Cet enfant sait déjà marcher. Il saura se débrouiller. Cet homme est élégant, il sait s'habiller.*

Pouvoir, en dehors des cas où il marque le souhait (*Puisse-t-il arriver à temps !*), met en cause quelque chose d'extérieur, comme une permission ou des circonstances, ou qui est dû à l'état du sujet : *Je puis lire ce texte*, parce que j'ai de bons yeux ou parce qu'il fait assez clair ou parce qu'on m'en donne l'autorisation. *Je puis vous répondre. Il ne peut se déplacer. Il peut arriver qu'il soit absent. Ce vieillard ne peut marcher sans canne. Je suis trop nerveux, je ne puis rester tranquille* (je ne suis pas en état de rester tranquille). Comparer à l'exemple ci-dessus : *Cet enfant ne sait pas rester tranquille.* Comparer aussi : *Fiez-vous à lui, il ne vous trahira pas, il sait se taire* et *Pardonnez-moi d'intervenir, je ne puis me taire.* Ou : *Je n'ai pas pu lui en parler* (je n'en ai pas eu la force, ou bien les circonstances m'en ont empêché) et *Je n'ai pas su lui parler* (je me suis mal exprimé, je n'ai pas parlé comme il fallait). De même : *Je lui ai demandé ce qu'il avait fait ce jour-là, il n'a pas pu me le dire* et *Je me suis demandé d'où venait ce mot, personne n'a su me le dire.* Il est utile de distinguer entre choses et personnes. *Savoir* ne peut proprement se dire des **choses**, sauf s'il y a une sorte de personnification ou une métonymie (on prend la partie pour le tout) ou une métaphore : *Ce sont les plantes grimpantes qui ne savent pas se tenir debout, fermement, à la place assignée, qui, toujours, rêvent de conquêtes* (G. Duhamel, *Le bestiaire et l'herbier*, p. 124). Baudelaire emploie maintes fois *savoir* pour des raisons de métonymie, de personnification ou de métaphore : *Et mon esprit subtil, que le roulis caresse, Saura vous retrouver (La chevelure). Ton œil sait plonger dans les gouffres (Épigraphe pour un livre condamné). Et mes ongles, pareils aux ongles des harpies, Sauront jusqu'à son cœur se frayer un chemin (Bénédiction). Son courage, affolé de poudre et de tambours, Devant les suppliants sait mettre bas les armes (Sésine). Ce ne seront jamais ces beautés de vignettes, (...) Ces pieds à brodequins, ces doigts à castagnettes, Qui sauront satisfaire un cœur comme le mien (L'idéal). Le vin sait revêtir le plus sordide bouge D'un luxe miraculeux (Le poison).* Autre exemple qui n'étonne pas ; il s'agit du Grand Palais qui obstrue la vue sur plusieurs monuments de Paris : *C'est ce maudit palais qui me les escamote. Par chance, il n'a pas su me dérober la Butte* (R. Dorgelès, *Au beau temps de la Butte*, p. 44). Ou encore : *Il me regardait avec des yeux qui ne savaient même plus pleurer* (G. Duhamel, *Cri des profondeurs*, p. 191). Mais on ne peut parler de métonymie ni de personnification dans cette phrase : *Ils partiront. Il abandonneront tout. Ils fuiront. Rien n'aura su les retenir* (G. Perec, *Les choses*, J'ai lu, p. 120). Il y a d'ailleurs des limites à cet emploi, si étendu qu'il soit. On ne peut dire : [*Cette plante ne sait pas pousser dans ce pot*] ni [*Cela ne sait plus continuer*], ni, en parlant du temps ou de résultats scolaires, [*Ça ne saura être très mauvais*], ni en parlant d'une voiture, [*Elle ne sait plus démarrer*] ; ce sont là des belgicismes.

S'il s'agit de **personnes**, on voit de bons écrivains employer *savoir* à la place ou à côté de *pouvoir*. C'est qu'il y a une connexion entre « être en état de faire qqch. » (*pouvoir*) et « avoir la capacité de faire qqch. » (*savoir*). Des Français notent comme belges des tours où *savoir*, sans éliminer *pouvoir*, apparaît aussi en France dans le meilleur usage : *Ne savoir rien refuser à qqn. Ne savoir en venir à bout. Tout vient à point à qui sait attendre.* On peut citer des écrivains qui emploient *savoir*, surtout dans des phrases négatives, là où parfois l'on attendrait *pouvoir* : *Pour avoir l'air naturel, il s'efforçait à un petit sourire. Mais il avait des larmes dans les yeux, qu'il ne savait pas cacher* (H. Bosco, *Malicroix*, Folio, p. 341). *À présent, je ne sais plus m'arrêter de travailler* (Colette, *Œuvres*, XIV, *Le fanal bleu*, p. 56). *Je n'avais jamais su supporter qu'on me touche* (J. Anouilh, *Pièces brillantes*, p. 447). Comparer cet autre emploi, conforme au sens de *savoir* (ibid, p. 471) : *Dans un monde où l'on vocifère, (...) nous avons su garder le sourire tous les deux.*

Des auteurs juxtaposent les deux verbes : *Quantin eût aimé lui poser des questions savantes, lui tendre des pièges adroits, l'amener à lâcher un mot, mais il ne pouvait pas, il ne savait pas. On ne s'improvise pas policier* (B. Clavel, *Le voyage du père*, J'ai lu, p. 211) ; *pouvoir* marque ici l'impuissance due aux circonstances, *savoir* va plus loin et marque une incapacité foncière. *Damon, qui me veut du bien, m'engage à me reposer... Je ne sais plus, je ne peux plus, je ne veux plus me reposer... Puis-je trouver la quiétude si le monde misérable ne m'en donne pas l'exemple ?* (G. Duhamel, *Le bestiaire et l'herbier*, p. 87). Ici, *savoir* précède. Si l'on voit des

auteurs employer *savoir* pour *pouvoir*, on trouve d'autre part *pouvoir* là
où l'on attendait *savoir*. Par exemple dans ces phrases de Julien Green :
*Quand on me demandait mon nom, je répondais d'un trait : « Joujou
Guitte ».* Guitte, parce que je ne pouvais pas dire Green (*Partir avant le
jour*, Poche, p. 9). *C'était bien cela que j'éprouvais et ne pouvais dire (Ibid,*
p. 41 ; il s'agit bien de choses qu'il éprouvait et qu'il était incapable
d'exprimer).

On voit que la distinction de sens et d'emploi entre les deux verbes est
plus nuancée qu'on ne le dit. Mais il faut se garder d'employer *savoir* au
lieu de *pouvoir* dans des phrases comme *Je ne pouvais pas dormir* ou *Je
ne puis dire au juste ce qui s'est passé* ou *Nous ne pouvons que faire une
supposition* ou *Il n'a pu me dire à quelle heure le téléphone avait sonné. On
ne peut pas savoir ce qu'il pense, ce qu'il fera.*

Saurais. À noter un emploi, assez ancien, de *ne saurais* ou *ne saurait*
(sans *pas*) devant un infinitif complément, parfois d'ailleurs sous-entendu,
avec la valeur d'un indicatif présent (*ne puis* ou *ne peut*) : *Qui était-ce ? Je
ne saurais le dire* ou *Nul ne saurait le dire. On ne saurait mieux dire. Je ne
saurais faire ce que vous me dites.* Dans ce cas, on trouve même *savoir*
avec pour sujet un nom de chose : *La pluie ne saurait tarder à tomber.* Ou
employé impersonnellement : *Il ne saurait rien arriver de plus fâcheux.*
Parfois au passé : *Il n'eût su le dire* (Il ne pouvait le dire). Les grammairiens citent aussi des phrases affirmatives ou interrogatives, mais le conditionnel semble y garder sa valeur : *Après ce qu'il a fait, que saurait-il donc
faire ? Il vous aurait déplu s'il pouvait vous déplaire* (Racine, *Andromaque*, II, 1). *Tout ce que je saurais vous dire, c'est que sa famille est fort
riche* (Molière, *L'Avare*, II, 2). *Vous auriez fort bien su vous débrouiller
tout seul* (M. Butor, *La modification*, 10-18, p. 18). Comparer : *Je saurais
lire ce qu'il y a d'inscrit sur les poteaux si tu voulais bien ralentir* (G. Beaumont, *La harpe irlandaise*, p. 2). Cette valeur de conditionnel peut d'ailleurs parfois apparaître avec *ne : Un sentiment que je ne saurais guère
définir* (J. Gracq, *Le rivage des Syrtes*, p. 31). Mais d'ordinaire on
emploie alors *ne pas : Minne ne saurait pas dire, vraiment, pourquoi elle
est plus frileuse le dimanche* (Colette, *Œuvres*, III, *L'ingénue*, p. 127).

7. *Ne pas* ou *ne* avec *savoir.* Cf. ci-dessus, 6 et Ne *employé seul*, p. 604.

8. **Je ne sais qui, quoi, quel, comment** (cf. Ne *employé seul*), ou *on ne
sait qui*, etc. En dépendance d'un verbe au passé, *sais* ou *sait* peut être
figé au présent dans ces expressions, mais *savoir* se met souvent au passé
si l'ignorance se situe dans le passé : *Il travaillait je ne sais comment* (je ne
sais pas encore maintenant), *je ne savais comment* (alors). *Je vis qu'il
hésitait à prendre je ne savais quelle décision* (Daniel-Rops, *Mort, où est ta
victoire ?*, Poche, p. 268). *Elle me donnait l'impression que je la suivais à
travers un bois d'ombre et d'or, où je ne savais quelles fées murmuraient des
chansons* (P.-H. Simon, *Les raisins verts*, J'ai lu, p. 148). *Son attitude avait
on ne sait quoi de troublant.*

9. **Savoir**, conj. de coordination, ou **à savoir** s'emploient dans le sens de « c'est-à-dire », surtout dans une énumération. On ne dit plus *c'est à savoir ; assavoir* est un archaïsme : *Différents meubles, savoir un lit, une armoire et deux chaises.*

10. Ne pas employer [*savoir de*] pour *devoir* : [*Quand je saurais de le fâcher*] au lieu de *Quand je devrais le fâcher* ou *Quand je saurais que je vais le fâcher.* Ni non plus avec *rien*. [*Je ne sais de rien*] s'entend à Bruxelles pour : *J'ignore tout de cela, je ne suis pas au courant.*

11. [*Je ne sais pas de chemin avec lui*]. Flandricisme substitué à : *Il me met hors de moi* ou *Il m'énerve* ou *Je ne sais comment m'y prendre avec lui* ou *Je ne sais comment faire* ou *Je n'en viens pas à bout*, etc.

12. *Si j'avais su* ou *si je l'avais su. Comme tu sais* ou *Comme tu le sais.*

13. On peut dire : *J'ai lu cela **dans je ne sais quel** livre* ou *J'ai lu cela **je ne sais dans quel** livre. Je ne sais à quel propos* ou *à je ne sais quel propos.*

14. *Savoir qqn* est vieilli et littéraire (on dit *connaître*), mais se dit très bien si le complément est un pronom et a un attribut : *Je le savais malade, je savais qu'il était malade.*

15. *Ne savoir **que** dire* ou **quoi** *dire*. Cf. QUOI, B, 2. *Ne savoir **comment** faire. Je ne sais **à quel propos** il a dit cela.*

16. **Savoir que** et **savoir si** sont suivis de l'indicatif ou du conditionnel : *Je ne sais s'il est venu, s'il est là, s'il sera là, s'il l'aurait fait* (au cas où on le lui aurait demandé). *Je ne savais si on pouvait le lui demander.*
Même usage normalement après **ne pas savoir que**. Le subjonctif, beaucoup plus rare que l'indicatif, ne peut apparaître qu'après un temps passé de *ne pas savoir* ou de *savoir* interrogatif ou introduit pas *si* conditionnel : *Vous ne savez pas qu'il nous a écrit. Sait-il qu'on a besoin de lui ? Je ne savais pas qu'il était là* (*qu'il fût là* était beaucoup plus fréquent autrefois qu'aujourd'hui). *Je ne savais pas qu'il l'aurait fait volontiers. Saviez-vous qu'il était là ? Si vous ne savez pas qu'on vous attend... Si je savais qu'il peut* ou *pourrait* (ou *pût*) *me recevoir.*

17. **Savoir gré.** *Je lui sais gré de son dévouement, de nous avoir avertis. Je vous saurais gré de le faire.* Ne pas dire [*Je vous serais gré*].

18. **Composés** : *Avoir du savoir-faire, du savoir-vivre.*

Savon, n.m., s'emploie familièrement pour une forte réprimande : *Recevoir un bon savon. Donner, passer un savon à qqn. S'en tirer avec un savon.*
Savonner, dans ce sens, s'entend moins : *Savonner la tête à qqn* (plus rarement : *de qqn*).

[**Savonnée**], n.f. courant en Wallonie, n'est pas français. *Savonnade* ne se dit plus. On dira donc : *eau savonneuse* ; on dit moins *eau de savon*.

Savonnette, n.f., est français dans le sens de savon, petit pain de savon de toilette. Vieilli, comme l'usage : « petite boule de savon préparée pour rendre la barbe moins dure ». On emploie aujourd'hui *un savon à barbe.* Vieilli aussi le sens de « blaireau ».

Saynète, n.f., ne désigne pas une petite scène, mais une petite comédie du théâtre espagnol.

Schah, n.m. Voir CHAH.

Scénario, n.m. Accent et accord : *des scénarios.*

Scène, n.f. *Porter une action sur la scène* ou *à la scène. Adapter pour la scène. Paraître en scène* ou *sur la scène* ou *sur scène. Entrer en scène. Sortir de scène.*

Schelem, schlem, n.m. Cf. CHELEM.

Scintiller, v.intr. Pron. « iyé » ; mais on entend « ila » ou « iya » dans **scintillation,** n.f.

Scolie, n.m., est vieilli dans le sens de « remarque complémentaire à propos d'un théorème. **N.f.,** note philologique. *Un scoliaste.*

Sconse, n.m. Il existe d'autres graphies, dont *skunks.*

Scoop, n.m., information importante donnée par un journal en exclusivité. Dire : *une exclusivité.*

Score, n.m., mot anglais, peut difficilement être toujours remplacé par *marque* ou *cote* ou *résultat.* Il faut en tout cas éviter le verbe [*scorer*], marquer (un point).

Scorsonère, n.f. Dire : *Une scorsonère.*

Script, n.m. 1. Ce mot anglais désigne une sorte d'écriture où les caractères, proches des caractères d'imprimerie, ne sont pas liés : *Écriture en script. L'écriture script. Ils ont renoncé au script.*

2. Dans le langage du cinéma et de la télévision, *script* a des sens variés, mais désigne souvent le *scénario*, avec les dialogues, divisé en scènes. Le terme français recommandé est *le texte.*

Scripte, n.m. ou f., **script-girl,** n.f. *Script-girl* désigne la collaboratrice du metteur en scène ou du réalisateur, chargée de noter tous les détails techniques et artistiques pendant les prises de vues. On a proposé officiellement comme équivalent *secrétaire de plateau.* Mais on parle couramment d'*une scripte* et même d'*un scripte.*

Scrupule, n.m. *Un homme sans scrupule(s). Vaincre ses scrupules. Les scrupules ne l'étouffent pas. Avoir* ou *éprouver un scrupule à faire qqch.* ou

Avoir scrupule à faire qqch., hésiter à. *Faire scrupule à qqn de qqch : Je lui ai fait scrupule de son oisiveté* est vieilli. *Se faire scrupule de faire qqch : Je me ferais scrupule de le lui dire* (j'hésiterais à). *Il ne se fait pas scrupule de nous contredire.*

Sculpteur, n.m., n'a pas de féminin : *Cette femme est un bon sculpteur.* On dit : *Une femme sculpteur.* On ne prononce pas *p.*

Séance, n.f. *Séance tenante*, sur-le-champ.

Séant. 1. **Part.prés.** de *seoir*, siéger : *La cour d'appel séant à Paris.* Mais un ancien usage permet de faire varier *séant* dans ce cas : *La Cour d'appel séante à Paris* (Ac.).

2. **Adj.,** peut signifier « qui est assis » ou, plus souvent, « qui convient », moralement ou socialement : *Une conduite peu séante. Il n'est pas séant de l'inviter. Il n'est pas séant qu'il agisse à sa tête.* On retrouve ici le sens de *Il sied, il ne sied pas*, il convient, il ne convient pas. Mais **seyant**, part.prés. de *seoir* ou adj., marque une convenance particulière et se dit de ce qui va bien au physique de qqn, à sa toilette : *Une coiffure seyante, une étoffe seyante.*

3. **N.m.** *Se mettre sur son séant. Se dresser sur son séant* (dans la posture d'une personne assise). *S'asseoir sur son séant* se dit depuis des siècles.

Seau, n.m. *Il pleut à seaux. La pluie est tombée à seaux.* On trouve rarement le singulier : *La pluie tombe à seau* (L. Estang, *Les stigmates*, Poche, p. 110). Distinguer de **sceau,** cachet.

Sébile, n.f. *Tendre la sébile*, demander l'aumône. En Belgique, on écrit parfois [*sébille*] à cause d'une mauvaise prononciation, « sébiy ».

Séborrhée, n.f. Attention à la finale en *-rrhée.*

Sec, adj., *sèche. Du linge sec. Un fruit sec.* Fam. *Être, rester sec*, incapable de répondre (comparer *sécher*, en argot scolaire, dans le sens de « être incapable de répondre ») : *Il était resté sec devant le tableau noir* (H. Troyat, *Les Eygletière*, J'ai lu, p. 355).
N.m. *Mettre au sec. Être à sec*, hors de l'eau, sans eau, sans idées ou sans argent.
Adv. *Boire sec. Démarrer sec. Claquer sec. Jouer sec. Couper sec.*
En cinq sec. Cf. CINQ.

Second, adj. Cf. DEUXIÈME.

Secret (en), loc.adv., signifie « sans témoins », « en se cachant ou en cachant ses sentiments », et rejoint facilement le sens de *secrètement : Je lui ai parlé en secret* (Ac.). *En secret, il lui en voulait, il en était jaloux.*

Sécréter, v.tr.dir., **sécrétion,** n.f. Remarquer les accents. *Le foie sécrète la bile. Il ne pouvait s'empêcher de sécréter l'ennui.* Ne pas confondre avec le terme technique **secréter,** le secrétage étant l'opération qui consiste à traiter les peaux avec une solution appelée le secret.

Sectionner, v.tr.dir., c'est soit couper nettement, soit diviser en sections : *La balle avait sectionné l'artère. On a sectionné le département en plusieurs circonscriptions électorales.*

Sécuriser, v.tr.dir., « donner un sentiment de sécurité, de confiance en soi », dit autre chose et plus que *rassurer.*

Ségrégé, adj., qui est l'objet d'une ségrégation. On trouve aussi *ségrégué.*

Séguia, n.f., canal d'irrigation en Afrique du Nord. On écrit aussi *seghia.*

Seigneurie, n.f., et non [*seigneurerie*]. On donne ce nom en Belgique à des résidences collectives pour personnes âgées ; on leur donne aussi les noms belges de *seniorie* (sans accent, mais on prononce *é*) ou de *segnorie.*

Seine, n.m., filet de pêche. On écrit aussi *senne.*

Seing, n.m., n'est pas synonyme de *sceau,* mais signifie « signature apposée sous un acte pour en garantir l'authenticité ». **Sous seing privé** se dit d'un acte qui n'a pas été passé devant un officier public, par opposition à *acte authentique.* Noter : *Sous le contreseing d'un ministre. Un blanc-seing. Des blancs-seings. Donner un blanc-seing à qqn.*

Séisme, n.m., s'est imposé dans le sens de « secousse sismique », « tremblement de terre ». Mais les dérivés commencent par *séism* ou *sism* (à préférer).

Sélect ou **select,** adj. *Select* est invariable en genre ; *sélect,* forme francisée, à privilégier, varie en genre et en nombre : *Une plage sélecte* (ou *select*), *des plages sélectes.*

Self est entré dans la composition de plusieurs noms : *self-control* (maîtrise de soi), *self-induction, self-made-man, self-service* (à traduire par *libre-service*). Donc *des libres-services* plutôt que *des self-services.*

Selle, n.f. On entend en Belgique [*aller à selle*] pour *aller à la selle* (premier sens : sur la chaise percée).

Selon et **suivant,** prép., s'emploient devant des noms (de personnes ou de choses) au sens de « d'après » : *Selon* (ou *suivant*) *Descartes* ou *les circonstances.* Devant un pronom, on ne peut employer que *selon* (ou *d'après*) : *Selon moi.*

  Emploi adverbial de *selon* : **C'est selon,** c'est possible, mais cela dépend des circonstances ou de la façon d'examiner la question.

Selon que et **suivant que** sont toujours suivis de l'indicatif ou du conditionnel et expriment la proportion ou l'alternative : *J'en userai avec lui selon qu'il en usera avec moi* (Ac.). *Selon que vous serez puissant ou misérable... Je l'accueillerais ou le blâmerais selon qu'il viendrait ou non.*

Semaine, n.f. Traditionnellement, la semaine commence le dimanche, mais on prendra garde que souvent elle est considérée comme ayant le lundi pour premier jour. On dit : *au début* (ou *à la fin*) *de la semaine* ou *en début* (ou *en fin*) *de semaine. En semaine, on ne le voit presque pas* (opposé à : *Le dimanche,...*). *Louer une auto à la semaine* (comme *à la journée, au mois*). *Trois fois la semaine* ou *par semaine.* On a dit *prêter à la petite semaine,* pour un temps très court et à un intérêt élevé ; aujourd'hui on parle d'*une façon de vivre* ou d'*une politique à la petite semaine,* c'est-à-dire au jour le jour, sans idée directrice.

Semblant, n.m., signifie « apparence », en opposition au réel : *Ce commerce honteux de semblants d'amitié* (Molière). *Ce ne sont là que de beaux semblants. Un faux semblant. Un semblant de bonheur.*

Faire semblant, loc.verbale, « se donner l'apparence de qqch., feindre, essayer de faire croire cette chose » : *Il n'est pas fâché, il fait semblant* (d'être fâché).

Devant *de* et un infinitif et devant *que* et l'indicatif : *Il fait semblant d'être content. Il fait semblant qu'on lui a volé son portefeuille.* On distingue nettement : *Il fait semblant de n'être pas fâché* et *Il ne fait pas semblant d'être fâché* ; cette dernière phrase nie la feinte.

On cite une phrase de La Bruyère (*Caractères*, IX, 50) : *Vous ne faisiez pas hier semblant de nous voir* comme exemple d'un déplacement de la négation, transposée de l'infinitif vers le verbe principal (cf. NE PAS, 2, d). C'est une erreur : bien que *faire semblant* signifiât couramment *feindre* au XVIIe siècle, La Bruyère lui a donné ici le sens ancien (le seul que note encore Littré) de « montrer, sembler, avoir l'air de » : *Vous n'aviez pas l'air de nous voir,* vous ne montriez pas que vous nous voyiez, vous ne sembliez pas nous voir. Aujourd'hui la phrase de La Bruyère ne pourrait avoir qu'un sens, d'ailleurs absurde : Vous ne cherchiez pas à faire croire que vous nous voyiez, nettement opposé à *Vous faisiez semblant de ne pas nous voir,* qui dénoncerait la feinte. Nous distinguons nettement : *Ne faites pas semblant d'être impatient* (ne tâchez pas de faire croire que vous êtes impatient) et *Faites semblant de ne pas être impatient* (tâchez de faire croire que vous n'êtes pas impatient), comme : *Il n'a pas feint d'être au courant* et *Il a feint de ne pas être au courant.*

On a dit autrefois : *Ne faire aucun semblant de rien.* On dit aujourd'hui **ne faire semblant de rien,** *en ne faisant semblant de rien,* en feignant l'indifférence ou l'ignorance, en s'abstenant de toute réaction. Dans la conversation, on omet souvent *ne* : *Il fait semblant de rien.* Mieux vaut employer *ne.* Avec *sans* : *Sans faire semblant de rien.*

Sembler, v.intr. 1. **Emploi du mode** après *il semble* et *il me semble*; en principe, la simple apparence est mieux exprimée par le subjonctif, tandis que l'indicatif tend vers l'affirmation d'une réalité dépassant la simple apparence. Il faut toutefois distinguer :

A. Après **il semble que** (sans objet indirect) pris **affirmativement**, le subjonctif est nettement plus fréquent que l'indicatif, permis lui aussi. Le subjonctif peut souligner l'hésitation à affirmer : *Il semble que nous nous soyons trompés.* Mais la plupart du temps le subjonctif, étant le mode habituel dans ce cas, n'exprime pas de nuance et l'indicatif lui-même, quoique plus rare, s'emploie très bien alors qu'on n'exprime qu'une simple apparence : *Il semblait que les états-majors, moins convaincus que le Premier Ministre de l'importance, ou bien des chances, de l'entreprise, eussent rogné sur les moyens initialement prévus (...). Bien que le récent discours de Churchill manifeste une tendance inquiétante, il semble que le modus vivendi (...) doive être maintenu (...). Mais il semble que le terrain soit maintenant propice et que les résultats possibles vaillent un effort considérable. (...). D'une manière générale, il semble que l'attitude plus satisfaisante du gouvernement britannique soit due à des communications qui lui ont été faites par le gouvernement de Washington, à son désir actuel de nous ménager et à la situation générale du Levant* (Ch. de Gaulle, *L'appel*, Poche, pp. 126-127, 390, 398, 399). On peut trouver l'affirmation d'une conviction dans l'emploi de l'indicatif : *Je trouvai en M. Molotov un homme dont il semblait, au physique et au moral, qu'il était fait de toutes pièces pour remplir la fonction qui lui était dévolue* (Id., *Ibid*, p. 247). Mais Giono n'exprime qu'une simple apparence dans ces phrases où il emploie aussi l'indicatif : *Il semblait qu'on avait étayé les murs avec une carène de navire (...). Il semblait qu'on essayait de déraciner les arbres* (J. Giono, *L'oiseau bagué*, Folio, pp. 193, 271). De même : *La voiture tanguait très fort et il semblait parfois que la terre se mettait à danser comme un immense océan de grisaille* (B. Clavel, *L'Espagnol*, J'ai lu, p. 148).

On voit plus facilement apparaître l'indicatif après **il semble bien que** : *Quant à la situation politique, il semblait bien que Laval n'avait abouti à rien* (Ch. de Gaulle, *L'unité*, Poche, p. 359). *Il semble bien que, dès ce moment, le Führer, dans sa lucidité, sut que le charme était rompu* (Id., *Le salut*, Poche, p. 204).

Le fait éventuel dépendant de *il semble que* est exprimé au conditionnel : *Il semble que chacun s'en plaindrait bientôt* (en indépendante : *Chacun s'en plaindrait bientôt*).

Qu'on ne s'y trompe pas ; je répète que le subjonctif est plus fréquent et je n'ai donné plusieurs exemples de l'emploi de l'indicatif que pour montrer qu'il convient très bien, même lorsqu'il n'y a que simple apparence.

Après *il semble que* pris **négativement ou interrogativement**, le subjonctif est encore plus courant : *Le visage si froid, si parfaitement impassible* *qu'il ne semblait pas que le moindre sentiment **pût** l'habiter* (Vercors, *Le silence de la mer*, p. 67). *Il ne semble pas qu'il soit arrivé. Semble-t-il seulement qu'on s'en soit aperçu ?*

Après *il semble* suivi d'un adjectif attribut, le mode est déterminé par le sens de cet adjectif comme si celui-ci suivait l'impersonnel *il est* : *Il semble certain qu'il s'est trompé, qu'on le lui reprocherait. Il semble douteux qu'il ne l'ait pas remarqué.*

B. Après *il semble que* accompagné d'un complément d'objet indirect **(il me semble que, il lui semble que, il semble à ses amis que)**, l'indicatif l'emporte d'une façon écrasante : *Il semble à chacun que nous avons tort. Il me semble qu'on **peut** lui faire confiance* ; rattachée à une personne déterminée, l'opinion prend plus de crédit, de fermeté, s'assimile à *je crois*. Toutefois le subjonctif se rencontre, non seulement pour souligner qu'il s'agit d'une simple impression, d'une apparence, mais même sans cette valeur : *Il me semblait que ce fût maintenant cette nuance qui l'emportât. (...). Ces vibrations affectives où il me semblait que se prolongeât mon sang* (P.-H. Simon, *Les raisins verts*, J'ai lu, pp. 124, 140).

Après le tour **négatif ou interrogatif**, on met généralement le subjonctif, mais on trouve parfois l'indicatif : *Il ne me semble pas qu'il se **soit** trompé* (ou *qu'il s'est trompé*).

Le conditionnel peut s'employer pour marquer que le fait est hypothétique : *Il me semble* ou *il ne me semble pas qu'on vous le **reprocherait**. Vous semble-t-il que j'aurais dû le faire ?*

Après *il me semble* suivi d'un adjectif attribut, c'est celui-ci qui règle le mode comme s'il suivait l'impersonnel *il est* : *Il me semble normal que vous **alliez** le voir. Il me semble certain qu'il s'est trompé* ou *qu'on le lui **reprocherait**.*

2. **Devant un infinitif** : *Il semble l'avoir dit. Il me semble l'avoir déjà rencontré.*

3. On trouve *être* après *sembler* : *Cela semble être devenu courant.* On peut trouver qu'*être* est ici inutile ; mais il devient nécessaire s'il a un complément ou un attribut reprenant un attribut précédent. *Cette attitude semble **lui être** coutumière. Est-ce difficile ? Cela semble **l'être**.*

4. On dit : *À ce qu'il semble. Pour ce qui vous semble bon* et *ce que bon lui semble*, cf. CE QUI, 2, b, p. 214.

5. *Ce me semble* a le sens de *il me semble*, mais s'emploie toujours sans complément. *Elle s'est trompée, **ce me semble**.*

6. *Que vous semble de cette gravure ?* paraît recherché. On dit plus couramment : *Que pensez-vous de cette gravure ?*

Semi, premier élément de noms ou d'adjectifs composés où il signifie « à moitié », est toujours invariable et suivi d'un trait d'union : *Une semi-remorque. Des armes semi-automatiques. Une publicaton semi-mensuelle,* qui paraît deux fois par mois.

Semois, n.f. d'un affluent de la Meuse qui, dans son cours français, porte le nom de *Semoy.* Comme on dit *du champagne,* on dit, pour le tabac, *du semois.*

Séneçon, n.m. (Ac., 1975). *Seneçon* reste admis.

Sénescence, n.f., **sénescent,** adj. Attention à *é* et à *sc.*

Sénestre, adj. (Ac., 1975). *Senestre* reste admis.

Sens, n.m. L'*s* final se prononce (même dans *sens commun*), sauf dans *sens dessus dessous.*
   On a renoncé à la distinction entre *tomber sous les sens* (être perceptible par les sens) et *tomber sous le sens* (être évident). Cette dernière expression peut avoir le sens de l'autre, *sens* y étant un singulier collectif.

Sensationalisme, n.m. On écrit aussi *sensationnalisme.* Toujours : *sensationnel,* avec deux *n.*

Sensé, adj. Cf. Censé.

Sensorimoteur, adj. On écrit aussi *sensori-moteur.*

[Sente], n.f., appartient au français régional dans le sens de *sentier.*

Sentir, v.tr.dir. 1. **Conjugaison** : comme *dormir.* Ne pas dire [*senté-je*], mais *sens-je ?* ou plutôt *est-ce que je sens ?*
   2. **Se sentir.** *Il se sent bien, mieux, plus mal. Ils se sont sentis revivre,* avoir le sentiment de. *Elle s'est sentie fatiguée,* avoir l'impression, la sensation d'être... *Ils se sont sentis gênés. Ils se sont senti **bouleverser** par cette nouvelle* évoque l'action de *bouleverser.* Plus souvent : *Ils se sont sentis **bouleversés** par cette nouvelle,* ils ont senti qu'ils étaient bouleversés par cette nouvelle. *Je ne m'en sens pas le courage.*
   3. *Je ne puis pas le sentir* (supporter). *Ils ne peuvent se sentir.*
   4. *Ces lilas sentent bon.* Cf. Goûter. *Cette pièce sent le renfermé.*
   5. *Sentir que.* Emploi du mode, cf. Croire.

Seoir, v.intr., est vieilli au sens d'« être assis » (cf. Séant, Sis) et défectif au sens de « convenir » : *Il sied, ils siéent* (rare), *il seyait, ils seyaient, il siéra, ils siéront, il siérait, ils siéraient, qu'il siée, seyant.*

Sep, n.m., partie de la charrue, s'écrit aussi *cep,* comme *un cep de vigne.*

Sépale, n.m. *Un des sépales d'une fleur.*

Séparer, v.tr.dir. *On sépare les petits et les grands* ou *une chose* (ou *une personne) d'une autre. Séparer une personne d'avec une autre* vieillit. *On se sépare **d'**une personne.*

Sept, adj.num. Le *t* se prononce toujours.

Septante, adj.num. Cf. Nonante. Il n'y a pas à rougir, là où le mot est employé, de cette ancienne forme française ni de *septantaine, septantième.* Dans le style biblique traditionnel, le mot désigne un grand nombre. On parle aussi de *la traduction des Septante.*

Septembre, n.m. On prononce *p.*

Septique, adj. *Fosse septique* est français.

Serf, n.m. Prononciation facultative de *f.*

Seringa, n.m. Éviter la graphie avec *t* final.

Sermon, n.m. On parle du *sermon* d'un prêtre catholique et du *prêche* d'un pasteur protestant. Les dérivés de *sermon* prennent deux *n.*

Serpillière, n.f. Cf. Torchon.

Serré, adv., ne s'emploie plus guère que dans *jouer serré,* agir avec prudence. Vieilli ou dialectal dans le sens de « fortement » : *Le père les tenait assez serré* (H. Pourrat, *Le trésor des contes,* III, p. 253). *Ils sont liés plus serré les uns aux autres que les alpinistes par leur chaîne* (J. Giraudoux, *La folle de Chaillot,* p. 87).

Serrer, v.tr.dir. Wallonismes : *Ces enfants sont insupportables.* [*Il faut les serrer*], leur faire peur. [*J'ai été serré*], j'ai eu peur.
   Composés : cf. Noms composés, B, 5, p. 626.

Sertir, v.tr.dir., se dit en joaillerie de la pierre encastrée dans une monture et non de la monture : *Une émeraude sertie dans une bague* et non [*Une bague sertie d'une émeraude*].

Servante, n.f., est plus ou moins vieilli ou régional en France, où l'on dit plutôt *domestique* et surtout *bonne.* Le mot est beaucoup plus courant en Belgique.

Service, n.m. *Faire son service militaire* se dit en France comme en Belgique. *Des offres de service. Des états de service(s). Être au service de qqn, en service chez qqn. Avoir trente ans de service.*

Serviette, n.f. *Une serviette (de table). Une serviette à thé. Une serviette de toilette. Une serviette hygiénique. Une serviette-éponge, des serviettes-éponges. Une serviette d'avocat, d'étudiant, d'écolier.* Cf. Cartable, Torchon, Essuie-main.

Servir, v.tr.dir. ou ind. ou intr. 1. Conjugaison : comme *dormir. Ces repas qu'on lui a servis. Ce garçon nous a bien servis. Ils nous ont servi du gibier. Nous nous sommes servis nous-mêmes. Ils se sont servi du vin. Elle s'est* *servie d'un entonnoir* ((utiliser). *Elle s'est bien servie de l'outil que nous lui avions donné. Cette carte leur a bien* (ou *beaucoup*) *servi. Il a pour devise : servir.*

2. **Ne servir à rien** (courant) ou (plus littéraire ou archaïque) *de rien. Il ne sert à rien de se plaindre.* Comparer : *À quoi vous sert-il de vous plaindre ? Que sert-il de vous plaindre ? Ça ne sert pas à grand-chose.* Tour archaïque : *Cet outil ne sert de rien.* Mais on dit encore : *Rien ne sert de courir.*

3. *Cette échelle lui sert pour atteindre les rayons supérieurs. Ce bateau sert à passer le fleuve. Servir de guide à qqn.*

Set, n.m. Cet anglicisme s'applique proprement à un ensemble, à une *manche* dans un match, à un *plateau* de prise de vues ou à l'ensemble des *napperons* d'un service de table ; mais on l'emploie couramment pour un de ces napperons.

Seul, adj. 1. Distinguer, selon la place de l'adj., **un seul homme** (unique) et **un homme seul** (sans compagnie). En tête de phrase, et se rapportant au sujet : *Seule une intervention chirurgicale pourrait le guérir* ; on pourrait mettre *seule* après *pourrait* ; on peut aussi dans ce cas faire l'inversion du sujet : *Seule pourrait le guérir une intervention chirurgicale.*

2. **Mode** après *le seul qui* : cf. SUBJONCTIF, 8, p. 888.

3. **Il n'y a qu'un seul Dieu.** Proprement, il y a pléonasme si on emploie à la fois *ne que* et *un seul*. Le tour est admis cependant : *Il n'y a qu'une seule personne qui puisse vous en donner des nouvelles* (Ac.).

4. **Seul à seul,** autrefois invariable (*Les époux furent laissés seul à seul, Elle restait seul à seul avec sa mère*), varie souvent aujourd'hui selon le sens : *Elle l'a vu seule à seul. Elle a vu son amie seule à seule. Nous sommes restés seul à seule, mon mari et moi. C'était la première fois qu'il se trouvait seul à seule avec elle.*

5. **À seule fin de** ou **que** est une altération de l'ancienne expression *à celle* (= cette) *fin de* ou *que* : *Il viendra me voir à seule fin de me consulter* (uniquement pour me consulter). On voit que *seul* y a son sens.

Seulement, adv. 1. Avec un **impératif,** *seulement* peut avoir son sens fondamental, « uniquement », « rien de plus » : *Faites-lui seulement un sourire et il sera tranquillisé.* C'est un régionalisme, qu'on trouve notamment en Belgique et dans le nord de la France, mais aussi ailleurs, de lui donner le sens de « donc », souvent pour atténuer l'ordre ou l'invitation, parfois pour insister : *Mangez seulement. Allez-y seulement. Dites-le seulement, n'ayez pas peur.*

2. Avec un sens temporel, « pas avant tel moment », « à l'instant » : *C'est seulement à dix heures qu'il s'est présenté. Le courrier vient seulement d'arriver.* Ne pas lui donner le sens de « surtout alors ».

3. En tête de proposition, *seulement* indique une opposition, une restriction, une précision : *Vous pouvez aller le voir ; seulement ne restez pas trop longtemps* (Ac.).

4. Dans une **phrase négative ou interrogative**, *seulement* peut avoir le sens de *même* et se construire comme lui : *Cet homme, que l'on disait mort, n'a pas seulement été malade* (Ac.). *Il est parti sans prendre seulement le temps de nous rencontrer. A-t-il seulement pris le temps de réfléchir ?* Dans ce cas, on n'attend pas un membre symétrique comme après *non seulement* (cf. p. 631, *non seulement... mais*). Tandis que la symétrie est requise après *pas seulement*, non précédé de *et*, employé dans un **contexte positif** : *Les « Dialogues des Carmélites » s'imposent à nous, pas seulement comme un livre (...), mais comme un compagnon* (A. Rousseaux, dans *Le Figaro*, 3 décembre 1949).

Avec un verbe à un temps composé, on emploie plutôt *pas seulement* au sens de *pas même* devant le participe, mais on trouve aussi *seulement pas*, moins rare avec des temps simples, mais toujours suspect (populaire aux yeux des Le Bidois, II, p. 105) : *Il ne savait seulement pas ce qu'on lui voulait* (comparer *même pas*). *Il ne l'exigeait pas, il ne le souhaitait seulement pas. Je n'en ai pas seulement eu connaissance.*

5. **Ne... seulement que**, cf. NE QUE, 2, p. 617.

Sévère, adj. On critique le sens, influencé par l'anglais, de « très grave par son importance ». Il s'est pourtant imposé : *Des pertes sévères.*

Sévice, n.m., s'emploie surtout au pluriel : *Des sévices violents.*

Sex-shop, n.f. Le féminin est normal, puisqu'il s'agit d'une boutique. *Une sex-shop, des sex-shops.*

Seyant. Cf. SÉANT, 2 et SEOIR.

Shake-hand, n.m. invariable. Dire : *poignée de main.* Cf. MAIN, p. 562.

Shaker, n.m. prononcé « chèqueur », n'a guère de chance d'être remplacé par son équivalent, *secoueur, remueur.*

Shako, n.m. Éviter la graphie en *sch.*

Shampooing et ses **dérivés.** Les dictionnaires, comme les fabricants et la publicité, maintiennent dans ce mot les deux *o* du verbe anglais *to shampoo*, masser. Le suffixe *ing* désigne l'opération du massage en train de se faire.

La francisation du mot est accomplie dans la prononciation, que Littré notait « cham-pouingue ». On prononce aujourd'hui « cham-pwin ». Pourquoi ne pas franciser aussi la graphie ? Inutile, pour cela, de renoncer à *sh* : cette graphie nous est devenue familière, avec valeur de *ch*, dans plusieurs termes d'origine anglaise. Mais la seconde syllabe est exceptionnelle et aberrante pour celui qui ne connaît pas l'étymologie. J'ai d'ailleurs fait maintes fois l'expérience : les personnes lettrées à qui je demandais d'écrire ce mot l'écrivaient spontanément *shampoing*, sauf celles qui songeaient au verbe anglais ; toutes maintenaient le *g* final comme l'initiale *sh*. On a sans doute voulu éviter tout jeu de mots, trop facile pour le verbe, avec la finale *poigner* soulignant l'énergie du massage. **Shampouiner** est à conseiller.

Pour l'employé(e) qui fait le shampooing, on trouve plusieurs noms, *shampooingneuse, shampooineuse, champooigneuse*, etc. Le meilleur est **shampouineur, shampouineuse.**

Shantung, n.m. On écrit aussi *chantoung, chantung.*

Sherry, n.m. anglais du vin de Xérès, ne peut être confondu avec *cherry* (cerise) : *cherry-brandy.*

Shoot, n.m. Dire, en langage de football : *tir.* Verbe : *tirer.*

Shopping, n.m. *Faire du* (ou *son*) *shopping*, doit être remplacé par *faire ses achats, ses emplettes, courir les magasins.* On a recommandé aussi *chalandage, lèche-vitrines, magasinage.*

Shopping center, n.m., américanisme à remplacer par *centre commercial.*

Show, n.m. À traduire par *spectacle* ou *récital.* On écrit souvent *show-business.*

Si, conj. (*S'* devant *il* ou *ils*). Pour l'emploi du mode après *que* remplaçant *si*, cf. QUE, *conj.*, 3, A. Subjonctif après *si tant est que*, cf. TANT, 3.

A. Dans un **système hypothétique complet** où il y a une subordonnée introduite par *si* exprimant une condition ou une hypothèse probable ou éventuelle ou contraire à la réalité et une principale en rapport avec elle, *si* n'est jamais suivi d'un passé simple, d'un futur ni d'un conditionnel. Il faut distinguer trois cas :

1. *Si* introduit sans réserve une **hypothèse possible, qu'on fait glisser vers la réalité**, et qui peut se situer dans le présent, le passé ou l'avenir. Il est alors suivi d'un ind.présent (à valeur de présent ou de futur simple) ou d'un passé composé (à valeur de passé ou de futur antérieur). La principale est à l'indicatif ; un ordre ou une invitation peuvent s'exprimer par l'impératif ou le subjonctif : *S'il est là, faites-le entrer* ou *qu'il entre* ou *je vais le recevoir. Si tu viens me voir demain, nous prendrons une décision. Si ta sœur est rentrée demain, qu'elle vienne me voir. S'il est parti quand nous arriverons, nous lui laisserons un mot. Si tu as dit cela, tu t'es trompé* ou *je ne puis te donner raison. Si on te le demande, tu diras que tu n'en sais rien.*

Malgré l'emploi de l'ind.prés. ou passé comp. après *si*, on emploie parfois un conditionnel d'atténuation ou de conjecture dans la principale, comme on le ferait si la proposition était indépendante : *Elle pourrait aussi bien devenir anticanadienne ou antisoviétique, si l'on sait la prendre* (P. Daninos, *Le major tricolore*, Poche, p. 15). *Si tu veux voyager à tes frais, je comprendrais très bien...* (Fr. Mallet-Joris, *Les signes et les prodiges*, Poche, p. 39). *Si tu y tiens, je pourrais lui parler. Si vous êtes prêt à nous aider, nous pourrions prendre aussitôt quelque arrangement. Si vous croyez qu'il va arriver, vous feriez bien de vous préparer. Si vous avez terminé ce travail, nous pourrions le corriger tout de suite. Si je vous comprends bien, il aurait refusé.*

2. L'hypothèse (ou l'éventualité) est réalisable dans l'avenir, mais n'est que **potentielle**, problématique, soumise à une réserve que l'on souligne en la faisant glisser vers l'irréalité (sans l'y inclure) par l'emploi de l'ind. imparfait après *si* et du conditionnel présent dans la principale. *Si tu revenais sur ta décision, nous nous reverrions. Si un jour on me reprochait ma faiblesse, je répondrais...* On peut avoir dans la principale un impératif (*Si tu revenais sur ta décision, viens me trouver*) ou un subjonctif (*Si Pierre arrivait, qu'on m'en informe !*).

Au lieu de dire : *Si on me le demandait, j'irais volontiers* ou *Si on vous en priait, vous accepteriez sans doute*, on peut formuler la conséquence en intercalant un verbe qui, à l'indicatif présent, exprime une certitude, une conviction ou une affirmation : *Si on me le demandait, je suis prêt à y aller* ou *il n'est pas impossible que j'y aille. Si on vous en priait, je suppose* (ou *je suis sûr* ou *j'espère*) *que vous accepteriez.*

L'indicatif présent peut aussi souligner le caractère inéluctable de la conséquence : *S'il m'échappait un mot, c'est fait de votre vie* (Racine, *Bajazet*, II, 1). *S'il nous trahissait, nous sommes perdus.*

Signalons que l'éventualité peut être renforcée par **même si** ou **surtout si** ou rendue restrictive au moyen de **sauf si, excepté si**. La construction est alors, selon le sens, celle de l'hypothèse possible (cf. 1) ou de l'éventualité problématique (cf. ci-dessus) : *Même s'il pleut, je sortirai. Même s'il ne l'a pas fait exprès, certains lui en voudront. Même s'il pleuvait, je sortirais. Sauf s'il pleut, je fais chaque jour une promenade. J'irais le voir, sauf si on me le défendait.*

Emploi de l'indicatif ou du conditionnel après **si c'était... qui** ou **que**, cf. CE, *cet, c'est*, 6, p. 205.

3. L'hypothèse est présentée comme **irréelle**, exclue de la réalité, dans le présent ou le passé ; si elle se situe dans le présent, on l'exprime à l'ind. imparfait et la principale se met au cond. présent (parfois au passé selon le sens) ; si elle se situe dans le passé, elle se met à l'ind. plus-que-parfait et la principale se met, selon le sens, au cond. passé ou présent : *Si tu étais plus patient, tu réussirais mieux. Si j'étais de vous* (cf. DE, 4), *je ne répondrais pas. Si j'étais votre ennemi, aurais-je agi de la sorte ? Si nous acceptions cela maintenant, tous nos efforts depuis un an auraient été inutiles. Si tu avais mieux travaillé, tu aurais mieux réussi* ou *on te ferait davantage confiance.*

Si la condition et la conséquence se rapportent au passé, on peut, dans le style littéraire ou soutenu, employer le **subj. plus-que-parfait** (ayant valeur de cond. passé) dans les deux propositions ou dans l'une des deux seulement : *S'il l'avait pu, il y serait allé* ou *s'il l'eût pu, il y fût allé* ou *s'il l'eût pu, il y serait allé* ou *s'il l'avait pu, il y fût allé.*

L'**indicatif imparfait** peut se substituer au conditionnel passé dans la principale pour exprimer ce qui se serait fait certainement et même a été bien près de se réaliser (imparfait de l'imminence contrariée ; cf. IMPARFAIT, Emploi, A, 3), mais il faut qu'il s'agisse d'un fait brusque, frappant, définitif. On dira : *S'il avait réfléchi un peu, il n'aurait pas dit cela* ; l'indicatif imparfait surprendrait. Mais : *S'il avait encore dit un mot, je le mettais dehors. S'il n'avait pas freiné, j'étais écrasé. Si les policiers eussent été résolus, l'attaque échouait* (A. Malraux, *La condition humaine*, Poche, p. 79). *Si la bataille d'Austerlitz avait été perdue, la Prusse intervenait* (J. Bainville, *Napoléon*, p. 287). *Si la grille n'eût été ouverte, le malheureux était perdu* (J. Green, *Léviathan*, p. 164).

On ne confondra pas cet emploi avec celui où, dans le discours indirect, l'imparfait transpose un ind. présent du discours direct : *Un phénomène étonna ma mère : si on fermait les yeux sur la tache, ma chemise bleue unie et la chemise bleue à raies blanches, c'est-à-dire mes chemises moyennes, étaient les deux qui avaient le moins souffert* (P. Guth, *Le naïf aux quarante enfants*, ch. VII). *Je constate qu'il peut réussir s'il le veut vraiment* devient *Je constatais qu'il pouvait réussir s'il le voulait* et, en monologue intérieur, en discours ind. libre : *Il pouvait réussir s'il le voulait.*

B. Dans un **système complet non hypothétique** avec une principale et une subordonnée introduite par *si* ne marquant pas une condition, une hypothèse, cette conjonction peut être suivie parfois, nous allons préciser à quelles conditions, d'un passé simple, d'un futur ou d'un conditionnel.

1. On peut avoir, au lieu d'une condition suivie de sa conséquence, deux faits ou deux énoncés mis en opposition ou l'expression d'une concession ; *si* peut signifier **s'il est vrai que** : *S'il fut mon ami, il a cessé de l'être. Vous dites qu'il ne vous écoutera pas ; eh bien, s'il ne vous écoutera pas, il m'écoutera* (on oppose deux affirmations).

*Si cela nous **étonnera** toujours, faisons un effort pour comprendre. Vous dites que vous ne le direz (ou diriez) pas : eh bien, si vous ne le direz (ou diriez) pas, moi je le dirai. S'il me le **demanda**, ce fut avec discrétion. Si Pierre est plus intelligent, Paul est plus travailleur. Et si vous vous promîtes d'être épargnés par nous, vous vous trompâtes fort* (Verlaine). *Ce drame n'est pas même italien ; s'il **aurait pu**, avec autant de vraisemblance, se dérouler à Venise ou à Florence, Nice lui eût convenu également, et Saint-Moritz, voire Paris et Londres* (P. Bourget, *Cosmopolis*, p. 1). *Si on **souhaiterait** plus de clarté, il faut reconnaître que cet exposé ne manque pas d'intérêt. Si cela vous fera plaisir, les autres ne penseront peut-être pas comme vous.*

2. *Si* peut introduire une **cause** ou la raison d'un autre fait : *Il fit courageusement son devoir et, s'il le fit, vous devez en tenir compte* (= s'il est vrai qu'il le fit, puisqu'il le fit). *Comment l'aurais-je fait si je n'étais pas né ?* (La Fontaine). *Si cela vous fera plaisir, comme vous le dites, je le ferai.* Le sens possible de « s'il est vrai que », « s'il faut admettre que » élargit la possibilité d'emploi des temps exclus après *si* (cf. 1).

3. *Si* peut introduire une **conséquence**, la cause (ou l'explication) étant ensuite indiquée par **c'est que** ou **c'est parce que** (cf. CE, *cet, c'est,* 8). *Si je le dis, c'est que je le pense. Si je ne la reconnus pas, c'est qu'elle avait changé.* Voici un exemple d'emploi de l'ind. futur : *Les Soirées contenaient* Boule de suif, *un des chefs-d'œuvre de la nouvelle française. Maupassant l'a écrit avant trente ans, et s'il ne la dépassera pas, c'est qu'on ne dépasse pas la perfection. Pendant dix ans il produira...* (A. Thibaudet, *Hist. de la litt. fr.,* p. 376).

Observons la possibilité d'employer un passé simple ou un futur après *si* devant **c'est** mettant en relief une explication, une précision : *S'il le fit, c'est par prudence. S'il me le demanda, c'est avec discrétion. S'il le dira, ce sera timidement.* Comparer : *Il le fit par prudence. Il le demanda avec discrétion. Il dira timidement.*

4. *Si* peut signifier **quand, lorsque, chaque fois que,** lorsqu'il y a une idée de répétition indéfinie, mais il ne peut dans ce cas être suivi d'un passé simple, d'un futur ni d'un conditionnel : *Si je sortais, tout le monde se mettait aux fenêtres* (Montesquieu). *Si je dis oui, elle dit systématiquement non.* Cf. QUE, *conj.,* 3, p. 780.

5. **Interrogation indirecte**, après les verbes qui expriment une demande ou ceux qui permettent d'impliquer une question, tels que *dire* ou *savoir* ou les verbes exprimant une perception sensorielle ou une opération intellectuelle. On peut avoir après *si* introduisant l'interrogation indirecte tous les temps de l'indicatif ou du conditionnel (ou le subj. plus-que-parfait à valeur de conditionnel) : *Je me demande s'il parle ou parlait ou parla ou avait parlé ou parlera ou aura parlé ou parlerait ou aurait parlé ou eût parlé. Dites-moi s'il nous accompagnera* (on demande s'il accompagnera). *Il écouta si on entendait quelque chose là-haut* (entendait-on qqch. ?). *Il hésita s'il rentrerait dîner. Je doute si j'accepterais une telle offre* (cf. DOUTE, 1). *Voyez s'il eut tort.* Dans certains cas, le *si* de l'interrogation indirecte marque aussi l'intensité (cf. SI, adv. d'intensité) : *On sait si cet homme était maniaque !*

Ou si. Fréquente autrefois, plus rare aujourd'hui, sa fréquence étant toutefois grande chez certains écrivains, la construction littéraire et plutôt affectée avec *ou si* introduit une sorte d'interrogation indirecte ; sans inversion, après un premier membre en interrogation directe ; on insiste généralement sur le deuxième terme de l'alternative ; *si* pourrait être remplacé par *est-ce que* : *Est-ce que vous viendrez ou si c'est lui ?* (Ac.). *Mesurait-il mieux le chemin fait, le divorce consommé ? Ou si, confusément,* *pressentant un allié, il appelait à l'aide ?* (Ch. Plisnier, *Meurtres*, III, Poche, p. 154). *Se trouvaient-elles déjà reprises chacune par leur propre destin ? Ou si, plutôt, elles venaient d'échanger leurs fardeaux ?* (Id, *Ibid*, p. 212). *Dormait-il vraiment encore, ou bien s'il s'était aperçu qu'à son côté le lit était vide ?* (A. Pieyre de Mandiargues, *La motocyclette*, Folio, p. 21).

6. Après quelques verbes (ou locutions verbales) de sentiment, *s'étonner, se plaindre, avoir du regret, être content*, etc., employés à la forme négative (surtout à l'impératif) ou interrogative, *si* peut introduire une **proposition complétive** qui n'est pas une condition, une hypothèse, mais exprime une réalité bien constatée : *Faut-il s'étonner s'il est déjà parti ? Ne vous étonnez pas s'il perdit cette bataille* (le passé simple est possible, non le futur ni le conditionnel). *Plaignez-vous dès lors s'il n'est pas content. Ne vous plaignez pas si les enfants ne vous ont pas reconnu.* On dirait à la forme affirmative : *Je m'étonne qu'il soit parti. Je me plains qu'il ne soit pas content.* Avec un *si* introduisant une hypothèse : *Je serai bien étonné s'il le fait. Je serais surpris s'il le faisait. Je me m'étonnerai pas s'il oublie une fois de plus notre rendez-vous.*

7. Après quelques expressions, *si* intervient pour exprimer non une hypothèse mais un fait constaté, dont l'affirmation est, grâce à *si*, un peu adoucie : **peu importe, qu'importe, c'est tout au plus, c'est à peine, c'est tout juste, pardonnez-moi, excusez-moi, c'est ma faute, c'est miracle, c'est bien le diable**, etc. On peut alors employer le passé simple, le futur ou le conditionnel comme on le ferait dans une proposition indépendante : *Qu'importe si personne ne l'a reconnu ? Peu importe s'il oubliera une bonne partie de ce qu'il a appris. C'est tout au plus si on pourrait s'inquiéter. Ce n'est pas ma faute s'il n'est pas venu. Ce fut sa faute s'il échoua. C'est à peine si je m'en étonnerais. C'est bien le diable s'il le saura jamais. C'est miracle s'il ne mourut pas de faim.* Notons que, si l'on a une vraie hypothèse, on retrouve les restrictions, notées plus haut (1), à l'emploi des modes et des temps : *C'est* (ou *ce sera*) *miracle si vous le rencontrez à la prochaine réunion. Ce serait merveille s'il ne revenait pas à la charge.*

On peut avoir les locutions réduites **à peine si, du diable si**, etc. *Je vais te faire une piqûre ; à peine si tu la sentiras. Du diable si je saurai jamais ce qu'il a dit. Du diable si je l'aurais reconnu.*

C. **Comme si** introduit une proposition comparative conditionnelle et peut devenir une simple particule exclamative. Cf. COMME SI.

D. **Locutions diverses** : *S'il vous plaît, si je ne me trompe, si on veut, si j'ose dire, si on peut dire, s'il en fut, si ce n'est* : *Deux des meilleurs romans de la saison, si ce n'est les meilleurs. Si ce n'est eux, quels hommes eussent osé l'entreprendre ?* (Ac.). Noter l'emploi du passé simple après *si* dans *s'il en fut*, locution généralement figée : *C'était un brave homme s'il en fut*, incontestablement, autant que n'importe qui. *S'il en est*, obligatoire avec un autre présent (*C'est un brave homme s'il en est*), est rarement employé au lieu de *s'il en fut* en rapport avec un passé. On se gardera de la faute courante (de typographie?) qu'on trouve chez certains auteurs : [*s'il en fût*].

E. **Phrases tronquées** où *si* garde sa valeur conditionnante et exclut le conditionnel, le passé simple et le futur sans qu'il soit besoin d'exprimer la conséquence.

1. Dans une phrase où l'on énonce une comparaison : *J'ai plus de souvenirs que* (je n'en aurais) *si j'avais mille ans* (Baudelaire).

2. On exprime, sous forme d'interrogation ou d'exclamation, une invitation, une suggestion, un souhait, un regret, une crainte, un refus, etc.

a) *Si j'appelais le médecin ? Et si elle ne répond pas ?* On présente une hypothèse en attendant de l'interlocuteur un acquiescement (cela ne vaudrait-il pas mieux? ne seriez-vous pas content?) ou simplement une réponse. Un domestique peut dire : *Si Monsieur veut bien s'asseoir ? Je vais prévenir Monsieur le directeur* ; simple invitation polie, atténuée.

b) *Si je pouvais gagner le gros lot ! Si nous pouvions le convaincre !* Souhait (comme nous serions contents, comme tout deviendrait plus facile !) *Si seulement je savais ce qu'il veut !* Regret. Avec un plus-que-parfait : *Si j'avais pu l'avertir à temps ! Si au moins il nous avait écrit ! Ah ! si la guerre n'avait pas éclaté !*
À la deuxième personne : *Si tu acceptais de nous aider ! Si tu savais ce qu'il a dit de toi ! Si au moins vous montriez un peu de bonne volonté ! Si tu savais combien il est difficile de s'entendre avec lui ! Si vous l'aviez entendu parler de vous ! Si vous aviez vu comme il s'amusait !*

c) Toutes sortes de sentiments peuvent ainsi s'exprimer à toutes les personnes, sous forme interrogative ou exclamative : *Si encore ça servait* (ou *avait servi*) *à quelque chose ! Et s'il n'y avait que lui pour nous tirer d'affaire ? Si tu trouves que ce n'est pas assez ! Si ce n'est pas encore suffisant ! Mon Dieu ! si je l'avais froissé !*

F. *Si pas.* Cf. SINON, 2, p. 868.

Si, n.m., est invariable ; *Des si et des mais.* Aussi comme note de musique : *Des si bémols.*

Si, adv. 1. **Adv. d'affirmation** dans une réponse. Cf. NON, 6 et 7 [*Non fait*].

2. **Adv. d'intensité.** Cf. AUSSI (A et E). Il se joint à un adjectif, à un part. passé pris adjectivement ou à un adverbe : *Il est si grand ! Un salaire si bien mérité ! Une règle si mal observée ! Il travaille si bien !* On peut dire : *J'ai si peur, si faim, si soif !* Mais non [*J'ai si besoin*]. Cf. AVOIR, 17, TELLEMENT.

Si ne peut s'employer devant un verbe ; il est exclu devant un participe passé conjugué avec *avoir* ; il faut alors employer *tant* ou *tellement* qui sont concurrencés par *si* lorsque le part. passé est employé avec *être* ou avec une valeur verbale nettement établie, malgré l'absence d'auxiliaire, par un complément d'agent : *Vous l'avez tant* (ou *tellement*) *aimé !* *Il est tellement* (ou *tant* ou *si*) *aimé de ses élèves ! Un professeur tellement* (ou *tant* ou *si*) *aimé de ses élèves !* Ne jamais dire [*si tellement*]. Cf. Sɪᴛôᴛ.

Si... que peut introduire :

a) Une **comparaison** : *Il n'est pas si malade que vous le croyez, qu'on l'aurait cru* ; le verbe se met à l'indicatif ou au conditionnel selon le sens.

b) Une **conséquence** ; le verbe se met à l'indicatif ou au conditionnel selon le sens si la principale est affirmative ; au subjonctif si elle est négative ou interrogative : *Il est si entêté qu'il n'acceptera pas* ou *qu'il n'accepterait pas, même si on lui faisait des concessions. Il n'est pas si entêté qu'on ne puisse le convaincre* ou *qu'on n'ait pu le convaincre. Est-il si habile qu'il soit irremplaçable ? A-t-il si mal répondu qu'il faille le punir ?*

Même construction de **si bien que** : *Son train avait du retard, si bien qu'il a manqué sa correspondance. Il s'est si bien expliqué que nous devons lui donner raison. Vous verrez qu'il s'expliquera si bien qu'on lui donnera raison.* S'il y a intention, finalité, le subjonctif s'impose, même après un verbe affirmatif (le sens est alors *tellement bien que*) : *Faites si bien ce travail qu'on vous en soit reconnaissant.*

c) Une **concession**, une **opposition** ; on emploie alors le subjonctif : *Si grand qu'il soit, il a encore besoin d'être conseillé.* On peut dire, en supprimant *que* et en plaçant le pronom sujet après le verbe : *Si grand soit-il.* Mais ce dernier tour est interdit avec un adverbe. On dit : *Si habilement qu'il travaille.*

Parfois, au lieu de *si... que* concessif, on trouve *aussi... que* et le subjonctif (cf. Aᴜssɪ, E). On trouve aussi *pour... que* (cf. Poᴜʀ, 4) ou, rarement, *quelque* (*que*) ou *tout* (*que*). Mais on ne peut employer à la fois *pour* et *si* dans ce sens.

Si + adj. + que de + infinitif (de conséquence) : tour classique, comme *si... de*, mais resté plus vivant que ce dernier : *Qui te rend si hardi de troubler mon breuvage ?* (La Fontaine.) *Je ne suis pas si sot que de lui faire confiance.* On dit plus souvent : *assez sot pour lui faire confiance.* Mais ce n'est pas toujours possible. On dira : *Étiez-vous si malade que de ne pouvoir me téléphoner ?* Ou *Étiez-vous si malade que vous n'ayez pu me téléphoner ?*

Sibylle, n.f. Attention à l'orthographe. Pron. « il ».

Siccatif, adj. et n.m. Deux *c*.

Side-car, n.m. Pron. « sidcar ». *Des side-cars.*

Sidéré, adj., a passé du sens de « anéanti, frappé de mort subite » (par l'action funeste des astres) à celui de « frappé brusquement d'une profonde stupeur ». Même sens du verbe **sidérer** : *Cette nouvelle l'a sidéré. Il en est sidéré.*

Siècle, n.m., peut s'écrire avec une minuscule dans *le grand siècle, le siècle d'or, le siècle des lumières.* — *Au XVIIe et au XVIIIe siècle,* cf. ARTICLE, 4. On écrit : *de siècle en siècle.*

Siège, n.m. *Le siège avant, les sièges arrière d'une voiture. Le siège de cette chaise est recouvert de cuir. Le Saint-Siège.*

Sien, pron. poss. Cf. PRONOMS POSSESSIFS, 1. *Y mettre du sien. Faire des siennes.*

Sigisbée, n.m., cavalier servant d'une dame.

Sigles. Notre époque assemble volontiers des initiales (parfois des syllabes initiales) pour remplacer un groupe de mots et forme ainsi des sigles : C.I.L.F. (Conseil international de la langue française), H.L.M. (habitation à loyer modéré), C.G.T. (Confédération générale du travail). Ces lettres écrites en capitales sont généralement (pas toujours) suivies d'un point et le mot ainsi formé se prononce par épellation, comme dans les deux derniers exemples. Mais si le sigle se prête à être prononcé comme un mot, on profite de cette possibilité et on supprime alors généralement les points ; il y a même une tendance dans ce cas à ne mettre la majuscule qu'au début de cet ensemble : le CILF ou le Cilf, l'Unesco, l'Onu. Si le sigle est devenu un nom commun (*laser, ovni*), il s'écrit avec une minuscule. Quant au **genre** donné au sigle, c'est normalement celui du nom de base de l'ensemble : le CILF, une H.L.M., la C.G.T.

Signature, n.f. Cf. SOUS.

Signe, n.m. On parle depuis longtemps des signes du zodiaque et, partant de *né sous le signe de Saturne, du Bélier,* etc., on a pu dire *né sous le signe de la chance.* Une mode a favorisé un certain temps l'expression *sous le signe de : La réunion se tiendra sous le signe de la bonne humeur* au lieu de *dans la bonne humeur.* Ce cliché a été remplacé par d'autres comme *dans le cadre de* ou *dans le contexte de.*

Signifier, v.tr.dir. ; *gn* se prononce comme dans *signe. On nous a signifié de partir* ou *qu'il fallait partir. On lui a signifié son congé* (ou *qu'il s'en aille*). *Cela signifie* (veut dire) *qu'il a tort.*

S'il vous plaît. Cf. PLAIRE.

Similaire, adj., s'applique à des choses plus ou moins semblables. *Des produits similaires. Le commerçant pourra nous proposer un article similaire.* Mais on ne dira pas que *cet article est [similaire à] un autre.* On dira qu'il est *comparable à..., analogue à..., du même type que...*

Simili se joint aujourd'hui normalement sans trait d'union au nom avec lequel il forme un composé : *Du similicuir (du simili), du similimarbre, une similigravure* (ou *une simili*). *Ce n'est pas de l'or, c'est du simili.*

Simple, adj. Généralement, placé **devant le nom,** il veut dire qu'il n'y a rien d'autre, rien de plus : *une simple coïncidence, une simple éventualité, des souliers à simple semelle, demander un simple renseignement.* **Après le nom,** *simple* évoque souvent l'idée de « facile, qui n'offre aucune complication » : *une méthode très simple, un mécanisme simple, une question très simple.*

Single, n.m., se traduit couramment par *simple* en termes de sport : *Un simple messieurs.* En langage de tourisme, compartiment (cabine) de voiture-lit à une place.

[Singlet], n.m., se dit en Belgique pour *gilet de corps.*

Sinon, conj., prép. ou adv. **Emplois et sens,** non toujours définis avec assez de précision par les dictionnaires.

1. Il introduit fréquemment, comme le ferait **sauf,** une exception ou une restriction à une négation absolue ou à l'intérieur d'une interrogation oratoire tendant vers la négation. Sens : *si ce n'est, sauf, excepté. Je n'ai rencontré personne, sinon un veilleur de nuit* (sauf que j'ai rencontré un veilleur de nuit). *Cela ne se fait pas, sinon quand on y est invité. Je ne m'explique pas sa conduite, sinon par son surmenage. Il ne se préoccupe de rien, sinon de manger et de boire* (Ac.). *Je n'ai rien à lui dire, sinon à le remercier. Cela ne sert à rien, sinon à passer le temps.*

Au lieu de *sinon,* on pourrait dans ce cas (devant un infinitif), après un pronom neutre, *rien, autre, autre chose,* employer *que* suivi de la préposition requise par le verbe qui précède ou, s'il n'y a pas cette exigence, suivi de *de : Cela ne sert à rien qu'à passer le temps. Je ne vois pas d'autre solution que de lui écrire.* On peut encore, comme le faisait davantage la langue classique, employer *sinon de,* assez courant lorsque l'infinitif ne dépend pas grammaticalement d'un terme précédent. Ainsi s'opposent : *Il n'a rien appris, sinon à sourire un peu. Il a l'ambition de réussir, sinon de briller* et *Il n'a rien pour lui, sinon d'être aimable. Que fait-il, sinon de nous agacer ?* Dans cette dernière phrase, *de* a tendance à disparaître parce que l'opposition se fait avec un verbe *(faire).*

Même emploi de *sinon* dans une **interrogation oratoire.** *À qui nous en prendre, sinon à nous-mêmes ?* (Nous ne pouvons nous en prendre à personne, sinon à nous-mêmes). *Qui connaît cette mésaventure, sinon nous deux ?* (Nous seuls nous la connaissons.) *Que voulait-il, sinon plaire ?* Dans ce cas aussi la langue classique a employé *sinon que : Que fera-t-il donc sinon d'apercevoir quelque apparence ?* (Pascal). Nous dirions plutôt : *sinon apercevoir...* Mais on trouve encore *sinon que de : Il n'avait plus rien à y faire, sinon que de disparaître* (M. Druon, *Les grandes familles,* Poche, p. 248). On pourrait dire : *sinon à disparaître (il avait à disparaître).*

Cet emploi restrictif dans le sens de *sauf,* introduisant une exception, est très rare aujourd'hui après une affirmation : *Tous les peintres de ce demi-siècle s'y trouvaient éreintés, sinon Soutine* (M. Arland, *Lettres de*

France, p. 39). *Partout, sinon chez les Verdurin, où il redevenait instinctivement lui-même, il se rendit froid, silencieux, péremptoire quand il fallait parler* (M. Proust, *À la recherche du temps perdu*, Pléiade, t. I, p. 434). On dit : *Tous l'ont reconnu, sauf vous.*

Sinon que a vieilli dans beaucoup d'emplois (par exemple il ne s'emploie plus devant un adjectif ni au sens d'*à moins que*), mais il reste usuel lorsque *que* est appelé par ce qui précède. On le trouve particulièrement après un pronom neutre, après *peu, rien,* etc. : *Qu'est-ce à dire, sinon qu'il s'est trompé ? Je ne sais rien, sinon qu'il est venu. Il ne demande rien, sinon que justice soit faite. Que veut-il, sinon qu'on le reçoive ? On sait peu de chose de sa famille, sinon qu'elle vient de Bretagne.* Pour *sinon que de* devant un infinitif, cf. DE, 6, e, p. 302.

Notons tout de suite que *sinon que* peut intervenir au sens qui va être indiqué (en 2) : *Pour moi tant de preuves concordantes démontraient à n'en pouvoir douter, sinon qu'Odile était la maîtresse de François, du moins qu'elle le voyait secrètement* (A. Maurois, *Climats*, Poche, p. 85).

2. *Sinon*, généralement dans une proposition affirmative, oppose un terme à un autre qui lui est préféré, mais avec des nuances variables. Il a toujours la valeur fondamentale de **si ce n'est** et on ne pourrait plus le traduire par *sauf* ; aucune idée d'hypothèse, notons-le.

On trouve, assez couramment en Belgique, beaucoup plus rarement en France, mais Grevisse (n° 2672) signale le tour chez quelques écrivains français comme Bourget, Gide, Aymé, Ikor, Aragon, Chamson, etc., *si pas* dans cet emploi au lieu de *sinon* ou *si ce n'est* : *Qui pourrait vous dire cela, si pas moi ?* (R. Martin du Gard). *Il a au moins vingt-cinq ans, si pas plus* (P. Bourget). Mieux vaut dire *sinon*.

J'ai parlé d'une valeur fondamentale et de nuances variables. Le terme qui suit *sinon* est écarté au profit d'un autre, moins fort et syntaxiquement symétrique. Il peut être vraiment écarté, pour des raisons de fait ; il peut l'être à regret, on peut laisser entendre qu'on serait tenté de l'adopter, tout en n'osant pas le faire ; on peut ainsi suggérer que c'est vers celui-là qu'on pencherait volontiers, mais qu'on emploie l'autre parce que celui-ci, moins fort, ne peut être mis en discussion. C'est le contexte, la situation qui peut dissiper l'équivoque, acceptée ou voulue parce que la chose est délicate : *Il travaillait avec conscience, sinon avec enthousiasme* ; on laisse subsister un doute sur l'absence totale ou constante d'enthousiasme. Comparer : *Il travaillait avec conscience, sinon toujours avec enthousiasme. Il travaillait au moins avec conscience, sinon avec enthousiasme. Il a eu toutes ces propriétés pour un morceau de pain, légalement sinon légitimement* (ici on exclut *légitimement*). *Je vaux autant que lui, sinon mieux* (peut-être même mieux). *Il y avait autant de monde qu'à la première séance, sinon davantage. Chaque être est détruit quand nous cessons de le voir, puis son apparition suivante est une création nouvelle, différente de celle qui l'a immédiatement précédée, sinon de toutes*

(M. Proust, cité dans GR, *Apparition*, 5) ; Proust n'ose affirmer que cette apparition est vraiment différente de toutes celles qui ont précédé ; peut-être l'est-elle, peut-être ne l'est-elle pas. *Une attitude froide, sinon hostile,* peut-être même hostile. *Il est un des rares, sinon le seul, à s'être inquiété* ; on a vraiment envie de dire qu'il est le seul. *Depuis que vous me connaissez, vous me connaissez battu des vents, comme vous, sinon des mêmes, battu d'épreuves, comme vous, souvent des mêmes, assailli de misères de toutes sortes* (Ch. Péguy, *Victor Marie, comte Hugo,* 3ᵉ éd., p. 222 : à Halévy). J. Girodet note dans son *Dict. du bon français,* p. 720 : « Attention aux tours équivoques tels que *La réunion doit être reportée, sinon annulée.* On peut comprendre : « La réunion doit être reportée et même annulée » ou bien « La réunion doit être reportée, sans être pour autant annulée ». Selon le sens qu'on veut exprimer, on dira : *La réunion doit être reportée, pour ne pas dire annulée* (ou *et même annulée*), ou bien *La réunion doit être reportée, mais non annulée.*

On peut aussi inverser les termes et placer en tête celui qui est introduit par *sinon,* souvent précédé d'une virgule ; l'autre terme est alors précédé de *au moins, du moins, tout au moins* ou parfois de *en tout cas* : *Songera-t-il jamais à faire, sinon de grandes découvertes, au moins de petites remarques ?* (A. Maurois, *À la recherche de Marcel Proust,* p. 25). *Mᵐᵉ Walewska sera, sinon le grand amour (...), du moins l'inclination de son âge mûr* (J. Bainville, *Napoléon,* p. 297).

3. *Sinon,* en emploi absolu, signifie *sans cela, faute de quoi, dans le cas contraire, s'il n'en est* (ou *était*) *pas ainsi* et s'oppose à ce qui précède en remplaçant une proposition conditionnelle : *Ne partez pas, sinon* (si vous partez) *vous le regretterez. Écoutez-le, sinon* (si vous ne l'écoutez pas) *il vous en voudra.* On peut parfois se contenter de *sinon,* menaçant et suspensif : *Il faut que je sois heureux, sinon !...* (G. Bernanos, *Journal d'un curé de campagne,* Poche, p. 165). *Obéissez, sinon !...*

La disjonction peut être soulignée par *ou* devant *sinon* : *Obéis à l'instant, ou sinon tu seras châtié* (Littré).

En Wallonie, *ou sinon* (ou bien *sinon* seul) est parfois remplacé par [*aussi non*] : *On fixe au bébé un horaire régulier ; [aussi non] la vie serait trop bouleversée.* Comme on ajoute parfois *parce que* devant *sinon* dans de telles phrases (*parce que, sinon, la vie...*), ceux qui font la faute d'employer dans ce cas *ou sinon* [*parce que ou sinon la vie*] ou de remplacer *ou sinon* par [*aussi non*], et de dire [*parce qu'aussi non*], en arrivent à dire [*pascaussinon*] !

4. **Si oui, si non.** Après une question (ou une alternative), on peut n'envisager qu'une hypothèse et l'exprimer par *si oui* ou *sinon* (parfois *si non*), ou les envisager toutes deux et les exprimer par *si oui* et par *si non* (parfois *sinon*) : *Conte fait-il vraiment la basse foire, la noce méprisable ? Et si oui, d'où tenez-vous vos informations ?* (M. de Saint-Pierre, *Les aristocrates,* Poche, p. 312). *S'en rend-il compte ? Si oui, il est à plaindre... Si*

non, plus à plaindre encore (Daniel-Rops, *Mort, où est ta victoire ?*, Poche, p. 74). *Ou j'y ai droit ou je n'y ai pas droit. Si oui, qu'on m'ouvre les bras ; sinon qu'on m'ouvre la porte* (H. Bazin, *La tête contre les murs*, Poche, p. 204). *La notion d'indépendance économique a-t-elle, présentement, un sens pour vous ? Si oui, lequel ? Sinon, pourquoi ?* (*Le Figaro*, 29 novembre 1975, p. 7, question posée par le journal dans une enquête). *Est-ce (...) qu'il pourrait affronter Simon (...) ? Et si non, à quoi bon cette comédie ?* (Fr. Mallet-Joris, *Les signes et les prodiges*, Poche, p. 226). *Oui ou non, y a-t-il véritable complot révolutionnaire des hommes de l'art et si oui, que l'on cite des chiffres et des noms* (J.-Fr. Kahn, dans *Le Monde*, 25 mai 1973, p. 8). On trouve généralement, dans les questionnaires, après une question posée, des sous-questions commençant par *si oui* ou *si non* en deux mots. C'est normal.

Sioux, n. invariable, est toujours terminé par *x. Un Sioux, une ruse de Sioux.* Noter la majuscule, sauf dans *le sioux*, la langue des Sioux.

Sirocco, n.m., s'écrit avec deux *c.*

Sirop, n.m. On parle en français de poires au sirop, d'un sirop de groseille, de grenadine, d'un sirop contre la toux. En Wallonie, on donne ce nom à une sorte de mélasse composée d'un jus concentré de poires, de pommes, de betteraves ; on le fabrique dans une *siroperie* ; on donne aussi le nom de *poiret* (autre belgicisme) à cette mélasse.

Sis, sise, adj., « situé », s'emploie dans la langue juridique ou littéraire.

Sismique, adj. On a longtemps dénoncé un pléonasme dans *secousse sismique*, cet adjectif évoquant étymologiquement l'idée de choc. On peut dire assurément *phénomène sismique* (!) ou *secousse tellurique*, mais aussi sans hésiter *secousse sismique.*

Sitôt, adv. **Sitôt** et **si tôt.** On peut, s'autorisant de l'usage classique, d'une certaine tradition et de l'Académie, toujours écrire *sitôt* en un seul mot : *Elle devait périr sitôt !* (Bossuet). *Votre affaire ne sera pas sitôt finie que la mienne* (Ac.). *Je n'arriverai pas sitôt que vous* (Ac.). *Sitôt qu'il reçut cette nouvelle, il partit* (Ac.).

Une autre tradition, qui se manifeste chez maints écrivains et grammairiens et qu'il faut encourager, garde la graphie en un mot dans la loc.conj. *sitôt que,* dès que, aussitôt que, dans *de sitôt* et dans *sitôt* suivi d'un participe ou d'un nom suivi d'un participe : *Sitôt rentré. Sitôt la porte fermée.* Notons que *de sitôt* ne s'emploie que dans une proposition négative : *Il ne partira pas de sitôt. Je ne le reverrai pas de sitôt.*

Mais on ne craint pas d'opter logiquement pour *si tôt* en deux mots chaque fois qu'il correspond à *aussi tôt*, aussi vite (cf. AUSSITÔT) et qu'apparaît l'opposition avec *aussi tard, si tard : Hé, vous voilà ? je ne vous attendais pas si tôt !* (Ac., à Hé). *Je n'arriverai pas si tôt que vous.*

Votre affaire ne sera pas si tôt finie que la mienne. Je ne me décide pas à partir si tôt. Si tôt que nous partions (subjonctif), *il était là avant nous.*
Il faut reconnaître que l'existence d'une double tradition favorise les hésitations. Il faut surtout éviter d'écrire *si tôt* en deux mots quand il ne s'oppose pas à *si tard*, et notamment dans la locution conjonctive **sitôt que** et dans **sitôt après** correspondant à *aussitôt que, aussitôt après* : *Il nous a fait signe sitôt qu'il nous a vus. Il est parti sitôt après.* Mieux vaut ne pas écrire *pas de si tôt*, comme le font plusieurs écrivains ; l'expression ne s'oppose pas à « pas de si tard » mais à *pas si tard.* On écrira : *Cela n'arrivera **pas de sitôt**.*

Situer (se). On abuse, en en faisant un cliché, de l'expression *se situer* remplaçant *avoir lieu, se passer, se trouver,* etc. Attention surtout à l'équivoque possible de *se situer* ayant pour sujet un nom de personne.

Six, adj.num. Prononciation : cf. Dix.

Skaï, n.m. déposé (avec proprement une majuscule) pour désigner un matériau. Prononc. : rime avec *travail.*

Skateboard devrait être remplacé par *planche à roulettes* et *skateboarder* par *planchiste.*

Sketch, n.m. *Des sketches.*

Ski, n.m. *Aller à skis* ou **en skis.**

Skipper, n.m. Anglicisme pour *commandant (de bord), capitaine* ou *barreur,* selon les cas.

Skunks, n.m. Cf. Sconse.

Slogan, n.m., est bien installé en français.

Smala, n.f. *Toute la smala le suivait.* À préférer à *smalah.*

Smart, adj.inv. ; dire : *élégant, chic.*

Snack-bar (ou *snack*), n.m. *Des snack-bars. Des snacks.*

Snob, adj. et n., a un pluriel mais pas de forme féminine : *Elles sont snobs. Des snobs élégants. Des snobs désœuvrées.*

Snow-boot, n.m. peut se traduire par *caoutchoucs.*

Socket, n.m. Ce mot anglais, qui désigne la cavité où s'emboîte qqch., s'est introduit en Belgique avec l'électricité et y est devenu courant pour désigner **la douille**, à pas de vis ou à baïonnette, dans laquelle vient se fixer **le culot** d'une ampoule électrique, appelé tout aussi abusivement [*socket*] ou [*soquet*] ou [*socquet*].

Social-chrétien, social-démocrate, adj. et n. Les deux éléments de ces composés s'accordent : *Les sociaux-chrétiens, les voix sociales-chrétiennes. Les sociaux-démocrates. Les listes sociales-démocrates.* Mais on a écrit autrefois : *Les social-démocrates,* sous l'influence de *la social-démocratie* et de l'exemple allemand.

Socio, premier élément d'un mot composé, est agglutiné au suivant, sauf si cela provoque une fausse lecture : *socioculturel, socioéconomique,* etc.

Socque, n.m. d'une chaussure que portaient les acteurs dans les comédies et, aujourd'hui, d'une chaussure à épaisse semelle (de bois).

Socquette, n.f., chaussette basse arrivant au-dessus de la cheville. Attention à l'orthographe : *cqu.*

Sœur, n.f. *J'ai rencontré sœur Marguerite. Bonjour, ma sœur. Les sœurs de charité. Les Petites Sœurs des pauvres.*

Sofa, n.m. On n'écrit plus *sopha.*

Software, n.m., se traduit par *le logiciel.* Cf. HARDWARE.

Soi, pr.pers. réfléchi (c.-à-d. qu'il renvoie au sujet), s'emploie très rarement comme sujet ou comme attribut (cf. 4).

1. Il se rapporte généralement à un sujet indéterminé, vague, général ou non exprimé : *Chacun pour soi. Alors on ne pense qu'à soi. Celui qui ne pense qu'à soi ne peut être aimé. Ne travailler que pour soi. Être propre sur soi.* On peut renforcer *soi* en *soi-même.* Cf. ON, 3.

Après *chacun, chaque, aucun,* on emploie aussi très bien *lui, lui-même, elle,* etc. Cf. CHACUN. C'est même le tour habituel quand *aucun* ou *chacun* sont accompagnés d'un complément déterminatif : *Aucun d'eux ne pense à lui-même.*

Il est anormal d'employer *soi* ou *soi-même* pour renvoyer à un sujet pluriel comme *ceux qui.* On dira : *Ceux qui ne pensent qu'à eux (-mêmes).*

2. Dans certaines expressions, *soi* peut fort bien, et même doit parfois renvoyer à un sujet qui, désignant une chose (au singulier ou au pluriel), n'a rien d'indéterminé : *Un bienfait porte sa récompense avec soi* (Ac.).

De soi : *Cela va de soi. Une explication qui va de soi. Ce sont des choses qui vont de soi. — Les autres réponses iront de soi* (J. Anouilh, *L'alouette,* 1953, p. 187).

En soi. On dit : *Le beau en soi.* Et de là : *Les choses belles en soi. Cette attitude est en soi défendable.* Des philosophes opposent *l'en-soi* au *pour-soi.*

Renvoyant à des personnes, **à part soi** (dans son for intérieur) : *Faire des réflexions à part soi.* On dit aussi **à part moi,** *à part nous,* etc., mais il faut que le contexte exclue le sens de « excepté ».

3. Pour renvoyer à un sujet, personne ou chose, qui n'a rien d'un neutre ni d'un indéfini, on emploie généralement *lui, elle, eux, elles* : *C'est pour lui qu'il travaille, pas pour les autres* (Ac.). *Il se croyait aimé pour lui-même* (Ac.). *Il n'est plus lui-même* (Ac.).

Cependant, suivant encore l'usage d'autrefois, les écrivains ne craignent pas d'employer *soi* pour renvoyer à un sujet bien déterminé. Mais il faut se garder de renvoyer à un pluriel en employant *soi* ou *soi-même* : *Elle lève la tête, regarde autour de soi* (M. Arland, *Antarès*, Poche, p. 170). *Puis elle redevint plus maîtresse de soi* (R. Pieyre de Mandiargues, *La motocyclette*, Folio, p. 57). *Philippe la pressait contre soi* (J. d'Ormesson, *L'amour est un plaisir*, p. 177).

On emploiera *soi* pour éviter une équivoque : *L'ami de mon frère me parle toujours de soi* (ou *de lui-même*). Et généralement pour désigner un type d'individu : *L'égoïste ne pense qu'à soi*.

4. *Soi* est très rare comme **sujet** ; on le trouve après *comme*, le verbe n'étant pas répété : *On voudrait que tout le monde fût honnête comme soi*. Ou bien on emploie *soi-même* : *Il était impossible de la sauver sans risquer soi-même sa vie. Il est nécessaire de prendre soi-même les précautions qui s'imposent.*

On trouve rarement aussi *soi* **attribut** : *Il faut oser être soi.*

5. **Soi-même** après un nom de personne déterminé, est familier, plaisant et même railleur ; il veut dire qu'elle aime à faire parler d'elle : *On y entendait Sacha Guitry soi-même !* On se gardera donc de dire *soi-même* au lieu de *lui-même* pour répondre au téléphone à la troisième personne : *C'est M. X ? — Lui-même.*

Soi-disant, adj. invariable, est un reste de l'ancienne syntaxe où la forme forte *soi* pouvait, comme *lui* ou *moi*, être complément direct. Le bon usage se reporte au sens premier (= qui se dit) pour rejeter la graphie [*soit-disant*] et imposer l'invariabilité du part.prés. *disant*, selon la syntaxe actuelle. Il importe de le noter, car par ailleurs on se rend compte que le sens premier est depuis longtemps dépassé, malgré les puristes et l'Académie qui continuent à s'opposer à l'évolution du sens. Au départ, *soi-disant* ne pouvait se dire que des êtres doués de la parole et ne pouvait s'appliquer qu'à une qualité qu'ils s'attribuaient eux-mêmes : *De soi-disant docteurs. Une soi-disant marquise. Les soi-disant héritiers.* Si l'on s'en tient à ce sens premier, il est absurde d'appliquer *soi-disant* à des choses ou à des défauts : *Une soi-disant expérience. Une soi-disant escroquerie.* À cela on peut opposer l'évolution sémantique qui, pour bien des mots, les éloigne de leur sens premier. D'autre part, Littré condamne comme une « grosse faute » l'application de *soi-disant* à des choses, par exemple *de soi-disant faveurs*, où *soi-disant* a le sens de *prétendu*, qui se dit d'une personne ou d'une chose qui passe pour ce qu'elle n'est pas. Mais il accepte sans réserve le sens de *prétendument* et cite l'exemple : *Soi-disant, j'ai le ton trop plaisant.* Ne peut-on s'expliquer aisément le glissement de sens ? On a pu appliquer *soi-disant*, au sens de *prétendument*, à des adjectifs se rapportant à des choses plus ou moins personnifiées : *Il faisait grand cas d'une amitié soi-disant inaltérable*, qui se disait inaltérable. *Une théorie soi-disant irréfutable*, qui se disait irréfutable ou, c'est aussi le sens de *se dire*, « qui était dite irréfutable ». De là on a pu appliquer *soi-disant* à des choses dites ceci ou cela (Marivaux parle d'*agréments soi-disant innocents*), à des défauts comme à des qualités, dans le sens de *prétendu* (*Un soi-disant service. Une soi-disant faveur. Une soi-disant escroquerie*) ou de *prétendument* (*Une monnaie soi-disant solide. Une réunion soi-disant sérieuse*).

Le fait est incontestable ; depuis plus de deux cents ans, dans l'usage courant et en littérature l'évolution s'est affirmée. Au sens de *prétendu* ou, devant un adjectif, de *prétendument*, *soi-disant* s'est de plus en plus appliqué à des choses et même à des défauts comme à des qualités. L'Académie elle-même a défini *Empirique* : *Qui s'appuie sur une soi-disant expérience*. Et de nombreux et excellents écrivains peuvent être cités. Je me borne à quelques exemples (on en trouvera d'autres chez Grevisse, *B.U.*, n° 1098) : *Un soi-disant « accord de compensation »* (Ch. de Gaulle, *Le salut*, Poche, p. 273). *Le soi-disant armistice* (Id., *Ibid*, p. 290). *Le renflouement soi-disant refusé* (M. Druon, *Les grandes familles*, Poche, p. 262). *La soi-disant réalité*, J. Giono, *Noë*, Poche, p. 13). *La soi-disant faute dont elle se gausse* (A. de Châteaubriant, *La réponse du Seigneur*, p. 135). *Ce soi-disant défaut* (M. Barrès, *Au service de l'Allemagne*, p. 26). *Il venait de publier des vers soi-disant traduits du français* (A. Maurois, *Byron*, XXV).

Aucune réserve n'est à faire à propos de *soi-disant* employé pour *prétendument* comme ci-dessous, appliqué à un verbe, à un complément : *Valdo jouait soi-disant pour faire travailler Cécile* (G. Duhamel, *Le jardin des bêtes sauvages*, VI). *Il est en voyage soi-disant pour affaires. Il m'a écrit soi-disant à cause d'un malentendu*.

Personnellement, je me refuse donc à parler de « faute » à propos des emplois de *soi-disant* aux sens de *prétendu* ou de *prétendument*. Mais on doit savoir que l'extension de sens à des choses et particulièrement à des défauts a encore des adversaires irréductibles et non négligeables.

On laissera en tout cas au langage très familier ou populaire l'emploi de **soi-disant que**, substitué à « parce que, prétendument », « sous prétexte que », « il paraîtrait que ».

Soif, n.f. *Avoir très soif.* Cf. Avoir, 17. *Il fait soif* est très familier.

Soiffard, adj. et n., « qui boit avec excès », est populaire, ainsi que son synonyme *soiffeur* et le verbe *soiffer*, boire.

Soigner, v.tr.dir. *Soigner sa toilette, ses relations, ses intérêts, un malade, une maladie, son foie. Soigner qqn **pour** une maladie, pour une fracture* (rarement : *soigner qqn de qqch.*). Mais il faut éviter le germanisme [*soigner* *pour*] employé pour *avoir soin de, veiller à* ou *sur, se charger de.* Et aussi [*soigner que*]. On dira : *Je veillerai à ce qu'il vienne. J'aurai soin de lui.*

Soi-même. Cf. Soi, 5.

Soir, n.m. On a le choix entre *hier soir* et *hier au soir, demain soir, dimanche soir, lundi soir* et *demain au soir, dimanche au soir, lundi au soir* (que le GLLF condamne à tort mais qui sont moins fréquents), *le lendemain soir* ou *le lendemain au soir.* Mais on doit dire : *La veille au soir, le 15 au soir.* — *Ce soir. À ce soir. D'ici ce soir. Tous les soirs. Tous les lundis soir* ou *tous les lundis soirs. Le soir* (ou *au soir*), *il nous a quittés.*

Soit, adv. d'affirmation ou **interjection,** exprime une concession : *Vous le voulez, soit !* (prononcer le *t* final).
    Conj. *Soit... soit* : *Soit les uns, soit les autres. Soit les uns ou les autres.* Cf. Verbe, *Accord,* pp. 984 et 990 et Ou, *conj.,* 1, p. 654.
    S'il y a un troisième terme : *Soit lui, soit vous ou votre frère.* L'alternative marquée par *soit ... soit* ne peut porter sur des verbes ou des propositions. C'est *ou ... ou* qui s'emploie alors : *Ou vous viendrez, ou j'irai vous voir.*
    Soit que... soit que, soit que... ou que. Si les propositions introduites par *soit que* dépendent d'un verbe, c'est lui qui régit le mode après *soit que* : *Cela montre soit qu'il était mal informé, soit qu'il était complice. Je veux soit qu'il me reçoive, soit qu'il m'écrive.*
    Si elles ne dépendent pas d'un verbe, elles se mettent au subjonctif : *Soit qu'il le fasse, soit qu'il s'abstienne, il y aura toujours des gens pour le blâmer.*

Soldat, n.m. Pop. *Mon fils est parti soldat.* Cf. Partir, 1.

Solde, n.f. *La solde d'un soldat. Être à la solde de qqn, d'un parti,* être payé pour le soutenir.
    N.m. *Le solde d'un compte. La semaine des soldes. J'ai acheté un solde.* Éviter d'employer le féminin en parlant d'une marchandise soldée, vendue au rabais, en solde.
    Demi-solde est féminin quand il désigne la solde réduite d'un militaire en non-activité ; masculin quand il désigne le militaire qui touche une demi-solde.

Solder (se). *Le budget se solde par un déficit.*

Solécisme, n.m., faute contre les règles de la syntaxe.

Soleil, n.m. 1. **Faire du soleil, faire soleil.** Le tour habituel est *il y a du soleil, il fait du soleil, il fait grand soleil, trop de soleil.* On peut dire : *Il fait soleil.*
    2. **Soleil de plomb, soleil d'aplomb.** Les expressions *soleil de plomb, chaleur de plomb* évoquent un soleil accablant. Plus rare et d'un tout

autre sens, *sous un soleil d'aplomb*, sous un soleil qui tombe d'aplomb, à la verticale.

Solidaire, adj. *On est* (ou *on se déclare*) *solidaire de qqn, des engagements qu'il a pris. Une chose est solidaire d'une autre. Ces deux personnes* (ou *ces deux choses*) *sont solidaires.* Certains condamnent l'emploi d'*avec.* Il est pourtant régulier devant un nom de personne et tout à fait courant devant un pronom : *Considérez-moi comme solidaire* **avec** *vous dans cet engagement* (Ac.). *Je suis solidaire avec lui.*

Solidariser (se), se désolidariser. Attention aux prépositions : *Se solidariser avec qqn. Se désolidariser de qqn* ou *d'avec qq.*

Solidarité, n.f. *La solidarité entre deux créanciers, entre un créancier et un autre, de deux créanciers, d'un créancier et d'un autre, d'un créancier avec un autre.*

Solifluxion, n.f., glissement du sol. Éviter [*solifluction*].

Solliciter, v.tr.dir. *Solliciter qqn, qqch.* (un emploi, une faveur, un texte). *Solliciter* **qqch.** *de qqn* ou *de qqch. J'ai l'honneur de solliciter de votre bienveillance l'autorisation de m'absenter. Solliciter* **qqn de faire** *qqch.* (*à faire* (Ac.) est vieux et littéraire). On ne dit plus : *La faveur dont je vous sollicite* ; on dit : *La faveur que je sollicite de vous.* Au lieu de *solliciter qqn à la révolte,* on dit : *Pousser qqn à la révolte. Solliciter un texte,* lui faire dire ce qu'on veut.

Solo, n.m. *Des solos. Un violon solo. Les violons solos. Un spectacle solo. Jouer en solo.*

Solution, n.f. *Une solution de continuité* est une rupture, une interruption. *Sans solution de continuité* veut donc dire : sans interruption.

Solutionner, v.tr.dir., doit surtout sa fortune à l'ignorance, où sont trop de gens, de la conjugaison de *résoudre,* qu'il faut préférer.

Sombre, adj. Cf. Coupe.

Somme, n.f. *Une somme d'argent* peut se dire.

Somme, n.m. On dit *faire un somme,* mais *avoir sommeil.*

Sommet, n.m. *Une conférence au sommet* ou *Un sommet.*

Somptuaire, adj., a d'abord, dans l'expression *loi somptuaire,* signifié « qui règle les dépenses » ; d'où le sens a glissé vers « qui règle les dépenses de luxe » ; l'adjectif s'est appliqué à ce qui est de luxe et non utilitaire : *les arts somptuaires.* Influencé par *somptueux,* l'adjectif a pris encore un autre sens et l'on a parlé de *dépenses somptuaires,* c'est-à-dire excessives, fastueuses ou de prestige, d'apparat (appelées parfois *voluptuaires*).

Grevisse cite d'excellents auteurs, académiciens de surcroît, qui emploient cette expression, condamnée par l'Académie (*B.U.*, n° 175, note 37).

Songer, v.tr.dir. ou intr., ne signife plus « voir en rêve », mais « penser à » (*Songez aux difficultés, à dire cela*) ou, devant une complétive ou une interrogation indirecte, « s'imaginer » ou « prendre en considération » : *Songez combien ils sont irritables.* Absolument : *Il passe des heures à songer.*

Sonnaille, n.f., **sonnailler,** v.intr. Deux *n*.

Sonner, v.intr. et tr.dir. 1. **Auxiliaire.** On emploie *avoir* pour la sonnerie en train de s'accomplir et souvent *être* quand l'action est considérée dans son résultat : *Neuf heures n'avaient pas encore sonné. Neuf heures sont sonnées.* Mais on trouve aussi *avoir* dans ce dernier sens : *Dix heures ont sonné depuis longtemps* (Fr. Mauriac, *Destins*, p. 114). Pour l'accord, cf. HEURE.

2. Wallonismes : [*On sonne à mort*] pour *On sonne le glas* et [*Sonner à messe*] pour *Sonner la messe* (comme *sonner l'Angélus*, l'annoncer).

3. Fam., *être sonné*, assommé. Pop., *se faire sonner*, se faire durement réprimander.

Sophistiqué, adj., ne se dit plus de ce qui est frelaté, mais de ce qui est d'une subtilité excessive, de ce qui manque de naturel par excès de recherche ou de ce qui est d'une technique de pointe, par exemple d'un raisonnement, d'une femme, d'une toilette, d'un appareil.

Soprano, n.m., même appliqué à une femme. *Des sopranos* plutôt que *des soprani*.

[Soquet] ou [*socquet*], n.m. Cf. SOCKET.

[Soret] ou **[sauret]**, n.m. remplaçant l'adj. *saur* (écrit parfois *sor*), qui ne se dit que du hareng, s'emploie en Belgique pour **hareng saur.** On a parlé autrefois en français d'un *hareng sauret*.

Sort, n.m. *Faire un sort à qqch.*, c'est le mettre en valeur : *Ce mot serait passé inaperçu si vous ne lui aviez fait un sort en le répétant* (Ac.). Mais dans la langue familière, c'est utiliser à son profit, déguster : *Faire un sort à une bonne bouteille.*

Sortable, adj. *Un parti sortable*, bien assorti. *Un ami sortable*, qu'on peut sortir, montrer.

Sorte, n.f. *Il a composé une sorte de comédie.* Attention aux accords : *Quelle sorte de touristes avez-vous fréquentés ? Quelle sorte de gens se trouvaient là ? Une sorte d'employé endimanché.* Pour l'accord du verbe ou de l'adjectif, cf. Verbe, accord, A, I. *Toutes sortes de personnes sont venues.* On trouve parfois *toute sorte* de, même devant un pluriel, mais cet emploi a vieilli : *Toute sorte de livres ne sont pas également bons* (Ac.). *Il me fait entendre toute sorte de cris d'animaux* (M. Tournier, *Le roi des aulnes*, Folio, p. 125). *Il y a plusieurs sortes de menteurs* ; mais avec un nom abstrait on emploie aussi le singulier : *Plusieurs sortes de bonheur* (ou *de bonheurs*). *Je vous souhaite toutes sortes de bonheurs* (ou *toute sorte de bonheur* ou *toutes sortes de bonheur*). *Des bonheurs de toutes sortes* (ou *de toute sorte*).

De sorte que, de telle sorte que, en sorte que sont suivis de l'indicatif ou du conditionnel s'ils expriment la conséquence, du subjonctif s'ils marquent la finalité, la visée : *Elle était bien maquillée, de sorte qu'on ne lui donnait pas son âge* ou *qu'on aurait pu ne pas la reconnaître. Agissez de telle sorte qu'on soit content de vous. Faites en sorte qu'on n'ait rien à vous reprocher*, cf. Faire, 39.

En quelque sorte, loc.adv., pour ainsi dire : *Il est en quelque sorte ma conscience.*

Sortie-de-bain, n.f. *Des sorties-de-bain.*

Sortir, v.intr. et tr.dir. 1. **Conjugaison** comme *dormir* ; auxiliaire : *être* dans l'emploi intransitif, *avoir* dans l'emploi transitif.

N.B. Dans un emploi (rare) comme terme juridique, au sens de « produire, obtenir » (*sortir son effet*), *sortir* se conjugue comme *finir* et avec l'auxiliaire *avoir* : *Le jugement sortissait son plein et entier effet.*

2. On dit très bien : *Sortir sa voiture, un produit nouveau, un roman, une plante, un ami, un malade, un enfant, son chien, son mouchoir, sortir un ami du marasme, cela nous a sortis de l'ordinaire,* (auxiliaire *avoir*). Mais on ne confondra pas : *J'ai sorti mon grand-père*, je l'ai fait sortir, c'est moi qui ai dirigé cette sortie et *je suis sorti avec mon grand-père*, je l'ai accompagné.

Emploi populaire au sens d'« expulser » : *Cet énergumène troublait la réunion. On l'a sorti* (Ac.). *On l'a sorti par la fenêtre.* Emploi familier au sens de « dire, débiter » : *Il n'a sorti que des banalités.*

3. **Sortir de** s'emploie non seulement devant un nom désignant l'endroit que l'on quitte ou la situation d'où on se tire (*sortir d'embarras, de table, de la messe, du spectacle*) mais très familièrement devant un infinitif pour indiquer un passé tout récent : *Je sors de le voir, de lire ce bouquin.* Ce tour est surtout vivant dans : *Je sors d'en prendre*, je ne suis pas disposé à recommencer.

4. **En sortir, s'en sortir.** *Je n'en sors pas* se dit aussi bien et même mieux que *Je ne sors pas d'embarras. Il en est sorti à son honneur* (Ac.). Dans le même sens de « s'en tirer », on dit plus ou moins familièrement *s'en sortir : Comment voulez-vous que je m'en sorte ? Il s'en est sorti à son honneur.* G. Duhamel n'hésite pas à mettre cette expression dans la

bouche d'un membre de l'Institut : *Janville s'en sortira très bien. Voyez Perch, voyez de Praz ! Ils s'en sont bien sortis (La passion de Joseph Pasquier,* p. 235). *S'en sortir* a l'avantage d'évoquer l'effort personnel qui n'est nullement suggéré par *en sortir.*

Sottie, n.f. : telle est l'orthographe adoptée par l'Ac. en 1975. On écrit aussi *sotie.*

Souche, n.f., est pris à tort en Belgique au sens de *volant.* Cf. TALON.

Soucier, v.tr.dir., est vieilli dans le sens de « donner du souci » (*Cela me soucie*) et comme verbe impersonnel (*Il ne me souciait pas de le rencontrer*). La seule forme vivante est **se soucier de** : *Il se soucie trop du qu'en-dira-t-on.* Emploi surtout fréquent en phrase négative ou avec *peu* : *Je ne me soucie pas de le rencontrer. Il se souciait fort peu de plaire.* Littéraire, **se soucier que** dans des phrases négatives ou avec *peu* : *Il se soucie peu qu'on le reconnaisse* (subjonctif).

Souffler, v.tr.dir. et intr. *Souffler une bougie. L'explosion a soufflé la maison. Souffler son rôle à qqn.* Fam. *Souffler son emploi à qqn,* le lui enlever. *Cette nouvelle m'a soufflé,* extrêmement surpris. *Le vent souffle. Il souffle un vent du nord, un vent froid.* Fam., *Ça souffle.*

Souffreteux, adj., dont le sens étymologique était « qui est dans la disette, dans la misère », a été rattaché à *souffrir* et a signifié « qui est souffrant, momentanément », mais veut dire aujourd'hui « qui est de santé débile, qui est habituellement souffrant ».

Souffrir, v.tr.dir. et intr. *Cela ne souffre aucune contradiction. Souffrez* (permettez) *qu'il nous rejoigne* (subj.). *Je ne peux pas souffrir* (supporter) *cet homme. Souffrir le martyre. Ces vins ne souffrent pas le transport. Il souffre de l'estomac. Il souffre de ne pouvoir dire ce qu'il pense,* il éprouve une souffrance parce qu'il ne peut pas... *J'ai souffert pour lui faire comprendre cela. Les maux qu'il a soufferts. Les mois qu'il a souffert* (pendant lesquels).

Souhaiter, v.tr.dir. **Devant un infinitif,** on emploie ou non *de* sans exprimer aucune nuance particulière. Cette alternance n'est pas rare chez un même auteur : *Il est de ceux, somme toute rares, dont j'eusse souhaité devenir l'ami (...). Vildrac souhaitait d'éprouver ma sœur (...). L'étudiant qui souhaite de parvenir* (G. Duhamel, *Biographie de mes fantômes,* pp. 25, 67, 80). Mais si *souhaiter* a un complément d'objet indirect représentant la personne à qui s'adresse le souhait, *de* est nécessaire : *Je lui souhaite de réussir.* **Souhaiter que** est suivi du subjonctif.

Souillon, n., est des deux genres pour désigner une personne extrêmement malpropre (*un petit souillon, une petite souillon*), mais s'emploie aujourd'hui plutôt au féminin.

Soûl, adj. et n.m., **soûler,** v.tr.dir. Accent circonflexe, qu'on ne trouve évidemment pas dans *saoul, saouler* : *Cet homme est soûl. Ils ont bu tout leur soûl.* De même : *soûlographie,* habitude de s'enivrer régulièrement.

Soulever, v.tr.dir. *Soulever un fardeau, un enfant, un malade, le cœur, l'indignation, les applaudissements, une discussion, des difficultés, une question, des problèmes.* Mais non [*soulever un lièvre*] pour *le lever* ni [*soulever un point de vue*] pour *se placer à un point de vue.*

Souligner, v.tr.dir. *Souligner un mot en rouge.* Au figuré : *Souligner une réplique, l'importance de qqch.* Avec *que* : *On a souligné que nous avions tort.*

Soupçon, n.m. *On est à l'abri de tout soupçon* ou *au-dessus de tout soupçon* et non [*au-dessous de tout soupçon*], comme on dit dans *L'amour est un plaisir* de J. d'Ormesson, Poche, p. 98.

Soupçonner, v.tr.dir., en dehors du sens de « concevoir, pressentir, imaginer » (*Je ne soupçonnais pas les charmes de ce pays*), implique normalement une opinion désavantageuse et donc a pour complément qqch. qui ne soit pas une qualité ; on soupçonne donc *l'inexactitude* d'un propos, *la mauvaise foi* d'un adversaire, etc. Mais *on **suspecte*** (on met en cause) *sa sincérité, sa bonne foi. On soupçonne qqn d'avoir menti, on le soupçonne de mensonge.* On a pu autrefois donner à *soupçonner* le sens de « suspecter », « mettre en doute la réalité d'une qualité » (*soupçonner la bonne foi de qqn*), mais le tour n'est pas à recommander. Avec **que** : *Je soupçonne qu'ils se sont trompés. Je ne soupçonnais pas qu'ils fussent complices* ou *étaient complices. Pouvait-il soupçonner qu'on voulût* (ou *voulait*) *le tromper ?*

Soupe, n.f., quand il est synonyme de *potage,* est nettement moins distingué. On continue à dire *manger la soupe* parce que la soupe, autrefois, était un liquide épaissi par du pain. On dit souvent : *prendre le potage.*

Souper, v.intr. Cf. AVEC, RESTER, DÉJEUNER.

Soupirer, v.intr., s'emploie plus souvent avec *après* qu'avec *pour.*

Sourdingue, adj. et n., « sourd », est populaire.

Sourd-muet, adj. et n., *sourde-muette.*

Sous, prép., peut marquer une époque, un laps de temps, une durée : *Cela s'est passé sous Louis XIV. Le tribunal rendra son jugement sous quinzaine,* c'est-à-dire « avant la fin de la quinzaine ». *Sous huit jours,* rare, veut dire, comme *dans les huit jours,* « avant huit jours » ; tandis que *dans huit jours* veut dire : après un délai de huit jours. On dit : *à telle date,* mais non [*sous la date de*]. Courant : *sous peu. Il viendra sous peu.*

Sous marque que qqch. est placé plus bas qu'autre chose ; on ne peut dire : [*On trouve ces mots sous sa signature*], mais on dit très bien qu'un écrivain a publié un article sous sa signature, qu'un roman a paru sous la signature de..., qu'on trouve sa signature sous un texte.

De sous. On peut tirer qqch. *de dessous la table* ou *de sous la table. Elle avait une petite figure sculptée comme un totem, à peine sexuée en dépit des mèches grises s'échappant de sous un feutre informe* (J.-L. Curtis, *La parade*, J'ai lu, p. 21). *De sous la voilette épaisse (...) surgissait une voix forte* (M. Déon, *Un parfum de jasmin*, Folio, p. 153). Cf. Eau, Endéans, Peine, 2, Point de vue, Rapport, 1.

Sous-main, n.m. *Des sous-main. Agir en sous-main. Il cherche à me nuire sous main, en sous-main* (Ac.).

Sous-off, n.m. *Des sous-offs.*

Sous-ordre, n.m. *Des sous-ordres. En sous-ordre.*

[Sous-plat], n.m., est courant en Belgique pour *un dessous-de-plat*, n.m.inv.

Soussigné, adj. et n. *Les témoins soussignés. Le soussigné, la soussignée.*

Sous-sol, n.m. *Les sous-sols.* De même : *sous-titre, sous-vêtement,* etc.

Sous-tasse, n.f. bien formé, autrefois écrit *soutasse*, est courant en Belgique à côté de *soucoupe.* Mais ce n'est pas un belgicisme, sinon par sa fréquence ; le mot est connu et utilisé, beaucoup moins qu'en Belgique, dans plusieurs régions de France et en Suisse ; mais il n'est cité que par quelques dictionnaires : *Toujours mettre une sous-tasse sous le vase* (E. Triolet, *Le premier accroc...*, Folio, p. 235).

Sous-tendre, v.tr.dir., s'écrit en deux mots.

Sous-verre, n.m. invariable (montage sous verre). *Des sous-verre.*

Soutenir, v.tr.dir. *Je soutiens que c'est possible. Je ne soutiens pas que c'est* (ou *que ce soit*) *possible.*

Soutien-gorge, n.m. et non [*soutient-gorge*]. *Des soutiens-gorge.*

Souvenir, v.impers. et pron. L'impersonnel **il me souvient** est aujourd'hui littéraire : *Il me souvient de cela, de l'avoir rencontré. Vous en souvient-il ? Il me souvient qu'il était absent.*

Se souvenir se construit avec *de : se souvenir de qqn, de qqch. Je m'en souviens. Souviens-t'en. Souvenez-vous-en. Je me souviens de l'avoir dit.* On omet parfois *de* devant un infinitif : *Je me souviens l'avoir dit.* Avec *que : Je me souviens qu'il l'a dit. Je ne me souviens pas qu'il l'ait dit.* On peut faire suivre *se souvenir* d'une interrogation indirecte : *Ce confrère (...) devrait se souvenir de ce que je fus alors, pour qui je me battis* (Fr. Mauriac, *Bloc-notes*, dans *Le Figaro littéraire*, 11 décembre 1963). *Je* *me souviens combien il était prudent, de quoi nous avons parlé. Je ne me souviens pas qui m'a posé cette question, à qui j'ai répondu cela, si vous étiez là quand c'est arrivé.* Même construction de *se rappeler que, qui,* etc. *Je m'en souviendrai* peut exprimer une reconnaissance ou une menace.

Souvent, adv., peut s'employer au comparatif et au superlatif : *Nous nous verrons plus souvent. Le plus souvent il est à l'heure.* Fam. *Plus souvent !* exprime un refus. Pop. *Plus souvent que* a le même sens : *Plus souvent que je me fierai encore à lui !* Cf. Arriver, 3.

Soja, n.m. On écrit aussi *soya.*

Spaghetti, n.m.pl. invar. *Des spaghetti.* On écrit aussi : *des spaghettis.*

Speaker, n.m. (fém. *speakerine)*) pourrait se dire, à la radio, *annonceur* ou *commentateur* ou *présentateur.*

Spécieux, adj. se dit de ce qui a une apparence seulement de vérité.

Spécimen, n.m. *Des brochures spécimens.*

Spectaculaire, adj., se dit de ce qui, frappant les yeux, devient une sorte de spectacle digne d'attention : *Un accident spectaculaire. Des résultats spectaculaires,* qui frappent les yeux et l'imagination.

Spéculation, n.f., se dit de recherches philosophiques, de considérations théoriques, de calculs, d'opérations financières, mais est encore suspect dans le sens de supposition, conjecture : *[Il se livre à des spéculations sur les causes de l'accident].*

Spéculoos (ou *spéculaus*), n.m., parfois *spéculation,* n.f. : nom belge d'un biscuit sec très courant pouvant avoir, selon les régions, des formes et des goûts différents.

Speech, n.m., peut souvent se traduire par *allocution.* Pluriel : *des speechs* ; à l'anglaise : *des speeches.*

Sphinx, n.m., s'écrit avec *i.*

Spinozisme, spinoziste, n.m., à préférer à *spinosisme, spinosiste,* puisqu'on écrit *Spinoza.*

Spirale, n.f. Parce que, au sens premier, *une spirale* est une courbe géométrique plane, on a blâmé à tort l'expression correcte, admise par l'Académie, *escalier en spirale.*

[Spitant], adj. et **[spiter],** v.tr.dir. ou intr., sont des wallonismes qui traduisent l'action de « jaillir » : d'où « pétiller », « éclabousser » et, pour l'adjectif, le sens de « vif » : *[De l'eau spitante. Une fille spitante. Il raconte ça d'une façon spitante. L'auto m'a spité].* On entend les n.f. *[des spites, des spitures],* pour *des éclaboussures.*

Sponsor, n.m. anglais, doit être remplacé par *commanditaire* ; **sponsoring** par *parrainage* et les verbes **sponsoriser** et **sponsorer** par *commanditer, parrainer.*

Sporadique, adj., se dit de ce qui se présente çà et là ou de temps en temps, mais d'une manière irrégulière : *Des interventions sporadiques.* Tandis que **par intermittence** évoque des interruptions momentanées : *Travailler par intermittence.*

Spot, n.m. On dira : *un message publicitaire* au lieu d'*un spot publicitaire.* Le mot désigne aussi un petit projecteur.

Sprint, n.m. anglais, a donné les noms *sprinter* (prononcé à l'anglaise) et *sprinteur,* où l'on prononce *i + n* comme dans le verbe intr. *sprinter.*

Square, n.m. Pron. « wa ».

Staff, n.m., anglicisme, désigne l'*équipe,* le groupe de personnes (cadres de direction, cadres techniques) assurant une fonction déterminée dans une entreprise, les conseillers du directeur.

Stagnation, n.f., **stagner,** v.intr., **stagnant,** adj. On prononce g + n.

Stalagmite, stalagtite, n.f. On peut, pour retenir la différence de sens, se rappeler qu'une *stalagmite* monte et qu'une *stalagtite* tombe.

Standard, n.m. et adj., est un mot anglais qui signifie « type, étalon » et désigne ce qui est conforme à un type de fabrication, ce qui est *normalisé : Un modèle standard, un pneu standard.* D'où, avec le sens de « qui manque d'originalité », *une pensée standard.* On laisse souvent l'adj. invariable au pluriel, sur le modèle de l'anglais, mais « son emploi courant le fait varier en nombre » (GLLF). On parlera de *niveau de vie* (plutôt que de *standard de vie*) et d'un *central téléphonique.*

Standing, n.m. Cet anglicisme dont on abuse se remplace aisément par *niveau, rang* (*Une personne de son rang*), ou en parlant des choses par *classe : Un immeuble de classe* ou *de luxe,* plutôt que *de grand standing.* ·

[Stater], v.tr.dir., a en Belgique, sous l'influence du néerlandais, le sens d'arrêter, interrompre, cesser, suspendre (notamment des travaux, une entreprise).

Station, n.f., s'applique très bien en français aux endroits aménagés pour l'arrêt des taxis, des autobus, du métro : *Une station de taxis.* Mais, pour les chemins de fer, *gare* l'a nettement emporté, même en Belgique où l'on trouve encore cependant, dans beaucoup de localités, *rue de la Station* pour *rue de la Gare.*
    Une **station-service,** *des stations-service* ; le mot ne peut désigner qu'un poste où s'ajoute au ravitaillement en essence la possibilité de recevoir quelques services : lavage, graissage, dépannages d'urgence.

Stationner, v.intr., « rester à la même place », se conjugue avec *avoir,* au contraire de *rester.* Éviter l'emploi transitif [*stationner sa voiture*], la garer, la mettre en stationnement.

Mais **stationné** s'emploie normalement comme adjectif : *Une voiture (est) stationnée un peu plus bas.* Emploi critiqué (au lieu de *être en stationnement*).

Statufier, v.tr.dir., est familier non seulement au sens propre, mais au sens figuré où il a pour sujet un nom de chose : *Son intervention statufia ses collègues,* les rendit immobiles, semblables à des statues, les pétrifia.

Steak, n.m. synonyme de *biftek. Des steaks.* Noter qu'en France *un steak tartare* (ou *un tartare*) est formé de viande crue et hachée, mélangée avec un jaune d'œuf et un assaisonnement relevé. On écrit : *un steak frites, un steak salade.*

Sténodactylo, n., s'écrit en un mot.

Steppe, n.f. (autrefois masculin) : *La steppe.*

Stère, n.m. *Un stère* (de bois).

[Sterfput], n.m., belgicisme pour *siphon de cour.*

Sterling, n.m. et adj.inv. *Cent livres sterling.*

Steward, n.m., maître d'hôtel à bord d'un paquebot ou d'un avion. *Des stewards.* Pour une femme on dit *hôtesse de l'air.*

Stick, n.m., désignant une sorte de canne courte et flexible, peut désigner un article de toilette présenté sous forme de bâtonnet.

Stimulus, n.m., excitant. Pluriel à recommander : *des stimulus.* Cependant *des stimuli* est courant.

Stipuler, v.tr.dir., « énoncer comme condition expresse dans une convention », « imposer », peut avoir pour sujet les contractants ou le contrat : *Stipuler une garantie. Il est stipulé dans le formulaire qu'on doit répondre par oui ou par non aux questions posées* (GLLF).

Stock, stockage, n.m., **stocker,** v.tr.dir. Attention à *ck.*

Stomacal, stomachique, adj. **Stomacal** a vieilli et peut se dire encore de la digestion, d'une colique : *Des troubles stomacaux.* **Stomachique** concurrence *stomacal* mais a surtout un sens médical (qui facilite la digestion) : *une poudre stomachique.* Comme n.m. : *Cette poudre est un bon stomachique.*

Stopper, v.tr.dir., ou intr., au sens d'«arrêter» ou de «s'arrêter» : *Stopper l'avance, l'invasion, un train, la maladie. Leur voiture a stoppé devant chez nous. Ils ont stoppé net dans leur progression.* De la même famille : *auto-stoppeur* (ou *stoppeur*).

Strass, n.m., est aujourd'hui préféré à *stras.*

Stress, n.m. qui a des sens multiples, peut souvent être remplacé par *agression,* parfois par *choc.*

Structurer, v.tr.dir. *Structurer un projet, un discours.*

Stupéfait, adj. **Stupéfié,** part.passé. Ne jamais employer *stupéfait* comme participe passé, ni *stupéfié* comme adjectif, fautes qu'on entend et qu'on lit trop souvent. Dire : *Sa conduite m'a stupéfié. Il en est resté stupéfait. Stupéfait du désastre, il s'affola. Il a été stupéfié par cette nouvelle* ou *stupéfait d'apprendre cela.*

Stylé, adj., se dit d'un domestique qui remplit sa tâche dans les formes. **Styler** *qqn* ou *qqch.,* le dresser, le façonner pour qu'il réponde à certaines exigences.

Subjonctif. Emploi des temps. Cf. Concordance.
   Valeur et emploi du mode. On trouvera des indications précises aux endroits où une remarque s'impose : verbes, conjonctions, locutions, etc. Il n'est pas question de présenter ici les diverses théories expliquant les emplois du subjonctif. Dans mon étude sur la valeur modale du subjonctif (Bruxelles, Palais des Académies), j'ai tâché de montrer que ce mode se prête comme une forme adéquate à l'énoncé de ce qu'on se refuse ou hésite à placer sur le plan de la réalité. On ne s'engage donc pas sur la réalité du fait et celle-ci est souvent incertaine ; pas toujours cependant, notamment après certains verbes de sentiment, après des impersonnels, après *bien que* et dans certaines relatives. C'est que l'emploi du subjonctif a subi, au cours des siècles, l'influence de l'analogie. Il a fortement évolué ; aussi notre syntaxe diffère-t-elle sur ce point, comme sur d'autres, de celle du XVIIe siècle ou même du XIXe, mais le subjonctif reste très vivant et très utile.
   En proposition indépendante ou principale, il exprime un ordre, une défense, une exhortation, un conseil, un souhait, un désir, une crainte, un regret, une concession, une supposition, une éventualité, une hypothèse repoussée avec indignation, etc. : *Que personne ne sorte ! Dieu vous entende ! Vive le roi ! Plaise au ciel ! Puisse-t-il réussir ! Que je le reçoive, moi ?* Cf. Sache.
   Le subjonctif imparfait ou plus-que-parfait avec une inversion du pronom sujet (pronom personnel, *ce, on*) peut marquer, en proposition indépendante, une hypothèse en opposition (cf. Inversion, 5, p. 520) : *L'eût-on invité, il ne serait pas venu.*

Dans les propositions subordonnées, on emploie le subjonctif :

1. Après les verbes qui marquent une volonté, un ordre, une défense, un désir, un souhait, un empêchement, une prière, une permission, un consentement, une attente, une supposition (cf. ORDONNER, EMPÊCHER, VOULOIR, etc.). Certains verbes comme *dire, écrire, entendre, prétendre* peuvent perdre leur sens déclaratif, qui entraîne l'indicatif, et exprimer la volonté, le commandement, etc. ; ils sont alors suivis du subjonctif (on trouvera ces verbes à leur rang alphabétique).

2. Après les verbes ou les expressions qui traduisent un sentiment de crainte, joie, douleur, regret, plainte, surprise, etc. Cf. AIMER, CRAINDRE, ÉTONNER, PLAINDRE, etc. On notera que l'usage actuel diffère nettement de l'usage classique, qui était loin d'avoir généralisé dans ce cas le subjonctif : *Mais le plus surprenant était que Dupuis n'y eût fait aucune allusion* (J. Romains, *Les amours enfantines*, Poche, p. 105). Il arrive même qu'après un infinitif comme *voir, penser*, réclamant l'indicatif mais dépendant d'un verbe ou d'une locution exprimant un sentiment, on emploie le subjonctif comme si on n'avait pas intercalé cet infinitif : *Je suis heureux de voir que vous preniez autant de soin de ce livre*. Ce n'est pas l'usage ordinaire.

3. Après la forme négative ou interrogative des verbes d'opinion, de déclaration ou de perception et de ceux qui expriment l'idée de *montrer, indiquer, manifester*. De même s'ils sont introduits par un *si* conditionnel. L'usage actuel est beaucoup moins rigoureux que celui du XIXe siècle. Cf. CROIRE, MONTRER. Cas spécial, cf. OUBLIER.

4. Après certains emplois des verbes qui expriment un doute, une contestation, une négation. Cf. CONTESTER, DOUTER, IGNORER, NIER.

5. Après les formes impersonnelles, sauf après celles, employées affirmativement, qui expriment la certitude, la probabilité, la vraisemblance. Cf. ARRIVER, CERTAIN, JUSTE, PROBABLE, POSSIBLE, SUFFIRE, VRAISEMBLABLE, etc. : *Il est normal qu'on l'entende. Il est remarquable que tous se soient trompés. Il est significatif qu'ils ne vous aient pas attendu. Il est surprenant qu'il ne nous ait pas attendus.*
On trouve parfois, après une expression assimilée à un impersonnel, *c'est que* suivi d'un subjonctif, c'est-à-dire qu'on emploie alors le même mode que s'il n'y avait pas *c'est que* : *Quand la France fut défaite, ce qui parut primordial à Darlan c'est que la marine, elle, ne le fût pas* (Ch. de Gaulle, *L'unité*, Poche, p. 85 ; comme si la phrase était : *il parut primordial que...*). *L'odieux, c'est que le mot amour serve à tout et ne puisse être remplacé par un autre mot* (H. Bazin, *La mort du petit cheval*, Poche, p. 211 ; comme si l'auteur avait écrit : *Il est odieux que...*). On remarque l'emploi normal de deux subjonctifs. Tout autre est la phrase suivante, anormale, où *c'est* est subordonné à *il semble bien* ; l'auteur le met à l'indicatif, et c'est très bien, mais il emploie le subjonctif dans la relative

qui suit ; il aurait dû employer deux indicatifs : *Cette fois il semble bien que c'est Alexandrine qui l'ait desservi par ses intrigues et ses cabales.* (J. Bertaut, *Le Figaro littéraire*, 3 janvier 1959). Il aurait pu employer aussi deux subjonctifs. Cf. SEMBLER.

6. Quand la subordonnée introduite par *que* est placée en tête de la phrase. Cf. QUE, 7, FAIT, n.m., 1 (*Le fait que*).

7. Parfois, sans que cela s'impose toujours, dans une proposition subordonnée dépendant d'une proposition au subjonctif. Cela était assez fréquent dans la langue classique, où l'on a pu dire qu'il y avait attraction modale du conditionnel ou du subjonctif : *Je pourrais dire que son succès aurait passé mes espérances* (Racine). *Si Babylone eût cru qu'elle eût été périssable* (Bossuet). *Il est essentiel que les domestiques ici ne sachent pas que je vous connaisse* (Marivaux). On emploierait maintenant des indicatifs : *a passé, était, connais.*

Cela ne se présente plus guère que dans des propositions relatives, après *quel que soit... qui* ou *que, quel que soit celui qui* ou *que* (cf. QUELQUE, A, Remarques, d), *qui que ce soit qui* ou *que* (cf. QUI QUE CE SOIT), *quoique ce soit... qui* ou *que* (cf. QUOIQUE, mode) et après *que ce soit* (ou *fût* ou *serait*)... *qui* ou *que ;* cf. plus bas, 8.

8. Dans certaines **propositions relatives.** Pour faire suite à ce qui vient d'être dit (7), notons l'emploi possible du subjonctif après *que ce soit* (ou *fût*) *vous... qui* ou *que* : *Je regrette que ce soit lui qui ait été nommé.* Il s'agit moins d'attraction modale que d'une relation avec le verbe principal, qui a lui-même nécessité *ce soit*, comme si l'on disait : *Je regrette qu'il ait été nommé.* Mais alors que le subjonctif est nécessaire dans cette dernière phrase, on dirait très bien, pour marquer la réalité de la nomination : *Je regrette que ce soit lui qui a été nommé.*

Je suis heureux que ce soit à vous qu'on a (ou *qu'on ait*) *demandé ce rapport.* Mais on dira normalement, *venir* étant laissé hors du champ de la réalité : *Est-il nécessaire que ce soit lui qui vienne ?* Tandis qu'on pourra dire : *Je ne pense pas que ce soit un homme à qui l'on puisse se fier* ou *à qui l'on peut se fier* ou *à qui l'on pourrait se fier.*

Même dans ce cas, on voit que l'emploi de l'indicatif ou du subjonctif dans les relatives dépend du fait qu'on place ou non le procès sur le plan de la réalité.

C'est ce qui explique aussi l'emploi du subjonctif dans les relatives exprimant une possibilité (on peut souvent comprendre : *qui puisse, qui soit capable de, de nature à*), un but, une intention ou aussi une restriction, une atténuation portant sur la principale. Dans certains cas, il faut reconnaître qu'il y a eu, par analogie, extension de l'emploi du subjonctif. Et dans la plupart des cas le choix reste permis dans la relative entre l'indicatif (ou le conditionnel) et le subjonctif.

Si la principale est négative (de forme ou de sens), interrogative ou hypothétique, le mode normal de la relative est le subjonctif : *Il ne fait rien qui vaille. Je ne connais personne qui s'en soit vanté. J'en connais peu qui soient contents. Y en a-t-il un qui veuille m'accompagner ? S'il y en a un qui y tienne...* On voit la distinction traduite par le mode entre *Y a-t-il quelqu'un qui* **veuille** *me faire ce plaisir ?* et *Je connais quelqu'un* (ou *Je trouverai bien quelqu'un*) *qui me* **fera** *ce plaisir.* De même entre *Je cherche qqn qui* **fasse** *ce travail* (je le cherche, mais le trouverai-je ?) et *qui* **fera** *ce travail* (je marque ma confiance) ou *qui* **ferait** (éventuellement) *ce travail.* Ou entre *Je viens de découvrir un endroit qui me* **plaît** et *Si je découvre un endroit qui me* **plaise.** Distinction essentielle : *Elle ne prononçait aucune des paroles que Robert* **attendait** *et où se* **fût** *trahie la fureur d'une femme humiliée* (Fr. Mauriac, *Les chemins de la mer*, p. 182) ; *que* a pour antécédent les paroles qui étaient réellement attendues ; *où* a le même antécédent, mais *se fût trahie* ne s'est pas produit ; ce subjonctif plus-que-parfait a le sens d'un conditionnel passé, qu'on pourrait ici employer : *où se* **serait** *trahie.* Même valeur de conditionnel dans cette phrase : *Une étrange odeur l'y accueillit, chimique et poussiéreuse, comme s'il venait d'entrer dans un laboratoire où l'on* **fabriquât** *scientifiquement du temps passé* (G. Cesbron, *Les innocents de Paris*, Poche, p. 144).

On retiendra que le subjonctif, sans être obligatoire, n'est pas rare après un antécédent vague, indéterminé ou après **le premier, le dernier,** qu'il est beaucoup plus courant, sensiblement plus fréquent que l'indicatif après **le seul, l'unique** ou une expression analogue (*un des rares qui*) et surtout après un superlatif relatif **(le plus, le moins, le meilleur, le mieux).** C'est ainsi qu'après **le seul** on peut avoir :

Avec **l'indicatif** : *C'est le seul collaborateur dont il n'est pas* (ou *n'était pas* ou *n'a pas été* ou *n'avait pas été*) *content. C'était le seul dont il n'était pas* (ou *n'avait pas été*) *content. Ce sera peut-être le seul dont il ne sera pas* (ou *n'aura pas été content*). *Ce fut le seul dont il ne fut pas content.*

Avec **le subjonctif,** plus fréquent : *C'est le seul dont il ne soit pas* (ou *n'ait pas été*) *content. C'était le seul dont il ne fût pas* (ou *n'eût pas été*) *content.*

Ajoutons que l'**indicatif** s'impose si l'on affirme sans réserve un fait considéré dans sa réalité bien constatée : *C'était la première fois qu'il nous rencontrait. Ce soir, on peut dire que c'est le meilleur qui a gagné. C'est le candidat le plus méritant qui a été choisi.*

9. Après certaines locutions conjonctives, qu'on trouvera à leur rang alphabétique. Cf. notamment APRÈS, 13, BIEN QUE.

Remarque : Au contraire de la langue classique, le français moderne n'emploie pas le subjonctif dans l'interrogation indirecte. Comparer *Peu importe qu'il l'***ait** *dit* et *Peu importe à qui il l'***a** *dit, comment il* **fera.**

Sublimer, v.tr.dir., « épurer, transformer », se dit en psychologie comme en chimie. *Sublimiser* a un autre sens : rendre sublime.

Subside, n.m., **subsidier,** v.tr.dir., **subvention,** n.f., **subventionner,** v.tr.dir. Il importe de bien distinguer les sens de ces mots et l'usage français ou belge.

Subside (qui se prononce avec « ps » ou « bz ») est français, mais a des emplois limités en France. Il a désigné autrefois l'aide accordée par des sujets à leur souverain. Il désigne aujourd'hui un secours en argent versé par un État à un autre ou par l'État, une administration ou même un particulier, à titre d'aide, à une personne, à un groupement. D'autres mots sont plus vivants en français, où *subside* est plus employé au pluriel qu'au singulier ; on dit souvent, selon les cas, *aide financière, pension alimentaire, mensualité* et surtout, lorsqu'il s'agit d'une aide accordée par une collectivité ou les pouvoirs publics à une autre collectivité ou à un organisme, **subvention.** Le terme *subside* n'est même pas repris dans le *Vocabulaire de l'administration* (Hachette, 1972), qui ne donne que *subvention*. L'emploi de *subside* est au contraire très courant en Belgique, où il est sans doute favorisé par le néerlandais *subsidie*.

Subsidier s'est dit en France autrefois dans un sens nettement péjoratif : soutenir financièrement une mauvaise action. Le mot n'a guère dépassé ce sens, il a d'ailleurs eu très peu de succès et il est aujourd'hui absent des dictionnaires. En Belgique, au contraire, on emploie couramment *subsidier* au lieu du verbe français courant **subventionner,** aider par une subvention, soit une collectivité, soit des travaux, des recherches ou des personnes. En Belgique, la préférence donnée à *subside* entraîne la fortune de *subsidier,* qui n'est pas un barbarisme et se trouvait dans Bescherelle. D'où aussi l'emploi belge de *subsidiation* et de *subsidiable* ; les Français disent **subventionnable.**

Noter que *subsidiaire,* adj., et *subsidiairement,* adv., sont aujourd'hui sans rapport avec *subside*.

Substance, n.f., s'écrit avec *c* : **substantiel,** adj., avec *t*.

Substituer, v.tr.dir. *On substitue A à B* ; c'est A qui *remplace B*, qui *se substitue à B*, qui *est substitué à B*, tandis qu'on *remplace* B *par* A, que B *est remplacé par* A. Éviter aussi de confondre *substitution* et *remplacement*.

Subtil, adj., évoque l'adresse, l'ingéniosité, la finesse : *Le subtil Ulysse. Un raisonnement subtil. Un esprit subtil. Avoir l'odorat subtil.* En Wallonie, on lui donne aussi le sens de « rapide » [*Il s'est laissé rattraper, il n'a pas été assez subtil*]. De même *subtilement* est employé pour *rapidement*.

Subvenir, v.tr.ind. Auxiliaire *avoir. Subvenir à ses besoins.*

Succéder, v.tr.ind. (*succéder à qqn*), ne s'emploie pas au passif : *Ils se sont succédé. Il sera suivi à la tribune par un député de l'opposition.*

Succinct, adj. Prononcer « suk-sin ». Au féminin et dans l'adverbe *succinctement*, on prononce évidemment le *t*.

Succion, n.f. (action de sucer), peut se prononcer « su-sion », bien que les dictionnaires imposent généralement « ks ».

Succomber, v.intr. ou tr.ind. Auxiliaire *avoir*. Seul le v.intr. signifie « mourir » : *Le blessé a succombé ; il a succombé à la suite d'une fracture du crâne.* Il signifie aussi « être vaincu » : *Succomber sous le nombre.* Ou « être accablé sous un poids trop lourd » : *Succomber sous un fardeau.*
   Le v.tr.ind. se conjugue avec *à* et signifie « céder à, ne pas résister à » ; *Succomber à une tentation, à un désir, au sommeil. Y succomber.*

Sucette, n.f., est français dans le sens de « tétine non adaptée à un biberon et qu'on donne parfois à sucer aux enfants » (on peut alors dire **tétine**) et dans celui de « bonbon à sucer et emmanché à l'extrémité d'un bâtonnet » : *Une sucette à la menthe.*

Sucre, n.m., peut se dire pour « morceau de sucre » : *Il remue un sucre dans sa tasse. Combien de sucres ? Mettre deux sucres dans son café.*
   En Belgique les *dragées* de baptême, connues sous ce nom, s'appellent aussi des *sucres de baptême.* Thomas Braun ayant demandé à Francis Jammes : *Avez-vous reçu les sucres de baptême ?* son ami répond en ayant soin d'utiliser des guillements : *Les petits ont bien reçu et fait disparaître les « sucres » de baptême* (Francis Jammes et Thomas Braun, *Correspondance*, Lettres 121 et 122).

Sucrer (se) est français mais très familier pour « se servir de sucre, sucrer son café, son thé ». Familier au sens figuré : « s'attribuer dans une affaire des avantages pécuniaires excessifs ».

Suer, v.intr., se dit fort bien pour « transpirer » : *Il suait d'angoisse. Suer à grosses gouttes.* **Tr.dir.** *Suer sang et eau. Cette ville sue l'ennui.*
   Distinguer les noms f. de la transpiration : *la suée* (généralement très familier) et *la sueur.*

Suffire, v.tr.ind. et intr. *Nous suffisons. Je suffisais. Que cela suffise. Cela a suffi. C'est suffisant.*

   1. En emploi absolu, *Il suffit* se dit beaucoup moins que *ça suffit* ou, plus familièrement, *suffit.*

   2. **Suffire à, suffire pour** : a) **Devant un nom ou un pronom**, on emploie couramment *à* : *Ça suffit à mon bonheur. Peu de bien suffit au sage* (Ac.). *S'il perd ce procès, tout son bien n'y suffira pas* (Ac.). *Un comptable lui suffit. Deux jours lui suffisent amplement. À chaque jour suffit sa peine. Si j'avais suffi à son cœur comme elle suffisait au mien* (J.-J. Rousseau, 9ᵉ promenade). *Un supplice léger suffit à sa colère* (J. Racine, *Phèdre*, III, 3).

On emploie aussi *pour* devant un nom comme après *être suffisant : Un comptable suffit **pour** ces diverses écritures. Cinq cents francs ne peuvent suffire pour toutes ces emplettes* (Ac.). *Un mot suffit pour le froisser. Ces croissants ne suffisent pas pour notre déjeuner.* On trouve *à : Des dépenses auxquelles les recettes ne peuvent suffire* (Taine, cité par GR).

b) **Devant un infinitif**, on emploie *à* ou *pour : Une goutte d'eau suffit à* (ou *pour*) *faire déborder le vase. Une goutte d'eau suffit pour le tuer* (Pascal). *La plus légère contrariété suffit pour l'irriter* (Ac.). *Un domestique ne saurait suffire à servir tant de personnes* (Ac.). *Cette somme ne suffit pas pour payer vos dettes* (Ac.). *Que l'on baptise « collèges » tous les C.E.G., tous les C.E.S. ne suffit pas à créer des établissements identiques dans les petites villes et dans les beaux quartiers* (R. Aron, dans *Le Figaro*, 19 février 1973). *Tous deux me disent que leurs moyens ne suffisent pas à aller plus avant* (Ch. de Gaulle, *Le salut*, Poche, p. 167). *Les vingt années écoulées ne nous auraient pas suffi à aller plus avant* (Id., *Ibid.*, p. 274). *Un quart d'heure lui suffit, malgré ses platitudes, à assurer la conversation sur le sujet de l'argent* (A. Bosquet, *Les bonnes intentions*, Poche, p. 67).

On peut, dans toutes ces phrases, employer *à* ou *pour*. Celui-ci semble s'imposer si le contexte laisse indéterminé le sujet de l'infinitif : *Certains jours, la vue d'un téléphone suffisait **pour** déclencher des associations d'idées* (E. Charles-Roux, *Oublier Palerme*, Poche, p. 64). *Un mois suffira pour prospecter la clientèle. Un rien suffit pour être heureux.*

3. **Complément de l'impersonnel il suffit**. On emploie *de* devant le nom ou l'infinitif exprimant ce qui suffit : *Il suffit à chacun **de** faire son possible. Il suffit d'un sou, d'un rien, d'un conseil. Il lui suffit de votre permission.*

On emploie *pour* devant l'infinitif exprimant le but ou l'effet après *il suffit* (ou avec *il suffit que*) : *Il suffit d'un mois **pour** prospecter la clientèle. Il suffit d'un rien pour le contenter. Il suffit d'un imprudent pour tout compromettre. Il suffit que vous le rencontriez pour l'amener à de meilleurs sentiments.*

4. **Il suffit que** est suivi du subjonctif : *Il suffit qu'il leur **écrive**.* Dans la langue classique, l'indicatif soulignait la réalité du procès de la subordonnée : *Ne vous suffit-il pas que je l'ai condamné ?* (J. Racine, *Andromaque*, v. 1188) ; cet usage est vieilli.

À ne pas confondre avec **il suffit pour que** : *Il suffit d'un rien* (ou *Cela suffit*) *pour qu'il se mette en colère. Il suffit que vous soyez content pour que je le sois aussi.*

Suffisamment, adv., est à éviter dans le sens de « avec prétention, avec suffisance ». Il marque une quantité suffisante et peut avoir un complément déterminatif : *Il a suffisamment **de** bien pour vivre* (Ac.). *Il porte suffisamment d'intérêt à la chose pour que nous l'écoutions.* Éviter [*suffisamment assez*] et [*suffisamment... que pour*].

Suffisant, adj. ou participe. L'adj. se construit avec *pour* ou *pour que* : *C'est suffisant pour un dessert. C'est suffisant pour me mettre en colère* ou *pour que je me mette en colère.* Ne pas dire [*assez suffisant*].

Suffocant, adj., **suffoquant,** part.prés., **suffoquer,** v.tr.dir. et intr.
Comme dans *communicant, communiquant* ou *provocant, provoquant,* la graphie distingue l'adjectif *suffocant* du participe présent *suffoquant,* où l'on retrouve le radical du verbe *suffoquer.* Mais on a voulu maintenir, au moins dans la langue écrite, une différence de sens et n'accorder à l'adjectif qu'une des deux acceptions du verbe. Celui-ci en effet change de signification selon qu'il est transitif ou intransitif.

Suffoquer, trans.dir., signifie « empêcher qqn de respirer, gêner sa respiration ou, au figuré, le remplir d'une émotion qui lui coupe le souffle » : *Cette chaleur le suffoquait. La colère le suffoquait.*

Intr., il veut dire, depuis le 18ᵉ siècle, « respirer difficilement, être en proie à un sentiment tel qu'on peut à peine respirer » : *Le malade suffoquait. Il suffoquait d'indignation.*

D'où les emplois et les sens du part.présent **suffoquant** : *Une fumée suffoquant les convives. Une audace suffoquant l'auditoire. Elle s'est arrêtée, suffoquant d'indignation.* Il est normal que le part.passé *suffoqué,* pris adjectivement, ait le sens passif ; on est suffoqué par la chaleur, par des sanglots, par une émotion.

Quant à l'adjectif **suffocant,** les dictionnaires ne lui ont longtemps reconnu qu'un sens actif, « qui cause une suffocation, qui gêne ou empêche la respiration » : *Une chaleur suffocante. Une fumée suffocante. Une révélation suffocante.*

Dans le sens correspondant à celui du verbe intransitif, « qui respire difficilement », les dictionnaires ne permettaient que *suffoquant,* participe présent : *Suffoquant d'indignation, il s'en alla.* Verlaine a pourtant écrit dans *Chanson d'automne* (*Poèmes saturniens*) : *Tout suffocant Et blême, quand Sonne l'heure, Je me souviens Des jours anciens Et je pleure.* Le sens est clair : « qui respire difficilement, sous l'effet de l'émotion ». Comme ce sens était réservé par les dictionnaires au participe présent *suffoquant,* plusieurs anthologies ont « corrigé » Verlaine et remplacé *suffocant* par *suffoquant,* sans s'apercevoir qu'elles commettaient ainsi à la fois un abus de pouvoir et une faute grammaticale. Il est clair en effet que Verlaine a voulu employer l'adjectif, coordonné d'ailleurs à *blême* et précédé de l'adverbe *tout,* qui ne peut déterminer un verbe, sauf si celui-ci est au participe passé ou au gérondif. S'il s'agissait d'une femme, on écrirait : *Toute suffocante et blême,* comme *Toute tremblante et blême.*

Aristide a consacré plusieurs articles à cette question en 1963 et 1964 dans *Le Figaro littéraire.* J'ai participé à cette discussion, le 31 août 1963, en refusant de partager l'avis du journaliste qui voyait là « une faute... suffocante ». Nous souhaitions que les dictionnaires reconnaissent à *suffocant,* adjectif, le deuxième sens : « qui respire difficilement ». C'est ce qu'ont fait depuis les Dictionnaires Robert. Notons en terminant la faute qui consiste à faire varier la forme du participe présent en lui donnant le sens de l'adjectif : *Un fou rire qui (...) les oblige à s'interrompre, suffoquants de gaieté* (J.-L. Curtis, *Un jeune couple*, J'ai lu, p. 78). Il fallait écrire : *suffocants de gaieté.* Épinglons ces emplois corrects : *Je suis tombé à la renverse suffocant. (...). L'opéra est pour moi l'un de ces lieux suffocants* (M. Tournier, *Le roi des aulnes*, Folio, pp. 114, 149).

Suggérer, v.tr.dir., **suggestif,** adj., **suggestion,** n.f. Bien prononcer « g + j » (ne pas confondre *suggestion* et *sujétion*). *Suggérer une chose à qqn. Un peintre suggestif. Un déshabillé suggestif. J'ai suivi sa suggestion.*

Suicider (se) a été formé sur *suicide*, sans qu'on tînt compte du fait que cela formait pléonasme ; l'usage a imposé la forme pronominale et le nom *suicidé*. Mais *suicider qqn* (pousser au suicide, faire croire qu'il s'est suicidé) n'a pu s'employer qu'avec un sourire, à vrai dire déplacé.

Suisse, adj. *Une femme suisse* (plus courant que le féminin du nom, *une Suissesse*).
   Manger (ou *boire*) *en suisse*, manger (ou boire) tout seul, sans inviter les amis : *Un sandwich au saucisson dont il arrache en suisse une petite bouchée* (M. Bataille, *Les jours meilleurs*, p. 41) : l'expression, qui n'est pas nouvelle, paraît injuste, déconcertante et assez difficile à justifier (cf. A. Rey et S. Chautreau, *Dict. des expressions et locutions*).

Suite. 1. Suite à. On s'est acharné sur cette locution et on a voulu lui en substituer d'autres non seulement beaucoup plus rares mais plus étranges. Les dictionnaires de langue accueillent aujourd'hui *suite à*, mais le réservent au style commercial : *Suite à votre commande du..., nous vous informons que... Suite à votre lettre du...* Certains proposent une autre formule passe-partout, dont *suite à* ne serait qu'une ellipse : *comme suite à.* Le tour existe et s'écrit, mais personnellement je ne m'y habitue pas. Ni non plus à *pour faire suite à* dans ce sens. J'écrirais : *En réponse à votre lettre du* ou *En référence à.* Mais : *Pour faire suite à ma lettre du..., j'ai le plaisir de...* C'est moi qui apporte une suite à ma lettre.
   2. À la suite, loc.adv., l'un après l'autre, : *Écrire deux lettres à la suite.*
   À la suite de, loc.prép., exprime la place derrière qqn ou qqch., ou la succession dans le temps, ou l'enchaînement, la cause : *Ils sont entrés à la suite du président. À la suite de chaque chapitre, on trouve quelques notes. À la suite de cette démarche, nous avons rompu. Il est resté paralysé à la suite d'une attaque.* Distinguer de : *Il est mort des suites d'un accident.*
   3. Par suite, loc.adv., par conséquent : *Vous parlez trop bas, et par suite je vous comprends mal.* Ne pas confondre avec **par la suite**, plus tard, dans la période suivante. On peut dire *dans la suite.*
   Par suite de, loc.prép., marque la conséquence. *Par suite des arrangements pris entre eux, vous serez payé* (Ac.).

SUIVANT   894

4. *Ensuite de*, loc.prép., est devenu très rare et ne se présente guère que sous la forme **en suite de**, très peu courante d'ailleurs : *En suite de sa promesse, il m'a envoyé ce livre.* On dit plutôt : *À la suite de.*

5. **De suite** et **tout de suite.** Cf. Tout, D, Remarques, 11, p. 938.

Suivant, prép. Cf. Selon.

Suivant (en) pour « d'affilée » ou « de suite » est nettement populaire : *Boire trois verres en suivant.*

Suiveur, n.m., ne désigne pas seulement un homme qui suit les femmes dans la rue. Il se dit de ceux qui, à titre officiel ou professionnel, suivent une course et de ceux qui imitent autrui, sans esprit critique.

Suivre, v.tr.dir. Cf. Ensuivre. *Nous avons été suivis **par** deux individus suspects. Il était suivi **de** son chien* (ou *par son chien*).

Sujet, n.m., ne peut se dire, comme on l'a fait en Belgique, pour *domestique, employé de maison.* Adj. *Elle est sujette à des migraines.*

Sulfure, n.m. d'un composé chimique, désigne aussi les boules de cristal colorées pouvant servir de presse-papier.

Super. Les composés de *super* s'écrivent en un mot, sans trait d'union, sauf *super-huit*. *Du* **super** pour *du supercarburant.*

Supérette, n.f. Cf. Hypermarché.

Supérieur, adj. Cf. Inférieur.

Superlatif relatif : *le plus grand, le meilleur* (tandis que *très grand, très bon* sont des superlatifs **absolus**). Le superlatif relatif suppose que le nom est déterminé par un article défini : *Les États-Unis, la puissance la plus forte.* Si le nom est précédé d'un adjectif possessif, le superlatif placé avant le nom ne comprend pas l'article : *Mon plus cher ami* comme *le plus cher ami.* Mais : *Mon ami le plus cher.* On constate que la langue ne place pas volontiers avant le nom le superlatif d'un adjectif trop long par rapport au nom. On ne dira pas : *C'est le plus intelligent élève* ; on dira : *C'est l'élève le plus intelligent.* Mais *élève* étant suivi d'un complément déterminatif qui fait corps avec lui : *C'est le plus intelligent élève de la classe* (ou *C'est l'élève le plus intelligent de sa classe*). *C'est la distinction la plus recherchée, le défenseur le plus intelligent* (on trouve : *C'est le plus intelligent défenseur*).

Après *ce* suivi de *de* : *C'est **du** meilleur goût* (comme *C'est de bon goût*) mais, si *de* est séparé de *ce* par un relatif et un verbe : *Ce qu'il y a **de** meilleur, de plus beau. Ce que j'ai vu **de** plus intéressant.* C'est un archaïsme d'employer le superlatif relatif après un nom précédé d'un article indéfini : *C'est une chose la plus aisée du monde* (Molière). *Un*

épisode assurément le plus intéressant de ma vie (J. Green, *Jeunesse*, p. 279).
Accord de l'article, cf. ARTICLE, 2, p. 93.
Accord de l'adjectif après *des plus* ou *un des*, cf. ADJECTIFS QUALIFICA-TIFS, 9, p. 42.
Emploi du mode après *le plus*, cf. SUBJONCTIF, 8, p. 888.

Suppléer, v.tr.dir. ou tr.ind. Dans l'usage actuel :

1. **Tr.dir.** *Suppléer qqn*, le remplacer momentanément ou partiellement dans ses fonctions : *Suppléer un professeur, un juge. Se faire suppléer par qqn. Ces collègues se sont suppléés.*

Suppléer qqch. : a) Ajouter ce qui manque pour rendre complet : *J'ai suppléé les cent francs qui manquaient. Suppléer le mot sous-entendu, suppléer une lacune.* Absolument : *J'ai suppléé.*

b) Mettre une chose à la place d'une autre, qui est insuffisante : *S'ils* (certains titres) *ne plaisent point assez, l'on permet d'en suppléer d'autres* (La Bruyère). Le complément est donc ce qui remplace. Ce tour n'est guère usuel.

c) Remplacer (ou renforcer) qqch. pour le rendre complet, suffisant ou pour en tenir lieu. *Il lui était séant de se maintenir près des maîtres ; l'intelligence de ceux-ci suppléait avantageusement la sienne (qu'il a fort médiocre)* (A. Gide, *Journal*, 14 mai 1910). *L'homme demande aux animaux (...) des vêtements pour suppléer l'insuffisance de sa fourrure* (G. Duhamel, *Paroles de médecin*, p. 212). Il s'agit bien de remplacer en comblant un manque, en complétant. Mais un peu plus loin, l'auteur emploie *suppléer* dans le sens de « remplacer une chose pour en tenir lieu » : *Il est clair que les appareils et les machines tendent non seulement à prolonger, à compléter, à corriger, à mutiplier nos sens, mais encore à les suppléer* (p. 216). *Il n'existe aucun appareil susceptible de suppléer le toucher, sens merveilleux qui suffirait à nous donner une représentation cohérente du monde* (p. 217). *Des bras qui suppléaient aux cordes vocales, devenues impuissantes, une télégraphie de sourds-muets* (M. Druon, *Les grandes familles*, Poche, p. 257) ; ici aussi, *suppléer* a un complément d'objet direct, *une télégraphie*, mais il y a en outre un objet indirect, *aux cordes vocales.*

2. **Tr.ind.,** avec *à* : *Suppléer à qqch.*, apporter à une chose insuffisante ce qui lui manque, y remédier par qqch. *Suppléez au peu d'art que le ciel mit en moi* (La Fontaine). *Il suppléait à tout ce qui manquait.* Ou bien remplacer une chose par une autre qui en tient lieu, quoique de nature différente : *Vous êtes peu nombreux, mais la qualité supplée à la quantité. Sa bonne volonté suppléera-t-elle à son inexpérience ?*
Il faut donc bien distinguer : *suppléer une lacune* (1, a), c'est la combler ; *suppléer à une lacune*, c'est y remédier, parfois en la remplaçant par qqch. d'une autre nature.

Supplier, v.tr.dir. *Supplier qqn, supplier qqn de faire qqch.* *Il suppliait qu'on vînt à son secours* (subjonctif).

Supporter, v.tr.dir. L'Académie ne connaît que *porter bien le vin,* être capable d'en boire beaucoup sans être incommodé. On dit très bien, et surtout : *Supporter le vin, la boisson, l'ail,* comme *le froid, la chaleur, un lainage, la fatigue, un affront, le bruit, un bavard, son sort,* etc. Avec **de** et l'infinitif : *Il (ne) supporte (pas) d'être interrompu.* Avec **que** et le subjonctif : *Il ne supporte pas qu'on l'interrompe. Il supporte qu'on l'interrompe.* Autre sens, venu de l'anglais et à éviter : *Ils étaient nombreux à supporter leur équipe* ou *ce coureur.* On dira plutôt : *à soutenir, à encourager.*

Supporter, n.m., que certains ont proposé, en vain, d'écrire *supporteur* ; on ne pourrait pas toujours dire *partisan.* On prononce « e » ou « è ».

Supposer, v.tr.dir., **supposé,** part. et adj.

1. **Supposer que** peut être suivi de l'indicatif, du conditionnel ou du subjonctif. Il est faux de dire qu'on n'a le choix selon le sens qu'après l'emploi à la forme affirmative et que le subjonctif est obligatoire après les formes négative ou interrogative. L'emploi du mode, quelle que soit la forme de *supposer,* dépend du degré de vraisemblance ou de probabilité donné à l'hypothèse exprimée par la subordonnée. L'indicatif la situe catégoriquement sur le plan de la réalité, la présente comme un fait admis ou à admettre ou comme une condition nécessaire ; le subjonctif ne la place pas sur ce plan ; le conditionnel souligne l'éventualité. *Il me dit : Vous ne supposez pas que nous allons sottement laisser la France se relever à notre frontière ? Non* (Vercors, *Le silence de la mer,* p. 69). Interrogation purement oratoire ; celui qui parle présente l'hypothèse comme un fait admis par son interlocuteur : « Vous supposez sans doute que... ». *Pourquoi supposez-vous que nous avons fait la guerre ?* (Id., *Ibid.,* p. 70). La guerre est un fait bien réel. *Mais comment pouvez-vous supposer que je croie au démon ?* (Fr. Mauriac, *Les anges noirs,* ch. XIX). Il n'est pas question d'admettre une telle croyance. *Suppose que je sois absent, que ferais-tu ?* Mais : *Décide-toi, voyons. Suppose que je suis absent et que tu dois prendre une décision.* L'hypothèse est présentée comme un fait admis. *Je suppose que vous ne seriez pas content si je refusais. Nous ne supposions pas qu'il était à l'étranger et nous ne comprenions pas son silence* (il était effectivement à l'étranger). *Supposons que cela soit vrai, que A soit égal à B* ; pure hypothèse. *Je ne suppose pas qu'il m'en veuille et je continue à compter sur lui.* Mais, au sens de « présumer » : *Je suppose que vous l'avez averti. Je suppose qu'il sera là mardi.*

Supposé que et **à supposer que** sont normalement suivis du subjonctif : *Supposé (ou à supposer) qu'il ait manqué son train, il va sans doute nous téléphoner.*

2. **Supposé**, adj., « admis comme hypothèse ou par convention ou comme probable ». D'où, « présumé » : *Le nombre supposé des morts et des blessés. Ils sont supposés avertis.* On pourrait dire *censé* dans ce dernier cas, lorsqu'il y a un attribut (*Ces projets supposés réalisables*), mais non dans l'autre ni dans *Un nom supposé, un testament supposé.* On peut dire : *Il est supposé avoir compris.*

3. Dans le sens de « en supposant, en admettant », *supposé* est préposition et invariable : *Je constate que, supposé même ces conditions réunies, cela reste très difficile.*

4. L'emploi de *supposer de* **devant un infinitif** est peu courant : *Cet élargissement supposerait de trouver un programme de gouvernement* (*Le Figaro*, 19 février 1975, p. 4). On dira plutôt : *supposerait qu'on trouve...* On peut dire : *Il est supposé avoir compris.*

Sur, prép., est d'un emploi plus étendu, en bon français, qu'on ne le prétend, mais a des emplois incorrects, dont plusieurs sont influencés, en Belgique, par le néerlandais.

1. Emplois corrects, parfois injustement condamnés ou suspectés. *Marcher sur une ville, opérer sa retraite sur telle ville* (ou *vers*). *Être d'accord* (ou *tomber d'accord*) *sur qqch. Tomber sur tel passage d'un livre.*

Tomber sur qqn a deux sens : le rencontrer par hasard ou dire du mal de lui.

Inscrire son nom sur (ou *dans*) *un registre, noter sur* (ou *dans*) *un agenda.* Cf. DANS, 1, *Dans le journal.*

Aller sur ses soixante ans (ou *sur soixante ans*).

Rester sur son appétit ou *sur sa faim.* De même : *sur son envie.*

Tirer sur a deux sens : *Le chasseur tire sur un lièvre. Un vert tirant sur le jaune,* s'en rapprochant ; cf. TIRER, 2.

La clé est sur la porte. Cf. CLÉ. *Être sur place, sur les lieux.*

S'asseoir sur un canapé, dans (ou plus rarement *sur*) *un fauteuil.* Cf. DANS, 5.

Sur les dix heures, sur l'heure du dîner, sur la fin de l'hiver, sur la fin de sa vie, sur le moment, au premier moment, *sur le coup de midi.* Cf. COUP. *Partir sur le tard.*

Un sur dix, deux cents sur trois cents, une semaine sur deux.

Fermer la porte sur qqn. Cela lui retombera sur le dos.

Juger qqn sur sa mine, sur les apparences. *Le croire sur parole. Cet appartement donne sur la rue. Habiter sur un boulevard.* Mais : *se promener dans la rue.* Cf. DANS, 7.

Vivre sur ses rentes ou *de ses rentes, vivre sur sa réputation.* Cf. VIVRE.

Être sur son départ, près de partir. *Sur ces entrefaites. Sur ce, il s'est fâché. Une femme sur le retour. Sur l'heure.*

Tourner sur la droite, sur la gauche ou plus souvent *tourner* (ou *prendre*) *à droite, à gauche. Une maison sur le bord* (ou *au bord*) *de la route. Un village sur la frontière. Passer ses vacances sur la côte,* cf. CÔTE.

Monter sur une bicyclette, sur le vélo de son frère, mais *aller à* (on *en*) *vélo*. Cf. *À* et *en*, 1, p. 17.

Porter un sac sur son dos, dormir sur le dos, mais *porter un sac au dos*.

Travailler sur tel sujet, méditer sur un problème.

Être sur la défensive.

Se précipiter sur qqn. Un vêtement sur mesures (ou *sur mesure*).

Faire une chose à la demande de qqn, à sa requête, à sa demande ou *sur sa demande. Sur cette réplique, sur cette bonne parole*.

Se promener sur l'eau, sur la Seine, sur un lac.

Être sur un sujet, sur un chapitre.

Être blasé sur tout ou *de tout*. Cf. BLASER.

Mettre un ouvrier sur un travail.

Être propre sur soi, cf. PROPRE.

Se méprendre sur (ou à) *qqch*.

Paraître sur la scène ou *sur scène*. Cf. SCÈNE.

Loucher sur qqch. Prendre exemple sur qqn.

Prendre sur soi. Cf. PRENDRE, 6.

Se mettre sur deux rangs, mais *parler dans les rangs, Se mettre sur les rangs*. Cf. RANG.

2. Emplois fautifs (cf. PLACE, 2) :

[*Sur le temps que*], pendant que, [*Sur ce temps-là*], pendant ce temps-là. Faire une chose [*sur deux heures*], en deux heures.

Deux fois [*sur la semaine*], *deux fois la semaine, deux fois par semaine*.

[*Être sur la porte*], *sur sa porte, sur le pas de sa porte*. Cf. PORTE.

[*Jouer sur la rue*], *dans la rue*. Au Canada et en Bretagne, on entend aussi *sur* pour *dans. Sur cette place*, cf. PLACE, 3.

[*Brouter sur une prairie*], *dans une prairie*.

Il n'y a rien de nouveau [*sur l'année dernière*], par rapport à... *Le thermomètre indique vingt degrés* [*sur Paris*], à Paris. Cet emploi de *sur* au lieu de *à* devant un nom de localité se répand dans la langue populaire ou familière. Mais on dit très bien : *Il neige sur Paris*.

[*Travailler sur un bureau*] (flandricisme), *dans un bureau*. [*Trouver à redire sur tout*], à tout.

[*Être fâché sur qqn*], *contre qqn*.

[*Je ne reviens pas sur son nom*], *je ne me rappelle pas son nom*.

Quant à **de sur** (*de dessus*), il est vieilli ou familier : *Lever les yeux de sur son travail*. On dit : *prendre un livre sur la table* plutôt que *de sur*.

Crier sur qqn est populaire. On dit plutôt *crier après qqn, crier contre qqn*, le gronder, le quereller.

Sur le tram s'entend régionalement en France pour *dans le tram*.

Sur, adj. à ne pas confondre avec *sûr : Ces pommes sont sures*, aigres.

Sûr, adj. et adv. *Un abri sûr. En lieu sûr. Un ami sûr. Une valeur sûre. Un remède sûr. À coup sûr. Le temps n'est pas sûr Être sûr de soi, de ce qu'on* *dit. Une chose est sûre, c'est qu'il n'était pas là. Il est sûr qu'on ne nous a pas invités. Être sûr d'avoir fait qqch.* ou *qu'on a fait qqch. Je ne suis pas sûr qu'on me l'ait demandé. Êtes-vous sûr qu'il l'ait dit ? Être sûr et certain de* ou *que* est familier.

Adv. **Bien sûr.** Fam. *Bien sûr que,* **pour sûr,** *pour sûr que.* Wallonisme : [*Il viendra sûr me voir*] pour *Il viendra sûrement me voir. Sûrement qu'il viendra.*

Suranné, adj. Deux *n. Une mode surannée.*

Surboum, n.f., surprise-partie. On dit souvent aujourd'hui dans ce sens, familièrement : *Une boum.*

Surcroît, n.m. Accent circonflexe. *Par surcroît* (ou *de surcroît*).

Sûrement, adv. *Il le fera sûrement.* Plus familièrement : *Sûrement qu'il le fera, qu'il l'aurait fait.*

Suret, *surette,* adj. *Un goût suret.*

Surjeu, n.m. Cf. PLAY-BACK.

Sur-le-champ, loc.adv. Traits d'union.

Surir, v.intr. Pas d'accent circonflexe.

Surplace, n.m. *Faire du surplace.* Mais : *Rester sur place.*

Surplomber, v.intr. ou tr.dir. *Un mur qui surplombe* est un mur qui est en surplomb, qui penche. *Des rochers qui surplombent le chemin* viennent au-dessus du chemin, en surplomb. Emploi critiqué par l'Académie au sens de « dominer » : *La tour surplombe la ville.*

Surplus, n.m. Loc.adv *au surplus,* de plus, au reste (*en surplus, de surplus* sont plus rares). Ne pas dire [*au surplus de qqch.*].

Surprendre, v.tr.dir. *Être surpris de qqch. Être surpris que* ou *si,* cf. ÉTONNER. *Se laisser surprendre par qqch.*

Surréservation, n.f. remplaçant *surbooking.*

Surseoir, v.tr.dir. ou ind. *Je sursois, je sursoyais, je sursis* (rare), *je surseoirai* (avec *eoi*) *que je sursoie, que nous sursoyions, sursoyant, sursis* (sans féminin). L'emploi transitif direct ne subsiste qu'en termes de procédure : *surseoir un jugement, l'exécution d'un arrêt.* Couramment, *surseoir* à : *Surseoir aux poursuites, au jugement, à une décision.*

Surtout, n.m. Vêtement de dessus (emploi vieilli), pièce de vaisselle. *Des surtouts.*

Surtout que, loc.conj. (d'autant plus que), est critiqué mais peut se dire : *Je partirai de bon matin, surtout que les journées sont très courtes.*

Survenir, v.intr. Auxiliaire *être.*

Susceptible, adj. On ne discute pas le sens de *susceptible* en emploi absolu, « particulièrement sensible dans son amour-propre, qui se vexe facilement ». Ce qu'on met en cause, depuis longtemps et maintenant encore, c'est le sens de *capable* lorsqu'il s'agit d'une possibilité active. Littré, reprenant d'ailleurs des observations précédentes, a prétendu qu'en raison de l'étymologie du mot (*suscipere,* recevoir), on ne pouvait être susceptible que de recevoir, d'éprouver, de subir, tandis qu'on était capable de donner ou de faire. L'Office de la langue française, comme aujourd'hui encore l'Académie, s'en est tenu à cette règle. C'est un peu simpliste. **Capable** s'applique aux personnes ou aux choses et exprime une possibilité active ou passive, fondée sur l'aptitude : *Il est capable de tout, de réussir, de vous faire du tort, d'être froissé. Cette émotion est capable de le tuer.* Il peut seul exprimer la capacité légale : *Il est majeur et capable de contracter.*

Susceptible se dit aussi des choses comme des personnes, mais exprime une capacité latente, qui peut se manifester occasionnellement, non seulement en subissant mais en agissant : *Ce travail est susceptible d'amélioration* ou *d'être amélioré* (on ne peut pas dire *capable*). *Cette découverte est susceptible d'être exploitée.* Contentons-nous d'illustrer par Littré lui-même et par des exemples d'académiciens l'emploi au sens actif, condamné, mais courant et certainement correct. Littré, définissant le mot *complémentaire,* à l'article *couleur,* écrit : *Il sert à indiquer la couleur qui est susceptible d'exhausser le ton d'une autre couleur.* Et voici des académiciens : *Joseph avait un chauffeur et un valet de pied susceptible lui aussi de tenir le volant* (G. Duhamel, *La passion de Joseph Pasquier,* p. 30). Duhamel n'applique *susceptible* qu'au valet de pied, dont la capacité pourrait être utilisée occasionnellement ; on ne dira pas du chauffeur qu'il est susceptible de conduire une auto, puisque c'est sa profession, mais on pourrait dire qu'il est susceptible de conduire un camion ou de servir à table, occasionnellement. *Tous les praticiens susceptibles d'apporter au débat des faits et des lumières* (Id., *Paroles de médecin,* p. 187). *Elle (...) me jette sur les genoux des photos d'inconnus qu'elle se figure susceptibles de m'intéresser* (J. Green, *Les années faciles,* Poche, p. 437). *Ces particules, en raison même de leur très grande énergie, sont susceptibles de produire des désintégrations atomiques* (L. de Broglie, recevant Leprince-Ringuet à l'Académie française). *Cette référence à des arguments financiers, susceptibles de toucher aujourd'hui la Rue de Rivoli, était en avance sur le siècle* (L. Armand, *Discours de réception à l'Académie française*). Et l'on pourrait citer bien d'autres écrivains employant *susceptible,* en parlant de personnes ou de choses, dans le sens de « en état de » ou « de nature à » faire qqch. : *Il déclara ne pouvoir indiquer, même approxima-*

tivement, vers quelle date le corps expéditionnaire (...) serait susceptible de retourner à la bataille (Ch. de Gaulle, *L'appel*, Poche, p. 63). *Elles n'en étaient pas moins susceptibles de rendre de grands services* (Id., *L'unité*, Poche, p. 136). Si l'on nie la capacité, c'est *incapable* qui s'impose.

Suspect, adj. On ne prononce généralement pas les consonnes finales au masculin. **Suspecter,** cf. Soupçonner.

Suspens, n.m. *Une affaire en suspens.* Emploi plutôt littéraire : *Un long suspens.* Ce mot remplace parfois *suspense,* n.m.

Suspense, n.m. emprunté à l'anglais, se prononce à l'anglaise ou plutôt à la française : *Un roman policier à suspense. Nous avons vécu un suspense angoissant.* Cf. Suspens.
   En droit canon, *la suspense* est la sanction qui interdit à un prêtre (qui devient *suspens*) d'exercer les fonctions de son état.

Susurrer, v.intr. ou tr.dir. Attention à l'orthographe, venue du latin. *Le ruisseau* (ou *cette personne*) *susurre. Susurrer des mots tendres à l'oreille.*

Syllabes. Division des mots en fin de ligne par un trait d'union (qui n'est pas repris à la ligne suivante). On divise avant la consonne unique ou avant la dernière consonne d'un groupe de deux consonnes ou plus ; mais on ne sépare pas *l* ni *r* de la consonne précédente, à moins que le groupe ne soit *lr* ou *rl.* On ne sépare pas non plus *ch, gn* (prononcé *n* mouillé comme dans *agneau*), *ph, rh, th, ill* se prononçant *y* (comme dans *vieillard, pillard*), *ps* d'origine grecque. On ne laisse pas en fin de ligne une voyelle isolée, ni une apostrophe, ni un *t* intercalé (*ora-cle, d'au-jour-d'hui ; avenir ; va-t-il* se coupe après *va-*). On évite de séparer au bout de la ligne des voyelles qui se suivent (*théâ-tre*) ; on ne peut séparer des groupes de lettres notant une seule voyelle (*on, ain,* etc.) ; on ne renvoie pas à la ligne suivante une syllabe finale muette. On tient compte souvent de l'étymologie, dans la mesure où on la perçoit, surtout pour les préfixes. Voici des exemples de coupures normales : *sous-traire, sur-prendre, ma-gni-fique, res-plen-dis-sant, ir-ré-sis-tible, ci-toyen, es-clandre, re-cher-cher, dif-fus, sub-stan-tif* (ou *subs-tan-tif*), *ca-tas-trophe, pa-lim-pseste, ap-prou-ver, cu-rio-si-té, con-science, cons-truire, par-ler, élu-der, théo-lo-gie, pay-san,* mais *lion, ayons, bien, œuvre, tuyau.*
   On ne sépare pas en allant à la ligne un chiffre du nom qui suit (*200 pages*).

Symboles légaux des unités de mesure. Cf. Abréviations.

Sympa, adj. invariable, abréviation familière de *sympathique,* se dit d'une personne, d'un accueil, d'une réunion, d'un livre, d'une maison.

Sympathie, n.f. Cf. Témoigner, 2.

Sympathique, adj. C'est à tort qu'on a condamné sévèrement *sentiments sympathiques* dans, par exemple : *Croyez à mes sentiments sympathiques* ; il y aurait là pléonasme, puisque la sympathie est un sentiment ! C'est oublier que *sentiment* a un sens général, qu'il convient de préciser. Des sentiments peuvent être de colère, de haine, de reconnaissance, de tendresse, de sympathie, sympathiques ou antipathiques. L'Académie donne d'ailleurs l'exemple : *Croyez à mes sentiments bien sympathiques.* Ce qu'on pourrait observer, c'est que *sympathique* est plus souvent pris dans un sens actif, « qui inspire la sympathie », que dans un sens passif, « inspiré par la sympathie ».

Symposium, n.m., peut être avantageusement remplacé par *colloque, congrès, rencontre,* etc.

Symptôme, n.m. Prononcer *p* et *t*, et aussi dans **symptomatique,** qui n'a pas l'accent circonflexe de *symptôme.*

Synchrone, adj., se dit des choses qui se font en même temps : *Les rues, désertes et longues, larges, sonores, résonnaient sous leurs pas synchrones* (G. Perec, *Les choses,* J'ai lu, p. 48).

Syndicat d'initiative. Cf. INITIATIVE.

Syntactique et **syntaxique,** adj., ne sont pas proprement synonymes. *Syntactique,* relatif à la structure de la phrase, à la succession des mots. On dit que la liaison est un fait de *phonétique syntactique.* On parle de *doublets syntactiques* (*un bel enfant, un beau garçon*). *Syntaxique,* relatif à la syntaxe, aux règles régissant l'arrangement et l'accord des mots, la construction des phrases, l'emploi des modes. Mais on voit le PR et d'autres dictionnaires donner *syntaxique* et *syntactique* comme deux formes synonymes. On parle d'un *syntacticien.*

T

T. Ne pas confondre le *t* analogique suivi d'un trait d'union (*chante-t-il, va-t-il*) et le *t* suivi d'une apostrophe où l'on a *te* élidé accompagnant un impératif devant *en* ou *y* : *va-t'en, fie-t'y, ne t'y fie pas.*

Table, n.f. *Une table de toilette, de jardin, de jeu, de nuit, de chevet, d'opération. Une table à dessin, à ouvrage. Mettre la table, dresser la table* ; l'action inverse s'appelle *débarrasser la table* ou *desservir.* On dit : *faire table rase de qqch.*

Tabler, v.tr.ind. (pas d'accent circonflexe) : *Tabler sur qqch.*, compter sur qqch.

Tabou, adj. et n.m., est normalement variable : *Un sujet tabou* (auquel on ne peut toucher). *Des institutions taboues. Les tabous sexuels.* On laisse parfois invariable l'adjectif. Mieux vaut l'accorder.

Tache, n.f., **tacher,** v.tr.dir., salir en faisant une ou plusieurs taches. Distinguer **tache** et **tâche** (verbe *tâcher*), *tâcheron. Il a taché la nappe. Son veston est taché. Tacher une réputation.* **Se tacher.** *Ma robe s'est tachée au lavage. Prenez garde, vous allez vous tacher.* **Tacheter** (*Je tachette* ou *je tachète*), v.tr.dir., couvrir de nombreuses petites taches ; le verbe exclut l'idée de souillure, associée au verbe *tacher* : *Le grand soleil lui a tacheté le visage. Une étoffe tachetée de rouge. Un dahlia tacheté de blanc.*

Tâcher, v.tr.ind. Devant un infinitif, la langue classique a dit *tâcher à* et *tâcher de.* On a voulu en vain associer à *tâcher à* l'idée d'un effort particulier. L'usage actuel ne s'en soucie d'ailleurs pas et a opté pour **tâcher de** : *Tâchez d'arriver à temps.* Vieillis et littéraires : *tâcher à* et *y tâcher.* Avec le subjonctif, **tâcher que** : *Tâchez qu'on soit content de vous.* Inutile et rare : *tâcher à ce que.* Laisser à la langue populaire [*tâcher moyen de*] (+ infinitif) ou *que* (+ subjonctif). Pléonasme : [*tâcher de faire en sorte que*].

Tahitien, n. et adj. Le *t* intérieur se prononce *s.*

Taïaut, interj., et non *tayaut.*

Taie, n.f. *Une taie d'oreiller* et non [*tête*].

Taille-crayon, n.m., etc. Cf. Noms composés, B, 5, p. 626.

Tailleuse, n.f., s'est dit en France (et survit régionalement) pour *couturière.*

Taire, v.tr.dir. **Se taire.** *Ils se turent. Elle s'est tue. Les choses qu'ils se sont tues. Ils se sont tu trop de choses.* Emploi belge de *Tais-toi* (ou *Taisez-vous*) pour marquer la surprise dans une conversation.

Taiseux, adj., ancien mot français, s'entend encore en Belgique dans le sens de « taciturne, qui se tait volontiers, qui n'aime guère à faire la conversation ».

Take off peut se traduire par *décollage* en aéronautique et par *démarrage, essor,* au figuré.

Talisman, n.m. Prononcer « an ».

Talleyrand, nom propre, se prononce « tal(e)ran », ou « taill(e)ran ».

Taloche, n.f., ne désigne pas n'importe quelle petite tape, mais un coup donné sur la tête ou sur la figure avec le plat de la main. Il est donc synonyme de *gifle, calotte* (fam.).
Taloche est aussi le nom de la planchette, munie d'une poignée, qui sert à étendre le plâtre sur une surface.

Talon, n.m. Le talon est la partie non détachable d'une feuille de *carnet à souches* ; la partie détachable s'appelle *le volant.*

Talweg, n.m. On écrit aussi *thalweg.*

Tam-tam, n.m. Plutôt **des tam-tams** que *des tams-tams.*

Tanagra, n.m. ou f., qu'il s'agisse d'une statuette de Tanagra ou d'une jeune fille gracieuse : *Un* ou *une tanagra.*

Tandis que, loc.conj. (mieux vaut ne pas prononcer *s*) est suivi de l'ind. ou du conditionnel. Le sens classique, « aussi longtemps que », est vieilli ; le sens moderne est « pendant que » ou « alors que », ou « bien que » : *On nous a téléphoné tandis que nous étions au bureau. Il travaille tandis que nous nous reposons. Il se plaint sans cesse, tandis que les autres sont souriants* ; on pourrait écrire : *Il se plaint sans cesse. Tandis que... Tout le monde le croit heureux, tandis qu'il est rongé de soucis et de remords* (Ac.). Cf. Pendant, 4.

Tanin, n.m., s'écrit plutôt avec un *n* qu'avec deux. De même *taniser, tanisage.*

Tannant, adj., se dit très familièrement d'une personne agaçante qui revient sans cesse sur les mêmes choses.

Tant, adv. 1. Emploi avec un verbe ou avec un nom pour marquer l'**intensité**, la **quantité** (cf. Si, *adv.*, 2) : *Il travaille tant* (ou *tellement*) ! *Il a tant de travail ! Tant de gens se trompent !* **Comparaison** dans une phrase négative : *Il ne travaille pas tant* (ou *autant*) *que nous.* En phrase positive, *tant* pour *autant* n'intervient que dans quelques cas : *Tous tant qu'ils sont. Tous tant que nous sommes. Tant que ça ? Boire tant qu'on veut.* Surtout avec *pouvoir : Il travaille tant qu'il peut. En faire tant et plus.* Notons aussi *tant et si bien que* et une conséquence. Sur l'emploi belge de *autant* pour *tant*, cf. Autant, 4.

   Tant... tant marque une égalité, surtout dans des sentences : *Tant vaut l'homme, tant vaut la terre. Tant vaut l'un, tant vaut l'autre.*

   Tant **en tête d'une phrase** ou d'une proposition peut signifier « à tel point ». *Tant il était abusé ! Tant le monde est crédule ! Tant il est difficile d'être impartial. Tant il est vrai que...*

   2. **Tant il y a que** ou, plus archaïque, *tant y a que* (l'ancienne langue omettait souvent *il*) signifient « tant et si bien que » ou plus souvent « quoi qu'il en soit », « enfin, bref » : *Il ne cesse de se vanter ; tant il y a qu'il se rend insupportable. Je ne sais pas bien ce qui donna lieu à leur querelle ; tant il y a qu'ils se battirent* (Ac.). Expressions correctes, mais plutôt archaïques.

   3. **Si tant est que,** « à supposer que, en admettant que », présente la condition avec réserve, sans confiance, et est donc suivi du subjonctif : *Je ne manquerai pas d'y aller, si tant est que je le* **puisse** (Ac.). *Si tant est que cela* **soit** *comme vous le dites* (Ac.).

   4. **Tant que** a plusieurs sens :
   a) Tellement que (*tant* + **nom** + *que*) : *Il montre tant de courage qu'il* **doit** *réussir. Tant d'ardeur l'animait qu'il ne put se contenir. A-t-il tant de soucis qu'il ne* **puisse** *nous écrire ?* Subjonctif après une principale négative ou interrogative ; le fait est exprimé comme douteux.
   L'emploi de *tant* + **adj.** + *que* au lieu de *si... que* est un tour vieilli et aujourd'hui fautif. On dit : *Si faible qu'il soit.*
   b) Autant que (dans une proposition négative) ; cf. 1 : *Il n'aimait rien tant qu'à persuader autrui* (R. Martin du Gard, *Les Thibault, Épilogue*, p. 12). *Il n'a pas tant* (ou *autant*) *de livres que moi.*
   c) Aussi bien... que : *Tant bien que mal. Tant chez lui que chez vous. Les auteurs tant anciens que modernes. Je le sers tant pour lui que pour me faire plaisir* (Ac.). *Tant avec lui qu'avec les autres.* Remarquer la répétition de la préposition.
   d) Aussi loin que : *Tant que la vue peut s'étendre* (Ac.).
   e) Aussi longtemps que : *Je travaillerai tant que j'en aurai la force.* On ne dit plus *jusqu'à tant que* (+ subjonctif).

On se gardera de dire [*tant que j'y suis, tant que j'y pense*], dans le sens de *pendant que j'y suis, que j'y pense.*

5. Il faut soigneusement distinguer **tant qu'à** et **quant à**. Devant un nom, un pronom ou un infinitif, **quant à** signifie « pour ce qui est de, en ce qui concerne » et met un terme en relief au début, généralement, d'une phrase : *Quant à ma femme, elle est d'accord. Quant aux détails, nous en discuterons. Quant à lui, il ne se plaignait pas. Quant à céder, je n'y pense pas. Il s'intéresse à ce travail, mais quant à nous aider, il n'en est pas question.* Le français populaire ou dialectal remplace *quant à* dans ces phrases par *tant qu'à* : [*Tant qu'à ma femme, tant qu'à nous aider*]. Mais une distinction s'impose **devant un infinitif**, où *tant qu'à* est correct, quoique encore suspect et critiqué, lorsqu'au lieu de signifier *quant à* il a un sens concessif. Il faut distinguer *Quant à l'inviter, il n'en est pas question* et *Tant qu'à l'inviter, nous inviterons aussi sa femme*, qui veut dire : « Si nous devons l'inviter ». Ce tour a dans ce sens des répondants ; on le trouve surtout avec *faire* ayant un sens très large : *Tant qu'à faire, nous inviterons aussi sa femme.* On emploie aussi *faire* avec un complément : *Tant qu'à faire quelque chose, écrivons-lui.* Ou bien *faire* est précisé par un infinitif, introduit presque toujours par *que de* (rarement par *de* seul) : *Tant qu'à faire que de l'inviter, invitons aussi sa femme.* Les puristes ont tort de critiquer ce tour en y dénonçant une « grossière confusion avec quant à » : les deux locutions n'ont pas le même sens. Mais au lieu de dire *Tant qu'à faire que de l'inviter*, qui est correct mais lourd, je dirais **Tant qu'à l'inviter** : *Tant qu'à m'ennuyer (ce que je trouve toujours inutile), je préfère que ce ne soit pas avec M.* (A. Gide, *Journal*, 16 mai 1905).

On dit et on écrit aussi, et le tour est clair et n'est pas critiqué : *À tant faire que de m'ennuyer* (parfois *À tant faire que m'ennuyer*). Je ne condamnerai pas *Pour tant faire que de m'ennuyer*, qui est aussi très clair et logique. Mais je suis plus sévère pour *À tant que faire*, qui est d'ailleurs rare chez les écrivains : *À tant que faire, pourquoi se priver de modifier son passé, de l'embellir ?* (H. Bosco, *L'antiquaire*, Folio, p. 286). Je dirais : *Tant qu'à faire* ou mieux : *À tant faire.*

6. **Faire tant que de**, aller jusqu'à : *Quand on fait tant que de se présenter,...* On ne supprime plus *que* comme pouvait le faire Mᵐᵉ de Sévigné. *Pour tant faire que*, cf. 5.

7. Au lieu de *J'ai constaté une amélioration* [*tant au point de vue physique que moral*], on dira, *tant au point de vue physique qu'au point de vue moral* ou *tant au physique qu'au moral*. Il faut garder la symétrie.

8. [*Un tant*] est incorrect. On dit : *Je leur donnerai tant* (cf. AUTANT, 4). Mais on dit fort bien **un tant soit peu** ou **tant soit peu** : *Donnez-leur un tant soit peu* ou *tant soit peu. Il me paraît tant soit peu égoïste.* Cf. PEU, A, 1.

9. On entend en Wallonie : [*Un tant à faire*] pour désigner une personne affairée, la mouche du coche, qqn qui prétend avoir tant à faire.

10. **En tant que**, « dans la mesure où » : *Il ne s'intéresse à nous qu'en tant que nous pouvons l'aider*. Ou « comme » : *En tant que Français, nous ne pouvons rester indifférents*. Expression juridique : *en tant que de besoin*.

11. Il suffira de noter : **tant mieux, tant pis** et de dénoncer [*tant pire*].

12. **Tant s'en faut**, il s'en faut de beaucoup, loin de là. Cf. FALLOIR, 4.

Tante, n.f. Quand on s'adresse à sa tante, on dit généralement *Tante* ou *Ma tante* ou *Tante Céline*. Quand on parle d'elle : *Ma tante, tante Céline* ; parfois *Tante* si le contexte précise bien de qui il s'agit.

Tantième, adj., et n.m. *La tantième partie d'un nombre. Les tantièmes des administrateurs. Il a perçu son tantième.*

Tantinet, n.m., diminutif marquant une très petite quantité, s'emploie avec *un* et peut former une loc.adv. *Donnez-moi un tantinet de pain* (Ac.). *Elle était un tantinet fâchée contre vous* (Ac.).

Tantôt, adv., a changé de sens et d'emploi et est encore aujourd'hui discuté, sauf quand il est répété et exprime la succession ou l'alternance : *Tantôt plus, tantôt moins.*

Tantôt a signifié *aussitôt*, puis *il y a peu de temps* ou *dans peu de temps*, à l'intérieur du jour où l'on parle, puis *cet après-midi* (écoulé ou à venir). Ce dernier sens, auquel se tient l'Académie en 1935, a été confirmé par plusieurs linguistes, qui y ont vu un usage parisien. Les Parisiens s'en défendent aujourd'hui et voient là un usage provincial ; plusieurs m'ont déclaré n'employer que *tantôt... tantôt*. Les sens « il y a peu de temps » et « dans peu de temps » sont restés vivants dans certaines régions de France comme en Belgique ; quant au sens « cet après-midi », il a certainement été vivant à Paris comme en province où il survit. En réalité, on n'est pas toujours certain d'être bien compris quand on emploie *tantôt* et mieux vaut dire *tout à l'heure* (*Je l'ai vu tout à l'heure. À tout à l'heure*) ou *cet après-midi.*

Archaïque ou littéraire au sens de *bientôt* : *Il est tantôt minuit* (Ac.). *Après tantôt un demi-siècle* (A. Hermant, *Xavier...*, p. 17). Ne pas dire : [*là tantôt*].

Comme nom, *le tantôt* est devenu plus ou moins un régionalisme et signifie « l'après-midi ». Il est plutôt populaire ; on l'a même employé sans article, comme *matin* et *soir*, à côté de *hier, le lendemain*, etc. : *Le lendemain tantôt*. On a dit aussi *sur le tantôt*, mais le tour est vieilli, comme les autres emplois du nom.

Tantôt peut être introduit par les prépositions *à, de, pour, jusqu'à* : *À tantôt. D'après ses déclarations de tantôt. Venez çà, que je vous distribue mes ordres pour tantôt* (Molière). *Attendez jusqu'à tantôt.*

Tantôt... tantôt reste un tour vivant : *Il dit tantôt oui, tantôt non.* Éviter *tantôt... ou* et *tantôt... parfois*. On veillera à la symétrie. Au lieu de : *Ils voyaient, tantôt avec une fierté amusée, tantôt un peu d'agacement,* *les inventions mécaniques* (M. Druon, *Les grandes familles*, Poche, p. 21), mieux vaut dire : *tantôt avec une fierté amusée, tantôt avec un peu d'agacement* ou *avec tantôt une fierté amusée, tantôt un peu d'agacement.* Pour l'accord du verbe après deux sujets introduits par *tantôt... tantôt,* cf. VERBE, *Accord,* B, p. 984.

Taon, n.m. Pron. « tan », comme le nom m. *tan* désignant l'écorce du chêne pulvérisée.

Tapecul, n.m., s'écrit plutôt en un mot ; *l* ne se prononce pas. *Des tapeculs.* Parmi ses sens : voiture mal suspendue ; il a signifié autrefois : porte à bascule des poternes. En wallon et en français régional : trappe (porte horizontale au niveau du plancher), tombereau. On trouve *tape-cul.*

Taper, v.tr.dir. et intr., **tapant,** adj. Un seul *t. Taper trois coups à la porte.* Au sens de « dactylographier », « frapper » : *Taper une lettre. Une lettre tapée à la machine. Taper en double, taper un stencil.* Fam., *Taper qqn,* lui emprunter de l'argent. Pop. *Se taper un boulot, une corvée. Tu peux te taper* (c'est inutile). *Se taper la tête contre les murs, se taper le derrière par terre. Se taper les cuisses de contentement.*

L'emploi trans. avec pour complément d'objet direct ce qui est frappé (*taper un enfant*) est tout à fait exceptionnel avec un nom de chose : *Le Président tape sa table* (R. Benjamin, *La cour d'assises,* V). On dit : *taper sur la table.*

L'Académie enregistre comme familier : *Une réponse bien tapée,* qui a frappé juste.

Taper sur qqn, lui donner des coups ou, familièrement, dire du mal de lui. *Taper sur le ventre à qqn, sur l'épaule, taper à la vitre du café, sur qqn, sur un tapis ; taper du pied.* Fam., *taper dans l'œil à qqn,* lui plaire vivement, *taper dans le mille,* deviner juste.

Tapant, comme *sonnant,* varie ou non dans : *À six heures tapant(es) ;* cf. HEURE.

Composé : *un* ou *des tape-à-l'œil, des mobiliers tape-à-l'œil.*

Tapette, n.f., a entre autres sens ceux de : petite tape, sorte de petite raquette flexible servant à battre les tapis ou à tuer les mouches (*une tapette à mouches*), et, en français très familier, la langue d'un bavard ou, par extension, une bavarde ; en français vulgaire, un pédéraste.

Tapis, n.m., **tapis cloué, moquette, [tapis plain].**
Pour désigner ce qu'en France on a appelé *tapis cloué,* mais qui s'appelle aujourd'hui couramment *moquette,* on a employé en Belgique *tapis plein* ou *tapis plain.*

La moquette, précisait Bescherelle, est unie ou à dessins ; on en faisait des tapis ou on en couvrait des sièges. C'est encore le sens attesté par Littré. Dans le PR : « tapis cloué couvrant généralement toute la surface d'une pièce ». *Tapis cloué* a vieilli à mesure qu'on ne clouait plus les tapis. François Nourissier a écrit en 1968 : *À Paris la moquette avale tout. Enfant, j'avais été émerveillé quand on avait posé dans le salon ce que Maman appelait du « tapis cloué »* (*Le maître de maison*, p. 180). La moquette s'employant aussi pour des sièges et n'étant pas réservée au tapis recouvrant toute la surface d'une pièce, on comprend qu'on ait préféré d'abord, dans ce dernier sens, *tapis cloué*, puisqu'il fallait clouer cette moquette. Mais on s'explique aussi que les Belges aient écrit *tapis plein*, puisque ce tapis recouvrait pleinement le sol d'une pièce, mur à mur. Toutefois, bien que l'adjectif *plain* fût aussi vieilli en Belgique qu'en France dans l'usage courant, des critiques ont pensé que *plein* se substituait abusivement à *plain* dans *tapis plein* comme dans *de plain-pied* (cf. PLAIN). Et leur acharnement est parvenu à éliminer *tapis plein* ; on a fini par écrire couramment en Belgique *tapis plain*, ce qui a fait croire à certains qu'il s'agit de tapis sans dessins en relief.

Conformément à l'usage actuel, qui se répand d'ailleurs en Belgique, il convient d'employer *moquette*, opposé à *carpette*, de dimensions plus réduites.

Tapis-brosse, n.m., désigne une sorte de *paillasson* : *Des tapis-brosses.*

Taque, n.f., peut se dire de la plaque de fonte appliquée au fond d'une cheminée et formant contrecœur, mais est belge pour désigner le couvercle d'un poêle de cuisine ou d'une citerne.

Tarder, v.intr. et tr.ind. *Il ne va pas tarder. Venez sans tarder. Il a trop tardé. Il a trop tardé à nous avertir. Il ne tardera pas à venir.* Pour exprimer l'impatience dans l'attente, *Le temps lui tarde de nous rejoindre, que tout soit terminé. **Il me tarde de** le recevoir. Il me tarde qu'il nous rejoigne* est peu vivant. Pas de *ne* explétif.

Tarifer, v.tr.dir. Éviter *tarifier.*

Tarmacadam, n.m., se dit beaucoup moins que *macadam* ou que *tarmac. L'avion roule sur le tarmac.*

Tarte, n.f. *Une tarte aux fruits, aux pommes, à la crème.* Dans *L'école des femmes*, de Molière, Arnolphe, faisant le portrait de la femme pour lui idéale, ignorante des jeux de société, souhaite qu'elle réponde « ***Une tarte à la crème*** » au lieu de répondre par un mot en *-on* lorsqu'on lui demande ce qu'on met dans le corbillon. C'est ainsi que **tarte à la crème** est devenu synonyme de lieu commun, éculé, banal.

Tarte s'emploie dans la langue populaire avec des sens spéciaux : *C'est pas de la tarte*, ce n'est pas facile. *Il a reçu une tarte*, une gifle. *Ils sont vraiment trop tartes*, trop laids, trop ridicules. À éviter.

Tartine, n.f., désigne la tranche de pain destinée à être recouverte de beurre ou de confiture ou la tranche ainsi recouverte (ainsi *tartinée*) et qui s'appelait autrefois *une beurrée : Se tailler une tartine. Couper le pain en* *tartines. Une tartine de beurre, de confiture. Une tartine beurrée.* Au figuré, fam., longue tirade, développement trop long et ennuyeux.

Tartufe, n.m. Bien que Molière ait écrit le nom propre avec deux *f,* on écrit aujourd'hui, avec un *t* minuscule, *un tartufe* (italien *tartufo*). De même, *tartuferie.* À préférer aux formes avec deux *f* dans ce sens général.

Tas, n.m. On peut parler familièrement d'un *apprentissage sur le tas,* d'une *formation sur le tas,* sur le lieu de travail. Même sens de *sur le tas* dans *grève sur le tas.*

Tatillon, *tatillonne,* adj., et dérivés. Pas d'accent circonflexe.

Tâtons (à), loc.adv., s'écrit toujours avec *s. Tâtonner, tâtonnement,* deux *n.*

Taule, n.f. populaire : chambre, prison.

Taxer, v.tr.dir. *Taxer les objets de luxe, les riches. Taxer qqn **de négligence,** l'en accuser.* Tandis qu'*on traite qqn **de négligent.** Taxer d'impertinence une remarque judicieuse,* la traiter d'impertinente, la qualifier d'impertinente. On trouve cependant *taxer de* avec adjectif : *Toute musique qui voulait dire quelque chose était taxée d'impure* (R. Rolland, cité par GR).

Té, n.m. *Un fer à té* ou un *fer en té, un fer à double té.*

Tea-room, n.m. *Des tea-rooms.* Dire plutôt *salon de thé.*

Teck ou **tek,** n.m. d'un arbre et d'une sorte de bois.

Te Deum, n.m.invar. *Des Te Deum.*

Teen-ager, n. (pluriel *teen-agers*), écrit aussi en un mot, désigne un jeune homme ou une jeune fille de 13 à 19 ans (d'après la finale des nombres anglais de 13 à 19 et *age*). Le mot ne correspond pas exactement à *adolescent.*

Tee-shirt ou **t-shirt.** *Des tee-shirts, des t-shirts.*

Teindre, v.tr.dir. *Je teins, il teint, nous teignons, je teignais, nous teignions,* etc. *On teint un costume en noir.* Ne pas confondre avec **teinter** (noter *ein*), revêtir d'une teinte légère, colorer légèrement : *Du papier teinté. Un blanc teinté de rosé. De l'eau teintée de vin, un intérêt teinté de condescendance.* À distinguer de **tinter,** sonner.

Teint, adj. et n.m. *Une étoffe teinte. Une personne teinte. Avoir le teint bronzé. Des étoffes grand teint, bon teint.*

Tek, n.m. Cf. TECK.

Tel, adj. ou pr.indéf. 1. **Accord de l'adjectif.** Inutile de nous arrêter aux cas qui ne présentent aucune difficulté : *Une telle femme. Une telle sottise. Il me doit telle somme. De tels acteurs sont rares. Telle a été sa conduite. Ils* *sont tels que je m'y attendais. Vous trouverez ces livres tels que vous me les avez prêtés. Tel père, tel fils.*

Il n'y a problème que dans les cas où *tel*, **avec ou sans** *que*, **introduit un ou plusieurs exemples ou une comparaison :**

a) Dans **tel que** suivi d'un nom ou d'un pronom, on accorde *tel* avec le terme qui généralement précède, illustré par le ou les exemples ou par une comparaison : *Les bêtes féroces, telles que le tigre, le lion, etc.* (Ac.). *Plusieurs grammairiens, tels que Brunot. Si vous consultez un grammairien tel que Brunot ou Dauzat... Tels que la haute mer contre les durs rivages, À la grande tuerie ils se sont tous rués* (Leconte de Lisle). *Ils se sont rués sur lui tels que des bêtes féroces.*

Même accord s'il y a ellipse du sujet et du verbe *être* devant un participe passé : *Le système de tonnage brut (...) tel que pratiqué en Angleterre* (A. Siegfrief, cité dans *B.U.*, n° 377).

b) Lorsque *tel* est employé **sans** *que*, l'usage, les grammairiens et les écrivains hésitent visiblement ; ils optent soit pour l'accord avec le 1er terme de la comparaison, comme s'il y avait ellipse de *que* (cf. a), soit pour l'accord avec le 2e terme, nom ou pronom, qui suit *tel*, comme s'il y avait ellipse du verbe *être* ; les deux usages et les deux analyses sont acceptables : *Les enfants grouillaient, tels des fourmis* (tels que des fourmis) *ou telles des fourmis* (telles étaient des fourmis). *Tels des fourmis* (ou *telles des fourmis*), *ils grouillaient.* Il y a toutefois dans l'usage une préférence, à encourager, pour l'accord avec le nom qui suit : *Oncle Rat, telle une fumée, avait disparu* (H. Bosco, *Malicroix*, Folio, p. 113). *On peut craindre qu'ils soient voués, telle Pénélope, à retisser le jour la toile qu'a défaite la nuit* (A. Peyrefitte, *Le mal français*, p. 381).

Dans **considérer comme tel, croire tel, reconnaître pour tel**, etc., *tel* s'accorde avec le complément dont il est attribut. *Cette maison n'est pas un bâtiment public, mais certains la considèrent comme telle* ; comme si on disait : *Elle est telle.* On accorde aussi *tel* dans **en tant que tel** : *La plainte, en tant que telle, n'est pas recevable.*

2. **Tel quel** signifie « tel qu'il est, sans aucune modification » : *J'enverrai cette lettre telle quelle. Il a laissé les choses telles quelles.* L'expression prend facilement un sens péjoratif, « défauts y compris, médiocre, de peu de valeur » : *Des gens tels quels* (Ac.). *C'est une maison telle quelle* (Ac.). *Ces meubles sont vendus tels quels, sans garantie.* On ne dit plus *tel que tel* (même sens).

Certains lexicographes condamnent très sévèrement l'emploi de **tel que** au lieu de *tel quel*. Le tour est familier et reste suspect, mais on ne peut certainement pas le déclarer populaire ou, comme Dupré, « très incorrect » : *Tel que, le texte en question occupe le Maréchal* (R. Aron, *Histoire de Vichy*, p. 666). *Telle que, conçue par l'élite, cette religion (...) n'est pas sans grandeur* (J. Chastenet, *Inde d'aujourd'hui*, dans *Modes et travaux*, déc. 1965, p. 61). *Le français a dû (...) se conserver tel que en* *dépit de l'orthographe* (M. Cohen, dans *Mélanges Grevisse*, p. 52). *Un paquet de gris qu'il garde tel que* (Giono, *Noé*, Poche, p. 123). *Si c'est un fait divers, par exemple, pourquoi ne serait-il pas possible de l'utiliser tel que dans un roman ?* (A. Billy, dans *Le Figaro*, 23 mars 1955.)

3. La langue classique employait *tel que* avec le subjonctif au lieu de *quel que, quelque... que*. On dit aujourd'hui : *quel qu'il soit, quelle que puisse être sa conduite, à quelque prix que ce soit*. Cf. QUELQUE, A, remarque a, B, 2, pp. 785-787.

4. **Tel, tel ou tel, tel et tel** s'appliquent à des personnes comme à des choses : *J'en ai parlé à tel avocat. Je verrai tel ou tel député. Il agira de telle ou telle façon. En telle et telle circonstance.* Le nom reste généralement au singulier ; l'expression peut faire allusion à plus de deux personnes ou choses non précisées. Mais rien n'empêche de mettre au pluriel *tel et tel, tel ou tel* et le nom qui suit pour marquer qu'on pense à un nombre assez élevé : *On a restauré tels et tels tableaux. Telles et telles façades ont été restaurées.* Même si *tel et tel* sujet est suivi comme il se doit d'un nom au singulier, on met généralement le verbe au pluriel : *Tel et tel ministre prendront la parole.* Tandis que *tel ou tel*, suivi ou non d'un singulier, appelle plutôt le singulier : *Tel ou tel vous le dira. Tel ou tel ministre interviendra.* Cf. VERBE, *Accord*, B, XII, f, pp. 985-986.

5. *Tel* **pronom**, s'emploie surtout au singulier quand il s'agit d'une personne (*Tel est pris qui croyait prendre. Tel qui croyait prendre sera pris. Tel et tel vous diront ; tel ou tel vous dira* ; cf. 4) ou avec un complément déterminatif s'il s'agit d'une chose (*Telle de ses robes coûtait cher*).

6. **Un tel**, désignant une personne, s'écrit avec une grande hésitation dans l'usage : *un tel, une telle, M. un tel, M. Un Tel, M. Untel, Mme une telle, Mme Une Telle, Messieurs un tel et un tel*, etc., *Mmes une telle et une telle*, etc. *Une Telle et Une Telle, la famille Untel, les Untel(s)*. On peut conseiller : **un tel, une telle, M. Un Tel (ou Untel), Mme Une Telle, M. Tel autre, La famille Untel, les Untel, les PP. Untel.**

Lorsqu'il s'agit de choses, on n'emploie plus *un tel*, mais *tel* devant le nom : *J'irai le voir tel jour, à telle heure. Nous partirons telle semaine.*

Télé, n.f., abréviation de *télévision* : *Regarder la télé.* Mais on emploie souvent aussi les deux majuscules *TV* (ou *T.V.*) : *Regarder la TV* ou *la T.V.*

Télé, préfixe, est agglutiné à l'élément suivant, sauf dans *télé-enseignement* : *téléinducteur, téléobjectif, téléski, télésiège, téléscripteur.* Cf. TÉLESCOPER.

Téléférique, adj. et n.m., est encore parfois écrit *téléphérique*, graphie où l'on trouve, en passant par l'anglicisme *téléphérage*, le grec *pherein*, porter.

Télégénique, adj., se dit de celui qui réagit bien devant la caméra et produit une impression favorable dans une émission de télévision.

Télescoper, v.tr.dir., a élargi son sens : deux véhicules peuvent *se télescoper*, même si l'un est à l'arrêt ; deux faits, deux idées peuvent se télescoper.

Tellement, adv., marque l'intensité de ce qui est exprimé par un adjectif, un adverbe, une quantité, un verbe : *Il est tellement gentil ! C'est tellement bien ! Il est tellement au-dessus de tout soupçon ! Cela est tellement en dehors de mes habitudes ! Elle l'aime tellement !*

Il peut remplacer **si** devant un adj. ou un participe pris adjectivement, suivi ou non de *que*, à condition qu'on n'exprime pas une comparaison. On dit : *Il n'est pas si malade que vous le croyez*, mais : *Il est tellement (ou si) aimable qu'on ne peut rien lui refuser. Est-ce tellement (ou si) difficile ?* On peut dire : *J'ai eu tellement (ou si) froid, faim, soif, envie de*, etc. Cf. Sɪ, *adv.*, 2, p. 864, et Aᴠᴏɪʀ, 17, p. 146.

Il perd parfois son sens exclamatif et se rapproche de **très**, surtout dans des phrases négatives ou interrogatives : *Ce n'est pas tellement grave.* Ou de **beaucoup** : *Il ne travaille pas tellement.* Cet emploi est considéré par certains comme familier. Ce qu'il faut condamner, c'est [*si tellement*].

Devant un nom, *tellement de* peut remplacer **tant de** : *Il y avait tellement d'invités qu'on ne savait où donner de la tête. Nous avons tellement de soucis !*

Devant *plus, davantage* ou un comparatif, c'est *tellement* qu'il faut employer : *Il est tellement plus attentif que vous ! Je m'y intéresse tellement davantage ! C'est tellement mieux !*

Avec un **verbe**, *si* étant exclu, on peut employer *tant* ou *tellement* : *J'ai tellement attendu.*

Après **tellement que**, dans une phrase affirmative, on emploie l'indicatif ou le conditionnel ou, s'il y a finalité, le subjonctif : *Il est tellement avare qu'il ne **veut** rien prêter. Il est tellement distrait qu'on ne **pourrait** lui confier ce travail. Faites tellement bien ce travail qu'on **soit** content de vous.* Cf. Sɪ, adv., 2, *Si... que*, p. 865. Si *tellement* se trouve dans une proposition négative ou interrogative, on emploie le subjonctif après *que* : *Il n'est pas tellement sot qu'il ne **comprenne*** (il comprend certainement).

Tellement peut suivre en introduisant une cause (au lieu de *tant*) : *Il m'ennuie, tellement il est bavard.* On laissera à la langue populaire l'emploi de *tellement que* dans ce cas.

Tellement quellement, tant bien que mal, ni bien ni mal, et souvent plutôt mal que bien, ne se rencontre plus qu'exceptionnellement : *Je rapprochais, tellement quellement, les lèvres des déchirures avec des épingles* (G. Duhamel, *Biographie de mes fantômes*, p. 133).

Témoignage, n.m. *On l'a condamné sur le témoignage d'un témoin. En témoignage de reconnaissance. Rendre témoignage à qqn*, lui rendre hommage : *Je veux rendre témoignage à son honnêteté. Rendre témoignage **de** qqch.* se dit beaucoup moins et signifie « attester que c'est vrai » : *Le témoin ne doit rendre témoignage que de ce qu'il a vu.*

Témoigner, 1. **V.intr.** Rapporter ce qu'on sait, en justice ou ailleurs : *Il ne peut pas témoigner en justice. Témoigner* **contre** *qqn. Témoigner* **en faveur** **de** *qqn.*

2. **V.tr.dir.,** avec **pour sujet un nom de personne,** faire paraître ses sentiments, sa pensée : *Témoigner (à qqn) sa reconnaissance* ; avec l'article partitif : *du mépris, de l'amitié.* Tour vieilli : *Cet écrivain témoigne un grand talent,* montre un grand talent. Suivi d'une proposition ou d'un infinitif, « montrer, faire paraître sa pensée » : *Il témoigna que cela ne lui plaisait pas* (Ac.). *Je lui ai assez témoigné quelle était ma pensée là-dessus* (Ac.). Même construction possible dans le sens noté en 1 : *Il a témoigné qu'il avait vu l'accusé ce soir-là. Il a témoigné l'avoir vu à minuit.*

On ne témoigne pas des *marques* de sympathie ; le complément ne peut être le témoignage, le signe, mais le sentiment lui-même : *On donne des marques* ou *des témoignages de sympathie, on témoigne sa sympathie (à qqn).* On écrit donc : *Touchés de la sympathie que vous leur avez témoignée...*

Avec **pour sujet un nom de chose,** si l'on en croit de bons diction-naires, même sens qu'en 3, c, être le signe, la preuve : *Tout cela témoigne une grande lâcheté.* On dit beaucoup plus souvent *témoigner de.*

3. **V.tr.ind.,** *témoigner de qqch.* a) Porter témoignage de, affirmer, certifier : *À peine la liberté lui était-elle rendue qu'il témoignait publique-ment de sa confiance à mon égard* (Ch. de Gaulle, *Le salut,* Poche, p. 301). Le sens ne serait pas le même (cf. 2) si l'on disait : *qu'il me témoignait sa confiance.* Notons qu'on ne dit pas : [*Il leur a témoigné de sa reconnais-sance*]. On dit : *Il leur a témoigné sa reconnaissance* (cf. 2).

b) Se porter garant de : *Je témoignerai de son innocence.*

c) Être le signe, la preuve de : *Sa conduite témoigne de sa lâcheté. Votre offre témoigne de votre bonne volonté.* C'est le tour à conseiller nettement (cf. 2).

Témoin, n.m., pas de féminin : *Cette femme a été le témoin de la défense.*

Témoin reste généralement invariable (c'est ce qui est à conseiller malgré quelques exemples d'accord chez de bons écrivains) dans *prendre à témoin* et dans l'emploi devant le nom désignant la personne ou la chose qu'on prend à témoin : *Je les ai tous pris* **à** *témoin* (mais : *Il les a pris* **pour** *témoins*). *Il a travaillé avec négligence,* **témoin** *les erreurs qu'il a faites.*

Employé comme apposé après un nom, *témoin* n'est généralement pas précédé d'un trait d'union : *un secteur témoin, un appartement témoin, une lampe témoin.* Tous deux varient au pluriel : *des appartements témoins.*

Tempête, n.f. Adj. *tempétueux,* avec *é. Une lampe-tempête, des lampes-tem-pête.*

Tempo, n.m., terme de musique, se dit pour « rythme d'exécution, de tra-vail » ou en parlant d'un roman, d'un récit. Invariable comme *crescendo.*

Temps verbaux. Cf. VERBE, CONCORDANCE et, à leur rang alphabétique, les noms des temps et des modes.

Temps, n.m. Quelques expressions :
Au temps (ou **du temps**) de ma jeunesse. **Dans mon jeune temps** ou **de mon temps.** Arriver **à temps**, mais *en temps normal, en temps utile, en temps opportun. En ce temps-là.* **De temps en temps.** *De mon temps. De temps à autre.* **Par le temps qui court** (Ac.). **Dans le temps**, autrefois. **Dans le temps que, au temps où, dans le temps où**, à l'époque où, au moment où. **Le temps que, le temps où** : *Quand reverrons-nous le temps où... ? Un temps fut que, un temps fut où. Il fut* (il y a eu) *un temps où.* Cf. QUE, pronom, 2, p. 779. Ne pas dire : [*Sur le temps que*] ; cf. SUR, 2.

Le temps de, le temps que : *Voyez-le deux minutes, le temps de le rassurer* ou *le temps que j'aille téléphoner* (noter l'emploi du subjonctif : juste assez de temps pour que j'aille...).

Tout le temps que, pendant un certain temps, pendant peu de temps, *pendant un temps, pendant tout le temps que,* **pendant tout un temps** : *Pendant tout un temps, j'ai cru qu'il était mort.* Mais on se gardera de réduire cette dernière expression à *tout un temps* en supprimant *pendant,* comme on le fait en Belgique. On trouve cependant *un temps,* mais dans un autre sens : *Cette mode n'a duré qu'un temps,* a eu une durée limitée. On dit aussi : *Je l'ai vu un certain temps,* pendant une certaine durée. *Pour un temps,* pour une durée limitée.

Autant substitué à **au temps**. Cf. AUTANT, 11, p. 128.

À temps perdu : *Il fera cela à temps perdu,* dans ses moments de loisir.

Tuer le temps, s'occuper pour échapper à l'ennui.

De tout temps, en tout temps (*tout* étant au singulier), toujours.

Il est temps de *faire telle chose* et non [*Il devient temps de...*]. *Il est grand temps de...* Avec *que* et le subjonctif : *Il est temps que nous partions.*

Travailler **à plein temps** ou **à temps plein, à mi-temps, à temps partiel.** *Il travaille à mi-temps. Il a un mi-temps. La première mi-temps. La mi-temps du match.* Mais : *le tiers-temps,* répartition du temps en trois parties dans les écoles maternelles françaises. Ne pas dire : [*en une heure de temps*] au lieu de : *en une heure.*

Wallonisme : [*Il a le temps long*] au lieu de : *Il trouve le temps long. Le temps lui dure.*

En peu de temps, en un rien de temps. À peu de temps *de là. Tout le temps* (continuellement). *Je l'ai vu* **ces derniers temps.**

Dans l'entretemps. Cf. ENTRE-TEMPS.

Le temps matériel : *Je n'ai pas le temps matériel de faire cela,* le temps nécessaire pour le faire, en toute hypothèse. Expression critiquée, mais vivante.

Tenaille, n.f. *Arracher un clou avec une tenaille* ou *des tenailles.*

Tendant, part.prés. de *tendre*, devrait rester invariable aujourd'hui dans *tendant à*; l'ancien usage accordait le part.présent; ce n'est pas une raison suffisante pour considérer aujourd'hui *tendant* comme un adjectif et le faire varier, comme l'Académie et certains dictionnaires dans : *Une proposition tendant à l'hérésie. Des libelles tendant à la sédition.*

Tendreté, n.f. *La tendreté d'un gigot, de ces légumes.*

Ténèbres, n.f.pl. en dépit de quelques exemples littéraires, ne s'emploie pas normalement au singulier : *Être enveloppé d'épaisses ténèbres* (Ac.).

Ténia, n.m. Ne plus écrire *taenia.*

Tenir, v.tr.dir., tr.ind. et intr. Cf. Tenu.

1. **Tenir (pour) + attribut,** considérer comme. Le tour classique *Je tiens leur culte impie. Je le tiens un brave homme* est encore vivant en littérature, mais le tour courant est *tenir pour* : *Je le tiens pour responsable. Ils ne se tiennent pas pour battus. Je tiens cela pour vrai. Je tiens ces gens pour indélicats.* Le tour *tenir comme* est vieilli. Ne pas confondre avec le tour **tenir qqn + attribut,** signifiant : conserver dans un certain état : *Elle tient propre son enfant.* De même dans : *Je vous tiendrai informé* ; plus usuel : *Tenir qqn au courant.*

2. Avec le verbe pronominal : **se le tenir pour dit.** À l'impératif : *Tiens-le-toi pour dit,* mais plutôt *Tenez-vous-le pour dit.* Cf. Impératif, 2, B, c.
— **Se tenir** : *Elles se sont tenues par la taille. Ils se sont tenus sur leurs gardes. Elle s'est tenue pour battue. Elles se sont tenu les mains. Les propos qu'elles se sont tenus.*

3. Ne pas dire : [*Tenez cela pour vous*] au lieu de *Gardez cela pour vous,* ne le racontez pas.

4. **Tenir à cœur, tenir au cœur** veulent un complément d'objet indirect : *Cela lui tient à cœur.* Cf. Cœur.

5. **Tenir à qqch., à qqn.** *À quoi cela tient-il ?* a deux sens : à quoi cela est-il attaché, ou de quoi cela dépend-il ? *Ses sandales ne lui tiennent pas aux pieds. Cela ne tient qu'à vous. Il ne tient à rien, à personne. Je tiens à vous rencontrer. Je n'y tiens pas. Il tient beaucoup à ce que nous l'accompagnions* (subjonctif ; *à ce que* s'impose).

6. Après l'impersonnel **il tient à... que** (il dépend de... que), on emploie le subjonctif ; celui-ci est souvent accompagné de *ne* explétif si l'impersonnel a été employé interrogativement ou négativement, mais pas s'il a été employé avec *ne... que* : *Il tient à vous qu'il soit nommé. Il tient à moi que cela se fasse ou ne se fasse pas. Il ne tiendra qu'à lui que le différend se juge par une bataille* (Littré). *À quoi tient-il que nous ne partions ?* (Ac.) *Il ne tient pas à moi qu'un tel n'ait satisfaction* (Ac.).
Devant un infinitif (identité du sujet du verbe subordonné et du complément de *tient*), on emploie *de* : *Il ne tiendra qu'à vous d'être nommé.*

7. [*Tenir ses Pâques*] est un flandricisme. On dit : *faire ses Pâques*.

8. **Tenir de qqn, de qqch.**, avoir une analogie, une ressemblance : *Il tient de son père. Il a de qui tenir. Cette comédie tient du vaudeville.*

9. On ne dit pas [*tenir collection*], flandricisme, pour *faire collection*, ni [*tenir les timbres*] pour les *collectionner*, ni [*tenir des lapins*] pour *élever des lapins*. Mais *on tient* (on vend) *telles marchandises*, de l'épicerie, de la charcuterie. *On tient la caisse, son journal, une assemblée, on tient le coup,* etc. *Tenir la dragée haute à qqn,* lui tenir tête.

10. **En tenir pour,** fam., avoir de l'inclination pour.

11. *Ne pouvoir se tenir de faire qqch.* est vieux et littéraire ; on dit : *se retenir.*

12. On écrit : *Elle s'est tenue droite. Ils se tiennent droits.* Mais : *Elles se sont tenues debout.*

13. **S'en tenir à qqch.** *Je m'en tiens à l'horaire prévu, à ce que vous avez dit,* je tiens compte de cela seulement. *Tenons-nous-en là. Je sais à quoi m'en tenir à son sujet. Elles s'en sont tenues à nos conventions.*

14. Cf. Tenu.

Tennisman, n.m., n'est même pas anglais. Dire : *joueur de tennis.*

Tentacule, n.m. *Un tentacule.*

Tenu, part. passé et adj., a des emplois qui ne correspondent pas à ceux du verbe *tenir.* — **Être tenu à qqch., à faire qqch., de faire qqch.** : *Être tenu à une certaine prudence. À l'impossible nul n'est tenu.* Devant un infinitif, on emploie beaucoup plus souvent *de* que *à* : *Il est tenu d'obéir. Il est tenu de se présenter au commissariat.* Tandis qu'on dit : *Je tiens à vous avertir.*

Être tenu se dit aussi pour « être fort pris par son travail, par des obligations » : *Je suis fort tenu cette semaine,* fort pris, fort occupé.

Térébenthine, n.f. Attention à *th.*

Terme, n.m., est un belgicisme quand il s'applique au service militaire [*faire son terme*] ou à un séjour d'une durée déterminée dans l'ancien Congo belge. Notons : *un moyen terme, payer le terme de septembre, vendre à terme, marché à terme, être en bons termes avec qqn.*

Terminal, adj. et n.m., fait au pluriel *terminaux,* même en informatique. *La classe terminale* de l'enseignement du second degré s'appelle *la terminale.*

Terminer, v.tr.dir., se construit avec *par* devant un nom (*terminer une phrase par un point*), mais non devant un infinitif ; on emploie le gérondif : *terminer un discours en faisant un éloge.* Ou, dans un autre sens, *finir* ou *achever* : *J'achève de l'interroger.*

Tandis qu'*en finir* est courant, soit en emploi absolu, soit avec un complément introduit par *avec* (*Il faut en finir. On n'en a pas fini avec cette affaire, avec cet individu,* on ne s'en débarrassera pas facilement), il semble que *en terminer,* soit un peu plus rare : *Je m'occuperai de vous dès que j'en aurai terminé avec lui. En avoir terminé avec qqch.* (RM). *La hâte d'en avoir terminé* (RM).

Ternir, v.tr.dir. (*ternir une glace, une réputation*), s'emploie encore, mais rarement, comme v.intr., dans le sens de *se ternir,* perdre son éclat, au propre ou au figuré : *La nature morte parut ternir* (J.-L. Curtis, *La parade,* J'ai lu, p. 66).

Terrain, n.m. On écrit : *un terrain d'aviation, d'exercice, de football, de chasse, de tir,* mais : *un terrain de jeux, de sports* (GLLF) ou *un terrain de jeu, de sport* (PR). *Une voiture tout terrain* ou *tous terrains.*

Terrasse, n.f. *Être à la terrasse d'un café. Nous dînerons sur la terrasse.*

Terre, n.f. Quoi qu'ait dit Littré, on a le choix entre *tomber à terre* ou *par terre* : *Votre livre est tombé à terre* (Ac.). *Il a jeté ce papier à terre* (Ac.). *Se jeter à terre, par terre* (Ac.). De même avec *regarder, lancer, mettre.* Ces expressions se disent aussi très bien si le sol est recouvert d'un tapis, d'un parquet.

Avec **en** : *mettre un genou en terre.* Avec **à** : *aller, courir ventre à terre, mettre pied à terre.* Avec **sur** : *Avoir les pieds sur terre, rester sur terre.* Avec **par** : *Voyager par terre, laver par terre, se coucher par terre, répandre par terre.*

Composés : *Un esprit terre à terre* (plutôt que *terre-à-terre*). *Un terre-plein, des terre-pleins. Un terre-neuve, des terre-neuve. Un pied-à-terre, des pied-à-terre.*

Terrible, adj., est proprement associé à l'idée de *terreur* ; il peut se dire de ce qui est violent, difficile à supporter, très pénible. On l'emploie, comme *formidable,* pour *très grand* (*J'ai un appétit terrible*) ou pour ce qu'on imagine difficilement (*C'est terrible ce qu'il m'en veut*), même pour des qualités. Éviter ces excès et surtout l'emploi comme adverbe au sens de *très bien.*

Terril, n.m. Il convient d'abandonner, en raison de l'usage, la graphie *terri,* antérieure à *terril.* Mieux vaut ne pas prononcer *l.*

Test, n.m. *Des tests probants.* Apposé dans des composés : *une zone-test, une expérience-test.* Au lieu de *test-match,* on dira : *la belle.*

Le verbe **tester,** intr. quand il signifie « faire son testament », est à distinguer du v. transitif en rapport avec *test : Tester des candidats, un médicament, la capacité d'achat d'une clientèle.*

Tête, n.f. 1. On peut dire : *Il a la tête de plus que moi.* Cf. PLUS, 9.

2. *Je ne connais pas de plus mauvaise tête que lui,* et non [*que la sienne*]. Cf. PRONOMS POSSESSIFS, 3, p. 769.

3. On a condamné à tort *têtes de bétail* : *Posséder cent têtes de bétail* (Ac.).

4. Quand *tête* désigne le siège de la mémoire, on dit : *Avoir qqch.* **en tête** ou **dans la tête.** *Se mettre qqch. en tête* ou *dans la tête. Chercher qqch.* **dans sa tête.**

5. [*Tête pressée*] se dit en Belgique pour *fromage de tête.*

6. Cf. À et *en,* 14, p. 20 : *à la tête* et *en tête.*

7. *Avoir* **un mal de** *tête. Avoir* **mal** *à la tête.*

8. **Composés** : *Tête-à-tête* et *tête-à-queue* s'écrivent comme **noms** masculins avec des traits d'union ; ils sont invariables. Cf. plus bas. *On les a placés tête-bêche. Se servir d'une tête-de-loup* (*des têtes-de-loup*) pour nettoyer le plafond. *Ce papillon est une tête-de-mort. Un velours tête-de-nègre.*

Tête à tête, loc.adv., **tête-à-tête,** n.m. La locution adv. *tête à tête* s'écrit sans traits d'union. On hésite pour *en tête à tête. On les a laissés tête à tête* ou *en tête à tête* ou *en tête-à-tête. Se trouver tête à tête* (Comparez : *nez à nez*). Les traits d'union ne sont obligatoires que dans le nom : *Un tête-à-tête. De fréquents tête-à-tête. Quelques minutes de tête-à-tête.* De même : *un tête-à-queue.*

Téter, v.tr.dir. *Il tète, il tétait, il tétera.*

Tétine, n.f. Sucette.

Thaumaturge, n.m. Attention au *th* initial.

Thé, n.m., se dit proprement de la boisson préparée avec les feuilles de l'arbuste ainsi nommé. Par analogie, on parle aussi de *thé de framboises,* etc. Mais mieux vaut parler d'*infusion* de tilleul, de camomille. On parle aussi de *tisane,* dans la mesure où l'infusion est faite avec des plantes médicinales.

Thermo, préfixe, s'agglutine plutôt, dans les composés, à l'élément qui suit : *thermoélectrique.*

Thermos, n.m. ou f. Nom d'une marque commerciale, *Thermos* est devenu nom commun, abrégé de *bouteille Thermos,* et s'est écrit avec une minuscule. Il s'est employé et s'emploie encore au féminin, mais le masculin l'emporte nettement aujourd'hui. L'*s* final se prononce ; l'*o* est moins souvent ouvert (comme dans *Oscar*) que fermé (comme dans *eau*).

Thune, n.f. populaire, pièce de cinq francs. On écrit aussi **tune.**

Ticket, n.m. Cf. Coupon.

Tictac, n.m. invariable. *Des tictac.* En dehors de l'emploi comme nom, l'onomatopée (*L'horloge fait tic tac*) s'écrit sans trait d'union.

Tiers, adj., féminin *tierce. Le tiers monde.* **Tierce personne** (ou **un tiers**) ne peut se dire que d'une personne qui s'ajoute à deux autres ou, par extension, d'une personne étrangère à un groupe, à une affaire qui intéresse plusieurs personnes. Mais il ne peut s'appliquer à une deuxième personne.

Tilde, n.m., signe en forme de S couché, intervenant au-dessus du *n* en espagnol quand ce *n* se prononce « gn » : *Le tilde.*

Tilt, n.m. **Faire tilt** signifie « attirer l'attention », comme dans un appareil à sous ; le sens d'« échouer » est plus rare.

Timbale, n.f. Cf. CYMBALE.

Timbre, n.m. **Composés :** *Un timbre-poste, des timbres-poste.* Les dictionnaires hésitent sur le pluriel de *timbre-quittance.* Il convient de le traiter comme *timbre-poste : Des timbres-quittance* ; on dit d'ailleurs aussi *timbre de quittance.* De même : *des timbres-amende, des timbre-taxe.*

Timing, n.m., anglicisme à remplacer selon les cas par *calendrier, minutage.*

Tintouin, n.m. familier. *Avoir* (ou *donner) du tintouin,* du souci, du tracas. Le mot est très ancien. Attention à *ouin.*

Tiquer, v.intr., ne s'emploie plus guère dans le sens de « avoir un tic » mais se dit familièrement dans celui de « manifester par un mouvement de recul ou une mimique son mécontentement ou son dépit » : *Il a tiqué sur cette plaisanterie. Cela m'a fait tiquer.*

Tiré à part, adj. et n.m., a été dénoncé bien à tort comme un belgicisme qu'il fallait remplacer par *tirage à part : Une brochure tirée à part. Vingt tirés à part.* Pas de traits d'union.

Tirer, v.tr.dir. ou tr.ind. 1. *On tire un coup de fusil. On tire un lièvre, on tire sur qqn,* on le prend pour cible. *Tirer sur qqch. Celui qui cherche à fuir sera tiré* (A. Lanoux, *Le berger des abeilles,* p. 53). *Tirer au jugé sur qqn. Tirer à l'arc.*

2. Autres sens de **tirer sur :** *Tirer sur sa cigarette, sur la ficelle, sur une corde. Tirer sur telle couleur,* s'en rapprocher. D'où l'expression *Cet enfant tire sur son père,* « il lui ressemble », considérée par Thérive comme un provincialisme français ; en Belgique, [*tirer après son père*].

3. On a pu dire que *le vent tire du nord,* mais mieux vaut ne pas dire [*Il tire*], impersonnel, ou [*ça tire*] pour *Il y a un courant d'air.*

4. Belgicisme : [*Tirer son plan*]. Cf. PLAN. *Tirer un plan,* c'est le tracer.

5. *On tire la sonnette* et non pas [*sur la sonnette*] ni [*à la sonnette*]. *Tirer la chasse d'eau.*

6. Avec *à* : *tirer à la ligne, tirer au flanc, tirer à sa fin.*

7. [*Tirer une tête*], belgicisme pour *faire la tête*, bouder. On entend en Suisse dans ce sens [*tirer la gueule*].

8. On a pu dire : *tirer une photo* (pour *prendre une photo*), *un portrait, se faire tirer le portrait*, mais ces expressions ont vieilli ou sont devenues plaisantes. On emploie *tirer* dans le sens de *imprimer* (une épreuve photographique, une estampe).

9. *Se tirer d'affaire, d'un mauvais pas. S'en tirer.*

10. Cf. MARRON (*Tirer les marrons du feu*), BOUTEILLE, PHOTO.

11. **Composés** : *Un tire-bouchon, des tire-bouchons.* De même *tire-botte*, etc., cf. NOMS COMPOSÉS, B, 5. *À tire-d'aile, à tire-larigot, un tire-au-flanc* (invariable). **Tire-bouchonner** : *Son pantalon tire-bouchonne. Des pantalons tire-bouchonnés.*

Tirette, n.f. C'est à tort qu'en Belgique on parle couramment de *tirette* pour une *fermeture à glissière.* Cf. ÉCLAIR.

Une tirette est notamment une planchette mobile qui prolonge un meuble (*table, bureau à tirette*) ou un cordon au moyen duquel on ouvre ou ferme des rideaux ou qui, placé avec un gland au bas de stores automatiques, sert à les faire fonctionner.

Titre, n.m. *À titre gracieux*, gracieusement, gratuitement, sans rien exiger en retour. *À quel titre venez-vous ? Il a fait cela à titre d'ami* (en qualité d'ami). On entend aussi *au titre d'ami, d'assistant* (Lexis).

Titres d'œuvres. Cf. TOUT, B, rem. 2 ; ÉLISION, rem. 2. I. **Contraction,** en tête du titre, **de l'article défini** *le* ou *les* après *à* ou *de.* La contraction peut être considérée comme générale et obligatoire (sauf dans le cas développé ci-dessous où le titre est formé de deux noms communs unis par *et* ou bien *ou*) : *Le succès du « Cid », des « Caves du Vatican », des « Dieux ont soif », du « Roi s'amuse ». Le procès fait aux « Fleurs du mal ».* On met les guillemets ou on commence les italiques après l'article contracté : *Le lecteur du « Fleuve Alphée »* (M. Yourcenar, *Discours de réception à l'Académie française*). On écrit évidemment, puisque le premier nom est un nom propre : *Le succès d'« Augustin ou le maître est là »*, ou parce qu'il n'est pas précédé de l'article : *Le succès de « Mon oncle et mon curé ».*

On trouve moins souvent : *L'auteur de « Le roi s'amuse »* ou *de « Les dieux ont soif ».*

On peut toujours intercaler entre *à* ou *de* et le titre un nom comme *roman, fable*, etc. : *L'auteur du roman « Les dieux ont soif »* (cf. ci-dessous, 3).

Lorsque le titre est formé de deux noms communs coordonnés par *et* ou bien *ou*, il y a plus d'hésitation et l'on trouve les solutions suivantes, dont les trois premières sont préférables parce qu'elles ne défigurent pas le titre. Pour l'emploi actuel des **majuscules,** cf. p. 565.

1. **L'auteur du « Rouge et le Noir ».** *Les premiers vers du « Corbeau et le renard ».* Ce tour est très courant ; le premier article est contracté ; on n'introduit pas la préposition à l'intérieur du titre. *La source du « Meunier, son fils et l'âne »* (F. Gohin, *Introduction aux « Fables » de La Fontaine*, p. LII). *Les quatre recueils des « Feuilles d'automne », des « Chants du Crépuscule », des « Voix intérieures », des « Rayons et les Ombres »* (A. Thibaudet, *Hist. de la litt. fr.*, p. 147). *Dans la fable des « Deux Mulets », dans celles du « Loup et le Chien », du « Chêne et le Roseau »* (E. Faguet, *Hist. de la poésie fr.*, t. IV, p. 180).

2. **L'auteur de « Le Rouge et le Noir ».** *Les premiers vers de « Le Corbeau et le Renard ».* Tour tout à fait régulier et recommandable, ne faisant pas la contraction et gardant l'intégralité du titre. *La fin de « Le Rouge et le Noir »* (G. Duhamel, *Défense des lettres*, p. 265). *Préface de « les Rayons et les Ombres »* (G. Picon, *Histoire des littératures*, 3, Pléiade, p. 924). *Quand M. de Tracy m'a parlé de « Le Rouge et le Noir »* (Stendhal, *Vie de Henri Brulard*, t, I, p. 131). *Pensons, à propos de l'auteur de « Le Mythe et l'Homme » et de « L'homme et le sacré »...* (M. Yourcenar, *op. cit.*).

3. **L'auteur du roman « Le Rouge et le Noir ».** *Les premiers vers de la fable « Le corbeau et le renard ».* On laisse le titre intact et on le fait précéder d'un nom comme *le roman*, etc. Tour commode et régulier, mais parfois un peu encombrant.

4. **L'auteur du « Rouge et du Noir ».** *Les premiers vers du « Corbeau et du Renard »* ou *du « Corbeau » et du « Renard ».* On contracte les deux articles. Le tour n'est pas rare. Je lui reproche de déformer le titre. *La fable du « Loup et de l'Agneau »* (Ac.). *La fable du « Cochet, du Chat et du Souriceau »* (É. Faguet, *op. cit.*, p. 177). *Voyez la fable du « Loup et du Chasseur »* (*Ibid.*, p. 187). *La fable des « Voleurs et de l'Âne »* (...). *Il écrit sa fable du « Renard et de l'Écureuil »* (...). *La fable du « Lion » et du « Rat »* (...). *Celle du « Soleil » et des « Grenouilles »* (...). *La fable des « Deux chiens et » de « l'âne mort »* (A. Adam, *Hist. de la litt. fr. au XVIIᵉ siècle*, t. IV, pp. 44, 45, 47, 51, 54).

5. **L'auteur du « Rouge et Noir ».** On fait la contraction de l'article initial et on supprime le second. Tour peu fréquent, qui déforme aussi le titre : *Le véritable commentaire du « Rouge et Noir »* (...). *La lecture du « Rouge et Noir »* (R.-M. Albérès, *Histoire du roman moderne*, pp. 248, 442). *Des « Odes et Ballades » aux « Rayons et Ombres »* (A. Bellessort, *Victor Hugo*, titre du chapitre I).

6. **L'auteur de « Rouge et Noir ».** On supprime les deux articles. Tour peu fréquent, changeant aussi le titre. André Le Breton abrège volontiers de la sorte le titre du roman de Stendhal, même sans y être entraîné par le problème de la contraction : *Qu'est-ce donc, en somme, que « Rouge et Noir »* ? (...). *Telle est la supériorité de « Rouge et Noir »* (...). *Peu de*

romans sont mieux composés que « Rouge et Noir » (...). *Sans penser à « Rouge et Noir »* (« *Le Rouge et le Noir »* de Stendhal, pp. 8, 219, 235, 318). *Stendhal dans l'épigraphe d'un chapitre de « Rouge et Noir »* (P. Moreau, dans *Revue universitaire*, 1954, p. 1).

7. **L'auteur du « Rouge ».** On ne retient que le premier nom, en faisant la contraction : *Le sous-titre du « Rouge »* (...). *La première partie du « Rouge »* (A. Thibaudet, *op. cit.*, p. 207). Cette façon de faire est peu courante lorsqu'il s'agit de noms communs et elle n'est pas recommandable ; on la tolère mieux si le titre doit être fréquemment cité. Elle n'est pas rare lorsque le titre est formé d'un ou plusieurs noms propres, surtout s'ils sont très particuliers : *Maleine* pour *La princesse Maleine*, *Pelléas* pour *Pelléas et Mélisande*, *Meaulnes* pour *Le grand Meaulnes*, etc. : *Le premier acte de « Maleine »*.

II. On notera l'emploi de l'article masculin singulier devant les titres formés d'un pluriel neutre latin pour désigner un recueil : *le Menagiana*, *Le Bolœana* (cf. *Molière*, Grands écrivains, t. IX, pp. 8, 9).

III. Accord du verbe, etc. Cf. VERBE, *Accord*, A, IV, p. 975.

IV. *J'ai lu* ***tout*** *« Les Misérables »*, *tout « Phèdre ».* Cf. TOUT, B, I, Remarques, 2, p. 929.

Toasteur, n.m., est un synonyme de *grille-pain*, plus courant : *Elle avait laissé une tranche de pain se carboniser dans le toasteur* (J.-L. Curtis, *La parade*, J'ai lu, p. 109).

Tocante, n.f. populaire, « montre ». On écrit aussi *toquante*.

Tocard, adj. et n., populaire, « laid, sans valeur ». On écrit aussi *toquard*, *toquarde*.

Toffée, n.m., mot anglais (*toffee*) employé en Belgique (*des toffées*) pour des bonbons au beurre.

Toilette, n.f., s'emploie couramment en Belgique au lieu du pluriel **toilettes** pour *cabinets* (d'aisances), *water*, *water-closet*, *W.-C.*

Toiletter, v.tr.dir. *On toilette un animal domestique* ; c'est le *toilettage*.

Tokay, n.m. On écrit aussi *tokaï.* Mieux vaut prononcer « tokè ».

Tolérer, v.tr.dir., est suivi du subjonctif après *que. Je tolère, nous tolérons, je tolérerai qu'il s'en aille.*

Tollé, n.m. *Des tollés.*

Tombé, adj. *Des fruits tombés. Un auteur tombé*, dont la notoriété est tombée.

Tomber. 1. V.tr.dir., familier : *Tomber un adversaire, tomber la veste. Tomber une femme.* Auxiliaire *avoir.*

    2. V.intr. Auxiliaire **être.** L'usage actuel a abandonné la distinction entre l'action en train de s'accomplir (*avoir*) et le résultat (*être*) : *Pendant sept heures, la neige qui brillait maintenant au soleil avait tombé* (J. Green, *Moïra,* Poche, p. 225). *Le vent est tombé,* a cessé de souffler. On dit aujourd'hui : *La neige est tombée pendant sept heures* comme *La fièvre est tombée. La nuit est tombée très tôt,* a commencé très tôt.

    a) **Tomber sous le sens.** Cf. SENS.

    b) **Tomber à terre, par terre.** Cf. TERRE.

    c) **Tomber d'accord.** Cf. ACCORD, 2.

    d) **Tomber sur qqn** ou **sur qqch.** peut signifier « rencontrer par hasard » : *Je suis tombé sur le directeur, sur un passage difficile.* Au figuré, *tomber sur qqn,* c'est le critiquer sans ménagement. Fam., *Tomber sur le dos de qqn.*

    e) **Cela tombe bien** ou **mal** est français dans le sens de « arriver à propos ou non ». **Vous tombez bien,** vous avez de la chance. Mais on se gardera de dire : [*C'est bien tombé qu'il fait si mauvais*] au lieu de : *C'est bien regrettable qu'il fasse si mauvais.*

    f) Autre faute courante en Belgique : [*Cela veut justement tomber*] pour : *Cela tombe justement bien.*

    g) **Tomber dans les pommes** veut dire, familièrement, s'évanouir.

    h) Cf. FAIBLE (*tomber faible*), LAC.

Tome, n.m. Proprement, *tome* désigne une division faite par l'auteur lui-même à l'intérieur de la matière qu'il traite ; cette répartition peut correspondre ou non à la division en volumes. En fait, tome et volume se confondent généralement. *La tomaison* d'un dictionnaire. À distinguer du **n.f.** d'un fromage, *tomme* (ou *tome*).

Tommette (ou **tomette**), n.f. Petite brique de carrelage.

Ton, n.m. *Élever le ton. Baisser le ton. Si vous le prenez avec moi sur un ton de supériorité* (Ac.). *Ne pas le prendre sur ce ton. Parler d'un ton convaincu* ou *sur un ton convaincu. Je le ferai chanter sur un autre ton* (Ac.). *Je le lui ai répété sur tous les tons. Se mettre au ton de qqn. Une élégance de bon ton. Le ton d'un discours. Ne pas être dans le ton. Donner le ton. Sortir du ton.* En parlant de couleurs : *Des tons neutres, chauds, criards, dégradés.*

Tondre, v.tr.dir. Après avoir dit d'un avare : *Il tondrait sur un œuf,* on dit aujourd'hui : *Il tondrait un œuf. Il y avait quatre pelés et un tondu* est familier.

Tonitruant, adj. *Une voix tonitruante,* qui fait un bruit de tonnerre, qui tonitrue.

Ni *tonitruance*, n.f., ni *tonitruement* ne sont très vivants pour désigner le caractère de ce qui est tonitruant ou des paroles prononcées d'une voix tonitruante.

Tonneau, n.m., se dit d'une voiture à cheval à deux roues et à deux places, non couverte, aux flancs arrondis et dans laquelle on pénètre par derrière.

Tonnerre, n.m., est vieux et littéraire pour désigner la foudre elle-même. Il désigne un bruit (*coup de tonnerre*). Fam. *Du tonnerre,* loc.adj., formidable, extraordinaire : *Une fille du tonnerre.*

Topographie, n.f. *La topographie* (configuration) *d'un terrain, d'une ville, d'une région.*

Toqué, adj. familier, « un peu fou, bizarre ». *Être toqué de,* être épris de.

Toquer, v., a été transitif. D'où la locution proverbiale, peu vivante : *Qui toque* (offense) *l'un, toque l'autre.* Aujourd'hui, v.intr. dialectal ou familier : *Toquer au carreau, à la porte,* frapper à la porte. Sans complément : *Il a poussé la porte vitrée de la concierge, toqué...* (Aragon, *Aurélien,* p. 101).
      Se toquer de *qqn* ou *de qqch.,* avoir *une* **toquade** pour qqn ou qqch., un engouement brusque, peu raisonnable, et souvent passager (cf. Toqué).

Torcher, v.tr.dir., est employé abusivement dans certaines régions de Wallonie pour *tordre.* Mais il s'emploie encore en France, surtout dans le langage populaire, dans le sens d'« essuyer, avec un linge ou du papier, les saletés qui se trouvent sur qqch. » : *Sur le seuil, une femme jetait des seaux d'eau et, la serpillière à la main, torchait les marches* (H. Juin, *Les hameaux,* Marabout, p. 106). Fam. *Torcher son assiette,* l'essuyer avec du pain.
      Aucune idée de saleté dans *bien ou mal torché,* bien ou mal fait.

Torchon, n.m., se dit en français de ce qui sert à essuyer la vaisselle ou les meubles. Pour ceux-ci on dit aussi *chiffon.* En Belgique on dit *essuie* pour la vaisselle comme pour le corps (cf. Essuie-main), *chiffon* ou *loque à poussière* pour les meubles ; pour le sol, on dit *torchon,* ou [*loque à reloqueter*], alors qu'en France on dit *serpillière* ou, moins répandu, *wassingue.* En français, donc : *Donner un coup de torchon sur la table* ou, au figuré, *dans une affaire. Le torchon brûle* (il y a désaccord, querelle) s'explique par un ancien sens de *torchon,* poignée de foin ou de paille tordue. *Il ne faut pas mélanger les torchons avec les serviettes* (mélanger les choses ou les gens de qualités différentes) montre la différence entre les torchons, qui essuient les choses, et les serviettes, destinées aux personnes. Cf. Loque.

Torchonner, v.tr.dir. ou intr., c'est essuyer avec un torchon ou exécuter de grossiers travaux de nettoyage ; par extension, familièrement, exécuter un travail rapidement et mal : *Torchonner le comptoir, la vaisselle. Elle nettoie et torchonne. Torchonner la besogne.*

Tordant, adj. familier : *Une histoire tordante, une personne tordante*, très amusante.

Tordu, adj., peut s'employer pour *tortu*, devenu plus rare : *Un arbre tordu. Un vieil homme tout tordu. La bouche tordue.* Fam. *Avoir l'esprit tordu*, bizarre, extravagant.

Torgnole, n.f. (gifle), est très populaire.

Torpédo, n.f. aujourd'hui : *Une torpédo.*

Tors, adj., ancien participe de *tordre*, a eu un féminin *torte*, devenu rare : *De la soie torse. Des jambes torses.*

Tort, n.m. *Faire tort à qqn* est vieilli. On dit aujourd'hui *faire du tort* : *Cela lui a fait du tort. Accuser qqn à tort ou à raison. Parler à tort et à travers. Avoir tort. Donner tort à qqn.*

Tôt, adv. Cf. Aussitôt, Bientôt, Sitôt.

Touareg, adj. et n. réputé invariable, est parfois traité comme variable (*touarègue* pour une femme ou *une Targuia*) ou comme le pluriel de *Targui*. Dire ou écrire : *un* ou *une Touareg. Des Touaregs.*

Touche, n.f. Littré donne encore le sens (10) : « Petit brin de bois ou de quelque autre chose dont les enfants qui apprennent à lire touchent les lettres qu'ils veulent épeler ». D'où, peut-être, en Belgique et en Suisse, le sens de *crayon d'ardoise.*

Toucher, v.tr.dir. ou ind. *Ne me touchez pas. Toucher terre. Toucher le fond de qqch. Cette affaire ne me touche pas. Je lui en ai touché un mot. Toucher un pourcentage, son traitement. Vos reproches m'ont touché. Je suis touché de* (ou *par*) *votre sympathie. Toucher au vif. Je suis touché que vous ayez pris cette peine* ou *de voir que vous avez pris... Toucher un sujet* a vieilli. On dit : *Toucher à un sujet. Toucher à ses économies. Ne pas toucher aux allumettes. Toucher à un plat. Toucher à des usages*, y apporter des corrections. *Sans avoir l'air d'y toucher. Un enfant qui touche à tout* (*un* ou *des touche-à-tout*). *Une affaire qui touche à sa fin.*

Touffeur, n.f., est peu courant et littéraire : *La touffeur d'un salon* où l'on étouffe. *Une touffeur d'orage.*

Touiller, v.tr.dir., est familier : *Touiller une crème, une potée. Touiller les cartes*, les battre, les mêler.

Toujours, adv. 1. De tout temps : *J'ai toujours entendu dire que... Il est toujours si serviable ! Il se promène toujours avec le même chapeau. Depuis toujours. Pour toujours. Comme toujours. Presque toujours. C'était le public de toujours. Il le regrettera toujours. Il ne dira **pas toujours** cela. Il n'est pas toujours à l'heure.*

2. Encore (au moment où se situe le procès du verbe) : *Jacques dormait toujours, la bonne aussi* (M. Duras, *Les petits chevaux de Tarquinia,* Folio, p. 7). *Les autres ont déjà remis leur copie et il écrit toujours. Il pleut toujours,* il continue à pleuvoir. C'est à tort que, dans certaines régions dont la Belgique, on dit dans ce cas *encore toujours,* au lieu de *toujours* ayant le sens de *encore.* Dans ce sens de *encore, toujours* précède *pas : Ils ne sont **toujours pas** arrivés. Il ne pleut toujours pas.*

3. En attendant : *C'est toujours ça de pris. Je vous rejoindrai, allez toujours. Prenez toujours cela. Payez toujours, on verra ensuite.*

4. En tout cas, quoi qu'il arrive : *Toujours est-il qu'il était fâché. C'est toujours ça de pris sur l'ennemi. Il y aura toujours bien une place pour nous.* Sauf dans *toujours est-il que...,* ces emplois appartiennent surtout à la langue parlée et deviennent même nettement familiers quand *toujours* est rejeté en fin de phrase : *C'était ça de pris sur l'ennemi, toujours.*

Avec *pas* suivant *toujours,* comme en 2 : *Ce n'est **toujours pas** la bonne volonté qui lui manque.* Fam. *Tu peux toujours courir,* tu n'obtiendras rien, quoi que tu fasses.

Tour, n.m. 1. **Faire un tour** *au jardin, en ville, sur le port, dans les bois, aux Champs-Elysées. Je vais faire un tour.* Distinguer de *faire **le tour** du parc.*

2. **Jouer un bon tour,** *un mauvais tour, un sale tour, un tour de cochon* (à qqn). Cf. COCHON.

3. **Tour à tour,** loc. adv., « l'un après l'autre, alternativement », implique une pluralité dans les sujets, les compléments, les états ou les actions : *Nous le ferons tour à tour. Il nous a reçus tour à tour. Il a été grave et plaisant tour à tour. Montrer tour à tour du courage et de la faiblesse.* C'est en renvoyant à *chacun* comme au pluriel *tous* que Baudelaire a écrit : *Et mon sein, où chacun s'est meurtri tour à tour* (*La beauté*) au lieu de : *chacun à son tour.*

4. On dit : **C'est mon tour** ou **c'est à mon tour,** *c'est au tour de mon frère, c'est à mon tour de prendre la parole,* **chacun à son tour** ou (détaché du verbe) **à chacun son tour** ou **chacun son tour** : *Patientons. Chacun son tour.* Mais : *Chacun parlera à son tour, chacun l'a fait à son tour.*

5. **En un tournemain,** très rapidement, reste correct mais est plutôt littéraire. On dit couramment : **en un tour de main.**

6. *Frapper à tour de bras. Un tour de reins. Un tour de taille. Un tour de ville.*

Tourner, v.tr.dir. *Tourner le coin de la rue, une difficulté, la loi. Tourner la page, tourner la tête à qqn, tourner le dos à qqn, tourner un reproche en compliment, tourner qqch. à son profit.* **V.intr.** *La tête lui tourne. Ça ne tourne pas rond. Tourner autour de qqn. Tourner de l'œil. Tourner court. Tourner à gauche. Le vent tourne. Ce jeune homme a mal tourné. Le lait a tourné. Le vent tourne au nord. Le temps tourne au froid. Cela tourne au tragique* (évolue vers). *Sa grippe tourne à une bronchite. Tourner en*, se transformer en : *Il nous fera tourner en bourrique.* **Composés,** cf. NOMS COMPOSÉS, B, 5, p. 626.

Tournis, n.m. On ne prononce pas l'*s*. Nom d'une maladie des bêtes à cornes qui se traduit notamment par une sorte de vertige. D'où l'emploi familier, en français, dans le sens de « vertige » : *J'ai le tournis. Vous me donnez le tournis.* Le français régional de Wallonie, à l'imitation du dialecte, prononce l'*s* et fait de ce mot un adjectif appliqué aux personnes prises de vertige : [*Je suis tournis*].

Tournoi open. Dire : *tournoi ouvert.*

Tour-operator, n.m., est proscrit officiellement, de même que *tour-opérateur*. On recommande *voyagiste* ou *organisateur de voyages*.

Tout peut être nom, adjectif, pronom ou adverbe.

    A. **Nom** (*un tout, des touts*), il signifie soit l'ensemble, la somme des parties, soit ce qu'il y a d'essentiel : *Risquer le tout pour le tout. Le grand Tout. Il y a une différence du tout au tout. Mon tout* (le mot entier, dans une charade). *Le tout est de bien finir.*

    Il ne s'emploie sans déterminant (article, etc.) que dans l'expression **tout ou partie** suivie d'un complément : *Il pourra reprendre tout ou partie de ce qu'il aura apporté.*

    Du tout (en dehors de *du tout au tout*, cf. ci-dessus) est vieilli dans une phrase affirmative. Il ne s'emploie plus que dans une phrase négative (*ne pas, ne plus, ne rien, sans*) et renforce la négation : *Il ne fait pas froid du tout. Je n'y tiens pas du tout. Ce n'est pas cela du tout* ou *Ce n'est pas du tout cela. Ce n'est pas du tout présentable. Je ne le vois plus du tout. Il n'aura rien du tout. Sans du tout savoir que c'était défendu. Sans rien du tout.* Par ellipse, *du tout* peut parfois s'employer au lieu de *pas du tout* : *Pensez-vous qu'il se soit excusé ? Du tout.*

    B. **Adjectif,** il est qualificatif ou rattaché à la catégorie des « indéfinis ».

    I. **Adjectif qualificatif,** il signifie « entier, complet » (sauf dans *pour tout,* cf. plus bas) et ne s'emploie qu'au singulier : devant un article défini (*toute la nuit, pour tout l'or du monde*) ou indéfini (*toute une nuit, tout un temps,* cf. TEMPS ; *c'est toute une affaire, toute une histoire, tout un problème,* c'est une véritable (et grave) affaire, etc.) ou un adjectif démonstratif (*toute cette saison*) ou possessif (*de tout mon cœur, toute mon amitié, s'étendre de tout son long*), devant un nom commun (cf. remarque 1) sans article (*c'est tout bénéfice, donner toute satisfaction, avoir tout intérêt à, à toute allure, à toute vitesse, à toute extrémité, en toute liberté, en toute impunité, en toute amitié, de toute éternité, de tout cœur, de tout repos,* etc.), devant un nom propre (*toute la France, tout Rome, tout Mme de Sévigné* ; cf. remarque 2), devant les pronoms démonstratifs *ce, ceci, cela, celui* (cf. remarque 3), devant un pronom personnel (cf. remarque 4), devant le relatif *quoi* régi par une préposition, (*de tout quoi il résulte* ; cf. remarque 5), ou comme adjectif détaché, toujours dans le sens de « tout entier », qui d'ailleurs le remplace souvent dans la langue de tous les jours (*Cette somme est toute où vous l'avez laissée. Elle tremblait toute. Un voile qui la couvrait toute* ; cf. remarque 6).

Remarques :

1. Devant un nom commun sans article, **pour tout** signifie généralement « pour unique », « pour seul » et s'emploie rarement aujourd'hui devant un pluriel, à moins que le nom ne soit usité (dans ce sens) qu'au pluriel : *pour toute nourriture, pour tout potage, pour toute réponse, pour tout vêtement, pour tous gages.*

2. **Devant un nom propre** : celui-ci peut désigner un pays, une ville, une personne (pour désigner l'ensemble de son œuvre), un titre. Si l'on parle, avec une certaine hyperbole, de tous les habitants d'une ville, on laisse *tout* invariable. Il y a plus d'hésitation s'il s'agit de la ville elle-même, mais on emploie souvent le masculin : *Tout Rome assista à son triomphe. Tout Rome* (ou *toute Rome*) *brûlait.* On dit avec l'article : *Toute la Rome des empereurs. Le Tout-Paris.*

Devant un **titre d'œuvre**, *tout* reste invariable si le titre est cité avec un déterminant (article, etc.) qui y est inclus : *J'ai lu tout « Les rayons et les ombres », tout « Les misérables »,* mais *tous les « Contes d'Espagne et d'Italie ».* On n'hésite pas à dire cependant : *J'ai lu toutes « Les fleurs du mal ».* On dit : *J'ai lu tout « Phèdre », tout « Madame Bovary », tout « Les affaires sont les affaires ».* On fait généralement l'accord si le titre commence par un article féminin singulier : *Toute « La Chartreuse de Parme »* (ou *« La Chartreuse de Parme »* en entier).

3. On dit **tout ceci, tout cela**, mais **tout ce, tout celui,** *toute celle* ne s'emploient que devant une relative : *Je reverrai tout cela. Tout ce que je sais. Il dit tout ce qui lui passe par la tête. Tout le mal qu'il fait et tout celui qu'il peut faire. Tous ceux qui l'ont vu.*

4. Rares et plutôt affectés sont les emplois de *tout* devant un pronom personnel : *C'est **tout lui**, c'est **tout toi**.*

5. Assez rare (et juridique) est l'emploi de *tout* entre une préposition et *quoi* : *De **tout quoi** on a dressé procès-verbal.*

6. **Adjectif détaché**, au sens de « tout entier » : *En elle, je me retrouve tout* (si le sujet est masculin), *toute* (si le sujet est féminin). *Je connaissais cette plaine (...). Et je la reconnaissais toute* (M. Genevoix, *Un jour*, p. 13). Au pluriel, *tout* ne peut être employé de la sorte : *tous* et *toutes* sont alors pronoms (cf. p. 933) et signifient « tous , toutes, sans exception ». Comparer : *Cette conversation, je pourrais la redire toute* (tout entière). *Ces conversations, je pourrais les redire toutes* (sans exception). Il faudrait, pour exprimer l'idée de « tout entières », dire : *je pourrais les redire tout entières* ou *tout à fait*.

7. Dans **être** (*se faire, se donner*) **tout à tous** ou *tout à chacun*, le premier *tout* signifie « tout entier » ; il est attribut du sujet ou du pronom réfléchi complément et il s'accorde : *Cette femme charitable se fait toute à tous*, se donne tout entière à chacun. Mais si l'expression se rapporte à un pluriel, *tout*, pour éviter l'équivoque avec le pronom (cf. C), prend une valeur d'adverbe (cf. D) et signifie « entièrement » : *Ils étaient tout à tous*. En effet, *ils étaient tous à tous* voudrait dire : tous sans exception étaient à tous.

On ne confondra pas cet emploi de *se faire à* avec celui qui signifie « s'habituer à » : *Elles se faisaient toutes à leurs nouvelles voisines* ; ici, *toutes* est pronom apposé à *elles* (cf. p. 933).

II. **Adjectif « indéfini »**, *tout* signifie :

1. **Au singulier**, chaque, n'importe quel, toute espèce de ; le nom s'emploie sans article : *À toute heure du jour ; à tout moment* (ou *à tous moments*), *de toute sorte* (ou *de toutes sortes*) ; *contre toute attente. Toute autre chose* (n'importe quelle autre chose) *lui conviendrait mieux.*

Il peut être subtil de distinguer, devant un substantif abstrait *tout* adjectif qualificatif (entier, complet, cf. I) et *tout* adjectif indéfini (n'importe quel, toute espèce de) : *Abandonner toute pudeur. En toute simplicité.*

Notons l'expression archaïque **tout un chacun** : *Tout un chacun vous le dira. Faire plaisir à tout un chacun.*

[*Tout qui*] s'emploie fréquemment en Belgique pour *toute personne qui, tous ceux qui, quiconque.* Il faut dire : *Quiconque l'a entendu sait à quoi s'en tenir. Pour quiconque réfléchit un peu, ses intentions sont claires.* Il ne faut pas confondre ce [*tout qui*] avec *qui* employé sans antécédent dans le sens de « celui qui » : *Qui a bu boira. Il répète à qui veut l'entendre.*

On se gardera de dire [*tout quiconque*] ou [*quiconque qui*]. Cf. QUI-CONQUE.

2. **Au pluriel** : a) La totalité de, sans exception ; *tous* (dont l'*s* ne se prononce pas, sauf en liaison) est suivi d'un nom ou d'un numéral précédé ou non d'un déterminatif ; il précède les pronoms démonstratifs *ceux-ci, celles-ci* ; il suit les pronoms personnels *nous, vous, eux, elles* : *Tous les hommes, toutes ces joies, à tous égards, en toutes lettres, tous deux, tous les deux, tous ceux-ci, nous tous, elles toutes.*

À propos de **tous (les) deux,** *toutes les deux minutes,* observons que l'article, même si un nom ne suit pas le numéral, est d'un usage courant ; il est facilement omis jusqu'à quatre, rarement au-delà.

Notons l'emploi de *tous, toutes* dans certaines expressions où il n'y a que deux choses : *s'enfuir* à **toutes jambes,** *écouter de toutes ses oreilles, regarder de tous ses yeux.*

Devant un nom sans article et avec lequel il s'accorde, on emploie *tous* (prononcé sans *s,* sauf en liaison) et *toutes* pour inclure sans exception ces personnes ou les choses dans l'espèce désignée par le nom : *Il fut obligé de solliciter, d'avancer de l'argent, de répondre : toutes choses fort désagréables* (Littré). *J'amènerai Pierre, Jean et Louis, tous garçons sympathiques. Ce sont toutes fables que vous contez là* (Littré). *Ce sont tous contes à dormir debout. Ce sont tous tissus infroissables. Ce sont tous mensonges.* C'est une faute, qu'on entend en Belgique mais aussi dans le français populaire, de mettre *des* entre *tous* et le nom. On laissera aussi à la langue populaire l'emploi de *tout* au lieu de *tous* dans de telles phrases : [*C'est tout mensonge* ou *c'est tout des mensonges* ou *Ce sont tous des mensonges*]. Mais on pourrait dire *autant de.*

b) *Tous, toutes* peuvent marquer la répétition, la périodicité devant un nom pluriel exprimant un laps de temps ou un espace : *Tous les deux ans ; toutes les heures ; tous les premiers dimanches du mois ; tous les cent mètres ; toutes les dix pages.* Familier : *tous les combien.* Cf. COMBIEN, 2.

Remarques. 1. Tout le premier varie : *Nous y avons cru, tous les premiers.* Mais on dit beaucoup plus souvent *le tout premier* (cf. D, p. 934).

2. **Singulier ou pluriel** dans certaines expressions. On a le choix, mais le singulier tend parfois à l'emporter (sauf dans *de toutes sortes*), sans toutefois s'imposer, dans *en tout cas, toute affaire cessante, tout compte fait, de toute façon, de tout genre, en tout genre, en tout lieu, de toute manière, à tout moment, en toute occasion, de toute part, à tout point de vue, à tout propos, en toute saison, en tout sens, de toute taille, de tout temps, en tout temps, une voiture tout terrain* (ou *tous terrains*), *à tout venant.* On écrit plus souvent *de toutes sortes, en tous points, toutes proportions gardées.* On écrit *de tout côté* ou *de tous côtés.* On préfère *toute espèce de* au singulier : *Il se livre à toute espèce de suppositions.* Le sens appelle le singulier ou le pluriel dans *pour toute raison.*

On n'emploie plus guère *toutes sortes de* qu'au pluriel et devant un pluriel : *Toutes sortes de raffinements* (M. Yourcenar, *L'œuvre au noir,* Poche, p. 8). Cependant : *Le tapis par terre, et toute sorte de napperons à pompons sur les meubles* (Aragon, *La mise à mort,* p. 234).

Singulier dans : *à tout âge, à toute allure, contre toute attente, en tout bien tout honneur, à toute bride, de tout cœur, à toute force, à tout hasard, à toute épreuve, à tout prix, en toute simplicité, de toute nature, à toute heure, à toute minute, en toute hâte, en toute liberté, à toute vitesse,* etc.

Pluriel dans *à tous crins, à tous égards, à toutes jambes* (cf. plus haut, p. 931), *en toutes lettres, être à toutes mains, inventer de toutes pièces, toutes voiles dehors, tourner à tous vents, toutes choses égales,* etc.

3. Emploi belge et fautif de *tous côtés* dans le sens de *partout* ou *de tous côtés*. [*Ils ont couru tous côtés. Regardez bien tous côtés*].

4. **Négation.** On dit parfois qu'il y a déplacement de la négation avec l'adjectif ou le pronom *tout*. C'est faux. La négation porte sur le verbe : *Toutes ces distinctions n'ont plus aucune utilité. Toutes questions qui n'ont jamais reçu de réponse. Toute sa science ne l'empêche pas de se tromper. Tout cela ne m'intéresse pas.* On ne nie pas *tout,* mais ce qui, dans une phrase positive, serait dit du sujet, comme dans : *Tout cela m'intéresse.* De même dans cette phrase de Littré : *Tout ce qui est créé n'est pas éternel* (= Rien de ce qui est créé n'est éternel) ; on nie la possibilité d'appliquer le caractère éternel à la totalité de ce qui est créé.

Si, dans certains cas très usuels, *ne pas* restreint *tout,* il faut observer que la négation n'est pas déplacée ; *ne pas* ne peut encadrer que le verbe : *Tous vos collègues ne sont pas de votre avis* ; la totalité n'est pas dans l'état indiqué ; elle comporte des exceptions. C'est ce qu'on peut exprimer dans une phrase positive en disant *pas tous* dans le corps de la phrase (*Certains de vos collègues, pas tous, sont de votre avis*) ou en apposant *tous* au sujet après le verbe nié : *Vos collègues ne sont pas tous de votre avis* (cf. C, Pronom). *Tout ce qui reluit n'est pas or. Toute vérité n'est pas bonne à dire* (N'importe quelle vérité n'est pas bonne à dire. La vérité n'est pas toujours bonne à dire). *Ils ne mouraient pas tous.* Cette nécessité de placer *ne pas* aux côtés du verbe peut créer une équivoque. *Tous les candidats n'ont pas répondu à cette question* pourra d'ailleurs se dire, selon le sens : *Aucun candidat n'a répondu à cette question* ou *Les candidats n'ont pas tous répondu à cette question.* Il n'y a certes aucune équivoque dans *Toutes les réponses ne sont pas satisfaisantes,* mais on peut dire : *Certaines réponses seulement sont satisfaisantes* ou *Certaines réponses, pas toutes, sont satisfaisantes.*

5. **Répétition** de *tout.* Généralement, *tout* se répète devant chacun des noms juxtaposés ou coordonnés qu'il détermine, surtout s'ils ne sont pas de même genre : *Toutes promesses, tous engagements. Toutes les promesses, tous les engagements.* On peut dire : *Tous les jeux et divertissements* (deux synonymes). *Toutes les personnes ou les choses dont il s'agit* (il s'agit d'un ensemble).

C. **Pronom.** Pour la négation, cf. ci-dessus, B, II, remarque 4.

1. *Tout,* pronom, peut être employé sans antécédent ou bien résumer ce qui précède ou annoncer ce qui suit : *Après tout. Tout compris. En tout et pour tout. Tout a été dit. J'ai tout prévu. Femmes, moine, vieillard, tout était descendu* (La Fontaine). *Mais tout dort, et l'armée, et les vents, et Neptune* (Racine). Avec une négation : *Tout n'a pas été dit* ; la négation restreint *tout* (cf. B, II, 4).

2. **Tous** (on prononce *s*), **toutes** sont employés seuls (*Tous l'ont deviné. Toutes sont parties. Il est abandonné de tous. Il étale sa richesse aux yeux de tous*) ou peuvent représenter un mot précédent (*Je connais vos amis. Tous sont sympathiques. Une fois pour toutes*) ou être mis en apposition à un nom ou à un pronom qui précède (*Elles me font toutes pitié. Vous êtes tous ainsi. J'ai interrogé plusieurs personnes, qui toutes m'ont répondu. Ils sont presque tous morts. Je les ai tous reconnus. Il nous a tous trompés. Je les connais tous. Ils espèrent tous*) ou qui suit (*Ce que tous nous pensons. Tu peux toutes les prendre. Ce sont tous d'anciens combattants*). Dans ce dernier cas, certains grammairiens considèrent *tout* comme un adjectif indéfini détaché. D'autres, dont je suis, y voient un pronom ; on peut avoir d'autres pronoms ainsi employés : *Je le crois, lui. Il me croit, lui. Ce que chacun nous pensons. Je les recevrai chacun à son tour.*

On n'emploie pas le pluriel *tous, toutes* comme complément d'objet. On dit : *Je les connais tous. Je les ai tous rencontrés.* Mais : *Je connais toutes ces personnes.*

Comme tout, cf. COMME, 15.

Tout ce qu'il y a de, cf. VERBE, *Accord,* p. 968 et ADJECTIFS QUALIFICATIFS, *Accord,* p. 45.

Dans **tout ce qu'il y a de plus,** le verbe *avoir* reste au présent si la locution est figée dans le sens d'*extrêmement. Ce café était tout ce qu'il y a de plus fort.* Mais on dirait : *Tout ce qu'il y avait de plus distingué dans la ville se pressait à cette réception* ; il ne s'agit plus ici d'une locution figée.

D. **Adverbe. Sens et emploi.** *Tout,* adverbe, signifie « entièrement, tout à fait » ou, dans le tour concessif *tout... que,* « si » ou « quelque » (cf. plus loin, remarque 13). Il peut déterminer un adjectif, une locution adjective, un adjectif verbal, un adverbe, une préposition (*tout à côté de, tout contre*), un participe passé à valeur d'adjectif, un gérondif, mais non un verbe. On ne peut dire : [*Il va tout se salir*]. Il peut aussi s'employer devant un nom dans le sens de « entièrement ». Voir p. 934, *accord.*

Comparaison avec très. *Très* marque un degré très élevé. On a souvent (pas toujours), le choix entre *tout* et *très* devant un adjectif. Mais *tout,* d'un emploi beaucoup plus limité, convient particulièrement dans le sens, noté plus haut, de « tout à fait », s'il s'agit d'un état momentané : *La bouteille est toute pleine. Son linge est tout mouillé. Elles sont tout étonnées. Le ciel est tout bleu. Elles se sont fâchées tout rouge* (*rouge* est adverbe). *Il est très aimable* peut marquer la constance ou le degré passager, mais *Le voilà tout aimable* marque mieux un état passager. Cependant *Un tout grand savant* dit nettement plus qu'*un très grand savant* ; il marque en quelque sorte une limite idéale. Mais on ne dira pas en guise d'éloge : *un tout vieux bijou,* parce qu'il n'y a pas de limite idéale à la vieillesse d'un bijou. Par contre, on parlera d'*un tout* (ou *très*) *bon travail.* On dit : *Je suis tout content* (ou *très content*), mais non « *Je suis tout* *satisfait* ». On distingue : *C'est très juste, extrêmement juste* et *C'est tout juste* qui peut avoir deux sens très différents : « C'est à peine suffisant » ou « Cela convient exactement ».

Tout s'emploie avec la valeur de « tout à fait » comme devant des adjectifs et reste parfois invariable (cf. plus loin, *Accord*) dans de nombreuses expressions : *être tout en larmes, tout en sang, tout en sueur, tout feu, tout flamme, tout yeux, tout oreilles, tout hors d'haleine, aller tout de travers, tout à la fin du livre, tout au fond du tiroir, tout au bout de la table.* Aussi devant certains adverbes : *parler tout haut, tout bas* (à côté de *très haut, très bas* qui, notons-le, disent davantage), *refuser tout net, tout bonnement, tout simplement.*

Devant un gérondif, on emploie *tout,* qui marque l'aspect de la durée ; dans ce cas, il ne se répète pas : *Tout en parlant et en marchant, il observait son ami.*

On emploie uniquement *très* dans certaines expressions comme *frapper très fort, voir très clair, entendre très bien, écrire très lisiblement, raisonner très juste, agir très habilement,* etc.

Par contre, on ne peut dire que *le tout premier, le tout dernier, en toute première ligne, en toute dernière position, les tout derniers jours du mois.*

Accord. *Tout,* adverbe, est normalement invariable. Mais on a gardé l'ancien usage, qui traitait les mots selon leur nature (*tout* étant par nature adjectif), lorsque *tout* **précède un adjectif féminin** commençant par une consonne ou un *h* aspiré (très rarement devant une semi-voyelle ; on écrit généralement : *tout ointe, tout huileuses*). *Tout* varie alors non seulement en genre mais en nombre. *Ils sont tout tristes. Elles sont toutes surprises, tout attristées.* Voir plus loin, 13, *tout que.*

Elles sont toutes surprises peut signifier aussi : « Toutes sont surprises ». On peut recourir à ce dernier tour pour dissiper l'équivoque.

Il semble qu'on veuille faire parfois une distinction au singulier. Colette écrit : *Vous me vouliez toute empêtrée de crêpe* (*O.C.,* II, *La retraite sentimentale,* p. 473) ; de la tête aux pieds, toute la personne) et *tout empêtrée de sa lampe* (*O.C.,* III, *L'ingénue libertine,* p. 13 ; très fortement empêtrée). De même Julien Gracq, qui respecte la règle générale, écrit en parlant d'une ville : *Maremma toute injectée de lumière, Maremma tout emmêlée à sa nuit m'apparaissait comme une nébuleuse de ville, tout entière en vagues caillots de brouillard* (*Le rivage des Syrtes,* pp. 88-89) ; *toute injectée* veut faire comprendre que le sens n'est pas « tout à fait », mais « entièrement, toute la ville, la ville entière ». De telles subtilités se justifient mais ne s'imposent pas.

Il arrive que, par archaïsme ou par analogie avec l'exception qu'entraîne un adjectif féminin commençant par une consonne, on fasse l'accord de *tout,* du moins au singulier, devant un adjectif commençant par une voyelle ou un *h* muet. La fidélité de certains écrivains à cet usage empêche que ce soit une faute, mais il vaut beaucoup mieux écrire : *tout entière, tout attristée.*

Tout peut aussi avoir une valeur d'adverbe et, avec le sens d'« entièrement », exprimer la plénitude **devant un nom au singulier,** épithète, apposé, attribut. *Il est tout énergie* signifie « Il est entièrement énergie, tout à fait énergie », ou « plein d'énergie », mais est souvent interprété comme l'équivalent, un peu renforcé, de « Il est très énergique ». On peut soit laisser *tout* invariable, soit l'accorder avec le nom qui suit, soit le traiter comme devant un adjectif (trois solutions, donc) : *Il est tout ombre et tout soleil* (Colette, *O.C.,* XIV, p. 221). *Lui-même était tout réticence* (J. Green, *Les années faciles,* Poche, p. 64). *Dans sa vie intérieure, Douve, tout imagination et sensibilité, passait d'un extrême à l'autre* (L. Estang, *Les stigmates,* Poche, p. 94). *J'étais tout consentement, tout adoration* (M. Genevoix, *Un jour,* p. 141). *Prostrée, atteinte, mais tout espérance* (La Varende, *La tourmente,* p. 186). *Ces astres qui sont toute énergie* (...). *Tam-tam, vous êtes toute musique* (M. Bedel, *Traité du plaisir,* pp. 23, 109). *Découpé sur cette lueur, tout ombre, il projetait contre le mur sa silhouette aiguë* (H. Bosco, *Malicroix,* Folio, p. 248). *J'étais tout passivité* (Id., *L'antiquaire,* Folio, p. 72).

Le traitement de *tout* peut être influencé par le sujet. Si celui-ci est féminin, on fera plus facilement l'accord de *tout* avec le nom féminin qui suit : *Mme Peloux était toute âme* (Colette, *O.C.,* VI, p. 122).

Parfois même on trouve *toute,* se rapportant à un nom féminin, alors qu'il est suivi d'un nom masculin : *Une chienne qui était elle-même toute feu caché et secrets* (Colette, *La naissance du jour,* Flammarion, p. 32). Mais ce n'est certainement pas à imiter.

L'usage est si indécis qu'il est impossible de privilégier vraiment une des trois solutions citées plus haut. On peut seulement conseiller (mais non imposer), en tenant compte des fréquences et du sens, de traiter *tout* comme devant un adjectif, c'est-à-dire de le faire varier si le nom qui suit est féminin et commence par une consonne ou un *h* aspiré : *Une jeune vie humaine, tout ignorance et tout audace* (G. Bernanos, *Monsieur Ouine,* p. 25). *Elle est tout silence* (G. Cesbron, *Notre prison est un royaume,* p. 254). *Mais ce jeune Caillois, tout intelligence* (M. Yourcenar, *Discours de réception à l'Académie française*). *Il est toute sagesse. Elle est tout innocence. Elle est tout cœur et toute passion. Ce sont des gens qui sont tout cœur et toute générosité.* Devant un nom propre de personne, *tout* reste invariable (tour familier) : *Ça, c'est tout Suzanne !*

Tout reste généralement invariable, dans le même emploi (apposition ou attribut), **devant des noms au pluriel,** décrivant un état : *Les mouches, tout nerfs et tout ailes, faisaient vibrer l'air* (H. Bosco, *Antonin,* p. 104). *C'est tout plumes ornementales* (Id., *L'antiquaire,* Folio, p. 105). Sandfeld (I, pp. 424, 425) cite des exemples : *Un gros homme débonnaire, tout sourcils. Il s'était montré d'abord tout sourire et prévenances. Un de ces sauts-de-lit compliqués, tout lingerie et dentelles. Elle, en poupée de luxe, tout volants et dentelles.* On trouve cependant l'accord. Mais *tout* reste invariable dans quelques expressions : *Une étoffe tout laine ; un foulard tout soie ; être tout yeux, tout oreilles ; être tout feu, tout flamme.*

Tout que : cf. plus loin, remarque 13.

REMARQUES.

1. **Dans sa toute jeunesse.** Sur le modèle de *toute-puissance*, correspondant à l'adjectif *tout-puissant*, et de *en toute amitié* (en complète amitié ; cf. B, I), on a formé des expressions insolites comme *la toute jeunesse, la toute enfance*, correspondant à *tout jeune, tout enfant*. On dira plutôt : *Dans son extrême jeunesse, dans sa petite enfance.*

2. **Le tout début, au tout début.** Bien que le PR admette *au tout début* et qu'on puisse citer des auteurs qui ont écrit *le tout début du règne* ou *du siècle* (au lieu de *les premières années du règne* ou *du siècle*), *le tout début du printemps* (au lieu de *les premiers jours du printemps*), *au tout début* (au lieu de *tout au début*), on fera mieux d'éviter ces tours, dans lesquels Julien Green voit un bel « exemple du charabia contemporain ».

3. *Tout* **suivi d'un complément prépositionnel** (*tout à, de, en, entre*). L'usage est hésitant : il traite parfois *tout* comme adverbe, beaucoup plus souvent comme adjectif détaché (cf. B,I, remarque 6). On peut profiter de cette latitude, mais au pluriel on se gardera de l'équivoque : *Elles étaient toutes en noir* veut dire « toutes sans exception », tandis que *Elles étaient tout en noir* signifie : Elles étaient tout à fait en noir. Comparer de même : *Ils sont tout à leur devoir* et *Ils sont tous à leur devoir.*

Colette écrit : *Elle était toute à son souci* (*La maison de Claudine, Amour*), puis croit devoir corriger : *Elle était tout à son souci* (*O.C.*, VII, p. 20). *Elle était toute à la pensée des injustices* (M. Aymé, *Le vin de Paris*, p. 145). *Mme Gallimard qui, toute à la joie des vacances...* (*Le Figaro littéraire, Aux quatre coins*, 26 juillet 1952). *Toute en deuil* (N. Sarraute, *Portrait d'un inconnu*, 10/18, p. 163). *La soupe elle-même était rude (...), toute en pain* (H. Bosco *Malicroix*, Folio, p. 155). *Elle* (ma maison) *est haute et étroite, toute en fenêtres pour prendre le jour* (A. Blondin, *Les enfants du bon Dieu*, Folio, p. 13). *Ma chambre (...) est toute en longueur* (G. Duhamel, *Le bestiaire et l'herbier*, p. 105). *Elle* (la cuisine) *était toute en longueur* (Giono, *L'oiseau bagué*, Folio, p. 26). *Toute en rubans et fossettes* (G. Beaumont, *Silsauve*, p. 21). *Il avait une énorme face plate, sans front, toute en mâchoires* (M. Aymé, *Le vin de Paris*, p. 117). *Sa longue figure de coin, toute en nez* (M. Yourcenar, *L'œuvre au noir*, Poche, p. 9). *Il y en avait une, très blonde, toute en noir* (J. d'Ormesson, *L'amour est un plaisir*, Poche, p. 94). *Une jolie petite vieille toute en dentelle* (M. Jouhandeau, *Chaminadour*, Poche, p. 205). *J'étais déjà toute en sueur* (M. Butor, *Passage de Milan*, 10/18, p. 149). *Elle était toute en jambes* (J.-L. Curtis, *Un jeune couple*, Poche, p. 77). *Henriette se déchaîne comme une furie, toute en gestes, en paroles, avec de longues tirades* (E. Triolet, *Le premier accroc...*, Folio, p. 372). *Toute en virages, la route...* (B. Clavel, *L'espion aux yeux verts*, J'ai lu, p. 77). Moins souvent, on laisse *tout* invariable : *Elle était tout en noir* (Fr. Mallet-Joris, *Le jeu du souterrain*, p. 81). *Elle était tout en larmes* (Ac.).

Dans tous ces exemples, la préposition (*à, en, entre*) se lie à *tout* et l'oreille ne distingue pas *tout* et *toute*. Si la préposition commence par une consonne, on fait plus facilement l'accord au singulier avec le nom auquel l'expression se rapporte : *La première journée ici, toute de fatigue* (J. Green, *Les années faciles*, Poche, p. 145). *Une vie toute de travail. Une pièce toute de circonstance. Un sujet tout de circonstance.* Mais on dit : *Elle était vêtue tout de noir.* Au pluriel, l'accord peut entraîner une équivoque (cf. B, I, remarque 6, p. 930, C, 2, p. 933).

Tout d'une haleine, tout d'une pièce, tout d'une traite, tout de travers, etc. sont généralement invariables. Mais l'invariabilité n'est exigée que si ces expressions se rapportent à un verbe et non pas à un nom ou à un pronom : *Elle se dressa tout d'une pièce. Elles se tiennent tout de travers. Cette femme est tout* (ou *toute*) *d'une pièce. Des colonnes tout* (ou *toutes*) *d'une pièce.*

Au pluriel : *Ils se dressent tous d'une pièce. Elles se tiennent toutes de travers* auraient un autre sens : tous ou toutes, sans exception.

Tout reste invariable dans *tout de mon long, tout de son long* : *Étendez-vous tout de votre long. Elles s'étendirent tout de leur long.* On dit souvent : **de tout son long, de tout leur long**.

Je suis toute à vous. Si une femme écrit : *Je suis tout à vous*, la formule n'est que de politesse ; *toute à vous* peut être interprété comme exprimant la passion ou la tendresse. Mais des auteurs tiennent la distinction pour négligeable ou la croient même fictive. On fera bien cependant de ne pas la perdre de vue.

4. **Tout autre.** *Tout* est adjectif et variable s'il signifie « n'importe quel » ; il peut alors être rapproché du nom, suivi de *autre* : *Toute autre attitude m'aurait déçu. Demandez-moi toute autre chose* (toute chose autre, n'importe quelle autre chose). *Tout* est adverbe s'il signifie « tout à fait » et ne peut être séparé de *autre* ou *un autre* : *C'est tout autre chose. C'est une tout autre affaire. C'est tout une autre affaire* (tout à fait une autre affaire).

5. **Tout comme** est correct et signifie « c'est exactement comme si... » : *Il ne l'a pas dit nettement, mais c'est tout comme.*

6. **Tout partout**, populaire, est une survivance de l'ancienne langue.

7. **Tout plein** : cf. PLEIN.
À tout le moins : cf. MOINS.

8. **Tout à coup, tout d'un coup** n'ont pas le même sens, mais la distinction entre les deux n'est pas toujours sensible ni respectée. Si *tout d'un coup* doit s'employer dans le sens de « tout en une fois » (*Il fit sa fortune tout d'un coup*), encore qu'on dise plutôt **d'un coup, d'un seul coup**, il s'emploie parfois en concurrence avec *tout à coup* (pas de traits d'union)

dans le sens de « soudainement » : *Tout d'un coup, j'aperçus un trou de ténèbres* (Sartre, *Les mots*, Poche, p. 76). *Tout d'un coup papa s'est levé pour aller chercher des vers que je venais de faire* (A. Gide, *Les faux-monnayeurs*, 1ère partie, ch. 3). *Tout d'un coup la lune se couvrit d'un gros nuage* (J. Supervielle, *Premiers pas de l'univers*, p. 191). *Tout d'un coup nous sursautons, car quelqu'un ouvre la porte* (Colette, *O.C.*, I, p. 27). *Qu'est-ce qu'on entend tout à coup ?* (Id., *Ibidem*, p. 263). *Et puis tout d'un coup il n'y a plus de chien* (Id., *O.C.*, XIV, p. 120). *Ils se retrouvent tout d'un coup avec leurs millions* (J. Anouilh, *Pièces brillantes*, p. 113). *Je les rencontrais tout d'un coup de plain-pied. J'avais brusquement la connaissance automatique de tous leurs drames particuliers* (J. Giono, *Noé*, Poche, p. 40). On peut regretter la confusion, elle est dans l'usage.

9. **Tout à l'heure** ne s'emploie plus dans le sens de « tout de suite, sur-le-champ, sur l'heure ». Il se rapporte au passé ou, plus souvent, à l'avenir : il y a un moment, très peu de temps, dans un moment, après un bref laps de temps. *Vous disiez tout à l'heure que...* (Ac.). *Je suis à vous tout à l'heure* (Ac.). *Tout à l'heure, j'irai voir la mer* (A. Gide, *Journal*, 13 septembre 1893).

10. **Tout de même** est vieilli dans le sens de « tout à fait de même », sauf dans *tout de même que : Pierre s'est trompé, tout de même que Paul.* Il n'a plus aujourd'hui que le sens de « malgré cela, néanmoins ». Emploi abusif et familier, dit l'Académie. Elle a tort. Cet emploi est courant, légitime, cautionné par de très nombreux écrivains comme A. Daudet, Bourget, Benoît, Thérive, Mauriac, Bernanos, Gide, etc. : *Je ne l'avais pas rappelé. Il est revenu tout de même* (A. Gide, *Attendu que*, p. 37). *Colère sainte sans doute, mais colère tout de même* (A. Gide, *Journal*, 6 février 1907). Comme interjection : *Tout de même ! Supposez qu'il me plaise de rester là* (Bernanos, *La joie*, p. 183).

11. **Tout de suite** et **de suite**. *Tout de suite* a toujours le sens de « immédiatement, sur-le-champ ». *De suite* garde son sens traditionnel, le seul admis par l'Académie, « sans interruption, l'un après l'autre », mais a pris en outre, depuis plus de cent ans et chez de nombreux et excellents écrivains comme dans l'usage courant, le sens de *tout de suite : L'aspect aimable de Bouvard charma de suite Pécuchet* (Flaubert, *Bouvard et Pécuchet*, ch. I). *Parfois des rages me prennent de lâcher tout, de suite, de décommander les leçons* (A. Gide, *Journal*, 18 mars 1890). *On doit entrer de suite dans le vif du sujet* (A. Siegfried, *Savoir parler au public*, p. 114). *Puis de suite, la seconde d'après* (Giono, *L'oiseau bagué*, Folio, p. 197). *Arrivons de suite aux derniers mois de 1668* (L. Lafuma, dans *Revue des sciences humaines*, 1952, p. 316). *Je trouve l'occasion d'une personne qui part de suite à Paris pour te donner de mes nouvelles (...). Écrivez-moi donc, mais de suite, à Agen, poste restante* (G. de Nerval, *Œuvres*, Pléiade, pp. 748, 758). *Envoie-moi cette plaquette de suite (...). J'ai voulu t'écrire de suite après ta lettre si excellente. (...). J'arrête de suite* (Paul Valéry, *Corres-*

pondance Gide-Valéry, pp. 151, 275, 303). *Quelques mots gentils, faits pour être oubliés de suite* (Fr. Mallet-Joris, *Allegra*, p. 30).
Il faut reconnaître que, dans tous ces emplois, il n'y a aucune équivoque. Qu'on ne croie pas cependant à l'effacement général de *tout de suite* : *Je reviens tout de suite* (M. Genevoix, *Un jour*, p. 212). J'ai cité Giono ; mais il écrit ailleurs : *C'est à lui que je pensai tout de suite (...). Tout de suite après (...). Nous commençons tout de suite à dévaler cette pente raide* (Noé, pp. 113, 152, 159). Mieux vaut respecter la distinction entre *de suite* et *tout de suite*. Un peu familier : *Tout de suite que*, aussitôt que.

12. **Tout-puissant**, adj. ou nom (*Tout-Puissant*) et **toute-puissance**, n.f., s'écrivent avec un trait d'union. Dans *tout-puissant*, l'adv. *tout* ne varie qu'au féminin : *Ils sont tout-puissants. Des reines toutes-puissantes. Le Tout-Puissant* (Dieu). *La toute-puissance d'un tyran*.

13. **Tout... que** concessif : *Tout attentif qu'il est* (ou qu'il *soit*), *il a oublié un détail.* On emploie l'indicatif, suivant l'usage classique toujours vivant, ou, presque aussi souvent et de plus en plus, le subjonctif, par analogie avec *quelque... que*. On a donc le choix, qu'il y ait doute possible ou affirmation d'une réalité dans cette opposition.
Tout est suivi d'un attribut du sujet ou de l'objet. Il reste invariable s'il porte sur un masculin. Mais s'il porte sur un féminin, adjectif, participe ou nom, il varie devant une consonne ou un *h* aspiré. C'est à tort qu'on prétend que l'emploi devant un nom n'est plus vivant. Littré exigeait l'invariabilité devant un nom de chose ; elle reste permise dans ce cas, mais on peut s'affranchir de cette exception : *Tout prudents qu'ils sont* (ou *qu'ils soient*), *ils se sont trompés. Toutes prudentes qu'elles soient,... Tout averties qu'elles sont... Toutes peu informées qu'elles soient* est possible, *tout* portant sur *informées*, mais précédant immédiatement *peu* ; on dira plus souvent : *Si peu informées qu'elles soient. Ma réceptivité, tout abnégation qu'elle pût être* (M. Genevoix, *Un jour*, p. 134). *Toute hardiesse qu'il soit, il n'est pas imprudent. Toute femme qu'elle est... Toute poussière qu'il est...* Devant deux attributs, on se contente généralement d'exprimer *tout* une seule fois. *Tout prudents et rusés qu'ils soient... Toute femme et reine qu'elle est.*
On ne confondra pas ce tour concessif avec celui, plus rare, où *tout* est suivi d'un adjectif et de *que* pour exprimer une cause et est donc toujours suivi de l'indicatif : *Il ne nous écoutait guère, tout attentif qu'il était aux bruits du dehors*, parce qu'il était tout attentif... Invariabilité ou accord de *tout* comme dans le tour concessif.

14. **Tout un temps.** Cf. TEMPS.

Tout-à-l'égout, n.m. *Des tout-à-l'égout.*

Tout-compris, comme n.m. est invariable et s'écrit avec un trait d'union : *La formule du tout-compris.* Mais : *Cent francs, tout compris.*

Tout-petit, n.m. Trait d'union dans le nom : *Les tout-petits.* Mais : *Les tout petits enfants. Une toute petite fille.*

Tout-venant, n.m. et adj., est invariable : *Du charbon tout-venant. Du tout-venant.* Le nom est inusité au pluriel.

Toux, n.f. Certains Wallons, sous l'influence des dialectes, prononcent [*la tousse*].

Trac, n.m., peut se dire de toute espèce d'appréhension, mais se dit surtout de celle qu'on éprouve avant d'affronter le public. *A voir le trac.*

Trac (tout à), loc.adv., avec brusquerie, sans préparation, ni réflexion : *Il dit tout à trac ce qui lui passe par la tête.*

Trachée, n.f., se prononce avec *ch*, mais les dérivés, *trachéal, trachéen, trachéite, trachéo-bronchite, trachéotomie,* etc., se prononcent avec *k.*

Tractation, n.f., s'emploie surtout au pluriel et est devenu péjoratif pour désigner des démarches, des négociations d'un caractère semi-clandestin, où interviennent des manœuvres, des marchandages.

Tracter, v.tr.dir., tirer au moyen d'un tracteur ou d'un autre véhicule ou d'un procédé mécanique.

Trafic, n.m., a vieilli dans le sens général de « commerce » (*le trafic des vins, des cuirs*). Il est devenu péjoratif, au propre comme au figuré, et s'applique à un commerce clandestin, illicite : *Le trafic des stupéfiants, d'armes. Un trafic d'influence.* Le nom est devenu courant pour désigner une grande circulation, sur une même ligne, non seulement des trains, mais des bateaux, des avions, des autos : *Un trafic intense. Un grand trafic d'automobiles (...), un grand trafic autour de l'amphithéâtre* (M. Butor, *La modification,* 10/18, pp. 263, 267). *C'est un bourg très important à flanc de montagne. La grande route le traverse. Il y a beaucoup de trafic* (Giono, *Les grands chemins,* Folio, p. 40). *Le trafic automobile a augmenté de 10 % en deux ans* (*Le Monde,* 28 mars 1972).

Trafiquant, n., s'écrit avec *qu* comme le participe présent de **trafiquer.** Il a pris comme ce verbe un sens péjoratif évoquant des opérations malhonnêtes (*une boisson trafiquée, trafiquer un moteur*). On n'emploie plus *trafiqueur,* mais on emploie familièrement, avec un sens péjoratif, *traficoter, traficoteur.*

Train, n.m. désignant une manière de se comporter : *Aller grand train, bon train, (à) un train d'enfer. Il est en train de téléphoner. Une mise en train. Un train de sénateur,* lent et grave.

Train, n.m. désignant une locomotive et des wagons. *On voyage **en train*** (comme *en avion, en bus, en bateau*) ou ***par le train,*** mais non [*par train*] ni [*au train*]. *On arrive par le train de midi.* La langue populaire dit : *au train de midi.*

On a essayé de garder l'utile distinction entre *le train de Paris* (qui part de Paris) et *le train pour Paris* (qui va à Paris) ; mais on dit de plus en plus, dans les deux sens : *le train de Paris* ou *le train d'Italie.*

Un train express, un train de banlieue, un train omnibus. Manquer son train, rater son train. *Prendre le train. Train autos-couchettes. Dédoubler un train. Manquer le train.*

Traînard, traîneau, n.m., **traîne,** n.f., **traîner,** v., etc. Accent circonflexe. *Un traîne-savate, des traîne-savates* ; cf. Noms composés, B, 5, p. 626.

Train-train, n.m., écrit aussi *traintrain*, a couramment remplacé *trantran* : *Le train-train quotidien.*

Traire, v.tr.dir. *Je trais, il trait, nous trayons*, etc. Imparfait et subj.prés. *Nous trayions.*

Trait (d'un), traite (d'une). À côté du sens qu'a *d'un trait* dans *barrer, biffer d'un trait (de plume)*, il a le sens de « en une seule fois » : *Il a vidé son verre d'un trait, d'un seul trait* (comparer : *boire à longs traits*) ; d'où, au figuré, le sens de « sans interruption » : *Dormir d'un trait jusqu'au lendemain.* Cf. p. 937, *tout d'une traite.*

Dans ce sens figuré, *d'un trait* devient synonyme de *d'une traite, d'une seule traite*, où l'on retrouve le sens de *traite* : trajet effectué sans s'arrêter (*faire une longue traite, arriver d'une traite dans telle ville*) : *Je dormis d'une traite jusqu'à minuit* (H. Bosco, *Malicroix*, Folio, p. 18). *Ils gagnèrent d'une traite le creux de la cuvette* (B. Clavel, *La saison des loups*, p. 127). On peut donc dire : *J'ai lu ce livre d'un trait* ou *d'une traite.*

Trait d'union. On trouvera à leur rang alphabétique les mots qui appellent une remarque sur l'emploi des traits d'union. Cf. Anti, Arrière, Cent, Demi, Grand, Impératif, Jusque, Là, Même, Non, Nu-, Numéraux, Pronoms, Quasi, Saint, Tête à tête, Tout, C, 12 (*tout-puissant*), etc.

Prénoms. En français, seuls les deux éléments d'un prénom composé sont unis par un trait d'union : *Jean-Jacques, Marie-Thérèse, Jean-Louis.* On ne met pas de traits d'union mais parfois une virgule entre les autres prénoms de l'état civil : *Louis Joseph Edmond Ghislain Dupont.*

On ne met pas de trait d'union dans les noms propres de personnes formés d'un prénom et d'une épithète : *Philippe le Bon, Alexandre le Grand.*

Noms de rues, de bâtiments, etc. On écrit : *le Pont-Neuf, le Palais-Bourbon.* En France, surtout à Paris, mais avec des exceptions, on écrit : *rue Victor-Hugo, rue Charles-Nodier, rue de l'Hôtel-de-Ville, l'allée du Champ-de-Mars, la gare Anatole-France, le lycée Louis-le-Grand.* Cet usage a été critiqué, mais est bien installé. On n'est pas tenu de le suivre cependant. On peut, comme en Belgique, écrire : *avenue Victor Hugo* et classer cette rue à Hugo.

Traiter, v.tr.dir. ou ind. ou intr. *Bien traiter qqn* peut signifier « bien agir envers lui » ou « bien le recevoir à sa table ». *Traiter qqn de fourbe,* l'appeler fourbe. *Il traite ses enfants en camarades,* il agit avec eux comme envers des camarades. *Traiter un malade, une maladie.* **Traiter un sujet,** *une question,* l'étudier systématiquement, *traiter d'un sujet,* *d'une question,* disserter sur, parler de. On dira que *tel livre traite des plantes d'apparte-ment. On traite un sujet dans le style plaisant. On traite avec l'ennemi.*

Traître, adj. et n. (accent circonflexe), féminin *traîtresse* ; *C'est une traîtresse. Une âme traîtresse. Des faveurs traîtresses. Une liqueur traîtresse.* On laisse parfois *traître* au féminin comme adjectif : *Cette femme, traître à sa patrie.* Fam., *pas un traître mot,* pas un seul mot : *Je n'y ai pas compris un traître mot.*

  Prendre en traître. On peut écrire : *Ils m'ont pris en traître,* en considé-rant *en traître* comme une locution adverbiale, ou *Ils m'ont pris en traîtres,* en accordant *traîtres* avec le sujet. Je ne pense pas qu'on dirait dans ce cas : *Elles... en traîtresses.* On écrirait : *Elles m'ont pris en traître* ou *en traîtres.*

Traminot, n.m. formé sur le modèle de *cheminot* pour désigner un employé des tramways. En Belgique, on dit [*tranwayman*].

Tranche, n.f., **trancher,** v.tr.dir. et intr. Le verbe « s'emploie au figuré pour exprimer une décision nette et rapide : *trancher une question.* On ne l'emploie pas au sens de « couper des tranches » ; on coupe le pain en tranches, on ne le *tranche pas* » (G. Gougneheim, dans *L'enseignement du français aux étrangers,* n° 167, juin 1967). On parle donc de *pain coupé. Une couleur tranche sur une autre, sur un fond. Trancher dans le vif.*

  On écrit : *Un livre doré sur tranche* (sur la tranche). *Le crédit sera débloqué par tranches.*

Tranquille, adj., rime avec *ville.*

Transat, n.m., abréviation familière de *transatlantique* ; on prononce le *t* final.

Transcendance, n.f., **transcendantal,** adj. Attention à *sce* et *dan* comme dans *transcendant,* participe (et adj.) du verbe *transcender.*

Transe, n.f. (pron. *s* et non *z*), a signifié « agonie », passage de la vie à la mort ». D'où l'expression liégeoise [*sonner une transe*] pour *sonner le glas.* Le mot se dit encore en français généralisé, surtout au pluriel, pour une inquiétude, qui, sans être mortelle, est très vive, accompagnée d'angoisse. *Être dans les transes (de voir arriver qqch. ou que qqch. ne se produise).* Dans un autre sens, par référence à l'état d'un médium dépersonnalisé, *entrer en transe.* Par extension, *être en transe, entrer en transe,* s'agiter, s'énerver, être hors de soi.

Transfert, n.m. *Le transfert d'un prisonnier* ; dans ce cas, on emploie aussi **transfèrement.** *Un transfert de reliques. Le transfert du corps d'un mort* ; dans ce sens, on dit aussi **translation.** *Le transfert d'un joueur. Un transfert de capitaux.*

Pour un fonctionnaire déplacé, on parle de **déplacement,** de **mutation** et non de « transfert ». En psychanalyse, on parle de *transfert.*

Transir, v.tr.dir. et intr., se dit de celui qui est pénétré par le froid ou en proie à un sentiment très fort qui en quelque sorte paralyse : *Le froid me transit. Je suis transi (de froid, de peur). Je sentis tout mon corps* et *transir et brûler* (Racine). On prononce *s* comme dans *ainsi* ou, beaucoup plus souvent, comme dans *base* et *transition.*

Translittérer, v.tr.dir., **translittération,** n.f., s'écrivent avec deux *t* comme *lettre, littéral.*

Transmuer ou **transmuter,** v.tr.dir., changer un élément en un autre : *Transmuer en victoire une défaite. Transmuter un souhait en un ordre.* N.f. *La transmutation.*

Transnational, adj., est entré dans l'usage pour désigner des associations internationales non gouvernementales et non lucratives. Les sociétés lucratives internationales s'appellent des *multinationales.*

Transparaître, v.intr. Auxiliaire *avoir* : *Rien n'a transparu* (J. Gracq, *Un beau ténébreux*, p. 85).

Transsonique, adj., **transsubtantiation,** n.f. Il y a deux *s* dans les mots où *trans* est suivi d'un second élément commençant par *s* : *transsexuel, transsibérien,* etc.

Traque, n.f., action de rabattre le gibier. En Hainaut et à Namur, [*tout d'une traque*] s'emploie pour « sans interruption ».

Travail, n.m. *Des travaux,* sauf pour l'appareil avec lequel on maintient les animaux que l'on ferre (*des travails*).

Travailler, v.tr.dir. ou ind. ou intr. *On travaille à faire qqch. Il travaille à ce qu'on mette fin à cette situation.*

Travers (à), loc.adv. ou prép., **au travers,** loc.adv., **au travers de,** loc.prépos., **en travers,** loc.adv., **en travers de,** loc.prép., **de travers,** loc.adv. Au contraire de ce qui se passait à l'époque classique, on ne met jamais *de* après *à travers,* sauf si c'est un *de* partitif ou un *des* indéfini : *à travers du beurre, à travers des difficultés.*

À travers et *au travers,* loc.adv., sont synonymes. La nuance perçue autrefois entre les loc.prép. *à travers* et *au travers de,* celle-ci impliquant davantage une résistance à franchir, s'est affaiblie jusqu'à disparaître couramment dans l'usage moderne : *La foule était compacte, mais il a passé à travers* ou *au travers*. *Une grille fermait l'entrée, mais il a passé la main au travers. On ne voyait le soleil qu'à travers les nuages* (Ac.). *Regarder au travers des rideaux* ou *à travers les rideaux. Marcher à travers champs. Sourire à travers ses larmes.*

En travers, en travers de : *La route était bloquée, un arbre était tombé en travers. Un arbre était tombé en travers de la route*, transversalement, dans le sens de la largeur. *On avait tendu une corde en travers de la route.* Au figuré, *se mettre en travers de qqch.*, s'y opposer.

De travers : *Marcher de travers*, dans une direction ou une position hors de la normale. *Tout va de travers. Regarder qqn de travers. Raisonner de travers. Prendre les choses de travers. Sa cravate est de travers.* Cf. p. 937.

Traverse, n.f. **Un chemin de traverse** est un chemin plus court, qui coupe. **À la traverse,** loc.adv., **à la traverse de,** loc.prép. classique et littéraire, « de façon à faire inopinément obstacle » : *Notre marché eût été conclu, si un tel ne fût venu à la traverse, ne se fût pas jeté à la traverse* (Ac.). *Les rivaux qui se jettent à la traverse d'une inclination* (Molière, *Les précieuses ridicules*).

Traverser, v.tr.dir., c'est passer d'un bord à l'autre. C'est en vain qu'on a prétendu que s'il était normal de *traverser une rue, une rivière*, on ne pouvait dire *traverser un pont* lorsqu'on le parcourait dans toute sa longueur. Le bon usage admet l'expression dans ce sens : *Comme je traversais le Pont-Neuf* (A. France, *L'étui de nacre*, p. 226).

Traversier, n.m., se dit très justement au Canada pour *ferry-boat* et *bac*.

Trébucher, v.intr. *On trébuche sur* (ou *dans* ou *contre*) qqch. Ne pas dire [*se trébucher*].

Tréfonds, n.m., peut s'écrire **tréfond** (Ac., 1975).

Tréma. Traditionnellement, le tréma se plaçait sur les voyelles *e, i, u* pour montrer qu'elles se détachent de la voyelle précédente. Il se plaçait tantôt sur une voyelle qui doit être prononcée isolément (*haïr, Saül, Moïse, Noël*), tantôt sur une voyelle qui ne se prononce pas (*aiguë, ciguë*). L'Académie française, en 1975, a décidé, conformément à une proposition du Conseil international de la langue française, que le tréma serait placé sur la voyelle qui doit être prononcée avec son timbre propre : *aigüe, ambigüe, ambigüité, cigüe, exigüe*, etc.

Elle a en outre décidé de mettre un tréma sur *u* dans certains mots pour lutter contre une prononciation défectueuse : *argüer, gageüre, mangeüre, rongeüre, vergeüre*.

Ces nouvelles dispositions ne changent rien à l'orthographe de mots comme *oindre, oui, ouïr, ouïe, ouï-dire, coïncidence, aïeul, faïence, Esaü, Caïn, Noël, Israël*. Elles ne modifient pas non plus l'orthographe traditionnelle de noms propres comme *Saint-Saëns*, *M*^{me} *de Staël* où le tréma indique que la voyelle ne se prononce pas. On notera que, dans la graphie de noms étrangers nordiques, on met le tréma sur *o* pour indiquer la prononciation *e* : *maelström*.

Trembler, v.intr. *On tremble de voir arriver une chose* (plus tard) ou *qu'elle (ne) se fasse. On tremble à la voir se réaliser* (en la voyant se réaliser).

Trembloter, v.intr. Un seul *t*.

Trémie, n.f. qui proprement désigne une sorte de grand entonnoir, s'emploie en France comme en Belgique, bien que les dictionnaires ne le signalent pas, dans *trémie d'accès* (à un tunnel routier), a noté André Goosse (*La Libre Belgique*, 12 avril 1976).

Trente-et-un, n.m. Deux traits d'union : *jouer au trente-et-un. Se mettre sur son trente-et-un.* Mais : *trente et un francs.*

Trépasser, v.intr. **Auxiliaire.** On peut distinguer entre l'action (*Il a trépassé à six heures*) et l'état (*Il est trépassé depuis hier*). Mais *être* l'emporte, à cause de son emploi constant avec *mourir* et *décéder*.

Très, adv., s'emploie normalement devant un adjectif, un adverbe ou un participe passé ayant une valeur passive ou pris adjectivement : *Il est très gentil, très aimé par ses parents, très surpris. Très souvent. Très vite.* Cf. Bientôt, Tout, D, Trop, 1.

Il ne peut modifier un verbe à la voix active. On emploie *fort* ou *beaucoup* : *J'ai beaucoup réfléchi. Je l'ai fort apprécié,* comme *Je l'apprécie beaucoup* ou *fort* ou *extrêmement.*

Dans la langue familière, on emploie parfois *très* dans les réponses en faisant l'ellipse de l'adjectif employé dans la question : *Est-il intelligent ? — Pas très.*

On peut employer *très* **devant un nom** dans certains cas :

1. Quand ce nom est employé adjectivement comme épithète ou attribut : *Il est encore très enfant. Elle est très femme. Il reste très bébé. Il est très ami du directeur. C'est très dommage.* C'est aussi le cas de certaines expressions ayant valeur d'adjectif : *Une étude très en surface, être très en colère, être très au courant, très vieux jeu.*

2. Au lieu de *bien* ou *grand,* qui sont corrects, dans certaines locutions verbales formées d'un verbe (surtout *avoir,* parfois *faire*) et d'un nom sans article. Cf. Avoir, 17. *Sa naissance ne nous a pas fait très plaisir* (M. Druon, *Les grandes familles,* Poche, p. 33). Il ne semble pas y avoir d'audace à dire *se faire très mal, faire très peur, très attention,* ni *Il fait très vieille France* ; il y en a beaucoup et même trop à dire *faire très pitié* et à intercaler *très* dans *faire fortune, faire silence, avoir tort, avoir hâte, chercher querelle, prendre garde.*

Tressaillir, v.intr. Attention au futur et au conditionnel (*Je tressaillirai, je tressaillirais*) et au subj.prés. (*que nous tressaillions*). Cf. Assaillir.

Trêve, n.f. Accent circonflexe. *Sans trêve.*

Tribal, adj. Pluriel masculin (quoi que disent certains dictionnaires et certaines grammaires qui notent *tribals*) : *tribaux. Des conflits **tribaux.** Des luttes tribales.*

Tribu, tribut, n.m. à distinguer : *La tribu de Juda. Une tribu du Congo. La tribu des critiques. Se brouiller avec sa tribu. — Payer un tribut. Un tribut d'éloges.*

Tribune, n.f. *L'orateur monte à la tribune. Il est resté une heure à la tribune. Il est intervenu à la tribune.* En parlant des gradins : *Les personnalités avaient pris place **dans** les tribunes.*

Tricot. n.m. *Un tricot de corps,* un maillot de corps. *Une cohue d'hommes en tricots de corps* (A. Blondin, *Quat'saisons,* Ed. Rombaldi, p. 218).

Tricycle, n.m. *Aller **en** tricycle.*

Trille, n.m., rime avec *fille.*

Trimbaler, v.tr.dir. familier. Préférer l'orthographe avec un seul *l,* qui est celle de l'Académie : *Elle a trimbalé cet enfant dans tout le voisinage* (Ac.).

Trimer, v.intr. familier : travailler dur, faire des besognes pénibles : *J'ai trimé toute la journée. Faire trimer quelqu'un* (Ac.).

Trinôme, n.m. Accent circonflexe.

Trinquer, v.intr. *Ils ont trinqué. J'ai trinqué avec lui.* Pop., *C'est moi qui ai trinqué,* subi un préjudice, écopé.

Triomphal, triomphant, adj. *Triomphal* ne se dit que des choses (*accueil, arc, char, entrée, marche*). *Triomphant* se dit surtout des personnes et de ce qui, chez elles, marque la joie du vainqueur, de l'homme content de soi, une majesté éclatante (*rival, troupe, air, visage, regard, sourire, démarche, expression, joie*).

Triparti, adj., **tripartisme,** n.m. Cf. Biparti.

Tripatouiller, v.tr.dir., est familier et péjoratif, « remanier abusivement un texte ou une comptabilité, des écritures ». Dérivés : *tripatouillage, tripatouilleur.*

Triplés, n.pl. *Elle a mis au monde des triplés.*

Tripoter, v.tr.dir. et intr. familier. **Tr.dir.,** « manier sans soin, tâter avec insistance ou machinalement » (*Ne tripote donc pas ces fruits* ou *mes affaires. Il tripotait sa barbe*), « manipuler malhonnêtement » (*Tripoter des fonds*). **Intr.,** « s'occuper à manier, à manipuler des choses » (*Il tripote* *dans mes affaires, dans mon tiroir, dans ses papiers*), « faire des opérations malhonnêtes » (*Il tripote dans beaucoup d'affaires*). Dérivés : *tripotage, tripoteur.*

Triptyque, n.m. Attention à l'orthographe ; comparer à *diptyque.*

Trisyllabe, n.m. et adj., **trisyllabique,** adj. Un seul *s* de préférence.

Triste, adj. *Une personne triste,* qui a du chagrin. *Un triste personnage,* médiocre. *Un quartier triste, une couleur triste. Faire triste figure. Être dans un triste état.* La place de l'adjectif ne modifie pas toujours le sens.

Trois-quarts ne prend un trait d'union que comme nom ou pris adjectivement : *Un trois-quarts. Un vêtement trois-quarts.* On écrit : *les trois quarts de la somme.*

Trolleybus, n.m. formé d'après *autobus,* s'est imposé ; il désigne la voiture, tandis que *trolley* désigne proprement le dispositif de contact.

Trombone, n.m. Si l'on parle d'*une attache,* en général, pour tout ce qui sert à attacher des documents, on appelle *un trombone,* à cause de sa forme, la petite attache ou agrafe de fil de fer replié en deux boucles servant à cet usage. *Trombone,* toujours masculin, désigne aussi l'instrument de musique ou celui qui en joue.

Trompe-l'œil, n.m. *Des trompe-l'œil. En trompe-l'œil.*

Trompette, n.f. quand il désigne l'instrument, **n.m.** quand il désigne celui qui en joue : *Le trompette de l'orchestre.* Au figuré, *trompette* s'est dit, au masculin ou plus souvent au féminin, pour celui qui colporte des rumeurs.

Trop, adv. (*C'est trop difficile. Il travaille trop*), peut devenir un déterminant (*trop de gens, trop de bruit*), un nominal (*C'est trop, c'en est trop, demander trop*) ou un nom (*Le trop de confiance*). Il marque proprement l'excès et dit donc plus que *très.*

1. **Emploi pour *très*.** *Trop* a pu autrefois s'employer avec le sens de *très.* Il le peut encore dans des formules de politesse : *Je serai trop heureuse de l'accueillir.* Mais non dans : *Vous êtes trop aimable. Vous êtes trop bon,* où *trop* dit plus que *très.* Il peut, comme *très,* s'employer dans certaines expressions ou devant un nom pris adjectivement (cf. Très) : *Il est trop homme d'affaires, trop enfant. Il est trop en colère. Cela ne me fait pas trop plaisir. Cela me fait trop mal. J'ai trop faim,* etc. Il a un sens affaibli dans certaines phrases négatives : *Je ne sais trop ce qu'il en a fait. Il est parti sans trop comprendre. Je n'ai pas trop aimé ce livre.* Avec *ne... que* on marque un degré largement dépassé : *Cela n'est que trop vrai. On n'a que trop tardé. Vous n'avez que trop raison de le regretter.*

2. **Par trop** remplace parfois *trop* en le renforçant : *C'est par trop difficile. Je m'ennuyais par trop.*

3. On dit : **beaucoup trop, bien trop,** *un peu trop, en avoir trop, n'en avoir pas trop, jamais trop, travailler trop, c'en est trop, manger trop.* Dans toutes ces expressions, *de trop* serait une faute.

4. **De trop** ou, plus rarement, **en trop,** employés avec un nom, un pronom, une expression de quantité (sauf *beaucoup, bien, un peu*) ou le verbe *être,* marquent que cette personne ou cette quantité est en surnombre : *Il y a quelqu'un de trop. J'ai un livre* (ou *un franc*) *de trop. Il n'a pas dit un mot de trop. Tout ce qu'on dit de trop. Vous pouvez rester, vous n'êtes pas de trop* (tandis que *Vous êtes trop* = vous êtes trop nombreux). *Nous sommes quelques-uns en trop.*

Remarquer que **trop peu** (= pas assez) s'oppose à *trop* et non à *de trop.* Comparer : *Il réfléchit trop. C'est trop dire. Il est trop confiant* et *Il réfléchit trop peu. C'est trop peu dire. Il est trop peu confiant.* Mais à *Il y a cinq francs de trop* s'opposera, non pas [*Il y a cinq francs trop peu*], mais *Il manque cinq francs.*

Ne pas dire [*en avoir de trop*]. Dire : *en avoir trop.*

5. On dit : *Il est arrivé* **de trop bonne heure** (car *trop* modifie *bonne*) et non *Il est arrivé* [*trop de bonne heure*].

6. **Trop... pour** reliant deux verbes est suivi d'un infinitif s'il y a identité des sujets ou de *que* + subjonctif si les sujets sont différents : *Il a trop de bon sens pour agir de la sorte. Il est trop imprudent pour qu'on lui fasse confiance. Il est trop prudent pour qu'on ne lui fasse pas confiance.* Dans ces expressions, la conséquence est exclue. Comme avec *assez,* éviter [*trop... que pour*] ; cf. ASSEZ, 3 et POUR.

7. Cf. VERBE, *Accord,* A, II, 3, p. 969.

Trophée, n.m. *Un trophée.*

Trop-plein, n.m. Trait d'union dans le nom : *Ce réservoir est trop plein. Le trop-plein du réservoir. Des trop-pleins.*

Trotte, n.f., est familier : *Ça fait une bonne trotte,* une longue distance. *Tout d'une trotte,* sans faire de halte.

Trotte-menu, adj. invariable : *La gent trotte-menu* (La Fontaine), les souris.

Trotter, v.intr. *Le cheval trotte. Le cavalier trotte. Il trotte* (il va et vient) *du matin au soir. Quelles idées lui trottent encore dans la tête* ou *par la tête ?*
Se trotter, partir précipitamment, est très familier.

Trouble-fête, n.m. *Des trouble-fêtes.*

[Trouet], n.m., est un belgicisme qui désigne un œillet de ceinture ou de chaussure ou une perforation dans une feuille.

Trouille, n.f., est un synonyme populaire, et plus fort, de *peur.* Le PR signale, en citant Sartre, l'expression : *Avoir le trouillomètre à zéro,* qui, curieusement, signifie non pas « être sans crainte », mais « avoir très peur ». Tandis qu'*avoir le moral à zéro,* c'est l'avoir très bas.

Trouver, v.tr.dir. 1. Avec un attribut du complément : *Je l'ai trouvé malade. Je l'ai trouvé au lit.* Malgré l'approbation de Littré, mieux vaut s'abstenir du tour étrange : *Je l'ai trouvé absent* ou *sorti* ou *parti.* Comparer : *Je l'ai trouvé chez lui.* Dire : **Il était absent.**

Trouver bon, trouver mauvais implique un jugement sur qqch. : *Il a trouvé bon de m'en parler. Je trouve bon que vous lui en parliez.*

2. *Je trouve qu'il a tort. Trouvez-vous qu'il **a** tort* ou *qu'il **ait** tort ? Je ne trouve pas qu'il **ait** tort* ou *qu'il **a** tort.*

3. **Se trouver.** *Ceux qui se trouvaient là,* qui étaient là. *Je me trouve dans l'impossibilité de le recevoir. Se trouver mal, bien (de qqch.). Cet homme se trouve être un de mes amis.* Impersonnel, *il se trouve que* : *Il se trouve que je le connais bien.* L'indicatif est normal et beaucoup plus fréquent que le subjonctif. Mais : *Dites-moi son nom et je lui écrirai s'il se trouve que je le **connaisse.*** Ou *que je le connais.*

4. *Se trouver court.* Cf. COURT.

Trublion, n.m., « fauteur de troubles, agitateur », renvoie à un mot latin *trublium* et ne peut, sous l'influence de *trouble,* se dire [*troublion*].

Truc, n.m., est courant et familier, qu'il évoque l'habileté (*Un bon truc. Trouver le truc. Il a tous les trucs*) ou une chose quelconque dont il remplace le nom (*Le truc qu'on nous a servi. À quoi sert ce truc-là ?*).

Truchement, n.m., a vieilli pour désigner un interprète, une personne qui sert d'intermédiaire. Il s'emploie surtout dans *par le truchement de,* par l'intermédiaire ou l'entremise de : *Donner un ordre par le truchement de sa secrétaire.* Ne pas dire : [*par le truchement d'un interprète*].

Truculent, adj., n'a plus le sens de « farouche, terrible », mais signifie « haut en couleur », parfois « qui fait rire par son manque de mesure et son pittoresque » : *Un personnage truculent. La prose truculente de Rabelais.*

Tsar, n.m. Forme à préférer. *Tsarisme, tsarévitch.*

Tsigane, n.m. On écrit aussi *tzigane.*

Tubercule, n.m. *Un tubercule.*

Tue-mouche, n.m. d'un champignon. *Des tue-mouches.* Cf. NOMS COMPOSÉS, p. 626. *Un papier tue-mouche, des papiers tue-mouches.*

Tuer (se) se construit avec *à*, soit devant un nom (*Se tuer à l'ouvrage, à la tâche*), soit devant un infinitif (*Je me tue à vous le répéter*), dans le sens courant et hyperbolique de « se donner beaucoup de mal ».

Tue-tête (à). *Crier à tue-tête.*

Tuyau, n.m., **tuyauter,** v.tr.dir. Le sens figuré et familier de *tuyau* (renseignement confidentiel, favorable au succès de qqch.) venu de « dire dans le tuyau de l'oreille », a donné naissance à l'emploi familier de *tuyauter qqn,* lui donner des tuyaux. Prononcer « twi-yo ».

Type, n.m. On ne dira pas sans discernement : *J'ai rencontré un type qui m'a dit...* Familier dans le sens d'*individu*, type s'accepte très bien s'il est accompagné d'une épithète flatteuse : *brave, chic, épatant*, etc. Mais il devient facilement péjoratif non seulement avec un mot comme *pauvre* ou *sale* mais sans épithète ni complément. À moins que l'intonation ne traduise l'admiration : *Quel type ! Ça, c'est un type !* Le féminin *typesse* est peu usité et nettement populaire et péjoratif.

   Un certain type de recherches ont été entreprises. Cf. VERBE, *Accord*, A, I, p. 965.

   Apposé : *Un cas type, Une liste type, un produit type. C'est l'intellectuel type. Un personnage type peut paraître exemplaire.* Pluriel : *Des cas types,* etc.

Typer, v.tr.dir., donner les caractères apparents d'un type : *Typer un personnage.*

Tyran, n.m., s'applique aussi à un nom féminin. *Cette femme est un vrai tyran. La mode est un tyran.*

   Dérivés : *tyrannie, tyrannique, tyranniser, tyrannicide*, etc. Deux *n*.

Tzigane, adj. et nom, peut s'écrire de préférence avec *s*, comme il se prononce, plutôt qu'avec *z*.

U

Uhlan, n.m. *U* ne se lie pas à la consonne précédente et ne provoque pas l'élision.

Ukase, n.m. Cf. Oukase.

Ulcère, n.m. *Un ulcère variqueux.*

Ultérieur, adj. : *à une date ultérieure.* Ni comparatif ni superlatif.

Ultime, adj., est en principe dans le même cas : *Une ultime concession.*

Ultra, préfixe entrant dans la composition d'adjectifs et de noms, peut toujours se lier à l'élément qui le suit (sauf si celui-ci commence par *i* ou *u*) : *ultrachic, ultracourt, ultrapression, ultrason, ultramoderne.* On écrit : *statuer ultra petita* ou *ultra-petita,* au-delà de ce qui était demandé.

N.m., *ultra* varie : *Les ultras.* Adj., il s'emploie au féminin comme au masculin et a tendance à rester invariable.

Un, cf. Article, notamment 3, D, p. 98, Numéraux, 2, 3, Heure, 5, L'un.

1. **Élision.** On ne fait pas l'élision devant **un** quand celui-ci représente un numéro ou un chiffre ou quand il marque le point de départ d'une série numérale : *Le un de telle rue* (la maison qui porte le n° 1). *Voici la clé du 1* (de l'appartement n° 1). *À la une* (à la première page du journal). *Votre 1 est mal fait. Comptez de 1 à 10.* On peut aussi ne pas faire l'élision quand on veut souligner le nombre *un* en le faisant précéder d'une petite pause : *Une pièce de un franc* (ou *d'un franc*). *Un saut de un mètre* (ou *d'un mètre*).

2. **Un et l'un.** Cf. L'un, 1. *Un* ne s'emploie plus guère pour renvoyer à un nom. On peut dire : *J'attendais plusieurs amis, un est arrivé hier,* mais on ne le dit guère ; d'autre part, on ne peut dire *l'un* sans employer un complément, car ici il y a plus de deux amis en cause (On dirait : *J'attendais deux amis, l'un est arrivé hier*). On dira donc : *J'attendais plusieurs*

amis, l'un d'eux (ou *un d'eux*) *est arrivé hier* ou, parce que *en* précède : *il en est arrivé un.* Devant *seul,* on emploie toujours *un. Un seul est venu. Pas un seul n'est venu.* De même après *pas,* avec ellipse de *seul* : *Pas un n'est venu.*

3. **Un qui, un que** signifiaient, dans la langue classique, *quelqu'un qui, quelqu'un que.* Cet emploi a gardé une certaine vitalité dans la langue littéraire et surtout dans la langue familière : *Un que je plains de tout mon cœur, c'est... Un qui a eu de la chance, c'est Paul. Il soupirait comme un qui a du chagrin. Il marche comme un qui a trop bu.* On laissera au langage enfantin ou populaire [*des comme*] : [*Je n'en ai jamais rencontré des comme elle*].

4. **Un chacun** : *Il s'empresse auprès d'un chacun.*

5. **L'un... l'autre.** Cf. L'UN (notamment 2, 4, 5, 8, emploi et répétition de la préposition). Cf. aussi VERBE, *Accord,* A, III, N.B. 5 (*un des qui*), p. 974, B, XII, (*l'un et l'autre,* etc.), p. 985.

Unanime, adj. *Les témoins sont unanimes sur cette question. Ils sont unanimes à le reconnaître* (ou *pour le reconnaître*), *à penser que...* (ou *pour penser que...*). Ne pas ajouter *tous* devant *unanimes.*

Underground, adj. et n.m. américain et invariable, qui signifie *souterrain,* pourrait se traduire, selon les circonstances, par *clandestin* ou par *marginal, contestataire ;* comme nom, par *contre-culture.*

Uniment, adv. *Tout uniment,* tout simplement, sans détour. Pas d'accent circonflexe.

Unir, v.tr.dir. *On unit une chose et une autre* ou *avec une autre* ou *à une autre. Unir ensemble* a eu des défenseurs, mais n'est pas recommandable. Cf. RÉUNIR.

Unisson, n.f. *Une unisson parfaite. Chanter à l'unisson.*

Universitaire, adj., a généralement le même emploi en Belgique qu'en France : *Les études universitaires, un restaurant universitaire, les grades universitaires.* Cf. ACADÉMIQUE.

Mais quand il s'agit de personnes, il est réservé en France à ceux qui exercent une fonction d'enseignement dans l'Université, tandis qu'en Belgique il s'applique à tous ceux qui sont porteurs d'un diplôme universitaire et même aux étudiants.

Untel, cf. TEL, 6.

Urbaniser, v.tr.dir., a pratiquement éliminé *urbanifier,* ainsi que je le souhaitais en 1949.

Urgent, adj., ne signifie pas « nécessaire » mais « qui ne peut être remis à plus tard ».

Urger, v.intr., est familier : *Rien n'urgeait,* ne pressait. *Ça urge. Il urge de s'en occuper.* Il suffirait de dire : *C'est urgent. Il est urgent de s'en occuper.*

Us, n.m.pl. *Les us et coutumes.*

Usage, n.m. On peut parler d'*un usage abusif* ou d'*un emploi abusif.*

User, v.tr.dir. (*User ses culottes, sa santé*) ou ind. (*User de son influence, d'un droit, d'un terme rare, en user bien ou mal avec qqn*), ne peut être employé intransitivement au lieu de *s'user.* On dit : *Ces bottes ne s'usent pas.*

Usité, adj., s'applique aux formes de langage dont on use : *Ce mot n'est plus usité.* Le verbe [*usiter*] n'existe pas, mais depuis des siècles *usité par* s'emploie avec *être* et un complément d'agent : *Cette expression est usitée par les meilleurs auteurs.*

Utiliser, v.tr.dir., est devenu synonyme d'*employer,* sans que l'idée d'utilité soit requise ; le sens est « faire usage de, recourir à » : *on utilise un personnel, un procédé, une formule, un outil,* etc.

Utilitaire, adj., a débordé du domaine philosophique et moral et peut se dire de ce qui a pour fin le côté utile des choses : *Une activité utilitaire, un véhicule utilitaire.* Ce mot a souvent un sens péjoratif : *Des calculs utilitaires. Une époque utilitaire,* qui ne pense qu'à ce qui est utile, à des intérêts matériels.

V

Va, 2e pers. du sing. de l'impératif d'*aller* (voir ce verbe), s'emploie comme interjection, généralement par sympathie ou pour encourager : *Pauvre type, va. Ne te tracasse pas, va, tout s'arrangera.* **À Dieu vat,** cf. ALLER, 1.

Vacance, n.f. *La vacance d'un emploi, d'un siège. La vacance du pouvoir politique,* non en mesure de fonctionner. Toujours au pluriel dans le sens de « congé ».

Vacancier, adj. (fém. *vacancière*) et n.m. *Les migrations vacancières. Ce village est rempli de vacanciers.*

Vacant, adj. *Des emplois vacants. Une place vacante. Une succession vacante,* non réclamée.

Vacataire, adj. et n. *L'emploi est tenu par un vacataire* (pour un temps déterminé).

[Vacature], n.f., est belge pour *vacance* (d'un emploi).

Vache, n.f. La locution correcte *Parler français comme une vache espagnole* a un sens très clair : parler comme un étranger possédant très mal le français. Très ancienne, elle est d'origine obscure et discutée. Je ne conseille pas de remplacer *une vache espagnole* par *un Basque espagnol.*

Emploi très familier et même populaire *de vache,* adj. ou n.f. : *Ce professeur a été vache avec moi. Le professeur est une belle vache. Il est vache aux examens. C'est une question plutôt vache. C'est vache,* « c'est sévère ou injuste » ou « quelle malchance ! ». *Vachement drôle,* très drôle. *C'est vachement intéressant.* À éviter.

Vacherie, très familier : *Quelle vacherie ! Dire ou faire des vacheries,* des actions méchantes.

Courants : *Vache à lait,* qu'on exploite. *Manger de la vache enragée.*

Vaciller, v.intr. **Vacillant,** adj. **Vacillement,** n.m. **Vacillation,** n.f. On prononce « iy » comme dans *fille.*

Va-comme-je-te-pousse (à la), loc.adj. ou adv. *Une éducation à la va-comme-je-te-pousse.* De même : *Travailler à la va-vite.*

Vade-mecum, n.m. Pas d'accent ; invariable : *des vade-mecum.*

Vadrouille, n.f., est familier et désigne non seulement une femme de mauvaise vie mais une personne peu sérieuse, homme ou femme, aimant *la vadrouille,* promenade sans but précis et souvent en bandes, promenade dans des endroits mal famés. **Vadrouiller,** se promener de la sorte, courir les filles. Celui qui aime à vadrouiller s'appelle aussi un *vadrouilleur* (cf. H. Bauche, *Le français populaire*).

Va-et-vient, n.m. *Un* ou *des va-et-vient.* Mais : *Il va et vient sans cesse.*

Vaillant, adj. venu de l'ancien part.prés. de *valoir : De vaillants soldats. N'avoir pas* (ou *plus*) *un sou vaillant,* être tout à fait sans argent. Adverbe : **vaillamment.**

Vain (en), loc.adv. Cf. INVERSION, C, 2, p. 519.

Vaincre, v.tr.dir. *Je vaincs, il vainc, nous vainquons, je vainquis, je vaincrai, que je vainque, que nous vainquions,* etc.

Vainqueur, adj.m. et n.m. *Elle a été le vainqueur du tournoi.* Comme adj., on emploie le fém. de *victorieux : L'équipe victorieuse. Elle en est sortie victorieuse.*

Vair, n.m., fourrure. Alors que Perrault, dans Cendrillon, a fait donner à son héroïne, par la fée, une paire de *pantoufles de verre,* certains ont cru devoir corriger en *vair.*

Vaisseaux. Genre des noms de vaisseaux. Cf. GENRE.

Vaisselle, n.f. *Faire la vaisselle* est correct. On écrit : *un vaisselier.*

Val, n.m. On trouve au pluriel *vals* ou *vaux* dans les toponymes. On dit : *les Vals de Loire, les Vaux-de-Cernay.* Mais : *par monts et par vaux.* Cf. VAU.

Valable, adj., est admis sans contestation dans ses emplois traditionnels où l'on retrouve le sens de « qui a la valeur requise : *un billet valable, une quittance valable, une excuse valable,* admissible. Mais, parce qu'on percevait une influence de l'anglais *valuable,* on a critiqué trop vivement un glissement de sens vers « ayant des qualités qui lui donnent du mérite, de la valeur, qui le font apprécier » : *des sentiments valables, une œuvre valable, une réponse valable, une explication valable, un interlocuteur valable, un idéal valable.* Plusieurs de ces expressions restent très suspectes. Il ne faut en tout cas pas abuser de ce mot et dire d'un bon acteur ou d'un roman de qualité qu'ils sont valables. Mais j'admets très bien : *Il est malaisé de choisir, dans la foule des écrivains encore inconnus, ceux dont le talent apporte une nouveauté valable* (M. Garçon, *Réception de Jean Paulhan à l'Académie française*). *L'explication est valable* (Id., *ibidem*). *Personnalité d'ailleurs valable et considérée* (Ch. de Gaulle, *L'appel*, Poche, p. 221).

Valaisan, adj., « du Valais ». Féminin *valaisane*. On écrit aussi *valaisanne*.

Valeur, n.f. On écrit : *des valeurs or*.

Valide, adj., se dit d'une personne (ou d'un de ses membres) dont la santé ou la capacité n'est pas altérée (*un homme valide, un bras valide*) ou d'une chose (*un passeport, une élection*) qui, présentant les conditions requises pour produire son effet légal, n'est entachée d'aucune cause de nullité. Mais il est abusif d'écrire, comme ce professeur du Collège de France dans *Le courrier du CNRS* en janvier 1978 (p. 9) : *Si l'hypothèse que j'ai formulée en 1958 est valide*. Il faudrait : *valable* ou *acceptable*.
   La validité d'un billet de chemin de fer. **La validation** *d'une élection*.

Valleuse, n.f., désigne en Normandie une petite vallée entamant la falaise et aboutissant à la plage : *La silhouette reprit sa marche en arrière. Elle approcha de la valleuse conduisant à la plage, un goulet à l'escalier en ruine* (M. Déon, *Un parfum de jasmin*, Folio, p. 66).

Valoir, v.tr.dir. ou intr. 1. **Conjugaison** : *Je vaux, il vaut, ils valent. Il valait. Il valut. Il vaudra. Qu'il vaille, que nous valions, qu'ils vaillent. Valant, valu*. Se garder de dire ou écrire : [*Ne vaudrait-il pas dire ?*] au lieu de *ne* **faudrait-il**. Ou, d'autre part, [*il faut mieux*] au lieu de **il vaut mieux** : *Il vaut mieux se taire*. Accord du participe passé : *Les mille francs que cela a valu* (valoir combien ?), mais *Les compliments que cela lui a valus* (fait obtenir).
   2. **Il vaut mieux** (ou *Mieux vaut*) **lui en parler**. L'infinitif se construit directement. Subj. avec *que* : *Il vaut mieux qu'il s'en* **aille**.
   3. a) **Il vaut mieux** (ou mieux vaut) **rire que pleurer** ou **que de pleurer**. Emploi facultatif de *de* devant le second infinitif. Même construction de *autant vaut... que (de)*. On a employé *que si* dans de telles comparaisons, mais le tour est littéraire. *Il vaut mieux avoir occupé l'impertinente éloquence de deux orateurs autour d'un chien accusé que si l'on avait mis sur la sellette un véritable criminel* (Racine, *Les plaideurs*, Préface). Nous dirions : *que d'avoir mis*.
   b) **Il vaut mieux tuer le diable que si le diable nous tue** ; les sujets changent. On en est réduit à employer *que si* (ou à supprimer un des deux *que*). Le plus simple est d'introduire un infinitif comme *voir* ayant le même sujet et de le faire précéder de *de* : *que de voir le diable nous tuer*. Cf. AIMER, 4. Ou de dire (cf. a) : *que d'être* (ou *qu'être*) *tué par lui*.

c) **Il vaut mieux qu'il parte que de rester.** Le premier verbe n'est pas à l'infinitif ; on ne peut dire [*que qu'il reste*], on emploie l'infinitif avec *de*.

4. **Cela vaut mieux que de se plaindre** ; on doit mettre *de* devant l'infinitif exprimant le deuxième terme de la comparaison si le premier terme est exprimé par *cela*.

5. **Cela lui vaut d'être récompensé ou puni** ; on n'a plus ici *il vaut mieux* mais *valoir* avec pour sujet un nom de chose comme dans *valoir qqch. à qqn*, le lui faire obtenir : *Cela lui vaut une récompense. Qu'est-ce qui me vaut cet honneur ?* L'infinitif est précédé de *de* comme dans : *Cela vaut d'être tenté.*

6. Notons : *Cela vaut la peine. Cela vaut le détour. Ça ne vaut pas le coup. Cela ne vaut rien.* Fam. *Ça ne vaut pas le diable.* Pop. *Ça ne vaut pas tripette. Cela ne lui vaut rien. Le brouillard ne vaut rien pour ses bronches. Ça se vaut* (les deux choses se valent).

7. Expressions figées avec le subjonctif : **rien qui vaille, vaille que vaille** : *Il ne faisait rien qui vaille. Il s'en est tiré vaille que vaille.* Mais on n'emploie plus l'expression *tout coup vaille*, donnée par Littré et l'Office de la langue française et qui signifiait figurément « à tout hasard ».

8. Traduisant le dialecte, on dit parfois en Wallonie : [*Il pourrait valoir que vous réussissiez*] au lieu de *Puissiez-vous réussir !*

Valoriser, v.tr.dir., c'est donner plus de valeur ou mettre en valeur : *Valoriser un fonds de commerce. Valoriser une marchandise, un diplôme. Il cherche à se valoriser. La valorisation d'un métier.*

Valve, n.f. courant en Belgique seulement, surtout au pluriel, dans l'expression *aux valves*, parfois remplacée par l'expression latine *ad valvas*, pour : *aux panneaux d'affichage, aux tableaux d'affichage*, dans les églises, les « maisons communales », les universités. En français, *une valve* désigne notamment un élément d'une coquille ou une soupape.

Vanner, v.tr.dir., c'est secouer (les grains) dans un van. D'où, familièrement, accabler de fatigue : *Ce travail m'a vanné. Je suis vanné.*

Va-nu-pieds, n. *Un* ou *une* ou *des va-nu-pieds.*

Vantail, n.m., « battant de porte ou de fenêtre », s'est autrefois écrit **ventail**. L'Académie, en 1975, a accepté cette ancienne orthographe, qui est aussi celle du nom désignant la partie de la visière d'un casque clos par laquelle le combattant pouvait respirer. Pluriel de *vantail, des vantaux* ; de *ventail*, dans les deux sens, *des ventaux*.

Varia, n.m.pl., recueil d'œuvres variées. On a recommandé officiellement en France l'emploi de *varia*, n.m.sing., pluriel *varia* (ou *varias*), pour « article ou reportage sur des sujets variés et souvent anecdotiques » (en anglais : *features*).

Vaticiner, v.intr., « prédire l'avenir en parlant comme un oracle », a un sens péjoratif.

Va-tout, n.m. *Jouer son va-tout.*

Vau-l'eau (à) : *La barque s'en va à vau-l'eau,* au fil de l'eau, sans être dirigée. *Les affaires vont à vau-l'eau.*

Vauvert. Cf. Diable.

Veau, n.m. **Veaux de mars.** Les noms d'animaux (veaux, bouquins, biquets, cabris, *cabris d'avril*) donnés en France, en Suisse romande et en Wallonie (*veaux de mars*) aux **giboulées** de mars ou d'avril s'expliquent peut-être par des survivances d'une très vieille légende d'origine méridionale. Mars, insulté et défié par une vieille femme, emprunte trois jours à Avril pour faire périr le bétail de la vieille. Cf. J.-M. Pierret, *Météorologie et littérature populaire* dans *Mélanges Elisée Legros*, 1973. Cf. Pain, Sauté.

Vedettariat, n.m. *Accéder au vedettariat.*

Végétarisme, n.m. en rapport avec *végétarien.* À ne pas confondre avec **végétalisme.** Le premier admet des produits d'origine animale comme lait, beurre, œufs, miel.

Véhiculaire, adj. *Langue véhiculaire* s'est imposé pour désigner la langue servant aux communications entre les communautés linguistiques différentes. On a parlé de *la langue véhiculaire de l'enseignement.*

Veiller, v.tr.dir. ou ind. et intr. *La garde veille. Nous veillerons jusqu'au jour. Veiller qqn, un malade, un mort.* **Veiller à** *qqch., à faire qqch. : Veiller à l'ordre public, à sa tenue, au grain. Veillez à ne pas arriver en retard.* **Veiller à ce que** (+ subjonctif) : *Veillez à ce qu'on soit content de vous.* Éviter *veiller que,* qui est rare et paraît affecté.

    Veiller sur qqn ou **sur qqch.,** c'est exercer sur cette personne ou cette chose une surveillance attentive : *Veiller sur des enfants, sur la santé de qqn, sur la bonne marche d'une affaire.*

Veine, n.f. *Être en veine. Se sentir en veine. Avoir de la veine. Être en veine de confidence. Il a eu de la veine de s'en tirer aussi facilement. Il a eu de la veine qu'on ne l'a* (ou *l'ait*) *pas aperçu.* Le dérivé *veinard, veinarde* est à peine familier.

Vélin, n.m., se dit non seulement d'une peau de veau très fine, mais d'un papier qui l'imite et qui est d'ailleurs souvent appelé *papier vélin.*

Vélo, n.m. Cf. À et *en,* 1, p. 17. *Un vélomoteur.*

Velpeau est le nom d'un chirurgien français qui a créé des bandages élastiques qui portent son nom : *Des bandes Velpeau* (H. Bazin, *Lève-toi et marche,* Poche, p. 131).

Vélum, n.m. Accent aigu.

Vendeur, n.m. Féminin, *vendeuse. Venderesse* ne s'emploie plus qu'en termes de droit.

Vendre, Cf. MÈCHE.

Vénéneux, venimeux, adj. **Vénéneux** se dit des plantes mais aussi de ce qui, ingéré comme aliment, peut empoisonner : *Des champignons vénéneux. Les moules peuvent être vénéneuses.* **Venimeux** se dit des animaux qui ont du venin, de ce qui contient du venin ou, au figuré, d'une personne haineuse, méchante ou de son comportement : *La vipère est venimeuse. Une araignée venimeuse. Une piqûre venimeuse. Un collègue venimeux. Une langue venimeuse. Une attaque venimeuse.*

Vénérer, v.tr.dir. On vénère *un saint, un mort, sa mère,* une personne éminemment respectée. Rien n'empêche de dire : *vénérer un souvenir, vénérer la mémoire* (le souvenir) *d'un mort.* L'Ac. dit : *Sa mémoire est en vénération.* On dit : *Avoir qqn en vénération. Avoir de la vénération pour qqn.*

Vengeur, n. et adj., a pour féminin, surtout comme adjectif, *vengeresse.*

Venir, v.intr., se conjugue comme *tenir,* mais avec l'auxiliaire *être,* qui s'emploie aussi avec *parvenir, survenir,* tandis que *circonvenir* et *prévenir* se conjuguent avec *avoir.* Cf. CONVENIR, DISCONVENIR.

1. **Subjonctif sans** *que* : *Vienne l'été, vienne une disgrâce, viennent des heures sombres* n'expriment pas un souhait mais l'idée de « quand viendra », « s'il arrive » : *Vienne la guerre, vous verrez qu'il s'engagera.*

2. **Devant un infinitif :**

a) **Sans préposition,** *venir* marque la fin d'un mouvement, d'un déplacement spatial (ou conçu comme tel), qui aboutit à l'action exprimée par l'infinitif : *Je viens vous chercher. Ne venez pas me dire que vous ne le saviez pas.*

b) **Venir à** marque un déroulement temporel qui en arrive à ce qu'exprime l'infinitif, et souvent une éventualité qu'on envisage : *Le directeur vint à passer. Les vivres vinrent à manquer. Je vins tout à coup à me le rappeler* (Ac.). *Si cette idée venait à me passer par la tête.* Damourette et Pichon (III. p. 638) signalent encore le tour vieilli qui a un autre sens : *Louis vient à déjeuner. Je reviendrai à dîner.* On n'emploierait plus *à* (cf. a).

On emploie parfois **venir jusqu'à** ou, moins rare, **en venir jusqu'à,** pour exprimer l'audace, l'entêtement, etc. mais on dit surtout **en venir à,** qui marque l'aboutissement. *Il vint jusqu'à me déclarer...* (Ac.). *Il en vint jusqu'à le menacer, jusqu'à l'insulter* (Ac.). *Il en vint à nous menacer. Il en vint à ne plus savoir ce qu'on lui voulait.*

c) **Venir de** exprime un passé très rapproché par rapport au moment de la parole ou du contexte : *Je viens de le rencontrer. On m'a dit qu'il* *venait de partir. Venant d'arriver, je ne veux pas me mêler à la discussion. Quoique je vienne seulement d'arriver, je devine de quoi il est question. D'après le scénario, il viendra à peine de sortir quand vous arriverez* ou *il viendrait à peine de sortir quand vous arriveriez.*

3. **Devant un nom, venir à qqn, à qqch.** : *Les enfants vont à lui avec confiance. Une idée lui est venue. Il me vient à l'esprit de l'interroger. Il me vient l'idée que nous pourrions l'interroger. Les idées lui viennent facilement. Les larmes lui venaient aux yeux. Les jurons lui venaient aux lèvres. L'eau lui vient à la bouche. Vous viendrez à notre rencontre. Son fils lui vient à l'épaule. Venons* (ou *venons-en*) *à notre affaire. En venir aux mains. Venir à composition. Il faudra bien qu'il y vienne.*

Venir de qqn ou *de qqch.* : *Cette maison me vient de mes parents. Mes parents viennent de viticulteurs alsaciens. Ils viennent d'une famille aisée. Venir de Paris. Le vent vient du nord. Ce mot vient du latin. Les grandes pensées viennent du cœur. D'où venez-vous ? Tout cela vient de votre naïveté* ou *de ce que vous êtes trop bon.*

4. **D'où vient que, de là vient que** sont normalement suivis de l'indicatif (ou du conditionnel), parfois seulement du subj. Dupré (III, p. 2648) a tort de déclarer qu'« après *d'où vient que*, le subjonctif est aujourd'hui plus fréquent que l'indicatif ». On s'étonne aussi de voir de bons grammairiens assimiler *de là vient que* et *d'où vient que* aux phrases où le sujet précédant le verbe est *que* + subjonctif ou *le fait que* (cf. FAIT). Ici le sujet suit, bien constaté, affirmé, et le mode normal est l'indicatif (ou le conditionnel) : *D'où vient que vous sortez si vite ? D'où vient que nous supporterions plus mal son intervention que la vôtre ?* On s'interroge seulement sur le pourquoi de cette réalité. Le subjonctif s'introduit parfois dans de telles phrases : *D'où vient qu'il me paraisse si difficile de parler des travaux ?* (Fr. Nourissier, *Le maître de maison*, p. 482). Le fait sur lequel on s'interroge est pourtant bien constaté ; le subjonctif me paraît analogique, amené par un sentiment d'étonnement ; c'est comme si l'on disait : *Comment expliquer que ?* Cf. EXPLIQUER.

Compréhensible et admissible quand on s'interroge, le subjonctif peut paraître plus étrange et est plus exceptionnel quand on affirme. Grevisse (n° 2593) a cité cette phrase de Marcel Arland : *De là vient que, parent pauvre, il ait conquis la première place.* J'emploierais l'indicatif, mais le subjonctif, ici encore, me paraît analogique ; l'auteur pense : ainsi s'explique que. Cf. H. Glättli, *Revue de linguistique romane*, t. XXVIII, 1964.

5. **Venir** et **aller.** *Venir* suppose un déplacement dans la direction de celui qui parle ou de celui à qui on parle ou pour accompagner celui qui parle :

Je serai à la côte en juillet, viendrez-vous me voir ? Il est venu à ma rencontre. Il viendra ce soir pour vous parler. Je vais à Paris, voulez-vous venir avec moi ? Il est venu de Rome à Lyon, peut dire non seulement un

Lyonnais mais un Parisien parce qu'il s'agit d'un rapprochement dans sa direction. Un ami m'invite ou m'appelle : *Venez me voir.* Je réponds : *J'irai* ou je *viendrai vous voir* ou *Je viens.* Un Français dit : *Les Anglais viennent passer le week-end en France.* Un Anglais dira : *J'irai passer...* ou écrira à un Français : *Je viendrai passer...*

6. **Voir venir qqn**, c'est deviner ses intentions (on peut ajouter : *avec ses gros sabots*). Ce n'est pas le regarder venir pour l'attendre au tournant, pour lui faire du tort. *Voir venir* s'emploie absolument dans le sens d'« attendre, regarder venir les choses, se préparer ainsi à agir ».

7. **Bienvenu, ue, malvenu, ue**, adjectifs ou noms, s'écrivent en un mot quand il s'agit d'accueil : *Vous êtes les bienvenus. Votre sœur sera la bienvenue.* Autre sens : *souhaiter la bienvenue à qqn. Un hôte malvenu. Vous serez bienvenu à notre service. Une remarque malvenue.* Mais : *Cet enfant est bien venu* (il se présente bien) ou *mal venu. Cet arbre est mal venu.* On doit écrire *mieux venu* : *Cela serait mieux venu si vous ajoutiez un mot.* Si *bien* signifie « effectivement », on écrit évidemment *bien venu* : *Il est bien venu la semaine dernière.*

Être bien venu et, plus courant, *être mal venu*, être ou non fondé à, se construisent avec *à* ou, plus souvent, avec *de* et un infinitif : *Il est mal venu à* (ou *de*) *se plaindre. Je serais mal venu de vous le reprocher.* Impersonnel : *Il serait mal venu de nous en plaindre.* Cf. BIEN, adv., 11, p. 166.

Notons aussi **tard venu**, qui se dit d'un enfant né longtemps après ses frères ou sœurs ou né de parents âgés. Et **premier venu**, *dernier venu*, **nouveau venu.** Les deux mots varient : *Les premiers venus. La nouvelle venue. Les nouveaux venus.*

8. Cf. AVEC, 1 (*Venir avec*) et ÇA, 5 [*Ça ne vient pas à un jour*], p. 189.

Vent, n.m. On écrit habituellement *contre vents et marées*, mais parfois *contre vent et marée*.

Ventail, n.m. Cf. VANTAIL.

Vente, n.f. *Vente au comptant* ou *à tempérament* (ou *à crédit*). *Service après-vente* (trait d'union).

Venté, adj., est rare. On dit plutôt **venteux**, peu courant cependant : *Un plateau venteux.* Autre sens : qui produit du gaz, des vents dans l'intestin.

Véracité, n.f. Cf. VÉRIDIQUE.

Véranda, n.f., ne s'écrit plus avec un *h* final. Une véranda est une terrasse couverte et fermée par des vitres. Il est normal de dire : *Nous dînerons dans la véranda.* Marguerite Duras, citée par le Lexis, emploie *sous* : *Quand il pleuvait, Suzanne rentrait, s'asseyait **sous** la véranda.* Moins étrange est *sur*, la véranda étant en saillie et assimilée à un balcon ou à une terrasse : *Heurteur me précéda **sur** une véranda qui dominait un étang (...).*

On dîna sur la véranda (P. Modiano, *Rue des boutiques obscures*, p. 15). *Sur la véranda, il aspira profondément (...). Elle revit la nuit d'hiver de 1902, l'enfant enveloppée dans un journal et déposée sur la véranda* (J. Green, *Moïra*, Poche, pp. 27, 40).

Verbe. A. Distinction entre **transitif direct. transitif indirect et intransitif.** On aura vu que je fais des distinctions dans les emplois entre les verbes trans.dir. (*chercher, recevoir, attendre*), qui ont ou peuvent avoir un complément d'objet direct, les verbes trans.ind. (*obéir, nuire*) qui se construisent avec un complément d'objet indirect, c'est-à-dire introduit par une préposition, et les verbes intr. (*venir, aller*), dont l'action ne passe pas sur un objet. Un verbe trans.dir. ou indir. peut être employé de façon absolue, sans complément d'objet : *J'attends. J'obéis.*

On aura observé que beaucoup de verbes peuvent, selon le sens, être trans.dir. ou trans.ind. ou intr. Quant à *être, devenir*, etc., qui lient le sujet à l'attribut, ce sont des verbes **copules.**

B. Conjugaison. Aux précisions qu'on trouvera à beaucoup de verbes et aux noms des modes et des temps, ajoutons quelques remarques :

1. **Prononciation :** a) Il convient de prononcer, fût-ce faiblement, les 2 *t* et l'*e* dit muet qui est entre eux dans *chante-t-il, discute-t-il.*

b) On ne doit pas craindre de marquer légèrement la différence entre *nous sourions, vous criez* et *nous souriions, vous criiez*, ou la différence — que la plupart des Français ne marquent pas oralement — entre la désinence *ai* du futur (« prononcer « é ») et la désinence -*ais* du conditionnel (prononcer « è »). Distinguer *je marchais* et *je marchai.*

2. **Temps surcomposés.** Aux temps simples s'opposent non seulement les temps composés (passé composé, plus-que-parfait, etc.), mais les temps surcomposés, dont l'existence est ancienne et qui expriment l'aspect de l'accompli. Chaque temps surcomposé correspond à un temps composé et se forme en mettant l'auxiliaire de celui-ci au temps composé correspondant : *J'ai reçu*, passé composé, devient, au passé surcomposé, *j'ai eu reçu. J'étais parti* devient *J'avais été parti* (plus-que-parfait surcomposé). Le plus employé de ces temps est le passé surcomposé qui, en rapport avec un passé composé, correspond au passé antérieur en rapport avec un passé simple. *Quand il eut terminé, le public l'acclama* devient *Quand il a eu terminé, le public l'a acclamé.* Cf. Passé antérieur, 2.

En cas d'accord du participe passé, seul le second varie, puisque le premier fait partie de l'auxiliaire : *Quand ils ont été partis. Quand on les a eu remerciés.*

Autres temps surcomposés, moins usités que le passé surcomposé : le futur antérieur surcomposé (*il aura eu fini*), le conditionnel passé surcomposé (*il aurait eu fini*), le subj. passé surcomposé (*que j'aie eu fini*), l'infinitif passé surcomposé (*avoir eu fini*) et le participe passé surcomposé (*ayant eu fini*).

3. **Identité du radical.** On a vu que l'impératif présent ressemble, pour la plupart des verbes, à l'indicatif présent, mais qu'il ne se termine pas en *-es*, sauf devant les adverbes pronominaux *en* et *y* non suivis d'un infinitif : *plante, plantons, plantez ; plantes-en, plantes-y.* De même : *va, vas-y.* Il est bon d'observer que dans la plupart des verbes on trouve le même radical au participe présent, à l'indicatif présent pluriel, à l'indicatif imparfait et au pluriel du subjonctif présent : *recevant, nous recevons, vous recevez* (mais *ils reçoivent*), *je recevais,* etc., *que nous recevions, que vous receviez (qu'ils reçoivent).* Notons que si le radical se termine par *i* ou *y* on a *iions, iiez* ou *yions, yiez* à l'ind.imp. et au subj.prés. *Nous voyions, vous criiez.*

On peut former le subj. imparfait en partant de la 2ᵉ personne du passé simple : *tu fus, que je fusse ; tu chantas, que je chantasse.* Troisième personne : *qu'il fût, qu'il chantât,* accent circonflexe.

Inutile d'insister sur la parenté habituelle entre l'infinitif et le futur simple ou le conditionnel présent.

4. **Verbes en -er.** Dans les verbes en *-cer,* cédille devant *a* et *o* pour conserver la prononciation : *nous commençons, en commençant.*

Dans ceux en *-ger, e* après *g* dans les mêmes positions et pour la même raison. *Nous voyageons, en voyageant.* Mais *nous voyagions.*

Dans ceux en *-yer, y* devient *i* devant un *e* muet : *je nettoie, il nettoiera ;* il ne faut pas oublier *i* après *y* ou *i* quand la terminaison est *-ions, -iez : nous nettoyions, que vous criiez.*

Les verbes en *-eyer* conservent toujours *y : il grasseye.*

Ceux en *-ayer* peuvent toujours le conserver, la prononciation rappelant celle de l'infinitif si on écrit *y : il paye, il payera* ou *il paie, il paiera* (« pè »).

Ceux qui ont un *é* à l'avant-dernière syllabe de l'infinitif (sauf ceux en *éer*) ne changent cet *é* en *è* (du moins dans l'écriture) que devant une syllabe muette finale (donc ni au futur ni au conditionnel) ; *il révèle, il révélera.*

Ceux en *-éer* conservent *é* dans toute la conjugaison : *il crée, il créera.*

Ceux qui ont un *e* à l'avant-dernière syllabe de l'infinitif changent *e* en *è* devant une syllabe muette : *je sème, je sèmerai.*

Cette règle ne valait que pour un certain nombre de verbes en **-eler** et en **-eter**, notamment *il gèle, il gèlera, il pèle, il cède, il cisèle, il écartèle, il démantèle, il martèle, il modèle, il achète, il crochète* etc.

Les autres doublaient *l* ou *t* : *il appelle, il rappelle, il dételle, il renouvelle, il ficelle, il ruisselle ; il cachette, il empaquette, il coquette, il jette,* etc.

Mais pour un grand nombre l'usage hésitait entre *èle* et *elle* ou entre *ète* et *ette.* L'Académie a décidé en 1975 d'étendre à tous les verbes en *-eler* et en *-eter* la faculté de prendre un accent grave sans doubler la consonne devant un e muet. On peut donc écrire *il bouquète, il furète, il étiquète* comme *il achète, il démantèle, il épèle, il renouvèle, il pèle.* Entendons-nous bien : nul ne doit se croire obligé d'écrire *il appèle* et *il jète*, mais ces formes sont permises ; c'est l'usage qui décidera ; l'intervention de l'Académie a le grand mérite de supprimer l'hésitation qui portait sur un grand nombre de verbes ; en cas de doute, on écrira hardiment *-èle* ou *-ète*. L'usage tiendra sans doute compte non seulement des habitudes bien ancrées mais de l'influence de substantifs comme *étiquette, ficelle, étincelle, coquette, mouchette,* etc., dont l'orthographe n'est pas modifiée.

5. Verbes en **-indre** et en **-soudre.** Ils ne gardent le *d* que devant *r*, comme à l'infinitif, donc au futur simple et au conditionnel présent ; à la 3ᵉ personne de l'indicatif présent, la finale est *t* : *je peins, il peint ; je résous, il résout.*

6. La consonne finale du radical se maintient au singulier de l'indicatif présent et de l'impératif présent dans les autres verbes en **-dre** et **-tre** ; *battre* et *mettre* ne gardent évidemment qu'un *t* : *je prends, il prend ; je bats, il bat ; je couds, il coud.*

7. Verbes en **-aître** ou en **-oître.** Ils ont toujours un accent circonflexe sur *i* devant *t. Je parais, il paraît, nous paraissons, il paraîtra, il croîtra.*

C. **Accord.**

Règle générale : accord en nombre et en personne (et en genre pour le participe passé conjugué avec *être*) avec le sujet. On trouve celui-ci en posant la question *qui est-ce qui* ou *qu'est-ce qui ?* Seul le verbe impersonnel reste invariable : *Le père et la mère sont arrivés. Vous et lui l'avez dit* (cf. B, I). *Il s'est produit plusieurs accidents.*

Remarques. 1. Sauf dans certains cas où l'on exprime l'espèce (cf. A, I) ou une quantité (cf. A, II), on ne peut faire l'accord avec le complément pluriel du sujet, que le mot sujet complété soit un nom ou un pronom comme *aucun, chacun, un, l'un, pas un, personne, qui* : *Qui de nous l'aurait cru ? Chacune d'elles a refusé. Pas un d'entre eux ne s'en est aperçu.* L'accord avec le complément peut se présenter sous les meilleures plumes ; il doit être considéré comme une distraction à éviter : *Partout, la fumée d'herbes se* [*mêlaient*] *aux brumes du soir* (B. Clavel, *L'Espagnol,* J'ai lu, p. 148). *Chacune des trois classes (substantif, verbe, adjectif)* [*sont également productrices*] *de formations* (L. Guilbert, *La créativité lexicale,* p. 135).

2. Pour le cas d'un verbe copule placé entre un singulier et un attribut pluriel, cf. plus loin, A., V, p. 977. Cf. aussi *C'est,* C, I, p. 986.

La règle générale s'assortit de nombreuses **règles particulières** qui vont être réparties en trois groupes :

A. **Il n'y a qu'un seul sujet.** Pour *c'est,* cf. plus loin, C, I.

I. *Espèce, façon, manière,* etc., *de.* — II. Quantité, collectif, *le reste, la plupart, le surplus, dizaine, tout ce qu'il y a de,* attribut pluriel, adverbe de quantité, *trop, beaucoup, peu, tant, plus d'un, moins de deux,* etc., fraction, heure, pourcentage, nombre pluriel. — III. Pronom relatif *qui, un des qui,* etc. — IV. Titre d'une œuvre. — V. Attribut pluriel. — VI. Mot considéré matériellement. — VII. Apposition. — VIII. Cf. On.

B. Il y a plusieurs sujets. I. Sujets de personnes différentes ; exclusion, comparaison. — II. Sujets désignant un seul être. — III. Un ou des sujets **après** le verbe. — IV. Sujets **précédant** le verbe. Synonymie. Gradation. Alternative. *Et même, et surtout,* etc. *Ceci et cela, ce que et ce que,* etc. — V. Sujets repris par un mot. — VI. Sujets unis par *comme, ainsi que, aussi bien que,* etc. — VII. Sujets unis par *mais encore.* — VIII. Sujets unis par *non, plus que, non moins que, plutôt que,* etc. — IX. Répétition de *chaque, tout, nul, aucun, pas un.* — X. Sujets unis par *ou ; tantôt... tantôt.* — XI. Sujets unis par *ni.* — XII. *L'un et l'autre, l'un comme l'autre, ni l'un ni l'autre, l'un ou l'autre, tel et tel, tel ou tel.*

C. Cas spéciaux. I. *C'est, ce doit être, fût-ce,* etc. — II. *N'était, n'eût été.* — III. *Qu'importe.* — IV. *Reste.* — V. *Soit.* — VI. *Mieux vaut.* — VII. *Vive.* — VIII. *Égale.*

A. Il n'y a qu'un sujet.

1. **Espèce, façon, manière, sorte, type** (c'est-à-dire noms désignant l'espèce) *suivis d'un nom complément.* C'est celui-ci qui détermine couramment l'accord du verbe comme celui de l'adjectif qui suit : *Une espèce de clochard **était couché** sur un banc. Toute sorte de gens s'en **inquiètent.** Un certain type de recherches ont été entreprises. Une espèce d'idiot très excité s'est précipité sur la scène. Toute espèce de difficultés que je n'avais pas prévues m'ont empêché de faire ce que je voulais.* C'est que la valeur du premier nom se réduit à celle d'un complément ou d'un adjectif : un clochard plus ou moins caractérisé, des gens de toute sorte, des recherches d'un certain type, etc. Mais si le premier nom est précédé d'un déterminant, il a davantage de valeur et de relief et il détermine l'accord : *Cette sorte de snobs est assez courante dans ce milieu. Ce type de recherches a déjà été entrepris.*

II. **Le sujet exprime une quantité.**

1. **Nom collectif** (*bande, cercle, foule, infinité, majorité, multitude, un grand* (ou *petit*) *nombre, nuée, paquet, part, partie, quantité, totalité, troupe,* etc.).

a) **S'il n'est pas suivi d'un complément,** c'est le collectif qui détermine l'accord : *La foule se **pressait** sur la place. La majorité applaudit.* Toutefois si, d'après le contexte qui précède, il est clair qu'un complément est sous-entendu, on applique la règle ci-dessous (b) : *Ils étaient une bande qui **revenaient** de l'école* (L. Estang, *Les stigmates,* Poche, p. 238). *Les tribus se révoltèrent, mais bientôt une partie se **soumirent.***

b) **S'il est suivi d'un complément au pluriel,** c'est le sens ou l'intention qui règlent l'accord ou laissent parfois le choix. On accorde avec le collectif si l'on considère en bloc — ou si l'on souligne — la totalité, le groupement ou l'idée abstraite du collectif ; avec le complément si l'on pense individuellement aux êtres, aux objets qui constituent cet ensemble : *Au coup de fusil, une bande de moineaux s'envola bruyamment. Un torrent de pensées lui roulait dans la tête. Le gros des troupes a quitté la ville. Une nuée d'oiseaux s'élevait des arbres. La foule des spectateurs arrivait. Une série de déclics jouait, des roues dentées se mettaient en mouvement* (J. Mistler, *Le bout du monde*, Poche, p. 172). *L'immense majorité des maires, représentant par définition l'immense majorité des électeurs, demande une réforme* (Éditorial du *Figaro*, 20 septembre 1950). Le singulier s'impose s'il s'agit de la majorité (ou de la minorité) au sens strict et mathématique : *La majorité des actionnaires a approuvé les comptes. — Une troupe de garnements chantait du côté de la rue et cadençait le pas* (M. Genevoix, *Rroû*, Poche, p. 64). Mais : *Une foule de gens diront qu'il n'en est rien* (Ac.). *Un assez grand nombre d'exemples ont vieilli* (Ac.). *Au carrefour de deux couloirs, un groupe de docteurs discutaient* (G. Cesbron, *Les innocents de Paris*, Poche, p. 279).

Commentons quelques exemples : *J'avais présents sous les yeux des quantités de personnages qui ne sont pas entrés dans l'histoire* (dans le roman qu'il écrivait. Giono, *Noé*, Poche, p. 33). *Un cercle d'enfants, les mains derrière le dos, l'observaient avec une curiosité respectueuse* (Alain-Fournier, *Le grand Meaulnes*, I, 3). *Une foule d'officiers de tous grades arrivaient* (ou *arrivait*) *chaque jour. Le reste des naufragés a péri* ou *ont péri.*

On comprend pourquoi le choix est libre dans les deux dernières phrases. Le singulier serait inacceptable dans celle d'Alain-Fournier : le complément *les mains derrière le dos* montre que la pensée s'arrête sur les individus formant un cercle. De même : *Une bande d'enfants piailleurs allaient à l'école, gracieux et ronds comme des rouges-gorges dans leurs vifs habits* (M. Yourcenar, *L'œuvre au noir*, Poche, p. 259). Quant à Giono, il pense aux personnages eux-mêmes qui ne sont pas entrés dans son roman. *Une série d'appels téléphoniques lancés dans toutes les directions (...) n'avaient rien donné* (J. Chaban-Delmas, *L'ardeur*, Poche, p. 307). On songe aux nombreux appels « lancés dans toutes les directions ». Le pluriel s'imposait aussi dans cette phrase d'Henri Troyat : *Une poignée de bonshommes, ridiculement petits, s'affairaient autour d'un appareil qui venait d'atterrir* (*Les Eygletière*, J'ai lu, p. 202) ; c'est sur les individus eux-mêmes qu'on veut porter l'attention, tout en indiquant qu'ils sont peu nombreux. *Aussitôt une volée de flèches brûlantes ont percé ma face, ma poitrine et mes mains* (M. Tournier, *Vendredi*, Folio, p. 216). On peut arriver à des phrases comme celle-ci : *Un long triangle de canards vole très bas, comme s'ils voulaient prendre terre* (A. Daudet, *Lettres de mon moulin*, En Camargue, II). L'auteur, après avoir vu le vol du groupe, pense aux canards qui, individuellement, veulent se poser sur le sol. Nuances dont ne se préoccupent pas toujours les écrivains et que néglige souvent l'usage courant.

Tout à fait justifiée, dans la phrase suivante, la succession d'un pluriel (s'appliquant aux individus) et d'un singulier (fixant l'attention sur l'ensemble) : *Si une masse d'hommes **sont** devenus des robots du travail de série, une minorité de régleurs de machines, d'outilleurs, **doit** sans cesse élever son niveau de capacités pour répondre aux exigences du travail moderne* (G. Navel, *Travaux*, Folio, p. 63).

Sans entraîner automatiquement l'accord avec le collectif, la présence, devant celui-ci, d'un article défini, d'un adjectif démonstratif ou possessif peut souvent le justifier : *La foule des piétons **bloqua** la rue.* Mais en fait, ici comme ailleurs, c'est le sens ou l'intention qui règlent l'accord. *Une masse de gens l'**approuvent**. La grande masse des Français l'**approuve**.*

Il est vrai aussi qu'**armée**, ainsi déterminé, est régulièrement suivi du singulier : *L'armée des Barbares, au contraire, n'**avait** pu maintenir son alignement* (G. Flaubert, *Salammbô*, ch. 8). Mais on voit que l'attention se porte sur l'ensemble. Et il suffit qu'une apposition attire le regard ou la pensée sur les individus pour que le pluriel s'impose : *Et l'armée de tous les saints, portant des flambeaux dans leurs mains, s'**avancent** à ma rencontre* (P. Claudel, *Partage de Midi*, Cantique de Mesa). De même dans cette phrase d'un autre type : *Toute leur armée, officiers, sous-officiers et soldats, (...) se **firent** un plaisir de s'y conformer* (A. France, *L'île des pingouins*, Préface).

On se gardera d'assimiler aux collectifs suivis d'un nom pluriel pouvant déterminer l'accord les noms comme *réunion, assemblée*, qui se chargent clairement de l'idée principale : *Une réunion des chefs d'État **est** prévue. L'assemblée des actionnaires **a** élu son président.*

D'autre part on dit, à cause de l'attribut pluriel : *Le reste des naufragés **sont** des inconnus. La majorité des naturalisés **sont** des hommes* (*Bulletin mensuel de statistique*, supplément juillet-septembre 1952, p. 8), mais : *Le reste des naufragés **a** péri* ou *ont péri*. Pluriel à cause du complément *en semelles* : *Tout le reste des gens **vivaient** dans la maison en semelles de feutre* (J. de la Varende, *Le troisième jour*, p. 276). *Une infinité de gens se **demandent***, parce que ce sont les gens qui se demandent, mais le singulier ne serait pas absurde, parce que la masse peut s'interroger. *Il y en a une infinité qui **pensent** que...* ; le pluriel s'impose après un collectif précédé du partitif *en* attirant l'attention sur la pluralité : *J'en connais un grand nombre qui **seront** contents.*

*Une foule de ménagères se **bousculaient** autour des étalages, telles des mouches sur une flaque de miel* (H. Troyat, *L'araignée*, Presse Pocket, p. 229). Sans l'apposition (*telles...*), le singulier serait concevable. On voit qu'il s'impose dans : *La foule des curieux **fut** coupée en deux par le service d'ordre.*

Il est naturel, à cause du sens, d'accorder avec **l'ensemble, la totalité** : *L'ensemble des médecins **proteste**.* Mais il est possible d'employer le pluriel pour mettre l'accent sur les individus constituant l'ensemble.

Après **la plupart** suivi d'un complément de la troisième personne, l'accord se fait avec celui-ci : *La plupart du temps se **passe** à discuter. La* *plupart des gens le savent.* L'emploi du singulier quand le complément est au pluriel est tout à fait insolite. S'il n'y a pas de complément exprimé, il est censé être au pluriel : *La plupart le savent.*

Le surplus est toujours suivi d'un singulier : *Le surplus des produits sera exporté.*

Si le complément de l'expression de quantité est *nous, vous,* cf. plus bas, 3.

2. **Un autre nom de sens numéral comme** *dizaine, douzaine,* etc. S'il s'agit d'une quantité précise, ce nom détermine l'accord : *Une douzaine de ces brochures nous coûtera cent francs.* S'il s'agit d'un nombre approximatif, on accorde comme en 1) avec le collectif ou avec son complément : *Une douzaine de jeunes gens en surplis* **chantent** *du grégorien* (J. Green, *La bouteille à la mer,* p. 171) ; on pense aux individus groupés. *Une dizaine de soldats* **avaient** *seuls échappé au massacre* (M. Arland, *Antarès,* Poche, p. 85). *Pendant deux ans une douzaine d'empêchements se* **succédèrent** : l'emploi du pronominal empêche de penser qu'une douzaine se succéda ; ce serait absurde. *Une quinzaine de jours* **fut** *nécessaire* (P. Morand, *Montociel,* Poche, p. 88) : on pense à l'ensemble plutôt qu'au détail des jours. *Une quinzaine de francs* **suffiront** (ou **suffira**) *pour sa dépense* (Ac.). *Un million de mains applaudit à ce prodige* (Voltaire, cité par Grevisse, *B.U.,* n° 1965). Rien n'empêcherait d'accorder avec *mains : Un million de mains applaudirent.*

Autres expressions comme **(tout) ce qui reste de** , **(tout) ce qu'il y a de**, **(tout) ce que j'ai de**, devant un pluriel : le verbe est généralement au singulier : *Ce qui restait d'habitants s'est enfui.* Mais le pluriel n'est pas exclu : *Tout ce que Port-Albert compte de dignitaires et d'affairistes* **feront** *queue pour lui présenter leurs hommages* (G. Cesbron, *Je suis mal dans ta peau,* p. 148). Devant un **attribut pluriel**, on met parfois le verbe au pluriel ou plutôt on emploie *ce sont : Tout ce qu'il y a d'intéressant dans ce rapport* **est** *emprunté.* Mais : **sont** *des idées empruntées* ou mieux : *ce* **sont** *des idées empruntées.*

3. **Adverbe de quantité** (*trop, beaucoup, peu,* etc.) ou **nom sans article exprimant une quantité** (*force, nombre de, bon nombre de, quantité de*). Le verbe s'accorde avec le complément ; si celui-ci n'est pas exprimé, il est censé être au pluriel : *Beaucoup de patience* **sera** *nécessaire. Beaucoup de temps se* **perd**. *Beaucoup de gens l'*ont *dit. Beaucoup s'en* **sont** *aperçus. Nombre de gens* **ont** *pu le voir. Force paroles* **ont** *été prononcées en vain.*

Si le mot qui exprime la quantité (cf. plus haut, 1 et 2) est complété par *nous* ou *vous,* l'accord se fait avec l'expression de la quantité : *La plupart d'entre nous en* **ont** *fait l'expérience. Trois d'entre vous* **resteront**. *Nombre d'entre vous s'en réjouiront. Beaucoup d'entre nous* **regretteront** *ce départ.* Dans ce dernier cas, l'accord avec *nous* permet de marquer qu'on se met dans le nombre : *Beaucoup d'entre nous l'*avons *regretté.* Un tel accord n'est pas courant ; il est très rare avec *vous.*

Si, en employant l'adverbe de quantité, on s'arrête surtout à l'idée même de quantité, on met logiquement le verbe au singulier : *Je prendrai quelques précautions.* — *Beaucoup de précautions vaut mieux.* **Trop de plaisirs** *est malsain* signifie : « Un excès dans le nombre des plaisirs est malsain ». **Trop de plaisirs sont** *malsains* : ce n'est plus l'ensemble qui est malsain parce qu'il est excessif, mais chacun des plaisirs envisagés est malsain. *Il est impossible que tant de souffrances ait été dépensé en pure perte* (H. Troyat, *Étrangers sur la terre*, p. 26) ; il serait possible, ici, d'accorder avec *souffrances*.

Plus d'un est suivi du verbe au singulier : *Plus d'un critique l'a fait observer.* On trouve le pluriel chez quelques écrivains : *Non, ces hommes n'étaient ni des médiocres, ni de mauvais Français ! Plus d'un étaient brillants* (A. Peyrefitte, *Le mal français*, p. 40). Mais cela reste exceptionnel. Le pluriel s'impose au contraire si *plus d'un* est répété ou s'il y a réciprocité : *Plus d'un malade, plus d'un infirme lui* **ont** *voué une profonde reconnaissance. Plus d'un fripon se* **dupent** *l'un l'autre.*

Moins de deux, qui ne s'emploie normalement qu'à propos de choses qui se divisent, est suivi du verbe au pluriel : *Moins de deux ans sont passés.* A. Peyrefitte, qui emploie le pluriel après *plus d'un* (voir plus haut), met le singulier après *moins de deux : Moins de deux minutes avait suffi* (*Le mal français*, p. 243). C'est insolite. Mais le singulier s'impose si le véritable sujet est l'idée exprimée par *moins* (qui peut alors être suivi de choses non divisibles) : *Moins de deux gardes du corps ne pouvait le ramasser.* Étrange !

Après **pas moins de**, on accorde le verbe avec le complément : *Pas moins d'une heure s'est écoulée. Pas moins de quatre pages sont nécessaires* (Ph. Bertault, *Balzac*, p. 27).

Peu (de). Même accord qu'après *beaucoup* : *Peu de monde l'a vu. Peu de gens l'ont vu. Peu s'en doutent. Bien peu l'écoutaient.*

Un peu de ne marque pas, comme *peu de*, une petite quantité comparée avec une quantité supérieure, mais une petite quantité comparée avec une quantité nulle. Le GLLF dit que le complément doit être « un nom non nombrable ». Il est vrai que tous les dictionnaires, comme Damourette et Pichon (n°s 2685, 2687), ne donnent que des exemples de ce genre : *un peu de viande, un peu d'amour, un peu de patience,* etc. L'accord du verbe peut se faire avec *un peu : Un peu de charlatanerie est toujours permis* (Baudelaire, cité par GR).

Les Le Bidois (n° 1040) déclarent que « l'accord semble facultatif » : *Comme si un peu de nuit était entrée d'un bond* (R. Dorgelès). *Avant qu'un peu de terre, obtenu par prière...* (Boileau). Ils ajoutent : « dans cette dernière phrase, l'invariabilité est peut-être due aux nécessités du vers ». Ils considèrent donc que l'accord se fait plutôt avec le complément. Telle est aussi l'opinion de Grevisse qui donne, sans référence, une phrase, à vrai dire étrange, avec des compléments pluriels qui déterminent l'accord (*B.U.*, n° 1970) : *Un peu de provisions aideront ce malheureux à vivre, un peu de pommes de terre lui feront plaisir.*

Après **le peu de** (**mon peu de, ce peu de**), il faut renoncer à la distinction entre quantité insuffisante (= le trop peu de) et quantité suffisante : elle est souvent valable, mais ne peut justifier l'accord avec *le peu* dans une phrase comme celle-ci, où pourtant il s'impose : *Le peu d'exigences qu'a montré cet homme me l'a fait embaucher.* Le principe est simple et facile à appliquer : l'accord se fait avec *le peu* s'il exprime l'idée dominante ; on ne peut alors supprimer *le peu* ; sinon l'accord se fait avec le complément ; on peut alors supprimer *le peu* en laissant son sens à la phrase : *Le peu de qualités dont il a fait preuve l'a fait éconduire* (Ac.). *Le peu de consistance des preuves **est** oublié.* (R. Floriot, *Les erreurs judiciaires*, p. 39). *Le peu d'hommes qui se promènent **ont** le col relevé ; le peu* n'a pas un autre sens ici que *quelques ;* on pourrait dire : les hommes qui se promènent... *Le peu de services qu'il a rendus **ont** paru mériter une récompense* (Ac.).

Dans certains cas, les deux accords sont possibles et marquent si l'on met ou non l'accent sur *le peu* : *Le peu d'observations que j'ai **fait*** (ou *faites*) à ce propos *s'**est effacé*** (ou *se **sont** effacées*) *de ma mémoire. Le peu de témoins que j'ai interrogés* (ou *interrogé*) *ne m'**ont*** (ou *ne m'a*) *pas assez éclairé.* Il faut se garder de compliquer la règle par des oppositions factices. Grevisse donne l'excellent exemple (*B.U.*, n° 1969) : *Notre peu de ressources ne nous permet pas de faire cette dépense.* Mais il forge un exemple peu vraisemblable quand il oppose au précédent : *Notre peu de ressources nous **ont** empêchés de mourir* (n° 1970). Il suffit en tout cas de recourir au moyen donné plus haut (suppression possible ou non de *peu*) pour justifier l'accord.

Ajoutons une remarque : même si l'accord du verbe et de son attribut s'est fait avec *le peu*, les autres mots qui renvoient ensuite au sujet formé de *le peu* et d'un complément au pluriel sont au pluriel : *Le peu d'officiers qui résiste **est** tué, et l'on trouve sur **eux** les preuves de **leur** intelligence avec l'émigration* (Michelet, cité par Grevisse. *B.U.*, n° 1969).

4. **Fractions** : a) **Fraction au singulier** (*la moitié, un tiers*, etc.). S'il s'agit d'une quantité précise, l'accord se fait avec la fraction : *La moitié des actionnaires **a** rejeté la proposition. La moitié des députés **a** voté pour, et l'autre moitié contre le projet de loi* (Littré).

Si le nombre est approximatif, l'accord se fait avec le complément, mais peut se faire aussi avec la fraction quand la pensée est orientée vers le terme quantitatif, que le complément soit ou non exprimé. Dans beaucoup de cas, on a le choix : *Les figues ont été véreuses et plus de la moitié s'en **est** perdue* (Thyde Monnier, *L'huile vierge*, p. 39). *La moitié des assistants **protestèrent**. La moitié de mes amis me **reprochent** d'être trop bon. Beaucoup d'abonnés se plaignent ; la moitié **n'est pas contente** ou, plus souvent, **ne sont pas contents**. Un bon tiers des gens interrogés **a** répondu : Non ou **ont** répondu : Non. Sur treize cents participants, plus de la moitié **exposent** des appareils mécaniques* (M. Chapelan, dans *Le Figaro littéraire*,

28 février 1953). *Un tiers de la région **a été ravagé** ou **ravagée**. Un sixième des votants s'y est opposé ou s'y sont opposés. En Grande-Bretagne, un tiers des aveugles âgés de 16 à 65 ans travaille ou suit des cours d'instruction* (*Revue politique et parlementaire*, mars 1952, p. 285). On pourrait écrire : *travaillent* et *suivent*. *Un bon tiers des chevaliers n'avaient pas rejoint* (M. Druon, *Les rois maudits*, éd. Famot, t. VII, p. 300). *Un bon tiers des Polonais avait refusé de quitter l'uniforme* (Fr. Ambrière, *Les grandes vacances*, Poche, p. 117). *Un tiers de la vie pour former un ingénieur, un tiers consacré à l'activité proprement dite* (*Population*, janvier 1952, p. 42, note 2). *Un tiers de ces valeurs ne figure pas effectivement dans la statistique* (*Ibidem*, p. 36).

b) **Fraction au pluriel.** Elle régit l'accord (masculin pluriel) : *Deux tiers de la contrée **ont** été ravagés. Les trois quarts de la récolte **sont perdus**. Un peu plus des deux cinquièmes de la population sont économiquement actifs.*

Toutefois, si le complément est au féminin pluriel, l'accord se fait plus souvent avec celui-ci : *Deux tiers des maisons ont été **détruites**.*

En arithmétique, quand la fraction est employée sans complément, on dit : *La fraction 2/5 est trois fois plus grande que la fraction 2/15* ou : *2/5 est trois fois plus grand que 2/15* ou, plus rarement : *Combien de fois 2/15 sont-ils contenus dans 2/5 ?* (*Mémento Larousse*, 4ᵉ éd., p. 377).

c) **Et demi, et quart**, etc. C'est le premier élément de l'expression fractionnaire qui commande l'accord, s'il n'y a pas de complément ou si le complément est un singulier : *Un mètre et demi suffira. Huit heures et demie sonnaient* (cf. *Heure*, 4). *Deux semaines et demie se sont écoulées. Un mètre cube et demi de terre a été retiré* (Dauzat, *Gr. rais.*, p. 448). *Une livre et demie de sucre sera suffisante.*

Avec un complément au pluriel : *Un mètre cube et demi de décombres a été retiré* (ou *ont été retirés*). Même accord si le complément qui vient d'être exprimé au pluriel est sous-entendu : *Le déblaiement des décombres se poursuit, et ce matin un mètre cube et demi a été retiré* (le pluriel n'est pas inconcevable ; cf. *Le français moderne*, avril 1940, p. 164).

5. **Pourcentage.** Commençons par observer qu'on peut dans tous les cas faire l'accord avec l'expression, au pluriel, de pourcentage, considérée comme un masculin : (*Les*) *30 % de notre dette **sont** dus aux dépenses militaires. 80 % des récoltes **ont** été détruits.* Cet accord s'impose quand l'expression de pourcentage est précédée de l'article *les* ou d'un déterminatif pluriel (*ces, nous*, etc.). Mais généralement on n'emploie pas d'article ni de déterminatif. Dans ce cas, si l'accord avec l'expression de pourcentage est toujours permis, il ne s'impose pas toujours :

a) Si **le complément est au singulier**, il commande souvent l'accord : *Vingt pour cent de la population s'est abstenue* (A. Dauzat, *Gr. rais.*, p. 448). *Soixante-cinq pour cent de cette somme **est** couverte par la vente des places* (J. Jaubert, *Le Figaro littéraire*, 21 juillet 1973). *Or, 60 % de notre production **était** destinée à l'étranger* (*Match*, 14 février 1976, p. 29).

Mais on peut faire l'accord avec l'expression de pourcentage (masculin pluriel) : *30 % du budget américain* **consacrés** *à la défense nationale* (Titre du *Figaro*, 30 mars 1950). *40 % de la population française* **souffrent** *d'anomalies certaines* (A. Soubiran, dans *Jours de France*, 26 mai 1975, p. 138). On trouve même l'expression de pourcentage traitée comme un masculin singulier, avec une valeur abstraite : *Dix pour cent de la population du globe est plus ou moins concerné* (Cl. Sarraute, dans *Le Monde*, 1er décembre 1973). S'il y a comme attribut un substantif pluriel, on doit mettre le verbe au pluriel : *Dix pour cent de la population* **sont** *des vieillards.*

Si le complément est employé sans article ou sans déterminatif, il ne peut déterminer l'accord : *Un eugéniste a calculé que 10 p. 100 de sang frais* **deviendraient** *nécessaires à chaque génération* (H. Bazin, *Les bienheureux de la désolation*, Poche, p. 309). *Dix pour cent d'augmentation* **seront** *accordés à partir du 1er janvier.*

b) Si **le complément est au pluriel**, on peut accorder avec l'expression de pourcentage, considérée comme un masculin : *10 % seulement de nos importations ne* **sont** *pas* **couverts** *par des exportations* (Jean Claude, dans *Le Figaro*, 25 août 1950). *1 % de nos importations* **est constitué** *par...* Mais on fait très souvent l'accord avec le complément : *23 % d'entre elles sont obligées de franchir les limites de leur commune* (*Bulletin mensuel de statistique*, Supplément avril-juin 1952, p. 16). *Plus de 92 % des voix se sont portées sur la liste du « Front populaire »* (*Le Figaro*, 28 mars 1950, p. 3). *Lors de la visite d'admission, 1 % des enfants sont reconnus inaptes à la vie scolaire* (J.-F. Brisson, dans *Le Figaro*, 15 août 1950). *63 % des personnes interrogées se sont déclarées contre la venue de Concorde* (*Le Monde*, 4 février 1976, p. 13).

c) S'il y a un **complément sous-entendu**, il est normal de faire l'accord avec l'expression de pourcentage (masculin pluriel) : *La taxe locale est au taux de 1,5 % et 60 % seulement* **sont perçus** *directement par la commune* (*Bull. mens. de stat.*, suppl. juillet-septembre 1952, p. 71). Toutefois si ce complément sous-entendu est un pluriel, l'accord se fait tout naturellement avec lui, du moins s'il s'agit de personnes : *Cinquante candidates se sont présentées : 12 % ont été* **refusées.**

Remarques :

a) Si l'expression de pourcentage se suffit à elle-même, sans complément sous-entendu, elle a une valeur d'abstraction et on met le verbe au singulier et l'attribut ou le participe au masculin : *Quel pourboire faut-il donner ? — Quinze pour cent me* **paraît suffisant.** On dit d'ailleurs : *du 15 %.*

b) Si l'on emploie *sur* au lieu de *pour*, le cas est différent : on place *sur* (*dix, cent*) après le nom et on accorde avec celui-ci : *Une maison sur dix* **a** *été construite pendant la crise.*

6. **Nombre pluriel.** D'habitude, on pense à une pluralité d'unités. On met donc le verbe au pluriel : *Trois nous l'**ont** déjà dit. Dix ans sont passés. Huit heures sonnaient. Mille francs sont vite dépensés. Quatre années de misère ont miné sa santé.* Avec un article ou un déterminatif (démonstratif ou possessif), le pluriel s'impose : *Ces mille francs sont une somme. Les dix francs qu'il a reçus lui sont venus à point.*

Mais si le sujet, non précédé d'un déterminant, est pensé comme un ensemble, comme une seule unité globale, le verbe se met au singulier, qu'il soit suivi ou non d'un attribut au singulier : *Vingt généraux allemands à nommer sans erreur **représente** déjà, pour un Français, ce qu'on appelle une gageure* (A. Roussin, *Réponse à Alain Decaux*, reçu à l'Académie française). *Mille francs **est** une somme. Vingt ans **est** un bel âge. Trois plats de viande **est*** (ou plus souvent : ***c'est***) *lourd à digérer.* On distingue ainsi *Huit heures **sonnaient*** et *Huit heures **est** le meilleur moment de la journée.*

III. **Pronom relatif (*qui*) sujet.** Accord en nombre et en personne (et en genre pour le participe conjugué avec *être*) avec l'antécédent de *qui* : *Ma femme et son père qui nous **accompagnaient*** ; l'antécédent est : ma femme et son père. *Ma femme et son père qui nous accompagnait* ; l'antécédent est son père seul. *Il n'y a que vous qui l'**ayez** vu. Ce n'est pas moi qui l'**ai** dit. Ce n'est pas mon frère qui l'a dit, c'est moi.* Il est normal de dire : *Ce n'est pas lui, c'est nous qui l'**avons** dit,* puisque le seul sujet retenu est *nous.* Il en va de même si *c'est* n'est pas répété : *Ce n'est pas lui mais nous qui l'**avons** dit.* De même : *Ce n'est pas moi seul, c'est tout le conseil d'administration qui **a** été de cet avis* ou *Ce n'est pas moi seul mais tout le conseil d'administration qui **a** été de cet avis.*

N.B. 1. L'antécédent règle généralement aussi l'accord quand il a un complément d'une autre personne : *Ceux d'entre nous qui **étaient** là* (cf. plus haut, p. 968, où il s'agit d'un adverbe de quantité) ou quand lui-même est complément d'un verbe ayant un sujet d'une autre personne : *Nous formions un groupe qui se **réunissait**...* (A. Maurois, *Le dîner sous les marronniers*, p. 140).

L'accord avec *nous* complément permet de marquer qu'on se met dans le nombre : *Ceux d'entre nous qui le lui **avons** reproché.* Peu courant.

2. Si *chacun* est apposé à *qui* renvoyant à un pluriel, le verbe se met au pluriel : *Plusieurs volumes qui **contiennent** chacun un autographe.*

3. Après un antécédent du type **un homme comme moi** (ou *toi, vous*), *des gens comme nous* (ou *vous*), l'accord peut se faire avec le pronom mais se fait plus souvent avec le nom (*homme*, etc.) : *J'en crois un homme comme vous qui **a*** (plus rarement : *qui **avez***) *une telle expérience* ou *qui **a** vu par ses yeux* ou *qui **avez** vu par vos yeux* (Littré, au mot *Qui*, 5).

4. Si l'antécédent est un mot mis en **apostrophe**, le verbe se met à la 2ᵉ personne : *Jeunes gens qui **aimez** l'aventure, écoutez ceci. Notre Père qui*

es aux cieux. Insensé, qui crois que je ne suis pas toi ! Si l'on ne s'adresse pas à la personne, on a la 3ᵉ personne : *Insensé, qui croit que je le jalouse* !

5. Lorsque le relatif a pour antécédent un **attribut qui se rapporte à un pronom personnel de la 1ʳᵉ ou de la 2ᵉ personne**, l'accord avec cet attribut est toujours permis. Il s'impose dans les propositions négatives ou interrogatives et lorsque l'attribut est un nom propre avec déterminatif : *Je ne suis pas celui qui a dénoncé le scandale* ; ce serait un non-sens de mettre la 1ʳᵉ personne, puisqu'on refuse d'identifier *je* et *celui qui*. *Êtes-vous celui qui s'est plaint ?* L'attribut est « celui qui s'est plaint » et on interroge sur l'identification avec « vous ». *Vous êtes donc ce Durand qui m'a écrit hier.* Cet accord avec l'antécédent attribut est général et nettement préférable si l'attribut est un nom précédé de l'article défini ou d'un démonstratif ou est un démonstratif : *Vous êtes les enfants qui ont* si bien travaillé. *Vous êtes le concurrent qui a* envoyé la meilleure réponse. *Nous sommes les deux délégués qui ont* (ou *avons*) été désignés. *Je suis cet homme* (ou *celui*) *qui a* dénoncé le scandale.

L'accord avec le pronom personnel après *celui qui* a été autrefois régulier : il est devenu exceptionnel et archaïque (*Je suis celui qui suis*). Il est habituel si l'attribut est formé d'un nombre comme **deux, trois** sans article défini ni démonstratif (attention à cette double condition) ou d'une **expression numérale** comme *beaucoup, plusieurs, quelques-uns, une dizaine, un groupe, un certain nombre* : *Nous sommes **quatre camarades qui avons** décidé de partir ensemble. Nous sommes des milliers* (ou *beaucoup* ou *tout un groupe*) *qui pensons de même.*

L'usage hésite quand l'attribut est précédé d'un article indéfini, ou est **le seul, le premier, le dernier,** etc., ou est un **nom propre** sans déterminatif : *Je suis une vieille carcasse qui s'ennuie* (J. Anouilh, *Pièces roses*, p. 36). *Je suis une fille du Carmel qui va souffrir* (G. Bernanos, *Dialogues des carmélites*, III, 8). *Je suis **un paresseux qui ne me plais** qu'à dormir au soleil* (M. Aymé, *Les contes du chat perché*, p. 93). *Je suis un naïf qui croit* (ou *crois*) *tout ce qu'on lui dit. Vous êtes le premier qui l'a* (ou *l'avez*) *dit. Vous êtes les seuls qui soient* (ou *soyez*) *scandalisés. Je suis Pierre, qui vous a* (ou *ai*) *tant soigné* (Martinon. *Comment on parle en français*, p. 213).

Un(e) des, un(e) de ces, attribut ou non. La langue classique laissait la liberté d'accorder avec *un* ou avec le complément. L'usage est resté hésitant. Il ne devrait pas l'être dans certains cas où le sens indique clairement quel est le sujet : *Il répondait à un des juges qui l'interrogaient* marque bien qu'on pense aux juges qui interrogeaient. *Il répondit à un des juges qui l'interrogeait* indique qu'il s'agit d'un seul des juges, de celui qui interrogeait ; on peut mettre une virgule ou faire une pause après *juges*. De même : *Je me suis adressé à un de vos employés, qui m'a fort bien reçu.*

Charles Bruneau conseillait (*Le Figaro*, 9 octobre 1954) de conserver « pieusement la liberté de l'ancienne langue » et d'écrire : *Cézanne demeure un des peintres qui, depuis cinquante ans, suscite* (ou *suscitent*) *le plus de discussions passionnées,* selon qu'on détache Cézanne de la foule ou qu'on évoque une catégorie de peintres discutés. Il semble pourtant que le sens habituel soit le second lorsque l'antécédent est attribut. Mais cette phrase contient d'autre part dans la relative un superlatif et Grevisse (*B.U.*, nº 1988) observe que dans ce cas on a souvent l'accord avec *un* : *Le rêve était encore un de ces faits de ma vie qui m'avait* toujours *le plus frappé* (Proust). *C'est une des choses qui fait le plus croire à leur fondamentale barbarie* (J. Benda). Le pluriel n'est pourtant pas exclu : *Un des traits qui frappent le plus un Français* (A. Maurois, *Mes songes que voici*, p. 261). *Une des choses qui m'ont le plus profondément marqué dans mon enfance* (J. Green, *Journal*, 1ᵉʳ juillet 1951).

J'avoue que le pluriel me paraît mieux répondre au sens : *Vous êtes un de ceux qui m'ont le mieux compris.* Surtout après *un de ceux qui, un de ces... qui.* Lorsque J. Green écrit : *Peut-être suis-je un des seuls hommes de ce pays qui fasse ses livres « à la main »* (*Journal*, 6 juillet 1942), on peut croire qu'il pense : *à peu près le seul homme de ce pays.*

En conclusion, je reconnais qu'on ne peut nier la traditionnelle hésitation de l'usage, mais je conseillerais l'emploi du pluriel après *un des*, sauf dans les cas où le sens est très clair et où *un* correspond à *celui* : *Il répondit à un des juges qui l'interrogeait.* Encore vaut-il mieux, quand c'est possible, employer un article ou un démonstratif : *J'ai remercié l'ami* (ou *celui de mes amis*) *qui m'avait envoyé un télégramme. Ce qui m'a peut-être fait le plus de plaisir* (plutôt que : *Une des choses qui m'a fait le plus de plaisir*).

IV. **Titre d'une œuvre.** On envisagera ici l'accord de l'article, de l'adjectif ou du pronom aussi bien que celui du verbe ou du participe. Notons d'abord que si le titre est précédé d'un nom commun comme *la pièce, le roman, la fable,* etc., c'est lui qui détermine l'accord : *La fable « Le loup et l'agneau » est tirée de Phèdre.* Il arrive que, contrairement aux observations notées ci-dessous, l'auteur sous-entende avant le titre un nom de ce genre et fasse l'accord en conséquence : *Il ne jure point que « Le Coche et la Mouche » soit née (le féminin parce que je pense « fable »)* sur la route G.C.22 ter* (R. Kemp, dans les *Nouvelles littéraires*, 16 juillet 1953). « *Tite et Bérénice » est présentée dans l'édition originale* (P. Clarac, *Littérature française. L'âge classique*, p. 146) ; l'auteur sous-entend « la tragédie ». Mais on sous-entend plutôt un nom masculin comme le livre, l'ouvrage ou bien on considère le titre comme un ensemble neutre et on emploie le masculin singulier : *« Phèdre et Hippolyte » fut joué le 1ᵉʳ janvier 1677* (J. Lemaître, *Jean Racine*, p. 247). Cette tendance s'est nettement accentuée à l'époque contemporaine et l'on trouve donc très souvent le masculin singulier, même quand il y a un article ou un déterminatif ou un nombre faisant partie ou non du titre

exact : « *Une vengeance de femme* » **est intéressant** (F. Strowski, *La Renaissance littéraire dans la France contemporaine*, p. 129). *Du Romanée ! C'est
ce qu'on boit dans « La Dame de Montsoreau »*, *que j'ai vu hier* (J. Green,
Journal, 3 juillet 1933). « *Les Grands cimetières sous la Lune* » *(...) abat ses
colères sur les naturalistes français* (H. Clouard, *Histoire de la litt. fr. du
symbolisme à nos jours*, II, p. 263). « *Les Amants d'Avignon* » *a été publié
illégalement* (E. Triolet, *Le premier accroc...*, Folio, p. 116).

Ce singulier peut être favorisé, non imposé toutefois, par une apposition ou un attribut au singulier : « *Les Travailleurs de la mer* », *le chef-
d'œuvre de Hugo romancier avec* « *Les Misérables* », *est le seul récit (...).
« Les Travailleurs de la mer » sont le livre d'un manichéisme que Hugo
surmontera* (G. Picon, dans *Histoire des littératures 3*, Encyclopédie de la
Pléiade, pp. 1029, 1030). « *Les Dames de Sauve* », *ce court cahier, donne...*
(H. Clouard, *op. cit.*, p. 472).

On peut donc considérer que le **masculin singulier** fortifie sa position.
Il s'impose généralement lorsque le titre est un complément prépositionn-
nel : « *De l'Allemagne* » *est divisé en quatre parties*. « *Par les champs et par
les grèves* » *parut en 1885*. On trouve cependant l'accord exceptionnel
avec le nom féminin formant le complément prépositionnel : « *De l'Allemagne* », *une fois utilisée, a été de moins en moins lue* (A. Thibaudet,
Hist. de la litt. fr., p. 51).

Sans reprendre chaque fois des exemples d'accord au masculin singulier, voici surtout quelques autres accords groupés selon les cas :

1. Un article ou un déterminatif ou un nombre commence ou précède
le titre formé par un ou plusieurs noms, avec ou sans complément. Accord
fréquent avec le nom initial : « *Les Misérables* » **sont** *un poème* (G. Picon,
op. cit., p. 1028). *La* « *Condition humaine* » **est vécue** (R.-M. Albérès, *Hist.
du roman moderne*, p. 130). « *Trois longs regrets du lis des champs* » *(...)
forment le bilan de l'activité du marchand* (B. Delvaille, *Introduction* à
Marcel Thiry, *Toi qui pâlis au nom de Vancouver*, Œuvres poétiques,
1924-1975). « *Les Martyrs* », *vaste épopée en prose*, **appliquent** *les doctrines
littéraires du Génie* (R. Jasinski, *Hist. de la litt. fr.*, t. II, p. 416). — « *La
coupe et les lèvres* » **évoque...** (Id., *Ibidem*, p. 456). « *Le Rouge et le Noir* »
reste *un grand roman*.

2. Le titre est un nom (ou plusieurs noms) sans article. Le masculin
singulier est courant, mais on trouve l'accord avec le nom féminin ou
pluriel : « *Paludes* » **est** *une ébauche* (R.-M. Albérès, *op. cit.*, p. 168).
« *Volupté* » **est écrit** *dans l'ombre de Lamennais* (A. Thibaudet, *op. cit.*,
p. 259). « *Regards sur le monde actuel* » **développe...** (H. Clouard, *op. cit.*,
p. 33). « *Terrains à vendre au bord de la mer* », *publié un quart de siècle
après* (A. Thibaudet, *op. cit.*, p. 378). « *Guerre et Paix* » *est la plus vaste
épopée de notre temps* (R. Rolland, *Vie de Tolstoï*, p. 61). « *Servitude et
grandeur militaires* » *plaide la cause d'un autre* « *paria* » (R. Jasinski,
op. cit., p. 471).

On distingue donc généralement : Les « Serres chaudes » de Maeter-linck **ont** été imprimées en 1889 (cf. 1), où l'on met un article devant le titre (cf. 1), et « Serres chaudes » **a** été imprimé en 1889.

3. Le titre est formé d'un nom propre, suivi ou non d'un autre. Accord avec ce nom propre : « Esther » fut **représentée** en costumes (P. Clarac, op. cit., p. 252). L'article ajouté avant le titre prend le genre du nom propre qui suit immédiatement : La « Phèdre et Hippolyte » de Pradon (...). Le « Tite et Bérénice » de Corneille ne fut **représenté** que le 28 novembre (A. Adam, Hist. de la litt. fr. classique, IV, pp. 366, 371). « Rome, Naples et Florence » est un agréable vagabondage (A. Le Breton, Le Rouge et le Noir, p. 43). On peut donc employer aussi le masculin singulier.

4. Le titre est formé d'une phrase ou d'une partie de phrase autre qu'un nom suivi ou non d'un complément. Le masculin singulier est général : « Les dieux ont soif » révèle... (G. Picon, op. cit., p. 1260). « Quatre-vingt-treize » est le dernier roman de Victor Hugo. Le pluriel peut apparaître après un titre formé d'une phrase complète commençant par un article pluriel : « Les Affaires sont les Affaires » (...) ont mérité... (A. Thibaudet, op. cit., p. 504). « Les affaires sont les affaires (...) créent (...) un type inoubliable (R. Jasinski, op. cit., p. 627). Ou il s'impose à la suite d'un déterminatif pluriel placé devant un titre ne commençant pas par un pluriel : Ses « Une heure avec » ont rassemblé... (H. Clouard, op. cit., p. 467).

5. Contraction de l'article dans l'énoncé d'un titre. Cf. TITRES.

V. **Sujet singulier + être + attribut pluriel.** La langue classique n'hési-tait pas à dire : La plus grande des preuves de Jésus-Christ sont les prophé-ties (Pascal). Cet accord est rare aujourd'hui ; on recourt plutôt à ce sont (plus souvent qu'à sont, qui n'est pas exclu), mais la plupart du temps on accorde avec le terme qui précède le verbe et qui est bien le sujet, le point de départ de l'énoncé : La meilleure preuve en est ces quelques réflexions (Jean-Charles, Vingt cancres après, p. 15). Tout cela me paraît des folies. Tout cela ce sont des folies. Cf. ATTRIBUT et, plus loin, C., I, C'est, p. 986. Voir aussi ÇA, 2.

VI. Si un mot sujet est **considéré matériellement en tant que mot**, le verbe reste au singulier et l'attribut ou le participe au masculin : « Fataux » ne se dit pas. « Ingrate » est excessif.

VII. **L'apposition** au sujet ne modifie pas l'accord : Jamais peut-être l'inépuisable séduction de l'église : grondement, plaintes ou clameur de l'orgue, voix audacieuse et irrésolue des jeunes filles, (...) ne m'**emplit** d'un abandon plus délicieux (M. Arland, Antarès, Poche, p. 37).

VIII. Cf. ON.

B. **Il y a plusieurs sujets.** Pour **c'est**, cf. C, I, p. 987.

I. **Sujets de personnes différentes.** a) Le verbe se met au pluriel et à la personne qui a la priorité pour l'accord ; la 1re l'emporte sur les 2 autres, la 2e sur la 3e : *Vous et moi les **accompagnerons**. Vous et lui le ferez.* On reprend souvent le sujet dans un pronom pluriel de la personne qui a la priorité : *Vous et moi, **nous** les accompagnerons. Vous et lui, **vous** le ferez.*

Même accord avec *ou* et *ni* (cf. X et XI) : *Lui ou moi **ferons** cela* (Littré) ou *Lui ou moi, nous ferons cela. Ni vous ni lui ne m'avez compris.* Mais *Ni vous ni personne ne l'a soupçonné* (*personne* englobe le premier sujet et commande l'accord ; cf. XI). *Le roi, l'âne et moi, nous mourrons* (La Fontaine). *Ni lui ni moi nous ne ferons cela.* Toutefois si l'un des sujets est exclu, on dira plutôt : *Lui ou moi, l'un de nous fera cela.* Si la présence d'un singulier qui suit marque nettement l'exclusion d'un des sujets, on ne peut mettre le verbe au pluriel. On ne peut dire : *Lui ou moi serons nommés président* (ou *présidents*) *de cette assemblée*, puisqu'un seul pourra être nommé président. Albert Dauzat aurait dit : *Lui ou moi sera nommé président* (*F.M.*, 1948, p. 141) ; mais c'est aller contre le bon usage et sembler rejoindre la langue populaire qui emploie la 3e personne après *moi* et dit : [*C'est moi qui se trompe*]. On dira : *Lui ou moi, **c'est l'un de nous qui sera** nommé président* ou *qu'on nommera président.* Avec *ni* : *Ni lui ni moi, **aucun de nous ne sera** nommé président.*

On ne dira donc pas : *Il y a sûrement une erreur* ; [*c'est vous ou moi qui nous trompons*] ni [*qui se trompe*]. On dit : *Un de nous deux se trompe.*

b) Si les sujets sont unis par **comme, ainsi que**, etc. (cf. plus loin, VI) : *Vous comme lui* (= et lui) *l'avez dit. Pierre, comme vous, l'a déclaré. Un garçon comme vous ne **devrait** pas agir de la sorte.* Si un seul sujet précède le verbe, c'est lui qui commande l'accord : *Vous l'avez cru aussi bien que moi.* Si les deux sujets suivent le verbe, on met *nous* ou *vous* devant celui-ci : *Comme nous l'avons déclaré, ma femme et moi. Comme vous l'avez constaté, vos parents et vous.*

c) Lorsque, par une **comparaison** ou le recours à une expression comme **et non pas seulement** ou **personne d'autre que**, on introduit une autre personne qui n'est pas vraiment un second sujet ajouté au premier, cette personne n'a aucune influence sur l'accord du verbe (cf. VIII) : *Bien des Français, et non pas seulement nous très jeunes gens, **semblaient** des parents à qui on interdit la chambre d'un malade aimé* (J. Prévost, *Dix-huitième année*, p. 22). *Personne d'autre que vous ne **serait** aussi indulgent. J'aime mieux que ce soit lui que moi qui **ait** fait cette erreur.*

On dira de même, parce que **le premier sujet** (*aucun, chacun, tout, personne*, etc.) **contient le second** : *Chacun, moi y compris, s'en **est** étonné. Personne, et moi-même, n'**avait** rien compris.*

d) Il en est de même lorsque **sinon** ou **si ce n'est** suit le véritable sujet corrigé par cette précision : *Qui donc, sinon moi, osera te parler du plaisir qu'il y a à descendre en soi-même ?* (M. Bedel, *Traité du plaisir*, p. 55).

II. **Les sujets désignent un seul être**, un seul objet, un seul concept ; le verbe se met au singulier, même s'ils sont unis par *et* : *Il me connaît assez pour savoir que le vieux bourgeois bordelais de souche landaise, que le catholique augustinien que je suis, est l'homme le moins enclin à comprendre et à goûter la civilisation américaine* (Fr. Mauriac, *Réponse à une lettre*, dans *Le Figaro*, 12 septembre 1950). *Un homme, un pèlerin, un mendiant, n'importe, Est là qui vous demande asile* (V. Hugo, *Hernani*, II, 1). *Bien écouter et bien répondre demande beaucoup de qualités.* Mais : *Promettre et tenir sont deux.*

III. **Le verbe est suivi d'un des sujets ou de tous les sujets (de la 3ᵉ personne).** Pour les sujets de personnes différentes, cf. p. 978.

a) Si un seul sujet précède le verbe, il détermine l'accord : *La justice l'exige, et la charité.*

b) Si tous les sujets suivent le verbe, celui-ci est généralement au pluriel : *À quoi ont servi cette prudence, ce retard ?*

Les Le Bidois (II, p. 17) ont noté que le verbe, pour diverses raisons, reste « souvent » ou « assez souvent » au singulier. Disons plutôt que des raisons de parenté sémantique ou de vision globale ou de mise en évidence du premier sujet ou des raisons de style peuvent, même s'il y a coordination, amener l'accord, qui reste exceptionnel, avec le premier sujet. Les Le Bidois citent : *Demain viendra l'orage, et le soir, et la nuit* (V. Hugo, *Les feuilles d'automne*, XXXV, 6) ; ils croient que le singulier « marque que les faits énoncés par ces sujets arriveront successivement » ; le contexte indique plutôt que le poète voit cela, de même que ce qui suivra, l'aube, les clartés, la nuit, comme un ensemble, comme un « pas du temps qui s'enfuit ». Les Le Bidois citent d'autres exemples, entre autres : *Tout ce qu'a de cruel l'injustice et la force* (Racine). *Tous les instants que lui avait laissés sa rude existence de soldat, le triste ciel décoloré, les eaux sans nuance des étangs* (P. Benoît). *Là est le bonheur et la véritable liberté* (M. Proust). *L'essoufflement que me donnait l'exercice musculaire et l'ardeur du jeu* (M. Proust). Ch. Bruneau, se justifiant d'avoir écrit : *Tout ce que peut inventer l'imprudence, la bêtise et même la méchanceté humaine*, déclare que les trois choses lui sont apparues « comme une manière de famille. Ce singulier est un singulier de groupement » (*Le Figaro littéraire*, 6 octobre 1951). Ajoutons encore quelques exemples pour montrer comment le second sujet, coordonné ou non, peut apparaître comme le simple prolongement du premier, avec lequel se fait l'accord : *Une grande révolution commençait ; quel en serait le progrès, l'issue, les résultats ?* (Michelet, cité par Brunot, p. 218). *Incroyable était alors leur félicité, leurs inépuisables et absorbantes délices* (J. Gracq, *Au château d'Argol*, p. 140). *Une mer que n'a encore salie la fumée d'aucune chaudière, l'huile d'aucun carburant* (M. Yourcenar, *Archives du Nord*, p. 17). *En cercles qu'atteint de moins en moins la lumière et la vibration essentielles* (Colette, *La maison de Claudine*, Poche, p. 25). Mais répétons que le verbe est généralement au pluriel. Cf. plus loin, VII, p. 982.

IV. **Les sujets de la 3ᵉ personne précèdent le verbe.**

a) Qu'ils soient ou non coordonnés, le pluriel s'impose, à moins qu'ils ne soient à peu près **synonymes** ou **en gradation**; dans ce dernier cas, même s'il y a coordination — ce qui est plus rare —, il n'y a pas addition et l'accord se fait normalement avec le dernier sujet : *Un geste inopportun, une parole mal placée **risquait de reboucher la source*** (H. Troyat, *Les Eygletière*, J'ai lu, p. 369). *La puissance dissolvante, l'enchantement de la nuit **parut** diminuer sensiblement* (J. Gracq, *Au château d'Argol*, p. 125). *La voix de son fils, une pression de ses doigts, sa seule présence **réussissait** toujours à l'apaiser* (G. Bernanos, *La joie*, p. 8). *Le respect des combattants, le culte de l'aviateur **comptait** beaucoup plus* (J. Prévost, *Dix-huitième année*, p. 23). Cf. plus loin, d. Accord avec le dernier sujet quand il corrige et en quelque sorte écarte le premier : *Jamais le génie, en tout cas jamais le talent **n'a** été l'apanage de la misère* (J. d'Ormesson, *L'amour est un plaisir*, Poche, p. 70).

Cependant on trouve parfois le pluriel, même lorsqu'il y a une évidente gradation ; la pensée s'arrête sur la pluralité des sujets plutôt que sur le dernier : *L'attente, le chagrin, la misère **ont** allumé en elles une espèce de frénésie* (L. Estang, *Les stigmates*, Poche, p. 124). *Entre les étrangers, la connaissance, l'amitié **demeurent** possibles* (H. Troyat, *L'araigne*, Presses Pocket, p. 89). *Un geste, un souffle, une pensée **peuvent** soudain changer le sens de tout le passé* (J.-P. Sartre, *Baudelaire*, p. 186). *Mais l'épouvante, l'horreur même qu'elle éprouvait ne **parvenaient** pas à produire en elle un véritable mouvement de refus et d'orgueil* (J. Romains, *Les hommes de bonne volonté*, VI, *Les humbles*, Poche, p. 27).

b) Si, malgré l'absence de *ou*, il y a **alternative**, on emploie le singulier : *Jusqu'au jour où une pneumonie, une hernie met fin à leur métier* (A. Demaison, cité par Damourette et Pichon, IV, p. 441). Pour l'alternative marquée par *tantôt... tantôt, parfois... parfois, soit... soit*, cf. plus loin, X.

c) Si l'on emploie **pas plus que, non plus que**, on n'introduit pas réellement un second sujet : *Cependant la religion pas plus que la chirurgie ne **paraissait** la secourir* (G. Flaubert, *Madame Bovary*, éd. Garnier 1971, p. 186). On trouve cependant parfois le pluriel comme après *ni... ni* (cf. XI) : *Le Don Quichotte, non plus que les pièces de Calderon, ne **sont** classiques — ni romantiques* (A. Gide, *Incidences*, p. 41).

d) Si les sujets sont unis par **et même, et surtout, et principalement, et notamment, voire, et même**, etc., ou si *même* suit le dernier sujet, il est normal et fréquent que le second sujet détermine l'accord, parce qu'il apparaît comme éclipsant le premier (cf. a). Mais ce second sujet peut n'être perçu que comme une parenthèse, une précision complémentaire et le verbe s'accorde alors avec le premier sujet. On peut aussi penser à une addition, même en dépit de la ponctuation, et faire l'accord avec l'ensemble des sujets. On voit que l'accord dépend de l'intention, de la façon dont on voit les choses (cf. X). *Son visage, son cou même **avait** rougi* (M. Arland, *Antarès*, Poche, p. 52). *Une telle plénitude pouvait-elle durer ? Demain, ce soir peut-être, un mot, un geste, pas même, un commencement d'habitude l'**aurait** détruite* (Id., *ibid.*, p. 165). *Une femme, et même une enfant, **peut** faire fonctionner cette machine.* On peut fort bien justifier par une sorte de gradation un accord comme celui-ci : *Tout le monde, et vos supérieurs eux-mêmes, **conviendraient** qu'un prêtre aussi jeune que vous ne saurait prétendre diriger la conscience d'une jeune fille de cet âge* (G. Bernanos, *Journal d'un curé de campagne*, p. 238). Le singulier n'étonnerait d'ailleurs certainement pas, *tout le monde* comprenant ce qui suit. Ailleurs l'accord se fait avec le premier sujet, englobant le second : *Dans l'ensemble, la moitié nord de la France, et plus particulièrement les provinces proches de Paris (Île-de-France, Normandie), nous **a** donné bien plus de réponses que les régions éloignées* (Éditorial du *Figaro*, 20 septembre 1950). Plus étonnant : *La suite, et surtout la longue interruption, **ont** inquiété* (A. Thibaudet, *Hist. de la litt.*, p. 545). *L'envie, l'animosité et même la haine **passaient** et **repassaient** sans qu'il les vît jamais devant ses yeux candides* (H. Bosco, *Les Balesta*, p. 148). Il était ici impossible d'accorder avec *la haine*, à cause de la reprise des trois sujets sous la forme *les*, comme complément de *vît*.

Si le deuxième terme reprend le premier, qui est au singulier, en le déterminant davantage, le verbe est mis au singulier : *Jamais le Français, et surtout le Français moyen, n'**admettra** cela.*

e) **Ceci et cela**, **ce que et ce que**, etc. On peut, à cause de l'addition, mettre le verbe au pluriel, mais on le laisse souvent au singulier : « Doit-on dire : *ceci et cela me plaisent* ou *ceci et cela me plaît ?* La seconde manière est préférable, à cause du vague dans lequel l'esprit reste après avoir entendu les mots *ceci* et *cela* » (Littré, à *Ceci*, rem. 1). *Ce que j'ai vu et entendu m'**a** suffi. Ce que j'ai vu et ce que j'ai entendu m'**a** (ou m'**ont**) suffi.*

V. **Sujets annoncés ou repris par un mot** au singulier comme *aucun, cela, chacun, nul, personne, rien, tout*, etc. C'est lui qui commande l'accord : *Femmes, moine, vieillards, tout **était** descendu* (La Fontaine). *Remords, crainte, péril, rien ne m'**a** retenue* (Racine). *Rien, ni les prières de sa mère ni les supplications de ses enfants, n'**a** pu le retenir.*

VI. **Sujets unis par comme, avec, ainsi que, aussi bien que**, etc. Si la conjonction garde son vrai sens, l'accord se fait normalement avec le premier sujet ; le second, qui est simplement complémentaire ou qui marque une comparaison ou un accompagnement, est souvent — pas toujours — entre deux virgules. S'il y a en fait addition dans la pensée comme si l'on disait *et*, l'accord se fait avec les deux sujets : *Cependant Rodolphe, avec Madame Bovary, **était** monté au premier étage de la mairie* (G. Flaubert, *Madame Bovary*, Garnier, 1971, p. 145). *Cette réception, ainsi que la précédente, **fut** un succès. Le jeune homme, avec sa fiancée, ne* *savait où se mettre. Le singe avec le léopard* **gagnaient** *de l'argent à la foire* (La Fontaine). *Rostand comme France* **apportent** *l'intelligibilité dans les lettres françaises* (A. Thibaudet, *Hist. de la litt. fr.*, p. 499). *Votre caractère autant que vos habitudes me* **paraissent** *un danger pour la paroisse* (G. Bernanos, *Journal d'un curé de campagne*, p. 238).

Il ne faut pas étendre à **près de** cette faculté d'être synonyme de *et* comme le fait Lamartine dans *Jocelyn* (3ᵉ époque) : *À l'angle d'un buisson, sous un tronc de charmille, Un jeune montagnard, près d'une jeune fille, sur la même racine étaient assis tous deux.*

VII. Sujets unis par **mais encore** ou *mais, mais aussi*, ayant le même sens. Il y a gradation (cf. V, a) et donc accord avec le dernier sujet : *Non seulement notre admiration, mais notre reconnaissance lui* **est** *due.* On trouve parfois le pluriel cependant.

Si le verbe précède des sujets dont le premier est masculin et l'autre féminin, on ne peut mettre au féminin le participe ou l'attribut. On met donc plutôt le verbe au pluriel et le participe ou l'attribut au masculin pluriel : *Ce présent de l'artiste, où* **se trouvaient résumés** *non seulement son grand talent mais leur longue amitié.* Mais si les sujets précèdent, on peut fort bien accorder avec le dernier : *où non seulement son grand talent, mais leur amitié* **se trouvait résumée.** Aucune difficulté si les deux sujets qui suivent sont féminins : *où* **se trouvait résumée** *non seulement sa maîtrise mais leur amitié.*

VIII. Sujets unis par **non, et non, moins que, non moins que, pas moins que, pas plus que, (non) plus que, plutôt que**, etc. On insiste sur le premier sujet et parfois même on ne retient que lui. C'est donc lui qui commande l'accord : *Et Madame Bovary, non plus que Rodolphe, ne lui* **répondait** *guère* (G. Flaubert, *Madame Bovary*, Garnier, 1971, p. 139). *Sa femme, plutôt que lui,* **sera séduite** *par ce projet. Sa négligence, non moins que ses dépenses excessives, l'a ruiné.* On dira d'ailleurs souvent : *Sa négligence l'a ruiné, non moins que ses dépenses excessives.* On trouve cependant l'accord avec les deux sujets qui précèdent quand ceux-ci sont perçus comme additionnés. Grevisse en cite quelques exemples (*B.U.*, n° 2002) ; il assimile ce cas à celui de *comme, avec, aussi bien que*, examiné plus haut (VI).

Après **bien moins que** devant deux sujets, il est logique d'accorder avec le second sujet : *Ce sont bien moins les bureaux que le ministre qui* **est** *responsable.* À cette phrase théoriquement correcte, on préférera : *Ce ne sont pas les bureaux, c'est le ministre qui est responsable* ou *Ce sont bien moins les bureaux qui sont responsables que le ministre lui-même* (Martinon, pp. 327-328). Pour **et même, ou plutôt, ou pour mieux dire**, cf. IV, d, et X.

IX. **Répétition de** *chaque, tout, un* signifiant « tout », *nul, aucun, pas un* devant plusieurs sujets, *non coordonnés*. Il y a hésitation sur l'accord. Il se fait avec le sujet le plus rapproché (à cause de la disjonction ou de la gradation) ou avec l'ensemble des sujets (addition). *Chaque réflexion,*

*chaque allusion, chaque sourire **était** interprété* (ou ***étaient** interprétés*).
*Chaque buisson tordu, chaque oiseau **finissaient** par paraître comme (...)*
une caricature (R. Gary, *Les racines du ciel*, Folio, p. 53). *Il avait des*
*droits qu'aucune coutume, aucune loi ne **régissaient*** (H. Juin, *Les hameaux*,
Marabout, p. 93). *Il est incontestable qu'un artiste, qu'un philosophe, qu'un*
*poète **peut** tout d'un coup (...) voir sa pensée dédoublée* (M. Proust, cité par
Grevisse, *B.U.*, n° 2012, note). *Chaque seconde, chaque pas l'**éloignent** de*
Veronka (R. Sabatier, *La mort du figuier*, Poche, p. 361). *Ses volets étaient*
*clos. Pas une lueur, pas un bruit ne s'en **échappaient*** (H.Bosco, *Le mas*
Théotime, Folio, p. 132). L'emploi d'un possessif peut favoriser le singulier : *Chaque fille, chaque garçon aura son livre.* Dans la langue parlée,
auront leur livre ne se distinguerait pas de *auront leurs livres.* Si la phrase
exprime une possibilité, on perçoit facilement le sens disjonctif : *Tout*
*député et tout sénateur **peut** poser à un ministre une question écrite.* On voit
ici le singulier malgré la présence de *et.* Grevisse (*B.U.*, n° 2012) cite un
exemple plus insolite où le verbe est au singulier malgré la présence de
*et : Chaque peine et chaque mal **est** infini dans sa substance* (M. Yourcenar,
L'œuvre au noir, p. 199). On remarque dans cette phrase, où le verbe
s'accorde avec le sujet le plus rapproché, que l'adjectif (ou le participe)
fait de même. C'est logique et courant. Anormal est l'accord suivant :
*Tout émoi, tout élan du cœur, toute effusion tendre, en **était** souillé*
(H. Bosco, *L'antiquaire*, Poche, p. 154). À vrai dire, on évite plutôt de
faire l'accord avec un féminin précédé d'un masculin. Plutôt que d'écrire,
comme Grevisse (*B.U.*, n° 2012, note) : *Chaque homme, chaque femme*
*était **stupéfaite*** ou *Aucun livre, aucune revue ne m'a été **remise***, on écrira :
*Chacun, homme ou femme, était **stupéfait**. Aucune revue, aucun livre ne*
*m'a été **remis*** ou on mettra le verbe au pluriel et l'attribut ou le participe
au masculin pluriel : *Chaque homme, chaque femme **étaient stupéfaits**.*

    X. **Sujets unis par *ou*.** L'accord est réglé par la prédominance dans
l'esprit de l'idée de conjonction (les deux sujets peuvent faire l'action au
même moment ou à des moments différents) ou bien de disjonction ou
d'opposition. Le pluriel est fréquent, sans s'imposer. Le singulier
l'emporte s'il y a opposition, il s'impose logiquement s'il est prévu qu'un
seul des sujets peut faire l'action à l'exclusion de l'autre ou s'il y a rectification, c'est-à-dire en fait exclusion ou mise à l'ombre du premier sujet
par **ou** seul, **ou plutôt, ou mieux, ou même, ou pour mieux dire,** généralement précédés d'une virgule (cf. IV, d) : *Papa ne la troublait pas plus*
(cette histoire) *que ne **faisaient** le bœuf ou le chien* (Fr. Mauriac, *Le*
sagouin, p. 40). *Leur malchance ou leur maladresse les **faisaient** rentrer*
bredouilles ; ils peuvent être à la fois malchanceux et maladroits ; toutefois on pourrait laisser le verbe au singulier en pensant qu'ils rentrent
bredouilles soit à cause de leur malchance, soit à cause de leur maladresse. *Le goût de l'ivresse ou celui du déguisement nous **est** commun avec*
d'autres espèces animales (M. Yourcenar, *Discours de réception à l'Acadé-*

mie française). *Sa vie ou sa mort me* **sont** *indifférentes* ; on peut penser : les deux me sont indifférentes ; mais le singulier est possible. *Quelle peine ou quelle joie trop intense* **serait** *capable d'émouvoir cette vieille carcasse ?* (J. Anouilh, *Pièces roses*, p. 66) ; le pluriel serait possible. *La douceur ou la violence en* **viendra** *à bout* (Ac.) ; l'une exclut l'autre. *Le mari ou sa femme* **doit** *signer la déclaration. C'est X ou Y qui* **présidera** *la séance.* Le singulier s'impose dans la phrase suivante, parce qu'il s'agit d'un seul animal, qu'on ne peut identifier : *Sous le manteau de lierre (...), un rat ou un mulot* **descendit**, **trottina** *et se* **perdit** *sur le sol gris* (R. Boylesve, cité par D. P., IV, p. 295). *Il leur semblait que c'était là une voie, ou une chance de voie qui les* **définissait** *parfaitement* (G. Perec, *Les choses*, J'ai lu, p. 61). *Son père, ou plutôt sa mère, lui* **permet** *tout. Sa patience, ou pour mieux dire son indolence, le* **rendait** *docile. Quoi qu'on puisse penser des exigences de la communication, le linguiste a le droit de se demander si une langue, ou même un type isolé d'expression, les* **satisfait**, *et quelle est la dose d'effort psychique qu'ils* **nécessitent** (Ch. Bally, *Linguistique générale et linguistique française*, p. 387) ; *satisfait* se justifie par la gradation, mais *nécessitent* s'impose parce qu'il se rapporte aussi bien à la langue qu'à un type isolé d'expression.

Si l'un des sujets est au pluriel, généralement on met le pluriel et on place de préférence le sujet pluriel en second lieu, près du verbe au pluriel, quand le sens le permet : *Je ne sais si c'est votre titre ou vos recommandations qui l'*ont *le plus impressionné.* Mais : *Ses parents, ou plutôt sa mère, lui* **permettent** *tout.* On trouve cependant le singulier ; il étonne toutefois dans cette phrase où il est dû sans doute à l'homophonie du singulier et du pluriel : *Pour peu qu'un ami ou deux vienne bavarder avec vous l'après-midi, le tour est joué* (J. Anouilh, *Pièces brillantes*, p. 506). On dira sans hésiter : *Un ou deux exemples* **suffiront**.

Après **tantôt... tantôt, parfois... parfois, soit... soit, ou... ou**, etc., qui marquent une alternative, le verbe peut se mettre au pluriel mais se met plus souvent au singulier. *Tantôt un client, tantôt un fournisseur* **vient** (ou **viennent**) *me déranger.* Si un sujet est au pluriel, on met le pluriel : *Tantôt les enfants, tantôt le jardinier* **viennent** *crier sous ma fenêtre. Soit Pierre, soit Paul* **décrochera** *la place* (un seul des deux pourra la décrocher). *Soit son père, soit sa mère l'*attendait. *Soit le professeur, soit les élèves s'*impa-tientaient. *Tel ou tel*, cf. plus loin, XII, f.

XI. Sujets unis par *ni.* Même usage que s'ils le sont par *ou* ; le pluriel est fréquent, mais aussi l'accord avec le dernier sujet. Ce dernier accord s'impose si l'on ne peut rapporter l'action ou l'état qu'à un seul des sujets ou bien si le second est ou contient un mot plus fort comme *aucun, personne, rien* : *La plainte ni la peur ne* **changent** *le destin* (La Fontaine). *Rien ni personne ne* **pourra** (ou *ne* **pourront**) *me faire changer d'avis. Ni vous ni moi ne le* **ferons** (cf. I). *Ni vous ni personne ne s'en* **préoccupe** (bien que les sujets soient de personnes différentes, c'est *personne* qui commande l'accord). *Ni lui ni sa femme n'avait élevé la moindre objection contre le mariage de leur fille* (A. Billy, *Le narthex*, p. 288). Si le verbe ne se prononçait pas de la même façon au singulier et au pluriel, l'auteur aurait senti qu'à cause de *leur* qui vient ensuite, il y avait lieu de mettre le verbe au pluriel : *Ni lui ni sa femme ne craignaient pour leur fille*. Si l'un des sujets est au pluriel, on met le verbe au pluriel : *Ni les menaces ni la douceur n'en viendront à bout* (*B.U.*, n° 2006). *Ni lui ni ses parents n'avaient élevé la moindre objection.* Cf. XII, *ni l'un ni l'autre.*

XII. **L'un et l'autre. Ni l'un ni l'autre. L'un ou l'autre. L'un après l'autre. Tel et tel. Tel ou tel.**

a) **L'un et l'autre**, pronom, est suivi du verbe au singulier ou, plus souvent, au pluriel : *L'un et l'autre se disent* (ou *se dit*). Après l'adjectif, le nom est normalement au singulier, mais cela n'empêche pas le verbe d'être au pluriel aussi bien qu'au singulier : *L'une et l'autre saison est favorable* (Ac.). *L'un et l'autre consul vous avaient prévue* (Racine). *L'une et l'autre affaire se tiennent* (E. Henriot, *Les fils de la louve*, p. 35). On met parfois le nom au pluriel, du moins quand celui-ci se prononce comme le singulier ; le verbe doit alors être au pluriel : *L'un et l'autre facteurs ont concouru à la produire* (F. de Saussure, *Cours de linguistique*, p. 179).

Si le pronom *l'un et l'autre* renvoie à des sujets de personnes différentes (cf. I) qui viennent d'être employés, on fait l'accord avec, au pluriel, la personne qui a la priorité, comme on vient de le faire : *Lui et moi l'écoutions et l'un et l'autre étions impressionnés*. On dirait plus souvent : *et étions l'un et l'autre impressionnés*.

b) **Ni l'un ni l'autre**, Même usage qu'après *l'un et l'autre* : *Ni l'un ni l'autre ne l'ont dit* (ou *ne l'a dit*). *Ni l'un ni l'autre ne sera nommé président* (un seul peut l'être ; cf. XI) ; *Je vous connais ; ni l'un ni l'autre ne ferez la moindre objection* (= aucun de vous deux ou ni lui ni vous). Cf. ci-dessus, a. *Ni l'un ni l'autre raisonnement n'est juste* (ou *ne sont justes*) ; préférence pour le singulier parce que le nom est au singulier.

c) **L'un ou l'autre**, à cause de son sens disjonctif, est suivi du verbe au singulier ; le pluriel est rare et à déconseiller, à moins que l'expression ne signifie « certains » au sens indéfini ; le pluriel est alors permis : *L'un ou l'autre se dit. L'un ou l'autre de vos enfants vous préviendra. L'une ou l'autre expression est permise. L'une ou l'autre de ces nombreuses explications m'a étonné* ou *m'ont étonné*.

d) **L'un après l'autre**. On ne dit guère : *Une lampe après l'autre s'éteint*. On emploie plutôt d'autres tours : *Les lampes s'éteignent l'une après l'autre* ou *Une à une, les lampes s'éteignent*.

e) **L'un comme l'autre** (cf. plus haut, VI). Selon qu'il y a comparaison ou addition : *L'un comme l'autre s'en étonnera. L'un comme l'autre sont prêts à vous accompagner.*

f) **Tel et tel**, même suivi d'un nom au singulier, appelle généralement le pluriel du verbe : *Tel et tel protesteront. Tel et tel de mes adversaires s'étonneront. Tel et tel ministre prendront la parole.*

Tel ou tel est suivi du verbe au singulier, rarement du verbe au pluriel *Tel ou tel s'en* **occupera.** *Tel ou tel ministre* **prendra** *la parole.*

Après **tels et tels** ou **tels ou tels,** le verbe, comme le nom qui suit éventuellement, est au pluriel : *Tels et tels s'en* **étonneront.** *Tels et tels tableaux* **ont** *été restaurés. Tels ou tels livres* **sont** *abîmés.* Cf. TEL, 4, 5.

C. Cas spéciaux.

Nous groupons ici quelques cas particuliers qui peuvent se présenter avec un ou plusieurs sujets.

I. C'est. 1. Devant un pronom personnel. Contrairement à un ancien usage (*Ce suis-je, c'estes-vous*), on dit : *c'est moi, c'est toi, c'est nous, c'est vous.* La langue parlée, où l'on ne distingue pas *c'était* de *c'étaient,* prolonge nettement cette évolution en disant couramment *c'est eux, c'est elles* (et elle ne recule pas devant *ce sera eux*). L'emploi du singulier, comme celui de *c'était eux,* apparaît aussi dans la langue écrite et il est abusif de vouloir le limiter à des cas précis, de distinguer entre propositions affirmatives et propositions négatives ou interrogatives et entre les cas où *eux* est ou non l'antécédent d'un relatif sujet ou complément : *Est-ce eux qui l'*ont *dit ? Ce n'est pas eux. On sonne, c'est eux. C'est eux que je distinguerai* (R. Nimier, *Les épées,* Poche, p. 189). *C'est eux qui auraient à choisir* (Ch. de Gaulle, *Le salut,* Poche, p. 243). *C'est eux qui les ont laissées tomber ici, ces roses* (E. Triolet, *Le premier accroc...,* Folio, p. 434). *C'est elles dont on entend l'arroi* (J. Romains, *Les amours enfantines,* Poche, p. 290). *C'était eux qui en décideraient* (L. Faure, *Mardi à l'aube,* J'ai lu, p. 142). Avec **bien,** on dit toujours : *C'est bien eux.*

Il n'y a donc pas lieu d'hésiter à employer *c'est eux, c'était eux,* bien que le pluriel soit plus fréquent en littérature : *Ce sont eux qui me l'ont demandé.*

2. Devant un nom ou un pronom (autre que personnel) au pluriel, la langue parlée préfère nettement le singulier, comme devant *eux* ou *elles ;* l'usage littéraire est plus hésitant, mais ne refuse pas le singulier, qui était courant dans la langue classique. Il ne faut en tout cas chercher aucune intention de mettre l'accent sur *ce* ou sur le nom selon qu'on emploie le singulier ou le pluriel. On opte pour l'un ou pour l'autre par habitude, par archaïsme, par un souci (très subjectif) d'euphonie ou de distinction.

Il est certain que *c'est* déconcerte parfois, sans être incorrect, dans la langue écrite ou surveillée. On trouvera plus distingué de dire : *Ce* **sont** *des sentiments louables.* On trouvera un air familier à : *Tout cela, c'est des histoires* (Fr. Mauriac, *O.C.,* I, p. 195). On préférera écrire : *Ce ne* **sont** *pas des choses qu'on dit* (L. Estang, *Les stigmates,* Poche, p. 225). D'autres ne craignent pas d'écrire : *C'est les vendanges* (G. Navel, *Travaux,* Folio, p. 195). *C'est encore les autres qui remercieront* (A. Bosquet, *Les bonnes intentions,* p. 179). Un auteur emploie à quelques pages de distance *ce* **sont** et *c'était* : *Ce* **sont** *les pluies et les vents qui annoncent l'automne (...). C'était de très beaux nuages, mais qui allaient leur chemin sans s'arrêter*

(B. Clavel, *Le seigneur du fleuve*, Poche, pp. 5, 8). C'est un fait que, parce que l'oreille ne perçoit aucune différence entre *c'étaient* et *c'était*, celui-ci concurrence davantage celui-là : *Un peu plus loin, c'**était** des plantées qui n'étaient pas encore vendangées* (Id., *L'Espagnol*, J'ai lu, p. 142). *C'**était**, vers le couchant, les sentiers (...) que je prenais de préférence* (M. Jouhandeau, *Chaminadour*, Poche, p. 500). *Était-ce des injures ? Était-ce des mots doux ?* (J. Romains, *Eros de Paris*, Poche, p. 87). *C'**était** des majuscules de laiton (...). C'**étaient** des crises passagères* (S. Prou, *La terrasse des Bernardini*, Poche, pp. 84, 110). *Il lui semblait que c'**était** les âmes des tués qui fuyaient là-haut* (M. Tournier, *Le roi des aulnes*, Folio, p. 300). *C'**étaient** ces gens-là que j'admirais* (A. Billy, *Le Narthex*, p. 261). *C'**étaient** des dangers imminents* (H. Bosco, *Malicroix*, p. 189). *Ce n'**étaient** plus des hommes vêtus d'uniformes* (P. Vialar, *Le bal des sauvages*, p. 9). *Non, ce n'**étaient** pas des secours qu'il distribuait (...). C'**était**, du moins, (...) les pensées que le docteur Rioux agitait (...). Et c'**était** aussi celles dont il lisait les reflets sur le visage de ses amis* (A. Camus, *La peste*, Les meilleurs livres, p. 158). *C'**étaient** ceux-là que je voyais passer* (Fr. Mallet-Joris, *La chambre rouge*, p. 13). *C'**était** bien ces traits fins* (*Ibid.*, p. 69 ; noter *c'était bien*). *N'**était**-ce pas les paroles mêmes qu'avait prononcées d'Aubel ?* (...) *Ce **sont** de bons serviteurs* (M. Genevoix, *Un jour*, pp. 64, 76). *C'**étaient** les clientes les plus âgées, les plus bourgeoises, qui montraient leurs seins* (Fr. Mallet-Joris, *Allegra*, p. 34). Mais il est normal que le même auteur, qui emploie souvent le pluriel, mette le singulier quand *ce* ou *c'*, équivalant à *cela*, reprend une idée précédente : *Que la cousine Giula, de Gênes, se soit conduite « comme une traînée » (...), qu'Octave et Amélie, en Corse, soient en train de mener leur exploitation à la ruine, (...) ce n'**était** que des accidents, des anecdotes* (p. 28). *Il s'imaginait (...). C'**était** des rêveries* (p. 125). On trouve le pluriel surtout devant plusieurs noms (cf. 3). *Le bonheur, c'**était** leurs corps, mais le plaisir c'**étaient** peut-être ces vêtements qui en retardaient l'approche* (J. d'Ormesson, *L'amour est un plaisir*, Poche, p. 193). Le même auteur emploie généralement *ce sont, ce soient, c'étaient, ce seraient*. Telle est bien la préférence de la langue littéraire, mais elle accepte certainement le singulier.

3. **Devant plusieurs noms**, le pluriel l'emporte dans la langue écrite, surtout au présent et si le premier nom est au pluriel, mais on peut employer le singulier ; même quand le premier nom est au singulier, le pluriel n'est pas rare : *La banlieue, c'**était** les pavillons, des caves juxtaposées, et les petits jardins ouvriers pour faire croire qu'on avait encore la campagne. Le peuple des villes, c'**est** maintenant le métro et les embouteillages, des gens qui ont peur de se parler* (J.-M. Domenach, *Ce que je crois*, p. 89). *Ce qui comptait pour cette femme, uniquement, c'**était** les choses et les êtres d'aujourd'hui* (Fr. Mauriac, *O.C.*, III, p. 192). *C'**est** M. et Mme Leroy (...). C'**étaient** bien Mamy et l'oncle Rodolphe* (L. Estang, *Les stigmates*, Poche, pp. 218, 219). *Ce ne **sont** pas le père et la mère, dit*

*Irénée, ce **sont** celles-ci que le chat prendra* (M. Genevoix, *Rroû*, Poche, p. 85). *Ce **sont** un théoricien et un praticien de l'économie qui retombent ensemble sur l'adjectif « magique »* (G. Antoine, *Liberté, égalité, fraternité,* p. 17). *Ce n'étaient plus Claude et François qui parlaient (...), c'étaient une femme et un garçon qui venaient de se rencontrer* (R. Nimier, *Les épées,* Poche, p. 188). *Mais l'arme la plus méchante (...), c'étaient encore Irène et Denis qui la lui fournissaient* (P.-H. Simon, *Les raisins verts,* J'ai lu, pp. 134-135). *Ce **sont**, le plus souvent, ce scrupule et ce chagrin qui l'emportent* (Id., *Ibidem,* p. 200). *Ici, c'étaient déjà la terre, le pain et le vin, les fermes, la vie tranquille, les animaux familiers. Quand on regardait au loin, ce n'était pas toujours de l'eau et puis la courbure de la terre, mais vingt espèces d'arbres différentes* (J. d'Ormesson, *L'amour est un plaisir,* Poche, p. 185 ; cf. aussi p. 218 : *c'étaient, ce seraient*). *Ce **sont** parfois le chagrin et la désillusion qui attendent ceux qui reviennent* (Ch. de Gaulle, *Le salut,* Poche, p. 285). *C'est la gloire et le plaisir qu'il a en vue* (Littré). *Ce **sont** le goût et l'oreille qui décident* (Littré). *Ce **sont*** (ou *c'est*) *mes parents et ma tante qui me l'ont offert. Ce **sont*** (ou *c'est*) *mon père et ma mère qui me l'ont dit.*

Si l'attribut formé de deux singuliers développe un pluriel ou un collectif qui précède, des grammairiens imposent le pluriel. Ils ont tort, car là encore on a le choix, bien que le pluriel l'emporte : *Vos maîtres, ce ne **sont** ni Pascal, ni saint François de Sales, ni saint Ignace* (A. Billy, *Le narthex,* p. 218). *Un seul groupe s'avança, causant. C'étaient le Ministre, le Père Jousselin, le Procureur, le Père Darbois, et le Préfet des études, le Père Sixte* (E. Estaunié, *L'empreinte,* p. 13). *Mais les vrais responsables de cette calomnie, ce n'était cette fois ni son mari ni la baronne* (Fr. Mauriac, *Le sagouin,* p. 24). On s'étonnerait cependant de ne pas trouver le pluriel, exigé par le sens, dans cette phrase : *Le colosse, le farfadet, c'étaient le notaire et son clerc* (H. Bosco, *Malicroix,* p. 196).

4. **Ce doit être, ce peut être, ce ne saurait être** suivent théoriquement la même règle que *c'est.* Cependant le singulier est courant, surtout au présent où l'oreille distingue *doit* et *doivent, peut* et *peuvent. Ce **doit** être eux. Ce ne **peut** être que des bohémiens. — Ces voyageurs (...), ce **doit** être ceux qui reviennent* (M. Butor, *La modification,* 10-18, p. 118). *Bien sûr, ce **devait** être le grand Mouleyre, ou Pardieu, le fils du charron, qui avaient fait le coup, poussés par les filles peut-être ?* (Fr. Mauriac, *Les anges noirs,* O.C., III, p. 201). *Ce **doit** être des rêveries (...). Ce **devait** être de tout petits bourgeois* (J. d'Ormesson, *L'amour est un plaisir,* Poche, pp. 52, 95). *Ce **devait*** (ou *devaient*) *être des voleurs. Ce ne **saurait*** (ou *sauraient*) *être que des étrangers. — **Ç'allait être,** cf. ÇA, 2.*

5. **Formes cacophoniques.** Plusieurs formes de la conjugaison de *c'est* sonnent mal ou font sourire. Cela peut être très subjectif. On peut hésiter à dire *C'en sont,* ne pas aimer *Fut-ce mes sœurs qui le firent* (Littré), ni *A-ce été, ont-ce été, c'eussent été, eussent-ce été,* etc. Ne vaut-il pas mieux

dire : *C'en est, Est-ce que ce fut* (ou *furent*, ou *sont*) *mes sœurs qui le firent ?*

6. **Fût-ce**, avec l'accent circonflexe, dans le sens de « même », est figé, il ne change pas. Ni non plus **ne fût-ce que** (= quand ce ne serait) : *Il voudrait nous accompagner, fût-ce deux jours seulement* ou *ne fût-ce que deux jours*. On aura soin de ne pas écrire *fusse* (ou *fussent*) pour *fût-ce*, pas plus d'ailleurs que pour *fut-ce*.

Si ce n'est (= excepté), *si ce n'était* s'accordent très rarement et sont souvent figés. Il convient de les laisser invariables : *Si ce n'est eux, qui donc l'a fait ?*

7. On ne peut faire l'accord quand *c'est* est suivi d'une préposition et d'un nom ou d'un pronom : *C'est d'eux que cela dépend. C'est par bandes qu'ils volent.*

8. ***C'est onze heures* qui** sonnent. ***C'est dix millions* qui seront nécessaires** *pour sauver l'entreprise* : malgré le pluriel de la subordonnée, *c'est* reste invariable parce qu'on pense à l'heure qui sonne, à une somme globale, à un tout. Mais si l'on considère les unités qui constituent l'ensemble, le prix, l'heure, on emploie généralement *ce sont* : *Ce **sont** trois heures qui m'ont paru longues. Ce **sont*** (ou *c'est*) *deux cents francs que je ne regrette pas. Ce chapitre est terne, ce **sont** trente pages qui m'ont paru ennuyeuses.*

II. **N'était, n'eût été** (si ce n'était, s'il n'y avait eu, sans, sauf) peuvent s'accorder avec le pluriel qui suit — c'est assez fréquent — ou être assimilés à des prépositions ou considérés comme des locutions figées et rester invariables : *N'étaient* (ou *n'était*) *ses cheveux blancs, on ne lui donnerait pas cet âge. — Le visage aurait paru passable, **n'eût été** les yeux gonflés de batracien* (Fr. Mauriac, *Les anges noirs*, Prologue). *N'étaient ces malheureuses jambes insensibles et inertes, je me croirais à peine en danger* (G. Bernanos, *Dialogues des carmélites*, II,7). Pas d'accord à la 1re ou à la 2e personne ; on dit : *N'était lui et moi. N'était vous et lui.*

III. **Qu'importe** peut rester invariable ou s'accorder avec le sujet, même s'il y a un complément d'objet indirect : *Qu'importent* (ou *qu'importe*) *ces difficultés ? Que m'importe* (ou *que lui importe*) ou *que m'importent* (ou *que lui importent*) *ces cancans ?* L'usage littéraire hésite.

Peu importe est traité de même. L'accord se fait peut-être davantage si le verbe a un complément indirect (*lui, nous*). *Peu **importe*** (ou *peu **importent***) *les détails. Peu lui **importent*** (ou *peu **lui** importe*) *nos plaintes.*

N'importe reste invariable : *N'importe quels ouvriers le feront mieux que ceux-ci.*

IV. **Reste**, placé en tête de la proposition, s'accorde généralement avec le sujet qui suit. On le laisse parfois invariable en le considérant comme une locution figée ou comme un impersonnel avec ellipse de *il* : *Restaient les autres. — Saint-Cyr ? Il n'en a ni le goût ni la santé. Reste les sciences* *politiques* (J. Kessel, *Discours de réception à l'Académie française*). On écrit : **Reste nous deux**. *Trois de cinq, reste deux.*

V. **Soit** (où le *t* ne se prononce que dans l'interjection *Soit !* ou en liaison) peut :

a) Introduire une alternative ; il est alors conjonction et reste invariable : *Nous les rencontrerons, soit les uns, soit les autres. Nous partagerons soit leurs joies, soit leurs peines.*

b) Introduire une hypothèse (= supposons) ; il peut alors varier ou être considéré comme une sorte de présentatif invariable : *Soient* (ou *soit*) *deux droites parallèles.*

c) Signifier « c'est-à-dire » ; il est alors conjonction et est invariable : *Quinze enfants, soit dix garçons et cinq filles.*

VI. **Mieux vaut**, senti comme l'équivalent de l'impersonnel **il vaut mieux**, reste invariable : *Mieux vaut des enfants qui questionnent toujours que des enfants sans curiosité.* Le tour est surtout fréquent avec des infinitifs : *Mieux vaut souffrir que mourir.*

VII. **Vive.** Cf. VIVRE.

VIII. **Égale.** Cf. ÉGALER.

Verdurier, verdurière, n., désignant celui ou celle qui vendait des légumes, est sorti de l'usage en France mais est resté vivant en Wallonie et dans le nord de la France. Tandis qu'ailleurs on dit : *le marchand de légumes* ou *le fruitier*, qui évoque cependant plutôt l'idée de fruits ou, en Suisse, de fromages.

Vergé, adj. *Du papier vergé* (ou *du vergé*), dont le filigrane présente des *vergeüres* (aux emplacements occupés par les fils de laiton pendant la fabrication à la main). Pour rapprocher l'orthographe de la prononciation, l'Académie a recommandé, en 1975, la graphie **vergeüre** (cf. TRÉMA).

Verglacé, adj., (couvert de verglas) s'écrit avec *c*. De même *verglaçant* : *une pluie verglaçante.*

Véridique, adj., **véridicité, véracité,** n.f. **Véridique** ne se dit pas seulement des personnes qui disent la vérité, mais d'assertions, d'écrits, etc. : *Un historien véridique. Un témoignage véridique. Une histoire véridique. Un livre véridique.* Le substantif correspondant est **véridicité**, qui est plutôt littéraire : *La véridicité d'un historien, de la mémoire, d'un document, d'un récit.* Le substantif courant est **véracité**, qui se dit même de celui qui croit dire la vérité : *Raconter avec véracité. Je crois à sa véracité* (à sa sincérité).

Vérifier, v.tr.dir., peut avoir des choses pour sujet : *Je dois vérifier cette addition, cette nouvelle, cette déclaration,* voir si elle est exacte. *Les faits ont vérifié nos hypothèses,* les ont justifiées. *La chose s'est vérifiée.* On ne dit guère *vérifier que* (avec l'indicatif) mais **vérifier si** : *Vérifier si la porte est bien fermée, si le musée est ouvert, si le dossier est complet.*

Vermeil, adj. et n.m. *Un teint vermeil, Un bouchon de vermeil, des couverts en vermeil. Une bouche vermeille.* La S.N.C.F. a nommé *carte vermeil* la carte, réservée aux personnes âgées, donnant droit à un tarif réduit ; c'est par référence à la *médaille en vermeil du travail,* accordée pour de longues années de travail.

Vermoulu, adj. *Des poutres vermoulues.* Un verbe, d'un emploi assez rare, a été formé sur *vermoulu* (et non sur *moudre*) : **se vermouler,** appliqué au bois qui devient vermoulu ou, au figuré, pris dans le sens de « s'altérer, se dégrader ».

Vermouth, n.m. d'origine allemande, s'est écrit aussi *vermout.*

Vernir, v.tr.dir., se conjugue comme *finir.* Le participe et l'adjectif s'écrivent donc sans *s* au singulier. *Un banc verni. Une table vernie.* Familièrement, *cet homme est verni,* il a de la chance. Le nom s'écrit avec *s* : *Un vernis épais. Ce n'est qu'un vernis.* S'il s'agit de poterie, on dit **vernisser.**

Vernissage, n.m., s'est dit d'abord de l'inauguration d'une exposition de peinture, les artistes étant autorisés à achever d'y vernir leurs tableaux. Mais le mot s'est naturellement appliqué à d'autres expositions ; on n'a retenu que l'idée d'inauguration avec réception.

Verrou, n.m. *Pousser ou tirer le verrou. Mettre le verrou. Mettre qqn sous les verrous. Être sous les verrous.* **Verrouiller,** v.tr.dir. **Verrouillage,** n.m.

Vers, prép. L'*s* ne se lie pas généralement ; il ne le fait que dans de très rares cas, en style très soutenu (*vers elle*) : *Aller vers qqn, se diriger vers qqch., aller l'un vers l'autre, se tourner* ou *regarder vers qqn, vers qqch. Vers où va-t-il ? Vers la droite, on apercevait...* Le sens de « envers », « à l'égard de », est vieilli : *Et m'acquitter vers vous de mes respects profonds* (Racine).
    Vers marque aussi l'approximation, surtout dans le temps : *Vers midi. Vers les quatre heures. Vers la Toussaint. Vers Pâques. Vers 1940. Vers le milieu du siècle.* Plus rarement dans l'espace, au lieu de « aux environs de », qui est conseillé : *L'appareil s'est abattu vers le carrefour. Vers 200 m d'altitude, il commença à éprouver des difficultés respiratoires* (GLLF).

Verse (à), loc.adv. *Il pleut à verse.*

Verser, v.tr.dir. et intr. Cf. Renverser et Vider. *Verser du vin dans un verre.* Très familièrement, *verser un verre, verser un bain ;* on dit plutôt *faire couler un bain.* — *L'orage a versé les blés. Les blés ont versé* ou *sont* (maintenant) *versés. Ma voiture a versé. Verser dans le mauvais goût.*

Vert, adj. et n.m. *Donner le feu vert à qqn. Le signal est au vert. Une robe verte. Le vert de cette robe. Un vert jaune. Mettre un cheval au vert,* le laisser brouter en liberté, le nourrir de fourrage frais. *Se mettre au vert,* prendre du repos à la campagne. Mais l'expression *au vert* désignant la préparation de certains poissons (*anguilles au vert*) est belge.

L'Académie donne encore l'expression *prendre qqn sans vert* (au dépourvu), qui est vieillie ou littéraire, l'allusion à un ancien jeu du mois de mai n'étant plus comprise.

Fam. *En voir des vertes et des pas mûres,* subir des choses choquantes. *En dire* (ou *en raconter*) *de vertes,* tenir des propos lestes, scabreux.

On écrit : *un vert galant, du vert-de-gris, des blouses vert pomme, vert bouteille, vert tendre, vert foncé, vert-de-gris.*

Vertical, adj. On a dénoncé une tautologie dans **une chute verticale,** équivalent, courant, au figuré, d'une *chute à pic.* Mais cette dernière expression, non critiquée, ne traduit-elle pas aussi l'idée de « verticalement », en ligne droite ? Et n'y-a-t-il pas des chutes, comme celle des feuilles mortes, qui ne sont pas verticales ? Cela dit, il est clair qu'on ne remet pas en question par là le principe de la chute des corps, mais qu'il ne faut pas abuser de l'expression incriminée.

Vesprée, n.f., forme ancienne, aujourd'hui plutôt dialectale, de **vêprée,** n.f. lui-même vieilli et littéraire, poétique, pour « fin d'après-midi, soirée ».

Veste, n.f., n'est pas synonyme de *veston,* n.m. qui désigne une partie d'un complet d'homme : *Une veste de sport.* Fam., *tomber la veste, retourner sa veste, ramasser une veste* (subir un échec).

Vestiaire, n.m., désigne l'endroit où l'on dépose des vêtements d'extérieur, des parapluies, etc. ou les vêtements ou objets qui y sont déposés : *Le vestiaire d'un musée, d'un restaurant. Déposer son manteau au vestiaire. Réclamer son vestiaire.* Dans un stade ou une piscine, *vestiaires* (généralement au pluriel) désigne l'endroit où les sportifs se changent. Dans une usine, les meubles (ou les endroits) aménagés pour le dépôt des vêtements. *Vestiaire* se dit aussi de l'ensemble des vêtements d'une personne : *Elle a un vestiaire bien fourni. Renouveler son vestiaire.*

Vêtir, v.tr.dir. *Je vêts, il vêt, nous vêtons. Je vêtais, nous vêtions. Il vêtit. Je vêtirai. Que je vête. Qu'il vêtît. Vêtant. Vêtu.* Certains écrivains ont parfois employé des formes en *-iss* (*ils se vêtissent, il se vêtissait, se vêtissant*). *Être vêtu de laine, de noir.*

Veto, n.m. (pas d'accent). *Un droit de veto. Mettre son veto* (ou *opposer son veto*) *à une décision. Des vetos.*

Vêture, n.f., n'a plus le sens de « vêtement » mais se dit d'une prise d'habit dans un couvent.

Viandeux, adj., est courant en Belgique, dans le monde des éleveurs, en parlant d'un bétail bien fourni en chair.

Vice- se joint, invariable, à certains noms de charges ou de titres de fonctions exercées en second à la place de qqn ou pour indiquer celui qui est adjoint à une personne en charge : *Un vice-amiral, vice-consul, vice-chancelier, vice-directeur, vice-président, vice-recteur, vice-roi, Vice-consulat, vice-royauté. Des vice-amiraux.*

Vice versa, loc.adv. Le premier *e* est muet. Trait d'union facultatif.

Vicinal, adj., se dit étymologiquement de ce qui relie des bourgs voisins : *un chemin vicinal.* On n'a donc pas eu tort en Belgique de parler de *chemins de fer vicinaux,* auxquels on a donné le nom *un vicinal, des vicinaux.*

Vicissitude, n.f., ne s'emploie plus guère au singulier pour « changement, succession ». Il s'emploie surtout au pluriel : *Les vicissitudes de la vie, des mœurs.* Se dit aussi des situations malheureuses dues à ces changements : *Nous avons alors éprouvé bien des vicissitudes.*

Vicomté, n.f. d'un titre ou d'une terre : *Le vicomte ne résidait pas toujours dans sa vicomté.* Seul ce mot est resté féminin alors que *comté* et *duché* sont devenus masculins. (sauf dans *la Fanche-Comté*).

Vidange, n.f. *On fait **la vidange** d'un lavabo, d'une citerne, de fosses d'aisances, d'un fossé, d'un réservoir, d'une auto ; on les **vidange.*** On appelle *vidange(s)* ce qui est ainsi enlevé. L'idée de « vide » associée au mot *vidange* ne justifie pas l'emploi belge, au lieu de *consigne, verre consigné,* pour un emballage, une bouteille qu'on peut se faire rembourser et qui s'oppose à *verre perdu, non repris.* On rapporte donc au commerçant *les bouteilles* ou *les bouteilles consignées* ou *les consignes* et l'on recouvre ainsi *la caution* ou *la consigne.* Cf. CONSIGNE.

Vidé, n.m. se dit en Belgique pour *croûte* (d'une bouchée à la reine).

Vidéo, n.f., abréviation de *vidéofréquence* ou de *vidéophonie.* **Adj.** inv. *Une bande vidéo. Des cassettes vidéo* (ou *des vidéocassettes*).

Vidéo sert de premier élément à plusieurs composés dans le vocabulaire de la télévision. Il s'agglutine à ce qui suit.

Vider, v.tr.dir. Tenir compte de l'idée de « rendre vide ». On peut dire : *vider un verre* (boire ce qu'il contient) comme *vider une bouteille, vider son cœur,* etc. *On **vide** une bouteille de vin* (ou *on verse le vin*) *dans une carafe,* mais *on **verse** du vin dans un verre. On vide l'eau d'un verre.* **Vider les lieux,** quitter la place.

Au figuré, **vider une querelle,** *un différend, une affaire, un débat,* les régler, leur apporter une solution. On ne vide pas seulement le contenant (*les poches, le cœur, une bouteille, un tiroir*), mais aussi le contenu, liquide ou non ; on peut indiquer par *dans* ou *sur* l'endroit où l'on répand ce contenu : *Vider le tiroir sur la table. Vider les eaux sales dans l'égout. Vider le sucre du paquet* (ou *un paquet de sucre*) *dans le sucrier.*

Composés : *Un vide-pomme, un vide-poche, un vide-ordure, des vide-pommes, des vide-poches, des vide-ordures.* Cf. Noms composés, p. 626. On donne à tort en Belgique le nom de [vide-poubelles] au conduit par où, à chaque étage, on évacue les ordures et qui s'appelle le **vide-ordure(s)**. Et le nom de [*local vide-poubelle(s)*] au *local à poubelles.*

Viduité, n.f., a pour origine un mot latin (*viduus*) qui signifie « veuf » et dont est sorti un autre mot latin, *viduitas*, privation, veuvage, état de femme veuve. *Viduité*, au sens de veuvage, se dit surtout des femmes. Figurément et littérairement il tend à se dire d'un état d'abandon, de solitude, de disponibilité (*la viduité d'une vie*), mais il ne peut être rattaché à l'idée de « vide » et s'employer pour **vacuité** ; on parle de *la vacuité des heures, des propos d'un bavard.*

Vieillard, n.m., a un féminin *vieillarde*, rare et souvent péjoratif : *Cette vieillarde hystérique* (M. Druon, *Rendez-vous aux enfers*, Poche, p. 358).

Vieillir, v.tr.dir. *La maladie l'a vieilli. Ce vêtement la vieillit. Il n'a pas cet âge, vous le vieillissez.* **Intr.** *Il ne vieillit pas.* Auxiliaire **avoir** : *Il a vieilli de dix ans. Comme il a vieilli ! Cette locution a vieilli.* Avec *être*, c'est l'adjectif *vieilli* qui est employé : *Ce mot vieillit,* il est encore compréhensible, mais sort peu à peu de l'usage. *Ce mot est vieilli,* il est employé de plus en plus rarement. Cf. Vieux.

Vieux, *vielle*, adj. et n. Seul l'adj. fait généralement *vieil* devant une voyelle au masculin : *Un vieil ami.* Cependant on trouve parfois *vieux*, accentuant l'idée de vieillesse. Cf. Beau. En parlant de l'emploi d'un terme, dans un dictionnaire, *vieux* indique qu'il est sorti de l'usage général.

En principe on distingue *Un vieux incorrigible* (*vieux* est substantif) et *un vieil incorrigible* (le nom est *incorrigible*).

On dit très bien de qqn qui est *plus âgé que son frère* qu'il est *plus vieux que son frère*, quel que soit l'âge dont il est question. Mais il y a des gens sensibles à cette différence entre *vieux* et *âgé* et qui supporteraient mal de s'entendre dire : *Je suis moins vieux que vous.* Si l'on dit : *Un vieux garçon, une vieille fille*, on ne peut dire : [*Un vieux jeune homme, une vieille jeune fille*].

Vieux-catholique, vieille-catholique, adj. ou n. Trait d'union (et minuscules) quand il s'agit de catholiques allemands qui ont refusé d'adhérer au dogme de l'infaillibilité pontificale.

Vif-argent, n.m. Ancien nom du mercure. Trait d'union.

Vigneau, n.m. (bigorneau). On écrit aussi *vignot.*

Village, n.m. *Village éclaté* est officiellement proscrit dans le langage du tourisme ; il faut dire : *village de vacances dispersé.*

Ville, n.f. Attention à l'emploi des prépositions dans : *Aller en ville, dîner en ville, habiter en ville. Se promener en ville* ou *dans une ville. Faire un tour de ville* ou *en ville. Aller à la ville. Tenue de ville, des chaussures de ville.* **Composé :** *une ville-dortoir, des villes-dortoirs.*
    Genre des noms de villes. Cf. Genre.

Villégiateur, n.m., a rencontré une forte opposition des lexicographes mais s'est imposé pour désigner ceux qui sont *en villégiature,* en vacances, en train de *villégiaturer,* v.intr.

Vinculé, adj., est signalé par Littré, dans son Supplément, comme un « ancien terme de droit, encore usité en Belgique » dans le sens de « qui n'est possédé que sous certaines obligations ». On emploie aussi en Belgique le verbe [*vinculer*], lier, enchaîner (au sens moral).

Vingt, adj.num. *Prononciation.* Dans *vingt* employé seul, le *t* ne sonne que devant une voyelle (*le vingt août, vingt enfants*). On ne l'entend pas normalement dans *ils sont vingt.* On l'entend dans *vingt et un* (assimilé à *d* dans *vingt-deux*), *vingt-trois,* etc. Mais non dans *quatre-vingts, quatre-vingt-un.* Pour l'accord, cf. Cent et Numéraux.
    Quatre-vingts et l'expression figée désignant un hospice, *les Quinze-Vingts,* sont des survivances de l'ancienne numération vicésimale.
    On écrit : *Une carte au vingt millième,* au *quatre-vingt millième.*
    Vingt-et-un, n.m. d'un ancien jeu de cartes. Mais *vingt et un francs.*

Virage, n.m. Cf. Négocier. — Fam., *Prendre un virage sur les chapeaux de roue,* à grande vitesse.

Virgule, n.f. On n'oubliera pas que la virgule marque une pause, même très légère, entre des termes de même fonction non coordonnés (en principe) ou qu'elle encadre des éléments détachés : *Sa femme, son père, son fils l'attendaient.* On a généralement renoncé aujourd'hui à mettre une virgule après le dernier de plusieurs sujets juxtaposés : *Sa femme, son père, son fils, sa bru l'attendaient. Il s'ennuie, bâille et s'agite. Il est beau, blond, élancé. Mon cher, n'oublie pas cela. Il faut, n'est-ce pas, s'en souvenir.* La virgule est généralement omise après un point d'exclamation et surtout après un point d'interrogation. Souvent utile à la clarté, elle marque en quelque sorte la respiration de la phrase et il y a une grande différence parfois, à ce propos, d'un auteur à l'autre. Quand les termes sont coordonnés par *et, ou, ni,* on ne met généralement pas de virgule, surtout s'ils ne sont que deux : *Il n'est ni sourd ni aveugle. Il est aveugle et sourd. Il ne montrait ni surprise ni indignation.* Mais il suffit d'une insistance pour que la virgule apparaisse, surtout s'il y a plus de 2 termes. On consultera A. Doppagne, *La bonne ponctuation,* Duculot ; Grevisse, *B.U.,* n° 2750 ; Girodet, *Dict.,* Annexe, pp. 81-83. Cf. Or.

Virtuellement, adv., en puissance, selon toute probabilité, pour ainsi dire : *Il est virtuellement vainqueur du tournoi.* Mais on évitera l'emploi familier noté par le GLLF : *Virtuellement, je suis à mon bureau, en fait je suis chez moi.* On dira : *en principe, théoriquement.*

Vis, n.f. *Serrer la vis à qqn.*

Visage, n.m. *Trouver visage de bois* et non [*porte de bois*].

Vis-à-vis, loc.adv., loc.prép. ou n.m. : *Ils étaient assis vis-à-vis* ou *vis-à-vis l'un de l'autre* ou *l'un vis-à-vis de l'autre.* Bien que ce soit permis, on ne supprime pas généralement *de* dans la locution prép. *vis-à-vis de* signifiant « en face de » et qui peut s'employer en parlant de choses ou de personnes : *Vis-à-vis de l'église. Vis-à-vis l'église* (Ac.). On ne peut le supprimer devant un pronom personnel. *Asseyez-vous vis-à-vis de moi.*

Vis-à-vis de (l'omission de *de* étant très rare dans ce sens) peut se dire au figuré dans le sens de « à l'égard de, envers » ; la locution a été condamnée à tort, elle est très vivante devant des noms de personnes : *Il montre vraiment trop de sans-gêne vis-à-vis de ses camarades.* Elle est sensiblement plus rare devant des noms de choses, mais on la rencontre : *Je reste, vis-à-vis du luxe, d'une timidité quasi insurmontable* (A. Gide, cité par GLLF). *Tu es vis-à-vis de la guerre comme sont les chrétiens devant la mort* (Montherlant, cité par PR). On voit ici l'équivalence un peu hardie avec *devant,* qu'on retrouve dans : *Quelle attitude adopter vis-à-vis de ce problème ?* La même expression peut signifier « en comparaison de, au regard de » : *Ma fortune est modeste vis-à-vis de la sienne* (PR). Comme **nom masc.** : *Je l'ai rencontré ; ce vis-à-vis a été déplaisant. J'avais à ce dîner un charmant vis-à-vis, la fille du juge. Nous avons le parc pour vis-à-vis.* **En vis-à-vis :** *La plupart des prisonniers arabes ainsi que leurs familles s'étaient accroupis en vis-à-vis* (A. Camus, *L'étranger,* p. 106).

Viser, v.tr.dir. (ou absolument) : *Viser la tête. Viser (qqn) à la tête. Je me suis senti visé. Cette remarque nous vise particulièrement.* Avoir en vue, s'efforcer d'atteindre : *Viser une place, la direction de l'entreprise. Viser un but, un effet, un objectif.*

Tr.ind. Emploi plus littéraire : *Viser à un effet, à un but, à la simplicité,* chercher à les atteindre. Courant devant un infinitif : *Viser à émouvoir.* Avec *à ce que* : *La législation athénienne visait manifestement à ce que la fille, faute d'être héritière, épousât du moins l'héritier* (Fustel de Coulanges, cité par les Le Bidois, I, p. 327).

Visionner, v.tr.dir. *Visionner un film, une séquence,* l'examiner avant sa distribution. **Visionneuse,** n.f., désigne notamment l'appareil à regarder les diapositives.

Visite, n.f., **visiter,** v.tr.dir. *Une visite de courtoisie, de condoléances. Être en visite. Une visite domicilaire* (une perquisition). *Une visite à domicile. Une visite médicale ; aller à la visite ; passer à la visite* ou *passer la visite. Une visite de douane. Recevoir de la visite. J'ai reçu une visite. Je lui ai fait ma visite de Nouvel An. Nous bavardions quand une visite* (une personne en visite) *est arrivée. Une carte de visite.*

1. **Faire visite à qqn** a été critiqué à tort. *Je leur ai fait visite la semaine dernière.* On dit plus souvent *faire une visite (à qqn)* et surtout *rendre visite.*

2. **Rendre visite à qqn** n'implique nullement une idée de réciprocité : *Je lui ai souvent rendu visite.* Si l'on veut spécifier qu'on rend à qqn une visite reçue, on emploie un article ou surtout un possessif : *Rendre une visite à qqn. Je lui ai rendu sa visite. Je vous rendrai votre visite.*

3. **Visiter qqn**, c'est tout simplement aller le voir, sans la nuance spéciale de politesse ou de déférence qu'a cru devoir noter l'Académie : *Visiter un client, un ami, un malade, les détenus.* Mais on dit surtout **visiter qqch.**, une ville, un château, des boutiques d'antiquaires, un appartement, des bagages, etc.

Visualiser, v.tr.dir., ne signifie pas « voir » mais « rendre visible », « afficher sur un écran ». Sens critiqué, en termes de cinématographie : « mettre en images un sujet, un roman ».

Vite, adj., a vieilli, mais a été remis en usage par le sport. *Les coureurs les plus vites,* les plus rapides. *On a choisi les avants parmi les plus vites.* On parle même abusivement (anglicisme) d'une voiture très vite et de pistes ou de vélodromes plus vites que d'autres, qui se prêtent plus que d'autres à la vitesse.

Adv. et invariable : *Ils courent vite. Rouler vite. On sera vite arrivé.* On dit aussi : *Ne conduisez pas trop vite. Répondez-moi au plus vite. Ce sera vite fini.* Fam. *Il a eu vite fait de comprendre,* il a eu vite compris. Cf. Faire, 37. Loc.adv. fam., *vite fait : Il l'a réparé vite fait,* en un temps très court.

Belgicisme : *Nous vous rejoindrons [aussi vite que nous aurons fini ce travail* ou *si vite que...]* au lieu de *aussitôt que* (ou *sitôt que* ou *dès que*).

[Vitolet] ou **[vitoulet]**, n.m. Belgicisme pour *boulette de viande hachée.*

Vitrail, n.m. *Des vitraux.*

Vitrauphanie, n.f. : *L'autre* (porte vitrée) *couverte de vitrauphanie* (R. Sabatier, *Trois sucettes à la menthe,* p. 16). Absent des dictionnaires, ce mot, qui n'est pas rare, a été parfois écrit *vitrophanie.*

Vitupérer, v.tr.dir. et ind. *Vitupérer qqn* ou *qqch.,* le blâmer vivement, a vieilli et est littéraire. On dit couramment et correctement *vitupérer **contre** qqn* ou *qqch.,* élever de vives protestations contre qqn ou qqch.

Vivable, adj., se dit de ce qui peut être vécu sans trop de difficultés (*Ce n'est pas vivable*) ou d'un endroit où l'on peut vivre convenablement (*Un appartement vivable*) ou d'une personne qui a bon caractère et avec laquelle il est facile de vivre (*Ce collègue n'est pas vivable, il est invivable*).
À ne pas confondre avec **viable** : *Cet enfant est viable. Cette entreprise est viable*, elle peut vivre.

Vivat, n.m. *Des vivats.* On ne prononce généralement pas le *t*.

Vivifier, v.tr.dir., c'est donner vie ou donner plus de vie, plus de force : *La grâce vivifie. Un climat vivifiant. L'historien vivifie le passé.*

Vivoir, n.m., peut, comme *salle de séjour* ou *séjour*, remplacer *living*. Courant au Québec, le mot n'est guère vivant ailleurs.

Vivoter, v.intr. Un seul *t*.

Vivre, v.intr. ou tr.dir. *Je vis, je vivais, je vécus.* Cf. PARTICIPE PASSÉ, D, cas particuliers, 3, p. 677.

1. **Vive les Français ! Vive les vacances !** On a voulu faire une distinction entre l'accord avec les noms de personnes et l'invariabilité avec les noms de choses. L'usage littéraire en offre des exemples, comme d'ailleurs de l'invariabilité ou de l'accord dans les deux cas. Mais *vive* est aujourd'hui perçu comme une formule d'acclamation et n'implique pas un souhait de longue existence. Aussi l'invariabilité est-elle générale dans les deux cas.

2. **Vivre sur qqch.** ou **de qqch.** *Cet homme vit de ses rentes*, ce sont elles qui assurent sa subsistance. *Vivre d'amour et d'eau fraîche. Vivre de son travail.* Mais on dit *Vivre sur son capital* (en prélevant sur son capital) *sur ses économies, Vivre sur la fortune de sa femme*, comme, au figuré, *vivre sur sa réputation* (beaucoup plus courant que *vivre de sa réputation*).

3. On dit très bien : *Cela me rapporte assez **pour vivre**. Un homme facile* (ou *difficile* ou *fatigant*) *à vivre*, d'un caractère agréable, accommodant (ou difficile).

Vivre, n.m. *Le vivre et le couvert.* Cf. COUVERT.
Au pluriel : *Des vivres abondants.* **Couper les vivres à qqn**, lui supprimer toute aide pécuniaire.

Vœu, n.m. *Une carte de vœux. Former des vœux. Offrir des vœux. Présenter ses vœux. Mes vœux se sont réalisés.* Cf. MEILLEUR.

Vogelpik, n.m. flamand désignant le *jeu de fléchettes au mur.*

Voici, voilà, présentatifs, renvoient respectivement, en principe, à *ici* et à *là* associés au verbe *voir* mais, en dehors des cas où les deux termes s'opposent, *voici* est couramment remplacé par *voilà*. Pour présenter qqch., on dit *Voici* ou *Voilà*.

1. En parlant de **personnes** : *Voici qu'il vient* ou *Le voici qui vient.* *L'homme que voici vous répondra. Voilà quelqu'un qui vous répondra. Voici à qui vous vous adresserez.*
En parlant de **choses** : *Voilà qui vaut mieux. Voilà qui m'étonne. Voici ce que je pense. Voilà à quoi je pense* ou *voilà ce à quoi je pense. Voilà ce dont je voudrais vous parler. Voilà ce que c'est que de ne pas écouter* (ou *que ne pas écouter). Voilà huit jours que je n'y suis allé,* cf. NE *employé seul,* 8, pp. 607-608. *Voilà que vous recommencez.*

2. On dit : *Il est souriant dans son malheur, voilà qui est beau* ou *voilà ce qui est beau ;* mais *voilà ce que j'admire.*

3. **Ne voilà-t-il pas** est réduit familièrement à **voilà-t-il pas que** : *(Ne) voilà-t-il pas qu'il se met à rire ?* (peut se dire en exclamation).

4. **Voici venir.** Devant l'infinitif d'un verbe de mouvement suivi de son sujet, surtout devant *venir, voici* marque le déroulement ou l'approche de l'action : *Voici venir le printemps* (Ac.).

5. Devant un participe passé : *Voilà revenues les longues soirées* ou *Voilà les longues soirées revenues.*
Avec un complément de temps : *Voici le moment de nous quitter.*

6. **En voilà.** *En veux-tu, en voilà. En voilà assez. En voilà un qui ne se gêne pas. En voilà une affaire ! En voilà deux,* etc.

Voie, n.f. **En voie de,** suivi d'un nom ou d'un infinitif, marque l'évolution en train de se faire dans un sens déterminé : *Les pays en voie de développement. Il est en voie de réussir. Son état est en voie d'amélioration.* Même sens favorable de **en bonne voie** : *Les pourparlers sont en bonne voie.* Cf. AVEU. *Par la voie hiérarchique. Par la voie de la douceur. Par des voies détournées. Par voie de conséquence.* Ne pas confondre avec **Voix** : *La voix du cœur. Avoir voix au chapitre. La voix passive.*

Voile, n.f. *Un bateau à voiles. Mettre les voiles* (fam.), partir.

Voir, v.tr.dir. ou ind. et intr. *Je vois, nous voyons, Je voyais, nous voyions, Je vis. Je verrai. Je verrais. Que je voie. Qu'il vît.* Les *composés* se conjuguent comme *voir,* sauf **prévoir** au futur et au conditionnel (*je prévoirai*) et **pourvoir** au futur et au conditionnel (*je pourvoirai*), au passé simple (*je pourvus*) et au subj. imparfait (*qu'il pourvût*).

1. **Voir que** dans le sens de « se rendre compte que » (autre sens, cf. 3) : *Je vois qu'il était de bonne foi, qu'il pourrait convenir. Je ne vois pas qu'il ait fait le nécessaire.* **Voir si** : *Voyez s'il est arrivé, si cela vous convient.*

2. **Pour voir** peut signifier « pour savoir à quoi s'en tenir » : *Il y est allé pour voir.* Il peut aussi marquer familièrement une menace, un défi : *Faites cela pour voir* (Ac.). *Essayez pour voir* (Ac.). L'emploi de *voir* seul après un verbe sans complément, dans la langue populaire, semble être

une réduction de *pour voir* : ***Regardez voir.*** *Attendez voir. Écoutez voir.* Plus étrange encore : *Voyons voir !*

3. Tr.ind., ***voir à***, veiller à, prendre des mesures pour : *Voyez à la dépense* (Ac.). *Voyez à ce qui se passera* (Ac.). *Voyez à nous faire souper* (Ac.). Dans le même sens, **voir à ce que** et **voir que** : *C'est à vous à voir qu'il ne lui manque rien* (Ac.). *Voyez que le repas soit prêt à temps.*

4. **Voir venir qqn**, deviner ses intentions : *Je vous vois venir.* Absolument, *Voyons-les venir* (Ac.), attendons. Cf. Venir, 6.

5. Ne pas dire : [*Je viens voir après ce dossier*] pour : *Je viens chercher ce dossier.*

6. **Faire voir**, montrer : *Il m'a fait voir son appartement. Je lui ai fait voir qu'il se trompait. Il m'en a fait voir de toutes les couleurs*, il m'a causé toutes sortes de soucis. *Il tâche de ne pas se faire voir* ou *de se faire voir sous son meilleur jour.*
   Fam. *Se faire voir*, se faire attraper, avoir une déconvenue. Pop. *Si cela ne lui plaît pas, qu'il aille se faire voir*, qu'il aille au diable.

7. **Intr.** *Je n'y vois pas bien. Y voir clair. Je vois mal. Ne voir que par les yeux de qqn.*

8. **Se voir** : *Elle se voit **obligée** de renoncer. Je me vois mal lui refuser cela. Elle s'est vue **menacer** ou **menacée**. Elle s'est vu **interdire** l'entrée du club. Je me suis vu **dépassé** par lui. Elle s'est vue mourir.*

9. **N'avoir rien à voir.** En parlant d'une chose : *Cela n'a rien à voir avec ce qu'on vous a demandé. Je n'ai rien à voir dans cette histoire* ou *là-dedans*, cela ne me concerne pas.

10. **En voir (de belles)** (par antiphrase) : *Il en a vu de belles* (de choses désagréables). *Ah ! ce qu'il en a vu ! J'en ai vu bien d'autres.*

11. **Faire beau voir** : *Il ferait beau voir qu'il reçoive le prix !*, il ne manquerait plus que cela !

12. **Aller voir.** *Aller voir qqn ou qqch.* Fam. *Je l'ai assez vu*, je ne tiens plus à le voir.

13. **N'y voir goutte.** Cf. Goutte.

Voire, adv., signifie aujourd'hui *même*, *et même*, et s'emploie surtout dans **voire même** : *Tout le monde était de cet avis, voire monsieur un tel, qui n'est jamais de l'avis de personne* (Ac.). *Ce remède est inutile, voire même pernicieux* (Ac.).
   Dans son premier emploi, *voire* signifiait *vraiment* et c'est ainsi que, par insistance, on a pu dire *voire même*. C'est de là que vient le sens actuel de « même » et l'emploi de *voire même*, où l'on a eu beau jeu de dénoncer un pléonasme. Mais on vient de voir que l'Académie elle-même accepte cet emploi.

Un autre subsiste, où l'on retrouve le sens premier mais il est littéraire : *voire* en tête de phrase pour mettre en doute ce qui précède : *C'est le plus grand écrivain de cette époque.* — *Voire* (Ac.).

Le sens de « vraiment, certainement », en réponse à ce qui précède, n'est plus vivant.

Voirie, n.f. vient du n.m. *voyer* (officier chargé des voies publiques) et n'a pas d'*e* intérieur (comme dans le couple *soie, soierie*).

Voisin, adj., ne se construit plus avec *à*. *Ils sont voisins. La rue voisine de la mienne. Je suis voisin d'un original.*

Voisiner, v.intr., ne s'emploie plus comme verbe tr.dir. ni sans complément dans le sens de « fréquenter ses voisins » : *Il ne voisine pas.* On ne dit plus *voisiner qqch.*, être voisin de. Le seul emploi courant est **voisiner avec**, être placé près de qqn ou de qqch. : *Je voisinais à table avec Madame X. Sur son bureau, un dictionnaire voisine avec un fichier.* Parfois sans complément avec un sujet au pluriel : *Ces deux monuments voisinent.*

On ne dit donc pas que la température [*voisine les dix degrés*]. Cf. Avoisiner.

Vol, n.m. À **vol d'oiseau**, « en ligne droite » ou, avec des mots comme *voir* ou *vue*, « d'en haut » : *Une vue à vol d'oiseau.*

Volaille, n.f. *Engraisser, vendre de la volaille. Découper, manger une volaille. Une volaille rôtie.*

Volatil, adj. *Un produit volatil, une substance volatile*, qui passe facilement à l'état de vapeur. **Volatile,** adj. ou n.m. *Un insecte volatile. Un volatile.*

Vol-au-vent, n.m. *Un* ou *des vol-au-vent.*

Volcanologie, vulcanologie, n.f. et **volcanologue, vulcanologue,** n.m. ont été couramment confondus, *volcan* étant rapproché du nom du dieu Vulcain. Mais aujourd'hui, avec les scientifiques, il faut employer la racine *vol* pour ce qui se rapporte aux volcans et la racine *vul* pour ce qui se rapporte au traitement du caoutchouc ou des substances analogues.

Volontaire, adj., se dit des personnes ou de ce qui témoigne d'une volonté, mais non d'une plante. C'est un pléonasme de parler d'un soldat *engagé volontaire.*

Volontiers, adv. a pu se dire des choses pour ce qui se fait facilement, habituellement : *Les petites rivières débordent volontiers dans cette saison* (Ac.). Il peut se dire des personnes qui font qqch. avec plaisir ou naturellement : *Je ferai cela volontiers. On rapproche volontiers ces deux notions. Elle est volontiers médisante.* C'est un wallonisme d'employer *se voir volontiers* pour *s'aimer*, en parlant d'une affection amoureuse.

Volte-face, n.f.inv. *Une* ou *des volte-face.*

Vote, n.m. *Votation* est un archaïsme qui survit en Suisse. *Vote à main levée* ou *à mains levées, par assis et levé.*

Voter, v.intr. ou tr.dir. *On votera dimanche. Voter **pour** qqn, pour une liste* (et non [*voter une liste*], qui se dit en Suisse). *Voter une loi, des crédits, des félicitations. Ils ont voté socialiste* (pour le parti socialiste). *Ils voteront à gauche.*

Votre. adj.poss. Distinguer, comme pour *notre, nôtre,* la forme tonique, marquée par l'accent circonflexe, *Je suis vôtre* et *Je suis votre ami.* Au pluriel : *Nous sommes vos amis, Nous somme vôtres.* Cf. Pronoms possessifs.

Vouloir, v.tr.dir. 1. **Conjugaison.** *Je veux, je voulais, je voulus, je voudrai, que je veuille, qu'il voulût, voulant, voulu.*

    Impératif présent. Les formes courantes sont *veuille, veuillez* : *Veuillez le lui dire.* Elles sont devenues des formules de politesse. Les autres, *veux,* (*voulons*), *voulez,* sont très rares à la forme affirmative. Elles font appel à une ferme volonté et s'emploient surtout avec une négation : *Ne m'en **voulez** pas.* Mais on dit fort bien et de préférence : *Ne m'en **veuille** pas, ne m'en **veuillez** pas.*

    Subjonctif présent. Le radical du singulier (*que je veuille, que tu veuilles, qu'il veuille*) se retrouvait autrefois au pluriel, non seulement à la 3ᵉ personne, *qu'ils veuillent,* mais aussi aux deux autres. On dit aujourd'hui : *que nous **voulions**, que vous **vouliez**.* Les formes *que nous veuillions, que vous veuilliez,* préférées par Littré, sont archaïques ; c'est à tort que des écrivains les emploient encore parfois.

    2. **Sens** de *vouloir.* Voir plus loin (5) **vouloir bien.** Nous venons de voir le sens affaibli, jusqu'à une formule de politesse, à l'impératif : *Veuillez me faire ce plaisir.* Mais en dehors même de ce cas, il faut noter que *vouloir* peut exprimer soit une volonté nette, soit un souhait très vif ou le consentement : *Je voulais une explication franche et je l'ai obtenue. Je voulais le rencontrer. Je veux de la poudre et des balles* (Hugo). *Je veux voir ce qu'il répondra. Je veux qu'il s'en aille. Il me veut du bien. Je veux plutôt du café. Si vous voulez m'accompagner.* Mêmes nuances avec une négation : *Je ne lui veux pas de mal. Je n'ai pas voulu le froisser. Je ne veux pas qu'il s'en aille* (ma volonté n'est pas qu'il s'en aille), *je demande seulement qu'il soit un peu plus discret. Je ne veux pas qu'il s'en aille et que notre collaboration s'arrête là* (je refuse). *Je ne veux pas le voir aujourd'hui, je le verrai quand il sera prêt à présenter ses excuses.* Cf. Ne pas, 2, d, p. 614. *Déplacement de la négation,* et Participe passé, D, cas particuliers, 14, p. 683.

    3. **Il veut pleuvoir.** Dans plusieurs provinces françaises, *vouloir* se substitue comme auxiliaire à *aller* pour marquer un futur prochain. On

dit par exemple dans le Lyonnais : *Il ne veut pas venir ce soir* pour *Il ne viendra pas ce soir*. On a noté *Il veut pleuvoir* dans de vieux textes, dont un de la région de Dijon. L'expression est courante en Wallonie où elle correspond à un emploi dialectal. On la trouve dans plusieurs régions de France. Je crois qu'il faut l'éviter en bon français.

On l'interprète généralement comme l'expression d'un futur prochain, « être sur le point de ». Dans ce sens elle me paraît se substituer indûment et inutilement à *il va pleuvoir*.

Mais n'exprime-t-elle pas, tout aussi fautivement d'ailleurs, quelque chose de plus : la menace, plutôt que la certitude de l'imminence ?

Vouloir ne s'emploie pas seulement avec un nom de personne pour sujet. Il se dit aussi, et depuis très longtemps, des choses auxquelles on prête plus ou moins une volonté, une exigence : *La loi veut qu'on les avertisse. Le malheur veut qu'il soit parti. Cette plante veut un terrain humide* (Ac.). *« Souhaiter » veut le subjonctif. La gravité de la situation veut que nous restions calmes.* Notons aussi : *Que veut dire ce mot ?* Chacun comprend : « Que signifie ce mot ? ».

L'Académie donne d'exemple : *Ce bois **ne veut pas brûler**.* Comme on dit *Je ne veux pas le voir* pour *Je ne consens pas à le voir*, on prête en quelque sorte à la matière la volonté d'un refus s'opposant à l'attente où l'on est, aux efforts qu'on fait pour l'enflammer.

On dira de même : *Cette machine ne veut pas marcher* (Ac.). *Le soleil ne veut pas se montrer. Le vent ne veut pas tomber. Le café ne veut pas passer. Cette tache ne veut pas partir.* Le tour est usuel avec une négation. On dit fort bien : *Une blessure qui ne veut pas guérir, une plaie qui ne veut pas se cicatriser.* Ces phrases sont correctes et je ne les réserverais pas au langage familier.

Beaucoup plus rare et, à mon sens, moins justifié dans la plupart des cas est l'emploi à la forme affirmative. Je n'hésite pas à approuver : *On dirait que **le soleil veut se montrer**.* Cela signifie : on dirait que le soleil fait des efforts pour se montrer, malgré la brume ou les nuages. Grevisse (n° 1530) justifie l'exemple non signé, emprunté sans doute à un usage régional : *On dirait que **cet enfant veut faire une rougeole**.* Je ne parlerais pas de la sorte : il est en effet impossible d'imaginer ici, même avec bonne volonté, des efforts du sujet, de voir un emploi normalement intensif de *vouloir*, impliquant volonté, disposition, désir ou consentement. Il y a simplement menace, indice d'un danger sans intervention active du sujet, même au figuré.

C'est pourquoi je n'attribuerais pas une valeur exemplaire à cette phrase de Duhamel citée par Robert : *La baraque semblait **vouloir** s'affaisser dans la boue.* Audace d'écrivain, justifiée peut-être par le sens figuré de *s'affaisser* (s'écrouler) et par *semblait*.

C'est aussi d'une simple menace qu'il s'agit dans : ***Il veut pleuvoir***. Si l'on prétend qu'il y a ici une sorte de volonté de la nature, il faut constater que *vouloir*, qui peut avoir pour complément *se montrer* dans *Le soleil* *veut se montrer*, ne peut avoir pour complément *pleuvoir* : la nature ne veut pas pleuvoir, mais faire pleuvoir.

On observera en outre qu'il y a ici un emploi impersonnel, tout à fait insolite, de *vouloir*. Comparons-le à *il peut* dans : **Il peut pleuvoir**, qui est correct. *Pleuvoir* est le sujet logique de *peut* (est possible), comme un malheur est sujet logique de *peut arriver* dans : *Il peut arriver un malheur*. Dans la phrase *Il veut pleuvoir*, l'infinitif, qui ne peut être complément de *veut*, ne peut non plus en être le sujet logique.

C'est pourquoi je fais des réserves très nettes sur les expressions régionales *Il veut pleuvoir. On dirait qu'il veut faire beau.* Elles ne me paraissent pas appartenir au français correct.

Je suis aussi sévère pour l'expression [*Cela veut réussir*] qui n'a pas de sens. On l'emploie à tort en Wallonie pour : *Cela tombe bien* ou *mal. Quelle coïncidence ! Quelle malchance !*

4. Dans une **interrogation**, on trouve normalement le verbe à la 2e ou à la 3e personne (*Veut-il nous accompagner ? Que voulez-vous que j'y fasse ? Que veux-tu ?*) ; mais on l'emploie aussi à la 1re pers. quand on s'interroge vraiment soi-même : *Veux-je vraiment sa perte ? Voulons-nous l'aider, oui ou non ?* Mais on ne dira pas, comme en wallon : [*Veux-je vous aider ?*] au lieu de *Dois-je vous aider ?*

Par contre, on n'hésitera pas à dire, comme en wallon ; *Voulons-nous faire une promenade ?* Le tour est attesté depuis longtemps pour traduire la sollicitation polie d'un accord de l'interlocuteur. Célimène demande à Arsinoé : *Voulons-nous nous asseoir ? (Le Misanthrope). Voulons-nous, au bout de cette série de sondages, faire provisoirement le point ?* (M. Cohen, *Grammaire et style*, p. 122).

5. **Vouloir bien** et **bien vouloir.** Les deux formules ne se font concurrence qu'à l'infinitif. Partout ailleurs, *bien* suit le verbe conjugué ou l'auxiliaire : *Il veut bien nous recevoir*, il consent à... *Il a bien voulu nous recevoir.* On a prétendu qu'à l'infinitif *vouloir bien* était plus catégorique. C'est un fait que, dans *parler bien*, par exemple, l'adverbe est plus fortement accentué que dans *bien parler* et qu'on peut donc voir une gradation entre *bien parler* et *parler bien*. Mais c'est tellement subjectif ! Cette distinction s'impose d'autant moins pour *vouloir bien* que l'expression a, à tous les temps, un sens (*consentir*) très éloigné du sens habituel de *vouloir : Je veux bien. Je le veux bien. Nous commencerons, si vous le voulez bien.* Sauf dans une interrogation ou une exclamation, où *vouloir bien* peut, comme *vouloir*, transposer un ordre : *Veux-tu te taire* ou *Veux-tu bien te taire ? Voulez-vous bien vous taire, voulez-vous bien finir !* (Ac.)

Vouloir peut aussi, dans certaines expressions et surtout dans des phrases interrogatives, marquer comme *vouloir bien* le consentement : *Si tu voulais m'accompagner... Voulez-vous avoir l'obligeance de m'accompagner ?* Il est normal que *vouloir bien*, quand il signifie « admettre », « reconnaître », soit suivi de l'indicatif : *Je veux bien que je n'avais pas tout à fait raison.* Mais c'est rare ; généralement le sens de « consentir » et donc de « permettre » entraîne le subjonctif : *Je veux bien qu'il le fasse, qu'il l'ait fait.*

Quoi qu'on dise, **je voudrais bien** peut, comme *je voudrais*, exprimer le désir, le souhait : *Je voudrais bien un peu de café* (J. Anouilh, *Antigone*, p. 22). *On lit dans le dernier article de Gaston Deschamps : « Je voudrais bien trouver des chefs-d'œuvre... »* (A. Gide, *Journal*, 7 octobre 1905). *Je voudrais bien savoir si la grande règle de toutes les règles n'est pas de plaire* (Molière, *La critique de l'École des femmes*). D'ailleurs, on dit par antiphrase : *Je voudrais bien voir ça* (on exprime un défi).

6. **Mode** après *vouloir que.* Qu'il signifie *ordonner* ou *souhaiter* ou *consentir*, on emploie le subjonctif après *vouloir que.* Le plus souvent aussi lorsque *vouloir* signifie *prétendre : La légende veut que Charlemagne ait eu une grande barbe* (GLLF).

Après **le malheur** (ou **le hasard**) **veut que**, le subjonctif s'impose si l'on veut vraiment marquer la volonté du destin : *Un malheureux hasard voulut qu'ils ne **fussent** point réunis* (Alain-Fournier, cité dans PR). Le subjonctif est d'ailleurs courant, à moins qu'on ne veuille simplement dire « malheureusement, par hasard » ; on emploie alors l'indicatif comme dans une indépendante exprimant la constatation d'un fait réel : *Le hasard voulut qu'on l'**interrogea** le premier. Le malheur veut que les spécialistes ne **savent** pas toujours écrire* (J. Green, *Le bel aujourd'hui*, p. 9). *La jeune femme sort de son appartement (...). Le malheur veut que le policier qui conduisait la voiture-piège **avait** quitté son véhicule pour prêter main-forte à ses collègues* (R. Floriot, *Les erreurs judiciaires*, p. 58). **Vouloir bien que :** cf. plus haut, 6.

7. **Vouloir de qqn** ou **de qqch.**, consentir à accepter, à garder : *Je veux bien de lui dans notre équipe.* Ce tour est courant avec une négation : *Je ne veux pas de cela. Je ne veux pas de cet argent.*

Ne pas confondre avec l'emploi de *vouloir*, trans., suivi d'un partitif : *Je veux du pain. Je n'en veux pas.*

8. **En vouloir à qqn**, avoir du ressentiment contre lui : *Il en veut à son frère. Ne m'en veuillez pas. Il lui en voulait de sa froideur*, à cause de sa froideur.

9. **Se vouloir** se répand dans le sens de « il veut être, il prétend être » : *Il se veut impartial. Une analyse qui s'est voulue objective.*

Autre sens : *Je m'en veux de ne pas l'avoir écouté* (cf. 8), je me repens...

Vous, pr.pers. Cf. PRONOMS PERSONNELS.

Vouvoyer, v.tr.dir., a couramment remplacé *voussoyer* ; *v* s'est redoublé comme le *t* dans *tutoyer.* Même choix entre *vouvoiement* et *voussoiement.*

Voyage, n.m. peut se dire pour la course faite par un chauffeur pour transporter qqn ou qqch. : *Il a dû faire deux voyages pour évacuer ces détritus.*

Voyager, v.intr. *Voyager à pied, en voiture, en train, par Air France, par mer.*

Voyagiste, n.m., est officiellement recommandé, à côté d'*organisateur de voyages,* pour *tour-operator.*

Voyou, adj. m. et f. et n.m. *Des mots voyous. Des manières voyous.* L'emploi de l'adj. appliqué à un nom féminin est rare, mais plus rare encore la forme *voyoute* : *Des accolades un peu trop voyoutes* (J. Prévost, *Dix-huitième année,* p. 82).

Vrai, adj. et n.m. Les loc.adv. *de vrai, pour vrai* sont vieillies. Assez courant, **au vrai** : *C'est, au vrai, très étrange. Voilà au vrai comme la chose s'est passée* (Ac.). Fam. *Pour de vrai,* cf. Pour, 12. [*Comme de vrai*] est incorrect. L'adv. *vrai* (au lieu de *c'est vrai* ou de *à dire vrai* ou *à vrai dire*) s'emploie familièrement en tête de phrase ou en incise : *Vrai, je n'y avais pas pensé. Eh bien, vrai ! je n'y pensais pas.* Très familier, l'emploi de *vrai de vrai* pour « authentique » : *C'est du champagne, du vrai de vrai.*

Vraiment, adv. Pas d'accent circonflexe.

Vraisemblable, adj. *Il est vraisemblable qu'il s'en **est** aperçu. Il n'est pas vraisemblable qu'il s'en **soit** (ou s'en **est**) aperçu.* Cf. Subjonctif.

Vu, part.passé : *Vu ses bons antécédents.* N.m. *C'est **du déjà vu.** Il a fait cela **au vu** (et au su) de tous. **Sur le vu** de sa déclaration...*

Vue, n.f. *Connaître qqn **de vue.** Un changement **à vue.** Déchiffrer une partition à vue. Changer **à vue d'œil,** vite. **À vue de nez,** approximativement. À première vue. Avoir qqch. **en vue.** Faire des préparatifs en vue d'une visite. Je le ferai, en vue de lui être agréable. En mettre **plein la vue** à qqn,* l'éblouir. *Une identité de **vues.** Un échange de vues. J'apprécie sa hauteur (ou sa largeur) de vues.* Cf. Point de vue.

Vulcanologie, n.f. Cf. Volcanologie.

Vulgum pecus, n.m. (pseudo-latin) : *C'est incompréhensible pour le vulgum pecus,* pour le commun des mortels.

W se prononce *v* en français dans les mots francisés, mais doit garder sa prononciation locale (w) dans plusieurs mots belges, y compris les toponymes : *wallon, Wallonie, Wavre, Waterloo, Watermael,* etc.

Wagon, n.m. Pron. « vagon » ; mais la graphie avec *v* n'a pu s'imposer. Employé surtout, en France, pour les voitures affectées au transport des marchandises ou des animaux, il s'y dit aussi couramment, mais moins que *voiture,* pour celles qui servent au transport des personnes. Aussi continue-t-on à dire *wagon-lit, wagon-restaurant,* bien qu'on dise surtout aujourd'hui *voiture-lit, voiture-restaurant, voiture à couloir central, voiture-bar, voiture de seconde classe,* etc. Pluriel : *Des voitures-restaurants* ou *des wagons-restaurants,* etc.

Wallingant, adj. et n., est péjoratif comme *flamingant ;* il se dit des partisans d'une solution extrémiste en faveur de la Wallonie.

Wallon, adj. et n.m., **Wallonie,** n.f., doivent se prononcer avec « w », *Wallonie* n'a qu'un *n,* mais le féminin *wallonne* en a deux.

Wallonisme, n.m., fait de langue propre aux Wallons.

Water-closet, n.m., ne se dit plus guère sous sa forme complète (*les water-closets*) ; on dit et on écrit surtout *les water(s)* (pron. *w*), l's n'étant pas généralisé ; parfois même *les vatères ;* plus souvent on écrit *les W.-C.* et l'on prononce « double vécé » (ou « vécé »). Le pluriel est courant en France, même s'il n'y a qu'un cabinet ; on dit d'ailleurs aussi dans ce cas *les cabinets* ou mieux *les toilettes ;* n'oublions pas que ces endroits accueillaient souvent, autrefois, deux personnes. En Belgique on emploie beaucoup plus souvent le singulier : *le W.-C., la toilette.*

Waterzooi, n.m., désigne une spécialité belge qu'il faut éviter de nommer *une matelote.* On écrit aussi **waterzoei.**

Wattman, n.m., est vieilli pour désigner le conducteur d'un tramway. *Des wattmen.*

Week-end, n.m., n'a pu faire place en français généralisé à *fin de semaine. Des week-ends.*

Welcome service. Traduire par *service d'accueil.*

Whisky, n.m. *Des whiskies.*

White-spirit, n.m. *White* se prononce à l'anglaise. *Des white-spirits.*

Wisigoth, adj. et n. On écrit plutôt *w* et on prononce « v ». *Les peuplades wisigothes.* L'adjectif est parfois concurrencé par *wisigothique : L'écriture wisigothique.*

X. Rappelons qu'on le prononce parfois « ks », parfois « gz » (à l'initiale, devant une voyelle), « z » dans *deuxième* et « s » dans *Bruxelles, soixante, Auxerre.*
　　　Une table en X. Les x et les y. Il y est resté x années. Une plainte en justice contre X.

Xénophobe, adj. L'initiale se prononce aujourd'hui « gzé ».

Xérès, n.m. d'un vin espagnol, s'écrit plutôt *jerez.* On prononce habituellement « kérès ». Bien connu aussi sous son nom anglais, *sherry.*

Xh, qui apparaît dans certains noms propres liégeois pour marquer l'aspiration, ne se prononce pas en français.

Xième. Cf. Ordinaux.

Y

Y initial, semi-consonne, refuse la liaison et l'élision (*le yod, le yacht, le yatagan, le yaourt*), sauf dans *l'yeuse, les yeux.* Liaison et élision dans *l'y, l'ypérite, ypérité.*

Y, pronom adverbial, exprime un complément de lieu, au propre ou au figuré, ou représente un nom de chose (ou *cela*), précédé de *à* et complément d'objet indirect : *Viens me voir chez moi, j'y suis tous les matins. Il avait fabriqué, pour y placer ses livres, une élégante bibliothèque. Quand mon ami est dans la peine, j'y suis aussi. Ces injures sont grossières, je ne veux pas y répondre. Cela s'est fait quand nous n'y pensions plus. Pensez-y bien : l'occasion ne se présentera peut-être plus.*

Remarques.

1. Bien qu'il s'agisse de représenter un **nom de chose** précédé de *à*, mais qui n'est pas un complément de lieu, on emploie *lui, leur* et non *y*, à condition qu'il n'y ait pas d'équivoque ou pour qu'il n'y en ait pas, avec des verbes comme *comparer, conférer, demander, devoir, donner, préférer, reprocher*, etc., qui admettent *lui* comme complément d'objet indirect : *Ces arbustes vont périr si on ne **leur** donne de l'eau* (Ac.). *Les grandes courses organisées dans ce petit village **lui** conféraient un intérêt passager. Je ne regrette pas ce travail, je **lui** dois beaucoup de satisfactions.* Mais parce qu'on ne peut dire [*Je lui pense*], [*Je lui renonce*], etc., on dira : *Je vous avoue, pendant que j'y pense... Cette situation offre beaucoup d'avantages et cependant il y renonce.*

Avec des verbes comme *répondre, consacrer* ou *obéir* qui peuvent avoir *lui* pour complément, on réserve celui-ci aux personnes : *Il m'a écrit et je **lui** ai répondu. Il m'a envoyé une gentille lettre et j'y ai répondu.*

Le choix entre *y* et *lui* peut être dicté par le souci d'éviter une équivoque, même légère. On dira très bien : *Ce film était très beau ; je lui ai trouvé du charme* ou *j'y ai trouvé du charme*, mais : *Ma solitude m'a semblé sévère, mais je lui ai trouvé du charme ; y* voudrait dire : *dans ma solitude. Son insolence m'a agacé ; j'y ai répondu par la fermeté ; lui* renverrait à l'insolent.

Il suffit d'autre part d'une certaine personnification ou d'une insistance pour qu'on remplace *y* par les formes toniques *à lui* après le verbe : *Ces souvenirs, j'aime à m'y attarder* ou *à m'attarder à eux.*

2. Avec des **noms d'animaux**, on emploie *y* sauf avec les verbes comme *donner*, etc., cités plus haut : *Ce chien est dangereux ; ne vous y fiez pas. Le chat miaule parce qu'il a faim ; je vais lui donner à manger.*

Si l'on parle d'un animal en général, non individualisé, on emploie *y* : *Belœuf ressemblera ou ne ressemblera pas à un chat. — S'il doit y ressembler dans dix minutes, il y ressemble déjà* (G. Duhamel, *L'œuvre des athlètes*, I, 4). Mais : *J'ai vu chez lui un gros chat ; eh bien ! cet homme lui ressemble.*

3. Avec des **noms de personnes**, on emploie *lui* : *Cet homme me donne des soucis ; je m'intéresse à lui.* On trouve encore parfois *y*, comme dans la langue classique. *C'est un homme équivoque, ne vous y fiez pas* (Ac.).

4. L'emploi de *y* dans la proposition où est exprimé le complément qu'il représente est considéré comme un pléonasme, à moins que *y* ne précède et qu'il n'y ait là un effet d'insistance : *Tu y penses encore à cet individu ? Quand il y entra, dans ce couloir, il eut peur.* Mais, le nom étant d'abord présenté sans préposition : *Ce refus, tu y penses encore ?*

5. Nombreux sont les gallicismes où *y* intervient sans avoir un sens très précis, mais où l'on peut souvent retrouver l'idée de *en cela, à cela* : *Comme vous y allez ! Il y va de votre intérêt. Il s'y prend mal. Si l'on y regarde de près. J'y regarderai à deux fois. Il s'y connaît. Je n'y vois pas. Je n'y tiens pas. Vous y êtes ?* (vous êtes prêts ?). *Vous n'y êtes pas,* ce n'est pas cela. *Il n'y paraît pas, Il n'y a pas moyen. Je ne m'y retrouve pas.*

6. Devant le futur et le conditionnel d'*aller*, on supprime *y* pour éviter un hiatus : *J'irai, J'irais volontiers avec vous.* Mais on dit très bien : *Je m'y installai. Son roman est un peu fade ; il y idéalise trop les situations ; il s'y agit de situations trop romanesques.*

7. Cf. IMPÉRATIF, 2 ; PRONOMS PERSONNELS, 7 ; ALLER, pp. 64 et 65.

8. **Y et le.** Il faut se garder de substituer *y* à *le* comme pronom attribut du sujet ou d'un complément. Cf. p. 542. *Y* forme alors un complément de lieu et s'il correspond à *à*, c'est avec un sens locatif : *Est-il à Paris ? Il y est.* Mais : *Sont-ils arrivés ? Ils le sont. La fenêtre est-elle ouverte ? Elle l'est.* On dit donc : *Cela était à la mode et l'est encore* (à la mode n'a pas un sens locatif, mais a une valeur d'adjectif). La langue classique ne craignait pas d'employer *y* dans ce cas. Fontenelle écrivait : *Jamais philosophie n'a été plus à la mode qu'y fut celle de Platon.* Nous dirions : *que (ne) le fut celle de Platon.* De même : *Il est en colère et nous le sommes aussi. Mon cœur est à elle, et il l'est pour la vie. On ne peut être mieux ensemble que nous le sommes* (Mme de Sévigné employait *y*).

9. On dit : **Je n'y peux rien** et non [*Je n'en peux rien*] : mais *Il n'en peut mais.*

10. On emploie *y* pour représenter un nom de personne afin d'éviter la répétition d'un pronom personnel : *Si tu laisses les gens venir à toi, ils y viendront.*

11. La langue populaire dans certaines régions, emploie incorrectement *y* pour à *lui*, en parlant d'une personne, en dehors des cas cités plus haut : [*J'y donnerais bien un coup de main*]. [*J'y dirai un mot*].

12. Ne pas écrire : [*Il y aurait dû y avoir un chemin*] en doublant *y*. Comparer : *Il doit y avoir un chemin.* On dira donc : *Il aurait dû y avoir un chemin.* Cf. INFINITIF, 1, d, p. 499.

Yacht, n.m., vient du néerlandais ; la prononciation assez courante, « yot » à l'anglaise, ne s'impose pas. On peut prononcer « yak » ou « yakt ».

Yachting, n.m., vient de l'anglais et se prononce « yoting » ou mieux « yakting ». On peut remplacer ce mot par son synonyme, **navigation de plaisance.** Celui qui pratique la navigation de plaisance peut s'appeler un **plaisancier** (plutôt que *yachtman*).

Yack, n.m. d'un ruminant du Thibet, s'écrit aussi *yak*.

Yaourt, n.m. On dit aussi *yogourt*, écrit également *yoghourt*.

Yeux. Cf. ŒIL.

Yiddish, n.m. et adj. (à préférer à *yddish*) : *La littérature yiddish.*

Yoga, yogi, n.m. Celui qui pratique l'ascèse du yoga s'appelle un *yogi* (prononcer « g »).

Yogourt, n.m. On écrit aussi *yoghourt*.

Ysopet, n.m. On écrit plutôt *isopet*.

Z

Zagaie, n.f., est aujourd'hui remplacé par *sagaie.*

Zèbre, n.m., désigne familièrement un individu bizarre : *Mon copain est un drôle de zèbre. Il y avait là un zèbre qui ne cessait d'intervenir.*

Zénith, n.m., s'écrit avec *th.*

Zéphyr, n.m., a éliminé *zéphire.*

Zéro, n.m. *Cet homme est un vrai zéro.* Au pluriel : *trois zéros. Le degré zéro. Ça m'a coûté zéro franc. Son moral est à zéro. Reprendre qqch. à zéro. Recommencer à zéro.* Cf. TROUILLE.
   Partir (ou **repartir**) **de zéro.** On entend et on lit souvent : *Il va falloir repartir à zéro.* C'est d'autant plus étrange que l'usage courant n'hésite pas à distinguer *Le départ aura lieu à tel endroit, à* Versailles, *dans* la banlieue et, avec le verbe *partir* ou *repartir : La course partira de Versailles, de la banlieue. Nous partirons de tel endroit.* Il convient donc de dire : *Ils sont partis de zéro. Il va falloir repartir de zéro.*

Zeste, n.m. *Le zeste d'une noix* est la cloison qui la divise en compartiments. *Le zeste d'un citron* n'en est pas l'écorce, mais le petit morceau qu'on découpe de l'écorce pour parfumer une liqueur, une pâtisserie.

Zester, v.tr. et intr., c'est peler pour enlever le zeste : *Zester un citron,* avec un *couteau à zester.*

Zievereer et **zinneke** sont des mots bruxellois désignant respectivement un radoteur et un chien bâtardé.

Zigzagant, adj., **zigzaguant,** part.prés. *Des chemins zigzagants.*

Zinnia, n.m. Deux n. *Des zinnias.*

Zoning, n.m., se dit en français *zonage*, n.m., répartition d'un territoire en zones rurales, industrielles, zones d'habitation, etc.

Zoom, n.m. (où l'on prononce « ou » comme dans le mot américain *boom*), se dit de l'effet d'éloignement ou de rapprochement obtenu à l'aide d'un objectif spécial, appelé aussi *zoom.*

Zoo, n.m., abréviation de *jardin zoologique*, peut très bien se prononcer « zo » ; tandis que « zo-o » est la prononciation habituelle du préfixe dans *zoologie, zoologique, zoogéographie*, etc.

Zwanze, n.f., **zwanzer,** v.intr., mots bruxellois connus en France. *Une zwanze* est une plaisanterie, une fumisterie. *La zwanze* est le type particulier d'humour qui se manifeste lorsqu'on zwanze, lorsqu'on plaisante ou mystifie de cette manière.

*Ce volume a été composé en Times et Univers
et achevé d'imprimer le 30 juin 1983
sur les presses de l'Imprimerie Duculot à Gembloux,
sur du papier Nopaset 80 g
de Nordland Papier à Doerpen,
distribué par Scaldia S.A.
La reliure est de Scheerders van Kerchove
et la jaquette
est une création de l'Atelier Pascal Vercken à Paris.*

Imprimé en Belgique.

THE UNIVERSITY OF WESTERN ONTARIO
FACULTY OF PART-TIME AND CONTINUING EDUCATION
Stevenson-Lawson Building
London, Canada
N6A 5B8